AS CRÓNICAS DE GELO E FOGO - LIVRO DEZ

## SAÍDA DE EMERGÊNCIA
livros para fugir da rotina

TÍTULO: *Os Reinos do Caos / nº 162 da Coleção Bang*
AUTORIA: *George R. R. Martin*
EDITOR: *Luís Corte Real*
*Esta edição © 2012 Edições Saída de Emergência*
*Título original A Dance With Dragons © 2011 George R. R. Martin. Publicado originalmente em Inglaterra por HarperCollins Publishers, 2011*

TRADUÇÃO: *Jorge Candeias*
REVISÃO: *Susana Martins*
COMPOSIÇÃO: *Saída de Emergência, em caracteres Minion, corpo 12*
DESIGN DA CAPA E INTERIORES: *Saída de Emergência*
ILUSTRAÇÃO DA CAPA: *Andreas Rocha*

IMPRESSÃO E ACABAMENTO: *Cafilesa – Soluções Gráficas, Lda.*
REIMPRESSÃO DA ÚLTIMA EDIÇÃO: *Julho, 2013*
ISBN: *978-989-637-397-9*
DEPÓSITO LEGAL: *337158/11*

EDIÇÕES SAÍDA DE EMERGÊNCIA
*Taguspark, Rua Prof. Dr. Aníbal Cavaco Silva,*
*Edifício Qualidade — Bloco B3, Piso 0, Porta B*
*2740-296 Porto Salvo, Portugal*
TEL.: *214 583 770*
WWW.SDE.PT
EDIÇÕES-SAÍDA-DE-EMERGÊNCIA
EDITORA.SAIDA.DE.EMERGENCIA
@SAIDAEMERGENCIA

# GEORGE R.R. MARTIN

AS CRÓNICAS DE GELO E FOGO - LIVRO DEZ

# OS REINOS DO CAOS

TRADUÇÃO DE JORGE CANDEIAS

*A presente obra respeita as regras
do Novo Acordo Ortográfico.*

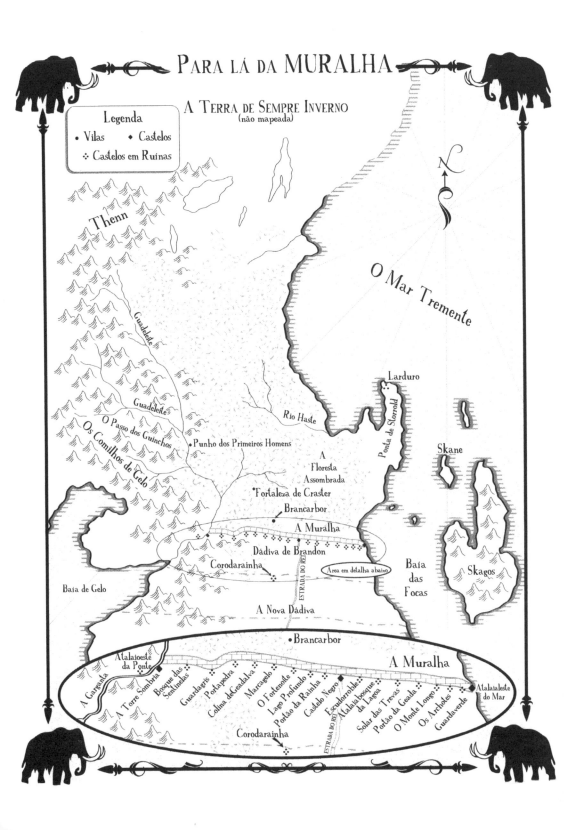

# PARA LÁ DA MURALHA

A TERRA DE SEMPRE INVERNO
(não mapeada)

**Legenda**
- Vilas    ◆ Castelos
- ∴ Castelos em Ruínas

Thenn

O Mar Tremente

Guadeleste

Guadeleste

O Passo dos Guinchos

Os Comilhos de Gelo

• Punho dos Primeiros Homens

Rio Haste

Larduro

Ponta de Storrold

Skane

A Floresta Assombrada

•Fortaleza de Craster

Brancarbor

A Muralha

Dádiva de Brandon

Corodarainha

Área em detalhe abaixo

Baía de Gelo

Baía das Focas

Skagos

A Nova Dádiva

• Brancarbor

A Muralha

Atalaioeste da Ponte

A Garganta

A Torre Sombria

Bosque das Sentinelas

Guardiagris

Portapedra

Colina deGeadaha

Marcagelo

O Fortenolte

Lago Profundo

Portão da Rainha

Castelo Negro

Escudorroble

Atalaiabosque da Lagoa

Solar das Trevas

Portão da Geada

O Monte Longo

Os Archotes

Guardaverde

Atalaialeste do Mar

ESTRADA DO REI

Corodarainha

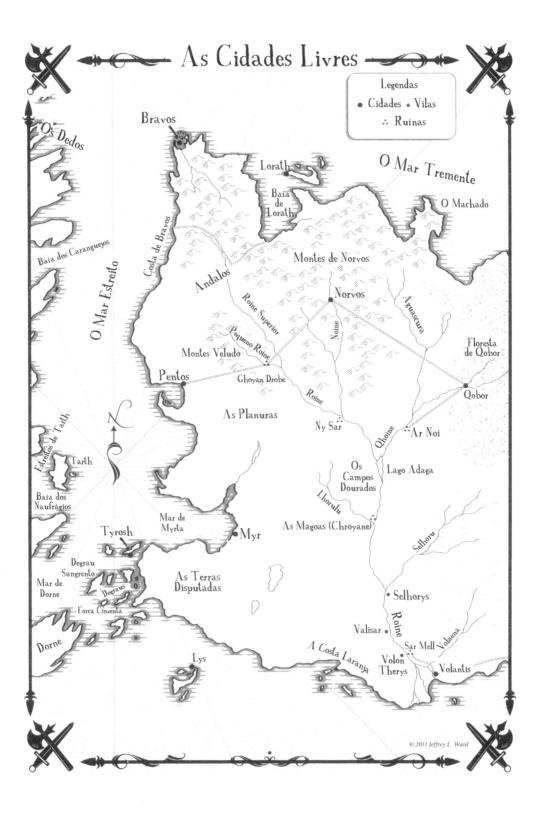

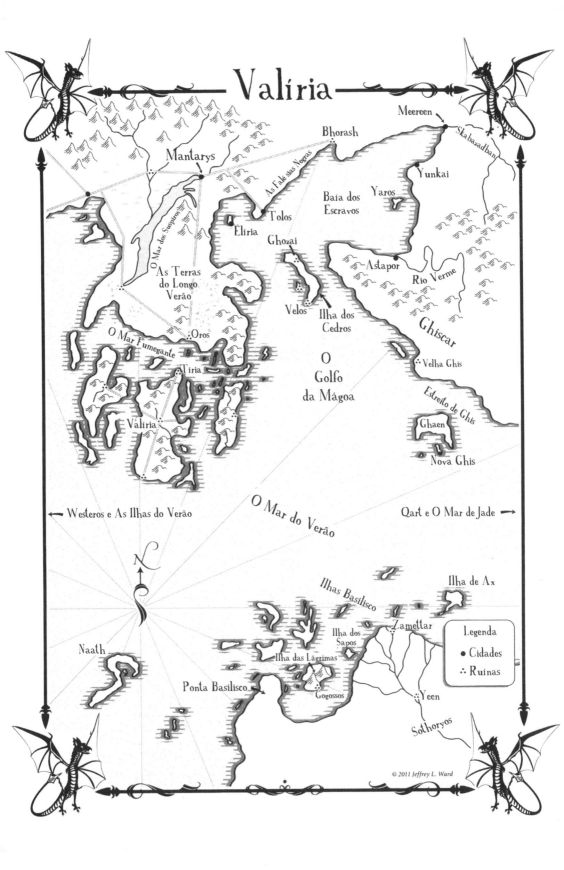

O Sol surgira perto do meio-dia, após sete dias de céus escuros e de nevões. Alguns dos montes de neve acumulada eram mais altos do que um homem, mas os intendentes tinham passado o dia inteiro a cavar e os caminhos estavam tão limpos como era provável que viessem a estar. Reflexos cintilavam na Muralha, onde todas as fendas e rachas reluziam em tons claros de azul.

De uma altura de duzentos metros, Jon olhava a floresta assombrada. Um vento de norte rodopiava por entre as árvores lá em baixo, fazendo voar dos ramos mais altos finas plumas brancas de cristais de neve como se fossem estandartes gelados. Tirando isso, nada se movia. *Nem sinal de vida.* O facto não era inteiramente tranquilizador. Não eram os vivos que Jon temia. Mas mesmo assim…

*O Sol apareceu. A neve parou de cair. Pode passar-se uma volta de Lua até voltarmos a ter uma hipótese tão boa como esta. Pode passar-se uma estação.*

— Manda o Emmett reunir os recrutas — disse ao Edd Doloroso. — Vamos querer uma escolta. Dez patrulheiros, armados com vidro de dragão. Quero-os prontos a partir dentro de uma hora.

— Sim, s'nhor. E para comandar?

— Isso serei eu.

A boca de Edd virou-se para baixo ainda mais do que o costume.

— Alguns poderão achar melhor que o senhor comandante fique em segurança e quentinho a sul da Muralha. Não que eu diga isso, mas alguns poderão dizer.

Jon sorriu.

— É melhor que alguns não o digam na minha presença.

Uma súbita rajada de vento pôs o manto de Edd a esvoaçar ruidosamente.

— É melhor descermos, s'nhor. Este vento é capaz de nos empurrar da Muralha abaixo e eu nunca aprendi o jeito de voar.

Regressaram ao chão pelo elevador do guincho. O vento soprava em rajadas, frio como o hálito do dragão de gelo nas histórias que a Velha Nan contara a Jon em rapaz. A pesada gaiola balançava. De tempos a tempos raspava contra a Muralha, dando origem a pequenos chuveiros cristalinos de gelo que cintilavam à luz do sol ao cair, como estilhaços de vidro partido.

*Vidro*, matutou Jon, *pode ser útil aqui. Castelo Negro precisa dos seus próprios jardins de vidro, como os que há em Winterfell. Podíamos cultivar legumes mesmo em pleno inverno.* O melhor vidro vinha de Myr, mas um bom painel transparente valia o seu peso em especiarias, e vidro verde e amarelo não serviria tão bem. *Aquilo de que precisamos é ouro. Com dinheiro suficiente, podíamos comprar em Myr vidraceiros aprendizes, trazê-los para norte, oferecer-lhes a liberdade por ensinarem a sua arte a alguns dos nossos recrutas.* Seria essa a melhor forma de o fazer. *Se tivéssemos o ouro. Coisa que não temos.*

Na base da Muralha foi encontrar o Fantasma a rebolar num monte de neve. O grande lobo gigante branco parecia adorar a neve acabada de cair. Quando viu Jon, voltou a pôr-se em pé de um salto e sacudiu-se. O Edd Doloroso disse:

— Ele vai convosco?

— Vai.

— É um lobo esperto. E eu?

— Tu não vais.

— Sois um senhor esperto. O lobo é melhor escolha. Eu já não tenho dentes para morder selvagens.

— Se os deuses forem bondosos, não vamos encontrar nenhuns selvagens. Vou querer o castrado cinzento.

A notícia espalhou-se depressa em Castelo Negro. Edd ainda estava a selar o cavalo cinzento quando Bowen Marsh atravessou o pátio com passadas ruidosas, a fim de confrontar Jon junto aos estábulos.

— Senhor, gostaria que reconsiderásseis. Os novos homens podem prestar os juramentos no septo com igual facilidade.

— O septo é o lar dos novos deuses. Os deuses antigos vivem na floresta, e aqueles que lhes prestam homenagem dizem as suas palavras entre os represeiros. Sabeis disso tão bem como eu.

— O Cetim vem de Vilavelha, e o Arron e o Emrick das terras ocidentais. Os deuses antigos não são os deles.

— Eu não digo aos homens que deuses devem adorar. Eles eram livres de escolher os Sete ou o Senhor da Luz da mulher vermelha. Em vez disso escolheram as árvores, com todo o perigo que isso implica.

— O Chorão pode ainda andar lá por fora, à espreita.

— O bosque não fica a mais de duas horas de distância, mesmo com a neve. Devemos estar de volta pela meia-noite.

— É demasiado tempo. Isto não é sensato.

— É insensato — disse Jon — mas necessário. Aqueles homens preparam-se para ajuramentar as vidas à Patrulha da Noite, juntando-se a uma irmandade que se estende em linhagem ininterrupta milhares de anos no passado. As palavras têm importância, e estas tradições também.

Ligam-nos todos uns aos outros, bem ou mal nascidos, novos e velhos, bastardos e nobres. Tornam-nos irmãos. — Deu uma palmada no ombro de Marsh. — Prometo-vos, nós regressaremos.

— Sim, senhor — disse o Senhor Intendente — mas será como vivos, ou como cabeças espetadas em lanças com os olhos arrancados? Regressareis noite cerrada. Os montes de neve, em certos sítios, chegam à cintura. Vejo que levareis convosco homens experientes, isso é bom, mas o Jack Preto Bulwer conhecia bem aquela floresta. Até o Benjen Stark, vosso tio, ele…

— Eu tenho algo que eles não tinham. — Jon virou a cabeça e assobiou. — *Fantasma. A mim.* — O lobo gigante sacudiu a neve do dorso e trotou para junto de Jon. Os patrulheiros afastaram-se para o deixar passar, embora uma égua se tivesse posto a relinchar e a recuar até que Rory lhe deu um forte puxão às rédeas. — A Muralha é vossa, Lorde Bowen. — Pegou na arreata do cavalo e levou-o a passo até ao portão e ao túnel gelado que serpenteava sob a Muralha.

Do outro lado do gelo, as árvores erguiam-se, altas e silenciosas, aconchegadas aos seus espessos mantos brancos. O Fantasma caminhou ao lado do cavalo de Jon enquanto os patrulheiros e os recrutas se organizavam numa formação, após o que parou e farejou, com o hálito a congelar no ar.

— Que se passa? — perguntou Jon. — Está ali alguém? — A floresta estava vazia, tanto quanto via, mas não lograva ver até muito longe.

O Fantasma saltou para as árvores, esgueirou-se entre dois pinheiros cobertos de branco e desapareceu numa nuvem de neve. *Ele quer caçar, mas o quê?* Jon não temia tanto pelo lobo gigante como por quaisquer selvagens que ele pudesse encontrar. *Um lobo branco numa floresta branca, silencioso como uma sombra. Nem saberão que ele se aproxima.* Bem sabia que de nada serviria ir em sua perseguição. O Fantasma regressaria quando quisesse, e não antes. Jon esporeou o cavalo. Os homens puseram-se à sua volta, com os cascos dos cavalos a quebrar a crosta gelada e a enterrarem-se na neve mais mole que havia por baixo. E penetraram na floresta, a um ritmo constante de caminhada, enquanto a Muralha minguava atrás deles.

Os pinheiros marciais e as árvores sentinela usavam espessos casacos brancos, e pingentes envolviam os ramos nus e castanhos das árvores de folha larga. Jon mandou Tom Barleycorn bater o território em frente, apesar de o caminho até ao bosque branco ser percorrido com frequência e lhes ser familiar. O Grande Liddle e o Luke de Vilalonga enfiaram-se na vegetação rasteira para leste e para oeste. Iriam flanquear a coluna, a fim de a avisarem se algo se aproximasse. Todos eram patrulheiros experientes, armados tanto com aço como com obsidiana, e levavam cornos de guerra pendurados das selas para o caso de precisarem de pedir ajuda.

Os outros também eram bons homens. *Bons homens em combate, pelo menos, e leais para com os irmãos.* Jon não podia falar do que poderiam ter feito antes de chegarem à Muralha, mas não duvidava de que muitos teriam passados tão negros como os seus mantos. Ali em cima, eram o tipo de homens que queria atrás de si. Tinham os capuzes erguidos contra o vento mordente, e alguns traziam cachecóis enrolados em volta das caras, escondendo as feições. Mas Jon reconhecia-os. Todos os nomes estavam gravados no seu coração. Eram os seus homens, os seus irmãos.

Mais seis cavalgavam com eles; uma mistura de novos e velhos, de grandes e pequenos, de homens experientes e em bruto. *Seis para proferir as palavras.* O Cavalo nascera e fora criado em Vila Toupeira, o Arron e o Emrick vinham da Ilha Bela, o Cetim dos bordéis de Vilavelha na outra ponta de Westeros. Todos eram rapazes. O Couros e Jax eram homens mais velhos, bem para lá dos quarenta anos, filhos da floresta assombrada, com filhos e netos seus. Eram dois dos sessenta e três selvagens que haviam seguido Jon Snow de volta à Muralha no dia em que fizera o seu apelo; até agora tinham sido os únicos a decidir que queriam um manto preto. O Emmett de Ferro dizia que estavam todos prontos, ou o mais prontos que alguma vez estariam. Ele, Jon e Bowen Marsh tinham avaliado os homens um a um e destinado cada um à sua ordem; o Couros, Jax e Emrick para os patrulheiros, o Cavalo para os construtores, o Arron e o Cetim para os intendentes. O momento de prestarem juramento chegara.

O Emmett de Ferro cavalgava à cabeça da colina, montado no cavalo mais feio que Jon vira na vida, um animal hirsuto que parecia ser só pelo e cascos.

— Diz-se que houve sarilhos na Torre das Pegas ontem à noite — disse o mestre-de-armas.

— Na Torre de Hardin. — Dos sessenta e três que haviam regressado consigo de Vila Toupeira, dezanove eram mulheres e raparigas. Jon alojara-as na mesma torre abandonada onde em tempos dormira logo após chegar à Muralha. Doze eram esposas de lanças, mais do que capazes de se defender, tanto a si como às raparigas mais novas, das atenções indesejadas dos irmãos negros. Tinham sido alguns dos homens que elas tinham expulso a dar à Torre de Hardin o seu novo nome provocatório. Jon não tencionava dar aval à troça. — Três palermas bêbados confundiram a Torre de Hardin com um bordel, nada mais. Estão agora nas celas de gelo a refletir sobre o erro que cometeram.

O Emmett de Ferro fez uma careta.

— Homens são homens, juramentos são palavras, e palavras são vento. Devíeis pôr guardas à volta das mulheres.

— E quem guardaria os guardas? — *Não sabes nada, Jon Snow.* Mas aprendera, e Ygritte fora a sua professora. Se não podia cumprir os seus próprios juramentos, como poderia esperar mais dos irmãos? Contudo, existia perigo em brincar com mulheres selvagens. *Um homem pode ser dono duma mulher, e um homem pode ser dono duma faca,* dissera-lhe Ygritte em tempos, *mas nenhum homem pode ser dono das duas.* Bowen Marsh não estivera completamente errado. A Torre de Hardin era uma acendalha à espera de uma faísca. — Tenciono abrir mais três castelos — disse Jon. — Lago Profundo, Solar das Trevas e Monte Longo. Todos guarnecidos por povo livre, sob o comando dos nossos oficiais. No Monte Longo serão só mulheres, à parte o comandante e o intendente chefe. — Haveria alguma mistura, não duvidava, mas as distâncias eram suficientemente grandes para a tornar, no mínimo, difícil.

— E que pobre tipo ficará com esse comando de primeira?

— Vou montado ao lado dele.

O ar de horror misturado com deleite que passou pela cara do Emmett de Ferro valia mais do que uma saca de ouro.

— Que fiz eu para vos levar a odiar-me tanto, senhor?

Jon riu-se.

— Não tenhas medo, não estarás sozinho. Tenciono dar-te o Edd Doloroso como subcomandante e intendente.

— As esposas de lanças ficarão tão felizes! Já agora, também podíeis outorgar um castelo ao Magnar.

O sorriso de Jon morreu.

— Talvez o fizesse se pudesse confiar nele. Temo que Sigorn me culpe pela morte do pai. Pior, foi criado e treinado para dar ordens, não para as receber. Não confundas os Thenn com o povo livre. "Magnar" quer dizer "senhor" no idioma antigo, segundo me dizem, mas Styr aproximava-se mais de um deus para o seu povo, e o filho é talhado da mesma pele. Não exijo que os homens ajoelhem, mas eles precisam de obedecer.

— Sim, s'nhor, mas é melhor que façais alguma coisa com o Magnar. Tereis problemas com os Thenn se os ignorardes.

*Problemas são o destino do senhor comandante,* poderia Jon ter dito. Acontecia que a visita que fizera a Vila Toupeira estava a dar-lhe muitos, e as mulheres eram o menor. Halleck estava a revelar-se precisamente tão truculento como temera, e havia alguns entre os irmãos negros cujo ódio pelo povo livre lhes chegava aos ossos. Um dos seguidores de Halleck já cortara a orelha de um construtor no pátio, e o mais provável era que isso fosse só um cheirinho do derramamento de sangue que se aproximava. Tinha de abrir os velhos fortes em breve, para que o irmão de Harma pudesse ser posto a guarnecer Lago Profundo ou Solar das Trevas. Naquele momento, porém, nenhum desses castelos estava pronto para ser habitado por pessoas, e Othell Yarwyck e os seus construtores continuavam a tentar restaurar Fortenoite. Havia noites em que Jon Snow perguntava a si próprio se não teria cometido um grave erro ao evitar que Stannis se pusesse em marcha com todos os selvagens para serem massacrados. *Não sei nada, Ygritte*, pensou, *e talvez nunca venha a saber.*

A meia milha do bosque, longos feixes vermelhos de sol de outono obliquavam até ao chão por entre os ramos das árvores sem folhas, manchando de rosa os montes de neve. Os cavaleiros atravessaram um ribeiro gelado, passaram dois rochedos escarpados couraçados de gelo e depois seguiram um retorcido trilho de caça para nordeste. Sempre que o vento aumentava, partículas de neve solta enchiam o ar e picavam-lhes os olhos. Jon puxou o cachecol para a boca e o nariz, e ergueu o capuz do manto.

— Já não é longe — disse aos homens. Nenhum respondeu.

Jon cheirou Tom Barleycorn antes de o ver. Ou teria sido o Fantasma a cheirá-lo? Nos últimos tempos, Jon Snow sentia por vezes que ele e o lobo gigante eram um só, mesmo quando acordado. O grande lobo branco apareceu primeiro, a sacudir a neve. Alguns momentos mais tarde, o Tom estava ali.

— Selvagens — disse ele a Jon. — No bosque.

Jon fez parar os cavaleiros.

— Quantos?

— Contei nove. Não há guardas. Alguns estão mortos, se calhar, ou a dormir. A maior parte parecem ser mulheres. Uma criança, mas também há um gigante. Só um, que eu tenha visto. Têm uma fogueira a arder, com fumo a pairar por entre as árvores. Idiotas.

*Nove, e eu tenho dezassete.* Quatro dos seus eram rapazes inexperientes, porém, e nenhum era gigante.

Contudo, Jon não tencionava recuar para a Muralha. *Se os selvagens ainda estiverem vivos, pode ser que os possamos acolher. E se estiverem mortos, bem... um ou dois cadáveres podem ser úteis.*

— Continuamos a pé — disse, saltando com ligeireza para o chão gelado. A neve dava-lhe pelos tornozelos. — Rory, Pate, ficai com os cavalos. — Poderia ter atribuído esse dever aos recrutas, mas eles teriam de obter o batismo de sangue bem depressa. Aquela era uma altura tão boa como qualquer outra. — Espalhai-vos para formar um crescente. Quero aproximar-me do bosque por três lados. Mantende-vos à vista dos homens da esquerda e da direita para que as aberturas não se alarguem. A neve deve abafar os nossos passos. Há menos hipótese de haver sangue se os apanharmos desprevenidos.

A noite estava a cair depressa. Os feixes de luz solar tinham desaparecido quando a última fina fatia de sol fora engolida por baixo da floresta ocidental. Os montes rosados de neve estavam de novo a tornar-se brancos, com a cor a ser-lhes sugada enquanto o mundo escurecia. O céu da noite tomara o tom desbotado de cinzento de um velho manto que tivesse sido lavado demasiadas vezes, e as primeiras estrelas tímidas estavam a aparecer.

Em frente, vislumbrou um pálido tronco branco que só podia ser um represeiro, coroado por uma copa de folhas vermelhas escuras. Jon Snow estendeu a mão para trás e tirou Garralonga da sua bainha. Olhou para a esquerda e para a direita, fez um aceno a Cetim e ao Cavalo, viu-os transmiti-lo aos homens que se encontravam mais longe. Correram juntos para o bosque, fazendo voar montes de neve antiga, sem um som além do da respiração. O Fantasma correu com eles, uma sombra branca ao lado de Jon.

Os represeiros erguiam-se em círculo em volta das bordas de uma clareira. Eram nove, todos mais ou menos da mesma idade e tamanho. Cada um tinha uma cara nele esculpida, e não havia duas que fossem iguais. Algumas estavam a sorrir, outras estavam a gritar, algumas a gritar-*lhe*. Nas sombras que se aprofundavam, os seus olhos pareciam negros, mas Jon sabia que à luz do dia seriam de um vermelho de sangue. *Olhos como os do Fantasma.*

A fogueira no centro das árvores era coisa pequena e tristonha, cinzas e brasas e alguns ramos quebrados que ardiam lentamente, fazendo muito fumo. Mesmo assim tinha mais vida do que os selvagens que se aninhavam perto dela. Só um reagiu quando Jon saiu da vegetação rasteira. Foi a criança, que desatou a chorar, tentando agarrar o manto esfarrapado da mãe. A mulher ergueu o olhar e susteve a respiração. Nessa altura já a clareira estava rodeada de patrulheiros, que deslizavam por entre as árvores brancas como ossos, com aço a cintilar em mãos enluvadas de negro, preparados para o massacre.

O gigante foi o último a reparar neles. Tinha estado a dormir, enrolado junto da fogueira, mas algo o acordou; o choro da criança, o som da neve a ranger sob botas pretas, uma súbita inspiração. Quando se mexeu foi como se um pedregulho tivesse ganho vida. Içou-se até ficar sentado, com uma fungadela, levando aos olhos mãos grandes como presuntos para esfregar o sono para longe… até ver o Emmett de Ferro, com a espada a brilhar na mão. Rugindo, pôs-se em pé de um salto, e uma daquelas enormes mãos fechou-se em volta de um malho e ergueu-o num movimento brusco.

O Fantasma mostrou os dentes em resposta. Jon agarrou o lobo pela pelagem do pescoço.

— Não queremos travar aqui nenhuma batalha. — Sabia que os seus homens conseguiriam abater o gigante, mas não sem pagarem um preço. Depois de sangue ser derramado, os selvagens juntar-se-iam à escaramuça. A maioria, ou mesmo todos, morreria ali, e alguns dos seus irmãos também. — Este é um lugar sagrado. Rendei-vos, que nós…

O gigante voltou a soltar um berro, um som que sacudiu as folhas das árvores e bateu com o malho no chão. O cabo era dois metros de carvalho nodoso, a cabeça uma pedra tão grande como um pão. O impacto fez o chão tremer. Alguns dos outros selvagens correram para as respetivas armas.

Jon Snow aprestava-se para pegar em Garralonga quando Couros falou, do outro lado da clareira. As suas palavras soaram ásperas e guturais, mas Jon ouviu a música que nelas havia e reconheceu o idioma antigo. Couros falou durante muito tempo. Quando terminou, o gigante respondeu. Parecia um rosnido, intercalado de grunhidos, e Jon não conseguiu compreender palavra. Mas Couros apontou para as árvores, e disse mais qualquer coisa, e o gigante apontou para as árvores, fez ranger os dentes e deixou cair o malho.

— Está feito — disse Couros. — Eles não querem lutar.

— Bem feito. Que lhe disseste?

— Que estes também são os nossos deuses. Que viemos rezar.

— Rezaremos. Guardai o aço, todos vós. Não haverá sangue derramado aqui esta noite.

Nove, dissera Tom Barleycorn, e eram nove, mas dois estavam mortos e um tão fraco que podia já ter morrido quando chegasse a manhã. Os seis que restavam incluíam uma mãe e seu filho, dois velhos, um Thenn ferido vestido de bronze amolgado, e um dos homens de Cornopé, cujos pés nus estavam tão queimados pelo frio que Jon compreendeu com um relance que o homem nunca mais voltaria a andar. Ficou a saber mais tarde que a maioria deles eram estranhos uns aos outros quando chegaram ao bosque; quando Stannis quebrara a hoste de Mance Rayder, tinham fugido para a floresta a fim de escapar à carnificina, haviam vagueado durante algum tempo, tinham perdido amigos e familiares, levados pelo frio e pela fome, e tinham finalmente encalhado ali, demasiado fracos e fatigados para prosseguir.

— Os deuses estão aqui — dissera um dos velhos. — Este é um lugar tão bom para morrer como qualquer outro.

— A Muralha está só a algumas horas a sul daqui — disse Jon. — Porque não procurar lá abrigo? Outros renderam-se. Até o Mance.

Os selvagens trocaram olhares. Por fim, um disse:

— Ouvimos histórias. Os corvos queimaram todos os que se renderam.

— Até o próprio Mance — acrescentou a mulher.

*Melisandre*, pensou Jon, *tu e o teu deus vermelho têm mais que muito por que responder.*

— Todos os que quiserem regressar connosco são bem-vindos. Há comida e abrigo em Castelo Negro e a Muralha para vos manter a salvo das coisas que assombram esta floresta. Tendes a minha palavra, ninguém irá arder.

— Palavra de corvo — disse a mulher, abraçando com força a criança — mas quem diz que a podes cumprir? Quem és?

— O Senhor Comandante da Patrulha da Noite e filho de Eddard Stark de Winterfell. — Jon virou-se para Tom Barleycorn. — Diz ao Rory e ao Pate para trazerem os cavalos. Não quero ficar aqui nem um momento a mais do que tiver de ser.

— Às vossas ordens, s'nhor.

Faltava uma última coisa antes de poderem partir: a coisa que tinham vindo fazer. Emmett de Ferro chamou aqueles que tinha a cargo e, enquanto o resto da companhia observava de uma distância respeitosa, estes ajoelharam perante os represeiros. A última luz do dia já desaparecera por essa altura; a única luz provinha das estrelas no céu e do ténue clarão vermelho da fogueira moribunda no centro da clareira.

Com os seus capuzes negros e grossos mantos negros, os seis podiam ter sido esculpidos em sombra. As suas vozes ergueram-se em conjunto, pequenas contra a vastidão da noite.

— A noite chega, e agora começa a minha vigia — disseram, como milhares tinham dito antes deles. A voz do Cetim era doce como uma canção, a do Cavalo rouca e indecisa, a de Arron um guincho nervoso. — Não terminará até à minha morte.

*Que essas mortes demorem a chegar.* Jon Snow afundou-se sobre um joelho, na neve. *Deuses dos meus pais, protegei estes homens. E protegei também Arya, a minha irmãzinha, esteja ela onde estiver. Suplico-vos, permiti que Mance a encontre e a traga até mim em segurança.*

— Não tomarei esposa, não possuirei terras, não gerarei filhos — prometeram os recrutas, em vozes que ecoavam no passado ao longo dos anos e dos séculos. — Não usarei coroas e não conquistarei glórias. Viverei e morrerei no meu posto.

*Deuses da floresta, concedei-me a força para fazer o mesmo,* rezou Jon Snow em silêncio. *Dai-me a sabedoria para saber o que tem de ser feito, e a coragem para o fazer.*

— Sou a espada na escuridão — disseram os seis, e a Jon pareceu que as vozes estavam a mudar, a tornarem-se mais fortes, mais seguras. — Sou o vigilante nas muralhas. Sou o fogo que arde contra o frio, a luz que traz consigo a alvorada, a trombeta que acorda os que dormem, o escudo que defende os reinos dos homens.

*O escudo que defende os reinos dos homens.* O Fantasma empurrou-lhe o ombro com o focinho, e Jon envolveu-o com um braço. Conseguia cheirar as bragas por lavar do Cavalo, o doce odor que o Cetim punha na barba ao penteá-la, o pútrido e penetrante cheiro do medo, o avassalador almíscar do gigante. Conseguia ouvir o bater do seu próprio coração. Quando olhou através da clareira para a mulher com a criança, para os dois grisalhos, para o homem de Cornopé com os seus pés estropiados, tudo o que viu foram homens.

— Dou a minha vida e a minha honra à Patrulha da Noite, por esta noite e por todas as noites que estão para vir.

Jon Snow foi o primeiro a pôr-se em pé.

— Erguei-vos agora como homens da Patrulha da Noite. — Estendeu ao Cavalo uma mão para o puxar para cima.

O vento estava a aumentar. Era altura de partir.

A viagem de regresso demorou muito mais tempo do que a viagem até ao bosque. O andamento do gigante era laborioso, apesar do comprimento e amplidão daquelas pernas, e ele andava sempre a parar para fazer cair neve de ramos baixos com o malho. A mulher seguia montada com Rory, o filho dela com Tom Barleycorn, os velhos com o Cavalo e o Cetim. Mas o Thenn tinha medo dos cavalos, e preferiu acompanhá-los a coxear, apesar dos seus ferimentos. O homem de Cornopé não se conseguia sentar numa sela, e teve de ser amarrado à garupa de um garrano como uma saca de cereais; o mesmo fora feito à velha pálida com membros magros como paus, que não tinham conseguido despertar.

Fizeram o mesmo com os dois cadáveres, para confusão do Emmett de Ferro.

— Só vão abrandar o nosso avanço, senhor — disse ele a Jon. — Devíamos cortá-los e queimá-los.

— Não — disse Jon. — Trá-los. Tenho uso a dar-lhes.

Não tinham Lua para os guiar para casa, e só de vez em quando viam uma mancha de estrelas. O mundo era preto e branco e imóvel. Foi uma viagem longa, lenta e infindável. A neve agarrava-se-lhes às botas e bragas e o vento matraqueava nos pinheiros e fazia-lhes os mantos esvoaçar e torcer-se. Jon vislumbrou o vagabundo vermelho lá no alto, a observá-los através dos ramos sem folhas das grandes árvores enquanto iam abrindo caminho por baixo deles. O Ladrão, como lhe chamava o povo livre. Ygritte sempre afirmara que a melhor altura para raptar uma mulher era quando o Ladrão estava na Donzela de Lua. Nunca falara da melhor altura para raptar um gigante. *Ou dois mortos.*

Era quase alvorada quando voltaram a ver a Muralha.

Um corno de sentinela saudou-os quando se aproximaram, ressoando do alto como o grito de uma qualquer ave enorme e de profunda garganta, um sopro único e longo que significava *patrulheiros de regresso*. O Grande Liddle desprendeu o seu corno da sela e deu-lhe resposta. Ao portão, tiveram de esperar alguns momentos até que Edd Tollett apareceu para fazer deslizar as trancas e abrir as barras de ferro. Quando Edd viu o esfarrapado bando de selvagens, espetou os lábios e deitou um longo olhar ao gigante.

— Sou capaz de precisar de um bocado de manteiga para fazer esse deslizar pelo túnel, s'nhor. Devo mandar alguém à despensa?

— Oh, acho que ele vai caber. Sem manteiga.

E coube… apoiado nas mãos e nos joelhos, gatinhando. *Um moço grande, este. Quatro metros e trinta, pelo menos. Ainda é maior do que Mag, o Poderoso.* Mag morrera sob aquele mesmo gelo, preso numa luta de morte com Donal Noye. *Um bom homem. A Patrulha perdeu demasiados bons homens.* Jon chamou o Couros de parte.

— Encarrega-te dele. Falas a sua língua. Assegura-te de que é alimentado e arranja-lhe um sítio quente junto ao fogo. Fica com ele. Assegura-te de que ninguém o provoca.

— Certo. — Couros hesitou. — S'nhor.

Jon mandou os selvagens vivos tratar dos ferimentos e das queimaduras do frio. Um pouco de comida e roupa quentes recuperaria alguns deles, esperava, se bem que fosse provável que o homem de Cornopé perdesse ambos os pés. Quanto aos cadáveres, deixou-os ao cuidado das celas de gelo.

Ao pendurar o manto na cavilha, ao lado da porta, Jon reparou que Clydas viera e fora-se embora. Fora deixada uma carta na mesa do seu aposento privado. *Atalaialeste ou Torre Sombria*, presumiu à primeira vista. Mas a cera era dourada, não preta. O selo mostrava uma cabeça de veado no interior de um coração flamejante. *Stannis.* Jon quebrou a cera endurecida, alisou o rolo de pergaminho, leu. *Uma letra de meistre, mas as palavras do rei.*

Stannis tomara Bosque Profundo, e os clãs da montanha tinham-se-lhe juntado. Flint, Norrey, Wull, Liddle, todos.

*E tivemos outro auxílio, inesperado mas muito bem-vindo, de uma filha da Ilha dos Ursos. Alysane Mormont, a quem os homens chamam A Ursa, escondeu combatentes num grupo de chalupas de pesca e apanhou os homens de ferro desprevenidos onde eles estavam, ao largo da praia. Os dracares Greyjoy foram queimados ou capturados, as tripulações foram mortas ou renderam-se. Iremos pedir resgate ou dar outro uso aos capitães, cavaleiros, guerreiros notáveis e outros homens de nascimento elevado, os outros tenciono enforcar…*

A Patrulha da Noite jurava não tomar partido nas querelas e conflitos do reino. Apesar disso, Jon Snow não pôde evitar sentir uma certa satisfação. Continuou a ler.

... *mais nortenhos aparecem à medida que se vai espalhando a notícia da nossa vitória. Pescadores, cavaleiros livres, homens da montanha, pequenos caseiros das profundezas da mata de lobos e aldeãos que fugiram das suas casas ao longo da costa pedregosa para escapar aos homens de ferro, sobreviventes da batalha aos portões de Winterfell, homens em tempos ajuramentados aos Hornwood, aos Cerwyn e aos Tallhart. Somos cinco mil no momento em que escrevo, e os nossos números expandem-se todos os dias. E chegou-nos notícia de que Roose Bolton avança na direção de Winterfell com todo o seu poder, para aí casar o seu bastardo com a vossa meia-irmã. Não se pode permitir que ele devolva ao castelo a sua antiga força. Marchamos contra ele. Arnolf Karstark e Mors Umber irão juntar-se-nos. Salvarei a vossa irmã se puder, e arranjarei para ela um partido melhor do que Ramsay Snow. Vós e os vossos irmãos tereis de defender a Muralha até que eu possa regressar.*

Vinha assinado numa letra diferente:

*Feito à Luz do Senhor, sob o símbolo e selo de Stannis da Casa Baratheon, o Primeiro do Seu Nome, Rei dos Ândalos, dos Roinares e dos Primeiros Homens, Senhor dos Sete Reinos e Protetor do Território.*

No momento em que Jon pôs a carta de parte, o pergaminho voltou a enrolar-se, como se estivesse ansioso por proteger os seus segredos. Não estava nem um pouco seguro de como se sentia a respeito do que acabara de ler. Já antes se tinham travado batalhas em Winterfell, mas nunca se travara alguma sem um Stark de um lado ou de outro.

— O castelo é um esqueleto — disse — não é Winterfell, mas o fantasma de Winterfell. — Só pensar nisso era doloroso, dizer as palavras em voz alta era-o mais ainda. Mesmo assim...

Perguntou a si próprio quantos homens o velho Papa-Corvos traria para a refrega, e quantas espadas Arnolf Karstark seria capaz de fazer aparecer. Metade dos Umber estariam do outro lado do campo de batalha com o Terror-das-Rameiras, combatendo sob o homem esfolado do Forte do Pavor, e a maior parte da força de ambas as casas partira para sul com Robb, para nunca regressar. Mesmo arruinado, o castelo de Winterfell conferiria uma vantagem considerável a quem quer que o controlasse. Robert Baratheon teria compreendido isso de imediato e avançaria rapidamente para se apoderar do castelo, com as marchas forçadas e cavalgadas noturnas pelas quais fora famoso. Seria o irmão igualmente ousado?

*É pouco provável.* Stannis era um comandante ponderado, e a sua hoste era um guisado semidigerido de homens dos clãs, cavaleiros do sul, homens do rei e homens da rainha, temperados com uns quantos senhores do norte. *Ele devia avançar rapidamente contra Winterfell, ou não avançar de todo,* pensou Jon. Não lhe cabia aconselhar o rei, mas...

Voltou a deitar um relance à carta. *Salvarei a vossa irmã se puder.* Um sentimento surpreendentemente terno para Stannis, apesar de minado por aquele brutal *se puder* final e pela adenda *e arranjarei para ela um partido melhor do que Ramsay Snow.* Mas e se Arya não estivesse lá para ser salva? E se as chamas da Senhora Melisandre tivessem dito a verdade? Poderia realmente a irmã ter escapado a tais captores? *Como faria ela tal coisa? Arya sempre foi rápida e esperta mas no fim de contas não passa de uma rapariguinha, e Roose Bolton não é o tipo de homem que seria descuidado com uma presa de tanto valor.*

E se Bolton nunca tivesse tido a irmã de Jon em seu poder? Aquele casamento podia perfeitamente não passar de um estratagema para atrair Stannis a uma armadilha. Eddard Stark nunca tivera motivos para se queixar do Senhor do Forte do Pavor, tanto quanto Jon soubesse, mas mesmo assim nunca confiara nele, com aquela voz sussurrada e os seus olhos tão, tão claros.

*Uma rapariga cinzenta num cavalo moribundo, a fugir do casamento.* Com base na força daquelas palavras, deixara Mance Rayder e seis esposas de lanças à solta no norte.

— Jovens, e bonitas — dissera Mance. O rei não queimado fornecera alguns nomes, e o Edd Doloroso fizera o resto, fazendo-as sair à socapa de Vila Toupeira. Agora parecia uma loucura. Poderia ter feito melhor se tivesse abatido Mance no momento em que ele se revelara. Jon sentia uma certa admiração involuntária pelo antigo Rei-para-lá-da-Muralha, mas o homem era um perjuro e um vira-mantos. Tinha ainda menos confiança em Melisandre. No entanto, sem saber bem como, ali estava, a depositar neles a sua esperança. *Tudo para salvar a minha irmã. Mas os homens da Patrulha da Noite não têm irmãs.*

Quando Jon fora rapaz em Winterfell, o seu herói fora o Jovem Dragão, o rei rapaz que conquistara Dorne aos catorze anos de idade. Apesar do seu nascimento bastardo, ou talvez por causa dele, Jon Snow sonhara liderar homens até à glória tal como o Rei Daeron fizera, sonhara crescer para se tornar um conquistador. Agora era um homem feito e a Muralha era sua, mas tudo o que tinha eram dúvidas. Nem sequer parecia ser capaz de as conquistar a elas.

O fedor do acampamento era tão espantoso que Dany só com dificuldade evitou vomitar.

Sor Barristan franziu o nariz e disse:

— Vossa Graça não devia estar aqui, a respirar estes humores negros.

— Sou do sangue do dragão — fez-lhe lembrar Dany. — Alguma vez vistes um dragão com uma fluxão? — Viserys afirmara com frequência que os Targaryen não eram tocados pelas pestilências que afligiam os homens comuns e, tanto quanto ela soubesse, era verdade. Conseguia lembrar-se de ter frio, fome e medo, mas nunca de estar doente.

— Mesmo assim — disse o velho cavaleiro — sentir-me-ia melhor se Vossa Graça regressasse à cidade. — As muralhas de tijolos multicoloridos de Meereen estavam meia milha atrás deles. — A fluxão sangrenta tem sido a perdição de todos os exércitos desde a Era da Alvorada. Deixai que sejamos nós a distribuir a comida, Vossa Graça.

— Amanhã. Agora estou aqui. Quero ver. — Encostou os calcanhares à sua prata. Os outros trotaram atrás dela. Jhogo cavalgava à sua frente, Aggo e Rakharo logo atrás, com longos chicotes dothraki nas mãos a fim de manterem afastados os doentes e os moribundos. Sor Barristan estava à sua direita, montado num cavalo cinzento pintalgado. À sua esquerda seguia Symon Dorsolistado, dos Irmãos Livres, e Marselen, dos Homens da Mãe. Três vintenas de soldados seguiam logo atrás dos capitães, a fim de protegerem as carroças de comida. Todos a cavalo, dothraki, Feras de Bronze e libertos, eram unidos apenas pelo desagrado que lhes causava aquele dever.

Os astapori tropeçavam atrás deles numa horrenda procissão que se tornava mais longa a cada metro. Alguns falavam línguas que Dany não compreendia. Outros já nem falar conseguiam. Muitos erguiam as mãos para Dany, ou ajoelhavam-se quando a sua prata por eles passava.

— Mãe — gritavam-lhe nos dialetos de Astapor, de Lys e da Velha Volantis, no gutural dothraki e nas sílabas líquidas de Qarth, até no idioma comum de Westeros. — Mãe, por favor... mãe, ajudai a minha irmã, ela está doente... dai-me comida para os meus pequeninos... por favor, o meu velho pai... ajudai-o... ajudai-a... ajudai-me...

*Não tenho mais ajuda para dar*, pensou Dany, desesperando. Os astapori não tinham lugar para onde ir. Milhares permaneciam fora das espessas muralhas de Meereen; homens e mulheres e crianças, velhos e rapariguinhas e bebés recém-nascidos. Muitos estavam doentes, a maior parte estava morta de fome, e todos estavam condenados a morrer. Daenerys não se atrevia a abrir os portões para os deixar entrar. Tentara fazer por eles o que podia. Enviara-lhes curandeiros, Graças Azuis, cantores-feiticeiros e barbeiros-cirurgiões, mas alguns destes tinham também adoecido e nenhuma das suas artes abrandara o progresso galopante da fluxão que chegara na égua branca. Separar os saudáveis dos doentes também se revelara impraticável. Os seus Escudos Vigorosos tinham tentado, arrancando maridos de junto de mulheres e crianças dos braços das mães, enquanto os astapori choravam, esperneavam e os crivavam de pedras. Alguns dias mais tarde, os doentes estavam mortos e os saudáveis doentes. Separar uns dos outros nada alcançara.

Até alimentá-los se tornara difícil. Todos os dias lhes enviava o que podia, mas todos os dias eles eram mais e havia menos comida para lhes dar. Também se estava a tornar mais difícil encontrar condutores de carroças dispostos a entregar a comida. Demasiados dos homens que tinham enviado aos acampamentos tinham também sido atingidos pela fluxão. Outros haviam sido atacados no regresso à cidade. Na véspera, uma carroça fora virada e dois dos seus soldados tinham sido mortos, portanto hoje a rainha determinara que traria a comida em pessoa. Todos os seus conselheiros haviam argumentado fervorosamente contra a ideia, de Reznak e do Tolarrapada a Sor Barristan, mas Daenerys não se deixara convencer.

— Não lhes virarei as costas — dissera, obstinada. — Uma rainha deve conhecer o sofrimento do seu povo.

Sofrimento era a única coisa que não lhes faltava.

— Já quase não resta um cavalo ou uma mula, apesar de muitos terem vindo montados desde Astapor — informou-a Marselen. — Comeram-nos a todos, Vossa Graça, juntamente com todas as ratazanas e cães vadios que conseguiram apanhar. Agora, alguns começaram a comer os seus próprios mortos.

— O homem não deve comer a carne do homem — disse Aggo.

— É sabido — concordou Rakharo. — Serão amaldiçoados.

— Eles já estão para lá das maldições — disse Symon Dorsolistado.

Criancinhas com estômagos inchados seguiam-nos, demasiado fracas ou assustadas para pedir. Homens descarnados com olhos afundados acocoravam-se entre areia e pedras, cagando as suas vidas em ribeiros nauseabundos de castanho e vermelho. Muitos cagavam agora onde dormiam, demasiado débeis para se arrastarem até às fossas que ela lhes ordenara que cavassem. Duas mulheres lutavam por um osso carbonizado. Ali perto um rapaz de dez anos comia uma ratazana. Comia com uma mão, segurando com a outra num pau aguçado para o caso de alguém tentar arrancar-lhe a presa. Mortos por enterrar jaziam por todo o lado. Dany viu um homem estatelado na poeira sob um manto negro, mas quando passou por ele o manto dissolveu-se num milhar de moscas. Mulheres esqueléticas sentavam-se no chão, agarradas a bebés moribundos. Os seus olhos seguiram-na. Aquelas que tinham força para tanto chamaram.

— Mãe… por favor, Mãe… que sejais abençoada, Mãe…

*Que seja abençoada*, pensou Dany com amargura. *A tua cidade desapareceu em cinzas e ossos, o teu povo está a morrer à tua volta, não tenho abrigo para te dar, não tenho remédios, não tenho esperança. Só pão bolorento e carne cheia de vermes, queijo duro, um pouco de pão. Abençoada seja, abençoada seja.*

Que tipo de mãe não tem leite para alimentar os seus filhos?

— Demasiados mortos — disse Aggo. — Deviam ser enterrados.

— Quem os enterrará? — perguntou Sor Barristan. — A fluxão sangrenta está por todo o lado. Morrem cem todas as noites.

— Não é bom tocar os mortos — disse Jhogo.

— Isso é sabido — disseram Aggo e Rakharo, juntos.

— Pode ser que sim — disse Dany — mas é algo que tem de ser feito na mesma. — Pensou por um momento. — Os Imaculados não têm medo de cadáveres. Vou falar com o Verme Cinzento.

— Vossa Graça — disse Sor Barristan — os Imaculados são os vossos melhores combatentes. Não nos atrevemos a deixar a praga à solta entre eles. Deixai que os astapori enterrem os seus próprios mortos.

— Estão demasiado débeis — disse Symon Dorsolistado.

Dany disse:

— Mais comida talvez os torne mais fortes.

Symon abanou a cabeça.

— Comida é um desperdício em moribundos, Reverência. Não temos suficiente para alimentar os vivos.

Dany sabia que ele não se enganava, mas isso não tornava as palavras mais fáceis de ouvir.

— Já nos afastámos o suficiente — decidiu a rainha. — Alimentá-los-emos aqui. — Ergueu uma mão. Atrás dela, as carroças pararam com uma sacudidela, e os cavaleiros espalharam-se entre elas, a fim de evitar que os astapori corressem para a comida. Assim que pararam, a multidão começou a engrossar à sua volta, à medida que cada vez mais dos aflitos se foram aproximando das carroças a coxear e a arrastar os pés. Os cavaleiros bloquearam-lhes o avanço.

— Esperai a vossa vez — gritavam. — Nada de empurrar. Para trás. Ficai aí. Há pão para toda a gente. Esperai a vossa vez.

Dany só podia ficar a observar.

— Sor — disse a Barristan Selmy — não podemos fazer mais nada? Tendes provisões.

— Provisões para os soldados de Vossa Graça. É bem possível que venhamos a ter de resistir a um longo cerco. Os Corvos Tormentosos e os Segundos Filhos podem atormentar os yunkaitas, mas não podem ter a esperança de os repelir. Se Vossa Graça me permitisse reunir um exército…

— Se tiver de haver uma batalha, preferia travá-la de trás das muralhas de Meereen. Que os yunkaitas tentem assaltar as minhas ameias. — A rainha percorreu com o olhar a cena que se estendia à sua volta. — Se distribuíssemos a nossa comida em partes iguais…

— … os astapori comeriam a sua porção em dias, e nós teríamos essa quantidade a menos para o cerco.

Dany olhou para lá do acampamento, para as muralhas de tijolos multicoloridos de Meereen. O ar estava carregado de moscas e de gritos.

— Os deuses enviaram esta pestilência para me transmitir humildade. Tantos mortos… *Não aceito* que comam cadáveres. — Chamou Aggo para mais perto. — Cavalga até aos portões e traz-me o Verme Cinzento e cinquenta dos seus Imaculados.

— *Khaleesi*. O sangue do vosso sangue obedece. — Aggo deu com os calcanhares no cavalo e partiu a galope.

Sor Barristan observou com uma apreensão mal escondida.

— Não vos devíeis demorar demasiado por aqui, Vossa Graça. Os astapori estão a ser alimentados, conforme ordenastes. Nada mais podemos fazer pelos pobres desgraçados. Devíamos voltar para a cidade.

— Ide se quiserdes, sor. Não vos impedirei. Não impedirei nenhum de vós. — Dany saltou do cavalo. — Não posso curá-los, mas posso mostrar-lhes que a Mãe deles se preocupa.

Jhogo susteve a respiração.

— *Khaleesi*, não. — A campainha na sua trança ressoou suavemente quando ele desmontou. — Não deveis aproximar-vos mais. Não deixeis que vos toquem! Não deixeis!

Dany passou por ele sem lhe dar ouvidos. Havia um velho no chão a alguns metros de distância, gemendo e fitando a barriga cinzenta das nuvens. Ajoelhou a seu lado, franzindo o nariz ao cheiro, e empurrando-lhe para trás o sujo cabelo grisalho a fim de lhe pôr a mão na testa.

— Tem a pele em fogo. Preciso de água para lhe dar banho. Água do mar servirá. Marselen, queres ir buscar-me alguma? Também preciso de óleo, para a pira. Quem me vai ajudar a queimar os mortos?

Quando Aggo regressou com o Verme Cinzento e cinquenta dos Imaculados a trote atrás do seu cavalo, Dany envergonhara todos o suficiente para os levar a ajudá-la. Symon Dorsolistado e os seus homens estavam a separar os vivos dos mortos e a empilhar os cadáveres, enquanto Jhogo, Rakharo e os seus dothraki ajudavam aqueles que ainda conseguiam caminhar a dirigir-se à costa para tomarem banho e lavarem a roupa. Aggo fitou-os como se tivessem todos enlouquecido, mas o Verme Cinzento ajoelhou ao lado da rainha e disse:

— Este quer ajudar.

Antes do meio-dia ardia uma dúzia de fogueiras. Colunas de fumo negro e oleoso erguiam-se e iam manchar um implacável céu azul. A roupa de montar de Dany estava manchada e coberta de fuligem quando se afastou das piras.

— Reverência — disse o Verme Cinzento — este e os seus irmãos suplicam a vossa autorização para se banharem no mar salgado quando o nosso trabalho aqui terminar, para podermos ser purificados de acordo com as leis da nossa grande deusa.

A rainha não sabia que os eunucos tinham uma deusa própria.

— Quem é essa deusa? Um dos deuses de Ghis?

O Verme Cinzento fez uma expressão perturbada.

— Referem-se à deusa por muitos nomes. É a Senhora das Lanças, a Noiva da Batalha, a Mãe das Hostes, mas o seu nome verdadeiro pertence apenas aos pobres que queimaram os respetivos membros viris no seu altar. Não podemos falar dela a outras pessoas. Este suplica o vosso perdão.

— Como quiserdes. Sim, podeis banhar-vos, se é esse o vosso desejo. Obrigada pela vossa ajuda.

— Estes vivem para servir-vos.

Quando Daenerys regressou à sua pirâmide, dorida dos membros e doente do coração, foi encontrar Missandei a ler um qualquer pergaminho antigo enquanto Irri e Jhiqui discutiam sobre Rakharo.

— És magra demais para ele — estava Jhiqui a dizer. — És quase um rapaz. O Rakharo não dorme com rapazes. É sabido.

Irri retorquiu com irritação.

— É sabido que tu és quase uma vaca. Rakharo não dorme com vacas.

— Rakharo é sangue do meu sangue. A vida dele pertence-me a mim, não a vós — disse Dany às duas. Rakharo crescera quase quinze centímetros durante o tempo passado fora de Meereen e regressara com braços e pernas grossos de músculos e quatro campainhas no cabelo. Agora erguia-se acima de Aggo e Jhogo, como ambas as aias tinham notado. — E agora calai-vos. Tenho de tomar banho. — Nunca se sentira mais porca. — Jhiqui, ajuda-me a despir esta roupa, depois leva-a e queima-a. Irri, diz a Qezza para me arranjar algo de leve e fresco para vestir. O dia estava muito quente.

Um vento fresco estava a soprar na varanda. Dany suspirou de prazer quando se enfiou nas águas da piscina. A uma ordem sua, Missandei despiu-se e entrou na piscina com ela.

— Esta ouviu os astapori a arranharem as muralhas ontem à noite — disse a pequena escriba enquanto lavava as costas de Dany.

Irri e Jhiqui trocaram um olhar.

— Ninguém estava a arranhar — disse Jhiqui. — A arranhar... como podiam eles arranhar?

— Com as mãos — disse Missandei. — Os tijolos são velhos e estão a desfazer-se. Estão a tentar abrir à unhada uma entrada na cidade.

— Para isso precisavam de muitos anos — disse Irri. — As muralhas são muito grossas. É sabido.

— É sabido — concordou Jhiqui.

— Eu também sonho com eles. — Dany pegou na mão de Missandei. — O acampamento está a uma boa meia milha da cidade, querida. Ninguém estava a arranhar as muralhas.

— Vossa Graça é que sabe — disse Missandei. — Quereis que vos lave o cabelo? Está quase na hora. Reznak mo Reznak e a Graça Verde vêm discutir...

— ... os preparativos para o casamento. — Dany sentou-se com um esparrinhar de água. — Já quase me esquecia. — Talvez desejasse esquecer. — E depois deles, tenho de jantar com Hizdahr. — Suspirou. — Irri, traz o *tokar* verde, o de seda fimbriado com renda de Myr.

— Esse está a ser remendado, *khaleesi*. A renda estava rasgada. O *tokar* azul foi limpo.

— Então será o azul. Eles ficarão igualmente satisfeitos.

Só estava meio enganada. A sacerdotisa e o senescal ficaram felizes por a verem trajada com um *tokar*, uma senhora meereenesa como devia ser, para variar, mas o que realmente queriam era despi-la por completo. Daenerys ouviu-os até ao fim, incrédula. Quando terminaram, disse:

— Não desejo ofender, mas *não* me irei apresentar nua à mãe e irmãs de Hizdahr.

— Mas — disse Reznak mo Reznak, pestanejando — mas tendes de o fazer, Reverência. Antes de um casamento é tradição que as mulheres da casa do homem examinem o ventre da mulher e, ah... os seus órgãos femininos. Para se assegurarem de que estão bem formados e são, ah...

— ... férteis — concluiu Galazza Galare. — Um ritual antigo, Radiância. Três Graças estarão presentes para testemunhar o exame e proferir as preces adequadas.

— Sim — disse Reznak — e depois há um bolo especial. Um bolo de mulher, feito só para noivados. Os homens não são autorizados a prová-lo. Diz-se que é delicioso. Mágico.

*E se o meu ventre estiver seco e os meus órgãos femininos amaldiçoados também haverá um bolo especial para isso?*

— Hizdahr zo Loraq poderá inspecionar os meus órgãos femininos depois de estarmos casados. — *Khal Drogo não lhes encontrou defeitos, porque há ele de os encontrar?* — Que a mãe e as irmãs dele se examinem umas às outras e partilhem o bolo especial. Eu não o comerei. Nem lavarei os nobres pés do nobre Hizdahr.

— Magnificência, não compreendeis — protestou Reznak. — A lavagem dos pés é consagrada pela tradição. Significa que sereis a aia do vosso esposo. O traje nupcial também está repleto de significado. A noiva é vestida em véus vermelhos escuros por cima de um *tokar* de seda branca, debruado de pequenas pérolas.

*A rainha dos coelhos não se pode casar sem as suas orelhas de abano.*

— Todas essas pérolas far-me-ão chocalhar quando caminho.

— As pérolas simbolizam a fertilidade. Quanto mais pérolas Vossa Reverência usar, mais filhos saudáveis dará à luz.

— Porque haverei eu de querer cem filhos? — Dany virou-se para a Graça Verde. — Se nos casássemos pelos ritos de Westeros…

— Os deuses de Ghis não considerariam tal união verdadeira. — A cara de Galazza Galare estava oculta por trás de um véu de seda verde. Só se lhe viam os olhos, verdes, sábios e tristes. — Aos olhos da cidade seríeis a concubina do nobre Hizdahr, não a sua esposa legalmente casada. Os vossos filhos seriam bastardos. Vossa Reverência deve casar com Hizdahr no Templo das Graças, com toda a nobreza de Meereen presente para testemunhar a vossa união.

*Fazei sair os chefes de todas as casas nobres das respetivas pirâmides sob um pretexto qualquer*, dissera Daario. *O lema do dragão é fogo e sangue.* Dany pôs a ideia de parte. Não era digna de si.

— Como quiserdes — suspirou. — Casarei com Hizdahr no Templo das Graças enrolada num *tokar* branco fimbriado com pequenas pérolas. Há mais alguma coisa?

— Há mais um pequeno assunto, Reverência — disse Reznak. — Para celebrar as vossas núpcias, seria muito adequado que permitísseis a reabertura das arenas de combate. Podia ser o vosso presente de casamento a Hizdahr e ao vosso querido povo, um sinal de que haveis adotado os antigos costumes de Meereen.

— E agradaria também muito aos deuses — acrescentou a Graça Verde, na sua voz suave e amável.

*Um dote pago em sangue.* Daenerys estava farta de travar aquela batalha. Nem Sor Barristan achava que pudesse vencê-la.

— Nenhum governante pode tornar um povo bom — dissera-lhe

Selmy. — Baelor, o Abençoado, rezou e jejuou e construiu para os Sete um templo tão magnífico como quaisquer deuses poderiam desejar, mas não foi capaz de pôr fim à guerra e às carências. — *Uma rainha deve escutar o seu povo*, lembrou Dany a si própria.

— Depois do casamento, Hizdahr será rei. Ele que reabra as arenas de combate, se desejar. Eu não participarei em tal coisa. — *O sangue que manche as mãos dele, não as minhas.* Pôs-se em pé. — Se o meu marido desejar que lhe lave os pés, tem primeiro de me lavar os meus. Dir-lhe-ei isso mesmo esta noite. — Perguntou a si própria como receberia o noivo a ideia.

Não precisava de se ter preocupado. Hizdahr zo Loraq chegou uma hora depois de o Sol se pôr. Trazia um *tokar* de cor borgonha, com uma fita dourada e uma fímbria de contas douradas. Dany contou-lhe o encontro com Reznak e com a Graça Verde enquanto lhe servia vinho.

— Esses rituais são ocos — declarou Hizdahr — são precisamente o tipo de coisa que temos de pôr de parte. Meereen está mergulhada nessas velhas e tolas tradições há demasiado tempo. — Beijou-lhe a mão e disse: — Daenerys, minha rainha, de bom grado vos lavarei dos pés à cabeça, se for isso o que tiver de fazer para ser vosso rei e consorte.

— Para serdes meu rei e consorte, só precisais de me trazer paz. Skahaz diz-me que recebestes mensagens nos últimos tempos.

— Recebi. — Hizdahr cruzou as longas pernas. Parecia contente consigo próprio. — Yunkai dar-nos-á paz, mas por um preço. A quebra no comércio de escravos causou grandes danos por todo o mundo civilizado. Yunkai e os aliados exigem de nós uma indemnização, a ser paga em ouro e pedras preciosas.

Ouro e pedras preciosas eram fáceis de arranjar.

— E que mais?

— Os yunkaitas regressarão ao comércio de escravos, como antes. Astapor será reconstruída, como cidade esclavagista. Vós não interferireis.

— Os yunkaitas regressaram ao comércio de escravos antes de eu estar a duas léguas da sua cidade. Voltei para trás? O Rei Cleon suplicou-me que me juntasse a ele contra Yunkai, e eu fiz orelhas moucas às suas súplicas. *Não desejo a guerra com Yunkai.* Quantas vezes terei de o dizer? Que promessas exigem?

— Ah, aí está o busílis da questão, minha rainha — disse Hizdahr zo Loraq. — Entristece-me dizê-lo, mas Yunkai não tem confiança nas vossas promessas. Não param de fazer soar a mesma corda da harpa, sobre um emissário qualquer a que os vossos dragões deram fogo.

— Foi só o *tokar* dele que foi queimado — disse Dany em tom de desprezo.

— Seja como for, não confiam em vós. Os homens de Nova Ghis

sentem o mesmo. Palavras são vento, como vós própria tão frequentemente dizeis. Nenhumas palavras vossas irão garantir esta paz por Meereen. Os vossos adversários exigem atos. Querem ver-nos casados, e querem ver-me coroado como rei, para governar a vosso lado.

Dany voltou a encher-lhe a taça de vinho, sem que houvesse nada que desejasse mais do que despejar-lhe o jarro pela cabeça e afogar aquele sorriso satisfeito consigo próprio.

— Casamento ou carnificina. Uma boda ou uma guerra. São essas as minhas alternativas?

— Só vejo uma alternativa, Radiância. Profiramos os nossos votos perante os deuses de Ghis e façamos juntos uma nova Meereen.

A rainha estava a enquadrar a resposta quando ouviu um passo atrás dela. *A comida*, pensou. Os cozinheiros tinham-lhe prometido servir o prato preferido do nobre Hizdahr, cão com mel, estufado com ameixas secas e pimentos. Mas, quando se virou para ver, era Sor Barristan que ali estava em pé, acabado de sair do banho e vestido de branco, com a espada longa pendurada da cintura.

— Vossa Graça — disse, fazendo uma vénia — lamento incomodar-vos, mas pensei que quereríeis saber de imediato. Os Corvos Tormentosos regressaram à cidade, com notícias sobre o inimigo. Os yunkaitas puseram-se em marcha, tal como temíamos.

Um clarão de aborrecimento atravessou o nobre rosto de Hizdahr zo Loraq.

— A rainha está a jantar. Esses mercenários podem esperar.

Sor Barristan ignorou-o.

— Pedi ao Lorde Daario para me apresentar a mim o seu relatório, como Vossa Graça tinha ordenado. Ele riu-se e disse que o escreveria com o seu próprio sangue, se Vossa Graça quisesse enviar a pequena escriba para lhe mostrar como se faziam as letras.

— Sangue? — disse Dany, horrorizada. — Isso é alguma brincadeira? Não. Não, não me digais, tenho de ver por mim própria. — Era uma rapariga jovem, e estava sozinha, e as jovens raparigas podiam mudar de ideias. — Reuni os meus capitães e comandantes. Hizdahr, sei que me perdoareis.

— Meereen tem de vir em primeiro lugar. — Hizdahr sorriu jovialmente. — Teremos outras noites. Mil noites.

— Sor Barristan acompanhar-vos-á a sair. — Dany correu para fora da sala, gritando pelas aias. Não daria ao seu capitão as boas-vindas vestida com um *tokar*. Por fim, experimentou uma dúzia de vestidos antes de encontrar um que lhe agradou, mas recusou a coroa que Jhiqui lhe ofereceu.

Quando Daario Naharis ajoelhou na sua frente, o coração de Dany deu um salto. O cabelo dele estava emaranhado com sangue seco, e na têmpora um golpe profundo reluzia vermelho e em carne viva. A manga direita estava ensanguentada quase até ao cotovelo.

— Estás ferido — arquejou.

— Isto? — Daario tocou a têmpora. — Um besteiro tentou espetar-me um dardo no olho, mas cavalguei mais depressa do que ele. Estava a apressar-me para vir ter com a minha rainha, para me refastelar no calor do seu sorriso. — Sacudiu a manga, borrifando gotículas vermelhas. — Este sangue não é meu. Um dos meus sargentos disse que nos devíamos passar para os yunkaitas, portanto enfiei-lhe a mão pela garganta abaixo e arranquei-lhe o coração. Queria trazê-lo como presente para a minha rainha prateada, mas quatro dos Gatos cortaram-me a retirada e vieram a rosnar e a bufar atrás de mim. Um quase me apanhou, por isso atirei-lhe o coração à cara.

— Muito galante — disse Sor Barristan, num tom que sugeria que era tudo menos isso — mas tendes notícias para Sua Graça?

— Notícias duras, Sor Avô. Astapor foi-se, e os esclavagistas vêm para norte em força.

— Isso são notícias velhas e bafientas — rosnou o Tolarrapada.

— A tua mãe disse o mesmo dos beijos do teu pai — retorquiu Daario. — Doce rainha, eu queria ter chegado mais cedo, mas os montes formigam de mercenários yunkaitas. Quatro companhias livres. Os vossos Corvos Tormentosos tiveram de abrir caminho à espadeirada através de todas. Há mais, e pior. A hoste dos yunkaitas marcha pela estrada costeira, acrescida de quatro legiões de Nova Ghis. Têm elefantes, cem, couraçados e com torres. Também há fundibulários de Tolos, e um corpo de camelaria qartena. Outras duas legiões ghiscariotas embarcaram em Astapor. Se os nossos cativos disseram a verdade desembarcarão para lá do Skahazadhan, para nos impedir o acesso ao mar dothraki.

De vez em quando, enquanto contava a sua história, uma gota de sangue vermelho vivo pingava no chão de mármore, e Dany estremecia.

— Quantos foram mortos? — perguntou quando ele terminou.

— Dos nossos? Não parei para contar. Mas ganhámos mais do que perdemos.

— Mais vira-mantos?

— Mais homens corajosos atraídos pela nossa nobre causa. A minha rainha irá gostar deles. Um é um homem das Ilhas Basilisco que combate com um machado, um brutamontes, maior que Belwas. Devíeis vê-lo. Também há alguns westerosi, uma vintena ou mais. Desertores dos Aventados, insatisfeitos com os yunkaitas. Darão bons Corvos Tormentosos.

— Se tu o dizes. — Dany não iria objetar. Meereen poderia em breve precisar de todas as espadas de que dispusesse.

35

Sor Barristan franziu o sobrolho a Daario.

— Capitão, mencionastes *quatro* companhias livres. Só sabemos de três. Os Aventados, as Longas Lanças e a Companhia do Gato.

— O Sor Avô sabe contar. Os Segundos Filhos passaram-se para o lado dos yunkaitas. — Daario virou a cabeça e cuspiu. — Isto é para o Ben Castanho Plumm. Da próxima vez que vir a sua feia cara, abro-o da garganta às virilhas e arranco-lhe o coração negro.

Dany tentou falar mas não encontrou palavras. Lembrou-se da última vez que vira a cara de Ben. *Era uma cara calorosa, uma cara em quem confiava.* Pele escura e cabelo branco, o nariz quebrado, as rugas aos cantos dos olhos. Até os dragões tinham gostado do velho Ben Castanho, o qual gostava de se gabar de ter nas veias uma gota de sangue de dragão. *Três traições conhecereis. Uma por ouro e uma por sangue e uma por amor.* Seria Plumm a terceira traição ou a segunda? E o que fazia isso de Sor Jorah, o seu rude velho urso? Seria que nunca teria um amigo em quem pudesse confiar? *Para que servem as profecias se não conseguirmos dar-lhes sentido? Se me casar com Hizdahr antes de o Sol nascer, irão todos estes exércitos derreter-se como o orvalho matinal e deixar-me governar em paz?*

O anúncio de Daario gerara uma algazarra. Reznak soltava lamentações, o Tolarrapada resmungava sombriamente, os companheiros de sangue de Dany juravam vingança. Belwas, o Forte, bateu com o punho na barriga coberta de cicatrizes e jurou comer o coração de Ben com ameixas secas e cebolas.

— Por favor — disse Dany, mas só Missandei pareceu ouvir. A rainha pôs-se em pé. — *Calai-vos!* Já ouvi o suficiente.

— Vossa Graça. — Sor Barristan caiu sobre um joelho. — Estamos às vossas ordens. Que quereis que façamos?

— Prossegui como planeámos. Reuni comida, tanta quanta puderdes. — *Se olhar para trás estou perdida.* — Temos de fechar os portões e pôr todos os combatentes nas muralhas. Ninguém entra, ninguém sai.

O salão ficou em silêncio por um momento. Os homens olharam uns para os outros. Então Reznak disse:

— E os astapori?

Dany quis gritar, ranger os dentes e rasgar a roupa e bater no chão. Em vez disso, disse:

— *Fechai os portões.* Ireis obrigar-me a dizê-lo três vezes? — Eles eram seus filhos, mas agora não podia ajudá-los. — Deixai-me. Daario, fica. Esse golpe devia ser lavado e eu tenho mais perguntas para ti.

Os outros fizeram vénias e foram-se embora. Dany levou Daario Naharis pelas escadas acima até ao seu quarto, onde Irri lhe lavou o golpe com vinagre e Jhiqui o ligou com linho branco. Quando isso ficou feito, mandou também as aias embora.

— A tua roupa está manchada de sangue — disse a Daario. — Despe-a.

— Só se tu fizeres o mesmo. — E beijou-a.

O cabelo dele cheirava a sangue, a fumo e a cavalo, e a sua boca era dura e quente contra a dela. Dany tremeu nos seus braços. Quando se separaram, disse:

— Julguei que fosses tu a trair-me. Uma vez por sangue, uma vez por ouro e uma vez por amor, disseram os feiticeiros. Pensei… nunca pensei no Ben Castanho. Até os meus dragões pareciam confiar nele. — Agarrou no seu capitão pelos ombros. — Promete-me que nunca te virarás contra mim. Não conseguiria aguentar isso. Promete-me.

— Nunca, meu amor.

Dany acreditou no mercenário.

— Jurei que me casaria com Hizdahr zo Loraq se ele me desse noventa dias de paz, mas agora… desejei-te desde o primeiro dia em que te vi, mas eras um mercenário, inconstante, *traiçoeiro*. Gabavas-te de teres tido cem mulheres.

— Cem? — Daario soltou um risinho através da barba púrpura. — Menti, querida rainha. Foram mil. Mas nunca uma dragoa.

Dany ergueu os lábios para os dele.

— Então de que estás à espera?

A lareira estava coberta de cinza fria e negra, a sala era aquecida apenas por velas. De todas as vezes que uma porta se abria, as chamas oscilavam e estremeciam. A noiva também estava a tremer. Tinham-na vestido com lã de ovelha branca debruada de renda. As mangas e corpete tinham cosidas pérolas de água doce, e nos pés trazia chinelos de pele branca de corça; eram bonitos, mas não quentes. A sua cara estava pálida, exangue.

*Uma cara esculpida em gelo*, pensou Theon Greyjoy enquanto lhe envolvia os ombros com um manto forrado de peles. *Um cadáver enterrado na neve.*

— Senhora. Está na hora. — Do outro lado da porta, a música chamava por eles, alaúde, flautas e tambor.

A noiva ergueu os olhos. Olhos castanhos, a brilhar à luz das velas.

— Serei uma boa esposa para ele, e f-fiel. Eu... eu agradar-lhe-ei, e dar-lhe-ei filhos. Serei uma esposa melhor do que a verdadeira Arya seria, ele verá.

*Esse tipo de conversa pode levar-te a seres morta, ou pior.* Aprendera essa lição sendo o Cheirete.

— Vós sois a verdadeira Arya, senhora. Arya da Casa Stark, filha do Lorde Eddard, herdeira de Winterfell. — O seu nome, ela tinha de aprender o seu *nome.* — Arya Debaixo-dos-Pés. A vossa irmã costumava chamar-vos Arya Cara-de-Cavalo.

— Fui eu quem inventou esse nome. A cara dela era comprida e cavalar. A minha não é. Eu era bonita. — Lágrimas jorraram-lhe finalmente dos olhos. — Nunca fui bela como Sansa, mas todos diziam que era bonita. O Lorde Ramsay acha-me bonita?

— Sim — mentiu Theon. — Ele disse-me isso.

— Mas ele sabe quem eu sou. Quem sou realmente. Vejo-o quando olha para mim. Parece tão zangado, mesmo quando sorri, mas a culpa não é minha. Dizem que ele gosta de fazer mal às pessoas.

— A senhora não devia dar ouvidos a tais... mentiras.

— Dizem que vos fez mal a vós. Às vossas mãos, e...

Theon tinha a boca seca.

— Eu... eu mereci-o. Fi-lo zangar-se. Não podeis fazê-lo zangar-se. O Lorde Ramsay é... um homem carinhoso e bondoso. Agradai-lhe, e ele será bom para vós. Sede uma boa esposa.

— Ajudai-me. — Ela agarrou-o. — Por favor. Eu costumava observar-vos no pátio, a jogar com as vossas espadas. Vós éreis tão bonito. — Apertou-lhe o braço. — Se fugíssemos, podia ser a vossa esposa, ou a vossa… a vossa rameira… tudo o que quisésseis. Podíeis ser o meu homem.

Theon arrancou o braço das mãos dela.

— Eu não sou… não sou homem de ninguém. — *Um homem ajudá-la-ia.* — Só… sede só Arya, sede a mulher dele. Agradai-lhe, senão… agradai-lhe só, e parai com esta conversa sobre serdes outra pessoa. — *Jeyne, o nome dela é Jeyne, combina com mágoa.* A música estava a tornar-se mais insistente. — Está na hora. Limpai essas lágrimas dos olhos. — *Olhos castanhos. Deviam ser cinzentos. Alguém verá. Alguém se lembrará.* — Ótimo. Agora sorri.

A rapariga tentou. O seu lábio, a tremer, torceu-se para cima e congelou, e Theon viu-lhe os dentes. *Uns bonitos dentes brancos,* pensou, *mas se o enfurecer não permanecerão bonitos por muito tempo.* Quando abriu a porta, três das quatro velas apagaram-se. Levou a noiva para o meio da neblina, onde os convidados do casamento aguardavam.

— Porquê eu? — perguntara quando a Senhora Dustin lhe dissera que tinha de entregar a noiva.

— O pai dela está morto e todos os irmãos também. A mãe faleceu nas Gémeas. Os tios estão perdidos, mortos ou cativos.

— Ainda tem um irmão. — *Ainda tem três irmãos,* poderia ele ter dito. — Jon Snow está na Patrulha da Noite.

— Um meio-irmão, de nascimento bastardo e vinculado à Muralha. Vós éreis protegido do pai, aquilo que mais se aproxima de um familiar sobrevivente. É adequado que sejais vós a entregar a mão dela em casamento.

*Aquilo que mais se aproxima de um familiar sobrevivente.* Theon Greyjoy crescera com Arya Stark. Theon teria reconhecido uma impostura. Se fosse visto a aceitar a rapariga fingida dos Bolton como Arya, os senhores do Norte que se haviam reunido para testemunhar a união não teriam base para questionar a sua legitimidade. Stout e Slate, o Terror-das-Rameiras Umber, os quezilentos Ryswell, homens de Hornwood e primos dos Cerwyn, o gordo Lorde Manderly… nenhum conhecera as filhas de Ned Stark tão bem como ele, nem de perto, nem de longe. E se alguns nutrissem dúvidas em privado, decerto que seriam suficientemente sensatos para guardar tais desconfianças para si.

*Estão a usar-me para esconder o engano, pondo a minha cara na sua mentira.* Fora por isso que Roose Bolton voltara a vesti-lo de senhor; para desempenhar o seu papel naquela farsa de saltimbanco. Uma vez isso feito, uma vez a falsa Arya casada e desflorada, Bolton não teria mais utilidade para Theon Vira-Mantos.

— Servi-nos nisto, e quando Stannis for derrotado discutiremos a melhor maneira de recuperar para vós os domínios do vosso pai — dissera sua senhoria numa voz baixa, uma voz feita para mentiras e sussurros. Theon nunca acreditara numa palavra. Dançaria aquela dança para eles, porque não tinha alternativa, mas depois... *Depois, ele vai devolver-me a Ramsay*, pensou, *e Ramsay tirar-me-á mais alguns dedos, e voltará a transformar-me em Cheirete.* A menos que os deuses fossem bondosos e Stannis Baratheon caísse sobre Winterfell e os passasse a todos pela espada, incluindo ele próprio. Isso era o melhor que poderia esperar.

Estava menos frio no bosque sagrado, por estranho que parecesse. Para lá dos limites do bosque, um frio duro e branco prendia Winterfell. Os caminhos estavam traiçoeiros com gelo negro, e geada cintilava ao luar nas vidraças quebradas dos Jardins de Vidro. Montes de neve suja tinham-se empilhado contra as paredes, enchendo todos os escaninhos e recantos. Alguns eram tão altos que escondiam as portas atrás deles. Sob a neve jazia cinza e carvões negros, e aqui e ali uma trave enegrecida ou uma pilha de ossos adornada com farrapos de pele e cabelo. Pingentes longos como lanças pendiam das ameias e orlavam as torres como as rígidas suíças brancas de um velho. Mas no interior do bosque sagrado, o chão mantinha-se livre de gelo, e vapor erguia-se das lagoas de água quente, tépido como o hálito de um bebé.

A noiva estava vestida de branco e cinzento, as cores que a verdadeira Arya teria usado se tivesse vivido o suficiente para casar. Theon usava negro e dourado, e o seu manto estava-lhe preso ao ombro por uma tosca lula gigante de ferro que um ferreiro lhe fizera em Vila Acidentada. Mas, sob o capuz, o cabelo estava branco e fino e a pele tinha o tom acinzentado da de um velho. *Finalmente um Stark*, pensou. De braços dados, ele e a noiva passaram por uma porta arqueada de pedra, enquanto farrapos de névoa se agitavam em volta das suas pernas. O tambor era trémulo como um coração de donzela, as flautas agudas, doces e chamativas. Por cima das copas das árvores, um crescente de Lua flutuava num céu escuro, semiobscurecido pela névoa, como um olho a espreitar através de um véu de seda.

O bosque sagrado não era estranho a Theon Greyjoy. Tinha brincado ali em rapaz, fazendo saltar pedras na fria lagoa negra à sombra do represeiro, escondendo os seus tesouros no tronco de um antigo carvalho, caçando esquilos com um arco que fora ele próprio a fazer. Mais tarde, mais velho, ensopara as nódoas negras nas nascentes quentes depois de muitas sessões no pátio com Robb, Jory e Jon Snow. Entre aqueles castanheiros, ulmeiros e pinheiros marciais descobrira lugares secretos onde podia esconder-se quando desejava ficar sozinho. A primeira vez que beijara uma rapariga fora ali. Mais tarde, outra rapariga fizera dele um homem em cima de uma colcha esfarrapada à sombra daquela grande sentinela verde-acinzentada.

Nunca vira o bosque sagrado assim, porém; cinzento e fantasmagórico, cheio de névoas mornas e luzes flutuantes e vozes murmuradas que pareciam vir de todo o lado e de lugar algum. Por baixo das árvores, as nascentes quentes fumegavam. Vapores quentes erguiam-se da terra, amortalhando as árvores no seu hálito húmido, subindo pelas paredes para irem fechar cortinas cinzentas nas janelas que as observavam.

Havia uma espécie de caminho, um carreiro sinuoso de pedras rachadas cobertas de musgo, meio enterrado debaixo de terra soprada pelo vento e folhas caídas, e tornado traiçoeiro por grossas raízes castanhas que empurravam de baixo. Levou a noiva ao longo desse carreiro. *Jeyne, o nome dela é Jeyne, combina com mágoa.* Mas não podia pensar aquilo. Se esse nome lhe cruzasse os lábios, isso poderia custar-lhe um dedo, ou uma orelha. Caminhou lentamente, com cautela em cada passo. Os dedos que lhe faltavam nos pés faziam-no mancar quando se apressava, e não seria bom tropeçar. Se estragasse o casamento do Lorde Ramsay com um passo em falso, o Lorde Ramsay poderia retificar essa falta de jeito esfolando o pé culpado.

As névoas eram tão densas que só as árvores mais próximas estavam visíveis; atrás delas erguiam-se sombras altas e luzes ténues. Velas tremeluziam ao lado do caminho errante e recuavam por entre as árvores, pálidos pirilampos que flutuavam numa sopa morna e cinzenta. Parecia uma espécie de estranho submundo, um qualquer lugar sem tempo entre os mundos por onde os danados vagueassem funebremente durante algum tempo até encontraram o caminho para o inferno que os seus pecados lhes haviam garantido. *Quererá dizer que estamos todos mortos? Terá Stannis chegado e ter-nos-á matado enquanto dormíamos? Estará a batalha ainda por chegar, ou terá sido já travada e perdida?*

Aqui e ali, um archote ardia, faminto, derramando o seu brilho avermelhado pelas caras dos convidados do casamento. O modo como as névoas refletiam a luz mutável fazia com que os rostos parecessem animalescos, semi-humanos, retorcidos. O Lorde Stout transformara-se num mastim, o velho Lorde Locke num abutre, o Terror-das-Rameiras Umber numa gárgula, o Walder Grande Frey numa raposa, o Walder Pequeno num touro vermelho, faltando-lhe apenas uma argola para o nariz. A cara de Roose Bolton era uma máscara cinzenta clara, com duas lascas de gelo sujo onde os olhos deviam estar. Por cima das cabeças, as árvores estavam cheias de corvos, de penas eriçadas enquanto se acocoravam em ramos despidos e castanhos, fitando as cerimónias que se desenrolavam lá em baixo. *As aves do Meistre Luwin.* Luwin estava morto, e a sua torre de meistre fora passada pelo archote, mas os corvos permaneciam. *Este é o seu lar.* Theon perguntou a si próprio como seria ter um lar.

Então as névoas abriram-se, como a cortina que corria num espetáculo de saltimbancos para revelar um novo palco. A árvore coração apareceu à frente deles, com os ramos ossudos muito abertos. Folhas caídas jaziam em volta do largo tronco branco, em montes de vermelho e castanho. Era aí que os corvos eram em maior número, resmungando uns com os outros na língua secreta do bando. Ramsay Bolton estava por baixo das aves, trazendo botas de cano alto de couro mole e cinzento e um gibão de veludo negro cortado de seda rosa e que cintilava com lágrimas de granada. Um sorriso dançava-lhe na cara.

— Quem vem lá? — Os seus lábios estavam húmidos, o pescoço cinzento por cima do colarinho. — Quem vem apresentar-se ao deus?

Theon respondeu.

— É Arya da Casa Stark quem aqui vem para ser casada. Uma mulher feita e florescida, de nascimento legítimo e nobre, vem suplicar a bênção dos deuses. Quem vem reclamá-la?

— Eu — disse Ramsay. — Ramsay da Casa Bolton, Senhor de Boscorno, herdeiro do Forte do Pavor. Reclamo-a. Quem a entrega?

— Theon da Casa Greyjoy, que foi protegido do seu pai. — Virou-se para a noiva. — Senhora Arya, aceitais este homem?

Ela ergueu os olhos para os seus. *Olhos castanhos, não cinzentos. Serão todos eles assim tão cegos?* Durante um longo momento a rapariga não falou, mas aqueles olhos suplicavam. *É esta a tua oportunidade,* pensou. *Diz-lhes. Diz-lhes agora. Grita o teu nome perante todos, diz-lhes que não és Arya Stark, deixa que todo o Norte ouça como foste obrigada a desempenhar este papel.* Isso significaria a sua morte, claro, e a dele também, mas Ramsay, na sua fúria, talvez os matasse depressa. Os velhos deuses do Norte poderiam conceder-lhes essa pequena mercê.

— Aceito este homem — disse a noiva, num murmúrio.

A toda a volta deles, luzes tremeluziram por entre as névoas; uma centena de velas, pálidas como estrelas amortalhadas. Theon recuou, e Ramsay e a noiva juntaram as mãos e ajoelharam perante a árvore coração, baixando as cabeças em sinal de submissão. Os rubros olhos esculpidos do represeiro fitaram-nos, com a sua grande boca vermelha aberta como que para soltar uma gargalhada. Nos ramos, mais acima, um corvo soltou um *cuorc.*

Após um momento de oração silenciosa, o homem e a mulher voltaram a levantar-se. Ramsay desprendeu o manto que Theon pusera aos ombros da noiva momentos antes, o pesado manto de lã branca debruado com pele cinzenta e decorado com o lobo gigante da Casa Stark. No seu lugar prendeu um manto cor-de-rosa salpicado de granadas vermelhas como as que tinha no gibão. Nas costas do manto via-se o homem esfolado do Forte do Pavor, feito de rígido couro vermelho, sombrio e macabro.

E foi assim de repente que ficou feito. Os casamentos eram mais rápidos no Norte. Theon supunha que isso provinha de não terem sacerdotes, mas fosse qual fosse a razão pareceu-lhe uma misericórdia. Ramsay Bolton pôs a mulher ao colo e atravessou com ela as névoas a passos largos. O Lorde Bolton e a sua Senhora Walda seguiram-nos, e os outros foram atrás. Os músicos recomeçaram a tocar, e o bardo Abel pôs-se a cantar "Dois Corações que Batem Como um Só." Duas das suas mulheres juntaram as vozes à dele para criar uma doce harmonia.

Theon deu por si a pensar se deveria fazer uma prece. *Ouvir-me-ão os deuses antigos se o fizer?* Não eram os seus deuses, nunca tinham sido os seus deuses. Ele era nascido no ferro, um filho de Pyke, o seu deus era o Deus Afogado das ilhas... mas Winterfell ficava a longas léguas do mar. Passara-se uma vida desde que algum deus o ouvira. Não sabia quem era, ou o que era, porque continuava vivo, para que nascera, até.

— Theon — pareceu sussurrar uma voz.

Ergueu a cabeça num movimento brusco.

— Quem disse isso? — Nada conseguia ver além das árvores e do nevoeiro que as cobria. A voz fora ténue como o roçagar de folhas, fria como o ódio. *Uma voz de deus, ou de fantasma.* Quantos tinham morrido no dia em que tomara Winterfell? Quantos mais no dia em que perdera o castelo? *No dia em que Theon Greyjoy morreu, para renascer como Cheirete. Cheirete, Cheirete, rima com falsete.*

De súbito deixou de querer estar ali.

Depois de sair do bosque sagrado, o frio desceu sobre ele como um lobo voraz e agarrou-o com os dentes. Baixou a cabeça contra o vento e dirigiu-se para o Grande Salão, apressando-se a seguir a longa fila de velas e archotes. Gelo rangia sob as botas, e uma súbita rajada empurrou-lhe o capuz para trás, como se um fantasma o tivesse puxado com dedos gelados, faminto por lhe fitar a cara.

Winterfell estava cheio de fantasmas para Theon Greyjoy.

Aquele não era o castelo que recordava do verão da juventude. Aquele lugar estava marcado e quebrado, mais ruína do que reduto, um antro de corvos e cadáveres. A grande muralha exterior dupla ainda estava em pé, pois o granito não cede facilmente ao fogo, mas a maior parte das torres e edifícios no interior estavam sem telhados. Alguns desses edifícios tinham ruído. O colmo e a madeira tinham sido consumidos pelo fogo, no todo ou em parte, e sob as vidraças estilhaçadas do Jardim de Vidro os frutos e legumes que teriam alimentado o castelo durante o inverno estavam mortos, negros e congelados. Tendas enchiam o pátio, meio enterradas na neve. Roose Bolton trouxera a sua hoste para o interior das muralhas, juntamente com os seus amigos, os Frey; eram milhares os que se aninhavam entre as ruínas, enchendo todos os pátios, dormindo em adegas e sob torres sem cobertura, e em edifícios que estavam abandonados há séculos.

Colunas de fumo cinzento serpenteavam das cozinhas reconstruídas e da fortaleza das casernas, cujo telhado fora recuperado. As ameias e as seteiras estavam coroadas de neve e decoradas com pingentes de gelo. Toda a cor fora sugada de Winterfell até só restarem o cinzento e o branco. *As cores dos Stark*. Theon não sabia se devia achar isso de mau agouro ou animador. Até o céu estava cinzento. *Cinzento, cinzento e mais cinzento. O mundo inteiro cinzento, para onde quer que se olhe, tudo cinzento exceto os olhos da noiva*. Os olhos da noiva eram castanhos. *Grandes e castanhos e cheios de medo*. Não estava certo que a rapariga procurasse nele salvação. Que julgara, que ele assobiaria para chamar um cavalo alado e a levaria dali a voar, como um qualquer herói das histórias que ela e Sansa adoravam? Nem a si próprio conseguia ajudar. *Cheirete, Cheirete, rima com tapete*.

Por todo o lado, no pátio, mortos pendiam meio congelados da ponta de cordas de cânhamo, com as caras inchadas brancas de geada. Winterfell estivera repleto de habitantes ilegítimos quando a vanguarda de Bolton chegara ao castelo. Mais de duas dúzias tinham sido tiradas à força dos ninhos que tinham feito por entre as torres e fortalezas semiarruinadas. Os mais ousados e truculentos tinham sido enforcados, os outros postos a trabalhar. Lorde Bolton dissera-lhes que, se servissem bem, seria misericordioso. Havia fartura de pedra e madeira com a mata de lobos tão próxima. Novos portões robustos tinham sido erguidos primeiro, para substituir os que haviam sido queimados. Depois, o telhado caído do Grande Salão fora removido e um novo construído à pressa no seu lugar. Depois do trabalho concluído, Lorde Bolton enforcara os trabalhadores. Fiel à palavra dada, mostrara misericórdia para com eles e não esfolara nem um.

Por essa altura, o resto do exército dos Bolton chegara. Içaram o veado e leão do Rei Tommen por cima das muralhas de Winterfell enquanto o vento uivava de norte, e por baixo içaram o homem esfolado do Forte do Pavor. Theon chegara na coluna de Barbrey Dustin, com sua senhoria, os seus recrutas de Vila Acidentada e a futura noiva. A Senhora Dustin insistira que devia ser sua a guarda da Senhora Arya até ao momento em que se casasse, mas agora esse tempo chegara ao fim. *Ela agora pertence a Ramsay. Proferiu as palavras*. Através daquele casamento, Ramsay seria Senhor de Winterfell. Enquanto Jeyne tivesse o cuidado de não o enfurecer, ele não devia ter motivo para lhe fazer mal. *Arya. O nome dela é Arya*.

Mesmo dentro de luvas forradas de peles, as mãos de Theon tinham começado a latejar de dor. Eram frequentemente as mãos que mais lhe doíam, em especial os dedos que lhe faltavam. Teria realmente havido uma altura em que mulheres ansiavam pelo seu toque? *Fiz de mim Príncipe de Winterfell*, pensou, *e foi daí que veio tudo isto.* Julgara que os homens cantariam sobre ele durante cem anos, e que contariam histórias sobre a sua ousadia. Mas se alguém falava dele agora era como Theon Vira-Mantos, e as histórias que contavam referiam-se à sua traição. *Isto nunca foi o meu lar. Eu aqui fui um refém.* Lorde Stark não o tratara com crueldade, mas a longa sombra de aço da sua espada sempre estivera entre ambos. *Ele foi bom para mim, mas nunca foi caloroso. Sabia que um dia podia ter de me condenar à morte.*

Theon manteve os olhos no chão enquanto atravessava o pátio, ziguezagueando entre as tendas. *Aprendi a combater neste pátio*, pensou, lembrando-se de dias quentes de verão passados à espadeirada com Robb e Jon Snow sob os olhos vigilantes do velho Sor Rodrik. Isso acontecera quando estava completo, quando podia agarrar no cabo de uma espada tão bem como qualquer homem. Mas o pátio também continha memórias mais sombrias. Fora ali que reunira o povo dos Stark na noite em que Bran e Rickon tinham fugido do castelo. Ramsay era então o Cheirete, a seu lado, a sugerir-lhe em sussurros que devia esfolar alguns dos cativos para os obrigar a dizer-lhe para onde os rapazes tinham ido. *Não haverá aqui esfolamentos enquanto eu for Príncipe de Winterfell*, respondera Theon, mal sonhando quão curto se revelaria o seu domínio. *Nenhum deles quis ajudar-me. Conheci-os a todos durante metade da minha vida, e nem um deles quis ajudar-me.* Mesmo assim, fizera o que pudera para os proteger, mas depois de Ramsay pôr de lado a cara de Cheirete, matara todos os homens e os nascidos no ferro de Theon também. *Incendiou-me o cavalo.* Fora essa a última coisa que vira no dia em que o castelo caíra: o Sorridente a arder, as chamas a saltar-lhe da crina enquanto se empinava, escoiceando, gritando, de olhos brancos de terror. *Aqui, precisamente neste pátio.*

As portas do Grande Salão ergueram-se na sua frente; acabadas de fazer, para substituir as que tinham ardido, pareceram-lhe toscas e feias, tábuas em bruto unidas à pressa. Um par de lanceiros guardava-as, encurvados e a tremer sob espessos mantos de peles, com as barbas cobertas de gelo. Olharam Theon com ressentimento quando este coxeou pela escada acima, empurrou a porta da direita e deslizou para dentro.

O salão estava abençoadamente quente e brilhante com luz de archotes, e nunca o vira mais repleto de gente. Theon deixou-se inundar pelo calor, após o que se dirigiu para a parte dianteira do salão. Homens sentavam-se muito juntos nos bancos, tão apertados que os servidores tinham de se contorcer para passar entre eles. Até os cavaleiros e senhores acima do sal beneficiavam de menos espaço do que era habitual.

Lá em cima, perto do estrado, Abel estava a dedilhar o alaúde e a cantar "Belas Donzelas do Verão." *Chama a si próprio bardo. A verdade é que é mais proxeneta que bardo.* O Lorde Manderly trouxera músicos de Porto Branco, mas nenhum era cantor, de modo que quando Abel aparecera aos portões com um alaúde e seis mulheres, fora bem recebido.

— Duas irmãs, duas filhas, uma esposa e a minha velha mãe — afirmara o cantor, embora nem uma se parecesse com ele. — Algumas dançam, algumas cantam, uma toca flauta e um tambor. Também são boas lavadeiras.

Bardo ou proxeneta, a voz de Abel era razoável, e tocava decentemente. Ali, entre as ruínas, ninguém esperava mais.

Ao longo das paredes pendiam os estandartes: as cabeças de cavalo dos Ryswell em ouro, castanho, cinzento e negro, o gigante rugidor da Casa Umber, a mão de pedra da Casa Flint do Dedo de Pederneira, o alce de Boscorno e o tritão de Manderly, o machado de batalha negro de Cerwyn e os pinheiros de Tallhart. Mas as suas cores brilhantes não conseguiam cobrir por completo as paredes enegrecidas que se estendiam por trás, nem as tábuas que fechavam os buracos onde em tempos tinham estado janelas. Mesmo o telhado estava errado, com os seus novos madeiros em bruto, claros e brilhantes, onde as velhas vigas tinham estado, manchadas quase até ficarem negras por séculos de fumo.

Os maiores estandartes encontravam-se por trás do estrado, onde o lobo gigante de Winterfell e o homem esfolado do Forte do Pavor pendiam por trás da noiva e do noivo. Ver o estandarte dos Stark atingiu Theon com mais força do que esperara. *Errado, é errado, tão errado como os olhos dela.* As armas da Casa Poole eram um prato azul em fundo branco enquadrado por uma bordadura cinzenta. Eram essas as armas que deviam ter pendurado.

— Theon Vira-Mantos — disse alguém quando ele passou. Outros homens viraram as caras ao vê-lo. Um cuspiu. *E porque não?* Ele era o traidor que tomara Winterfell à traição, que matara os irmãos adotivos, que entregara a sua própria gente para ser esfolada em Fosso Cailin, e que entregara a irmã adotiva na cama do Lorde Ramsay. Roose Bolton podia usá-lo, mas os verdadeiros nortenhos deviam desprezá-lo.

Os dedos em falta no pé esquerdo tinham-no deixado com um passo complicado e desajeitado, cómico de se ver. Ouviu uma mulher rir-se atrás de si. Mesmo ali, no cemitério meio congelado que era aquele castelo, rodeado de neve, gelo e morte, havia mulheres. *Lavadeiras.* Essa era a maneira bem educada de dizer *seguidora de acampamentos*, e esta era a forma bem educada de dizer *rameira*.

46

De onde elas vinham, Theon não saberia dizer. Pareciam simplesmente aparecer, como larvas num cadáver ou corvos após uma batalha. Todos os exércitos as atraíam. Algumas eram rameiras endurecidas capazes de foder vinte homens numa noite e beber com eles até os deixarem a todos cegos. Outras pareciam inocentes como donzelas, mas esse era só um truque do ofício. Algumas eram noivas de acampamento, ligadas aos soldados que seguiam por palavras murmuradas a um ou a outro deus, mas condenadas a serem esquecidas quando a guerra terminasse. Aqueciam a cama de um homem à noite, remendavam os buracos nas suas botas de manhã, cozinhavam-lhe o jantar ao chegar o crepúsculo, e pilhavam o seu cadáver após a batalha. Algumas até lavavam um pouco. Com elas costumavam vir filhos bastardos, criaturas imundas e desgraçadas nascidas num acampamento ou noutro. E mesmo gente como esta troçava de Theon Vira-Mantos. *Elas que riam.* O seu orgulho perecera ali em Winterfell; não havia lugar para tal coisa nas masmorras do Forte do Pavor. Depois de se conhecer o beijo de uma faca de esfolar, uma gargalhada perde todo o poder para nos ferir.

O nascimento e o sangue conferiam-lhe um lugar no estrado, na ponta da mesa elevada, junto a uma parede. À sua esquerda estava sentada a Senhora Dustin, como sempre vestida de lã negra, severa no corte e sem adornos. À sua direita não se sentava ninguém. *Têm todos medo que a desonra se lhes transmita.* Se se atrevesse, ter-se-ia rido.

A noiva tinha o lugar mais honroso, entre Ramsay e o pai. Estava sentada com os olhos baixos enquanto Roose Bolton lhes pedia para beber à Senhora Arya.

— Nos seus filhos, as nossas duas casas antigas tornar-se-ão uma só — disse — e a longa inimizade entre Stark e Bolton chegará ao fim. — A voz dele era tão baixa que o salão se silenciou quando os homens se esforçaram para ouvir. — Lamento que o nosso bom amigo Stannis ainda não tenha achado por bem vir juntar-se-nos — prosseguiu, perante uma ondulação de risos — porque sei que Ramsay tinha a esperança de oferecer a cabeça dele à Senhora Arya como presente de casamento. — As gargalhadas tornaram-se mais ruidosas. — Dar-lhe-emos umas magníficas boas-vindas quando chegar, umas boas-vindas dignas de verdadeiros nortenhos. Até esse dia, comamos e bebamos e festejemos… pois o inverno está quase em cima de nós, meus amigos, e muitos dos que estão aqui presentes não sobreviverão para ver a primavera.

O Senhor de Porto Branco fornecera a comida e a bebida, forte cerveja preta, cerveja loura e vinhos tinto, dourado e purpúreo, trazidos do morno sul em navios de casco largo e envelhecido nas suas profundas caves. Os convidados do casamento empanturraram-se com pastéis de bacalhau e abóbora, montanhas de nabos e grandes rodelas redondas de queijo, com fumegantes peças de carneiro e costelas de vaca assadas quase até ficarem pretas e, por fim, com três grandes empadões nupciais, grandes como rodas de carroça, cujas crostas folhadas estavam recheadas até rebentar com cenouras, cebolas, nabos, cherovias, cogumelos e bocados de porco condimentado a nadar num saboroso molho castanho. Ramsay cortou fatias com a cimitarra, enquanto o próprio Wyman Manderly servia, apresentando as primeiras doses fumegantes a Roose Bolton e à sua gorda esposa Frey, e as seguintes a Sor Hosteen e a Sor Aenys, os filhos de Walder Frey.

— O melhor empadão que alguma vez provastes, senhores — declarou o gordo lorde. — Empurrai-o para baixo com dourado da Árvore e saboreai cada dentada. Eu sei que será o que farei.

Fiel à palavra dada, Manderly devorou seis doses, duas de cada um dos três empadões, fazendo estalar os lábios, dando palmadas na barriga e empanturrando-se até deixar a parte da frente da túnica meio castanha com nódoas de molho e a barba salpicada de migalhas de crosta. Nem mesmo a Walda Gorda Frey conseguiu igualar a sua glutonaria, embora lograsse dar conta de três fatias. Ramsay também comeu com gosto, embora a sua pálida noiva não fizesse nada além de fitar a dose posta na sua frente. Quando levantou a cabeça e olhou para Theon, este viu o medo por trás dos grandes olhos castanhos.

Nenhuma espada fora autorizada no salão, mas todos os homens tinham um punhal, mesmo Theon Greyjoy. De que outra forma cortaria a carne? De todas as vezes que olhava para a rapariga que fora Jeyne Poole, sentia a presença desse aço no flanco. *Não tenho maneira de a salvar*, pensou, *mas conseguiria matá-la com bastante facilidade. Ninguém o esperaria. Podia suplicar-lhe a honra de uma dança, e cortar-lhe a garganta. Isso seria uma bondade, não seria? E se os deuses antigos ouvirem a minha prece, Ramsay na sua fúria pode matar-me também*. Theon não tinha medo de morrer. Por baixo do Forte do Pavor, aprendera que havia coisas muito piores do que a morte. Ramsay ensinara-lhe essa lição, dedo a dedo, das mãos e dos pés, e não era lição que alguma vez esqueceria.

— Não estais a comer — observou a Senhora Dustin.

— Pois não. — Comer era-lhe difícil. Ramsay deixara-lhe tantos dentes quebrados que mastigar era uma agonia. Beber era mais fácil, embora tivesse de agarrar na taça de vinho com ambas as mãos para não a deixar cair.

— Não gostais de empadão de porco, senhor? O melhor empadão de porco que alguma vez provámos, segundo o que o nosso gordo amigo nos quer levar a crer. — Fez um gesto na direção do Lorde Manderly com a taça de vinho. — Alguma vez vistes um gordo tão feliz? Está quase a dançar. A servir com as próprias mãos.

Era verdade. O Senhor de Porto Branco era a imagem perfeita do gordo alegre, a rir e a sorrir, a gracejar com os outros senhores e a dar-lhes palmadas nas costas, gritando aos músicos para pedir esta ou aquela melodia.

— Oferece-nos "A Noite Que Terminou," cantor — berrou. — Eu sei que a noiva vai gostar dessa. Ou então canta sobre o bravo e jovem Danny Flint e faz-nos chorar. — Olhando-o, poderia julgar-se que era ele o recém-casado.

— Está bêbado — disse Theon.

— Está a afogar os medos. Aquele é cobarde até ao osso.

Seria? Theon não tinha certeza. Os filhos também tinham sido gordos, mas não se haviam envergonhado em batalha.

— Os nascidos no ferro também festejam antes de uma batalha. Um último sabor de vida, para o caso de a morte estar à espreita. Se Stannis vier…

— Virá. Tem de vir. — A Senhora Dustin soltou um risinho. — E quando vier, o gordo vai mijar-se. O filho morreu no Casamento Vermelho, e no entanto ele partilhou o pão e o sal com Freys, deu-lhes as boas-vindas sob o seu teto, prometeu a neta a um. Até lhes serve empadão. Os Manderly fugiram em tempos do sul, corridos das suas terras e fortalezas por inimigos. O sangue não mente. O gordo gostaria de nos matar a todos, não duvido, mas não tem estômago para isso, apesar de toda a sua largura. Debaixo daquela pele suada bate um coração tão cobarde e acanhado como… bem… o vosso.

A última palavra fora uma chicotada, mas Theon não se atreveu a dar-lhe uma resposta torta. Qualquer insolência custar-lhe-ia pele.

— Se a senhora crê que o Lorde Manderly quer trair-nos, é ao Lorde Bolton que deveis dizê-lo.

— Achais que Roose não sabe? Rapazinho pateta. Observai-o. Observai como ele fita Manderly. Nenhum prato toca os lábios de Roose até que ele veja o Lorde Wyman comer dele primeiro. Nenhuma taça de vinho é bebida até que veja Manderly beber da mesma pipa. Acho que lhe agradaria que o gordo tentasse alguma traição. Diverti-lo-ia. Roose não tem sentimentos, entendeis? Aquelas sanguessugas de que tanto gosta sugaram dele todas as paixões há anos. Não ama, não odeia, não chora. Isto para ele é um jogo, levemente divertido. Alguns homens caçam, outros fazem falcoaria, outros atiram dados. Roose joga com homens. Vós e eu, aqueles Frey, o Lorde Manderly, a rechonchuda esposa nova que tem, até o bastardo, não passamos das suas peças. — Um criado estava a passar. A Senhora Dustin estendeu a taça de vinho e deixou que o homem a enchesse, após o que ordenou com um gesto que fizesse o mesmo a Theon. — Em boa verdade

— disse — o Lorde Bolton aspira a mais do que uma mera senhoria. Porque não Rei do Norte? Tywin Lannister está morto, o Regicida está mutilado, o Duende fugiu. Os Lannister são uma força gasta, e vós fizestes a bondade de o livrar dos Stark. O velho Walder Frey não levantará objeções a ter a sua gorda Waldinha transformada numa rainha. Porto Branco pode revelar-se problemático caso o Lorde Wyman sobreviva à batalha que se aproxima… mas estou bastante certa de que não sobreviverá. Tal como Stannis. Roose tirá-los-á a ambos do caminho, tal como tirou o Jovem Lobo. Quem resta?

— Vós — disse Theon. — Restais vós. A Senhora de Vila Acidentada, uma Dustin pelo casamento, uma Ryswell pelo nascimento.

Aquilo agradou-lhe. Bebeu um gole de vinho, com os olhos escuros a cintilar, e disse:

— A *viúva* de Vila Acidentada… e sim, se me decidisse a isso podia ser uma inconveniência. Claro, Roose também o vê, portanto trata de me conservar dócil.

Podia ter dito mais, mas nesse momento viu os meistres. Tinham entrado três pela porta do senhor atrás do estrado; um alto, um rechonchudo, um muito jovem mas, pelas vestes e correntes, eram três ervilhas cinzentas saídas de uma vagem negra. Antes da guerra, Medrick servira o Lorde Hornwood, Rhodry o Lorde Cerwyn, e o jovem Henly o Lorde Slate. Roose Bolton trouxera-os a todos para Winterfell a fim de se encarregarem dos corvos de Luwin, para que mensagens pudessem voltar a ser enviadas e recebidas ali.

Quando o Meistre Medrick caiu sobre um joelho para murmurar ao ouvido de Bolton, a boca da Senhora Dustin torceu-se de desagrado.

— Se eu fosse rainha, a primeira coisa que faria seria matar todas aquelas ratazanas cinzentas. Correm por todo o lado, vivendo das sobras dos senhores, chiando umas com as outras, sussurrando aos ouvidos dos seus amos. Mas quem são realmente os amos e os servos? Todos os grandes senhores têm o seu meistre, todos os senhores de menor gabarito aspiram a ter um. Se não se tem um meistre, isso é visto como querendo dizer que se é de pouca importância. As ratazanas cinzentas leem e escrevem as nossas cartas, mesmo para senhores que não sabem ler, e quem poderá dizer com certeza que não estão a distorcer as palavras para os seus próprios fins? De que servem eles?, pergunto-vos.

— Curam — disse Theon. Parecia ser o que se esperava dele.

— Curam, pois. Nunca disse que não eram subtis. Tratam de nós quando estamos doentes ou feridos, ou perturbados com a doença de um pai ou de um filho. Sempre que estamos mais fracos e mais vulneráveis, lá estão eles. Às vezes curam-nos, e ficamos devidamente agradecidos. Quando falham, consolam-nos na nossa dor, e também ficamos gratos por isso.

Por gratidão, concedemos-lhes um lugar sob o nosso teto e deixamo-los ao corrente de todas as nossas vergonhas e segredos, fazemo-los participar em todos os conselhos. E não demora muito até que o governante passe a governado. Foi isso que aconteceu ao Lorde Rickard Stark. O nome da sua ratazana cinzenta era Meistre Walys. E não é inteligente o modo como os meistres respondem só pelo primeiro nome, mesmo aqueles que tinham dois quando chegaram à Cidadela? Assim, não podemos saber quem realmente são ou de onde vêm… mas se se for suficientemente decidido ainda se pode descobrir. Antes de forjar a sua corrente, o Meistre Walys era conhecido como Walys Flowers. Flowers, Hill, Rivers, Snow… damos esses nomes a crianças bastardas para as assinalar como o que são, mas elas são sempre rápidas a verem-se livres deles. Walys Flowers tinha uma rapariga de Torralta como mãe… e um arquimeistre da Cidadela como pai, segundo se dizia. As ratazanas cinzentas não são tão castas como nos gostariam de levar a crer. Os meistres de Vilavelha são os piores de todos. Depois de Walys forjar a corrente, o seu pai secreto e os amigos dele não perderam tempo a despachá-lo para Winterfell para encher os ouvidos do Lorde Rickard com palavras envenenadas doces como o mel. O casamento Tully foi ideia dele, não tenhais dúvidas, ele…

Interrompeu-se quando Roose Bolton se pôs em pé, com os olhos claros a brilhar à luz dos archotes.

— Meus amigos — começou, e um silêncio varreu o salão, tão profundo que Theon conseguiu ouvir o vento a empurrar as tábuas que tapavam as janelas. — Stannis e os seus cavaleiros abandonaram Bosque Profundo, exibindo o estandarte do seu novo deus vermelho. Os clãs dos montes nortenhos vêm com ele nos seus cavalinhos hirsutos. Se o tempo se mantiver como está, podem cair sobre nós dentro de uma quinzena. E o Papa-Corvos Umber desce a estrada de rei, enquanto os Karstark se aproximam vindos de leste. Pretendem juntar-se aqui ao Lorde Stannis e tirar-nos este castelo das mãos.

Sor Hosteen Frey pôs-se em pé com ímpeto.

— Devíamos avançar ao seu encontro. Porque haveremos de deixar que combinem as forças?

*Porque Arnolf Karstark só espera um sinal do Lorde Bolton para virar o manto*, pensou Theon, enquanto outros senhores começavam a gritar conselhos. O Lorde Bolton ergueu as mãos pedindo silêncio.

— O salão não é o lugar para tais discussões, senhores. Vamos até ao aposento privado enquanto o meu filho consuma este casamento. Os restantes de vós, ficai e desfrutai da comida e da bebida.

Enquanto o Senhor do Forte do Pavor se retirava, acompanhado pelos três meistres, outros senhores e capitães levantaram-se para o seguirem.

Hother Umber, o velho descarnado a que chamavam Terror-das-Rameiras, foi de rosto sombrio e cenho franzido. O Lorde Manderly estava tão bêbado que precisou de quatro homens fortes para o ajudarem a sair do salão.

— Devíamos ouvir uma canção sobre o Cozinheiro Ratazana — estava ele a resmungar enquanto passava por Theon a cambalear, apoiado nos seus cavaleiros. — Cantor, canta-nos uma canção sobre o Cozinheiro Ratazana.

A Senhora Dustin foi uma das últimas a mexer-se. Depois de ela se ir embora, o salão pareceu de repente abafado. Foi só quando Theon se pôs em pé que se apercebeu do muito que bebera. Quando se afastou da mesa, instável, fez voar um jarro das mãos de uma criada. Vinho derramou-se-lhe sobre as botas e as bragas, uma maré vermelha escura.

Uma mão agarrou-lhe no ombro, cinco dedos duros como ferro que se lhe enterraram profundamente na carne.

— Querem-te, Cheirete — disse o Alyn Azedo, com o hálito nauseabundo devido ao cheiro dos dentes podres. O Picha Amarela e o Damon-Dança-Para-Mim estavam com ele. — Ramsay diz que vais levar a noiva para a cama dele.

Um estremecimento de medo percorreu-o. *Eu desempenhei o meu papel*, pensou. *Porquê eu?* Mas bem sabia que não devia levantar objeções.

O Lorde Ramsay já abandonara o salão. A sua noiva, abandonada e aparentemente esquecida, mantinha-se sentada, retraída e silenciosa sob o estandarte da Casa Stark, agarrando com ambas as mãos um cálice de prata. Julgando pelo modo como olhou para ele quando se aproximou, esvaziara o cálice por mais de uma vez. Talvez esperasse que, se bebesse o suficiente, a provação a deixaria em paz. Theon sabia que não seria assim.

— Senhora Arya — disse. — Vinde. Está na altura de cumprirdes o vosso dever.

Seis dos rapazes do Bastardo acompanharam-nos quando Theon levou a rapariga pela parte de trás do salão, atravessando o gélido pátio, até à Grande Torre. Havia que subir três lanços de degraus de pedra até ao quarto do Lorde Ramsay, um dos quartos que os incêndios só tinham tocado levemente. Enquanto subiam, Damon-Dança-Para-Mim assobiava, e o Esfolador gabava-se de que o Lorde Ramsay lhe prometera um bocado do lençol ensanguentado como sinal de especial apreço.

O quarto fora bem preparado para a consumação. Toda a mobília era nova, trazida de Vila Acidentada na coluna logística. A cama de dossel tinha um colchão de penas, e cortinados de veludo vermelho de sangue. O chão de pedra estava coberto com peles de lobo. Um fogo ardia na lareira, uma vela na mesa de cabeceira. No aparador encontrava-se um jarro de vinho, duas taças e meia rodela de queijo branco raiado.

Também havia uma cadeira, esculpida em carvalho negro com um assento de couro vermelho. O Lorde Ramsay estava sentado nela quando entraram. Saliva reluzia no seu lábio.

— Aí está a minha doce donzela. Bons rapazes. Agora podeis deixar-nos. Tu não, Cheirete. Tu ficas.

*Cheirete, Cheirete, rima com malandrete.* Sentia cãibras nos dedos que lhe faltavam; dois na mão esquerda, um na direita. E o punhal repousava-lhe à coxa, dormindo na bainha de couro, mas pesado, oh, tão pesado. *Só me desapareceu o mindinho da mão direita*, lembrou Theon a si próprio. *Ainda sou capaz de pegar numa faca.*

— Senhor. Como posso servir-vos?

— Deste-me a moça. Quem será melhor para desembrulhar o presente? Vamos dar uma olhadela à filhinha do Ned Stark.

*Ela não é da família do Lorde Eddard*, quase disse Theon. *Ramsay sabe, ele tem de saber, que novo jogo cruel é este?* A rapariga estava em pé ao lado da coluna da cama, a tremer como uma corça.

— Senhora Arya, se quiserdes virar-nos as costas, tenho de desatar-vos o vestido.

— Não. — O Lorde Ramsay serviu-se de uma taça de vinho. — As ataduras demoram demasiado. Corta-lho.

Theon puxou pelo punhal. *Tudo o que tenho de fazer é virar-me e apunhalá-lo. Tenho a faca na mão.* Nessa altura compreendeu o jogo. *Outra armadilha*, disse a si próprio, recordando Kyra com as suas chaves. *Ele quer que eu tente matá-lo. E quando falhar, arranca-me a pele da mão que usei para manejar a lâmina.* Agarrou num bocado da saia da noiva.

— Ficai quieta, senhora. — O vestido estava largo abaixo da cintura, portanto foi aí que enfiou a lâmina, cortando lentamente para cima a fim de não a golpear. Aço sussurrou através de lã e seda com um som ténue e suave. A rapariga tremia. Theon teve de a agarrar por um braço para a manter quieta. *Jeyne, Jeyne, combina com dor.* Agarrou com mais força, tanta quanta a sua mutilada mão esquerda permitia. — Ficai quieta.

Por fim, o vestido cedeu, um pálido emaranhado em volta dos pés dela.

— A roupa de baixo também — ordenou Ramsay. O Cheirete obedeceu.

Quando terminou, a noiva ficou nua, com os enfeites nupciais transformados numa pilha de trapos brancos e cinzentos em volta dos seus pés. Tinha os seios pequenos e pontiagudos, as ancas estreitas como as de uma rapariguinha, as pernas tão magras como as de uma ave. *Uma criança.* Theon esquecera-se de como ela era nova. *Da idade de Sansa. Arya seria ainda mais nova.* Apesar do fogo na lareira, o quarto estava gelado. A pálida pele de Jeyne estava transformada em pele de galinha. Houve um momento em que as mãos dela se elevaram, como que para cobrir os seios, mas Theon fez com a boca um *não* silencioso e ela viu e parou de imediato.

— Que achas dela, Cheirete? — perguntou o Lorde Ramsay.

— Ela… — *Que resposta quer ele?* Que dissera a rapariga, antes do bosque sagrado? *Todos diziam que eu era bonita.* Agora não era bonita. Theon via uma teia de aranha de ténues vincos estreitos nas suas costas, onde alguém a chicoteara. — … ela é bela, tão… tão bela.

Ramsay sorriu o seu sorriso húmido.

— Ela entesa-te a picha, Cheirete? Está a fazer força contra as ataduras? Gostavas de a foder primeiro? — Riu-se. — O Príncipe de Winterfell devia ter esse direito, como todos os senhores tinham nos dias de antanho. A primeira noite. Mas tu não és senhor nenhum, pois não? Só o Cheirete. Nem sequer és um homem, em boa verdade. — Bebeu outro gole de vinho, depois atirou a taça para o outro lado do quarto, fazendo-a estilhaçar-se numa parede. Rios vermelhos correram pela pedra. — Senhora Arya. Mete-te na cama. Sim, contra as almofadas, assim é que é uma boa esposa. Agora abre as pernas. Deixa-nos ver-te a cona.

A rapariga obedeceu, sem palavras. Theon deu um passo para trás na direção da porta. O Lorde Ramsay sentou-se ao lado da sua noiva, fez-lhe deslizar a mão pela parte de dentro da coxa, depois enfiou dois dedos dentro dela. A rapariga soltou um arquejo de dor.

— Estás seca como osso velho. — Ramsay libertou a mão e esbofeteou-lhe a cara. — Disseram-me que sabias como agradar a um homem. Foi mentira?

— N-não, senhor. Eu fui t-treinada.

Ramsay levantou-se, com a luz do fogo a brilhar-lhe na cara.

— Cheirete, anda cá. Põe-na pronta para mim.

Por um momento, não compreendeu.

— Eu… quereis dizer… s'nhor, eu não tenho… eu…

— Com a boca — disse o Lorde Ramsay. — E despacha-te. Se ela não estiver húmida quando eu acabar de me despir, corto-te essa tua língua e prego-a à parede.

Algures no bosque sagrado um corvo gritou. O punhal continuava na sua mão.

Embainhou-o.

*Cheirete, o meu nome é Cheirete, rima com joguete.*

O Cheirete dobrou-se para desempenhar a sua tarefa.

— Examinemos essa cabeça — ordenou o seu príncipe.

Areo Hotah fez correr a mão pelo cabo liso do machado, a sua esposa de freixo e ferro, não deixando nunca de observar. Observava o cavaleiro branco, Sor Balon Swann, e os outros que tinham vindo com ele. Observava as Serpentes de Areia, cada uma sentada na sua mesa. Observava os senhores e as senhoras, os criados, o velho senescal cego e o jovem meistre, Myles, com a barba sedosa e sorriso servil. Em pé, metade iluminado e metade nas sombras, via-os a todos. *Serve. Protege. Obedece.* Era essa a sua tarefa.

Todos os outros só tinham olhos para a arca. Fora esculpida em ébano, com fechadura e dobradiças de prata. Uma caixa com bom aspeto, sem dúvida, mas muitos dos que ali estavam reunidos no Velho Palácio de Lançassolar podiam estar mortos em breve, dependendo do que se encontrava naquela arca.

Fazendo murmurar os chinelos contra o chão, o Meistre Caleotte atravessou o salão até junto de Sor Balon Swann. O homenzinho redondo tinha um magnífico aspeto nas suas vestes novas, com as faixas largas de castanho claro e escuro e estreitas riscas vermelhas. Fazendo uma vénia, tirou a arca das mãos do cavaleiro branco e levou-a para o estrado, onde Doran Martell estava sentado na sua cadeira de rodas entre a filha Arianne e a querida amante do irmão morto, Ellaria. Uma centena de velas odoríferas perfumava o ar. Pedras preciosas cintilavam nos dedos dos senhores, e nos cintos e redes para o cabelo das senhoras. Areo Hotah polira o seu lorigão de escamas de cobre até as deixar cintilantes como espelhos, para também ele brilhar à luz das velas.

Um silêncio caíra no salão. *Dorne sustém a respiração.* O Meistre Caleotte pousou a caixa no chão junto à cadeira do Príncipe Doran. Os dedos do meistre, normalmente tão seguros e hábeis, tornaram-se desastrados ao manusear o trinco e abrir a tampa, para revelar o crânio que se encontrava no interior. Hotah ouviu alguém pigarrear. Um dos gémeos Fowler murmurou qualquer coisa ao outro. Ellaria Sand fechara os olhos e estava a murmurar uma prece.

O capitão dos guardas observou que Sor Balon Swann estava tenso como um arco retesado. Aquele novo cavaleiro branco não era tão alto ou bem-parecido como o antigo, mas tinha um peito mais largo, era mais corpulento, tinha os braços grossos de músculo. O manto de neve estava preso à garganta por dois cisnes num broche de prata. Um era de marfim, o outro de ónix, e a Areo Hotah parecia que os dois estavam a lutar. O homem que os usava também parecia um lutador. *Este não morrerá tão facilmente como o outro. Não arremeterá contra o meu machado como Sor Arys fez. Ficará atrás do seu escudo e obrigar-me-á a avançar contra ele.* Se se chegasse a tanto, Hotah estaria pronto. O seu machado estava suficientemente afiado para se fazer a barba com ele.

Permitiu-se uma breve olhadela à arca. O crânio repousava numa base de feltro negro, sorrindo. Todos os crânios sorriam, mas aquele parecia mais feliz do que a maioria. *E é maior.* O capitão dos guardas nunca vira um crânio maior do que aquele. As arcadas supraciliares eram grossas e pesadas, a maxila era enorme. O osso brilhava à luz das velas, branco como o manto de Sor Balon.

— Coloca-o no pedestal — ordenou o príncipe. Tinha lágrimas a brilhar nos olhos.

O pedestal era uma coluna de mármore negro um metro mais alta do que o Meistre Caleotte. O pequeno e gordo meistre pôs-se nos bicos dos pés, mas ainda continuou sem chegar lá. Areo Hotah preparava-se para ir ajudá-lo, mas Obara Sand reagiu primeiro. Mesmo sem o chicote e o escudo, possuía um ar zangado e masculino. Em lugar de vestido, usava bragas de homem e uma túnica de linho que lhe chegava à barriga das pernas, cingida à cintura com um cinto de sóis de cobre. O cabelo castanho estava preso atrás de cabeça com um nó. Arrancando o crânio das suaves mãos rosadas do meistre, colocou-o no topo da coluna de mármore.

— A Montanha já não cavalga — disse o príncipe com gravidade.

— A sua morte foi longa e dura, Sor Balon? — perguntou Tyene Sand, no tom de voz que uma donzela poderia usar para perguntar se o seu vestido era bonito.

— Levou dias aos gritos, senhora — respondeu o cavaleiro branco, embora fosse claro que pouco lhe agradava dizê-lo. — Conseguíamos ouvi-lo por toda a Fortaleza Vermelha.

— Isso perturba-vos, sor? — perguntou a Senhora Nym. Usava um vestido de seda amarela tão fina e bem feita que a luz das velas brilhava através dele, indo revelar o ouro tecido e as joias que trazia por baixo. Tão imodesto era o seu trajo que o cavaleiro branco pareceu desconfortável ao olhá-la, mas Hotah aprovou. Nymeria era menos perigosa quando estava quase nua. De outra forma, certamente teria uma dúzia de lâminas ocultas no corpo. — Sor Gregor era um bruto sangrento, todos concordam. Se algum homem mereceu sofrer, foi ele.

— Pode ser que sim, senhora — disse Balon Swann — mas Sor Gregor era um cavaleiro, e um cavaleiro deve morrer de espada na mão. O veneno é uma forma má e nojenta de matar.

A Senhora Tyene sorriu ao ouvir aquilo. O seu vestido era verde e creme, com longas mangas de renda, tão modesto e inocente que qualquer homem que a olhasse poderia julgá-la a mais casta das donzelas. Areo Hotah sabia que não o era. As suas mãos suaves e pálidas eram tão mortíferas como as mãos calejadas de Obara, se não o fossem ainda mais. Observou-a com atenção, alerta a todos os pequenos tremores dos seus dedos.

O Príncipe Doran franziu o sobrolho.

— Isso é verdade, Sor Balon, mas a Senhora Nym tem razão. Se algum homem mereceu morrer aos gritos, foi Gregor Clegane. Ele assassinou a minha boa irmã, esmagou a cabeça do seu bebé contra uma parede. Só rezo para agora estar a arder nalgum inferno e para que Elia e os filhos estejam em paz. Foi esta a justiça de que Dorne tinha fome. Contenta-me ter vivido o suficiente para a saborear. Os Lannister finalmente deram provas da verdade da sua fanfarronada, e pagaram esta velha dívida de sangue.

O príncipe deixou para Ricasso, o seu senescal cego, a tarefa de se levantar e propor o brinde.

— Senhores e senhoras, bebamos agora todos a Tommen, o Primeiro do Seu Nome, Rei dos Ândalos, dos Roinares e dos Primeiros Homens e Senhor dos Sete Reinos.

Criados tinham começado a andar entre os convidados enquanto o senescal falava, enchendo taças dos jarros que traziam. O vinho era vinho-forte dornês, escuro como sangue e doce como a vingança. O capitão não bebeu. Nunca bebia nos banquetes. O próprio príncipe tampouco participou do brinde. Tinha o seu próprio vinho, preparado pelo Meistre Myles e bem temperado com sumo da papoila para lhe aliviar a agonia nas articulações inchadas.

O cavaleiro branco bebeu, como a cortesia obrigava. Os companheiros também. O mesmo fizeram a Princesa Arianne, a Senhora Jordayne, o Senhor de Graçadivina, o Cavaleiro de Limoeiros, a Senhora de Monte Espírito… até Ellaria Sand, a adorada amante do Príncipe Oberyn, a qual estivera com ele em Porto Real quando morrera. Hotah prestou mais atenção àqueles que não beberam: Sor Daemon Sand, o Lorde Remond Gargalen, os gémeos Fowler, Dagos Manwoody, os Uller da Toca do Inferno, os Wyl do Caminho do Espinhaço. *Se houver sarilhos, poderão começar com um deles.* Dorne era uma terra zangada e dividida, e o domínio do Príncipe Doran sobre ela não era tão firme como poderia ser. Muitos dos seus próprios senhores julgavam-no fraco, e teriam acolhido bem uma guerra aberta com os Lannister e o rei rapaz no Trono de Ferro.

Em posição destacada entre estes encontravam-se as Serpentes de

Areia, as filhas bastardas do falecido irmão do príncipe, Oberyn, a Víbora Vermelha, três das quais se encontravam presentes no banquete. Doran Martell era o mais sábio dos príncipes, e não cabia ao capitão dos seus guardas questionar as suas decisões, mas Areo Hotah interrogava-se sobre o motivo por que teria decidido libertar as senhoras Obara, Nymeria e Tyene das celas solitárias na Torre da Lança.

Tyene declinou o brinde de Ricasso com um murmúrio e a Senhora Nym com um gesto de mão. Obara deixou que lhe enchessem a taça até à borda, e depois virou-a ao contrário, derramando o vinho tinto no chão. Quando uma criada se ajoelhou para limpar o vinho derramado, Obara abandonou o salão. Passado um momento a Princesa Arianne desculpou-se e foi atrás dela. *Obara nunca virará a sua raiva contra a pequena princesa*, pensou Hotah. *São primas, e gosta muito dela.*

O banquete continuou noite dentro, presidido pelo crânio sorridente no seu pilar de mármore negro. Sete pratos foram servidos, em honra dos sete deuses e dos sete irmãos da Guarda Real. A sopa fora feita com ovos e limões, os longos pimentos verdes estavam recheados de queijo e cebolas. Houve empadões de lampreia, capões com cobertura de mel, um peixe-gato proveniente do fundo do Sangueverde que era tão grande que foram precisos quatro criados para o trazer para a mesa. Depois disso, veio um saboroso guisado de cobra, bocados de sete espécies diferentes de cobra cozinhados em lume brando com pimentos e laranjas de sangue e uma pitada de veneno para o deixar a picar bem. Hotah sabia que o guisado picava como fogo, embora não o tivesse saboreado. Seguiu-se limonada, para refrescar a língua. Como sobremesa, foi servido a cada convidado um crânio de açúcar castanho. Depois de quebrarem a crosta, foram encontrar lá dentro creme de leite com bocados de ameixa e cereja.

A Princesa Arianne regressou a tempo dos pimentos recheados. *A minha princesinha*, pensou Hotah, mas Arianne já era uma mulher. As sedas escarlates que usava não deixavam qualquer dúvida sobre o facto. Nos últimos tempos mudara também de outras maneiras. A sua conspiração para coroar Myrcella fora traída e esmagada, o seu cavaleiro branco perecera de forma sangrenta às mãos de Hotah, e ela própria fora confinada à Torre da Lança, condenada à solidão e ao silêncio. Tudo isso moderara-a. Contudo, havia mais alguma coisa, um segredo qualquer que o pai lhe confiara antes de a libertar do seu confinamento. O que seria esse segredo, o capitão não sabia.

O príncipe colocara a filha entre si e o cavaleiro branco, um lugar de grande honra. Arianne sorriu quando voltou a deslizar para o seu lugar, e murmurou qualquer coisa ao ouvido de Sor Balon. O cavaleiro não achou por bem responder. Hotah observou que o homem pouco comeu; uma colher de sopa, uma dentada de pimento, a perna de um capão, um pouco de peixe. Evitou a tarte de lampreia e só provou uma pequena colherada do estufado. Mesmo isso fez com que a testa se lhe cobrisse de suor. Hotah podia solidarizar-se com ele. Quando chegara a Dorne, a comida picante dava-lhe nós nas tripas e queimava-lhe a língua. Isso fora anos antes, porém; agora o seu cabelo era branco, e era capaz de comer tudo o que um dornês comesse.

Quando os crânios de açúcar foram servidos, a boca de Sor Balon apertou-se, e ele dirigiu ao príncipe um olhar demorado para ver se estariam a troçar dele. Doran Martell não pareceu reparar, mas a filha reparou.

— É o pequeno gracejo do cozinheiro, Sor Balon — disse Arianne. — Nem mesmo a morte é sagrada para um dornês. Não ficareis zangado connosco, suponho? — Afagou com os dedos as costas da mão do cavaleiro branco. — Espero que tenhais apreciado o tempo passado em Dorne.

— Toda a gente foi muito hospitaleira, senhora.

Arianne tocou o alfinete que lhe prendia o manto, com os seus cisnes quezilentos.

— Sempre gostei de cisnes. Não há outra ave com metade da sua beleza deste lado do Mar do Verão.

— Os vossos pavões podem contestar essa ideia — disse Sor Balon.

— Pois podem — disse Arianne — mas os pavões são criaturas vaidosas e orgulhosas, que se pavoneiam por aí com todas aquelas cores garridas. Prefiro um cisne, sereno de branco ou belo de negro.

Sor Balon fez um aceno com a cabeça e beberricou do vinho. *Este não é tão fácil de seduzir como o seu Irmão Ajuramentado foi*, pensou Hotah. *Sor Arys era um rapaz, apesar da idade que tinha. Este é um homem, e cauteloso.* Bastava ao capitão olhá-lo para ver que o cavaleiro branco estava pouco à vontade. *Este lugar é-lhe estranho e pouco do seu agrado.* Hotah conseguia compreender porquê. Dorne também a si parecera um lugar esquisito quando chegara pela primeira vez com a sua princesa, muitos anos antes. Os sacerdotes barbudos tinham-lhe ensinado o idioma comum de Westeros antes de o enviarem, mas todos os dorneses falavam depressa demais para ele compreender. As mulheres dornesas eram libidinosas, o vinho dornês era amargo, e a comida dornesa era cheia de estranhas especiarias picantes. E o sol dornês era mais quente do que o pálido e macilento sol de Norvos, olhando furioso de um céu azul, dia após dia.

A viagem de Sor Balon foram mais curta, mas o capitão sabia que fora perturbadora, à sua maneira. Três cavaleiros, oito escudeiros, vinte homens-de-armas, e uma fartura de lacaios e criados tinham-no acompanhado desde Porto Real, mas depois de atravessarem as montanhas e penetrarem em Dorne, o avanço fora abrandado por uma sucessão de banquetes, caçadas e festejos em todos os castelos por onde tinham calhado passar. E agora que tinham chegado a Lançassolar, nem a Princesa Myrcella nem Sor Arys Oakheart se encontravam presentes para lhes dar as boas-vindas. *O cavaleiro branco sabe que há algo de errado*, percebeu Hotah, *mas é mais do que isso.* Talvez a presença das Serpentes de Areia o enervasse. Se assim era, o regresso de Obara ao salão deve ter sido vinagre no seu ferimento. Voltou ao seu lugar sem proferir palavra, e sentou-se aí, amuada e carrancuda, sem sorrir nem falar.

A meia-noite estava próxima quando o Príncipe Doran se virou para o cavaleiro branco e disse:

— Sor Balon, li a carta da nossa graciosa rainha que me trouxestes. Posso partir do princípio de que estais ao corrente do seu conteúdo, sor?

Hotah viu o cavaleiro retesar-se.

— Estou, senhor. Sua Graça informou-me de que podia ser encarregado de escoltar a sua filha de volta a Porto Real. O Rei Tommen tem ansiado pela irmã, e gostaria que a Princesa Myrcella regressasse à corte para uma curta visita.

A Princesa Arianne fez uma expressão de tristeza.

— Oh, mas ficámos todos tão amigos de Myrcella, sor. Ela e o meu irmão Trystane tornaram-se inseparáveis.

— O Príncipe Trystane também será bem-vindo em Porto Real — disse Balon Swann. — O Rei Tommen gostaria de o conhecer, com certeza. Sua Graça tem tão poucos companheiros de idades próximas da sua.

— Os vínculos formados durante a infância podem perdurar ao longo de uma vida — disse o Príncipe Doran. — Quando Trystane e Myrcella se casarem, ele e Tommen serão como irmãos. A Rainha Cersei tem razão. Os rapazes deviam conhecer-se, tornar-se amigos. Dorne sentirá a falta dele, com certeza, mas já é mais que tempo de Trystane ver algo do mundo para lá das muralhas de Lançassolar.

— Sei que Porto Real o acolherá muito calorosamente.

*Porque está ele agora a suar?*, perguntou a si próprio o capitão, observando. *O salão está suficientemente fresco, e ele não chegou a tocar no estufado.*

— Quanto ao outro assunto que a Rainha Cersei menciona — estava o Príncipe Doran a dizer — é verdade, o lugar de Dorne no pequeno conselho está vago desde a morte do meu irmão, e já é mais que tempo de voltar a ser preenchido. Sinto-me lisonjeado por Sua Graça sentir que o meu conselho lhe possa ser útil, embora pergunte a mim próprio se terei força para uma tal viagem. Talvez se fôssemos por mar?

— Por mar? — Sor Balon pareceu apanhado de surpresa. — Isso... seria isso seguro, meu príncipe? O outono é uma estação má para tempestades, pelo menos foi o que ouvi dizer, e... os piratas nos Degraus, eles...

— Os piratas. Com certeza. Talvez tenhais razão, sor. É mais seguro regressardes por onde viestes. — O Príncipe Doran fez um sorriso agradável. — Conversemos de novo amanhã. Quando chegarmos aos Jardins de Água, podemos dizer a Myrcella. Sei quão entusiasmada ela ficará. Também tem saudades do irmão, sem dúvida.

— Estou ansioso por voltar a vê-la — disse Sor Balon. — E por visitar os vossos Jardins de Água. Ouvi dizer que são muito belos.

— Belos e pacíficos — disse o príncipe. — Brisas frescas, águas cintilantes e os risos de crianças. Os Jardins de Água são o meu lugar preferido neste mundo, sor. Um dos meus antepassados mandou-os construir para agradar à sua noiva Targaryen, e libertá-la da poeira e do calor de Lançassolar. O nome dela era Daenerys. Era irmã do Rei Daeron, o Bom, e foi o seu casamento que transformou Dorne em parte dos Sete Reinos. Todo o reino sabia que a rapariga amava o irmão bastardo de Daeron, Daemon Blackfyre, e que era amada por ele, mas o rei foi suficientemente sábio para ver que o bem de milhares tinha de se sobrepor aos desejos de dois, mesmo quando esses dois lhe eram caros. Foi Daenerys quem encheu os jardins com crianças ridentes. A princípio os seus próprios filhos, mas mais tarde os filhos e as filhas de senhores e cavaleiros com terras foram trazidos para fazerem companhia aos rapazes e raparigas de sangue principesco. E, num dia de verão em que fazia um calor tórrido, apiedou-se dos filhos dos lacaios, dos cozinheiros e dos criados e convidou-os a usar também as piscinas e os fontanários, uma tradição que resistiu até aos dias de hoje. — O príncipe agarrou nas rodas da cadeira, e afastou-se da mesa. — Mas agora tendes de me perdoar, sor. Toda esta conversa fatigou-me, e devemos partir ao nascer do dia. Obara, queres ter a gentileza de me ajudar a ir para a cama? Nymeria, Tyene, vinde também desejar ao vosso velho tio uma boa noite amiga.

E assim, coube a Obara Sand levar a cadeira do príncipe do salão de banquetes de Lançassolar, ao longo de uma longa galeria até ao seu aposento privado. Areo Hotah seguiu atrás com as irmãs dela, e também com a Princesa Arianne e Ellaria Sand. O Meistre Caleotte apressou-se a segui-los sobre pés calçados com chinelos, embalando o crânio da Montanha como se fosse uma criança.

— Não podeis pretender mandar mesmo Trystane e Myrcella para Porto Real — disse Obara enquanto empurrava. Os seus passos eram longos e zangados, muito mais rápidos do que deviam ser, e as grandes rodas de madeira da cadeira matraqueavam ruidosamente no soalho de pedra toscamente cortado. — Se fizerdes isso, nunca mais veremos a rapariga, e o vosso filho passará a vida como refém do Trono de Ferro.

— Tomas-me por um idiota, Obara? — O príncipe suspirou. — Há muito que desconheces. Coisas que é melhor não discutir aqui, onde qualquer um as possa ouvir. Se dominares a língua, esclarecer-te-ei. — Estremeceu. — Mais *devagar*, pelo amor que tens por mim. Essa última sacudidela espetou-me uma faca mesmo no joelho.

Obara reduziu a velocidade para metade.

— Então que ireis fazer?

A irmã Tyene respondeu.

— O que faz sempre — ronronou. — Atrasar, obscurecer, tergiversar. Oh, ninguém o faz com metade da qualidade do nosso corajoso tio.

— Estás a ser injusta com ele — disse a Princesa Arianne.

— Calai-vos todas — ordenou o príncipe.

Foi só depois das portas do aposento privado estarem bem fechadas atrás do grupo que ele deu meia volta à cadeira para enfrentar as mulheres. Mesmo esse esforço o deixou sem fôlego, e a manta de Myr que lhe cobria as pernas prendeu-se entre dois raios quando descreveu a curva, de modo que teve de a agarrar para evitar que fosse rasgada. Por baixo da manta, as pernas estavam pálidas, moles, pavorosas. Ambos os joelhos se mostravam vermelhos e inchados, e os dedos dos pés estavam quase purpúreos, duas vezes maiores do que deviam estar. Areo Hotah vira-os mil vezes, e ainda achava difícil olhar para eles.

A Princesa Arianne avançou.

— Deixai que vos ajude, pai.

O príncipe libertou a manta.

— Ainda consigo dominar a minha própria manta. Pelo menos isso. — E era bem pouco. As suas pernas eram inúteis havia já três anos, mas ainda possuía alguma força nas mãos e nos ombros.

— Devo ir buscar ao meu príncipe um dedal de leite de papoila? — perguntou o Meistre Caleotte.

— Com esta dor, precisava de um balde. Obrigado, mas não. Quero os miolos em condições. Não vou precisar mais de vós esta noite.

— Muito bem, meu príncipe. — O Meistre Caleotte fez uma vénia, ainda com a cabeça de Sor Gregor nas suaves mãos rosadas.

— Eu fico com isso. — Obara Sand arrancou-lhe o crânio das mãos e segurou-o com o braço esticado. — Que aspeto tinha a Montanha? Como é que sabemos que isto é ele? Podiam ter mergulhado a cabeça em alcatrão. Porquê limpá-la até ao osso?

— O alcatrão teria estragado a caixa — sugeriu a Senhora Nym, enquanto o Meistre Caleotte se apressava a sair. — Ninguém viu a Montanha morrer, e ninguém viu a sua cabeça a ser removida. Isso perturba-me, confesso, mas que esperaria a rainha cadela alcançar enganando-nos? Se Gregor Clegane estiver vivo, mais tarde ou mais cedo a verdade virá à superfície. O homem tinha dois metros e quarenta de altura, não há outro como ele em todo o Westeros. Se alguém assim voltar a aparecer, Cersei Lannister será desmascarada como mentirosa perante todos os Sete Reinos. Seria uma completa idiota se corresse esse risco. Que poderia esperar ganhar?

— O crânio é suficientemente grande, sem dúvida — disse o príncipe. — E nós sabemos que Oberyn feriu Gregor com gravidade. Todos os relatórios que recebemos desde então afirmam que o Clegane morreu lentamente, com muitas dores.

— Tal como o pai pretendia — disse Tyene. — Irmãs, a sério, eu conheço o veneno que o pai usou. Se a sua lança chegou nem que seja a abrir a pele da Montanha, o Clegane está morto, e não interessa o tamanho que pudesse ter. Duvidai da vossa irmã mais nova o quanto quiserdes, mas nunca duvideis do nosso pai.

Obara irritou-se.

— Nunca duvidei, e nunca duvidarei. — Deu ao crânio um beijo trocista. — Isto é um começo, admito.

— Um *começo*? — disse Ellaria Sand, incrédula. — Que os deuses não o permitam. Preferia que fosse um fim. Tywin Lannister está morto. Robert Baratheon, Amory Lorch e agora Gregor Clegane também, todos aqueles que desempenharam um papel no assassínio de Elia e dos filhos. Até Joffrey, que ainda nem era nascido quando Elia morreu. Vi o rapaz falecer com os meus próprios olhos, esgatanhando a garganta enquanto tentava inspirar. Quem mais resta para matar? Será que Myrcella e Tommen precisam de morrer para que as sombras de Rhaenys e Aegon possam descansar? Onde termina?

— Termina em sangue, como começou — disse a Senhora Nym. — Termina quando o Rochedo Casterly for quebrado para que o sol possa brilhar sobre as larvas e os vermes que há lá dentro. Termina com a completa ruína de Tywin Lannister e todas as suas obras.

— O homem morreu às mãos do seu próprio filho — retorquiu Ellaria com ardor. — Que mais podias desejar?

— Podia desejar que tivesse morrido às *minhas* mãos. — A Senhora Nym instalou-se numa cadeira, com a longa trança negra a cair-lhe por sobre um ombro até ao regaço. A linha do cabelo formava um bico, como a do pai. Por baixo dela, os olhos eram grandes e lustrosos. Os lábios rubros como vinho curvavam-se num sorriso de seda. — Se tivesse morrido às minhas mãos, a sua morte não teria sido tão fácil.

— Sor Gregor realmente parece solitário — disse Tyene, na sua voz doce de septã. — Gostaria de ter alguma companhia, certamente.

A cara de Ellaria estava húmida de lágrimas, os seus olhos escuros brilhavam. *Mesmo a chorar, há nela força*, pensou o capitão.

— Oberyn queria vingança por Elia. Agora, vós as três quereis vingança por ele. Relembro-vos de que tenho quatro filhas. Vossas irmãs. A minha Elia tem catorze anos, é quase uma mulher. Obella tem doze, está quase a tornar-se donzela. Elas veneram-vos, tal como Dorea e Loreza as veneram a elas. Se vós morrêsseis, teriam El e Obella que procurar vingança por vós, e depois Dorea e Loree por elas? É assim que as coisas são, aos círculos para sempre? Volto a perguntar: *onde termina*? — Ellaria Sand pousou a mão na cabeça da Montanha. — Eu vi o vosso pai morrer. Aqui está o seu assassino. Posso levar um crânio para a cama, para me confortar à noite? Um crânio far-me-á rir, escrever-me-á canções, cuidará de mim quando estiver velha e doente?

— Que quereis que façamos, senhora? — perguntou a Senhora Nym. — Deveremos pousar as lanças e sorrir, e esquecer todas as desfeitas de que fomos vítimas?

— A guerra virá, quer a desejemos, quer não — disse Obara. — Um rei rapaz ocupa o Trono de Ferro. O Lorde Stannis controla a Muralha e está a juntar nortenhos à sua causa. As duas rainhas andam a lutar por Tommen como cadelas por um osso sumarento. Os homens de ferro ocuparam as Escudo e estão a desferir ataques no Vago, penetrando profundamente no coração da Campina, o que significa que Jardim de Cima também estará apreensivo. Os nossos inimigos estão mergulhados no caos. O momento está maduro.

— Maduro para quê? Para fazer mais crânios? — Ellaria Sand virou-se para o príncipe. — Elas não entendem. Não quero ouvir mais nada sobre isto.

— Volta para as tuas raparigas, Ellaria — disse-lhe o príncipe. — Juro-te, nenhum mal lhes acontecerá.

— Meu príncipe. — Ellaria beijou-o na testa, e retirou-se. Areo Hotah sentiu-se triste por vê-la ir-se embora. *É uma boa mulher.*

Depois de ela sair, a Senhora Nym disse:

— Eu sei que ela amava muito o nosso pai, mas é evidente que nunca o compreendeu.

O príncipe deitou-lhe um olhar curioso.

— Compreendeu mais do que tu alguma vez compreenderás, Nymeria. E fez o vosso pai feliz. No fim, um coração gentil pode ter mais valor do que o orgulho ou a honra. Seja como for. Há coisas que Ellaria não sabe e não deve saber. Esta guerra já começou.

Obara riu-se.

— Pois, a nossa querida Arianne assegurou-se disso.

A princesa corou, e Hotah viu um espasmo de ira passar pelo rosto do pai.

— O que ela fez, fez tanto por vós como por si própria. Eu não me apressaria tanto a troçar.

— Aquilo foi um elogio — insistiu Obara Sand. — Procrastinai, obscurecei, tergiversai, dissimulai e adiai tudo o que quiserdes, tio, mas Sor Balon terá na mesma de se ver face a face com Myrcella nos Jardins de Água, e quando estiver é provável que repare que lhe falta uma orelha. E quando a rapariga lhe contar como o vosso capitão cortou Arys Oakheart do pescoço às virilhas com aquela esposa de aço que tem, bem…

— Não. — A Princesa Arianne desenrolou-se de cima da almofada onde estivera sentada e pousou uma mão no braço de Hotah. — Não foi assim que aconteceu, prima. Sor Arys foi morto por Gerold Dayne.

As Serpentes de Areia olharam umas para as outras.

— Pelo Estrela Negra?

— Foi o Estrela Negra que o fez — disse a princesinha de Hotah. — Tentou matar também a Princesa Myrcella. Como ela dirá a Sor Balon.

Nym sorriu.

— Essa parte, pelo menos, é verdadeira.

— É tudo verdade — disse o príncipe, com uma contorção de dor. *Será a gota que lhe dói, ou a mentira?* — E agora Sor Gerold fugiu de volta para o Alto Ermitério, para fora do nosso alcance.

— O Estrela Negra — murmurou Tyene, com um risinho. — E porque não? É tudo obra dele. Mas Sor Balon irá acreditar?

— Acreditará, se ouvir a história dos lábios de Myrcella — insistiu Arianne.

Obara soltou uma fungadela descrente.

— Ela pode mentir hoje e mentir amanhã, mas mais tarde ou mais cedo contará a verdade. Se se permitir que Sor Balon leve histórias para Porto Real, soarão os tambores e sangue jorrará. Ele não deve ser autorizado a partir.

— Podíamos matá-lo, com certeza — disse Tyene — mas depois teríamos também de matar o resto da sua comitiva, até aqueles queridos escudeirinhos. Isso seria… oh, tão *mal-amanhado*.

O Príncipe Doran fechou os olhos e voltou a abri-los. Hotah viu que a perna lhe tremia por baixo da manta.

— Se não fôsseis filhas do meu irmão, enviar-vos-ia às três de volta para as vossas celas e manter-vos-ia aí até ficarem com os ossos grisalhos. Em vez disso, tenciono levar-vos connosco para os Jardins de Água. Há aí lições a colher, se tiverdes esperteza para as verdes.

— Lições? — disse Obara. — A única coisa que vi foi crianças nuas.

— Pois — disse o príncipe. — Eu contei a história a Sor Balon, mas não a contei completa. Enquanto as crianças chapinhavam nas lagoas,

Daenerys observava do meio das laranjeiras e apercebeu-se de uma coisa. Não conseguia distinguir as bem-nascidas das mal-nascidas. Nuas, eram só crianças. Todas inocentes, todas vulneráveis, todas merecedoras de uma vida longa, de amor, de proteção. *"Ali estão os teus domínios,"* disse ao filho e herdeiro, *"lembra-te deles, em tudo o que faças."* A minha mãe disse-me as mesmas palavras quando eu tive idade suficiente para abandonar as lagoas. Para um príncipe chamar as lanças é fácil, mas no fim são as crianças que pagam o preço. Para bem delas, o príncipe sábio não travará guerras até ter bons motivos, nem travará nenhuma guerra que não tenha esperança de vencer. Eu não sou nem cego nem surdo. Sei que todas vós me julgais fraco, assustado, débil. O vosso pai conhecia-me melhor. Oberyn sempre foi a víbora. Mortífero, perigoso, imprevisível. Nenhum homem se atrevia a pisá-lo. Eu era a relva. Agradável, amável, bem cheiroso, a balançar a cada brisa. Quem teme caminhar sobre a relva? Mas é a relva que oculta a víbora dos seus inimigos, e a abriga até atacar. O vosso pai e eu trabalhávamos mais proximamente do que vós julgais… mas agora ele foi-se. A questão é: posso confiar nas filhas dele para me servirem no seu lugar?

Hotah estudou-as a todas, uma de cada vez. Obara, de tachões ferrugentos e couro fervido, com os seus olhos zangados e juntos e cabelo castanho de ratazana. Nymeria, lânguida, elegante, de pele cor de azeitona, com a longa trança negra atada com fio de um tom dourado de vermelho. Tyene, de olhos azuis e loura, uma rapariga-mulher com as suas mãos suaves e pequenos risinhos.

Tyene respondeu pelas três.

— É não fazer nada que é difícil, tio. Entregai-nos uma tarefa, qualquer tarefa, e descobrireis que somos tão leais e obedientes como qualquer príncipe poderia esperar.

— É bom ouvir isso — disse o príncipe — mas as palavras são vento. Vós sois filhas do meu irmão, e amo-vos, mas aprendi que não posso confiar em vós. Quero o vosso juramento. Jurais servir-me, fazer o que eu ordenar?

— Se tiver de ser — disse a Senhora Nym.

— Então jurai-o agora, pela campa do vosso pai.

A cara de Obara escureceu.

— Se não fôsseis meu tio…

— Mas *sou* teu tio. E teu príncipe. Jura, ou então vai-te embora.

— Eu juro — disse Tyene. — Pela campa do meu pai.

— Eu juro — disse a Senhora Nym. — Por Oberyn Martell, a Víbora Vermelha de Dorne, e um homem melhor do que vós.

— Pois — disse Obara. — Eu também. Pelo pai. Juro.

O príncipe perdeu alguma da tensão. Hotah viu-o voltar a recostar-se na cadeira. Estendeu a mão, e a Princesa Arianne foi para junto dele para a segurar.

— Contai-lhes, pai.

O Príncipe Doran inspirou entrecortadamente.

— Dorne ainda tem amigos na corte. Amigos que nos contam coisas que não devíamos saber. Este convite que Cersei nos enviou é um estratagema. Trystane não deverá nunca chegar a Porto Real. No caminho de regresso, algures na mata de rei, o grupo de Sor Balon será atacado por fora-da-lei, e o meu filho morrerá. Sou convidado a ir à corte só para poder ser testemunha deste ataque com os meus próprios olhos, e assim absolver a rainha de todas as culpas. Oh, e esses fora-da-lei? Estarão a gritar "Meio-homem, Meio-homem," enquanto atacam. Sor Balon pode até ter um breve vislumbre do Duende, embora mais ninguém o veja.

Areo Hotah não teria julgado ser possível chocar as Serpentes de Areia. Ter-se-ia enganado.

— Que os Sete nos salvem — murmurou Tyene. — *Trystane?* Porquê?

— A mulher deve ser louca — disse Obara. — Ele não passa de um rapaz.

— Isto é monstruoso — disse a Senhora Nym. — Eu não acreditaria em tal coisa. Feita por um cavaleiro da Guarda Real, não.

— Eles juram obedecer, tal como o meu capitão jurou — disse o príncipe. — Eu também tive as minhas dúvidas, mas todas vistes como Sor Balon se mostrou relutante quando sugeri irmos por mar. Um navio teria estragado todos os preparativos da rainha.

Obara tinha a cara corada.

— Devolvei-me a lança, tio. Cersei enviou-nos uma cabeça. Devíamos enviar-lhe de volta um saco delas.

O Príncipe Doran ergueu uma mão. Tinha os nós dos dedos tão escuros como bagas e quase do mesmo tamanho.

— Sor Balon é um hóspede sob o meu teto. Comeu do meu pão e do meu sal. Não lhe farei mal. Não. Viajaremos até aos Jardins de Água, onde ele ouvirá a história de Myrcella e de onde enviará um corvo à sua rainha. A rapariga vai pedir-lhe para dar caça ao homem que lhe fez mal. Se for o homem que julgo que é, Swann não será capaz de recusar. Obara, tu vais levá-lo ao Alto Ermitério para enfrentar o Estrela Negra no seu covil. Ainda não chegou o momento de Dorne desafiar abertamente o Trono de Ferro, portanto temos de devolver Myrcella à mãe, mas eu não a acompanharei. Essa tarefa será tua, Nymeria. Os Lannister não gostarão da ideia, tal como não gostaram quando lhes enviei Oberyn, mas não se atrevem a recusar. Precisamos de uma voz no conselho, de um ouvido na corte. Mas tem cuidado. Porto Real é um ninho de cobras.

A Senhora Nym sorriu.

— Ora, tio, eu adoro cobras.

— Então e eu? — perguntou Tyene.

— A tua mãe era uma septã. Oberyn disse-me uma vez que ela te lia excertos da *Estrela de Sete Pontas* desde o berço. Quero-te também em Porto Real, mas na outra colina. As Espadas e as Estrelas foram formadas de novo, e este novo Alto Septão não é a marioneta que os outros eram. Tenta aproximar-te dele.

— E porque não? O branco combina bem com as minhas cores. Pareço tão... pura.

— Ótimo — disse o príncipe — ótimo. — Hesitou. — Se... se certas coisas se concretizarem, mandar-vos-ei dizer a todas. As coisas podem mudar rapidamente no jogo dos tronos.

— Eu sei que não nos deixareis ficar mal, primas. — Aryanne foi ter com elas, uma de cada vez, pegou-lhes nas mãos, beijou-as levemente nos lábios. — Obara, tão feroz. Nymeria, minha irmã. Tyene, querida. Amo-vos a todas. O sol de Dorne vai convosco.

— *Insubmissos, não curvados, não quebrados* — disseram as Serpentes de Areia, juntas.

A Princesa Arianne deixou-se ficar quando as primas se foram embora. Areo Hotah também ficou, como lhe competia.

— São filhas do seu pai — disse o príncipe.

A princesinha sorriu.

— Três Oberyns, com mamas.

O Príncipe Doran riu-se. Passara-se tanto tempo desde a última vez que Hotah o ouvira rir que quase se esquecera de como soava.

— Ainda digo que devia ser eu a ir para Porto Real em vez da Senhora Nym — disse Arianne.

— É demasiado perigoso. És a minha herdeira, o futuro de Dorne. O teu lugar é a meu lado. Muito em breve terás outra tarefa a cumprir.

— Aquela última parte, sobre a mensagem. Recebestes notícias?

O Príncipe Doran partilhou com ela o seu sorriso secreto.

— De Lys. Uma grande frota fez lá escala para se abastecer de água. Navios volantenos, na maioria, transportando um exército. Não há notícia de quem eram, ou de para onde se dirigiam. Falou-se de elefantes.

— De dragões não?

— Elefantes. Mas é bastante simples esconder um dragão jovem no porão de uma grande coca. É no mar que Daenerys é mais vulnerável. Se fosse a ela, manter-me-ia escondido, e às minhas intenções, o máximo possível, para poder apanhar Porto Real desprevenido.

— Achais que Quentyn está com eles?

— Pode estar. Ou não. Saberemos pelo local onde desembarcam, se o seu destino for realmente Westeros. Quentyn trá-la-á pelo Sangueverde, se puder. Mas de nada serve falar do assunto. Beija-me. Partimos para os Jardins de Água à primeira luz da aurora.

*Então talvez partamos pelo meio-dia*, pensou Hotah.

Mais tarde, depois de Arianne se ir embora, pousou o machado e carregou o Príncipe Doran para a cama.

— Até a Montanha esmagar o crânio do meu irmão, nenhum dornês tinha morrido nesta Guerra dos Cinco Reis — murmurou o príncipe suavemente, enquanto Hotah lhe punha uma manta em cima. — Diz-me, capitão, isso é a minha vergonha ou a minha glória?

— Não me cabe a mim dizê-lo, meu príncipe. — *Servir. Proteger. Obedecer. Juramentos simples para homens simples.* Era tudo o que sabia.

Val aguardava junto do portão, ao frio que antecedia a alvorada, envolta num manto de pele de urso tão grande que podia ter servido a Sam. A seu lado estava um garrano, selado e ajaezado, um animal cinzento e hirsuto com um olho branco. Mully e o Edd Doloroso estavam com ela, um par de guardas improváveis. Os seus hálitos congelavam no ar negro e frio.

— Destes-lhe um cavalo cego? — disse Jon, incrédulo.

— Ele é só meio cego, s'nhor — esclareceu Mully. — Fora isso é bastante sadio. — Deu palmadinhas no pescoço do garrano.

— O cavalo pode ser meio cego, mas eu não sou — disse Val. — Sei para onde tenho de ir.

— Senhora, não tendes de fazer isto. O risco…

— … é meu, Lorde Snow. E eu não sou nenhuma senhora sulista, mas sim uma mulher do povo livre. Conheço melhor a floresta do que todos os vossos patrulheiros de mantos pretos. Para mim, não tem fantasmas.

*Espero que não os tenha.* Jon estava a contar com isso, confiando que Val pudesse ter sucesso onde o Jack Preto Bulwer e os seus companheiros tinham falhado. Esperava que ela não tivesse de temer o povo livre… mas ambos sabiam bem demais que os selvagens não eram os únicos que aguardavam na floresta.

— Tendes comida suficiente?

— Pão duro, queijo duro, bolos de aveia, bacalhau salgado, vaca salgada, carneiro salgado e um odre de vinho doce para me enxaguar todo esse sal da boca. Não hei de morrer à fome.

— Então está na altura de partirdes.

— Tendes a minha palavra, Lorde Snow. Regressarei, com Tormund ou sem ele. — Val deitou uma olhadela ao céu. A Lua estava apenas meio cheia. — Esperai-me no primeiro dia da Lua cheia.

— Esperarei. — *Não me falhes*, pensou, *senão Stannis cortar-me-á a cabeça.* "Tenho a vossa palavra de que guardareis a nossa princesa bem guardada?" dissera o rei, e Jon prometera que o faria. *Mas Val não é princesa alguma. Eu disse-lhe isso meia centena de vezes.* Era uma espécie débil de evasiva, um triste farrapo enrolado em volta da sua palavra ferida. O pai nunca teria aprovado. *Sou a espada que defende os reinos dos homens*, lembrou Jon a si próprio, *e no fim de contas isso deve valer mais do que a honra de um homem.*

O caminho sob a Muralha era tão escuro e frio como a barriga de um dragão de gelo e tão tortuoso como uma serpente. O Edd Doloroso seguiu à frente com um archote na mão. Mully tinha as chaves para os três portões, onde barras de aço negro, grossas como o braço de um homem, fechavam a passagem. Lanceiros em cada portão levaram os punhos às testas por Jon Snow, mas fitaram abertamente Val e o seu garrano.

Quando emergiram a norte da Muralha, através de uma espessa porta feita de madeira verde acabada de cortar, a princesa selvagem fez uma pausa momentânea para fitar o campo coberto de neve onde o Rei Stannis vencera a sua batalha. Para lá dele, a floresta assombrada esperava, escura e silenciosa. A luz da meia Lua transformava o cabelo louro como mel de Val num pálido prateado e deixava-lhe o rosto tão branco como neve. Respirou fundo.

— O ar tem um sabor doce.

— A minha língua está demasiado entorpecida para perceber. A única coisa que consigo saborear é o frio.

— Frio? — Val soltou uma leve gargalhada. — Não. Quando estiver frio, respirar doerá. Quando os Outros chegarem…

A ideia era inquietante. Seis dos patrulheiros que Jon enviara para o exterior ainda estavam desaparecidos. *É cedo demais. Podem ainda voltar.* Mas outra parte de si insistia: *Eles estão mortos, todos e cada um. Envias-te-los para a morte e estás a fazer o mesmo com Val.*

— Dizei a Tormund o que eu disse.

— Ele pode não dar ouvidos às vossas palavras, mas vai ouvi-las. — Val deu-lhe um leve beijo na bochecha. — Os meus agradecimentos, Lorde Snow. Pelo cavalo meio cego, pelo bacalhau salgado, pelo ar livre. Pela esperança.

Os hálitos de ambos misturaram-se, uma névoa branca no ar. Jon Snow recuou e disse:

— O único agradecimento que eu quero é…

— … Tormund Terror dos Gigantes. Pois. — Val puxou para cima o capuz da pele de urso. A pele castanha estava bem salpicada de cinzento. — Antes de me ir embora, uma pergunta. Matastes Jarl, senhor?

— Foi a Muralha que matou Jarl.

— Era o que tinha ouvido dizer. Mas tinha de ter a certeza.

— Dou-vos a minha palavra de honra. Não o matei. — *Embora pudesse ter matado, se as coisas tivessem corrido de outra forma.*

— Então é adeus — disse ela, quase em tom de brincadeira.

Jon Snow não estava com disposição para tal. *Está frio e escuro demais para brincar, e a hora é demasiado tardia.*

— Só por algum tempo. Regressareis. Pelo rapaz, se não for por outro motivo.

— O filho de Craster? — Val encolheu os ombros. — Ele não é da minha família.

— Ouvi-vos a cantar para ele.

— Estava a cantar para mim. É culpa minha que ele me escute? — Um ténue sorriso roçou-lhe pelos lábios. — Isso fá-lo rir. Oh, muito bem. É um doce monstrinho.

— Monstrinho?

— É o seu nome de leite. Tinha de lhe chamar qualquer coisa. Assegurai-vos de que ele permaneça em segurança e quente. Pela mãe e por mim. E mantende-o longe da mulher vermelha. Ela sabe quem ele é. Vê coisas nos seus fogos.

*Arya*, pensou, com esperança de que assim fosse.

— Cinzas e faúlhas.

— Reis e dragões.

*Outra vez dragões.* Por um momento, Jon quase conseguiu também vê-los, enrolando-se na noite, com as asas negras delineadas contra um mar de chamas.

— Se ela soubesse ter-nos-ia tirado o rapaz. O filho de Dalla, não o vosso monstrinho. Uma palavra ao ouvido do rei e seria o fim dele. — *E de mim. Stannis teria encarado o que fiz como traição.* — Porquê deixar que acontecesse, se soubesse?

— Porque lhe convinha. O fogo é uma coisa caprichosa. Ninguém sabe para que lado irá uma chama. — Val pôs um pé no estribo, passou uma perna sobre o dorso do cavalo e olhou-o de cima da sela. — Lembrais-vos do que a minha irmã vos disse?

— Sim. — *Uma espada sem cabo, sem maneira segura de lhe pegar.* Mas Melisandre tinha razão. Até uma espada sem cabo é melhor do que uma mão vazia quando estamos rodeados de inimigos.

— Ainda bem. — Val virou o garrano para norte. — Então até à primeira noite da Lua cheia. — Jon viu-a a afastar-se, perguntando a si próprio se voltaria a ver o seu rosto. *Não sou nenhuma senhora sulista*, ouviu-a a dizer, *mas uma mulher do povo livre.*

— Não me interessa o que ela diz — resmungou o Edd Doloroso enquanto Val desaparecia por trás de um grupo de pinheiros marciais. — O ar *está* tão frio que dói respirar. Eu parava, mas isso magoava mais. — Esfregou as mãos uma na outra. — Isto vai acabar mal.

— Dizes isso de tudo.

— Pois, s'nhor. Normalmente tenho razão.

Mully pigarreou.

— S'nhor? A princesa selvagem, deixá-la ir, os homens podem dizer…

— … que eu próprio sou meio selvagem, um vira-mantos que pretende vender o reino aos nossos atacantes, canibais e gigantes. — Jon não precisava de fitar um fogo para saber o que se dizia dele. A pior parte era que não se enganavam, não por completo. — As palavras são vento, e na Muralha o vento está sempre a soprar. Vinde.

Ainda estava escuro quando Jon regressou aos seus aposentos por trás do armeiro. Viu que o Fantasma ainda não tinha regressado. *Ainda na caça.* O grande lobo gigante branco, nos últimos tempos, passava mais tempo por longe do que por perto, a percorrer zonas cada vez mais longínquas em busca de presas. Entre os homens da Patrulha e os selvagens lá em baixo em Vila Toupeira, as colinas e campos próximos de Castelo Negro tinham sido limpos de caça e já havia pouca para começar. *O inverno está a chegar,* refletiu Jon. *E será em breve, demasiado em breve.* Perguntou a si próprio se chegariam a ver uma primavera.

O Edd Doloroso fez a viagem até às cozinhas e depressa regressou com uma caneca de cerveja castanha e uma bandeja tapada. Sob a tampa, Jon foi descobrir três ovos de pato fritos em banha, uma fatia de bacon, duas salsichas, uma morcela e meio pão, ainda quente do forno. Comeu o pão e meio ovo. Teria também comido o bacon, mas o corvo escapuliu-se com ele antes de ter oportunidade de o provar.

— Gatuno — disse Jon, enquanto a ave esvoaçava até ao lintel por cima da porta para devorar o que capturara.

— *Gatuno* — concordou o corvo.

Jon provou a morcela. Estava a lavar o sabor da boca com um gole de cerveja quando Edd regressou para lhe dizer que Bowen Marsh estava lá fora.

— O Othell 'tá com ele, e o Septão Cellador também.

*Foi depressa.* Perguntou a si próprio quem andaria a contar histórias, e se haveria mais de uma pessoa.

— Manda-os entrar.

— Sim, s'nhor. Com aqueles cá dentro ireis querer vigiar as salsichas. Têm um ar esfomeado.

"Esfomeado" não era a palavra que Jon teria usado. O Septão Cellador parecia confuso e zonzo e com uma necessidade urgente de algumas escamas do dragão que o inflamara, enquanto o Primeiro Construtor Othell Yarwyck parecia ter engolido alguma coisa que não estava a conseguir digerir. Bowen Marsh estava zangado. Jon conseguia vê-lo nos seus olhos, na tensão em volta da boca, no rubor naquelas bochechas redondas. *Aquele vermelho não é do frio.*

— Sentai-vos, por favor — disse. — Posso oferecer-vos comida ou bebida?

— Quebrámos o jejum na sala comum — disse Marsh.

— Eu não me importava de engolir mais umas coisas. — Yarwyck deixou-se cair numa cadeira. — Obrigado por oferecerdes.

— Talvez um pouco de vinho? — disse o Septão Celladar.

— *Grão* — gritou o corvo de cima do lintel. — *Grão, grão.*

— Vinho para o septão e um prato para o nosso Primeiro Construtor — disse Jon ao Edd Doloroso. — Nada para o pássaro. — Voltou a virar-se para os visitantes. — Estais aqui por causa de Val.

— E de outros assuntos — disse Bowen Marsh. — Os homens estão preocupados, senhor.

*E quem foi que te nomeou para falar em seu nome?*

— Tal como eu. Othell, como vai o trabalho em Fortenoite? Recebi uma carta de Sor Axell Florent, que chama a si próprio Mão da Rainha. Diz-me que a Rainha Selyse não está satisfeita com os seus aposentos em Atalaialeste-do-Mar e quer mudar-se imediatamente para a nova sede do marido. Isso será possível?

Yarwyck encolheu os ombros.

— Temos a maior parte da fortaleza recuperada, e voltámos a pôr um telhado nas cozinhas. Ela vai precisar de comida, mobília e lenha, atenção, mas talvez sirva. Não há tanto conforto como em Atalaialeste, de certeza. E fica muito longe dos navios, se Sua Graça desejar deixar-nos, mas… sim, ela podia viver lá, se bem que vá demorar anos até que o sítio se pareça como um castelo como deve ser. Seria mais rápido se tivesse mais construtores.

— Podia oferecer-vos um gigante.

Aquilo sobressaltou Othell.

— O monstro do pátio?

— O nome dele é Wun Weg Wun Dar Wun, segundo me diz o Cou- ros. É muito em que enrolar a língua, eu sei. O Couros chama-lhe Wun Wun, e isso parece servir. — Wun Wun parecia-se muito pouco com os gi- gantes nas histórias da Velha Nan, aquelas enormes criaturas selváticas que misturavam sangue nas papas matinais e devoravam touros inteiros, com pelagem, cornos e tudo. Aquele gigante não comia qualquer carne, embora fosse terrível quando lhe era servido um cesto de raízes, esmagando cebolas e nabos, mesmo dos duros e crus, entre os seus grandes dentes quadra- dos. — É um trabalhador prestável, embora nem sempre seja fácil levá-lo a entender o que se quer. Fala o idioma antigo, de certa forma, mas nada do comum. Mas é incansável e tem uma força prodigiosa. Podia executar o trabalho de uma dúzia de homens.

— Eu… senhor, os homens nunca… os gigantes comem carne hu- mana, acho eu… não, senhor, agradeço-vos, mas não tenho homens para vigiar uma criatura dessas, ele…

Jon Snow não se sentiu surpreendido.

— Como quiserdes. Manteremos o gigante aqui. — Em boa verdade, teria relutância em separar-se de Wun Wun. *Não sabes nada, Jon Snow,* poderia dizer Ygritte, mas Jon falava com o gigante sempre que podia, por intermédio do Couros ou de alguém do povo livre que tivessem trazido do arvoredo, e estava a aprender mais que muito sobre o povo dele e a sua história. Só desejava que Sam ali estivesse para escrever as histórias.

Isso não queria dizer que estivesse cego para o perigo que Wun Wun representava. O gigante golpeava com violência quando era ameaçado, e aquelas enormes mãos eram suficientemente fortes para desfazer um homem. Fazia-lhe lembrar Hodor. *Um Hodor duas vezes maior, duas vezes mais forte e com metade da esperteza. Aí está uma ideia capaz de pôr sóbrio mesmo o Septão Cellador. Mas se Tormund tem gigantes consigo, o Wun Wed Wun Dar Wun pode ajudar-nos a lidar com eles.*

O corvo de Mormont resmungou o seu aborrecimento quando a porta se abriu por baixo dele, anunciando o regresso do Edd Doloroso com um jarro de vinho e um prato de ovos e salsichas. Bowen Marsh esperou com óbvia impaciência enquanto Edd servia, só retomando a conversa quando ele se voltou a ir embora.

— O Tollett é um bom homem, e simpatizam com ele, e o Emmett de Ferro tem sido um bom mestre-de-armas — disse então. — Mas segundo se diz pretendeis mandá-los para longe.

— Precisamos de bons homens em Monte Longo.

— Os homens começaram a chamar-lhe Buraco das Rameiras — disse Marsh — mas não importa. É verdade que pretendeis substituir o Emmett por aquele selvagem, Couros, como nosso mestre-de-armas? Esse é um cargo normalmente reservado a cavaleiros ou pelo menos a patrulheiros.

— O Couros *é* selvagem — concordou Jon com brandura. — Posso atestá-lo. Já o experimentei no pátio de treinos. É tão perigoso com um machado de pedra como a maior parte dos cavaleiros o são com aço forjado em castelo. Admito que não é tão paciente como eu gostaria, e apavora alguns dos rapazes… mas isso não é mau de todo. Um dia darão por si numa verdadeira luta, e uma certa familiaridade com o terror servir-lhes-á bem.

— Ele é um *selvagem.*

— Era, até ter proferido as palavras. Agora é nosso irmão. Um irmão que pode ensinar aos rapazes mais do que esgrima. Não lhes fará mal aprenderem algumas palavras do idioma antigo, e um pouco dos costumes do povo livre.

— *Livre* — resmungou o corvo. — *Grão. Rei.*

— Os homens não confiam nele.

*Que homens?*, poderia Jon ter perguntado. *Quantos?* Mas isso levá-lo-ia por um caminho que não pretendia percorrer.

— Lamento ouvir isso. Há mais alguma coisa?

O Septão Celladar interveio.

— Aquele rapaz, o Cetim. Diz-se que pretendeis fazer dele vosso intendente e escudeiro, em lugar de Tollett. Senhor, o rapaz é um prostituto… um… atrever-me-ei a dizê-lo?… um *catamito* pintado dos bordéis de Vilavelha.

*E tu és um bêbado.*

— O que ele era em Vilavelha não nos diz respeito. É rápido a aprender e muito inteligente. Os outros recrutas começaram por desprezá-lo, mas conquistou-os e transformou-os a todos em amigos. É destemido em combate e até sabe ler e escrever, de certa forma. Deve ser capaz de me ir buscar a comida e de me selar o cavalo, não vos parece?

— É provável que sim — disse Bowen Marsh, com uma expressão de pedra — mas os homens não gostam da ideia. Tradicionalmente, os escudeiros do Senhor Comandante são rapazes de bom nascimento a serem educados para o comando. O senhor crê que os homens da Patrulha da Noite alguma vez seguirão um prostituto para a batalha?

A irritação de Jon veio ao de cima.

— Seguiram pior do que isso. O Velho Urso deixou ao seu sucessor algumas notas de aviso sobre certos homens. Temos um cozinheiro na Torre Sombria que gostava de violar septãs. Queimava uma estrela de sete pontas na sua pele por cada uma. O braço direito é só estrelas do pulso ao cotovelo, e também tem estrelas a marcar-lhe as barrigas das pernas. Em Atalaialeste temos um homem que incendiou a casa do pai e trancou a porta. Toda a sua família morreu queimada, todos os nove. Independentemente do que o Cetim tenha feito em Vilavelha, é agora nosso irmão e *será* o meu escudeiro.

O Septão Cellador bebeu um pouco de vinho. Othell Yarwyck apunhalou uma salsicha com o punhal. Bowen Marsh corou. O corvo bateu as asas e disse: "*Grão, grão, mata.*" Por fim, o Senhor Intendente pigarreou.

— Vossa senhoria saberá o que é melhor, de certeza. Posso perguntar o que se faz àqueles cadáveres nas celas de gelo? Deixam os homens intranquilos. E mantê-los *guardados*? Decerto que é um desperdício de dois bons homens, a menos que temais que eles…

— … se levantem? Rezo para que o façam.

O Septão Cellador empalideceu.

— Que os Sete nos salvem. — Vinho escorreu-lhe pelo queixo numa fita vermelha. — Senhor comandante, as criaturas são coisas monstruosas e antinaturais. Abominações aos olhos dos deuses. Vós… vós não podeis querer tentar *falar* com elas.

— Será que elas *podem* falar? — perguntou Jon Snow. — Acho que não, mas não posso afirmar saber. Até podem ser monstros, mas eram homens antes de morrerem. Quanto resta? Aquela que eu matei estava decidida a matar o Senhor Comandante Mormont. Era claro que se lembrava de quem ele era e de onde o encontraria. — Jon não duvidava de que o Meistre Armon compreenderia as suas intenções; Sam Tarly ficaria aterrorizado, mas também teria compreendido. — O senhor meu pai costumava dizer-me que um homem tem de conhecer os seus inimigos. Pouco compreendemos sobre as criaturas, e menos sobre os Outros. Precisamos de aprender.

Aquela resposta não lhes agradou. O Septão Cellador afagou o cristal que lhe pendia do pescoço e disse:

— Julgo que isso é muito insensato, Lorde Snow. Rezarei à Velha para que erga a sua lâmpada brilhante e vos leve pelo caminho da sabedoria.

A paciência de Jon Snow estava esgotada.

— Beneficiaríamos todos de um pouco mais de sabedoria, certamente. — *Não sabes nada, Jon Snow.* — Bom, falamos de Val?

— Então é verdade? — disse Marsh. — Libertaste-la.

— Para lá da Muralha.

O Septão Cellador susteve a respiração.

— A prisioneira do rei. Sua Graça ficará muito furioso quando descobrir que ela se foi.

— Val regressará. — *Antes de Stannis, se os deuses forem bons.*

— Como podeis saber isso? — quis saber Bowen Marsh.

— Ela disse que regressaria.

— E se mentiu? Se deparar com contrariedades?

— Ora, nesse caso tereis a hipótese de escolher um senhor comandante mais do vosso agrado. Até essa altura, temo que tenhais de me tolerar. — Jon bebeu um gole de cerveja. — Mandei-a procurar Tormund Terror dos Gigantes e levar-lhe a minha oferta.

— Se pudermos saber, que oferta é essa?

— A mesma que fiz em Vila Toupeira. Comida, abrigo e paz, se quiser juntar as suas forças às nossas, combater o nosso inimigo comum, ajudar a defender a Muralha.

Bowen Marsh não pareceu surpreendido.

— Pretendeis deixá-lo passar. — A sua voz sugeria que sempre o soubera. — Abrir-lhe os portões, a ele e aos seus seguidores. Centenas, milhares.

— Se lhe restarem tantos.

O Septão Cellador fez o sinal da estrela. Othell Yarwyck soltou um grunhido. Bowen Marsh disse:

— Há quem talvez chame a isto traição. Estes homens são selvagens. Assaltantes, violadores, mais animais do que homens.

— Tormund não é nenhuma dessas coisas — disse Jon — não o é mais que Mance Rayder. Mas mesmo se todas as palavras que dizeis fossem verdadeiras, eles continuariam a ser homens, Bowen. Homens vivos, humanos como vós e eu. O inverno está a chegar, senhores, e quando chegar nós, os vivos, teremos de nos unir contra os mortos.

— *Snow* — gritou o corvo do Lorde Mormont. — *Snow, Snow.*

Jon ignorou-o.

— Temos vindo a interrogar os selvagens que trouxemos da mata. Vários contaram uma história interessante, sobre uma bruxa da floresta chamada Mãe Toupeira.

— Mãe *Toupeira*? — disse Bowen Marsh. — Um nome improvável.

— Supostamente terá vivido numa toca por baixo de uma árvore oca. Seja qual for a verdade que há nisso, ela teve uma visão de uma frota de navios que viria levar o povo livre para a segurança do outro lado do mar estreito. Milhares daqueles que fugiram à batalha estavam suficientemente desesperados para acreditar nela. A Mãe Toupeira levou-os para Larduro, para aí rezarem e esperarem a salvação vinda do outro lado do mar.

Othell Yarwyck franziu o sobrolho.

— Eu não sou nenhum patrulheiro, mas… diz-se que Larduro é um lugar terrível. Amaldiçoado. Até o vosso tio costumava dizer isso, Lorde Snow. Porque haveriam de ir *para lá*?

Jon tinha um mapa na sua frente em cima da mesa. Virou-o para que os outros pudessem ver.

— Larduro fica numa baía abrigada, e tem um porto natural suficientemente profundo para os maiores navios que existem. Há fartura de madeira e pedra na zona. As águas estão repletas de peixes, e há colónias de focas e vacas marinhas lá perto.

— Tudo isso é verdade, não duvido — disse Yarwyck — mas não é um sítio onde eu quisesse passar uma noite. Conheceis a lenda.

Conhecia. Larduro estivera a meio caminho de se tornar uma vila, a única verdadeira vila a norte da Muralha, até à noite, seiscentos anos antes, em que o inferno a engolira. O seu povo fora levado para a escravatura ou massacrado para ser comido, dependendo de em qual das versões da história se acreditava, as casas e edifícios públicos tinham sido consumidos num incêndio que ardera tão fortemente que os vigias na Muralha, muito a sul, tinham julgado que o Sol estava a erguer-se a norte. Depois disso, tinham chovido cinzas tanto sobre a floresta assombrada como sobre o Mar Tremente durante quase meio ano. Mercadores relataram ter encontrado apenas uma devastação de pesadelo onde Larduro se erguera, uma paisagem de árvores carbonizadas e ossos queimados, águas sufocadas por cadáveres inchados, guinchos de congelar o sangue a ecoar vindos das entradas das cavernas que perfuravam o grande penhasco que se erguia acima do povoado.

Seis séculos tinham chegado e partido desde essa noite, mas Larduro ainda era evitado. Jon fora informado de que a natureza reclamara o local, mas os patrulheiros afirmavam que as ruínas cobertas de vegetação eram assombradas por vampiros e demónios e fantasmas ardentes com um gosto pouco saudável por sangue.

— Também não é o tipo de refúgio que eu escolheria — disse Jon — mas a Mãe Toupeira foi ouvida a pregar que o povo livre encontraria salvação onde antes encontrara a perdição.

O Septão Cellador espetou os lábios.

— A salvação só pode ser encontrada através dos Sete. Essa bruxa condenou-os a todos.

— E salvou a Muralha, talvez — disse Bowen Marsh. — É de inimigos que estamos a falar. Eles que rezem entre as ruínas, e se os seus deuses enviarem navios para os levarem para um mundo melhor, que lhes faça bom proveito. Neste mundo não temos comida para os alimentar.

Jon fletiu os dedos da mão da espada.

— As galés de Cotter Pyke passam por Larduro de vez em quando. Ele diz-me que não há aí nenhum abrigo além das grutas. *As grutas gritadoras*, segundo lhes chamam os homens dele. A Mãe Toupeira e aqueles que a seguiram morrerão aí, de frio e de fome. Centenas deles. Milhares.

— Milhares de inimigos. Milhares de *selvagens*.

*Milhares de pessoas*, pensou Jon. *Homens, mulheres, crianças*. A ira ergueu-se dentro dele, mas quando falou a sua voz estava calma e fria.

— Sois assim tão cego, ou será que não quereis ver? Que julgais vós que irá acontecer quando todos esses inimigos estiverem mortos?

Por cima da porta o corvo resmungou:

— *Mortos, mortos, mortos.*

— Deixai que vos diga o que acontecerá — disse Jon. — Os mortos voltarão a erguer-se, às centenas e aos milhares. Erguer-se-ão como criaturas, com mãos pretas e olhos azuis claros, e *virão contra nós*. — Pôs-se em pé, com os dedos da mão da espada a abrirem-se e a fecharem-se. — Tendes a minha licença para vos irdes embora.

O Septão Cellador ergueu-se de cara cinzenta e a suar, Othell Yarwyck rigidamente, Bowen Marsh de lábios apertados e pálido.

— Obrigado pelo tempo dispensado, Lorde Snow. — E saíram sem mais palavra.

A porca tinha melhor feitio do que alguns dos cavalos que tinha montado.

Paciente e de patas seguras, aceitou Tyrion quase sem um guincho quando lhe subiu para o dorso e permaneceu imóvel enquanto ele estendia a mão para o escudo e a lança. Mas quando lhe pegou nas rédeas e lhe encostou os pés aos flancos mexeu-se de imediato. O seu nome era Bonita, abreviatura de Porca Bonita, e fora treinada para usar sela e arreios desde os tempos de leitoa.

A armadura de madeira pintada estridulou quando a Bonita percorreu o convés a trote. Os sovacos de Tyrion formigavam com transpiração, e uma gota de suor escorria-lhe pela cicatriz abaixo, sob o elmo grande de mais que lhe servia mal, mas por um absurdo momento sentiu-se quase como Jaime, a cavalgar de lança na mão para um campo de torneios, com a armadura dourada a relampejar ao sol.

Quando as gargalhadas começaram, o sonho dissolveu-se. Não era campeão algum, só um anão montado num porco agarrado a um pau, a cabriolar para divertimento de uns irrequietos marinheiros ensopados em rum, na esperança de lhes melhorar o estado de espírito. Algures no inferno, o pai fervia e Joffrey soltava risadinhas. Tyrion sentia os olhos frios e mortos deles a observar aquela farsa de saltimbanco, tão ávidos como a tripulação do *Selaesori Qhoran*.

E agora aí vinha a sua adversária. Centava montava o grande cão cinzento, fazendo oscilar ebriamente a lança listada quando o animal percorreu o convés aos saltos. O escudo e a armadura tinham sido pintados de vermelho, apesar de a tinta estar lascada e a desvanecer-se; a armadura de Tyrion era azul. *Minha, não. Do Tostão. Rezo para que nunca seja minha.*

Tyrion deu com os calcanhares nos quadris de Bonita para a pôr a ritmo de arremetida, enquanto os marinheiros o incentivavam com aclamações e gritos. Não poderia ter afirmado com certeza se estariam a gritar encorajamentos ou a troçar dele, mas fazia uma ideia razoável. *Porque raio me deixei convencer a participar nesta farsa?*

Mas conhecia a resposta. Havia já doze dias que o navio estava preso numa calmaria no Golfo da Mágoa. O humor da tripulação andava feio, e era provável que se tornasse mais feio quando a ração diária de rum se esgotasse. Havia um número limitado de horas que um homem podia dedicar a remendar velas, a calafetar vazamentos e a pescar. Jorah Mormont ouvira os resmungos sobre como a sorte dos anões lhes falhara. Embora o cozinheiro do navio ainda desse uma esfregadela à cabeça de Tyrion de vez em quando, na esperança de isso poder levantar algum vento, os outros tinham passado a deitar-lhe olhares venenosos sempre que atravessava os seus caminhos. A sorte de Centava era ainda pior, visto que o cozinheiro espalhara a ideia de que apertar os seios de uma anã talvez fosse precisamente o que lhes faria recuperar a sorte. Também se começara a referir à Porca Bonita como "Bacon," um gracejo que parecera muito mais engraçado quando fora Tyrion a fazê-lo.

— Temos de os fazer rir — dissera Centava, suplicante. — Temos de os fazer gostar de nós. Se lhes apresentarmos um espetáculo, isso ajudá-los-á a esquecer. *Por favor*, s'nhor. — E de algum modo, de alguma forma, de alguma maneira, ele consentira. *Deve ter sido o rum.* O vinho do capitão fora a primeira coisa a esgotar-se. Tyrion Lannister descobrira que é possível ficar bêbado muito mais depressa com rum do que com vinho.

E assim deu por si vestido com a armadura de madeira pintada de Tostão, montado na porca de Tostão, enquanto a irmã de Tostão o instruía nas minudências da justa a fingir que fora o seu ganha-pão. Havia aí uma certa deliciosa ironia, considerando que Tyrion quase perdera uma vez a cabeça por se recusar a montar o cão para retorcido divertimento do sobrinho. Mas, sem que soubesse porquê, achava difícil apreciar o humor da coisa montado na porca.

A lança de Centava desceu mesmo a tempo da sua ponta romba lhe raspar no ombro; a dele oscilou quando a fez descer e colidir ruidosamente com um canto do escudo dela. A rapariga manteve-se sentada. Ele não. Mas enfim, era o que devia fazer.

*Fácil como cair de um porco...* se bem que cair daquele porco em particular fosse mais difícil do que parecia. Tyrion enrolou-se numa bola enquanto caía, lembrando-se da aula, mas mesmo assim atingiu o convés com um forte estrondo e mordeu a língua com tal força que lhe soube a sangue. Sentiu-se como se tivesse de novo doze anos e estivesse a cabriolar ao longo da mesa de jantar do grande salão de Rochedo Casterly. Nessa altura tinha o tio Gerion por perto para elogiar os seus esforços, em vez de marinheiros carrancudos. O riso destes pareceu escasso e tenso, comparado com as grandes gargalhadas que tinham acolhido as palhaçadas de Tostão e Centava no banquete de casamento de Joffrey, e alguns silvaram-lhe, zangados.

— Sem-Nariz, tu cavalgas como és, feio — gritou um homem do castelo de popa. — Não deves ter tomates, p'a deixar que uma moça te ganhe.

— *Ele apostou em mim*, decidiu Tyrion. Deixou o insulto passar. Ouvira pior nos seus tempos.

A armadura de madeira tornava complicado levantar-se. Deu por si a esbracejar como uma tartaruga caída de costas. Isso, ao menos, pôs alguns dos marinheiros às gargalhadas. *Pena não ter partido uma perna, isso haveria de pô-los a uivar de riso. E se tivessem estado naquela latrina quando trespassei as tripas do meu pai, podiam ter rido o suficiente para cagarem as bragas como ele fez. Mas qualquer coisa serve para manter os malditos bastardos simpáticos.*

Por fim, Jorah Mormont apiedou-se das dificuldades de Tyrion e puxou-o, pondo-o em pé.

— Pareceste um idiota.

*Era essa a intenção.*

— É difícil parecer um herói quando se está montado num porco.

— Deve ser por isso que eu não me ponho em cima de porcos.

Tyrion desafivelou o elmo, tirou-o e cuspiu borda fora uma escarreta rosada de sangue.

— Sinto-me como se tivesse arrancado meia língua à dentada.

— Da próxima vez morde com mais força. — Sor Jorah encolheu os ombros. — Em boa verdade, já vi piores justadores.

*Aquilo foi um elogio?*

— Caí do maldito porco e mordi a língua. O que é que pode ser pior do que isso?

— Apanhar com uma lasca no olho e morrer.

Centava saltara de cima do cão, um grande brutamontes cinzento chamado Trincão.

— A ideia não é justar bem, Hugor. — Tinha sempre o cuidado de lhe chamar Hugor quando alguém pudesse ouvir. — A ideia é fazê-los rir e atirar-nos moedas.

*Fraco pagamento pelo sangue e as nódoas negras,* pensou Tyrion, mas guardou também isso para si.

— Também falhámos nisso. Ninguém atirou moedas. — *Nem um centavo, nem um tostão.*

— Atirarão quando melhorarmos. — Centava tirou o elmo. O cabelo, castanho como a pelagem de um rato, derramou-se-lhe até às orelhas. Os seus olhos também eram castanhos por baixo de uma pesada testa, as bochechas eram lisas e estavam coradas. Tirou algumas bolotas de um saco de couro para a Porca Bonita. A porca comeu-as da sua mão, guinchando, contente. — Quando atuarmos para a Rainha Daenerys, vai chover prata, vais ver.

Alguns dos marinheiros estavam a gritar-lhes e a bater com os calcanhares no convés, exigindo outra justa. O cozinheiro do navio era o mais ruidoso, como sempre. Tyrion aprendera a desprezar aquele homem, mesmo apesar de ser o único jogador meio decente de *cyvasse* que havia na coca.

— Vês? Gostaram de nós — disse Centava, com um sorrisinho esperançoso. — Vamos outra vez, Hugor?

Estava a ponto de recusar quando um grito vindo de um dos oficiais o poupou a essa necessidade. Estava-se a meio da manhã, e o capitão queria os barcos de novo no mar. A enorme vela listada da coca pendia flácida do mastro, como fazia há vários dias, mas o capitão tinha a esperança de que seria possível encontrar vento algures a norte. Isso significava remar. Mas os barcos eram pequenos e a coca grande; rebocá-la era trabalho quente, suado e esgotante que deixava as mãos cheias de bolhas e as costas a doer, e não conseguia coisa alguma. A tripulação odiava-o. Tyrion não podia censurá-la.

— A viúva devia ter-nos posto numa galé — resmungou amargamente. — Se alguém puder ajudar-me a sair destas malditas tábuas ficarei grato. Acho que tenho uma lasca espetada nas virilhas.

Mormont cumpriu esse dever, embora com pouca delicadeza. Centava reuniu o cão e a porca e levou-os a ambos para baixo.

— Podes querer dizer à tua senhora para manter a porta fechada e trancada quando estiver lá dentro — disse Sor Jorah enquanto desafivelava as correias que uniam a placa de peito à placa das costas. — Ando a ouvir demasiadas conversas sobre costeletas, presuntos e bacon.

— Aquela porca é metade do seu sustento.

— Uma tripulação ghiscariota comeria também o cão. — Mormont separou a placa de peito da das costas. — Limita-te a dizer-lhe o que te disse.

— Como queiras. — Tinha a túnica ensopada de suor e pegada ao peito. Tyrion repuxou-a, ansiando por um pouco de brisa. A armadura de madeira era tão quente e pesada como desconfortável. Metade parecia ser tinta velha, camadas sobre camadas sobre camadas de tinta, de uma centena de anteriores pinturas. Lembrou-se de que no banquete de casamento de Joffrey um dos cavaleiros exibira o lobo gigante de Robb Stark, o outro as armas e cores de Stannis Baratheon. — Vamos precisar de ambos os animais se quisermos justar para a Rainha Daenerys — disse. Se os marinheiros metessem na cabeça matar a Porca Bonita, nem ele nem Centava podiam ter a esperança de lhes pôr travão… mas a espada de Sor Jorah podia pelo menos fazê-los hesitar.

— É assim que esperas ficar com a cabeça sobre os ombros, Duende?

— Sor Duende, por favor. E sim. Uma vez que Sua Graça conheça o meu verdadeiro valor, irá acarinhar-me. Eu sou um tipinho adorável, afinal de contas, e conheço muitas coisas úteis sobre a minha família. Mas até esse momento, é melhor que a mantenha divertida.

— Cabriola tudo o que quiseres, que isso não anulará os teus crimes. Daenerys Targaryen não é uma criança pateta para ser divertida por gracejos e trambolhões. Ela lidará contigo com justiça.

*Oh, espero que não.* Tyrion estudou Mormont com os seus olhos desiguais.

— E como te irá acolher a ti, esta rainha justa? Um abraço caloroso, um risinho de menina, um machado de carrasco? — Sorriu perante o óbvio desconcerto do cavaleiro. — Esperavas que eu acreditasse que estavas a tratar de assuntos da rainha naquele bordel? A defendê-la a meio mundo de distância? Ou seria que andavas a fugir, que a tua rainha dos dragões te expulsou de junto de si? Mas porque haveria ela... oh, espera, tu andavas a *espiá-la.* — Tyrion soltou um som cacarejante. — Esperas comprar o caminho de regresso às suas boas graças presenteando-a com a minha pessoa. Um estratagema mal pensado, diria eu. Até se pode falar de um ato de desespero bêbado. Se eu fosse Jaime, talvez... mas Jaime matou o pai dela, eu só matei o meu. Achas que Daenerys vai executar-me e perdoar-te, mas o inverso é igualmente provável. Talvez *devesses* saltar para cima daquela porca, Sor Jorah. Enfiar um fato de retalhos de ferro, como Florian, o...

O murro que o grande cavaleiro lhe atirou virou-lhe a cabeça para trás e fê-lo cair de lado com tal força que a cabeça ricocheteou no convés. Sangue encheu-lhe a boca quando se voltou a apoiar num joelho. Cuspiu um dente partido. *Vou ficando mais bonito todos os dias, mas parece-me que meti o dedo numa ferida.*

— O anão disse alguma coisa que vos ofendesse, sor? — perguntou Tyrion inocentemente, a limpar bolhas de sangue do lábio ferido com as costas da mão.

— Estou farto da tua boca, anão — disse Mormont. — Ainda tens alguns dentes. Se queres ficar com eles, mantém-te longe de mim durante o resto desta viagem.

— Isso pode ser difícil. Partilhamos uma cabina.

— Podes arranjar outro lugar onde dormir. Lá em baixo no porão, cá em cima no convés, não importa. Desde que te mantenhas longe da minha vista.

Tyrion voltou a pôr-se de pé.

— Como quiserdes — respondeu com uma boca cheia de sangue, mas o grande cavaleiro já se tinha ido embora, fazendo ressoar as tábuas do convés com as botas.

Lá em baixo, na cozinha, estava a enxaguar a boca com rum e água e a estremecer com o quanto isso ardia quando Centava o encontrou.

— Ouvi falar do que aconteceu. Oh, estais ferido?

Encolheu os ombros.

— Um bocado de sangue e um dente partido. — *Mas acho que o magoei mais.* — E é ele um cavaleiro. É triste dizê-lo, mas não contaria com Sor Jorah no caso de precisarmos de proteção.

— Que fizestes? Oh, tendes o lábio a sangrar. — Tirou um lenço da manga e deu pancadinhas no lábio. — Que foi que dissestes?

— Algumas verdades que Sor Bezoar não queria ouvir.

— Não podeis troçar dele. Não sabeis *nada*? Não se pode falar dessa maneira com uma pessoa grande. Elas podem *magoar-vos*. Sor Jorah podia ter-vos atirado ao mar. Os marinheiros teriam rido de vos verem a afogar-vos. Tem de se ter cuidado perto de pessoas grandes. O meu pai sempre disse: sê alegre e brincalhona com eles, mantém-nos a sorrir, fá-los rir. O vosso pai nunca vos disse como agir com as pessoas grandes?

— O meu pai chamava-lhes gentinha — disse Tyrion — e ele não era aquilo a que se pode chamar um homem alegre. — Emborcou outro trago de rum aguado, bochechou com ele, cuspiu-o. — Mesmo assim, percebo o que queres dizer. Tenho muito a aprender sobre ser-se um anão. Talvez tenhas a bondade de me ensinar, entre as justas e as cavalgadas na porca.

— Ensinarei, s'nhor. De bom grado. Mas... que verdades foram essas? Porque foi que Sor Jorah vos bateu com tanta força?

— Ora, por amor. O mesmo motivo por que eu estufei aquele cantor. — Pensou em Shae, e na expressão que ela tinha nos olhos enquanto ele apertava a corrente em volta da sua garganta, torcendo-a no punho. Uma corrente de mãos douradas. *Pois mãos de ouro são sempre frias, mas há calor numas mãos de mulher.* — És donzela, Centava?

Ela corou.

— Sim. Claro. Quem teria...

— Fica assim. Amor é loucura e desejo é veneno. Conserva a tua virgindade. Ficarás mais feliz assim, e é menos provável que dês por ti num qualquer bordel sórdido no Roine com uma rameira que se parece um pouco com o teu amor perdido. — *Ou a correr meio mundo na esperança de encontrar o lugar para onde as rameiras vão.* — Sor Jorah sonha com salvar a sua rainha do dragão e em se refastelar com a sua gratidão, mas eu sei uma ou duas coisas sobre a gratidão dos reis, e preferia ter um palácio em Valíria. — Interrompeu-se de súbito. — Sentiste aquilo? O navio moveu-se.

— Senti. — A cara de Centava iluminou-se de alegria. — Estamos outra vez em movimento. O vento... — Correu para a porta. — Quero ver. Vinde, faço uma corrida convosco até lá acima. — E saiu.

*Ela é nova,* teve Tyrion de recordar a si próprio enquanto Centava corria para fora da cozinha e pela íngreme escada de madeira acima o mais depressa que as suas curtas pernas permitiam. *Quase uma criança.* Ainda assim, agradou-lhe ver o entusiasmo da rapariga. Seguiu-a para o convés.

A vela regressara à vida, enfunando-se, esvaziando-se, depois voltando a enfunar-se, com as riscas vermelhas da tela a contorcer-se como serpentes. Marinheiros precipitavam-se pelos conveses e puxavam cabos enquanto os oficiais berravam ordens na língua da Velha Volantis. Os remadores nos botes do navio tinham soltado os cabos de reboque e haviam virado para a coca, remando com força. O vento soprava de oeste, turbilhonante e em rajadas, puxando por cabos e por mantos como uma criança travessa. O *Selaesori Qhoran* estava a caminho.

*Afinal talvez cheguemos a Meereen*, pensou Tyrion.

Mas quando subiu a escada que levava ao castelo de popa e olhou por sobre a popa, o sorriso esmoreceu. *Aqui é céu azul e mar azul, mas para oeste... nunca vi um céu daquela cor.* Uma grossa faixa de nuvens corria ao longo do horizonte.

— Uma barra sinistra — disse a Centava, apontando.

— Que quer isso dizer? — perguntou ela.

— Quer dizer que um grande bastardo se aproxima de nós por trás.

Surpreendeu-se por descobrir que Moqorro e dois dos seus fogosos dedos se lhes tinham juntado no castelo de popa. Era só meio-dia e não era hábito que o sacerdote vermelho e os seus homens saíssem da cabina até ao pôr-do-sol. O sacerdote fez-lhe um aceno solene.

— Ali a vês, Hugor Hill. A fúria do Deus. O Senhor da Luz não tolera que dele trocem.

Tyrion tinha um mau pressentimento a respeito daquilo.

— A viúva disse que este navio nunca chegaria ao seu destino. Julguei que isso queria dizer que depois de estarmos no mar, para lá do alcance dos triarcas, o capitão mudaria de rumo para Meereen. Ou talvez que vós capturásseis o navio com a vossa Mão Fogosa e nos levásseis a Daenerys. Mas não foi nada disso que o vosso alto sacerdote viu, pois não?

— Não. — A profunda voz de Moqorro repicava tão solenemente como um sino funerário. — O que ele viu foi isto. — O sacerdote vermelho ergueu o bastão e inclinou a cabeça deste para oeste.

Centava não estava a compreender.

— Não percebo. Que quer isso dizer?

— Quer dizer que é melhor descermos. Sor Jorah exilou-me da nossa cabina. Posso esconder-me na tua, quando o momento chegar?

— Sim — disse ela. — Seríeis... oh...

Durante a maior parte de três horas correram à frente do vento, enquanto a tempestade se aproximava. O céu ocidental tornou-se verde, depois cinzento, depois negro. Uma muralha de nuvens escuras erguia-se atrás deles, agitando-se como uma chaleira de leite deixada ao lume tempo demais. Tyrion e Centava observaram do castelo de proa, aninhados ao lado da figura de proa e de mãos dadas, com o cuidado de se manterem fora do caminho do capitão e da tripulação.

A última tempestade fora entusiasmante, embriagante, uma borrasca súbita que o deixara a sentir-se purificado e refrescado. Esta foi diferente logo desde o início. O capitão também o sentia. Mudou de rota para nor-nordeste, para tentar sair do caminho da tormenta.

Foi um esforço fútil. Aquela tempestade era demasiado grande. Os mares em volta tornaram-se mais agitados. O vento começou a uivar. O *Intendente Fedorento* foi-se erguendo e caindo enquanto as vagas se lhe esmagavam contra o casco. Por trás deles, relâmpagos atiraram estocadas desde o céu, cegantes faíscas purpúreas que dançavam pelo mar em teias de luz. Seguiram-se trovões.

— Chegou a altura de nos escondermos. — Tyrion pegou no braço de Centava e levou-a para baixo.

A Bonita e o Trincão estavam ambos loucos de medo. O cão ladrava, ladrava, ladrava. Derrubou Tyrion quando entraram. A porca tinha andado a cagar por todo o lado. Tyrion limpou a porcaria o melhor que pôde enquanto Centava tentava acalmar os animais. Depois, ataram ou guardaram tudo o que estava ainda solto.

— Estou assustada — confessou Centava. A cabina começara a inclinar-se e a saltar, deslocando-se para um lado ou para o outro quando as vagas colidiam com o casco do navio.

*Há maneiras de morrer piores que o afogamento. O teu irmão aprendeu esse facto, e o senhor meu pai também. E Shae, essa puta mentirosa. Mãos de ouro são sempre frias, mas há calor numas mãos de mulher.*

— Devíamos jogar um jogo — sugeriu Tyrion. — Isso pode ajudar a afastar-nos a ideia da tempestade.

— De *cyvasse* não — disse ela de imediato.

— De *cyvasse* não — concordou Tyrion, enquanto a coberta se erguia debaixo dele. Tentar jogar *cyvasse* só faria com que as peças voassem violentamente pela cabina e depois chovessem sobre a porca e o cão.

— Quando eras rapariguinha alguma vez jogaste ao entra-no-meu-castelo?

— Não. Podeis ensinar-me?

Poderia? Tyrion hesitou. *Anão parvo. Claro que ela nunca jogou ao entra-no-meu-castelo. Ela nunca teve um castelo.* O entra-no-meu-castelo era um jogo para crianças de nascimento elevado, um jogo que se destinava a ensinar-lhes cortesia, heráldica e uma ou duas coisas sobre os amigos e inimigos dos senhores seus pais.

— Isso não vai… — começou a dizer. O convés voltou a balançar com violência, atirando-os um contra o outro. Centava soltou um guincho de medo. — Esse jogo não vai servir — disse-lhe Tyrion, fazendo ranger os dentes. — Desculpa. Não sei que jogo…

— Eu sei. — Centava beijou-o.

Foi um beijo desastrado, apressado, desajeitado. Mas apanhou-o completamente de surpresa. As mãos saltaram para cima e agarraram-lhe os ombros, para a afastar. Em vez disso hesitou, e depois puxou-a para mais perto, apertando-a. Os lábios dela estavam secos, duros, mais bem fechados do que a bolsa de um avarento. *Uma pequena mercê*, pensou Tyrion. Aquilo não era nada que tivesse querido. Gostava de Centava, apiedava-se de Centava, até admirava Centava, de certa forma, mas não a desejava. Não tinha qualquer vontade de a magoar, porém; os deuses e a sua querida irmã já lhe tinham dado bastante mágoa. Portanto deixou o beijo prolongar-se, segurando-a gentilmente pelos ombros. Manteve os lábios firmemente fechados. O *Selaesori Qhoran* rolou e estremeceu à volta deles.

Por fim, ela afastou-se um par de centímetros. Tyrion conseguiu ver o seu reflexo a brilhar nos olhos dela. Olhos bonitos, pensou, mas viu também outras coisas. *Muito medo, um pouco de esperança… mas nem um bocadinho de luxúria. Ela não me deseja mais do que eu a ela.*

Quando ela baixou a cabeça, pôs-lhe a mão sob o queixo e voltou a erguê-la.

— Não podemos jogar esse jogo, senhora. — Lá em cima, o trovão estrondeou, agora bem perto.

— Eu nunca quis… nunca antes tinha beijado um rapaz, mas… só pensei, e se nos afogarmos, e eu… eu…

— Foi bom — mentiu Tyrion — mas sou casado. Ela estava comigo no banquete, talvez vos lembreis dela. A Senhora Sansa.

— Era a vossa esposa? Ela… ela era muito bela…

*E falsa. Sansa, Shae, todas as minhas mulheres… Tysha foi a única que alguma vez me amou. Para onde vão as rameiras?*

— Uma rapariga adorável — disse Tyrion — e estamos unidos aos olhos dos deuses e dos homens. Pode ser que ela esteja perdida para mim, mas até eu ter a certeza disso tenho de lhe ser fiel.

— Compreendo. — Centava afastou a cara da dele.

*A minha mulher perfeita*, pensou Tyrion com amargura. *Uma mulher ainda suficientemente nova para acreditar em mentiras tão óbvias.*

O casco estava a ranger, a coberta a mexer-se e a Bonita guinchava de aflição. Centava atravessou o chão da cabina a gatinhar, envolveu a cabeça da porca nos braços, e murmurou-lhe palavras tranquilizadoras. Olhando-as às duas, era difícil perceber quem estava a reconfortar quem. A cena era tão grotesca que devia ter sido hilariante, mas Tyrion não conseguiu sequer encontrar um sorriso. *A rapariga merece melhor que uma porca*, pensou. *Um beijo honesto, um pouco de bondade, todas as pessoas merecem isso, por maiores ou mais pequenas que sejam.* Olhou em volta em busca da taça de vinho, mas quando a achou todo o rum se tinha derramado. *Afogar-me já é suficientemente mau,* refletiu com amargura, *mas afogar-me triste e sóbrio é demasiado cruel.*

No fim de contas, não se afogaram… embora tivesse havido alturas em que a perspetiva de um belo e pacífico afogamento tivesse exercido uma certa atração. A fúria da tempestade prosseguiu durante o resto desse dia, penetrando bem noite dentro. Ventos húmidos uivaram em volta deles e vagas ergueram-se como os punhos de gigantes afogados, indo esmagar-se-lhes no convés. Mais tarde ficaram a saber que lá em cima um oficial e dois marinheiros foram atirados borda fora, que o cozinheiro do navio ficou cego quando um tacho de gordura quente lhe saltou para a cara, e que o capitão foi atirado do castelo de popa para o convés principal com tal violência que partiu ambas as pernas. Em baixo, Trincão uivou e ladrou e tentou morder Centava, e a Porca Bonita desatou outra vez a cagar, transformando a exígua e húmida cabina num chiqueiro. Tyrion conseguiu evitar não passar por tudo isso a vomitar, graças principalmente à falta de vinho. Centava não teve tanta sorte, mas Tyrion abraçou-a na mesma enquanto o casco do navio rangia e gemia de forma alarmante à volta deles, como uma pipa prestes a rebentar.

Perto da meia-noite, os ventos finalmente amainaram, e o mar acalmou o suficiente para Tyrion voltar a subir ao convés. O que aí viu não o tranquilizou. A coca estava à deriva num mar de vidro de dragão sob uma abóbada de estrelas, mas a toda a volta a tempestade continuava a enfurecer-se. Para leste, oeste, norte, sul, para onde quer que olhasse as nuvens erguiam-se como montanhas negras, cujas encostas precipitosas e colossais penhascos ganhavam vida com relâmpagos azuis e purpúreos. Não caía qualquer chuva mas, debaixo dos seus pés, o convés estava escorregadio e húmido.

Tyrion ouviu alguém a gritar de baixo, uma voz fina e aguda, histérica de medo. Também conseguia ouvir Moqorro. O sacerdote vermelho estava em pé no castelo de proa, encarando a tempestade, com o bordão erguido acima da cabeça enquanto trovejava uma prece. A meia-nau, uma dúzia de marinheiros e dois dos dedos fogosos estavam a lutar com cabos emaranhados e tela ensopada, mas Tyrion nunca soube se estariam a tentar voltar a içar a vela ou a arreá-la. Fosse o que fosse que os homens estavam a tentar fazer, pareceu-lhe uma péssima ideia. E era mesmo.

O vento regressou como uma ameaça sussurrada, frio e húmido, roçando-lhe na cara, fazendo esvoaçar a vela húmida, rodopiando e puxando pelas vestes escarlates de Moqorro. Um instinto qualquer levou Tyrion a agarrar-se à amurada mais próxima, e mesmo a tempo. No espaço de três segundos, a pequena brisa transformou-se numa ventania uivante. Moqorro gritou qualquer coisa, e chamas verdes saltaram da goela do dragão no topo do seu bordão e foram desaparecer na noite. Então chegaram as chuvas, negras e cegantes, e tanto o castelo de proa como o de popa desapareceram por trás de uma muralha de água. Algo enorme esvoaçou por cima da cabeça de Tyrion, e o anão olhou para cima a tempo de ver a vela a enfunar-se, ainda com dois homens a pender dos cabos. De seguida, ouviu um estalo. *Oh, maldito inferno*, teve tempo de pensar, *aquilo só pode ter sido o mastro.*

Encontrou um cabo e puxou-o, lutando por avançar na direção da escotilha a fim de se abrigar em baixo, fora da tempestade, mas uma rajada de vento fê-lo perder o apoio dos pés e uma segunda atirou-o contra a amurada e aí o deixou agarrado. Chuva chicoteou-lhe a cara, cegando-o. Tinha a boca outra vez cheia de sangue. O navio gemeu e rosnou debaixo dele como um homem com prisão de ventre e fazer força para cagar.

Então, o mastro rebentou.

Tyrion não o chegou a ver, mas ouviu-o. De novo aquele som de estalar e depois um grito de madeira torturada, e de súbito o ar ficou cheio de estilhaços e lascas. Uma não lhe acertou no olho por centímetro e meio, uma segunda foi dar com o seu pescoço, uma terceira espetou-se-lhe na barriga da perna, atravessando botas, bragas e tudo. Gritou. Mas agarrou-se ao cabo, agarrou-se com uma força desesperada que não sabia ter. *A viúva disse que este navio nunca chegaria ao seu destino*, recordou. Depois riu e riu, com descontrolo e histeria, enquanto o trovão estrondeava, os madeiramentos gemiam e ondas se esmagavam a toda a volta.

Quando a tempestade amainou e os sobreviventes, entre os passageiros e a tripulação, regressaram de gatas ao convés, como pálidos vermes rosados a vir à superfície, contorcendo-se, após uma chuvada, o *Selaesori Qhoran* era uma coisa quebrada, flutuando meio afundado na água e adornado dez graus para bombordo, com o casco fendido em meia centena de sítios, o porão submerso em água do mar, o mastro transformado numa ruína estilhaçada que não era mais alta do que um anão. Nem a figura de proa escapara; um dos seus braços partira-se, aquele que tinha todos os pergaminhos. Nove homens tinham-se perdido, incluindo um oficial, dois dos dedos fogosos, e o próprio Moqorro.

*Terá Benerro visto isto nas suas fogueiras?*, perguntou Tyrion a si próprio, quando se apercebeu de que o enorme sacerdote vermelho desaparecera. *E Moqorro, terá visto isto?*

— A profecia é como uma mula meio treinada — queixou-se a Jorah Mormont. — Parece poder vir a ser útil, mas no momento em que se confia nela, dá-nos um coice na cabeça. Aquela maldita viúva sabia que o navio nunca chegaria ao seu destino, avisou-nos disso, disse que Benerro o tinha visto nas suas fogueiras, só que eu julguei que isso queria dizer… bem, que importa? — A boca torceu-se-lhe. — O que queria realmente dizer era que uma tempestade grande como o raio nos ia transformar o mastro em acendalhas para ficarmos à deriva, sem rumo, no Golfo da Mágoa, até se nos esgotar a comida e começarmos a comer-nos uns aos outros. Quem te parece que vão trinchar primeiro… a porca, o cão, ou eu?

— O mais ruidoso, diria eu.

O capitão morreu no dia seguinte, o cozinheiro do navio três noites mais tarde. O restante da tripulação foi só com grande esforço que manteve o destroço a flutuar. O oficial que assumira o comando calculou que estivessem algures ao largo da ponta meridional da Ilha dos Cedros. Quando baixou os botes do navio para os rebocar na direção da terra mais próxima, um deles afundou-se e os homens que estavam no outro cortaram o cabo e afastaram-se rumo a norte, abandonando a coca e todos os companheiros.

— Escravos — disse Jorah Mormont, com desprezo.

O grande cavaleiro passara a tempestade a dormir, de acordo com o que dizia. Tyrion tinha as suas dúvidas, mas guardou-as para si. Um dia podia querer morder alguém na perna, e para isso era preciso ter-se dentes. Mormont pareceu satisfeito por ignorar o desacordo entre ambos, portanto Tyrion decidiu fingir que não acontecera.

Derivaram durante dezanove dias, enquanto a comida e a água se iam reduzindo. O sol espancava-os, inexorável. Centava aninhava-se na cabina com o cão e a porca e Tyrion levava-lhe comida, coxeando sobre a sua coxa ligada e farejando o ferimento à noite. Quando não tinha mais nada para fazer também picava os dedos dos pés e das mãos. Sor Jorah fazia questão de afiar a espada todos os dias, amolando a ponta até a deixar a cintilar. Os três dedos fogosos que restavam acendiam a fogueira noturna quando o Sol se punha, mas usavam as ornamentadas armaduras enquanto lideravam as preces da tripulação, e tinham as lanças à mão. E nem um único marinheiro tentou esfregar a cabeça de nenhum dos anões.

— Não devíamos voltar a justar para eles verem? — perguntou Centava uma noite.

— É melhor não — disse Tyrion. — Isso só ia servir para lhes fazer lembrar que temos um belo porco rechonchudo. — Isto muito embora a Bonita se fosse tornando menos rechonchuda a cada dia que passava, e Trincão fosse só pele e osso.

Nessa noite, voltou a sonhar que estava de regresso a Porto Real, com uma besta na mão.

— Para onde quer que as rameiras vão — disse o Lorde Tywin, mas quando o dedo de Tyrion se contraiu e a corda da besta soltou um *trum*, foi Centava quem ficou com o dardo enterrado na barriga.

Acordou ao som dos gritos.

O convés movia-se debaixo do corpo, e durante meio segundo ficou tão confuso que julgou estar de volta à *Tímida Donzela*. Um bafo a merda de porco devolveu-lhe o juízo. As Mágoas estavam agora para trás de si, a meio mundo de distância, e as alegrias desses tempos também. Lembrou-se do belo aspeto de Lemore depois dos seus banhos matinais, com gotas de água a reluzir na pele nua, mas ali a única donzela era a sua pobre Centava, a pequena anã atrofiada.

Algo se passava, contudo. Tyrion esgueirou-se para fora da rede, bocejando, e olhou em volta à procura das botas. E, louco como estava, procurou também pela besta, mas claro que nada havia do género para descobrir. *Uma pena*, matutou, *podia servir de alguma coisa quando a gente grande viesse comer-me*. Calçou as botas e subiu ao convés para ver qual o motivo da gritaria. Centava chegara lá antes dele, com os olhos dilatados de assombro.

— Uma vela — gritou — ali, ali, estás a ver? Uma vela, e eles viram-nos, viram-nos mesmo. Uma *vela*.

Daquela vez beijou-a… uma vez em cada bochecha, uma vez na testa e uma última na boca. Ela estava corada e a rir quando chegou ao último beijo, de novo tímida, mas não importava. O outro navio aproximava-se. Uma galé das grandes, viu Tyrion. Os seus remos deixavam uma longa esteira branca para trás.

— Que navio é aquele? — perguntou a Sor Jorah Mormont. — Conseguis ler o seu nome?

— Não preciso de ler o nome. Estamos contra o vento. Consigo cheirá-lo. — Mormont puxou pela espada. — Aquilo é um traficante de escravos.

Os primeiros flocos começaram a cair na altura em que o Sol se punha a oeste. Quando a noite caiu nevava tanto que a Lua se ergueu por trás de uma cortina branca, sem ser vista.

— Os deuses do norte libertaram a sua fúria contra o Lorde Stannis — anunciou Roose Bolton ao chegar a manhã, quando os homens se reuniram no Grande Salão de Winterfell para quebrar o jejum. — Aqui é um estranho, e os deuses antigos não toleram que sobreviva.

Os seus homens rugiram em aprovação, esmurrando as longas mesas de tábuas. Winterfell podia estar arruinado, mas as suas paredes de granito continuavam a manter afastado o pior do vento e do mau tempo. Estavam bem abastecidos de comida e bebida; tinham fogos para se aquecerem quando não estavam de serviço, um lugar onde secarem a roupa, cantos aconchegados onde se deitarem e dormirem. O Lorde Bolton preparara lenha em quantidade suficiente para manter os fogos alimentados durante meio ano, e por conseguinte o Grande Salão estava sempre morno e acolhedor. Stannis não tinha nada disso.

Theon Greyjoy não se juntou às aclamações. E, como não deixou de reparar, os homens da Casa Frey também não. *Eles também são aqui estranhos*, pensou, observando Sor Aenys Frey e o seu meio-irmão Sor Hosteen. Nascidos e criados nas terras fluviais, os Frey nunca tinham visto um nevão como aquele. *O norte já reclamou para si três dos do seu sangue*, pensou Theon, lembrando-se dos homens que Ramsay procurara infrutiferamente, perdidos entre Porto Branco e a Vila Acidentada.

No estrado, o Lorde Wyman Manderly estava sentado entre dois dos seus cavaleiros de Porto Branco, enfiando na sua gorda cara colheradas de papas. Não parecia estar a gostar tanto, nem de perto nem de longe, como gostara dos empadões de porco da boda. Noutro ponto, o maneta Harwood Stout conversava em voz baixa com o cadavérico Terror-das-Rameiras Umber.

Theon juntou-se à fila dos outros homens que esperavam as papas, as quais eram tiradas às conchadas de panelas de cobre e despejadas em tigelas de madeira. Viu que os senhores e cavaleiros tinham leite e mel e até um pouco de manteiga para adoçar as suas doses, mas nada disso lhe seria oferecido. O seu reinado enquanto Príncipe de Winterfell fora breve. Desempenhara o seu papel naquele espetáculo de saltimbancos, entregando a falsa Arya para ser casada, e agora já não tinha préstimo para Roose Bolton.

— No primeiro inverno de que me lembro, as neves subiram mais alto que a minha cabeça — disse um homem de Boscorno na fila à sua frente.

— Pois, mas nessa altura só tinhas um metro de altura — replicou um cavaleiro dos Regatos.

Na noite anterior, incapaz de dormir, Theon dera por si a matutar em fugir, em escapulir-se sem ser visto enquanto Ramsay e o senhor seu pai tinham a atenção posta noutras coisas. Mas todos os portões estavam fechados, trancados e fortemente guardados; a ninguém era permitido entrar ou sair do castelo sem a licença do Lorde Bolton. Mesmo se encontrasse alguma maneira secreta de sair, Theon não teria confiado nela. Não se esquecera de Kyra e das suas chaves. E se saísse, para onde iria? O pai estava morto, e não tinha nenhum préstimo para os tios. Pyke estava perdido para ele. A coisa mais próxima de um lar que lhe restava era ali, entre os ossos de Winterfell.

*Um homem arruinado, um castelo arruinado. O meu lugar é este.*

Ainda estava à espera das papas quando Ramsay entrou de rompante no salão com os seus Rapazes do Bastardo, a gritar por música. Abel esfregou o sono para longe dos olhos, pegou no alaúde, e atirou-se a "A Mulher do Dornês," enquanto uma das suas lavadeiras batia o tempo no tambor. Mas o cantor alterou as palavras. Em vez de provar a mulher de um dornês, cantou sobre provar a filha de um nortenho.

*Podia perder a língua por aquilo,* pensou Theon enquanto a tigela era enchida. *É só um cantor. O Lorde Ramsay podia arrancar-lhe a pele das duas mãos e ninguém diria uma palavra.* Mas a letra fez o Lorde Bolton sorrir e Ramsay riu alto. Então os outros ficaram a saber que era seguro rir também. O Picha Amarela achou a canção tão engraçada que até lhe saiu vinho pelo nariz.

A Senhora Arya não se encontrava presente para participar no divertimento. Não saíra dos seus aposentos desde a noite do casamento. O Alyn Azedo tinha andado a dizer que Ramsay mantinha a noiva nua e acorrentada a uma das colunas da cama, mas Theon sabia que isso era só boato. Não havia correntes, pelo menos não existia nenhuma que os homens pudessem ver. Só um par de guardas à porta do quarto, para evitar que a rapariga deambulasse. *E só fica nua quando toma banho.*

Isso, contudo, era algo que fazia quase todas as noites. O Lorde Ramsay queria a mulher limpa.

— Não tem aias, coitadinha — dissera ele a Theon. — Restas tu, Cheirete. Achas que te devo vestir com um vestido? — Rira-se. — Talvez se mo suplicares. Por agora, bastará que sejas a sua aia de banhos. Não a quero a cheirar como tu. — Portanto, sempre que Ramsay tinha vontade de se deitar com a mulher, cabia a Theon ir pedir emprestadas umas criadas à Senhora Walda ou à Senhora Dustin, e trazer água quente das cozinhas. Embora Arya nunca falasse com nenhuma delas, não podiam evitar ver-lhe as nódoas negras. *Foi culpa dela. Não o satisfez.*

— Limita-te a ser *Arya* — dissera uma vez à rapariga, enquanto a ajudava a entrar na água. — O Lorde Ramsay não te quer magoar. Ele só nos magoa quando nós… quando nos esquecemos. Nunca me cortou sem motivo.

— Theon… — sussurrara ela, chorando.

— Cheirete. — Agarrara-lhe no braço e sacudira-a. — Aqui sou Cheirete. Tens de te *lembrar*, Arya. — Mas a rapariga não era uma verdadeira Stark, só a pirralha de um intendente. *Jeyne, o nome dela é Jeyne. Não devia procurar salvamento em mim.* Theon Greyjoy talvez tivesse tentado ajudá-la, em tempos. Mas Theon nascera no ferro, e era um homem mais corajoso do que o Cheirete. *Cheirete, Cheirete, rima com tapete.*

Ramsay tinha um novo brinquedo para o divertir, um brinquedo com mamas e uma coninha… mas depressa as lágrimas de Jeyne perderiam o sabor, e Ramsay voltaria a querer o seu Cheirete. *Vai esfolar-me centímetro a centímetro. Quando ficar sem dedos, cortar-me-á as mãos. Depois dos dedos dos pés, os pés. Mas só quando eu o suplicar, quando a dor for tão insuportável que lhe suplique que me dê algum alívio.* Não haveria banhos quentes para o Cheirete. Voltaria a rebolar em merda, proibido de se lavar. A roupa que usava transformar-se-ia em farrapos, nojentos e fedorentos, e seria obrigado a usá-los até apodrecerem. O melhor que podia esperar era ser devolvido aos canis com as raparigas de Ramsay por companhia. *Kyra,* recordou. *Chama Kyra à cadela nova.*

Levou a tigela para o fundo do salão e arranjou lugar num banco vazio, a metros do archote mais próximo. De dia ou de noite, os bancos abaixo do sal nunca estavam menos de meio cheios de homens a beber, a jogar aos dados, a conversar ou a dormir vestidos em cantos sossegados. Os seus sargentos acordavam-nos ao pontapé quando chegava a sua vez de se voltarem a encolher nos mantos e percorrer as muralhas. Mas nenhum homem entre eles acolheria bem a companhia de Theon Vira-Mantos, e ele tampouco tinha grande gosto pelas deles.

As papas estavam cinzentas e aguadas, e pô-las de parte depois da terceira colherada, deixando que coagulassem na tigela. Na mesa seguinte, homens estavam a discutir sobre a tempestade interrogando-se em voz alta sobre quanto tempo a neve levaria a cair.

— Todo o dia e toda a noite, e pode ser ainda mais tempo — insistia um arqueiro grande de barba negra com um machado Cerwyn cosido ao peito. Alguns dos homens mais velhos falavam de outros nevões e insistiam que aquilo não passava de uma nevascazinha quando comparada com o que tinham visto nos invernos da juventude. Os homens do rio estavam aterrados. *Não têm qualquer gosto pela neve e o frio, estas espadas do sul.* Homens que entravam no salão aninhavam-se junto aos fogos ou batiam palmas por cima de braseiros incandescentes enquanto os mantos pendiam a pingar de cavilhas junto da porta.

O ar estava denso e fumarento e formara-se uma crosta por cima das suas papas quando uma voz de mulher atrás dele disse:

— Theon Greyjoy?

*O meu nome é Cheirete*, quase respondeu.

— Que queres?

Ela sentou-se a seu lado, a cavalo no banco, e afastou dos olhos uma despenteada madeixa de cabelo castanho-arruivado.

— Porque comeis sozinho, s'nhor? Vinde, levantai-vos, juntai-vos à dança.

Theon regressou às papas.

— Eu não danço. — O Príncipe de Winterfell fora um dançarino elegante, mas o Cheirete, com os dedos que lhe faltavam, seria grotesco. — Deixa-me em paz. Não tenho dinheiro.

A mulher fez um sorriso torto.

— Tomais-me por uma rameira? — Era uma das lavadeiras do cantor, a alta e escanzelada, demasiado esguia e coriácea para lhe chamarem bonita… se bem que tivesse havido uma altura em que Theon a teria derrubado na mesma, para ver como era ter aquelas longas pernas enroladas à sua volta. — Para que me serve aqui o dinheiro? Que compraria com ele, um bocado de neve? — Ela riu-se. — Podíeis pagar-me com um sorriso. Nunca vos vi sorrir, nem mesmo durante o banquete de casamento da vossa irmã.

— A Senhora Arya não é minha irmã. — *E eu não sorrio*, podia ter-lhe dito. *Ramsay odiava os meus sorrisos, portanto atirou-me um martelo aos dentes. Mal consigo comer.* — Nunca foi minha irmã.

— Mas é uma donzela bonita.

*Eu nunca fui bela como Sansa, mas todos diziam que era bonita.* As palavras de Jeyne pareceram ecoar na sua cabeça, ao ritmo dos tambores que duas das outras raparigas de Abel estavam a tocar. Outra puxara o Walder Pequeno Frey para cima da mesa a fim de lhe ensinar a dançar. Todos os homens se riam.

— Deixa-me em paz — disse Theon.

— Não sou do agrado do s'nhor? Podia mandar-vos a Myrtle, se quiserdes. Ou a Holly, talvez gostásseis mais dela. Todos os homens gostam da Holly. Elas também não são minhas irmãs, mas são simpáticas. — A mulher aproximou-se mais. O seu hálito cheirava a vinho. — Se não tendes um sorriso para mim, contai-me como capturastes Winterfell. O Abel poria a história numa canção, e vós viveríeis para sempre.

— Como traidor. Como Theon Vira-Mantos.

— E porque não Theon, o Esperto? Foi um feito audaz, segundo ouvimos dizer. Quantos homens tínheis? Uma centena? Cinquenta?

*Menos.*

— Foi uma loucura.

— Gloriosa loucura. Stannis tem cinco mil, segundo dizem, mas Abel diz que nem dez vezes mais conseguiriam abrir uma brecha nestas muralhas. Portanto como foi que *vós* entrastes, s'nhor? Tínheis alguma maneira secreta?

*Tinha cordas*, pensou Theon. *Tinha fateixas. Tinha a escuridão do meu lado, e a surpresa. O castelo tinha apenas uma guarnição ligeira, e eu apanhei-os desprevenidos.* Mas não disse nada disso. Se Abel fizesse uma canção sobre ele, o mais certo era Ramsay furar-lhe os tímpanos para se assegurar de que nunca a ouviria.

— Podeis confiar em mim, s'nhor. O Abel confia. — A lavadeira pôs a mão sobre a dele. As mãos de Theon estavam enluvadas em lã e couro. As dela estavam nuas e tinham dedos longos, rudes, com unhas roídas até ao sabugo. — Não chegastes a perguntar-me o nome. É Rowan.

Theon afastou-se bruscamente. Aquilo era um truque, sabia que era. *Foi Ramsay que a enviou. É outra das suas brincadeiras, como a Kyra com as chaves. Uma alegre brincadeira, nada mais. Quer que eu fuja, para poder punir-me.*

Apeteceu-lhe bater-lhe, arrancar-lhe aquele sorriso trocista da cara. Apeteceu-lhe beijá-la, fodê-la ali mesmo na mesa e obrigá-la a gritar o seu nome. Mas sabia que não se atrevia a tocar-lhe, em fúria ou em desejo. *Cheirete, Cheirete, o meu nome é Cheirete. Não posso esquecer o meu nome.* Pôs-se em pé de um salto, e abriu caminho sem uma palavra até às portas, manquejando sobre os pés mutilados.

Lá fora, a neve continuava a cair. Húmida, pesada, silenciosa, já começara a cobrir os passos deixados pelos homens que iam e vinham do salão. Os montes de neve acumulada chegavam-lhe quase ao topo das botas. *Na mata de lobos deve estar mais profunda… e na estrada de rei, onde o vento sopra, não haverá forma de lhe fugir.* No pátio travava-se uma batalha; Ryswells a fazer chover bolas de neve sobre rapazes de Vila Acidentada. Lá em cima, viam-se alguns escudeiros a construir bonecos de neve nas ameias. Estavam a armá-los com lanças e escudos, pondo-lhes meios elmos de ferro nas cabeças, e dispondo-os ao longo da muralha interior, uma fileira de sentinelas de neve.

— O Senhor Inverno juntou-se-nos com os seus recrutas — brincou uma das sentinelas que estava à porta do Grande Salão… até que viu a cara de Theon, e se apercebeu de quem era o homem com quem estava a falar. Depois virou a cabeça e cuspiu.

Atrás das tendas, os grandes corcéis dos cavaleiros de Porto Branco e das Gémeas tremiam nas suas fileiras de cavalos. Ramsay queimara os estábulos quando saqueara Winterfell, portanto o pai construíra outros novos duas vezes maiores do que os antigos, para acolher os cavalos de guerra e palafréns dos senhores e cavaleiros seus vassalos. O resto dos cavalos estava amarrado nos pátios. Palafreneiros encapuzados deslocavam-se entre eles, cobrindo-os com mantas para os manterem quentes.

Theon dirigiu-se mais para o interior das partes arruinadas do castelo. Enquanto avançava pela pedra estilhaçada que fora em tempos o torreão do Meistre Luwin, corvos observavam-no do rasgão na parede, mais acima, resmungando uns com os outros. De vez em quando, um lançava um grito roufenho. Parou na entrada de um quarto que em tempos fora seu (enterrado até aos tornozelos em neve que entrara por uma janela partida), visitou as ruínas da forja de Mikken e do septo da Senhora Catelyn. Sob a Torre Queimada, passou por Rickard Ryswell, que tinha o nariz enterrado no pescoço de outra das lavadeiras de Abel, a rechonchuda com bochechas rosadas e nariz arrebitado. A rapariga estava descalça na neve, envolta num manto de peles. Theon achou que provavelmente estaria nua por baixo. Quando o viu, disse qualquer coisa ao Ryswell que o fez soltar uma gargalhada.

Theon afastou-se pesadamente deles. Havia uma escada atrás dos estábulos, raramente usada; foi para aí que os pés o levaram. Os degraus eram íngremes e traiçoeiros. Subiu com cuidado, e deu por si sozinho nas ameias da muralha interior, bem longe dos escudeiros e dos seus bonecos de neve. Ninguém lhe dera liberdade de castelo, mas também ninguém lha negara. Podia ir onde quisesse, dentro das muralhas.

A muralha interior de Winterfell era a mais antiga e a mais alta das duas, e as suas antigas ameias cinzentas erguiam-se a uma altura de trinta metros, com torres quadradas em cada canto. A muralha exterior, erguida muitos séculos mais tarde, era seis metros mais baixa, mas era mais espessa e estava em melhor estado, ostentando torres octogonais em vez de quadradas. Entre as duas muralhas ficava o fosso, profundo e largo… e gelado. Montes de neve tinham começado a avançar pela superfície gelada. Neve também se acumulava ao longo das ameias, enchendo os intervalos entre os merlões e pondo suaves coruchéus brancos no topo de todas as torres.

Para lá das muralhas, até tão longe quanto a vista alcançava, o mundo estava a ficar branco. Os bosques, os campos, a estrada de rei — as neves estavam a cobri-los a todos sob um suave manto branco, enterrando os restos da vila de inverno, escondendo as paredes enegrecidas que os homens de Ramsay tinham deixado para trás quando passaram as casas pelo archote. *As feridas que o Snow fez, a neve esconde*, mas isso não estava certo. Ramsay era agora um Bolton, não um Snow, nunca um Snow.

Mais longe, a estrada sulcada desaparecera, perdida entre os campos e colinas onduladas, tudo uma vasta extensão branca. E a neve continuava a cair, pairando em silêncio de um céu sem vento. *Stannis Baratheon está algures por ali, gelando.* Iria o Lorde Stannis tentar tomar Winterfell de assalto? *Se o fizer, a sua causa está condenada.* O castelo era forte demais. Mesmo com o fosso coberto de gelo, as defesas de Winterfell continuavam a ser formidáveis. Theon capturara o castelo pela calada, mandando os seus melhores homens escalar as muralhas e atravessar o fosso a nado a coberto da escuridão. Os defensores nem sequer se tinham apercebido de que estavam sob ataque até ser tarde demais. Nenhum subterfúgio semelhante era possível para Stannis.

Ele talvez preferisse isolar o castelo do mundo exterior e vencer os defensores pela fome. Os armazéns e as adegas de Winterfell estavam vazios. Uma longa coluna logística tinha atravessado o Gargalo com Bolton e os seus amigos de Frey, a Senhora Dustin trouxera de Vila Acidentada comida e rações para os animais, e o Lorde Manderly chegara bem aprovisionado de Porto Branco… mas a hoste era grande. Com tantas bocas para alimentar, as suas reservas não podiam durar muito tempo. *Mas o Lorde Stannis e os seus amigos deverão estar igualmente esfomeados. E também com frio e com bolhas nos pés, nada em condições para um combate… se bem que a tempestade os vá deixar desesperados para entrarem no castelo.*

A neve também estava a cair no bosque sagrado, derretendo quando tocava no chão. Sob as árvores cobertas de branco a terra transformara-se em lama. Gavinhas de névoa pairavam no ar como fitas fantasmagóricas. *Porque foi que vim cá? Estes não são os meus deuses. Este lugar não é meu.* A árvore coração estava na frente dele, um pálido gigante com uma cara esculpida e folhas que eram como mãos sangrentas.

Uma fina película de gelo cobria a superfície da lagoa sob o represeiro. Theon caiu sobre os joelhos a seu lado.

— Por favor — murmurou por entre os dentes quebrados — eu nunca quis… — As palavras prenderam-se-lhe na garganta. — Salvai-me — conseguiu por fim dizer. — Dai-me… — *O quê? Força? Coragem? Misericórdia?* A neve caía à sua volta, pálida e silenciosa, guardando os conselhos para si. O único som era um ténue e suave soluçar. *Jeyne*, pensou. *É ela, a*

soluçar na sua cama de noiva. *Quem mais poderá ser? Os deuses não chora-*
vam. *Ou chorarão?*

O som era demasiado doloroso para suportar. Theon agarrou um
ramo e puxou-se até se pôr em pé, sacudiu a neve das pernas e regressou a
coxear na direção das luzes. *Há fantasmas em Winterfell,* pensou, *e eu sou*
*um deles.*

Mais bonecos de neve tinham crescido no pátio quando Theon
Greyjoy regressou. Para comandar as sentinelas nevadas nas muralhas, os
escudeiros tinham erguido uma dúzia de senhores nevados. Um pretendia
claramente ser o Lorde Manderly; era o boneco de neve mais gordo que
Theon vira na vida. O senhor maneta só podia ser Harwood Stout, a senhora de neve Barbrey Dustin. E aquele que estava mais perto da porta, com a
barba feita de pingentes, tinha de ser o Terror-das-Rameiras Umber.

Lá dentro, os cozinheiros estavam a servir estufado de carne de vaca
e cevada, cheio de cenouras e cebolas, em trinchos abertos em pães do dia
anterior. Eram atirados bocados para o chão, que eram devorados pelas raparigas de Ramsay e pelos outros cães.

As raparigas mostraram-se felizes por vê-lo. Conheciam-no pelo
cheiro. A Jeyne Vermelha aproximou-se aos saltos e lambeu-lhe a mão, e
Helicent enfiou-se debaixo da mesa e enrolou-se aos seus pés, roendo um
osso. Eram bons cães. Era fácil esquecer que cada um recebera o nome de
uma rapariga que Ramsay caçara e matara.

Fatigado como estava, Theon tinha apetite suficiente para comer um
pouco de estufado, empurrado para baixo com cerveja. Por essa altura já
o salão se enchera de vozes roufenhas. Dois dos batedores de Roose Bolton tinham regressado pelo Portão do Caçador para relatar que o avanço
do Lorde Stannis abrandara até quase parar. Os seus cavaleiros montavam
corcéis de batalha, e os grandes cavalos afundavam-se na neve. Os pequenos garranos de patas seguras dos clãs da montanha estavam a portar-se
melhor, segundo os batedores, mas os homens dos clãs não se atreviam a
avançar demasiado para evitar que a hoste se desfizesse. O Lorde Ramsay
ordenou a Abel para lhes cantar uma canção de marcha em honra da difícil
caminhada de Stannis pelas neves, de modo que o bardo voltou a pegar
no alaúde, enquanto uma das suas lavadeiras convenceu o Alyn Azedo a
emprestar-lhe uma espada e imitou Stannis a atirar espadeiradas aos flocos
de neve.

Theon estava a fitar os últimos restos da terceira caneca quando a
Senhora Barbrey Dustin entrou de rompante no salão e ordenou a dois dos
homens a si ajuramentados que o levassem até ela. Quando parou abaixo
do estrado, ela olhou-o de cima a baixo e soltou uma fungadela.

— Essa é a mesma roupa que usastes no casamento.

— Sim, senhora. É a roupa que me foi dada. — Essa era uma das lições que aprendera no Forte do Pavor: aceitar o que lhe era dado, e nunca pedir mais.

A Senhora Dustin vestia de negro, como sempre, embora as mangas estivessem forradas de veiro. O vestido tinha um colarinho alto e rígido que lhe enquadrava a cara.

— Vós conheceis este castelo.

— Conheci em tempos.

— Algures por baixo de nós encontram-se as criptas onde os velhos reis Stark estão sentados nas trevas. Os meus homens não foram capazes de encontrar a entrada. Percorreram todas as galerias e caves, andaram mesmo nas masmorras, mas…

— Não é possível aceder às criptas a partir das masmorras, senhora.

— Podeis mostrar-me o caminho até lá abaixo?

— Lá não há nada a não ser…

— Starks mortos? Pois. E calha que todos os meus Starks preferidos estão mortos. Conheceis o caminho ou não?

— Conheço. — Não gostava das criptas, nunca gostara das criptas, mas não lhe eram estranhas.

— Mostrai-me. Sargento, vai buscar uma lanterna.

— A senhora vai querer um manto quente — acautelou Theon. — Vamos precisar de ir ao exterior.

O nevão estava mais forte do que nunca quando saíram do salão, com a Senhora Dustin envolta em zibelina. Aconchegados nos seus mantos com capuz, os guardas lá fora eram quase indistinguíveis dos bonecos de neve. Só os seus hálitos a carregar o ar de neblina eram prova de que ainda estavam vivos. Ardiam fogueiras ao longo das ameias, uma vã tentativa de afastar as sombras. O pequeno grupo que eles constituíam deu por si a avançar penosamente por uma extensão lisa e virgem de brancura que lhes subia até meio das pernas. As tendas no pátio estavam meio enterradas, ajoujadas sob o peso da neve acumulada.

A entrada das criptas ficava na secção mais antiga do castelo, perto da base da Primeira Torre, a qual não era usada há centenas de anos. Ramsay passara-a pelo archote quando saqueara Winterfell, e muito daquilo que não ardera ruíra. Só restava uma casca, com um lado aberto aos elementos e a encher-se de neve. Havia entulho por todo o lado; grandes bocados de pedra quebrada, vigas queimadas, gárgulas partidas. A neve caída cobrira quase tudo, mas parte de uma gárgula ainda se projetava da superfície da neve, com um rosto grotesco que rosnava cegamente ao céu.

*Foi ali que encontraram Bran quando caiu.* Theon andara à caça nesse dia, cavalgando com o Lorde Eddard e o Rei Robert, sem qualquer indício das terríveis notícias que os aguardavam quando regressaram ao castelo. Lembrou-se da cara de Robb quando lhe contaram. Ninguém esperara que o rapaz quebrado sobrevivesse. *Os deuses não conseguiram matar Bran, tal como eu não consegui.* Era um estranho pensamento, e era ainda mais estranho lembrar-se que Bran podia ainda estar vivo.

— Ali. — Theon apontou para o local onde um monte de neve começara a subir a parede da fortaleza. — Debaixo daquilo. Cuidado com as pedras partidas.

Os homens da Senhora Dustin precisaram da maior parte de meia hora para destapar a entrada, cavando a neve e afastando entulho. Quando o fizeram, a porta estava trancada com gelo. O sargento teve de ir à procura de um machado antes de conseguir abri-la, com as dobradiças a gritar, revelando degraus de pedra que desciam em espiral para as trevas.

— É uma longa descida, senhora — acautelou Theon.

A Senhora Dustin não se deixou demover.

— Beron, a luz.

O caminho era estreito e íngreme, o centro dos degraus estava gasto por séculos de pés. Seguiram em fila única; o sargento com a lanterna, depois Theon e a Senhora Dustin, e o outro homem atrás deles. Theon sempre pensara nas criptas como um lugar frio, e pareciam sê-lo no verão, mas agora, à medida que desciam, o ar foi-se tornando mais quente. Não quente, nunca quente, mas mais quente do que lá em cima. Cá em baixo, no subsolo, segundo parecia, o frio era constante, imutável.

— A noiva chora — disse a Senhora Dustin enquanto desciam, um degrau cuidadoso após outro. — A nossa pequena Senhora Arya.

*Agora tem cuidado. Tem cuidado, tem cuidado.* Pôs uma mão na parede. A luz mutável do archote fazia com que os degraus parecessem mexer-se sob os seus pés.

— É… é como dizeis, s'nhora.

— Roose não está contente. Dizei isso ao vosso bastardo.

*Ele não é o meu bastardo*, quis dizer, mas outra voz dentro dele disse: *Mas é, mas é. O Cheirete pertence a Ramsay e Ramsay pertence ao Cheirete. Não te podes esquecer do teu nome.*

— Vesti-la de cinzento e branco não serve de nada se a rapariga for posta a soluçar. Os Frey podem não se importar, mas os nortenhos… temem o Forte do Pavor, mas amam os Stark.

— Vós não — disse Theon.

— Eu não — confessou a Senhora de Vila Acidentada — mas os outros sim. O velho Terror-das-Rameiras só aqui está porque os Frey têm o Grande-Jon cativo. E imaginais que os homens de Boscorno esqueceram o último casamento do Bastardo, e o modo como a sua senhora foi deixada à fome, a roer os próprios dedos? Que julgais que lhes passa pelas cabeças quando ouvem a nova esposa chorar? A preciosa rapariguinha do valente Ned?

*Não*, pensou. *Ela não é do sangue do Lorde Eddard, o seu nome é Jeyne, é só filha de um intendente.* Não duvidava de que a Senhora Dustin suspeitava, mas mesmo assim…

— Os soluços da Senhora Arya causam-nos mais dano do que todas as espadas e lanças do Lorde Stannis. Se o Bastardo quiser permanecer como Senhor de Winterfell, é melhor que ensine a esposa a rir.

— Senhora — interrompeu Theon. — Chegámos.

— A escada continua a descer — observou a Senhora Dustin.

— Há andares inferiores. Mais antigos. O mais profundo ruiu parcialmente, segundo ouvi dizer. Nunca estive lá em baixo. — Abriu a porta com um empurrão e levou-os para um longo túnel abobadado, onde poderosos pilares de granito marchavam dois a dois negrume adentro.

O sargento da Senhora Dustin ergueu a lanterna. Sombras deslizaram e alteraram-se. *Uma pequena luz numa grande escuridão.* Theon nunca se sentira confortável nas criptas. Conseguia sentir os reis de pedra a fitá-lo com os seus olhos de pedra, os dedos de pedra enrolados nos cabos de espadas ferrugentas. Nenhum deles sentia qualquer apreço por nascidos no ferro. Uma sensação familiar de terror encheu-o.

— Tantos — disse a Senhora Dustin. — Sabeis os seus nomes?

— Soube em tempos… mas foi há muito tempo. — Theon apontou. — Os deste lado foram Reis no Norte. Torrhen foi o último.

— O Rei Que Ajoelhou.

— Sim, senhora. Depois dele eram só senhores.

— Até ao Jovem Lobo. Onde está a tumba de Ned Stark?

— No fim. Por aqui, senhora.

Os passos do grupo ecoaram na abóbada quando avançaram entre as fileiras de pilares. Os olhos de pedra dos mortos pareceram segui-los, e os olhos dos seus lobos gigantes de pedra também. As caras despertaram ténues recordações. Alguns nomes voltaram-lhe à memória, de moto próprio, sussurrados na voz fantasmagórica do Meistre Luwin. O Rei Edrick Barba-de-Neve, que governara o Norte durante cem anos. Brandon, o Construtor Naval, que velejara para lá do sol-posto. Theon Stark, o Lobo Faminto. *O meu homónimo.* O Lorde Beron Stark, que fizera causa comum com o Rochedo Casterly para guerrear contra Dagon Greyjoy, Senhor de Pyke, nos dias em que os Sete Reinos eram governados em tudo menos no nome pelo feiticeiro bastardo a que os homens chamavam Corvo de Sangue.

— Aquele rei não tem a espada — observou a Senhora Dustin.

Era verdade. Theon não se lembrava de qual era o rei, mas a espada que devia ter na mão desaparecera. Riscos de ferrugem permaneciam para mostrar onde ela estivera. A cena inquietou-o. Sempre ouvira dizer que o ferro que havia na espada mantinha os espíritos dos mortos fechados no interior das suas tumbas. Se uma espada desaparecera…

*Há fantasmas em Winterfell. E eu sou um deles.*

Continuaram a caminhar. A cara de Barbrey Dustin parecia endurecer a cada passo. *Ela não gosta mais deste lugar do que eu.* Theon ouviu-se a dizer:

— Senhora, porque odiais os Stark?

Ela estudou-o.

— Pelo mesmo motivo porque vós os amais.

Theon tropeçou.

— Amá-los? Eu nunca… eu tomei este castelo das mãos deles, senhora. Mandei… mandei executar Bran e Rickon, montei as cabeças deles em espigões, eu…

— … cavalgastes para sul com Robb Stark, combatestes a seu lado no Bosque dos Murmúrios e em Correrrio, regressastes às Ilhas de Ferro como seu emissário para negociar com o vosso próprio pai. Vila Acidentada também enviou homens com o Jovem Lobo. Dei-lhe o mínimo de homens que me atrevi a dar, mas sabia que tinha de lhe dar alguns para não arriscar ser alvo da ira de Winterfell. Portanto tinha os meus olhos e ouvidos nessa hoste. Mantinham-me bem informada. Eu sei o que sois. Agora respondei à minha pergunta. Porque amais os Stark?

— Eu… — Theon apoiou uma mão enluvada a um pilar. — … eu queria ser um deles…

— E nunca pudestes sê-lo. Temos mais em comum do que julgais, senhor. Mas vinde.

Só um pouco mais à frente, três sepulturas estavam agrupadas muito juntas. Foi aí que pararam.

— O Lorde Rickard — observou a Senhora Dustin, estudando a figura central. A estátua erguia-se acima deles; de cara longa, barbuda, solene. Tinha os mesmos olhos de pedra dos outros, mas os dele pareciam tristes. — Também lhe falta uma espada.

Era verdade.

— Alguém esteve cá em baixo a roubar espadas. A de Brandon também desapareceu.

— Ele odiaria isso. — Ela descalçou a luva e tocou o joelho da estátua, pele pálida contra pedra escura. — O Brandon amava a sua espada. Adorava amolá-la. "Quero-a suficientemente afiada para rapar os pintelhos de uma mulher," costumava ele dizer. E como adorava usá-la. "Uma espada ensanguentada é uma coisa linda," disse-me ele uma vez.

— Conhecíei-lo — disse Theon.

A luz da lanterna nos olhos dela fez com que parecessem estar em fogo.

— O Brandon foi criado em Vila Acidentada com o velho Lorde Dustin, o pai daquele com que me casei mais tarde, mas passou a maior parte do tempo a cavalgar pelos Regatos. Adorava cavalgar. Nisso, a irmã mais nova saiu a ele. Um par de centauros, aqueles dois. E o senhor meu pai ficava sempre feliz por fazer de anfitrião do herdeiro de Winterfell. O meu pai tinha grandes ambições para a Casa Ryswell. Teria entregado a minha virgindade a qualquer Stark que passasse por lá, mas não houve necessidade. O Brandon nunca se coibiu de tomar o que queria. Agora sou velha, uma coisa seca, viúva há tempo a mais, mas ainda me lembro do meu sangue de donzela na picha dele na noite em que me possuiu. Acho que Brandon também gostou da cena. Uma espada ensanguentada é uma coisa linda, pois. Doeu, mas foi uma doce dor. Mas no dia em que soube que Brandon ia casar com Catelyn Tully… não houve nada de doce *nessa* dor. Ele nunca a quis, garanto-vos. Disse-me isso mesmo na última noite que passámos juntos… mas Rickard Stark também tinha grandes ambições. Ambições *meridionais*, que não seriam promovidas se o seu herdeiro se casasse com a filha de um dos seus vassalos. Depois disso, o meu pai nutriu alguma esperança de me casar com o irmão de Brandon, Eddard, mas Catelyn Tully também ficou com esse. Restou-me o jovem Lorde Dustin, até Ned Stark mo tirar.

— A rebelião de Robert…

— Eu e o Lorde Dustin ainda não estávamos casados há meio ano quando Robert se revoltou e Ned Stark convocou os vassalos. Supliquei ao meu marido para não ir. Tinha familiares que podia enviar em seu lugar. Um tio afamado pela sua perícia com um machado, um tio-avô que combatera na Guerra dos Reis dos Nove Dinheiros. Mas ele era um homem e estava cheio de orgulho, nada serviria a menos que liderasse pessoalmente os recrutas de Vila Acidentada. Dei-lhe um cavalo no dia em que partiu, um garanhão vermelho com uma crina fogosa, o orgulho das manadas do senhor meu pai. O meu senhor jurou que voltaria para casa a cavalo nele quando a guerra chegasse ao fim. O Ned Stark devolveu-me o cavalo quando aqui parou de regresso a Winterfell. Disse-me que o meu senhor tinha tido uma morte honrosa, que o seu corpo fora deixado em repouso à sombra das montanhas vermelhas de Dorne. Mas trouxe os ossos da irmã para norte, e ali jaz ela… mas garanto-vos, os ossos do Lorde Eddard nunca repousarão ao lado dos dela. Pretendo dá-los aos meus cães para os roerem.

Theon não compreendeu.

— Os… os ossos dele…?

Os lábios dela torceram-se. Foi um sorriso feio, um sorriso que lhe fez lembrar os de Ramsay.

— Catelyn Tully enviou os ossos de Eddard Stark para norte antes do Casamento Vermelho, mas o vosso tio de ferro capturou o Fosso Cailin e fechou o caminho. Tenho estado de atalaia desde então. Se esses ossos alguma vez saírem dos pântanos, não irão mais longe do que Vila Aciden-tada. — Atirou um último olhar demorado ao retrato de Eddard Stark. — Já fizemos aqui o que viemos fazer.

A tempestade de neve continuava em plena fúria quando saíram das criptas. A Senhora Dustin manteve-se em silêncio durante a subida, mas quando voltaram a parar à sombra das ruínas da Primeira Torre, estreme-ceu e disse:

— Faríeis bem em não repetir nada do que eu posso ter dito lá em baixo. Está entendido?

Estava.

— Dominar a língua ou perdê-la.

— O Roose treinou-vos bem. — E deixou-o ali.

A hoste do rei partiu de Bosque Profundo à luz de uma alvorada dourada, desenrolando-se de trás de paliçadas de troncos como uma longa serpente de aço a emergir do ninho.

Os cavaleiros do sul partiram vestidos de placa de aço e cota de malha, amolgadas e riscadas pelas batalhas que tinham travado, mas ainda suficientemente brilhantes para reluzir quando apanhavam o Sol nascente. Desbotados e manchados, rasgados e remendados, os seus estandartes e sobretudos ainda exibiam uma extravagância de cores no seio do bosque de inverno; azul celeste e laranja, vermelho e verde, púrpura e azul e dourado, cintilando por entre troncos nus e castanhos, pinheiros e sentinelas verdes acinzentados, montes de neve suja.

Cada cavaleiro tinha os seus escudeiros, criados e homens de armas. Atrás deles vinham armeiros, cozinheiros, palafreneiros; fileiras de homens armados de lanças, machados, arcos; experientes veteranos de uma centena de batalhas e rapazes verdes a caminho de travar a primeira. À frente deles marchavam os homens dos clãs das montanhas; chefes e campeões montados em hirsutos garranos, com os seus hirsutos guerreiros a trotar a seu lado, vestidos de peles, couro fervido e velhas cotas de malha. Alguns pintavam as caras de castanho e verde e atavam feixes de arbustos à sua volta, para se esconderem entre as árvores.

Atrás da coluna principal seguia a coluna logística; mulas, cavalos, bois, uma milha de carros e carroças carregados de comida, feno, tendas e outras provisões. Por fim, a guarda da retaguarda; mais cavaleiros de placa de aço e cota de malha, com uma proteção de batedores que seguiam semiocultos para se assegurarem de que nenhum inimigo seria capaz de se aproximar deles apanhando-os desprevenidos.

Asha Greyjoy seguia na coluna logística, numa carroça coberta, com duas enormes rodas de aro de ferro, agrilhoada nos pulsos e tornozelos e vigiada de dia e de noite por uma Ursa que ressonava mais que qualquer homem. Sua Graça, o Rei Stannis, não queria correr nenhum perigo da sua presa escapar ao cativeiro. Tencionava levá-la para Winterfell a fim de aí a exibir a ferros para que os senhores do norte a vissem, a filha da lula gigante presa e quebrada, demonstração do seu poder.

Trombetas despediram-se da coluna quando ela se pôs em marcha. Pontas de lanças brilharam à luz do Sol nascente e, ao longo das margens, a erva brilhava com a geada da manhã. Entre Bosque Profundo e Winterfell estendiam-se cem léguas de floresta. Trezentas milhas em voo de corvo.

— Quinze dias — diziam os cavaleiros uns aos outros.

Asha ouviu o Lorde Fell a vangloriar-se:

— Robert tê-lo-ia feito em dez. — O seu avô fora morto por Robert em Solarestival; sem que Asha percebesse como, isso emprestara àquele que o matara uma perícia divina, aos olhos do neto. — Robert teria estado dentro de Winterfell há uma quinzena, fazendo um manguito a Bolton de cima das ameias.

— É melhor não dizeres isso a Stannis — sugeriu Justin Massey — senão obriga-nos a marchar não só de dia mas também de noite.

*O rei vive à sombra do irmão*, pensou Asha.

O tornozelo ainda lhe causava uma punhalada de dor sempre que tentava pôr-lhe o peso em cima. Asha não duvidava de que algo estava partido lá dentro. O inchaço desaparecera em Bosque Profundo, mas a dor permanecera. Uma entorse já teria sarado por aquela altura, sem dúvida. Os seus ferros retiniam sempre que se mexia. As grilhetas arranhavam-lhe os pulsos e o orgulho. Mas era esse o preço da submissão.

— Nunca nenhum homem morreu por dobrar o joelho — dissera-lhe o pai uma vez. — Aquele que ajoelha pode voltar a erguer-se, de espada na mão. Aquele que não ajoelha fica morto, com as pernas hirtas e tudo. — Balon Greyjoy demonstrara a verdade das suas palavras quando a sua primeira rebelião falhara; a lula gigante dobrara o joelho ao veado e ao lobo gigante, só para voltar a erguer-se depois de Robert Baratheon e Eddard Stark estarem mortos.

E assim, em Bosque Profundo, a filha da lula gigante fizera o mesmo quando fora despejada na frente do rei, atada e a coxear (embora abençoadamente não violada), com o tornozelo transformado num incêndio de dor.

— Rendo-me, Vossa Graça. Fazei comigo o que quiserdes. Só peço que poupeis os meus homens. — Qarl e Tris e os outros que haviam sobrevivido à mata de lobos eram tudo o que tinha para se preocupar. Só restavam nove. *"Os esfarrapados nove,"* como lhes chamava Cromm. Era ele o ferido mais grave.

Stannis concedera-lhe as vidas deles. Mas não encontrava no homem uma verdadeira misericórdia. Era determinado, sem dúvida. E não lhe faltava coragem. Os homens diziam que era justo… e se a sua forma de justiça era dura e violenta, bem, a vida nas Ilhas de Ferro acostumara Asha Greyjoy a isso. Ainda assim, não conseguia gostar daquele rei. Aqueles seus encovados olhos azuis pareciam sempre semicerrados de suspeita, com uma fúria fria a ferver logo abaixo da superfície. A vida dela significava menos que pouco para ele. Era apenas sua refém, uma presa para mostrar ao norte que era capaz de vencer os nascidos no ferro.

*Mais tolo é.* Derrubar uma mulher não era coisa que espantasse nenhum nortenho, se bem conhecia a raça, e o seu valor como refém era menor que nenhum. Agora era o tio quem governava as Ilhas de Ferro, e o Olho de Corvo não se importaria se ela vivia ou morria. Podia importar um pouco à desgraçada ruína de marido que Euron lhe impusera, mas Eric Ferreiro não tinha dinheiro que chegasse para a resgatar. Contudo, não havia forma de explicar essas coisas a Stannis Baratheon. A própria condição de mulher parecia ofendê-lo. Bem sabia que os homens das terras verdes gostavam das mulheres suaves e doces e vestidas de seda, e não trajadas de cota de malha e couro com um machado de arremesso em cada mão. Mas a sua breve convivência com o rei em Bosque Profundo convencera-a de que ele não teria gostado mais dela de vestido. Mesmo com a esposa de Galbart Glover, a piedosa Senhora Sybelle, o rei mostrara-se correto e cortês, mas claramente desconfortável. Aquele rei do sul parecia ser um daqueles homens para os quais as mulheres são outra raça, tão estranha e insondável como os gigantes, os gramequins e os filhos da floresta. A Ursa também o fazia ranger os dentes.

Só havia uma mulher a que Stannis dava ouvidos, e deixara-a na Muralha.

— Embora eu preferisse que ela estivesse connosco — confessara Sor Justin Massey, o cavaleiro de cabelo claro que comandava a coluna logística. — A última vez que partimos para a batalha sem a Senhora Melisandre foi na Água Negra, quando a sombra do Lorde Renly caiu sobre nós e empurrou metade da nossa hoste para a baía.

— A última vez? — dissera Asha. — Esta feiticeira estava em Bosque Profundo? Não a vi.

— A isso dificilmente se chamaria uma batalha — dissera Sor Justin, sorrindo. — Os vossos homens de ferro lutaram com bravura, senhora, mas tínhamos muitas vezes mais homens do que vós, e apanhámo-vos desprevenidos. Winterfell saberá que vamos a caminho. E Roose Bolton tem tantos homens como nós.

*Ou mais*, pensara Asha.

Mesmo os prisioneiros tinham ouvidos e ela ouvira todo o falatório em Bosque Profundo, quando o Rei Stannis e os seus capitães estavam a debater aquela marcha. Sor Justin opusera-se-lhe desde o início, com muitos dos cavaleiros e senhores que tinham vindo com Stannis do sul. Mas os lobos insistiam; não se podia tolerar que Roose Bolton controlasse Winterfell, e a filha de Ned tinha de ser salva das garras do seu bastardo. Era o que diziam Morgan Liddle, Brandon Norrey, o Grande Balde Wul, os Flint, até a Ursa.

— Uma centena de léguas de Bosque Profundo a Winterfell — dissera Artos Flint, na noite em que a discussão rebentara no salão de Galbart Glover. — Trezentas milhas em voo de corvo.

— Uma longa marcha — dissera um cavaleiro chamado Corliss Penny.

— Não é assim tão longa — insistira Sor Godry, o grande cavaleiro a que os outros chamavam Mata-Gigantes. — Já viemos até tão longe como isso. O Senhor da Luz incendiará um caminho para nós.

— E quando chegarmos junto de Winterfell? — dissera Justin Massey. — Duas muralhas com um fosso entre elas, e a muralha interior com trinta metros de altura. O Bolton nunca sairá para nos enfrentar em campo aberto, e não temos provisões para montar um cerco.

— Arnolf Karstark juntará as suas forças às nossas, não esqueçais — dissera Harwood Fell. — Mors Umber também. Teremos tantos nortenhos como o Lorde Bolton. E a floresta é densa a norte do castelo. Ergueremos torres de cerco, construiremos aríetes...

*E morrereis aos milhares*, pensara Asha.

— Talvez fizéssemos melhor se passássemos aqui o inverno — sugerira o Lorde Peasebury.

— Passar aqui o *inverno*? — rugira o Grande Balde. — Quanta comida e ração julgais vós que Galbart Glover armazenou?

Então Sor Richard Horpe, o cavaleiro com a cara devastada e as borboletas caveira no sobretudo, virara-se para Stannis e dissera:

— Vossa Graça, o vosso irmão...

O rei interrompera-o.

— Todos sabemos o que o meu irmão faria. Robert galoparia sozinho até aos portões de Winterfell, quebrá-los-ia com o seu martelo de guerra e cavalgaria por cima dos escombros para matar Roose Bolton com a mão esquerda e o Bastardo com a direita. — Stannis pusera-se em pé. — Eu não sou Robert. Mas marcharemos, e libertaremos Winterfell... ou morreremos a tentar.

Fossem quais fossem as dúvidas que os senhores pudessem nutrir, os homens comuns pareciam ter fé no seu rei. Stannis esmagara os selvagens de Mance Rayder na Muralha e varrera Asha e os seus nascidos no ferro de Bosque profundo, era irmão de Robert, vitorioso numa famosa batalha naval ao largo da Ilha Bela, o homem que defendera Ponta Tempestade durante toda a Rebelião de Robert. E usava uma espada de herói, a lâmina encantada Luminífera, cujo brilho iluminava a noite.

— Os nossos inimigos não são tão terríveis como parecem — assegurara Sor Justin a Asha no primeiro dia de marcha. — Roose Bolton é temido, mas pouco amado. E os seus amigos Frey... o norte não esqueceu o Casamento Vermelho. Todos os senhores presentes em Winterfell perderam lá familiares. Stannis só precisa de fazer Bolton sangrar, e os nortenhos abandoná-lo-ão.

*Pelo menos é o que esperas*, pensara Asha, *mas primeiro o rei tem de o fazer sangrar. Só um tolo abandona o lado vencedor.*

Sor Justin visitara a sua carroça meia dúzia de vezes nesse primeiro dia, para lhe trazer comida e bebida e notícias da marcha. Homem de sorrisos fáceis e intermináveis gracejos, grande e bem fornecido de carnes, com bochechas rosadas, olhos azuis e um emaranhado sacudido pelo vento de cabelo louro esbranquiçado tão claro como linho, era um carcereiro atencioso, sempre cuidadoso com o conforto da sua cativa.

— Ele deseja-vos — dissera a Ursa, após a terceira visita do homem. O seu verdadeiro nome era Alysanne da Casa Mormont, mas usava o outro tão facilmente como usava a cota de malha. Baixa, entroncada, musculosa, a herdeira da Ilha dos Ursos tinha grandes coxas, grandes seios e grandes mãos sulcadas de calos. Mesmo durante o sono usava cota de malha debaixo das peles, couro fervido debaixo da malha e uma velha pele de ovelha debaixo do couro, virada ao contrário para aquecer melhor. Todas essas camadas faziam com que parecesse quase tão larga como alta. *E feroz.* Às vezes era difícil a Asha Greyjoy lembrar-se de que ela e a Ursa eram quase da mesma idade.

— Ele deseja as minhas terras — respondera Asha. — Deseja as Ilhas de Ferro. — Conhecia os sinais. Já antes vira o mesmo em outros pretendentes. Os domínios ancestrais de Massey, situados muito a sul, estavam perdidos para ele, portanto tinha de arranjar um casamento vantajoso ou de se resignar a não passar de um cavaleiro na guarda do rei. Stannis frustrara as esperanças que Sor Justin nutrira de se casar com a princesa selvagem de que Asha tanto ouvira falar, por isso agora pusera os olhos nela. Sem dúvida que sonhava pô-la na Cadeira da Pedra do Mar em Pyke e governar por seu intermédio, como seu amo e senhor. Isso tornaria necessário livrá-la do seu atual amo e senhor, com certeza... já para não falar do tio que a casara com ele. *Não é provável*, avaliou Asha. *O Olho de Corvo é homem para comer Sor Justin ao pequeno-almoço e nem sequer arrotar.*

Não importava. As terras do pai nunca seriam dela, casasse-se com quem se casasse. Os nascidos no ferro não eram um povo indulgente, e ela fora derrotada por duas vezes. Uma na assembleia de homens livres pelo tio Euron, e de novo no Bosque Profundo por Stannis. Mais do que suficiente para a marcar como incapaz de governar. Casar-se com Justin Massey, ou com qualquer outro dos fidalgos de Stannis Baratheon, faria mais mal do que bem. *A filha da lula gigante, afinal, não passa de uma mulher*, diriam os capitães e os reis. *Vede como abre agora as pernas àquele lorde mole das terras verdes.*

Ainda assim, se Sor Justin desejava cortejar os seus favores com comida, vinho e conversa, Asha não ia desencorajá-lo. O homem era melhor companhia do que a taciturna Ursa, e se não contasse com eles Asha estava sozinha entre cinco mil inimigos. Tris Botley, Qarl, o Donzel, Cromm, Roggon e o resto do seu bando ensanguentado tinham sido deixados para trás em Bosque Profundo, nas masmorras de Galbart Glover.

O exército percorreu vinte e duas milhas no primeiro dia, pelos cálculos dos guias que a Senhora Sybelle lhes dera, batedores e caçadores ajuramentados a Bosque Profundo com nomes de clã como Forrester e Woods, Branch e Bole. No segundo dia, a hoste avançou vinte e quatro milhas, e a vanguarda ultrapassou as terras dos Glover, penetrando nas profundezas da mata de lobos.

— *R'hllor, enviai a vossa luz para nos indicar o caminho através destas sombras* — rezaram os fiéis nessa noite, quando se reuniram em volta de uma ruidosa fogueira à porta do pavilhão do rei. Cavaleiros e homens-de-armas do sul, todos eles. Asha ter-lhes-ia chamado homens do rei, mas os outros homens das terras da tempestade e da coroa chamavam-lhes homens da rainha... se bem que a rainha que seguiam fosse a vermelha em Castelo Negro, não a esposa que Stannis Baratheon deixara em Atalaialeste-do-Mar. — *Oh, Senhor da Luz, suplicamo-vos, virai o vosso olhar fogoso para nós e mantende-nos a salvo e quentes* — cantaram às chamas — *pois a noite é escura e cheia de terrores.*

Era um grande cavaleiro chamado Sor Godry Farring que os liderava. *Godry, o Mata-Gigantes. Um grande nome para um homem pequeno.* Farring tinha um peito largo e era musculoso sob o aço e a cota de malha. Também era arrogante e vaidoso, segundo parecia a Asha; faminto de glória, surdo à cautela, um glutão de elogios, e desdenhoso para com os plebeus, os lobos e as mulheres. Neste último detalhe, não se diferenciava do seu rei.

— Deixai-me seguir a cavalo — pediu Asha a Sor Justin quando este se aproximou da carroça com meio presunto. — Estou a dar em doida com estas correntes. Não vou tentar fugir. Tendes a minha palavra a esse respeito.

— Bem gostaria de poder, senhora. Sois cativa do rei, não minha.

— O vosso rei não aceita a palavra de uma mulher.

A Ursa rosnou.

— Porque haveríamos de confiar na palavra de qualquer nascido no ferro depois do que o vosso irmão fez em Winterfell?

— Eu não sou Theon — insistiu Asha... mas as correntes ficaram.

Quando Sor Justin avançou a galope coluna adiante, Asha deu por si a lembrar-se da última vez que vira a mãe. Fora em Harlaw, nas Dez Torres. Uma vela tremeluzia no quarto da mãe, mas a grande cama entalhada estava vazia sob o seu dossel poeirento. A Senhora Alannys encontrava-se sentada junto de uma janela, a fitar o mar.

— Trouxeste-me o meu filhinho? — perguntara, com a boca a tremer.

— O Theon não pôde vir — dissera-lhe Asha, baixando os olhos para a ruína da mulher que a dera à luz, uma mãe que perdera dois dos filhos. E o terceiro…

*Mando a cada um de vós um bocado de príncipe.*

Acontecesse o que acontecesse quando se travasse batalha em Winterfell, não parecia a Asha que fosse provável que o irmão lhe sobrevivesse. *Theon Vira-Mantos. Até a Ursa quer ver a cabeça dele num espigão.*

— Tendes irmãos? — perguntou Asha à sua guarda.

— Irmãs — respondeu Alysanne Mormont, abrupta como sempre. — Éramos cinco. Todas raparigas. Lyanna está na Ilha dos Ursos. Lyra e Jory estão com a nossa mãe. Dacey foi assassinada.

— O Casamento Vermelho.

— Pois. — Alysanne fitou Asha por um momento. — Eu tenho um filho. Tem só dois anos. A minha filha tem nove.

— Começastes nova.

— Nova demais. Mas é melhor do que esperar até ser tarde demais.

*Uma estocada contra mim*, pensou Asha, *mas não importa.*

— Sois casada.

— Não. Os meus filhos foram gerados por um urso. — Alysanne sorriu. Tinha os dentes tortos, mas havia qualquer coisa de cativante naquele sorriso. — As mulheres Mormont são troca-peles. Transformamo-nos em ursas e arranjamos parceiros na floresta. Toda a gente sabe.

Asha respondeu ao sorriso.

— E as mulheres Mormont também são todas combatentes.

O sorriso da outra mulher desvaneceu-se.

— O que somos é aquilo que de nós fizestes. Na Ilha dos Ursos todas as crianças aprendem a temer lulas gigantes que se erguem do mar.

*O Costume Antigo.* Asha afastou a cara, fazendo tinir debilmente as correntes.

No terceiro dia, a floresta fechou-se bem à volta deles, e as estradas sulcadas reduziram-se a trilhos de caça que depressa se revelaram estreitos demais para as carroças maiores. Aqui e ali passavam por lugares que lhe eram familiares; uma colina pedregosa que se parecia um pouco com a cabeça de um lobo quando vista de um certo ângulo, uma queda de água meio gelada, um arco natural de pedra revestido de musgo cinzento-esverdeado. Asha reconheceu-os a todos. Já antes passara por ali, cavalgando para Winterfell, a fim de convencer o irmão Theon a abandonar a sua conquista e a regressar com ela à segurança de Bosque Profundo. *Também falhei nisso.*

Nesse dia avançaram catorze milhas, e sentiram-se contentes por isso.

Quando caiu o ocaso, o condutor puxou a carroça para baixo de uma árvore. Enquanto libertava os cavalos dos tirantes, Sor Justin surgiu a trote e abriu as grilhetas em volta dos tornozelos de Asha. Ele e a Ursa escoltaram-na pelo acampamento até à tenda do rei. Podia ser uma cativa, mas continuava a ser uma Greyjoy de Pyke, e agradava a Stannis Baratheon alimentá-la com bocados da sua própria mesa, onde jantava com os seus capitães e comandantes.

O pavilhão do rei era quase tão grande como o salão de Bosque Profundo, mas havia nele pouco de grandioso além do tamanho. As suas rígidas paredes de pesada lona amarela estavam muito desbotadas, man-chadas por lama e água, com pontos de bolor nelas visíveis. No topo da estaca central esvoaçava o estandarte real, dourado, com uma cabeça de veado no interior de um coração ardente. Os pavilhões dos senhores do sul que tinham vindo para norte com Stannis rodeavam-no por três lados. No quarto rugia a fogueira noturna, chicoteando o céu que escurecia com turbilhões de chamas.

Uma dúzia de homens partia lenha para alimentar o fogo quando Asha chegou a coxear com os seus guardas. *Homens da rainha.* O seu deus era o rubro R'hllor, e que ciumento deus este era. O deus dela, o Deus Afo-gado das Ilhas de Ferro, era um demónio aos olhos deles, e se ela não ado-tasse aquele Senhor da Luz, seria amaldiçoada e danada. *Queimar-me-iam tão alegremente como àqueles toros e ramos partidos.* Alguns tinham insisti-do nisso mesmo, ao alcance dos seus ouvidos, depois da batalha na floresta. Stannis recusara.

O rei estava em pé à porta da tenda, a fitar a fogueira noturna. *Que vê ele ali? Vitória? Perdição? O rosto do seu deus vermelho e faminto?* Os olhos dele estavam afundados em profundos poços, a sua barba cortada curta não passava de uma sombra no rosto encovado e no maxilar ossudo. No entanto, havia poder no olhar, uma ferocidade férrea que dizia a Asha que aquele homem nunca, nunca se afastaria do seu rumo.

Caiu sobre um joelho na sua frente.

— Senhor. — *Estou suficientemente humilhada para vós, Vossa Gra-ça? Estou suficientemente derrotada, vergada e quebrada para o vosso gosto?* — Tirai-me estas correntes dos pulsos, suplico-vos. Deixai-me montar a cavalo. Não tentarei qualquer fuga.

Stannis olhou-a como poderia olhar para um cão que se atrevesse a tentar acasalar com a sua perna.

— Vós conquistastes esses ferros.

— É verdade. Agora ofereço-vos os meus homens, os meus navios e os meus miolos.

— Os vossos navios são meus, ou então estão queimados. Os vossos homens… quantos restam? Dez? Doze?

*Nove. Seis, se só contares os que têm força suficiente para combater.*

— Dagmar Boca-Fendida controla a Praça de Torrhen. Um combatente feroz, e um servo leal da Casa Greyjoy. Posso entregar-vos esse castelo, bem como a sua guarnição. — *Talvez*, poderia ter acrescentado, mas não serviria a sua causa mostrar dúvidas perante aquele rei.

— A Praça de Torrhen não vale a lama que tenho por baixo dos calcanhares. O que importa é Winterfell.

— Tirai-me estes ferros e deixai-me ajudar-vos a tomá-lo, senhor. O régio irmão de Vossa Graça era renomado por transformar inimigos caídos em amigos. Transformai-me num dos vossos homens.

— Os deuses não fizeram de vós um homem. Como posso eu fazê-lo? — Stannis voltou a virar-se para a fogueira noturna, e para o que quer que aí via a dançar entre as chamas cor de laranja.

Sor Justin Massey pegou em Asha pelo braço e empurrou-a para dentro da tenda do rei.

— Aquilo foi insensato, senhora — disse-lhe. — Não lhe faleis nunca de Robert.

*Devia saber que assim seria.* Asha sabia como as coisas se passavam com os irmãos mais novos. Lembrava-se de Theon em rapaz, uma criança tímida que vivia fascinada com Rodrick e Maron, e com medo deles. *Os irmãos mais novos nunca ultrapassam o facto*, decidiu. *Podem viver até aos cem anos, mas serão sempre irmãos mais novos.* Fez chocalhar as joias de ferro, e imaginou como seria agradável aproximar-se de Stannis por trás e esganá-lo com a corrente que lhe prendia os pulsos.

Nessa noite jantaram um estufado de veado feito com um cervo escanzelado que um batedor chamado Benjicot Branch abatera. Mas só na tenda do rei. Para lá daquelas paredes de lona, cada homem recebeu um pão e um bocado de morcela que não era maior que um dedo, empurrados para baixo pelo resto da cerveja de Galbart Glover.

Uma centena de léguas de Bosque Profundo a Winterfell. Trezentas milhas em voo de corvo.

— Era bom se fôssemos corvos — disse Justin Massey no quarto dia de marcha, o dia em que a neve começou a cair. Só uns nevõezinhos a princípio. Frios e húmidos, mas nada que não conseguissem atravessar com facilidade.

Mas voltou a nevar no dia seguinte, e no outro a seguir, e no outro depois desse. As espessas barbas dos lobos depressa se cobriram de gelo onde o seu hálito congelava, e todos os rapazes escanhoados do sul estavam a deixar crescer a barba para manterem a cara quente. O chão à frente da coluna não demorou muito tempo a ficar coberto de brancura, a qual ocultava pedras, raízes retorcidas e emaranhados de ramos e troncos caídos, transformando cada passo numa aventura. O vento também aumentou de intensidade, empurrando a neve na sua frente. A hoste do rei transformou-se numa coluna de bonecos de neve, cambaleando através de montes de neve que lhes chegavam aos joelhos.

No terceiro dia de nevão, a hoste do rei começou a desfazer-se. Enquanto os cavaleiros e fidalgos do sul lutavam com problemas, os homens das colinas do norte saíam-se melhor. Os seus garranos eram animais de patas seguras que comiam menos que palafréns, e muito menos do que os grandes corcéis de batalha, e os homens que os montavam sentiam-se em casa na neve. Muitos dos lobos calçaram uns curiosos apetrechos para os pés. Chamavam-lhes patas de urso, estranhas coisas alongadas feitas de madeira dobrada e correias de couro. Atadas às solas das botas, as coisas de alguma forma permitiam-lhes caminhar por cima da neve sem quebrarem a crosta e se afundarem até às coxas.

Alguns também tinham patas de urso para os cavalos, e os hirsutos garraninhos usavam-nas com a mesma facilidade com que outras montadas usavam ferraduras de ferro... mas os palafréns e corcéis não queriam saber de tal coisa. Quando alguns dos cavaleiros do rei lhos amarraram às patas mesmo assim, os grandes cavalos do sul fizeram negaças e recusaram-se a avançar, ou tentaram sacudir aquelas coisas das patas. Um corcel partiu um tornozelo tentando caminhar com elas.

Os nortenhos com as patas de urso depressa começaram a distanciar-se do resto da hoste. Ultrapassaram os cavaleiros na coluna principal, depois Sor Godry Farring e a sua vanguarda. E entretanto, os carros e carroças da coluna logística iam ficando cada vez mais para trás, tanto que os homens da guarda de retaguarda não paravam de lhes gritar para avançarem mais depressa.

No quinto dia da tempestade, a coluna logística atravessou uma extensão ondulada de neve acumulada que ocultava uma lagoa gelada. Quando o gelo oculto estalou sob o peso das carroças, três carroceiros e quatro cavalos foram engolidos pela água gelada, o mesmo acontecendo a dois dos homens que tentaram salvá-los. Um deles foi Harwood Fell. Os seus cavaleiros puxaram-no para fora de água antes de se afogar, mas não antes de os seus lábios se tornarem azuis e a pele pálida como leite. Depois, nada do que fizessem parecia ser capaz de o aquecer. Tremeu violentamente durante horas, mesmo quando o libertaram da roupa encharcada, o envolveram em peles quentes e o sentaram junto à fogueira. Nessa mesma noite deixou-se cair num sono febril. Nunca mais acordou.

Foi essa a noite em que Asha ouviu pela primeira vez os homens da rainha a resmungar a propósito de um sacrifício; uma oferenda ao seu deus vermelho, para que ele pusesse fim à tempestade.

— Os deuses do norte atiraram esta tempestade contra nós — disse Sor Corliss Penny.

— Falsos deuses — insistiu Sor Godry, o Mata-Gigantes.

— R'hllor está connosco — disse Sor Clayton Suggs.

— Mas Melisandre não está — disse Justin Massey.

O rei não disse nada. Mas ouviu. Asha tinha a certeza disso. Mante-ve-se sentado na mesa elevada enquanto um prato de sopa de cebola que mal provara arrefecia à sua frente, fitando a chama da vela mais próxima com aqueles olhos encapuzados, ignorando as conversas que o rodeavam. O segundo comandante, o cavaleiro esguio e alto chamado Richard Horpe, falou por ele.

— A tempestade deve terminar em breve — declarou.

Mas a tempestade só piorou. O vento transformou-se num látego tão cruel como um chicote de esclavagista. Asha julgara ter sentido frio em Pyke, quando o vento uivava do mar, mas isso nada era comparado com aquilo. *Isto é um frio que enlouquece os homens.*

Mesmo quando chegou ao longo das fileiras o grito para montar o acampamento para a noite, aquecer não foi coisa fácil. As tendas estavam húmidas e pesadas, difíceis de montar, mais difíceis de desmontar, e tendiam a colapsar subitamente se demasiada neve se acumulasse em cima delas. A hoste do rei rastejava pelo coração da maior floresta dos Sete Reinos, mas tornou-se difícil encontrar madeira seca. Cada acampamento mostrava menos fogueiras a arder, e aquelas que eram acendidas geravam mais fumo do que calor. Tornara-se comum ingerir a comida fria, ou até crua.

Mesmo a fogueira noturna minguou e tornou-se débil, para consternação dos homens da rainha.

— *Senhor da Luz, protegei-nos deste mal* — rezaram, liderados pela profunda voz de Sor Godry, o Mata-Gigantes. — *Voltai a mostrar-nos o vosso brilhante sol, aquietai estes ventos e derretei estas neves, para que possamos alcançar os nossos inimigos e esmagá-los. A noite é escura e fria e cheia de terrores, mas vosso é o poder e a glória e a luz. R'hllor, enchei-nos com o vosso fogo.*

Mais tarde, quando Sor Corliss Penny se interrogou em voz alta sobre se alguma vez um exército inteiro teria morrido congelado numa tempestade de inverno, os lobos riram-se.

— Isto não é inverno nenhum — declarou o Grande Balde Wull. —

Lá em cima nos montes dizemos que o outono nos beija, mas o inverno nos fode com força. Isto é só o beijo do outono.

*Então que deus permita que eu nunca experimente o verdadeiro inverno.* A própria Asha era poupada ao pior; afinal de contas era a presa do rei. Enquanto outros passavam fome, ela era alimentada. Enquanto outros tremiam, ela estava quente. Enquanto outros lutavam por atravessar as neves em cima de cavalos fatigados, ela seguia numa cama de peles dentro de uma carroça, com um teto de tela rígida para manter a neve afastada, confortável nas suas grilhetas.

Os cavalos e os plebeus eram quem sofria mais. Dois escudeiros das terras da tempestade mataram um homem-de-armas à punhalada numa querela sobre quem haveria de se sentar mais perto da fogueira. Na noite seguinte, alguns arqueiros desesperados por calor conseguiram, sem que se soubesse como, pegar fogo à tenda, o que pelo menos teve a virtude de aquecer as adjacentes. Corcéis começaram a morrer de exaustão e de frio.

— O que é um rei sem um cavalo? — perguntavam os homens em jeito de adivinha. — Um boneco de neve com uma espada. — Qualquer cavalo que caísse era morto aí mesmo, para obter carne. As provisões tinham também começado a escassear.

Peasebury, Cobb, Foxglove e outros senhores de sul insistiram com o rei para montar um acampamento até que a tempestade passasse. Stannis nem quis ouvir falar da ideia. E tampouco deu ouvidos aos homens da rainha quando vieram instigá-lo a fazer uma oferenda ao seu faminto deus vermelho.

Essa história ouviu ela de Justin Massey, que era menos devoto do que a maioria.

— Um sacrifício demonstrará que a nossa fé ainda arde verdadeira, senhor — dissera Clayton Suggs ao rei. E Godry, o Mata-Gigantes dissera:

— Os velhos deuses do norte enviaram esta tempestade contra nós. Só R'hllor pode pôr-lhe fim. Temos de lhe entregar um incréu.

— Metade do meu exército é composta por incréus — respondera Stannis. — Não quero queimas. Rezai com mais força.

*Não morrerá ninguém queimado hoje, ninguém morrerá queimado amanhã… mas se os nevões continuarem quanto tempo demorará até que a determinação do rei comece a enfraquecer?* Asha nunca partilhara da fé do tio Aeron no Deus Afogado, mas nessa noite rezou Àquele que Habita Sob as Ondas com tanto fervor como o Cabelo-Molhado. A tempestade não perdeu força. A marcha prosseguiu, abrandando até se transformar em cambaleio, e depois em rastejo. Num dia bom avançavam cinco milhas. Depois três. Depois duas.

Ao nono dia de tempestade, todo o acampamento viu os capitães e comandantes a entrar na tenda do rei molhados e fatigados, para caírem sobre um joelho e relatarem as perdas do dia.

— Um homem morto, três desaparecidos.

— Seis cavalos perdidos, um dos quais o meu.

— Dois homens mortos, um dos quais um cavaleiro. Quatro cavalos caídos. Conseguimos recuperar um. Os outros estão perdidos. Corcéis, e um palafrém.

Asha ouviu chamarem àquilo *a fria contagem*. A coluna logística era a que mais sofria; cavalos mortos, homens perdidos, carroças viradas e quebradas.

— Os cavalos afundam-se na neve — disse Justin Massey ao rei. — Os homens deambulam para a floresta ou simplesmente sentam-se para morrer.

— Deixai-os — exclamou o rei. — Nós prosseguimos.

Os nortenhos passavam muito melhor, com os seus garranos e patas de urso. O Donnel Preto Flint e o seu meio irmão Artos só perderam um homem entre os dois. Os Liddle, os Wull e os Norrey não perderam ninguém. Uma das mulas de Morgan Liddle extraviara-se, mas ele parecia pensar que os Flint a tinham roubado.

*Uma centena de léguas de Bosque Profundo a Winterfell. Trezentas milhas em voo de corvo. Quinze dias.* Os quinze dias de marcha chegaram e partiram, e eles cobriram metade da distância. Um trilho de carroças partidas e cadáveres congelados estendia-se atrás deles, enterrados sob a neve soprada pelo vento. O sol, a lua e as estrelas tinham desaparecido há tanto tempo que Asha começava a perguntar a si própria se não os teria sonhado.

Foi no vigésimo dia de caminhada que finalmente se viu livre das correntes dos tornozelos. Ao fim dessa tarde, um dos cavalos que puxavam a sua carroça morreu preso aos tirantes. Não foi possível encontrar substituto; os cavalos de tração que restavam eram necessários para puxar as carroças que continham a comida e as rações. Quando Sor Justin Massey se aproximou a cavalo, disse-lhes para esquartejarem o cavalo morto e para partirem a carroça para lenha. Depois removeu as correntes que rodeavam os tornozelos de Asha, massajando-lhe as barrigas das pernas para afastar a rigidez.

— Não tenho montada para vos dar, senhora — disse — e se tentássemos seguir em montaria dupla, isso seria também o fim do meu cavalo. Tereis de caminhar.

O tornozelo de Asha latejava sob o seu peso a cada passo. *O frio há de entorpecê-lo em breve*, disse a si própria. *Dentro de uma hora, já nem sentirei os pés.* Só se enganava em parte; demorou menos tempo do que isso. Quando a escuridão fez parar a coluna, andava aos tropeções e ansiava pelo conforto da sua prisão rolante. *Os ferros deixaram-me fraca.* O jantar foi encontrá-la tão extenuada que adormeceu à mesa.

No vigésimo sexto dos quinze dias de marcha, foram consumidos os últimos legumes. No trigésimo segundo dia, os últimos cereais e a última palha. Asha perguntou a si própria quanto tempo conseguiria um homem sobreviver de carne de cavalo crua e meio congelada.

— Branch jura que estamos só a três dias de Winterfell — disse Sor Richard Horpe ao rei nessa noite, depois da fria contagem.

— *Se* deixarmos os homens mais fracos para trás — disse Corliss Penny.

— Os homens mais fracos já não podem ser salvos — insistiu Horpe. — Os que ainda têm força suficiente têm de chegar a Winterfell, senão morrerão também.

— O Senhor da Luz entregar-nos-á o castelo — disse Sor Godry Farring. — Se a Senhora Melisandre estivesse connosco…

Por fim, depois de um dia de pesadelo em que a coluna avançou uma mera milha e perdeu uma dúzia de cavalos e quatro homens, o Lorde Peasebury virou-se contra os nortenhos.

— Esta marcha foi uma loucura. Morrem mais todos os dias, e para quê? Uma rapariga qualquer?

— A rapariga de Ned — disse Morgan Liddle. Era o segundo de três filhos, portanto os outros lobos chamavam-lhe o Liddle do Meio, embora não o fizessem com frequência onde ele pudesse ouvir. Fora Morgan quem quase matara Asha na luta por Bosque Profundo. Viera ter com ela mais tarde, durante a marcha, para pedir-lhe perdão… por lhe chamar *"puta"* no calor da batalha, não por tentar fender-lhe a cabeça com um machado.

— A rapariga de Ned — ecoou o Grande Balde Wull. — E já devíamos tê-la, e ao castelo, em nosso poder se vós, os estúpidos pavões do sul, não mijassem as bragas de cetim com um bocadinho de neve.

— Um *bocadinho* de neve? — A suave boca de rapariga de Peasebury torceu-se de fúria. — Foram os vossos maus conselhos que nos impuseram esta marcha, Wull. Estou a começar a suspeitar de que são criaturas do Bolton desde o princípio. É assim que as coisas são? Ele enviou-vos até nós para resmungardes veneno aos ouvidos do rei?

O Grande Balde riu-se-lhe na cara.

— O Lorde Vagem. Se fosses um homem, matava-te por isso, mas a minha espada é feita de um aço bom demais para a emporcalhar com sangue de cobarde. — Bebeu um trago de cerveja e limpou a boca. — Sim, há homens a morrer. Mais morrerão antes de vermos Winterfell. E depois? Isto é a guerra. Os homens morrem na guerra. É assim que deve ser. Como sempre foi.

Sor Corliss Penny deitou ao chefe de clã um olhar incrédulo.

— Vós *quereis* morrer, Wull?

Aquilo pareceu divertir o nortenho.

— Eu quero viver para sempre numa terra onde o verão dure mil anos. Quero um castelo nas nuvens de onde possa olhar o mundo. Quero ter outra vez vinte e seis anos. Quando tinha vinte e seis anos, conseguia levar o dia inteiro a combater e a noite toda a foder. O que os homens querem não importa. O inverno já quase chegou, rapaz. E inverno é morte. Prefiro que os meus homens morram a combater pela miudinha do Ned do que sozinhos e esfomeados na neve, a chorar lágrimas que lhes congelam nas caras. Ninguém canta canções sobre homens que morrem assim. E quanto a mim, sou velho. Este será o meu último inverno. Deixai-me tomar banho em sangue Bolton antes de morrer. Quero senti-lo a salpicar-me a cara quando o meu machado morder profundamente o crânio de um Bolton. Quero lambê-lo dos meus lábios e morrer com o seu sabor na língua.

— *Isso!* — gritou Morgan Liddle. — *Sangue e batalha!* — Depois todos os homens dos montes se puseram aos gritos, batendo na mesa com as taças e cornos de beber, enchendo a tenda do rei com o alarido.

A própria Asha Greyjoy de bom grado acolheria um combate. *Uma batalha, para pôr fim a este sofrimento. Aço contra aço, neve rosada, escudos quebrados e membros cortados, e tudo chegaria ao fim.*

No dia seguinte, os batedores do rei encontraram por acaso uma aldeia abandonada de agricultores entre dois lagos; um sítio sujo e miserável que não passava de algumas cabanas, um edifício público e uma torre de vigia. Richard Horpe ordenou uma paragem, muito embora o exército não tivesse avançado mais que meia milha nesse dia e estivessem a horas do crepúsculo. Já passara há muito do nascer da Lua quando a coluna logística e a retaguarda chegaram à aldeia. Asha vinha nesse grupo.

— Há peixe nestes lagos — disse Horpe ao rei. — Abriremos buracos no gelo. Os nortenhos sabem como se faz.

Mesmo envolto no seu volumoso manto de peles e com a armadura pesada, Stannis parecia um homem com um pé na cova. A pouca carne que restava na sua constituição alta e magra em Bosque Profundo desaparecera durante a marcha. Via-se a forma do seu crânio sob a pele, e tinha o maxilar cerrado com tal força que Asha temeu que os dentes se lhe estilhaçassem.

— Então pescai — disse, despachando cada palavra com uma dentada. — Mas marchamos à primeira luz da aurora.

Mas quando a luz chegou, o acampamento despertou para a neve e o silêncio.

O céu passou de negro a branco e não pareceu mais luminoso. Asha Greyjoy acordou com cãibras e frio sob a pilha de peles de dormir, escu-

121

tando os roncos da Ursa. Nunca conhecera uma mulher que ressonasse tão ruidosamente, mas habituara-se àquilo durante a marcha, e agora até a reconfortava até certo ponto. Era o silêncio que a perturbava. Nenhuma trombeta soava para dizer aos homens para montar, formar uma coluna, preparar-se para marchar. Nenhum corno de guerra convocava os nortenhos. *Há algo de errado.*

Asha saiu de debaixo das suas peles de dormir e saiu da tenda, derrubando a parede de neve que as isolara lá dentro durante a noite. As grilhetas retiniram quando se pôs em pé e inspirou uma golfada do gelado ar da manhã. A neve continuava a cair, ainda mais fortemente do que quando se enfiara na tenda. Os lagos tinham desaparecido, e a floresta também. Via as silhuetas das outras tendas e abrigos temporários, e o clarão indistinto e alaranjado do fogo sinaleiro no topo da torre de vigia, mas não a própria torre. A tempestade engolira o resto.

Algures, mais à frente, Roose Bolton aguardava-os por trás das muralhas de Winterfell, mas a hoste de Stannis Baratheon estava presa pela neve e imóvel, emparedada por gelo e neve, a passar fome.

A vela já quase se fora. Restavam menos de três centímetros, que se projetavam de um charco de cera quente derretida e deitavam a sua luz sobre a cama da rainha. A chama começara a vacilar.

*Vai apagar-se não tarda muito*, compreendeu Dany, *e quando o fizer outra noite chegará ao fim.*

A aurora chegava sempre cedo demais.

Ela não dormira, não pudera dormir, não quisera dormir. Nem sequer se atrevera a fechar os olhos, por temer que fosse manhã quando os voltasse a abrir. Se ao menos tivesse poder para tal, teria feito com que as noites que passavam juntos se prolongassem para sempre, mas o melhor que podia fazer era ficar acordada para tentar saborear todos os momentos de doçura antes de a alvorada os transformar em nada mais que memórias que se apagavam.

A seu lado, Daario Naharis dormia tão pacificamente como um bebé recém-nascido. Gabava-se de que tinha um dom para dormir, sorrindo daquela sua maneira arrogante. Em campo, segundo afirmava, era frequente dormir na sela para estar bem repousado no caso de deparar com uma batalha. Sol ou tempestade, não importava.

— Um guerreiro que não consegue dormir depressa deixa de ter força para combater — dissera. E também nunca era incomodado por pesadelos. Quando Dany lhe disse como Serwyn do Escudo Espelhado era atormentado pelos fantasmas de todos os cavaleiros que matara, Daario limitara-se a rir. — Se aqueles que eu matei vierem incomodar-me, voltarei a matá-los a todos. — *Ele tem uma consciência de mercenário*, apercebera-se ela então. *O que equivale a dizer que não tem consciência alguma.*

Daario estava deitado de barriga para baixo, com as leves colchas de linho enroladas em volta das longas pernas e a cara meio enterrada nas almofadas.

Dany percorreu-lhe as costas com a mão, seguindo a linha da espinha. A pele era lisa sob o seu toque, quase desprovida de pelos. *A pele dele é seda e cetim.* Adorava senti-lo sob os seus dedos. Adorava passar-lhe os dedos pelo cabelo, massajar-lhe as pernas para afastar a dor de um longo dia na sela, pegar-lhe na picha e senti-la a endurecer na palma da mão.

Se fosse uma mulher comum, de bom grado passaria toda a vida a tocar Daario, a percorrer-lhe as cicatrizes com os dedos e a obrigá-lo a contar-lhe como ficara com cada uma delas. *Renunciaria à coroa se ele mo pedisse*, pensou Dany... mas ele não o pedira, e nunca pediria. Daario podia sussurrar palavras de amor quando os dois eram como um só, mas sabia que era a rainha dos dragões que amava. *Se eu renunciasse à coroa, ele não me quereria.* Além disso, era frequente que os reis que perdiam as coroas perdessem também as cabeças, e Dany não via motivo para esse facto ser diferente para uma rainha.

A vela tremeluziu uma última vez e morreu, afogada na própria cera. A escuridão engoliu a cama e os seus dois ocupantes, e encheu todos os cantos do aposento. Dany envolveu o seu capitão nos braços e encostou-se-lhe às costas. Bebeu o seu odor, saboreando o calor da carne, a sensação de ter a pele dele encostada à sua. *Recorda*, disse a si própria. *Recorda a sensação que ele dava.* Beijou-o no ombro.

Daario rolou para ela, de olhos abertos.

— Daenerys. — Fez um sorriso indolente. Aquele era outro dos seus talentos; despertava de repente, como um gato. — É a aurora?

— Ainda não. Ainda temos algum tempo.

— Mentirosa. Vejo os teus olhos. Conseguiria fazer isso se fosse noite cerrada? — Daario libertou-se da colcha com um pontapé e sentou-se. — Meia-luz. O dia chegará em breve.

— Não quero que esta noite acabe.

— Ah não? E porquê, minha rainha?

— Tu sabes.

— O casamento? — Ele riu-se. — Casa comigo em vez dele.

— Sabes que não posso fazer isso.

— És uma rainha. Podes fazer o que quiseres. — Fez deslizar uma mão ao longo da sua perna. — Quantas noites nos restam?

*Duas. Só duas.*

— Sabes tão bem como eu. Esta noite e a próxima, depois temos de pôr fim a isto.

— Casa comigo, e podemos ter todas as noites para sempre.

*Se pudesse, casaria.* Khal Drogo fora o seu sol-e-estrelas, mas estava morto há tanto tempo que Daenerys quase esquecera como era amar e ser amada. Daario ajudara-a a recordar. *Estive morta e ele trouxe-me de volta à vida. Estava adormecida e ele despertou-me. O meu bravo capitão.* Mesmo assim, nos últimos tempos tornara-se demasiado ousado. No dia em que regressara da sua última surtida, atirara a cabeça de um senhor yunkaita para junto dos seus pés e beijara-a no salão para todo o mundo ver, até que Barristan Selmy os separara. O Sor Avô estivera tão furioso que Dany temera que sangue pudesse ser derramado.

— Não podemos casar, meu amor. Sabes porquê.

Ele saltou da cama.

— Então casa com o Hizdahr. Eu dou-lhe um belo par de cornos como presente de casamento. Os homens ghiscariotas gostam de andar por aí com cornos. Fazem-nos com o cabelo, com pentes, cera e ferros. — Daario descobriu as bragas e vestiu-as. Não se incomodava com roupa interior.

— Depois de eu estar casada, desejar-me será alta traição. — Dany puxou a colcha para tapar os seios.

— Então eu devo ser um traidor. — Enfiou uma túnica de seda azul pela cabeça e endireitou as pontas da barba com os dedos. Pintara-a de fresco por ela, deixando o púrpura e voltando ao azul que usava quando Dany o conhecera. — Cheiro a ti — disse, cheirando os dedos e sorrindo.

Dany adorava o modo como o dente de ouro do mercenário reluzia quando ele sorria. Adorava os pelos finos no seu peito. Adorava a força nos seus braços, o som do seu riso, o modo como ele a olhava sempre nos olhos e dizia o seu nome quando introduzia a picha nela.

— És lindo — deixou escapar, enquanto o via calçar e atar as botas de montar. Em certos dias ele deixava que ela lhe fizesse aquilo, mas naquele não, aparentemente. *Isso também se acabou.*

— Mas não suficientemente lindo para casar. — Daario tirou o cinturão da espada da cavilha onde o pendurara.

— Para onde vais?

— Para a tua cidade — disse ele — beber um ou dois barris e meter-me numa rixa. Passou-se demasiado tempo desde que matei um homem. Talvez deva ir à procura do teu noivo.

Dany atirou-lhe uma almofada.

— Deixa Hizdahr em paz!

— Às ordens da minha rainha. Vais conceder audiências hoje?

— Não. Amanhã serei uma mulher casada, e Hizdahr será rei. *Ele* que conceda audiências. Esta é a gente dele.

— Alguns são dele, alguns são teus. Aqueles que libertaste.

— Estás a repreender-me?

— Aqueles a que chamas teus filhos. Querem a mãe.

— Estás. Estás a *repreender-me.*

— Só um bocadinho, coração brilhante. Vais conceder audiências?

— Depois do casamento, talvez. Depois da paz.

— Esse *depois* de que falas nunca chega. Devias conceder audiência. Os meus novos homens não acreditam que és real. Aqueles que vieram dos Aventados. Nascidos e criados em Westeros, a maioria, cheios de histórias sobre Targaryens. Querem ver um com os seus próprios olhos. O Sapo tem um presente para ti.

— O Sapo? — disse ela, aos risinhos. — E quem é ele?

O mercenário encolheu os ombros.

— Um rapaz dornês qualquer. É escudeiro do grande cavaleiro a que chamam Tripas Verdes. Disse-lhe que me podia dar o presente dele que eu o entregaria, mas ele não quis.

— Oh, um sapo esperto. *"Dá-me o presente a mim."* — Atirou-lhe a outra almofada. — Eu tê-lo-ia chegado a ver?

Daario afagou o bigode dourado.

— Roubaria eu a minha querida rainha? Se fosse um presente digno de ti, eu próprio o teria depositado nas tuas mãos suaves.

— Como sinal do teu amor?

— Quanto a isso não digo nada, mas disse-lhe que to podia dar. Não queres transformar Daario Naharis em mentiroso, pois não?

Dany viu-se impotente para recusar.

— Como queiras. Traz o teu sapo à corte amanhã. Os outros também. Os de Westeros. — Seria bom ouvir o idioma comum vindo de alguém além de Sor Barristan.

— Às ordens da minha rainha. — Daario fez uma profunda vénia, sorriu e retirou-se, fazendo rodopiar o manto atrás de si.

Dany ficou sentada entre a roupa amarrotada da cama, com os braços em volta dos joelhos, tão esquecida de si própria que nem ouviu quando Missandei entrou no aposento com pão, leite e figos.

— Vossa Graça? Não estais bem? No cerrado da noite esta ouviu-vos gritar.

Dany pegou num figo. Estava negro e gordo, ainda húmido de orvalho. *Far-me-á Hizdahr alguma vez gritar?*

— Foi o vento que ouviste gritar. — Deu uma dentada, mas a fruta perdera o sabor agora que Daario se fora. Suspirando, levantou-se e gritou a Irri que lhe trouxesse um roupão, após o que vagueou até ao terraço.

Tinha inimigos a toda a volta. Nunca havia menos do que uma dúzia de navios a seco na costa. Em alguns dias chegavam mesmo a uma centena, quando os soldados desembarcavam. Os yunkaitas até madeira traziam por mar. Atrás das valas que tinham aberto estavam a construir catapultas, balistas, grandes trabucos. Em noites sossegadas, conseguia ouvir os martelos a ressoar no ar quente e seco. *Mas nada de torres de cerco. Nada de aríetes.* Eles não tentariam tomar Meereen de assalto. Iriam esperar por trás das suas linhas de cerco, atirando pedras contra ela até que a fome e a doença fizessem ajoelhar o seu povo.

*Hizdahr trar-me-á paz. Tem de a trazer.*

Nessa noite os cozinheiros assaram para ela um cabrito com tâmaras e cenouras, mas Dany só conseguiu comer um bocado. A ideia de lutar com Meereen uma vez mais deixava-a fatigada. O sono custou a chegar, mesmo quando Daario regressou, tão bêbado que mal conseguia manter-se em pé. Sob as colchas, virou-se e remexeu-se, sonhando que Hizdahr estava a beijá-la… mas os lábios dele estavam azuis e magoados e, quando a penetrou, o seu membro viril estava frio como gelo. Dany sentou-se com o cabelo em desordem e a roupa da cama toda enxovalhada. O seu capitão dormia ao lado, mas ela estava só. Apeteceu-lhe sacudi-lo, acordá-lo, obrigá-lo a abraçá-la, a fodê-la, a ajudá-la a esquecer, mas sabia que se o fizesse ele se limitaria a sorrir, a bocejar e a dizer:

— Foi só um sonho, minha rainha. Dorme.

Em vez disso, envergou um roupão com capuz e saiu para o terraço. Foi até ao parapeito e parou aí, olhando a cidade como fizera meia centena de vezes. *Esta cidade nunca será minha. Nunca será o meu lar.*

A pálida luz rosada da aurora foi encontrá-la ainda no terraço, adormecida na relva, sob uma manta de fino orvalho.

— Prometi a Daario que concederia audiência hoje — disse Daenerys às suas aias quando a acordaram. — Ajudai-me a encontrar a coroa. Oh, e roupa para vestir, qualquer coisa leve e fresca.

Fez a sua descida uma hora mais tarde.

— *Ajoelhai todos para Daenerys Filha da Tormenta, a Não-Queimada, Rainha de Meereen, Rainha dos Ândalos e dos Roinares e dos Primeiros Homens,* Khaleesi *do Grande Mar de Erva, Quebradora de Correntes e Mãe de Dragões.* — gritou Missandei.

Reznak mo Reznak fez uma vénia e um largo sorriso.

— Magnificência, tornais-vos mais bela todos os dias. Julgo que a perspetiva do casamento vos deu brilho. Oh, minha cintilante rainha!

Dany suspirou.

— Chamai o primeiro peticionário.

Passara-se tanto tempo desde a última vez que concedera audiência que a montanha de casos era quase avassaladora. O fundo do salão era uma multidão sólida, e rebentaram rixas por precedência. Como não podia deixar de ser, foi Galazza Galare quem avançou, de cabeça bem erguida, com a cara escondida por trás de um reluzente véu verde.

— Radiância, talvez fosse melhor que conversássemos em privado.

— Seria se eu tivesse tempo — disse Dany com simpatia. — Vou casar-me amanhã. — O seu último encontro com a Graça Verde não correra bem. — Que quereis de mim?

— Desejo falar convosco sobre o atrevimento de um certo capitão mercenário.

*Ela atreve-se a dizer isto numa audiência aberta?* Dany sentiu uma onda de fúria. *Tem coragem, admito, mas se acha que vou tolerar outra repreensão não podia estar mais enganada.*

— A traição de Ben Castanho Plumm chocou-nos a todos — disse — mas o vosso aviso chega tarde demais. E agora sei que quereis regressar ao vosso templo para rezar por paz.

A Graça Verde fez uma vénia.

— Rezarei também por vós.

*Outra bofetada*, pensou Dany, com a cor a subir-lhe à cara.

O resto foi um tédio que a rainha conhecia bem. Manteve-se sentada nas almofadas, à escuta, com um pé a bandear de impaciência. Jhiqui trouxe uma bandeja de figos e presunto ao meio-dia. Parecia não haver fim para os peticionários. Por cada par que mandava embora a sorrir, um saía de olhos vermelhos ou a resmungar.

O pôr-do-sol estava próximo quando Daario Naharis apareceu com os seus novos Corvos Tormentosos, os westorisianos que tinham vindo dos Aventados. Dany deu por si a deitar-lhes relances enquanto outro peticionário falava sem parar. *Aquela é a minha gente. Sou a sua legítima rainha.* Eram um grupo com mau aspeto, mas isso era de se esperar de mercenários. O mais novo não podia ser um ano mais velho do que ela; o mais velho devia ter visto sessenta dias do seu nome. Alguns ostentavam sinais de riqueza: ouro e anéis, túnicas de seda, cinturões de espadas tachonados de prata. *Saque.* A maior parte das suas roupas eram de fabrico simples, e mostravam sinais de muito uso.

Quando Daario os fez avançar, viu que um deles era uma mulher, grande e loura e toda coberta de cota de malha.

— Linda Meris — chamou-lhe o seu capitão, embora *linda* fosse a última coisa que Dany lhe teria chamado. Tinha um metro e oitenta e era desprovida de orelhas, possuindo um nariz fendido, profundas cicatrizes em ambas as faces e os olhos mais frios que a rainha vira na vida. Quanto aos outros...

Hugh Hungerford era magro e melancólico, de pernas longas e cara comprida, vestido com roupa fina mas desbotada. O Teias era baixo e musculoso, com aranhas tatuadas na cabeça, peito e braços. O vermelhusco Orson Stone afirmava ser um cavaleiro, e o esgalgado Lucifer Long dizia o mesmo. O Will dos Bosques olhou-a lubricamente logo desde que ajoelhou. Dick Straw tinha olhos azuis violáceos, um cabelo branco como linho e um sorriso perturbador. A cara do Jack Cenoura estava escondida por trás de uma hirsuta barba cor de laranja e a sua fala era ininteligível.

— Ele arrancou metade da língua à dentada na sua primeira batalha — explicou-lhe Hungerford.

Os dorneses pareciam diferentes.

— Se aprouver a Vossa Graça — disse Daario — estes três são o Tripas Verdes, o Gerrold e o Sapo.

O Tripas Verdes era enorme e careca como um calhau, com braços suficientemente grossos para rivalizar até com Belwas, o Forte. Gerrold era um jovem alto e esguio com madeixas claras no cabelo e uns risonhos olhos verdes-azulados. *Aquele sorriso conquistou o coração de muitas donzelas, aposto.* O seu manto era feito de suave lã castanha forrada de sedareia, uma agradável peça de roupa.

Sapo, o escudeiro, era o mais jovem dos três, e o menos impressionante, um rapaz sério e entroncado, de cabelo e olhos castanhos. A cara era algo quadrada, com uma testa alta, um queixo pesado e um nariz largo. A barba rala nas bochechas e no queixo fazia com que parecesse um rapaz a tentar cultivar a primeira barba. Dany não viu nenhum indício do motivo por que lhe alguém lhe chamaria Sapo. *Talvez consiga saltar até mais longe do que os outros.*

— Podeis levantar-vos — disse. — Daario disse-me que viestes até nós desde Dorne. Os dorneses terão sempre boas-vindas na minha corte. Lançassolar manteve-se leal ao meu pai quando o Usurpador lhe roubou o trono. Deveis ter enfrentado muitos perigos para chegar até mim.

— Demasiados — disse Gerrold, o bem-parecido com as madeixas no cabelo. — Éramos seis quando partimos de Dorne, Vossa Graça.

— Lamento as vossas perdas. — A rainha virou-se para o seu grande companheiro. — Tripas Verdes é um nome estranho.

— É um gracejo, Vossa Graça. Dos navios. Vim enjoado de Volantis até aqui. A cambalear e… bem, não devo dizer.

Dany soltou um risinho.

— Acho que consigo adivinhar, sor. É *sor*, não é? Daario disse-me que sois um cavaleiro.

— Se aprouver a Vossa Graça, todos os três somos cavaleiros.

Dany deitou uma olhadela a Daario e viu um clarão de ira passar-lhe pelo rosto. *Ele não sabia.*

— Eu tenho necessidade de cavaleiros — disse.

As suspeitas de Sor Barristan tinham despertado.

— É fácil afirmar-se a condição de cavaleiro aqui tão longe de Westeros. Estais preparados para defender essa vanglória com espada ou lança?

— Se for necessário — disse Gerrold — embora eu não afirme que algum de nós se equipare a Barristan, o Ousado. Vossa Graça, peço-vos perdão, mas apresentámo-nos perante vós sob falsos nomes.

— Conheço outra pessoa que fez o mesmo — disse Dany — um homem chamado Arstan Barba-Branca. Então dizei-me os vossos verdadeiros nomes.

— De bom grado… mas se pudermos suplicar a indulgência da rainha, haverá algum lugar com menos olhos e ouvidos?

*Jogos dentro de jogos.*

— Como quiserdes. Skahaz, evacuai a corte.

O Tolarrapada rugiu ordens. Os seus Feras de Bronze fizeram o resto, pastoreando os outros westerosianos e o resto dos peticionários do dia para fora da sala. Os conselheiros deixaram-se ficar.

— E agora — disse Dany — os vossos nomes.

O bonito e jovem Gerrold fez uma vénia.

— Sor Gerris Drinkwater, Vossa Graça. A minha espada é vossa.

O Tripas Verdes cruzou os braços ao peito.

— E o meu martelo de guerra também. Sou Sor Archibald Yronwood.

— E vós, sor? — perguntou a rainha ao rapaz chamado Sapo.

— Se aprouver a Vossa Graça, posso primeiro entregar-vos o meu presente?

— Se quiserdes — disse Daenerys, curiosa, mas quando o Sapo avançou, Daario Naharis pôs-se na sua frente e estendeu uma mão enluvada.

— Dá-me a mim o presente.

Sem expressão, o rapaz entroncado dobrou-se, desatou a bota e, de uma dobra oculta no interior, retirou um pergaminho amarelado.

— O teu presente é este? Uma coisa escrita? — Daario arrancou o pergaminho das mãos do dornês e desenrolou-o, franzindo os olhos aos selos e assinaturas. — Muito bonitos, todos os dourados e fitinhas, mas eu não leio os vossos gatafunhos de Westeros.

— Trazei-o à rainha — ordenou Sor Barristan. — Já.

Dany sentiu a fúria que pairava no salão.

— Eu sou só uma rapariguinha, e as rapariguinhas têm de receber os seus presentes — disse com ligeireza. — Daario, por favor, não deves provocar-me. Dá-mo cá.

O pergaminho estava escrito no idioma comum. A rainha desenrolou-o lentamente, estudando os selos e as assinaturas. Quando viu o nome de Sor Willem Derry, o coração bateu-lhe um pouco mais depressa. Leu o pergaminho até ao fim, depois voltou a lê-lo.

— Podemos saber o que diz, Vossa Graça? — perguntou Sor Barristan.

— É um pacto secreto — disse Dany — feito em Bravos quando eu era pequenina. Quem assinou por nós foi Sor Willem Darry, o homem que fez com que eu e o meu irmão desaparecêssemos de Pedra do Dragão antes dos homens do Usurpador conseguirem apanhar-nos. O Príncipe Oberyn Martell assinou por Dorne e o Senhor do Mar de Bravos assinou como testemunha. — Entregou o pergaminho a Sor Barristan, para o velho cavaleiro poder ler com os seus olhos. — Diz que a aliança deve ser selada com um casamento. Em troca da ajuda de Dorne para derrubar o Usurpador, o meu irmão Viserys deverá tomar a filha do Príncipe Doran, Arianne, como sua rainha.

O velho cavaleiro leu lentamente o pacto.

— Se Robert soubesse disto teria esmagado Lançassolar como esmagou Pyke, e cortado as cabeças do Príncipe Doran e da Víbora Vermelha... e, provavelmente, a cabeça desta princesa dornesa também.

— Foi sem dúvida por isso que o Príncipe Doran decidiu manter o pacto em segredo — sugeriu Daenerys. — Se o meu irmão Viserys soubesse que tinha uma princesa dornesa à sua espera, teria partido para Lançassolar assim que tivesse idade para casar.

— Fazendo assim cair sobre si e sobre Dorne o martelo de guerra de Robert — disse o Sapo. — O meu pai conformou-se com esperar pelo dia em que o Príncipe Viserys encontrasse o seu exército.

— O vosso pai?

— O Príncipe Doran. — Voltou a cair sobre um joelho. — Vossa Graça, tenho a honra de ser Quentyn Martell, um príncipe de Dorne e o mais leal dos vossos súbditos.

Dany riu-se.

O príncipe dornês ficou vermelho, enquanto a sua corte e conselheiros lhe dirigiam olhares confusos.

— Radiância? — disse Skahaz Tolarrapada, na língua ghiscariota. — Porque vos rides?

— Chamam-lhe *sapo* — disse ela — e acabámos de ficar a saber porquê. Nos Sete Reinos há histórias infantis sobre sapos que se transformam em príncipes encantados quando são beijados pelo seu verdadeiro amor. — Sorrindo aos cavaleiros dorneses, voltou ao idioma comum. — Dizei-me, Príncipe Quentyn, estais encantado?

— Não, Vossa Graça.

— Temi isso mesmo. — *Nem encantado nem encantador, infelizmente. Uma pena que o príncipe seja ele e não o dos ombros largos e cabelo cor de areia.* — Mas viestes em busca de um beijo. Pretendeis casar comigo. É assim? O presente que me trazeis é a vossa doce pessoa. Em vez de Viserys e a vossa irmã, teremos de ser vós e eu a selar este pacto, se eu quiser Dorne.

— O meu pai esperou que pudésseis achar-me aceitável.

Daario Naharis soltou uma gargalhada escarninha.

— O que eu digo é que és um cachorrinho. A rainha precisa de um homem a seu lado, não de um rapazinho chorão. Não és marido adequado para uma mulher como ela. Quando lambes os lábios ainda te sabe ao leite da mamã?

Sor Gerris Drinkwater indignou-se ao ouvir aquelas palavras.

— Cuidado com a língua, mercenário. Estás a falar com um príncipe de Dorne.

— E com a sua ama-de-leite, parece-me. — Daario passou os polegares pelos cabos das espadas, e fez um sorriso perigoso.

Skahaz franziu o sobrolho, como só ele era capaz.

— Este rapaz pode servir para Dorne, mas Meereen precisa de um rei de sangue ghiscariota.

— Eu conheço este tal Dorne — disse Reznak mo Reznak. — Dorne é areia e escorpiões, e desoladas montanhas vermelhas a torrar ao sol.

Foi o Príncipe Quentyn que lhe respondeu.

— Dorne é cinquenta mil lanças e espadas, postas ao serviço da nossa rainha.

— Cinquenta mil? — troçou Daario. — Eu conto três.

— Basta — disse Daenerys. — O Príncipe Quentyn atravessou meio mundo para me oferecer este presente, não quero que seja tratado com descortesia. — Virou-se para os dorneses. — Seria bom que tivésseis chegado há um ano. Prometi casar com o nobre Hizdahr zo Loraq.

Sor Gerris disse:

— Não é tarde demais...

— Quem avaliará isso serei eu — disse Daenerys. — Reznak, assegurai-vos de que ao príncipe e aos companheiros são dados aposentos adequados ao seu alto nascimento, e de que os seus desejos são satisfeitos.

— Como quiserdes, Radiância.

A rainha pôs-se em pé.

— Então por agora acabámos.

Daario e Sor Barristan seguiram-na pelas escadas até aos seus aposentos.

— Isto muda tudo — disse o velho cavaleiro.

— Isto nada muda — disse Dany enquanto Irri lhe tirava a coroa. — De que servem três homens?

— Três cavaleiros — disse Selmy.

— Três mentirosos — disse Daario em tom sombrio. — Enganaram-me.

— E também te compraram, não duvido. — Ele não se incomodou a negá-lo. Dany desenrolou o pergaminho e voltou a examiná-lo. *Bravos. Isto foi feito em Bravos, enquanto morávamos na casa da porta vermelha.* Porque seria que isso a fazia sentir-se tão estranha?

Deu por si a lembrar-se do pesadelo. *Às vezes existe verdade em sonhos.* Poderia Hizdahr zo Loraq estar a trabalhar para os feiticeiros, seria esse o significado do sonho? Poderia o sonho ter sido uma transmissão?

Estariam os deuses a dizer-lhe para pôr Hizdahr de parte e para se casar com aquele príncipe dornês? Algo lhe titilou a memória.

— Sor Barristan, quais são as armas da Casa Dorne?

— Um sol em esplendor, trespassado por uma lança.

*O filho do sol.* Foi percorrida por um arrepio.

— Sombras e murmúrios. — Que mais dissera Quaithe? *A égua branca e o filho do sol. Também havia um leão e um dragão. Ou será que o dragão sou eu?* — Cuidado com o senescal perfumado. — Disso lembrava-se. — Sonhos e profecias. Porque têm de ser sempre adivinhas? Detesto isto. Oh, deixai-me, sor. Amanhã é o dia do meu casamento.

Nessa noite, Daario possuiu-a de todas as maneiras que um homem pode possuir uma mulher, e ela entregou-se-lhe de boa vontade. Da última vez, enquanto o Sol nascia, usou a boca para voltar a entesá-lo, como Doreah lhe ensinara tanto tempo antes, e depois montou-o com tal violência que o ferimento que ele sofrera recomeçou a sangrar e, durante um doce segundo, deixou de conseguir distinguir se era ele que estava dentro dela ou ela que estava dentro dele.

Mas quando o Sol se ergueu sobre o dia do seu casamento, Daario Naharis fez o mesmo, vestindo a roupa e afivelando o cinturão da espada com as reluzentes libertinas douradas.

— Para onde vais? — perguntou-lhe Dany. — Proíbo-te de fazeres hoje uma surtida.

— A minha rainha é cruel — disse o seu capitão. — Se não puder matar os teus inimigos, como hei de divertir-me enquanto estás a casar-te?

— Ao cair da noite não terei inimigos.

— Ainda é só a alvorada, querida rainha. O dia é longo. Há tempo suficiente para uma última surtida. Quero trazer-te a cabeça de Ben Castanho Plumm como presente de casamento.

— Não quero cabeças — insistiu Dany. — Uma vez trouxeste-me flores.

— Hizdahr que te traga flores. Ele não é homem para se baixar e colher um dente-de-leão, é certo, mas tem criados que ficarão contentes por o fazer por ele. Tenho a tua licença para me ir embora?

— Não. — Queria que ele ficasse e a abraçasse. *Um dia ele partirá e não regressará,* pensou. *Um dia um arqueiro qualquer acertará com uma seta no seu peito, ou dez homens cairão sobre ele com lanças, espadas e machados, dez candidatos a heróis.* Cinco deles morreriam, mas isso não tornaria a sua dor mais fácil de suportar. *Um dia perdê-lo-ei, como perdi o meu sol-e-estrelas. Mas por favor, deuses, hoje não.* — Volta para a cama e beija-me. — Ninguém a beijara como Daario Naharis. — Sou a tua rainha e ordeno-te que me fodas.

Pretendera brincar, mas os olhos de Daario endureceram perante as suas palavras.

— Foder rainhas é trabalho para um rei. O teu nobre Hizdahr pode tratar disso, depois de vos casardes. E se ele se revelar demasiado bem nascido para trabalho tão suado, tem criados que ficarão contentes por também fazer isso por ele. Ou talvez possas chamar o rapaz dornês para a tua cama, e também o amigo bonito dele, porque não? — E saiu do quarto a passos largos.

*Ele vai fazer uma surtida*, compreendeu Dany, *e se conseguir a cabeça de Ben Plumm vai entrar no banquete nupcial com ela e atirar-ma aos pés. Que os Sete me salvem. Porque não poderia ele ser mais bem-nascido?*

Quando o mercenário se foi embora, Missandei trouxe à rainha uma refeição simples de queijo de cabra e azeitonas, com passas de sobremesa.

— Vossa Graça precisa de mais do que vinho para quebrar o jejum. Sois uma coisinha tão pequenina, e hoje ireis decerto precisar das vossas forças.

Aquilo fez Daenerys rir, por vir de uma rapariga tão pequena. Dependia tanto da pequena escriba que era frequente esquecer-se de que Missandei acabara de fazer onze anos. Partilharam a comida no terraço. Enquanto Dany mordiscava uma azeitona, a rapariga naatena fitou-a com olhos que eram como ouro derretido e disse:

— Não é tarde demais para lhes dizerdes que decidistes não casar.

*Mas é*, pensou a rainha, com tristeza.

— O sangue de Hizdahr é antigo e nobre. A nossa união juntará os meus libertos ao seu povo. Quando nos tornarmos um só, a nossa cidade fará o mesmo.

— Vossa Graça não ama o nobre Hizdahr. Esta pensa que preferiríeis ter outro homem como marido.

*Hoje não posso pensar em Daario.*

— Uma rainha ama quem deve, não quem quer. — O apetite abandonara-a. — Leva esta comida daqui — disse a Missandei. — Está na altura de tomar banho.

Mais tarde, enquanto Jhiqui a secava, Irri aproximou-se com o seu *tokar*. Dany invejou as calças largas de sedareia e os coletes pintados das aias dothraki. Estariam muito mais frescas do que ela com o *tokar*, com a sua pesada fímbria de pequenas pérolas.

— Ajudai-me a enrolar isto à minha volta, por favor. Não consigo lidar sozinha com todas estas pérolas.

Devia estar ardente de expectativa com o casamento e a noite que se seguiria, bem o sabia. Lembrou-se da noite do primeiro casamento, quando Khal Drogo lhe tirara a virgindade sob as estrelas estrangeiras. Lembrou-se de quão assustada estivera, de quão excitada também. Seria também assim com Hizdahr? *Não. Eu não sou a rapariga que era, e ele não é o meu sol-e-estrelas.*

Missandei voltou a sair do interior da pirâmide.

— Reznak e Skahaz suplicam a honra de acompanhar Vossa Graça ao Templo das Graças. Reznak ordenou que o vosso palanquim fosse preparado.

Os meereeneses raramente andavam a cavalo no interior das muralhas da sua cidade. Preferiam palanquins e liteiras, abertas ou fechadas, transportadas aos ombros dos seus escravos.

— Os cavalos emporcalham as ruas — dissera-lhe um homem de Zakh — os escravos não. — Dany libertara os escravos, mas palanquins e liteiras ainda coalhavam as ruas como antes, e nenhuma flutuava magicamente pelo ar.

— O dia está quente demais para ficar trancada num palanquim — disse Dany. — Manda selar a minha prata. Não irei ter com o senhor meu esposo às costas de carregadores.

— Vossa Graça — disse Missandei — esta lamenta imenso, mas não podeis montar vestida com um *tokar*.

A pequena escriba tinha razão, como acontecia tantas vezes. O *tokar* não era uma peça de vestuário que se destinasse ao dorso de cavalos. Dany fez uma careta.

— É como dizes. Mas o palanquim não. Sufocaria por trás dessas cortinas. Manda preparar uma liteira coberta. — Se tinha de usar as suas orelhas de abano, então que todos os coelhos a vissem.

Quando Dany fez a sua descida, Reznak e Skahaz deixaram-se cair sobre os joelhos.

— Vossa Reverência brilha com tal brilho que cegará qualquer homem que se atreva a olhá-la — disse Reznak. O senescal usava um *tokar* de samito castanho com fímbria dourada. — Hizdahr zo Loraq é muito afortunado convosco… e vós com ele, se posso ter a ousadia de o dizer. Esta união salvará a nossa cidade, vereis.

— Rezamos para que sim. Quero plantar as minhas oliveiras e vê-las dar frutos. — *Importará que os beijos de Hizdahr não me agradem? A paz irá agradar-me. Serei eu uma rainha, ou só uma mulher?*

— Hoje as multidões serão densas como moscas. — O Tolarrapada trazia vestida uma camisa negra pregueada e uma placa de peito musculada, e tinha debaixo de um braço um elmo de bronze com a forma da cabeça de uma serpente.

— Deverei ter medo de moscas? Os vossos Feras de Bronze manter-me-ão a salvo de todo o mal.

Era sempre lusco-fusco no interior da base da grande pirâmide. Paredes com nove metros de espessura abafavam o tumulto das ruas e mantinham o calor no exterior, por conseguinte lá dentro estava fresco e escuro. A sua escolta estava a formar no interior dos portões. Os estábulos dos cavalos, mulas e burros ficavam junto das paredes ocidentais, os dos elefantes junto das orientais. Dany adquirira três desses estranhos e enormes animais com a sua pirâmide. Faziam-lhe lembrar mamutes sem pelos e cinzentos, embora as suas presas tivessem sido cortadas curtas e douradas e os olhos fossem tristes.

Foi encontrar Belwas, o Forte, a comer uvas, enquanto Barristan Selmy observava um moço de estrebaria que prendia uma correia em volta do seu cavalo malhado cinzento. Os três dorneses estavam com ele, a conversar, mas interromperam-se quando a rainha apareceu. O príncipe caiu sobre um joelho.

— Vossa Graça, tenho de suplicar-vos. As forças do meu pai fraquejam, mas a sua devoção à vossa causa é tão forte como sempre. Se as minhas maneiras ou a minha pessoa vos desagradaram, o pesar é meu, mas…

— Se quereis agradar-me, sor, ficai feliz por mim — disse Daenerys. — Este é o dia do meu casamento. Na Cidade Amarela dançarão, não duvido. — Suspirou. — Ergui-vos, meu príncipe, e sorri. Um dia regressarei a Westeros, para reclamar o trono do meu pai, e procurarei ajuda em Dorne. Mas neste dia, os yunkaitas têm a minha cidade rodeada de aço. Eu posso morrer antes de ver os meus Sete Reinos. Hizdahr pode morrer. Westeros pode ser engolido pelas vagas. — Dany beijou-o na cara. — Vinde. Está na altura de me casar.

Sor Barristan ajudou-a a subir para a liteira. Quentyn voltou a juntar-se aos outros dorneses. Belwas, o Forte, berrou uma ordem para os portões serem abertos, e Daenerys Targaryen foi levada em direção ao sol. Selmy pôs-se a seu lado no cinzento malhado.

— Dizei-me — disse Dany enquanto a procissão virava para o Templo das Graças — se o meu pai e a minha mãe tivessem sido livres para seguir os corações, com quem se teriam casado?

— Foi há muito tempo. Vossa Graça não os conhecerá.

— Mas vós sabeis. Dizei-me.

O velho cavaleiro inclinou a cabeça.

— A rainha vossa mãe sempre esteve consciente do seu dever. — Estava bonito na armadura dourada e prateada, com o manto branco a escorrer-lhe dos ombros, mas soava como um homem cheio de dores, como se cada palavra fosse uma pedra que tinha de transmitir. — Mas em rapariga… esteve em tempos enamorada de um jovem cavaleiro oriundo das terras da tempestade que usou o seu favor num torneio e a nomeou rainha do amor e da beleza. Uma coisa breve.

— Que aconteceu a esse cavaleiro?

— Pôs de parte a lança no dia em que a senhora vossa mãe casou com o vosso pai. Depois tornou-se muito piedoso, e consta ter dito que só a Donzela podia substituir a Rainha Rhaella no seu coração. A sua paixão era impossível, claro. Um cavaleiro com terras não é um consorte adequado para uma princesa de sangue real.

*E Daario Naharis é só um mercenário, indigno até de calçar as esporas douradas de um cavaleiro com terras.*

— E o meu pai? Houve alguma mulher que ele amasse mais que à sua rainha?

Sor Barristan mexeu-se na sela.

— Não… amar não. *Desejar* talvez seja uma palavra mais correta, mas… foi só mexericos de cozinha, os murmúrios de lavadeiras e moços de estrebaria…

— Quero saber. Nunca conheci o meu pai. Quero saber tudo sobre ele. O bom e… o resto.

— Às vossas ordens. — O cavaleiro branco escolheu as palavras com cuidado. — O Príncipe Aerys… em jovem, enamorou-se de uma certa senhora de Rochedo Casterly, uma prima de Tywin Lannister. Quando ela e Tywin se casaram, o vosso pai bebeu demasiado vinho no banquete de casamento, e ouviram-no dizer que era uma grande pena que o direito do senhor à primeira noite tivesse sido abolido. Um gracejo ébrio, não passou disso, mas Tywin Lannister não era homem para esquecer tais palavras ou o… excesso de familiaridade que o vosso pai mostrou quando os noivos foram levados para a cama. — A cara de Sor Barristan enrubesceu. — Já disse demasiado, Vossa Graça. Eu…

— *Graciosa rainha, folgo encontrar-vos!* — Outro cortejo pusera-se ao lado do dela, e Hizdahr zo Loraq estava a sorrir-lhe da sua liteira. *O meu rei.* Dany perguntou a si própria onde estaria Daario Naharis, o que andaria ele a fazer. *Se isto fosse uma história, ele chegaria a galope mesmo na altura em que estivéssemos a chegar ao templo, para desafiar Hizdahr pela minha mão.*

Lado a lado, o seu cortejo e o de Hizdahr zo Loraq avançaram lentamente por Meereen, até que por fim o Templo das Graças se ergueu na frente deles, com as cúpulas douradas a relampejar ao sol. *Como é belo,* tentou a rainha dizer a si própria, mas dentro de si havia uma rapariguinha tola que não conseguia evitar olhar em volta em busca de Daario. *Se ele te amasse viria levar-te à espadeirada, como Rhaegar levou a sua rapariga nortenha,* insistia a rapariga em si, mas a rainha sabia que isso era uma loucura. Mesmo se o seu capitão fosse suficientemente louco para tentar fazê-lo, os Feras de Bronze abatê-lo-iam antes de se aproximar a menos de cem metros dela.

Galazza Galare aguardava-os à porta do templo, rodeada pelas irmãs de branco, de rosa e de vermelho, de azul, de dourado e de púrpura. *Há menos do que havia.* Dany procurou Ezzara e não a viu. *Será que a fluxão sangrenta até a ela levou?* Embora a rainha tivesse deixado os astapori passar fome do lado de fora das suas muralhas para evitar que a fluxão sangrenta se espalhasse, estava na mesma a espalhar-se. Muitos tinham sido atingidos; libertos, mercenários, Feras de Bronze, até dothraki, embora por enquanto nenhum dos Imaculados tivesse sido tocado. Rezou para que o pior tivesse passado.

As Graças apresentaram uma cadeira de marfim e uma bacia dourada. Segurando delicadamente o *tokar* a fim de não pisar as suas fímbrias, Daenerys Targaryen sentou-se no sumptuoso assento de veludo da cadeira e Hizdahr zo Loraq pôs-se de joelhos, descalçou-lhe as sandálias e lavou-lhe os pés enquanto cinquenta eunucos cantavam e dez mil olhos observavam. *Tem umas mãos gentis,* matutou ela, enquanto óleos tépidos e odoríferos lhe escorriam por entre os dedos. *Se também tiver um coração gentil, posso acabar por gostar dele com o tempo.*

Depois ficou com os pés limpos, Hizdahr secou-os com uma toalha suave, voltou a calçar-lhe as sandálias e ajudou-a a pôr-se em pé. De mãos dadas, seguiram a Graça Verde para dentro do templo, onde o ar estava pesado de incenso e os deuses de Ghis estavam envoltos em sombras nos seus nichos.

Quatro horas mais tarde voltaram a sair como marido e mulher, presos pelos pulsos e tornozelos com correntes de ouro amarelo.

# JON

A Rainha Selyse caiu sobre Castelo Negro com a filha e o bobo da filha, as criadas e damas de companhia, e uma comitiva de cinquenta cavaleiros, espadas ajuramentadas e homens-de-armas. *Todos homens da rainha*, sabia Jon Snow. *Podem estar ao serviço de Selyse, mas quem servem é Melisandre.* A sacerdotisa vermelha avisara-o da sua vinda, quase um dia antes da chegada do corvo de Atalaialeste com a mesma mensagem.

Encontrou-se com o grupo da rainha junto dos estábulos, acompanhado pelo Cetim, por Bowen Marsh e por meia dúzia de guardas vestidos com longos mantos negros. Nunca poderia apresentar-se àquela rainha sem uma comitiva sua, se metade do que se dizia dela era verdade. Podia confundi-lo com um moço de estrebaria e entregar-lhe as rédeas do cavalo.

As neves tinham finalmente partido para sul, dando-lhes uma folga. Havia até um vestígio de calor no ar quando Jon Snow caiu sobre um joelho perante a rainha sulista.

— Vossa Graça. Castelo Negro dá as boas-vindas a vós e aos vossos.

A Rainha Selyse olhou-o do alto.

— Agradeço. Acompanhai-me, por favor, ao vosso senhor comandante.

— Os meus irmãos escolheram-me para essa honra. Sou Jon Snow.

— Vós? Disseram que éreis jovem, mas… — A cara da Rainha Selyse era pálida e macilenta. Usava uma coroa de ouro vermelho com pontas em forma de chamas, uma gémea da usada por Stannis. — … podeis erguer-vos, Lorde Snow. Esta é a minha filha, Shireen.

— Princesa. — Jon inclinou a cabeça. Shireen era uma rapariga desajeitada, tornada ainda mais feia pela escamagris que lhe deixara o pescoço e parte da cara rígida, cinzenta e estalada.

— Eu e os meus irmãos estamos ao vosso serviço — disse à rapariga. Shireen enrubesceu.

— Obrigada, senhor.

— Creio que conheceis o meu parente, Sor Axell Florent — prosseguiu a rainha.

— Só por corvo. — *E por relatórios.* As cartas que recebia de Atalaialeste-do-Mar tinham bastante a dizer sobre Axell Florent, e muito pouco era bom. — Sor Axell.

— Lorde Snow. — Homem robusto, Florent tinha pernas curtas e um peito largo. Pelos ásperos cobriam-lhe as bochechas e o maxilar e projeta-vam-se-lhe das orelhas e narinas.

— Os meus leais cavaleiros — prosseguiu a Rainha Selyse. — Sor Narbert, Sor Benethon, Sor Brus, Sor Patrek, Sor Dorden, Sor Malegorn, Sor Lambert, Sor Perkin. — Os notáveis fizeram vénias, cada um de sua vez. A rainha não perdeu tempo a nomear o bobo, mas os badalos no seu chapéu provido de hastes e os retalhos tatuados nas entufadas bochechas tornavam-no difícil de ignorar. *Cara-Malhada*. As cartas de Cotter Pyke também o mencionavam. Pyke afirmava que era um simplório.

Então, a rainha chamou com um gesto outro curioso membro da sua comitiva: um alto e esguio varapau, cuja altura era acentuada por um extra-vagante chapéu de três plataformas de feltro purpúreo.

— E aqui temos o honrado Tycho Nestoris, um emissário do Banco de Ferro de Bravos, que veio negociar com Sua Graça, o Rei Stannis.

O banqueiro tirou o chapéu e fez uma profunda vénia.

— Senhor comandante. Agradeço-vos, e aos vossos irmãos, pela vossa hospitalidade. — Falava o idioma comum sem falhas, com não mais que um ligeiríssimo vestígio de sotaque. Quinze centímetros mais alto do que Jon, o bravosiano ostentava uma barba fina como uma cor-da que lhe brotava do queixo e quase chegava à cintura. O trajo era de um púrpura escuro, guarnecido de arminho. Um colarinho alto e rígido enquadrava-lhe a cara estreita. — Espero que não sejamos para vós de-masiado inconvenientes.

— De modo algum, senhor. Sois muito bem-vindo. — *Mais bem-vin-do do que esta rainha, em boa verdade.* Cotter Pyke enviara um corvo a avisar sobre a vinda do banqueiro. Jon Snow em pouco mais pensara desde então.

Jon voltou a virar-se para a rainha.

— Os aposentos reais na Torre do Rei foram preparados para Vossa Graça, durante todo o tempo que desejardes passar connosco. Este é o nos-so Senhor Intendente, Bowen Marsh. Arranjará alojamento para os vossos homens.

— Que bondade a vossa terdes arranjado espaço para nós. — As pa-lavras da rainha eram bastante corteses, embora o seu tom de voz dissesse: *Não é mais do que o teu dever, e é melhor que esses aposentos me agradem.* — Não passaremos muito tempo convosco. Alguns dias, no máximo. É nossa intenção avançar para os nossos novos domínios em Fortenoite assim que estivermos repousados. A viagem desde Atalaialeste foi fatigante.

— Como quiserdes, Vossa Graça — disse Jon. — Tenho a certeza de que deveis ter frio e fome. Uma refeição quente aguarda-vos na nossa sala comum.

— Muito bem. — A rainha olhou o pátio em volta. — Mas primeiro desejamos trocar impressões com a Senhora Melisandre.

— Claro, Vossa Graça. Os seus aposentos também ficam na Torre do Rei. Por aqui, por favor. — A Rainha Selyse anuiu com a cabeça, pegou na mão da filha e autorizou-o a indicar-lhes o caminho para fora dos estábulos. Sor Axell, o banqueiro bravosiano e o resto do grupo dela seguiram-nos, como outros tantos patinhos vestidos de lã e peles.

— Vossa Graça — disse Jon Snow — os meus construtores fizeram tudo o que puderam para deixar Fortenoite pronto para vos receber… mas muito do castelo permanece em ruínas. É um castelo grande, o maior da Muralha, e só conseguimos restaurá-lo em parte. Talvez estivésseis mais confortável em Atalaialeste-do-Mar.

A Rainha Selyse soltou uma fungadela.

— Estamos fartos de Atalaialeste. Não gostámos daquilo por lá. Uma rainha deve ser soberana sob o seu telhado. Achámos o vosso Cotter Pyke um homem canhestro e desagradável, quezilento e avaro.

*Devias ouvir o que Cotter diz de ti.*

— Lamento sabê-lo, mas temo que Vossa Graça vá achar as condições em Fortenoite ainda menos do vosso agrado. Estamos a falar de uma fortaleza, não de um palácio. É um lugar sombrio e frio. Ao passo que Atalaialeste…

— Atalaialeste não é seguro. — A rainha pôs uma mão no ombro da filha. — Esta é a verdadeira herdeira do rei. Shireen sentar-se-á um dia no Trono de Ferro e governará os Sete Reinos. Tem de ser protegida do mal, e será em Atalaialeste que se dará o ataque. Esse Fortenoite é o lugar que o meu marido escolheu para os nossos domínios e será aí que habitaremos. Nós… *oh!*

Uma enorme sombra saiu de trás da casca da Torre do Senhor Comandante. A Princesa Shireen soltou um guincho, e três dos cavaleiros da rainha arquejaram em uníssono. Outro praguejou.

— *Que os Sete nos salvem* — disse, esquecendo-se por completo do seu novo deus vermelho com o choque.

— Não tenhais medo — disse-lhes Jon. — Não há nele qualquer maldade, Vossa Graça. Este é o Wun Wun.

— Wun Weg Wun Dar Wun. — A voz do gigante estrondeava como um pedregulho a cair pela vertente de uma montanha. Caiu de joelhos à frente deles. Mesmo ajoelhado erguia-se acima dos outros. — Ajoelhar rainha. Pequena rainha. — Palavras que Couros lhe ensinara, sem dúvida.

Os olhos da Princesa Shireen ficaram tão grandes como pratos de jantar.

— É um *gigante*! Um gigante real e verdadeiro, como os das histórias. Mas porque é que fala desta maneira esquisita?

— Ele só conhece algumas palavras do idioma comum, por enquanto — disse Jon. — Na terra deles, os gigantes falam o idioma antigo.

— Posso tocar-lhe?

— É melhor não — avisou a mãe. — Olha para ele. Uma criatura nojenta. — A rainha virou a carranca para Jon. — Lorde Snow, que está esta criatura bestial a fazer do nosso lado da Muralha?

— Wun Wun é um hóspede da Patrulha da Noite, tal como vós.

A rainha não gostou da resposta. Os seus cavaleiros também não. Sor Axell fez uma careta de repugnância, Sor Brus soltou um risinho nervoso, Sor Narbert disse:

— Foi-me dito que todos os gigantes estavam mortos.

— Quase todos. — *Ygritte chorou por eles.*

— Na escuridão, os mortos estão a dançar. — O Cara-Malhada mexeu os pés num grotesco passo de dança. — Eu sei, eu sei, hei hei hei. — Em Atalaialeste alguém lhe fizera um manto de retalhos de peles de castor, de ovelha e de coelho. O chapéu exibia hastes, penduradas das quais havia campainhas, e longas abas de pele de esquilo que pendiam sobre as orelhas. Todos os passos que dava punham-nas a retinir.

Wun Wun olhou-o de boca aberta, fascinado, mas quando o gigante estendeu a mão para ele, o bobo afastou-se aos saltos, a cantarolar.

— Oh não, oh não, oh não. — Isso fez Wun Wun pôr-se em pé. A rainha agarrou na Princesa Shireen e puxou-a para trás, os cavaleiros levaram as mãos às espadas, e o Cara-Malhada recuou alarmado, perdeu o equilíbrio e esparramou-se de traseiro num monte de neve.

Wun Wun desatou a rir. O riso de um gigante era capaz de envergonhar o rugido de um dragão. O Cara-Malhada tapou as orelhas, a Princesa Shireen encostou a cara às peles da mãe, e o mais ousado dos cavaleiros da rainha avançou, de aço na mão. Jon ergueu um braço para lhe bloquear o caminho.

— Vós *não* quereis enforcê-lo. Embainhai o aço, sor. Couros, leva o Wun Wun de volta para a Torre de Hardin.

— Comer agora, Wun Wun? — perguntou o gigante.

— Comer agora — concordou Jon. Ao Couros disse: — Eu mando um barril de legumes para ele e carne para ti. Acende uma fogueira.

Couros fez um sorriso.

— Acenderei, s'nhor, mas a Torre de Hardin está um gelo. O s'nhor pode mandar também um pouco de vinho para nos aquecer?

— Para ti. Para ele não. — Wun Wun nunca provara vinho até chegar a Castelo Negro, mas depois de provar ganhara um gigantesco gosto pela bebida. *Gosto demasiado.* Jon tinha o suficiente com que lutar naquele momento sem acrescentar um gigante bêbado à confusão. Voltou a virar-se para os cavaleiros da rainha. — O senhor meu pai costumava dizer que um homem não deve nunca puxar pela espada, a menos que pretenda usá-la.

— Usá-la era a minha intenção. — O cavaleiro estava escanhoado e queimado pelo vento; sob um manto de peles brancas usava um sobretudo de pano de prata decorado com uma estrela azul de cinco pontas. — Fui levado a crer que a Patrulha da Noite defendia o reino contra tais monstros. Ninguém falou em tê-los como animais de estimação.

*Outro maldito idiota do sul.*

— E vós sois…?

— Sor Patrek da Montanha Real, se aprouver ao senhor.

— Não sei como cumpris os direitos de hóspede na vossa montanha, sor. No Norte consideramo-los sagrados. Wun Wun é aqui um hóspede.

Sor Patrek sorriu.

— Dizei-me, Senhor Comandante, se os Outros aparecerem planeais oferecer-lhes hospitalidade também a eles? — O cavaleiro virou-se para a sua rainha. — Vossa Graça, aquilo ali é a Torre do Rei, se não me engano. Posso ter a honra?

— Como quiserdes. — A rainha deu-lhe o braço e passou pelos homens da Patrulha da Noite sem lhes dirigir um segundo olhar.

*Aquelas chamas na coroa são a coisa mais quente que tem.*

— Lorde Tycho — chamou Jon. — Um momento, por favor.

O bravosiano parou.

— Eu não sou nenhum lorde. Só um simples criado do Banco de Ferro de Bravos.

— Cotter Pyke informou-me de que chegastes a Atalaialeste com três navios. Um galeão, uma galé e uma coca.

— É verdade, senhor. A travessia pode ser perigosa nesta estação. Um navio sozinho pode ir a pique, enquanto três juntos podem auxiliar-se uns aos outros. O Banco de Ferro é sempre prudente em tais assuntos.

— Antes de partirdes talvez possamos ter uma conversa sossegada?

— Estou ao vosso serviço, senhor comandante. E em Bravos dizemos que não há melhor altura do que o presente. Convirá?

— É tão boa altura como qualquer outra. Retemperamo-nos no meu aposento privado, ou gostaríeis de ver o topo da Muralha?

O banqueiro olhou para cima, para onde o gelo se erguia vasto e claro contra o céu.

— Temo que faça um frio de rachar lá em cima.

— Faz frio, e também vento. Aprende-se a caminhar bem longe da borda. Já houve homens que foram soprados da Muralha abaixo. Ainda assim, a Muralha é diferente de tudo o resto na terra. Podeis não voltar a ter oportunidade de a ver.

— Sem dúvida irei arrepender-me da minha cautela no meu leito de morte, mas depois de um longo dia na sela uma sala quente parece-me preferível.

— Seja então o meu aposento privado. Cetim, um pouco de vinho com especiarias, por favor.

Os aposentos de Jon por trás do armeiro estavam bastante sossegados, ainda que não estivessem particularmente quentes. A lareira apagara-se algum tempo antes; Cetim não era tão diligente a alimentá-la como o Edd Doloroso fora. O corvo de Mormont cumprimentou-os com um guincho de "*Grão!*" Jon pendurou o manto. — Procurais Stannis, correto?

— Correto, senhor. A Rainha Selyse sugeriu que talvez possamos enviar uma mensagem para Bosque Profundo, por corvo, a fim de informar Sua Graça de que o aguardo em Fortenoite. O assunto que pretendo colocar à sua consideração é demasiado delicado para ser confiado a cartas.

— Uma dívida. — *Que mais poderá ser?* — Uma dívida dele? Ou do irmão?

O banqueiro apertou os dedos uns contra os outros.

— Não seria apropriado da minha parte discutir as dívidas do Lorde Stannis ou a falta delas. Quanto ao Rei Robert… foi realmente nosso o prazer de prestar assistência a Sua Graça nas suas necessidades. Enquanto Robert viveu, tudo esteve bem. Agora, contudo, o Trono de Ferro cessou todos os pagamentos.

*Poderão os Lannister ser realmente tão tolos?*

— Não podeis pretender responsabilizar Stannis pelas dívidas do irmão.

— As dívidas cabem ao Trono de Ferro — declarou Tycho — e quem quer que se sente nessa cadeira tem de as pagar. Uma vez que o jovem Rei Tommen e os seus conselheiros se tornaram tão obstinados, pretendemos abordar o assunto junto do Rei Stannis. Se ele se mostrar mais merecedor da nossa confiança, seria naturalmente com grande prazer que lhe prestaríamos toda a ajuda de que necessitasse.

— *Ajuda* — gritou o corvo. — *Ajuda, ajuda, ajuda.*

Jon concluíra muito daquilo no momento em que soubera que o Banco de Ferro mandara um emissário à Muralha.

— Segundo as últimas notícias que recebemos, Sua Graça marcha sobre Winterfell para confrontar o Lorde Bolton e os seus aliados. Podeis procurá-lo lá se quiserdes, embora isso acarrete um risco. Podíeis dar por vós enredado nesta guerra.

Tycho baixou a cabeça.

— Aquele que serve o Banco de Ferro enfrenta a morte tão frequentemente como vós, os que servis o Trono de Ferro.

*Será isso o que eu sirvo?* Jon Snow já não tinha a certeza.

— Posso fornecer-vos cavalos, provisões, guias, tudo o que seja necessário para vos levar a Bosque Profundo. Daí, tereis de chegar pelos vossos próprios meios até junto de Stannis. — *E podes perfeitamente descobrir a cabeça dele num espigão.* — Haverá um preço.

— *Preço* — gritou o corvo de Mormont. — *Preço, preço.*

— Há sempre um preço, não é verdade? — O bravosiano sorriu. — Que quer a Patrulha?

— Os vossos navios, para começar. Com as tripulações.

— Todos os três? Como regressarei eu a Bravos?

— Só preciso deles para uma viagem.

— Uma viagem perigosa, presumo. Para começar, dissestes?

— Também precisamos de um empréstimo. Ouro suficiente para nos manter alimentados até à primavera. Para comprar comida e contratar navios para no-la trazerem.

— Primavera? — Tycho suspirou. — Não é possível, senhor.

Que lhe dissera Stannis? *Regateais como uma velha por um bacalhau, Lorde Snow. Será que o Lorde Eddard vos gerou numa peixeira?* Talvez o tivesse feito.

Demorou a maior parte de uma hora até o impossível se tornar possível, e outra hora até conseguirem concordar com os termos. O jarro de vinho com especiarias que o Cetim trouxe ajudou-os a limar os pontos mais bicudos. Quando Jon Snow assinou o pergaminho que o bravosiano redigiu, estavam ambos meio bêbados e bastante descontentes. Jon tomou isso como bom sinal.

Os três navios bravosianos fariam subir a frota fundeada em Atalaialeste para onze embarcações, incluindo o baleeiro ibbenês que Cotter Pyke requisitara por ordem de Jon, uma galé mercante vinda de Pentos recrutada à força de forma semelhante e três maltratados navios de guerra lisenos, restos da antiga frota de Salladhor Saan empurrados para norte pelas tempestades de outono. Todos os navios de Saan tinham grande necessidade de reparações, mas por aquela altura o trabalho devia estar concluído.

Onze navios não eram suficientes, mas se esperasse mais o povo livre em Larduro estaria morto quando a frota de salvamento chegasse. *Zarpar agora ou não zarpar de todo.* Agora, se a Mãe Toupeira e a sua gente estariam suficientemente desesperados para confiar as vidas à Patrulha da Noite...

O dia escurecera quando ele e Tycho Nestoris abandonaram o aposento privado. Começara a nevar.

145

— A nossa folga foi breve, ao que parece. — Jon enrolou-se melhor no manto.

— O inverno já quase chegou. No dia em que saí de Bravos havia gelo nos canais.

— Três dos meus homens passaram por Bravos há pouco tempo — disse-lhe Jon. — Um velho meistre, um cantor e um jovem intendente. Acompanhavam uma rapariga selvagem e o seu filho para Vilavelha. Suponho que não tereis calhado encontrá-los?

— Temo que não, senhor. Todos os dias passa gente de Westeros por Bravos, mas a maior parte chega ao Porto do Trapeiro e parte daí. Os navios do Banco de Ferro atracam no Porto Púrpura. Se quiserdes, posso indagar o que lhes terá acontecido quando regressar a casa.

— Não é necessário. Por esta altura devem estar em segurança em Vilavelha.

— Esperemos que sim. O mar estreito é perigoso nesta altura do ano, e nos últimos tempos tem havido relatos perturbadores de avistamentos de navios estranhos nos Degraus.

— Salladhor Saan?

— O pirata liseno? Há quem diga que ele regressou aos seus velhos hábitos, é verdade. E a frota de guerra do Lorde Redwyne também atravessa o Braço Quebrado. A caminho de casa, sem dúvida. Mas esses homens e os seus navios são bem conhecidos por nós. Não, essas outras velas… de mais a leste, talvez… ouvem-se estranhas conversas sobre dragões.

— Bom seria que tivéssemos cá um. Um dragão poderia aquecer um pouco as coisas.

— O senhor graceja. Perdoar-me-eis se não me rir. Nós, os bravosianos, descendemos daqueles que fugiram de Valíria e da fúria dos senhores dos dragões. Não brincamos sobre dragões.

*Não, suponho que não.*

— As minhas desculpas, Lorde Tycho.

— Não são necessárias desculpas, senhor comandante. Descubro agora que tenho fome. Emprestar somas de ouro tão avultadas causa apetite a um homem. Tereis a bondade de me mostrar o caminho para o vosso salão de banquetes?

— Levo-vos pessoalmente até lá. — Jon fez um gesto. — Por aqui.

Uma vez lá chegado, teria sido descortês não quebrar pão com o banqueiro, portanto Jon mandou Cetim ir buscar-lhes comida. A novidade dos recém-chegados tinha feito sair quase todos os homens que não estavam de serviço ou a dormir, e a cave estava cheia de gente e quente.

A rainha propriamente dita encontrava-se ausente, e a sua filha também. Naquela altura era provável que estivessem a instalar-se na Torre do

Rei. Mas Sor Brus e Sor Malegorn estavam ali, entretendo os irmãos que se tinham reunido com as últimas notícias de Atalaialeste e do ultramar. Três das damas da rainha estavam sentadas juntas, servidas pelas respetivas aias e acompanhadas por uma dúzia de admiradores da Patrulha da Noite.

Mais perto da porta, o Mão da Rainha atacava um par de capões, chupando os ossos até os deixar sem carne e empurrando para baixo cada bocado com cerveja. Quando viu Jon Snow, Axell Florent deitou um osso fora, limpou a boca com as costas da mão e aproximou-se calmamente. Com as suas pernas tortas, peito em forma de barril e orelhas proeminentes, apresentava uma aparência cómica, mas Jon não era tolo ao ponto de se rir dele. O homem era tio da Rainha Selyse, e estivera entre os primeiros na aceitação do deus vermelho de Melisandre. *Se não é um assassino de parentes, disso se aproxima.* O irmão de Axell Florent fora queimado por Melisandre, segundo informações que o Meistre Aemon lhe fornecera, mas Sor Axell fizera menos que pouco para o impedir. *Que tipo de homem pode ficar parado a ver o seu próprio irmão a ser queimado vivo?*

— Nestoris — disse Sor Axell — e o senhor comandante. Posso juntar-me a vós? — Deixou-se cair sobre o banco antes de terem tempo de responder. — Lorde Snow, se puder perguntar… esta princesa selvagem sobre a qual Sua Graça, o Rei Stannis, escreveu… onde poderá estar, senhor?

*A longas léguas daqui,* pensou Jon. *Se os deuses forem bons, por esta altura já encontrou Tormund Terror dos Gigantes.*

— Val é a irmã mais nova de Dalla, que foi esposa de Mance Rayder e mãe do seu filho. O Rei Stannis aprisionou Val e a criança depois de Dalla morrer de parto, mas ela não é princesa alguma, segundo o entendimento que vós tendes da palavra.

Sor Axell encolheu os ombros.

— Seja ela o que for, em Atalaialeste os homens afirmavam que a rapariga era bonita. Gostava de ver com os meus próprios olhos. Algumas destas mulheres selvagens, bem, um homem teria de as virar de costas para cumprir o seu dever de marido. Se aprouver ao senhor comandante, trazei-a para fora, deixai-nos dar-lhe uma olhadela.

— Ela não é um cavalo para ser exibido para inspeção, sor.

— Prometo que não lhe contarei os dentes. — Florent sorriu. — Oh, não temais, tratá-la-ei com toda a cortesia que lhe é devida.

*Ele sabe que não a tenho.* Uma aldeia não tinha segredos, e Castelo Negro não os tinha mais. Não se falava abertamente da ausência de Val, mas alguns homens sabiam, e à noite, na sala comum, os homens conversavam. *Que ouviu ele dizer?*, perguntou Jon a si próprio. *Em quanto do que ouviu acredita?*

— Perdoai-me, sor, mas Val não irá juntar-se-nos.

— Eu vou ter com ela. Onde guardais a rapariga?

*Longe de ti.*

— Num lugar seguro. Basta, sor.

A cara do cavaleiro ficou corada.

— Senhor, esqueceste-vos de quem eu sou? — O hálito do homem cheirava a cerveja e a cebola. — Deverei falar com a rainha? Basta uma palavra de Sua Graça para que me tragam esta rapariga selvagem nua ao salão para nossa inspeção.

*Isso seria um belo truque, mesmo para uma rainha.*

— A rainha nunca abusaria da nossa hospitalidade — disse Jon, esperando que fosse verdade. — Agora temo que deva retirar-me antes que me esqueça dos deveres de um anfitrião. Lorde Tycho, peço que me desculpeis.

— Sim, claro — disse o banqueiro. — Foi um prazer.

Lá fora, a neve caía mais pesadamente. Do outro lado do pátio, a Torre do Rei transformara-se numa gigantesca sombra, com as luzes das janelas obscurecidas pela neve que caía.

De volta ao seu aposento privado, Jon foi encontrar o corvo do Velho Urso empoleirado no espaldar da cadeira de couro e carvalho por trás da mesa de armar. A ave começou a gritar por comida no momento em que entrou. Jon tirou um punhado de grãos secos do saco que se encontrava ao lado da porta e espalhou-os pelo chão, após o que reclamou para si a cadeira.

Tycho Nestoris deixara para trás uma cópia do acordo. Jon leu-o três vezes até ao fim. *Isto foi simples*, refletiu. *Mais simples do que me atrevi a esperar. Mais simples do que devia ter sido.*

Isso causava-lhe uma sensação incómoda. O dinheiro bravosiano permitiria que a Patrulha da Noite comprasse comida ao sul quando as provisões próprias começassem a escassear, comida suficiente para aguentarem o inverno, por mais longo que este se revelasse. *Um inverno longo e duro deixará a Patrulha tão profundamente endividada que nunca sairemos do buraco*, fez Jon lembrar a si próprio, *mas quando a alternativa é entre a dívida e a morte, é melhor pedir emprestado.*

Mas não tinha de gostar. E na primavera, quando chegasse o momento de pagar todo aquele ouro, gostaria ainda menos. Tycho Nestoris parecera-lhe culto e cortês, mas o Banco de Ferro de Bravos tinha uma reputação temível no que tocava à coleta de dívidas. Cada uma das Nove Cidades Livres tinha o seu banco, e algumas possuíam mais do que um, lutando por cada moeda como cães por um osso, mas o Banco de Ferro era mais rico e poderoso do que todos os outros juntos. Quando os príncipes incumpriam as obrigações para com bancos menores, os banqueiros arruinados vendiam as mulheres e os filhos para a escravatura e abriam as veias. Quando os príncipes deixavam de pagar ao Banco de Ferro, novos príncipes brotavam de nenhures e conquistavam-lhes os tronos.

*Como o pobre e rechonchudo Tommen pode estar prestes a aprender.* Sem dúvida que os Lannister tinham bons motivos para se recusarem a pagar as dívidas do Rei Robert, mas não deixava de ser uma loucura. Se Stannis não fosse demasiado inflexível para aceitar as condições deles, os bravosianos dar-lhe-iam todo o ouro e prata de que necessitasse, dinheiro suficiente para comprar uma dúzia de companhias mercenárias, para subornar uma centena de senhores, para manter os seus homens pagos, alimentados, vestidos e armados. *A menos que Stannis jaza morto à sombra das muralhas de Winterfell, pode perfeitamente ter acabado de conquistar o Trono de Ferro.* Perguntou a si próprio se Melisandre teria visto *isso* nos seus fogos.

Jon recostou-se, bocejou, espreguiçou-se. De manhã esboçaria ordens para Cotter Pyke. *Onze navios para Larduro. Trazer todos os que for possível, mulheres e crianças primeiro.* Estava na altura de zarparem. *Mas devo ir pessoalmente ou será melhor deixar a expedição com Cotter?* O Velho Urso liderara uma patrulha. *Pois. E nunca regressara.*

Jon fechou os olhos. Só por um momento…

… e acordou, hirto como uma tábua, com o corvo do Velho Urso a resmungar "*Snow, Snow*," e Mully a sacudi-lo.

— S'nhor, sois esperado. Perdão, s'nhor. Foi encontrada uma moça.

— Uma moça? — Jon sentou-se, afastando o sono dos olhos com as costas das mãos. — Val? Val regressou?

— Não é Val, s'nhor. Foi deste lado da Muralha, foi pois.

*Arya.* Jon endireitou-se. Tinha de ser ela.

— *Moça* — gritou o corvo. — *Moça, moça.*

— Ty e Dannel deram com ela duas léguas a sul de Vila Toupeira. Andavam à caça de uns selvagens que tinham abalado estrada de rei abaixo. Tamém os trouxeram de volta, mas depois deram com a moça. É bem-nascida, s'nhor, e 'tá a perguntar por vós.

— Vieram quantos homens com ela? — Deslocou-se até à bacia, salpicou a cara com água. Deuses, como estava cansado.

— Nenhum, s'nhor. Veio sozinha. O cavalo 'tava a morrer debaixo dela. Todo pele e costelas, coxo e cheio de espuma. Soltaram-no e capturaram a moça para a interrogar.

*Uma rapariga cinzenta num cavalo moribundo.* Os fogos de Melisandre não tinham mentido, aparentemente. Mas o que acontecera a Mance Rayder e às suas esposas de lanças?

— Onde está agora a moça?

— Nos aposentos do Meistre Aemon, s'nhor. — Os homens de Castelo Negro ainda lhe chamavam assim, apesar de por aquela altura o velho meistre dever estar quente e em segurança em Vilavelha. — A moça 'tava azul de frio, tremia como varas verdes, de modo que o Ty quis que Clydas lhe desse uma olhadela.

— Isso é bom. — Jon voltou a sentir-se com quinze anos. *Irmãzinha.* Levantou-se e envergou o manto.

A neve continuava a cair quando atravessou o pátio com Mully. Uma aurora dourada rebentava a leste, mas por trás da janela da Senhora Melisandre na Torre do Rei, uma luz avermelhada ainda tremeluzia. *Será que ela nunca dorme? Que jogo estás a jogar, sacerdotisa? Tinhas alguma outra tarefa para Mance?*

Queria acreditar que seria Arya. Desejava voltar a ver a cara dela, sorrir-lhe e despentear-lhe o cabelo, dizer-lhe que estava em segurança. *Mas não estará em segurança. Winterfell está queimado e quebrado, e já não há lugares seguros.*

Não a podia manter ali com ele, por mais que quisesse fazê-lo. A Muralha não era lugar para uma mulher, muito menos para uma rapariga de nascimento nobre. E tampouco iria entregá-la a Stannis ou a Melisandre. O rei só quereria casá-la com um dos seus homens, Horpe, ou Massey, ou Godry, o Mata-Gigantes, e só os deuses sabiam que uso a mulher vermelha poderia querer dar-lhe.

A melhor solução que conseguia ver significaria enviá-la para Atalaialeste e pedir a Cotter Pyke para a pôr num navio para algum sítio do outro lado do mar, para fora do alcance de todos aqueles reis quezilentos. Isso teria de esperar que os navios regressassem de Larduro, com certeza. *Ela podia regressar a Bravos com Tycho Nestoris. O Banco de Ferro talvez possa ajudar a encontrar alguma família nobre que a crie.* Bravos era a mais próxima das Cidades Livres, porém... o que fazia dela ao mesmo tempo a melhor e a pior opção. *Lorath ou o Porto de Ibben talvez fossem mais seguros.* Enviasse-a para onde enviasse, contudo, Arya precisaria de prata para a sustentar, de um telhado sobre a cabeça, de alguém que a protegesse. Não passava de uma criança.

Os velhos aposentos do Meistre Aemon estavam tão quentes que a súbita nuvem de vapor quando Mully abriu a porta foi suficiente para os cegar a ambos. Lá dentro, um fogo acabado de acender ardia na lareira, com a lenha a estalar e a crepitar. Jon passou por cima de um charco de roupa húmida.

— *Snow, Snow, Snow* — gritaram os corvos lá de cima. A rapariga estava enrolada perto do fogo, envolta num manto negro de lã, bom para alguém com o triplo do seu tamanho, e profundamente adormecida.

Parecia-se o suficiente com Arya para o fazer hesitar, mas só por um momento. Era uma rapariga alta, magrinha e ardente, toda ela pernas e cotovelos, e tinha o cabelo castanho apanhado numa grossa trança e atado com tiras de couro. Possuía uma cara comprida, um queixo pontiagudo, orelhas pequenas.

Mas era mais velha do que devia ser, muito mais velha do que devia ser. *Esta rapariga tem quase a minha idade.*

— Ela comeu? — perguntou Jon a Mully.

— Só pão e caldo, senhor. — Clydas levantou-se de uma cadeira. — O Meistre Aemon sempre disse que é melhor avançar devagar. Mais alimento, e ela podia não ser capaz de o digerir.

Mully confirmou com a cabeça.

— O Dannel tinha uma das salsichas do Hobb e deu-lhe um bocado, mas ela não quis tocar-lhe.

Jon não a censurava por isso. As salsichas de Hobb eram feitas de gordura, sal e coisas em que era melhor não pensar.

— Talvez devêssemos simplesmente deixá-la descansar.

Foi nesse momento que a rapariga se sentou, apertando o manto aos pequenos seios pálidos. Parecia confusa.

— Onde…

— Castelo Negro, senhora.

— A Muralha. — Os olhos encheram-se-lhe de lágrimas. — Estou aqui.

Clydas aproximou-se mais.

— Pobre criança. Que idade tens?

— Terei dezasseis no próximo dia do meu nome. E não sou criança nenhuma, mas uma mulher crescida e florescida. — Bocejou, tapou a boca com o manto. Um joelho nu espreitou por entre as dobras deste. — Não usais corrente. Sois um meistre?

— Não — disse Clydas — mas servi um.

*Ela realmente parece-se um pouco com Arya,* pensou Jon. *Está faminta e escanzelada, mas tem o cabelo da mesma cor e os olhos também.*

— Disseram-me que perguntastes por mim. Sou…

— … Jon Snow. — A rapariga atirou a trança para trás. — A minha casa e a vossa estão ligadas pelo sangue e pela honra. Escutai-me, parente. O meu tio Cregan segue de perto o meu rasto. Não podeis deixar que me leve de volta para Karhold.

Jon estava de olhos fitos. *Eu conheço esta rapariga.* Havia algo nos seus olhos, na maneira como se conduzia, no modo como falava. Por um momento, a memória fugiu-lhe. Depois chegou.

— Alys Karstark.

Aquilo trouxe-lhe o fantasma de um sorriso aos lábios.

— Não tinha a certeza de que vos lembraríeis. Tinha seis anos da última vez que me vistes.

— Viestes a Winterfell com o vosso pai. — *O pai que Robb decapitou.* — Não me lembro para quê.

Ela corou.

— Para poder conhecer o vosso irmão. Oh, houve outro pretexto qualquer, mas o verdadeiro motivo foi esse. Era quase da idade de Robb e o meu pai achou que talvez pudéssemos casar. Houve um banquete. Dancei tanto convosco como com o vosso irmão. *Ele* foi muito cortês e disse que eu dançava lindamente. Vós estáveis carrancudo. O meu pai disse que era de se esperar num bastardo.

— Lembro-me. — Só era meia mentira.

— Continuais um pouco carrancudo — disse a rapariga — mas perdoo-vos por isso se me salvardes do meu tio.

— O vosso tio… será por acaso o Lorde Arnolf?

— Ele não é lorde nenhum — disse Alys em tom desdenhoso. — O senhor legítimo é o meu irmão Harry e, pela lei, eu sou herdeira dele. Uma filha tem precedência sobre um tio. O Tio Arnolf é só castelão. Na verdade é meu tio-avô, tio do meu *pai*. Cregan é filho dele. Suponho que isso faz dele um primo, mas sempre lhe chamámos tio. Agora querem obrigar-me a chamar-lhe marido. — Cerrou o punho. — Antes da guerra, estava prometida a Daryn Hornwood. Só estávamos à espera da minha floração para nos casarmos, mas o Regicida matou Daryn no Bosque dos Murmúrios. O meu pai escreveu que arranjaria um qualquer senhor do sul para se casar comigo, mas não chegou a fazê-lo. O vosso irmão Robb cortou-lhe a cabeça por matar Lannisters. — A boca torceu-se-lhe. — Julgava que a razão de terem marchado para sul era precisamente matar uns quantos Lannisters.

— As coisas… não são assim tão simples. O Lorde Karstark matou dois prisioneiros, senhora. Rapazes desarmados, escudeiros numa cela.

A rapariga não pareceu surpreendida.

— O meu pai nunca berrou como o Grande-Jon, mas não é menos perigoso quando se enfurece. Mas agora também está morto. O vosso irmão também. Mas vós e eu estamos aqui, ainda vivos. Há alguma rixa de sangue entre nós, Lorde Snow?

— Quando um homem veste o negro, põe as rixas para trás das costas. A Patrulha da Noite não tem qualquer querela com Karhold, nem convosco.

— Ótimo. Tive receio… supliquei ao meu pai que deixasse um dos meus irmãos como castelão, mas nenhum deles quis perder a glória e os resgates a serem ganhos no sul. Agora, Torr e Edd estão mortos. Segundo as últimas notícias que recebemos, Harry era prisioneiro em Lagoa da Donzela, mas isso foi há quase um ano. Pode também estar morto. Não sei para onde mais posso virar-me, se não for para o último filho de Eddard Stark.

— Porque não para o rei? Karhold declarou apoiar Stannis.

— O meu tio declarou apoiar Stannis, na esperança de que isso pudesse levar os Lannister a cortar a cabeça do pobre Harry. Se o meu irmão morrer, Karhold deverá passar para mim, mas os meus tios querem o meu direito de nascimento para eles. Depois de Cregon gerar um filho em mim deixarão de precisar de mim. Já enterrou duas mulheres. — Limpou uma lágrima com um gesto zangado, como Arya poderia ter feito. — Ireis ajudar-me?

— Casamentos e heranças são assuntos para o rei, senhora. Escreverei a Stannis em vosso nome, mas…

Alys Karstark riu-se, mas foi um riso de desespero.

— Escrevei, mas não espereis resposta. Stannis estará morto antes de receber a vossa mensagem. O meu tio tratará disso.

— Que quereis dizer?

— Arnolf corre para Winterfell, é verdade, mas só para poder espetar a adaga nas costas do vosso rei. Já há muito que apostou em Roose Bolton… por ouro, pela promessa de um perdão, e pela cabeça do pobre Harry. O Lorde Stannis marcha para um massacre. Portanto não me pode ajudar, e nem ajudaria mesmo se pudesse. — Alys ajoelhou na frente dele, agarrando-se ao manto negro. — Vós sois a minha única esperança, Lorde Snow. Em nome do vosso pai, suplico-vos. Protegei-me.

As suas noites eram iluminadas por estrelas distantes e pela cintilação do luar na neve, mas todas as alvoradas despertava para as trevas.

Abriu os olhos e ergueu-os, cegos, para o negrume que a amortalhava, já com o sonho a desvanecer-se. *Tão lindo*. Lambeu os lábios, recordando. O balir das ovelhas, o terror nos olhos do pastor, o som que os cães fizeram quando os matara, um por um, os rosnidos da sua alcateia. A caça tornara-se mais escassa desde que a neve começara a cair, mas na noite anterior tinham-se banqueteado. Carneiro, cão e ovelha e carne de homem. Alguns dos seus pequenos primos cinzentos tinham medo dos homens, até de homens mortos, mas ela não. Carne era carne, e os homens eram presas. Ela era a loba noturna.

Mas só quando sonhava.

A rapariga cega rolou sobre o flanco, sentou-se, pôs-se em pé de um salto, espreguiçou-se. A cama era um colchão forrado de trapos numa prateleira de pedra fria, e quando acordava sentia-se sempre hirta e tensa. Foi até à bacia sobre pés pequenos, nus e calejados, silenciosa como uma sombra, salpicou a cara com água fresca, secou-se. *Sor Gregor*, pensou. *Dunsen, Raff, o Querido. Sor Ilyn, Sor Meryn, Rainha Cersei*. A sua prece matinal. Seria? *Não*, pensou, *não é minha. Eu não sou ninguém. Esta é a prece da loba noturna. Um dia encontrá-los-ia, persegui-los-ia, cheiraria o seu medo, saborearia o seu sangue. Um dia.*

Descobriu a roupa interior numa pilha, farejou-a para se assegurar de que estava suficientemente limpa para usar, vestiu-a na sua escuridão. O trajo de criada estava onde o pendurara; uma longa túnica de lã não tingida, grosseira e que dava comichão. Arrancou-a do cabide e enfiou-a pela cabeça com um movimento suave e treinado. As meias foram a última coisa a vestir. Uma preta, uma branca. A preta tinha uma costura na parte superior, a branca não tinha; podia sentir qual era qual, podia assegurar-se de que cada uma das meias era calçada no pé certo. Apesar de tão magras, as suas pernas eram fortes e elásticas, e tornavam-se mais longas todos os dias. Sentia-se contente por isso. Uma dançarina de água precisa de boas pernas. A Beth Cega não era nenhuma dançarina de água, mas não seria Beth para sempre.

Conhecia o caminho para a cozinha, mas o seu nariz tê-la-ia levado até lá mesmo se não conhecesse. *Pimentos quentes e peixe frito*, decidiu, farejando ao longo do corredor, *e pão acabado de sair do forno de Umma*. Os cheiros fizeram-lhe a barriga rosnar. A loba noturna banqueteara-se, mas isso não enchia a barriga da rapariga cega. Carne de sonho não a nutria, aprendera isso bem cedo.

Quebrou o jejum com sardinhas, fritadas em óleo de pimenta até ficarem estaladiças e servidas tão quentes que lhe queimaram os dedos. Limpou o óleo remanescente com um bocado de pão arrancado à ponta do pão matinal de Umma e empurrou tudo para baixo com um copo de vinho aguado, saboreando os sabores e os cheiros, a sensação áspera da crosta sob os dedos, o modo como o óleo escorregava, a picada da pimenta quente quando chegou ao arranhão meio sarado que tinha nas costas da mão. *Ouve, cheira, saboreia, sente*, lembrou a si própria. *Há muitas maneiras de conhecer o mundo para aqueles que não conseguem ver.*

Alguém entrara na sala atrás dela, deslocando-se sobre suaves chinelos almofadados silenciosos como um rato. As narinas dilataram-se-lhe. *O homem amável*. Os homens tinham um cheiro diferente do das mulheres, e havia também um vestígio de laranja no ar. O sacerdote gostava de mascar cascas de laranja para lhe melhorar o hálito, sempre que conseguia arranjá-las.

— E quem és tu hoje? — ouviu-o perguntar, enquanto ocupava o seu lugar à cabeceira da mesa. *Tap, tap*, ouviu, e depois um minúsculo som crepitante. *Está a partir o primeiro ovo.*

— Ninguém — respondeu.

— Mentira. Eu conheço-te. És aquela pedinte cega.

— Beth. — Conhecera uma Beth em tempos, em Winterfell, quando era Arya Stark. Talvez fosse por isso que escolhera o nome. Ou talvez fosse apenas por se conjugar tão bem com "cega".

— Pobre criança — disse o homem amável. — Gostavas de ter os olhos de volta? Pede, e verás.

Fazia a mesma pergunta todas as manhãs.

— Quero-os amanhã. Hoje não. — A sua cara era água parada, escondendo tudo, revelando nada.

— Como queiras. — Conseguia ouvi-lo a descascar o ovo, e depois escutou um ténue tinido de prata quando pegou na colher de sal. Gostava dos ovos bem salgados. — Onde foi a minha pobre rapariga cega pedir ontem à noite?

— À Estalagem da Enguia Verde.

— E que três coisas novas sabes tu, que não soubesses quando nos deixaste pela última vez?

— O Senhor do Mar continua doente.

— Essa não é novidade nenhuma. O Senhor do Mar estava doente ontem, e continuará doente amanhã.

— Ou morto.

— Quando estiver morto, isso será algo novo.

*Quando estiver morto, haverá uma escolha e as facas surgirão.* Era assim que as coisas se passavam em Bravos. Em Westeros, a um rei morto sucedia o filho mais velho, mas os bravosianos não tinham reis.

— Tormo Fregar será o novo senhor do mar.

— É isso o que se diz na Estalagem da Enguia Verde?

— Sim.

O homem amável deu uma dentada no ovo. A rapariga ouviu-o a mastigar. Nunca falava com a boca cheia. Engoliu e disse:

— Há homens que dizem que há sabedoria no vinho. Esses homens são parvos. Noutras estalagens outros nomes andam a ser atirados ao ar, não duvides. — Deu outra dentada no ovo, mastigou, engoliu. — Que três novas coisas tu *sabes*, que não soubesses antes?

— Sei que alguns homens andam a dizer que Tormo Fregar será certamente o novo senhor do mar — respondeu. — Alguns bêbados.

— Está melhor. E que mais sabes tu?

*Está a nevar nas terras fluviais, em Westeros*, quase disse. Mas ele ter-lhe-ia perguntado como sabia disso, e não lhe parecia que fosse gostar da resposta. Mordeu o lábio, pensando na noite anterior.

— A rameira S'vrone está à espera de bebé. Não tem a certeza de quem é o pai, mas pensa que pode ter sido aquele mercenário tyroshi que matou.

— É bom saber disso. Que mais?

— A Rainha Bacalhau escolheu uma nova Sereia, para ocupar o lugar daquela que se afogou. É filha de uma criada dos Prestayn, com treze anos e sem vintém, mas adorável.

— Todas elas o são, a princípio — disse o sacerdote — mas não podes saber que é adorável a menos que a tenhas visto com os teus próprios olhos, e não tens nenhuns. Quem és, pequena?

— Ninguém.

— Quem eu vejo é a Beth Cega, a pedinte. É uma mentirosa desgraçada, essa moça. Trata dos teus deveres. *Valar morghulis.*

— *Valar dohaeris.* — Pegou na tigela e no copo, na faca e na colher, e pôs-se em pé. A última coisa em que pegou foi na bengala. Tinha metro e meio de comprimento, era esguia e flexível, tão grossa como o seu polegar, com couro enrolado ao cabo a trinta centímetros do topo. *É melhor que olhos, depois de aprenderes a usá-la*, dissera-lhe a criança abandonada.

Isso era uma mentira. Mentiam-lhe com frequência, para a testar.

Nenhum pau era melhor do que um par de olhos. Mas era bom tê-lo, portanto mantinha-o sempre por perto. Umma habituara-se a chamar-lhe Pau, mas os nomes não importavam. Ela era ela. *Ninguém. Não sou ninguém. Só uma rapariga cega, só uma criada d'O das Muitas Caras.*

Todas as noites, ao jantar, a criança abandonada trazia-lhe um copo de leite e dizia-lhe para o beber. A bebida tinha um sabor estranho e amargo que a rapariga cega depressa aprendeu a abominar. Mesmo o ténue cheiro que a prevenia do que era antes de lhe tocar a língua depressa lhe deu vómitos, mas esvaziou o copo na mesma.

— Durante quanto tempo tenho de ser cega? — perguntava.

— Até que a escuridão seja tão boa para ti como a luz — dizia a criança abandonada — ou até nos pedires os olhos de volta. Pede, e verás.

*E depois mandais-me embora.* Antes ser cega do que isso. Não a obrigariam a ceder.

No dia em que acordara cega, a criança abandonada pegara-lhe na mão e levara-a pelas caves e túneis do rochedo sobre o qual a Casa do Preto e Branco fora construída, e pela íngreme escada de pedra que levava ao templo propriamente dito.

— Conta os degraus enquanto sobes — dissera. — Roça com os dedos na parede. Há aí marcas, invisíveis ao olhar, claras ao toque.

Essa fora a sua primeira lição. Houvera muitas mais.

Venenos e poções eram para as tardes. Tinha o cheiro, o tato e o paladar para a ajudarem, mas o tato e o paladar podiam ser perigosos quando se moíam venenos, e com alguns dos preparados mais tóxicos da criança abandonada até o cheiro não era inteiramente seguro. Pontas de mindinhos queimadas e lábios cheios de bolhas tornaram-se-lhe familiares, e uma vez ficara tão doente que não conseguiu manter qualquer comida no estômago durante dias.

O jantar era dedicado a aulas de línguas. A rapariga cega compreendia bravosiano e era capaz de falar a língua razoavelmente, até perdera a maior parte do seu sotaque bárbaro, mas o homem amável não estava satisfeito. Insistia que ela tinha de melhorar o seu alto valiriano e de aprender também as línguas de Lys e de Pentos.

À noite jogava o jogo das mentiras com a criança abandonada mas, sem olhos para ver, o jogo era muito diferente. Às vezes a única coisa em que se podia basear era no tom de voz e na escolha de palavras; doutras vezes a criança abandonada deixava que lhe pusesse as mãos na cara. A princípio, o jogo era muito, muito difícil, praticamente impossível… mas mesmo no momento em que estava prestes a chegar ao ponto de gritar de frustração, tudo se tornara muito mais fácil. Aprendera a *ouvir* as mentiras, a senti-las no jogo de músculos em volta da boca e dos olhos.

Muitos dos seus outros deveres tinham permanecido iguais, mas ao desempenhá-los tropeçava na mobília, ia de encontro a paredes, deixava cair bandejas, ficava desamparada e desesperadamente perdida no interior do templo. Uma vez quase caiu de cabeça pelas escadas abaixo, mas Syrio Forel ensinara-lhe equilíbrio noutra vida, quando era uma rapariga chamada Arya, e sem saber bem como recuperou e equilibrou-se a tempo.

Havia noites em que podia ter adormecido a chorar, se ainda fosse Arry, a Doninha ou a Gata, ou até a Arya da Casa Stark... mas ninguém não tinha lágrimas. Sem olhos, mesmo a tarefa mais simples era perigosa. Queimou-se uma dúzia de vezes enquanto trabalhava com Umma nas cozinhas. Uma vez, a cortar cebolas, cortou o dedo até ao osso. Houve duas vezes em que nem sequer conseguiu encontrar o seu quarto na cave e teve de dormir no chão na base da escada. Todos os recantos e nichos tornavam o templo traiçoeiro, mesmo depois de a rapariga cega ter aprendido a usar os ouvidos; o modo como os seus passos eram refletidos pelo teto e ecoavam em volta das pernas dos trinta grandes deuses de pedra fazia com que as próprias paredes parecessem mover-se, e a lagoa de água negra e parada também fazia coisas estranhas ao som.

— Tens cinco sentidos — dissera o homem amável. — Aprende a usar os outros quatro, e terás menos golpes, nódoas negras e arranhões.

Agora conseguia sentir correntes de ar na pele. Conseguia encontrar as cozinhas pelo cheiro que delas vinha, distinguir os homens das mulheres pelos seus odores. Reconhecia Umma e os criados e acólitos pelo padrão dos seus passos, era capaz de os distinguir uns dos outros antes de chegarem suficientemente perto para os cheirar (mas não a criança abandonada ou o homem amável, os quais quase não faziam um som, a menos que quisessem). As velas a arder no templo também tinham cheiros; mesmo as não aromáticas soltavam ténues espirais de fumo dos pavios. Era como se gritassem, depois de se aprender a usar o nariz.

Os mortos também tinham o seu próprio cheiro. Um dos seus deveres era encontrá-los no templo todas as manhãs, onde quer que tivessem decidido deitar-se e fechar os olhos depois de beberem da lagoa.

Naquela manhã encontrou dois.

Um homem morrera aos pés do Estranho, com uma única vela a tremeluzir por cima dele. Conseguiu sentir o calor da vela, e o odor que ela soltava fez-lhe cócegas no nariz. Sabia que a vela ardia com uma chama vermelha escura; para aqueles que tinham olhos, o cadáver pareceria submerso num brilho avermelhado. Antes de chamar os criados para o levarem, ajoelhou e tateou-lhe a cara, percorrendo-lhe a linha do maxilar, roçando com os dedos pelo seu rosto e nariz, tocando-lhe o cabelo. *Cabelo encaracolado e espesso. Uma cara bem-parecida, sem rugas. Ele era novo.* Perguntou a si própria o que o teria trazido até ali em busca da dádiva da morte. Era frequente que espadachins moribundos se dirigissem à Casa do Preto e Branco para apressar as suas mortes, mas aquele homem não tinha ferimentos que conseguisse encontrar.

O segundo corpo pertencia a uma velha. Adormecera num sofá de sonhos, num dos nichos ocultos onde velas especiais invocavam visões de coisas amadas e perdidas. Uma morte doce e gentil, gostava o homem amável de dizer. Os dedos disseram-lhe que a velha morrera com um sorriso no rosto. Não estava morta há muito tempo. O seu corpo ainda estava quente ao toque. *Tem uma pele tão suave como velho couro fino que tenha sido dobrado e amarrotado mil vezes.*

Quando os criados chegaram para levar o cadáver, a rapariga cega seguiu-os. Permitiu que os passos deles lhe servissem de guia mas, quando desceram, contou. Conhecia de cor as contagens de todas as escadas. Sob o templo havia um labirinto de caves e túneis onde até homens com dois olhos em bom estado se perdiam com frequência, mas a rapariga cega decorara cada centímetro desse labirinto, e tinha a bengala para a ajudar a encontrar o caminho no caso de a memória lhe falhar.

Os cadáveres foram estendidos na cave. A rapariga cega pôs-se a trabalhar no escuro, despindo os mortos de botas e roupa e outras posses, esvaziando-lhes as bolsas e contando as suas moedas. Distinguir uma moeda das outras apenas pelo tato fora uma das primeiras coisas que a criança abandonada lhe ensinara, depois de lhe tirarem os olhos. As moedas bravosianas eram velhas amigas; bastava-lhe passar as pontas dos dedos pelas faces para as reconhecer. Moedas de outras terras e cidades eram mais difíceis, especialmente as que vinham de longe. As honras volantenas eram as mais comuns, pequenas moedas não maiores que um dinheiro com uma coroa de um lado e um crânio do outro. As moedas lisenas eram ovais, e mostravam uma mulher nua. Outras moedas tinham navios nelas cunhados, ou elefantes, ou cabras. As moedas de Westeros mostravam a cabeça de um rei na cara e um dragão na coroa.

A velha não possuía bolsa, não tinha qualquer riqueza, salvo um anel num dedo magro. No homem bonito descobriu quatro dragões de ouro de Westeros. Estava a percorrer o mais desgastado com a ponta do polegar, tentando descobrir qual seria o rei que mostrava, quando ouviu a porta a abrir-se suavemente atrás de si.

— Quem vem lá? — perguntou.

— Ninguém. — A voz era profunda, ríspida, fria.

E em movimento. Deu um passo para o lado, agarrou a bengala, ergueu-a com rapidez para proteger a cara. Madeira colidiu em madeira. A força do golpe quase lhe fez saltar o pau da mão. Aguentou, golpeou em resposta… e encontrou apenas ar vazio onde ele devia estar.

— Aí não — disse a voz. — Serás cega?

Não respondeu. Falar só iria confundir os sons que ele pudesse estar a fazer. Sabia que o homem estaria em movimento. Esquerda ou direita? Saltou para a esquerda, brandiu o pau para a direita, não atingiu nada. Um golpe contundente vindo de trás apanhou-a na parte de trás das pernas.

— Serás surda? — Girou sobre si própria, com o pau na mão esquerda, rodopiando, falhando. Ouviu o som de um riso vindo da esquerda. Golpeou para a direita.

Daquela vez acertou. O seu pau fez ricochete no dele. O impacto fez-lhe percorrer o braço por uma sacudidela.

— Muito bem — disse a voz.

A rapariga cega não sabia a quem a voz pertencia. A um dos acólitos, supunha. Não se lembrava de alguma vez ter ouvido a voz dele, mas quem garantiria que os servos do Deus das Muitas Caras não podiam alterar as vozes tão facilmente como alteravam as caras? Além dela, a Casa do Preto e Branco era o lar de dois criados, três acólitos, Umma, a cozinheira, e os dois sacerdotes a que chamava criança abandonada e homem amável. Outros iam e vinham, por vezes por caminhos secretos, mas aqueles eram os únicos que ali viviam. O seu adversário podia ser qualquer um.

A rapariga precipitou-se para o lado, com o pau a girar, ouviu um som atrás de si, rodopiou nessa direção, atingiu ar. E de repente, viu-se com o seu próprio pau entre as pernas, embaraçando-as quando tentava virar-se outra vez, esfolando-lhe a canela. Tropeçou e caiu sobre um joelho com tanta força que mordeu a língua.

Aí, parou. *Imóvel como pedra. Onde está ele?*

Atrás de si, ele riu-se. Deu-lhe uma pancada rápida numa orelha, depois atingiu-lhe os nós dos dedos quando ela tentou pôr-se em pé. Deixou cair o pau na pedra, com estrondo. Silvou de fúria.

— Vá lá. Pega nele. Já te espanquei o suficiente por hoje.

— Ninguém me espancou. — A rapariga pôs-se a gatinhar até que encontrou o pau, após o que se voltou a pôr em pé de um salto, magoada e suja. A cave estava imóvel e silenciosa. Ele desaparecera. Ou não? Podia estar mesmo a seu lado, e ela nunca saberia. *Tenta ouvi-lo a respirar*, disse a si própria. Mas não havia som algum. Esperou mais um momento, após o que pôs o pau de parte e reatou o trabalho. *Se tivesse os olhos, podia espancá-lo até o deixar em sangue.* Um dia o homem amável devolver-lhos-ia, e ela iria mostrar a todos como era.

O cadáver da velha arrefecera entretanto, o corpo do espadachim ficara rígido. A rapariga estava habituada àquilo. Na maioria dos dias passava mais tempo com os mortos do que com os vivos. Tinha saudades dos amigos que tivera quando era a Gata dos Canais; o Velho Brusco com as costas em mau estado, as filhas Talea e Brea, os saltimbancos do Navio, Merry e as rameiras do Porto Feliz, todos os outros patifes e escumalha das docas. Acima de tudo tinha saudades da própria Gata, ainda mais do que dos seus olhos. Gostara de ser a Gata, mais do que alguma vez gostara de ser a Salgada, a Pombinha, a Doninha ou o Arry. *Matei a Gata quando matei aquele cantor.* O homem amável dissera-lhe que lhe teriam tirado os olhos de qualquer forma, para a ajudar a aprender a usar os outros sentidos, mas só depois de se passar meio ano. Acólitos cegos eram comuns na Casa do Preto e do Branco, mas poucos eram tão novos como ela. A rapariga não se arrependia, porém. Dareon fora um desertor da Patrulha da Noite, merecera morrer.

Dissera isso mesmo ao homem amável.

— E tu és um deus para decidires quem deve viver e quem deve morrer? — perguntara-lhe ele. — Nós concedemos a dádiva àqueles que foram marcados pel'O das Muitas Caras, depois de preces e sacrifícios. Sempre assim foi, desde o princípio. Contei-te a fundação da nossa ordem, o modo como o primeiro de nós respondeu às preces dos escravos que desejavam a morte. A dádiva só era concedida àqueles que ansiavam por ela, no princípio… mas um dia, o primeiro de nós ouviu falar de um escravo que rezava não pela sua própria morte, mas pela do seu amo. Tão fervorosamente desejava ele essa morte que ofereceu tudo o que possuía para que a sua prece fosse atendida. E pareceu ao nosso primeiro irmão que aquele sacrifício agradaria a O das Muitas Caras, por isso nessa noite respondeu à prece. Depois foi ter com o escravo e disse: "Ofereceste tudo o que tinhas pela morte daquele homem, mas os escravos nada têm além das vidas. É isso o que o deus requer de ti. Pelo resto dos dias que passares na terra, irás servi-lo." E a partir desse momento passámos a ser dois. — A mão do homem fechara-se-lhe sobre o braço, com gentileza mas também com firmeza. — Todos os homens têm de morrer. Nós não passamos de instrumentos da morte, não somos a própria morte. Quando mataste o cantor, tomaste para ti os poderes de deus. Nós matamos homens, mas não ousamos julgá-los. Compreendes?

*Não*, pensara.

— Sim — dissera.

— Mentes. E é por isso que deves agora caminhar nas trevas, até veres o caminho. A menos que desejes deixar-nos. Só tens de pedir, e podes ter os olhos de volta.

*Não*, pensara.

— Não — dissera.

Nessa noite, após o jantar e uma curta sessão do jogo das mentiras, a rapariga cega atou um trapo em volta da cabeça para esconder os olhos inúteis, descobriu a tigela de pedinte e pediu à criança abandonada para a ajudar a envergar a cara de Beth. A criança abandonada rapara-lhe a cabeça na altura em que lhe tiraram os olhos; chamava-lhe corte de saltimbanco, visto que muitos saltimbancos faziam o mesmo para que as perucas lhes servissem melhor. Mas também resultava com os pedintes, e ajudava a manter-lhes as cabeças livres de pulgas e piolhos. Contudo, era necessário mais que uma peruca.

— Podia cobrir-te de chagas — dissera a criança abandonada — mas depois os estalajadeiros e os taberneiros correr-te-iam das suas portas. — Em vez disso dera-lhe cicatrizes de bexigas, e uma verruga falsa numa bochecha, com um pelo escuro a crescer nela.

— É feia? — perguntara a rapariga cega.

— Não é bonita.

— Ainda bem. — Nunca se importara com ser bonita, mesmo quando era a estúpida Arya Stark. Só o seu pai lhe chamara tal coisa. *Ele e o Jon Snow, às vezes.* A mãe costumava dizer que ela *podia* ser bonita, se ao menos se lavasse e escovasse o cabelo e tivesse mais cuidado com a roupa, como a irmã fazia. Para a irmã e os amigos da irmã e todos os outros, fora apenas a Arya Cara-de-Cavalo. Mas agora estavam todos mortos, até a Arya, todos menos o meio-irmão Jon. Havia noites em que ouvia falar dele, nas tabernas e bordéis do Porto do Trapeiro. Um homem chamara-lhe "O Bastardo Preto da Muralha." *Aposto que nem Jon reconheceria a Beth Cega.* Isso entristecia-a.

A roupa que usava era trapos, desbotados e a desfazerem-se, mas apesar disso eram trapos quentes e limpos. Por baixo deles escondia três facas; uma numa bota, uma numa manga, uma embainhada atrás das costas. Os bravosianos eram um povo amável, na sua grande maioria, mais dados a ajudar a pobre rapariga cega do que a tentar fazer-lhe mal, mas havia sempre uns quantos maus que poderiam vê-la como alguém que podiam assaltar ou violar sem grande risco. As lâminas eram para esses, embora por enquanto a rapariga cega não tivesse sido forçada a usá-las. Uma tigela de pedinte de madeira rachada e um cinto de corda de cânhamo completavam o seu vestuário.

Saiu na altura em que o Titã rugia o pôr-do-sol, contando o avanço pelas escadas que saíam da porta do templo, e depois seguindo a bater a bengala até à ponte que a levava a atravessar o canal que a separava da Ilha dos Deuses. Apercebeu-se de que o nevoeiro estava denso pelo modo viscoso como a roupa se lhe colava ao corpo e pela sensação húmida que o ar lhe transmitia às mãos despidas. Descobrira que as névoas de Bravos também faziam coisas estranhas aos sons. *Metade da cidade estará meio cega esta noite.*

Enquanto passava pelos templos, ouviu os acólitos do Culto da Sabedoria Estelar no topo da sua torre divinatória, a cantar às estrelas da noite. Uma espiral de fumo odorífero pairava no ar, atraindo-a ao longo do caminho tortuoso até ao local onde os sacerdotes vermelhos tinham acendido os grandes braseiros de ferro à porta da casa do Senhor da Luz. Depressa conseguiu sentir mesmo o calor no ar, enquanto os adoradores do rubro R'hllor erguiam as vozes em preces.

— *Porque a noite é escura e cheia de terrores* — rezavam.

*Para mim, não.* As suas noites eram banhadas em luar, e enchidas com as canções da sua alcateia, com o sabor da carne rubra arrancada ao osso, com os quentes cheiros familiares dos seus primos cinzentos. Era só durante os dias que estava sozinha e cega.

A borda de água não lhe era estranha. A Gata costumava percorrer os cais e vielas do Porto do Trapeiro, vendendo mexilhões, ostras e amêijoas para Brusco. Com o seu trapo e a cabeça rapada e a verruga falsa, não tinha o mesmo aspeto que tivera então, mas para ficar em segurança mantinha-se longe do Navio e do Porto Feliz e dos outros lugares onde melhor conheciam a Gata.

Conhecia cada estalagem e taberna pelo cheiro. O Bateleiro Preto tinha um cheiro salino. A Casa de Pynto fedia a vinho azedo, a queijo fedorento e ao próprio Pynto, o qual nunca mudava de roupa nem lavava o cabelo. No Remendão de Velas o ar fumarento estava sempre temperado pelo odor da carne a assar. A Casa das Sete Lâmpadas exalava uma fragrância a incenso, o Palácio de Cetim aos perfumes de bonitas jovens que sonhavam tornar-se cortesãs.

Cada lugar tinha também os seus próprios sons. A Casa de Moroggo e a Estalagem da Enguia Verde tinham cantores a atuar na maioria das noites. Na Estalagem do Proscrito eram os próprios fregueses a tratar da cantoria, em vozes ébrias e em meia centena de línguas. A Casa da Névoa estava sempre repleta de varejadores saídos dos barcos serpentinos, que discutiam sobre deuses, cortesãs e se o Senhor do Mar seria ou não um idiota. O Palácio de Cetim era muito mais calmo, um lugar de carícias murmuradas, do suave frufru de vestidos de seda e de risinhos de raparigas.

Beth pedia num lugar diferente todas as noites. Cedo aprendera que os estalajadeiros e os taberneiros toleravam mais facilmente a sua presença se não fosse uma ocorrência frequente. A noite anterior fora passada à porta da Estalagem da Enguia Verde, portanto naquela virou para a direita e não para a esquerda depois da Ponte Sangrenta, e dirigiu-se à Casa de Pynto, na outra ponta do Porto do Trapeiro, mesmo à beira da Cidade Afogada. Podia ser ruidoso e malcheiroso, mas Pynto tinha um coração gentil por baixo de toda a roupa suja e de toda a sua fanfarronice. Normalmente deixava-a entrar para onde fazia calor, se o sítio não estivesse demasiado cheio, e de vez em quando podia mesmo deixá-la beber uma caneca de cerveja e comer uma côdea de pão enquanto a regalava com as suas histórias. Segundo o que contava, nos seus tempos de jovem, Pynto fora o mais notório pirata dos Degraus; nada havia que adorasse mais do que falar longamente sobre as suas façanhas.

Naquela noite estava com sorte. A taberna encontrava-se quase vazia, e conseguiu reclamar para si um canto sossegado não muito longe do fogo. Assim que se instalou aí e cruzou as pernas algo se roçou na sua coxa.

— Outra vez tu? — disse a rapariga cega. Coçou-lhe a cabeça por trás de uma orelha, e o gato saltou-lhe para o colo e pôs-se a ronronar. Bravos estava cheia de gatos e não havia lugar que os tivesse em maior número do que a Casa de Pynto. O velho pirata acreditava que os animais traziam boa sorte e mantinham-lhe a taberna livre de bicharada. — Tu reconheces-me, não é verdade? — sussurrou. Os gatos não se deixavam enganar por verrugas falsas. Eles lembravam-se da Gata dos Canais.

Foi uma boa noite para a rapariga cega. Pynto estava alegre, e deu-lhe um copo de vinho aguado, um bocado de queijo fedorento e metade de um empadão de enguia.

— Pynto é um homem muito bom — anunciou, após o que se instalou para lhe falar da altura em que capturara o navio das especiarias, uma história que ela já ouvira uma dúzia de vezes.

À medida que as horas foram passando, a taberna foi-se enchendo. Pynto depressa ficou demasiado ocupado para lhe prestar a mínima atenção, mas vários dos fregueses regulares deixaram cair moedas na sua tigela de pedinte. Outras mesas foram ocupadas por estranhos; baleeiros ibbeneses que fediam a sangue e a gordura, um par de espadachins com óleo odorífero no cabelo, um gordo vindo de Lorath que se queixava de que o espaço entre as mesas era pequeno demais para a sua barriga. E mais tarde três lisenos, marinheiros da *Bom Coração*, uma galé devastada pelas tempestades que entrara com dificuldade em Bravos na noite anterior e fora apreendida naquela manhã pelos guardas do Senhor do Mar.

Os lisenos ocuparam a mesa mais próxima do fogo, e conversaram calmamente por cima de taças de rum negro, mantendo a voz baixa para que ninguém os escutasse. Mas ela não era ninguém, e ouviu quase todas as palavras. E durante algum tempo pareceu-lhe que também os conseguia ver, através dos olhos fendidos do gato que ronronava ao seu colo. Um era velho e um era novo e um perdera uma orelha, mas todos os três tinham o cabelo louro muito claro e a pele lisa e clara de Lys, onde o sangue da antiga Cidade Livre ainda era forte.

Na manhã seguinte, quando o homem amável lhe perguntou que três coisas sabia e não soubera antes, estava pronta.

— Sei por que motivo o Senhor do Mar apreendeu o *Bom Coração*. Trazia escravos. Centenas de escravos, mulheres e crianças, amarrados uns aos outros no porão. — Bravos fora fundada por escravos fugidos, e o tráfico de escravos era ali proibido.

— Sei de onde os escravos vieram. Eram selvagens de Westeros, vindos de um sítio chamado Larduro. Um velho sítio arruinado, amaldiçoado. — A Velha Nan contara-lhe histórias sobre Larduro, em Winterfell, na época em que ainda era Arya Stark. — Depois da grande batalha onde o Rei-para-lá-da-Muralha foi morto, os selvagens fugiram, e uma bruxa da floresta disse que se fossem para Larduro viriam navios levá-los para um sítio quente. Mas não chegou navio nenhum, exceto aqueles dois piratas lisenos, o *Bom Coração* e o *Elefante*, que tinham sido empurrados para norte por uma tempestade. Largaram âncora ao largo de Larduro para fazer reparações e viram os selvagens, mas havia milhares e não tinham espaço para todos, portanto disseram que levariam só as mulheres e as crianças. Os selvagens não têm nada para comer, daí que os homens embarcaram as mulheres e as filhas, mas assim que os navios se viram no mar, os lisenos levaram-nas para baixo e amarraram-nas. Queriam vendê-las todas em Lys. Só que depois deram com outra tempestade e os navios separaram-se. O *Bom Coração* ficou tão danificado que o capitão não teve alternativa a acostar aqui, mas o *Elefante* pode ter conseguido voltar para Lys. Os lisenos na Casa de Pynto acham que vai regressar com mais navios. O preço dos escravos está a subir, dizem eles, e há mais milhares de mulheres e crianças em Larduro.

— É bom saber. São duas coisas. Há uma terceira?

— Sim. Sei que és tu quem me tem batido. — O seu pau saltou e acertou nos dedos dele, fazendo com que o pau do homem caísse ao chão com estrondo.

O sacerdote estremeceu e recolheu a mão.

— E como pode uma rapariga cega saber isso?

*Vi-te.*

— Dei-te três coisas. Não tenho de te dar quatro. — Talvez no dia seguinte lhe falasse do gato que a seguira para casa na noite anterior desde a Casa de Pynto, o gato que estava escondido nas vigas do telhado a olhá-los. *Ou talvez não.* Se ele podia ter segredos, ela também os podia ter.

Nessa noite, Umma serviu caranguejos na crosta de sal para o jantar. Quando a taça lhe foi apresentada, a rapariga cega torceu o nariz e bebeu-a em três longos tragos. Depois arquejou e deixou cair a taça. Tinha a língua em fogo, e quando emborcou uma taça de vinho as chamas espalharam-se-lhe pela garganta abaixo e pelo nariz acima.

— O vinho não vai ajudar, e a água só espevitará as chamas — disse-lhe a criança abandonada. — Come isto. — Uma côdea de pão foi empurrada contra a sua mão. A rapariga encheu a boca com ela, mastigou, engoliu. Ajudou. Um segundo bocado ajudou mais.

E ao chegar a manhã, quando a loba noturna a abandonou e abriu os olhos, viu que uma vela de sebo estava a arder onde nenhuma vela estivera na noite anterior, com a chama insegura a oscilar de um lado para o outro como uma rameira no Porto Feliz. Nunca vira coisa tão bela.

O morto foi encontrado na base da muralha interior, com o pescoço partido e só a perna esquerda à mostra, fora da neve que o enterrara durante a noite.

Se as cadelas de Ramsay não o tivessem desenterrado, ele podia ter permanecido enterrado até à primavera. Quando o Ben Ossos o tirou da neve, a Jeyne Cinzenta já comera tanta da cara do morto que se passou meio dia até saberem com certeza quem ele fora: um homem-de-armas de quarenta e quatro anos que marchara para norte com Roger Ryswell.

— Um bêbado — declarou Ryswell. — A mijar da muralha, aposto. Escorregou e caiu. — Ninguém discordou. Mas Theon Greyjoy deu por si a interrogar-se sobre o motivo por que um homem subiria noite cerrada os degraus que levavam às ameias, tornados escorregadios pela neve, só para uma mijinha.

Quando a guarnição quebrou o jejum nessa manhã com pão duro frito em gordura de bacon (os senhores e cavaleiros comeram o bacon), as conversas ao longo dos bancos versavam sobre pouco além do cadáver.

— Stannis tem amigos dentro do castelo — ouviu Theon um sargento resmungar. Era um velho homem dos Tallhart, com três árvores cosidas no sobretudo esfarrapado. O turno tinha acabado de mudar. Homens chegavam vindos do frio, batendo os pés para fazer cair a neve das botas e das bragas enquanto a refeição do meio do dia era servida; morcela, alho-porro e pão preto ainda quente do forno.

— Stannis? — riu um dos cavaleiros de Roose Ryswell. — Por esta altura já Stannis morreu enterrado em neve. Ou então fugiu de volta para a Muralha com o rabo congelado entre as pernas.

— Podia estar acampado com cem mil homens a metro e meio das nossas muralhas — disse um arqueiro que usava cores dos Cerwyn. — Nunca veríamos nem um através desta tempestade.

Sem fim, sem cessar, sem misericórdia, a neve caíra de dia e de noite. Montes acumulados pelo vento subiam as muralhas e enchiam as ameias, mantas brancas cobriam todos os telhados, tendas descaíam sob o peso. Havia cordas esticadas entre os edifícios para evitar que os homens se perdessem ao atravessar os pátios. Sentinelas aglomeravam-se nos torreões de guarda para aquecer mãos meio congeladas por cima de braseiros incandescentes, abandonando os adarves às sentinelas de neve que os escudeiros tinham feito, as quais se tornavam maiores e mais estranhas todas as noites, à medida que o vento e o tempo sobre elas trabalhavam. Irregulares barbas de gelo cresciam ao longo das lanças que os seus punhos de neve seguravam. Até um homem da categoria de Hosteen Frey, que fora ouvido a rosnar que não temia um pouco de neve, perdeu uma orelha queimada pelo frio.

Eram os cavalos nos pátios que mais sofriam. As mantas que eram postas por cima deles para os manter quentes ficavam completamente ensopadas e congelavam se não fossem mudadas com regularidade. Quando eram acesas fogueiras para manter o frio afastado, faziam mais mal que bem. Os cavalos de guerra temiam as chamas e lutavam para se afastarem delas, ferindo-se, e aos outros cavalos, quando puxavam pelas amarras. Só os cavalos que estavam nos estábulos se mantinham em segurança e quentes, mas os estábulos já estavam excessivamente cheios.

— Os deuses viraram-se contra nós — ouviu-se o Lorde Locke dizer no Grande Salão. — Isto é a fúria deles. Um vento tão frio como o próprio inferno, e nevões que nunca terminam. Estamos amaldiçoados.

— *Stannis* está amaldiçoado — insistiu um homem do Forte do Pavor. — É ele que está lá fora na tempestade.

— O Lorde Stannis pode estar mais quente do que julgamos — contrapôs um pouco inteligente cavaleiro livre. — A feiticeira dele é capaz de invocar o fogo. Pode ser que o deus vermelho dela consiga derreter esta neve.

*Isto foi insensato*, compreendeu Theon de imediato. O homem falara alto de mais e ao alcance do ouvido do Picha Amarela, do Alyn Azedo e do Ben Ossos. Quando a história chegou ao Lorde Ramsay, ele mandou os Rapazes do Bastardo capturar o homem e arrastá-lo para a neve.

— Já que pareces gostar tanto de Stannis, mandamos-te para junto dele — disse. O Damon Dança-Para-Mim deu ao cavaleiro livre umas quantas chicotadas com o seu longo chicote oleado. Depois, enquanto o Esfolador e o Picha Amarela faziam apostas sobre quão depressa o sangue congelaria, Ramsay mandou arrastar o homem até ao Portão das Ameias.

Os grandes portões principais de Winterfell estavam fechados e trancados, e tão afogados em gelo e neve que a porta levadiça teria de ser libertada à martelada antes de poder ser erguida. Mais ou menos o mesmo se passava com o Portão do Caçador, se bem que pelo menos aí o gelo não fosse um problema, visto que o portão fora usado recentemente. O Portão da Estrada de Rei não fora, e gelo tornara as correntes da ponte levadiça duras como rocha. Restava o Portão das Ameias, uma pequena poterna em arco na muralha interior. Só meia porta, na realidade, possuía uma ponte levadiça que ultrapassava o fosso congelado, mas não tinha porta correspondente na muralha exterior, dando acesso às ameias exteriores mas não ao mundo que se estendia atrás delas.

O cavaleiro livre foi levado a sangrar pela ponte e pelas escadas acima, ainda a protestar. Depois, o Esfolador e o Alyn Azedo agarraram-lhe pelos braços e pelas pernas e atiraram-no da muralha para o chão, vinte e cinco metros lá em baixo. Os montes de neve tinham subido tanto que engoliram o homem por completo… mas arqueiros nas ameias afirmaram tê-lo visto algum tempo mais tarde, a arrastar uma perna partida pela neve fora. Um pôs-lhe penas na garupa enquanto o homem se afastava.

— Dentro de uma hora está morto — prometeu o Lorde Ramsay.

— Ou então está a mamar a picha do Lorde Stannis antes de o Sol se pôr — atirou de volta o Terror-das-Rameiras Umber.

— É melhor que tenha cuidado para ela não se partir — riu-se Rickard Ryswell. — Seja qual for o homem que estiver lá fora com este tempo, tem a picha gelada como pedra.

— O Lorde Stannis está perdido na tempestade — disse a Senhora Dustin. — Está a léguas de distância, morto ou moribundo. Deixai o inverno fazer o seu pior. Mais alguns dias e os nevões enterram-no a ele e ao seu exército.

*E a nós também*, pensou Theon, espantando-se com a loucura da mulher. A Senhora Barbrey era do norte, e devia ter mais juízo. Os deuses antigos podiam estar à escuta.

O jantar foi papas de ervilha e pão de véspera, e também isso levou a resmungos entre os plebeus; acima do sal, os senhores e cavaleiros foram vistos a comer presunto.

Theon estava debruçado por cima de uma tigela de madeira, acabando com o resto da sua dose de papas de ervilha, quando um ligeiro toque no ombro o fez largar a colher.

— Nunca me toques — disse, torcendo-se para baixo a fim de apanhar do chão o utensílio caído antes que uma das raparigas de Ramsay tivesse tempo de se apoderar dele. — *Nunca* me toques.

Ela sentou-se ao lado dele, perto demais; outra das lavadeiras de Abel. Aquela era jovem, com quinze, talvez dezasseis anos, e um hirsuto cabelo louro a precisar de uma boa lavadela e um par de lábios cheios a precisar de um bom beijo.

— Há raparigas que gostam de tocar — disse, com um pequeno meio sorriso. — Se aprouver ao s'nhor, chamo-me Holly.

*Holly, a rameira*, pensou, mas ela era bastante bonita. Em tempos podia ter-se rido, podia tê-la puxado para o seu colo, mas esses dias tinham terminado.

— Que queres tu?

— Ver essas criptas. Onde ficam, s'nhor? Não me quereis mostrar?
— Holly brincou com uma madeixa do cabelo, enrolando-a em volta do mindinho. — Dizem que são profundas e escuras. Um bom lugar para tocar. Com todos os reis mortos a ver.

— Foi o Abel que te mandou vir ter comigo?

— Se calhar foi. Se calhar fui eu que me mandei a mim própria. Mas se é o Abel que quereis, posso trazê-lo. Ele canta ao s'nhor uma doce canção.

A cada palavra que ela dizia mais Theon se persuadia de que aquilo era tudo um estratagema qualquer. *Mas de quem, e para que fim?* Que podia Abel querer dele? O homem era só um cantor, um proxeneta com um alaúde e um sorriso falso. *Quer saber como foi que eu tomei o castelo, mas não para fazer uma canção.* A resposta ocorreu-lhe. *Quer saber como foi que entrámos para poder sair.* O Lorde Bolton tinha Winterfell tão bem fechado como os cueiros de um bebé. Ninguém podia entrar ou sair sem a sua licença. *Ele quer fugir, ele e as suas lavadeiras.* Theon não podia censurá-lo, mas mesmo assim disse:

— Não quero nada de Abel, nem de ti, nem de nenhuma das tuas irmãs. Deixai-me só em paz.

Lá fora a neve dançava, rodopiava. Theon foi até à muralha às apalpadelas, após o que a seguiu até ao Portão das Ameias. Podia ter confundido os guardas com um par dos bonecos de neve do Walder Pequeno se não tivesse visto as nuvenzinhas brancas da sua respiração.

— Quero passear pelas muralhas — disse-lhes, com a respiração a congelar no ar.

— 'Tá um frio dos diabos lá em cima — avisou um.

— 'Tá um frio dos diabos cá em baixo — disse o outro — mas faz o que quiseres, vira-mantos. — Fez a Theon um gesto para passar.

Os degraus estavam cheios de neve e escorregadios, traiçoeiros no escuro. Quando chegou ao adarve não demorou muito a descobrir o lugar de onde tinham atirado o cavaleiro livre. Afastou a muralha de neve fresca que enchia a ameia e debruçou-se entre os merlões. *Podia saltar*, pensou. *Ele sobreviveu, porque não sobreviveria eu?* Podia saltar, e... *E o quê? Partia uma perna e morria debaixo da neve? Afastava-me a rastejar para morrer gelado?*

Era uma loucura. Ramsay dar-lhe-ia caça, com as raparigas. A Jeyne Vermelha, a Jez e a Hellicent fá-lo-iam em bocados, se os deuses fossem bondosos. Ou pior, podia ser recapturado vivo.

— Tenho de me lembrar do meu *nome* — sussurrou.

Na manhã seguinte, o escudeiro grisalho de Sor Aenys Frey foi encontrado nu e morto de frio no cemitério do velho castelo, com a cara tão tapada por geada que parecia estar com uma máscara posta. Sor Aenys fez constar que o homem bebera demasiado e se perdera na tempestade, embora ninguém conseguisse explicar por que motivo teria despido a roupa para sair. *Outro bêbado*, pensou Theon. O vinho era capaz de afogar uma hoste de suspeitas.

Depois, antes de o dia terminar, um besteiro ajuramentado aos Flint apareceu nos estábulos com um crânio quebrado. Escoiceado por um cavalo, declarou o Lorde Ramsay. *Por uma moca, mais provavelmente*, decidiu Theon.

Tudo parecia tão familiar, como um espetáculo de saltimbancos que tivesse já visto. Só que os saltimbancos tinham mudado. Roose Bolton estava a desempenhar o papel que Theon desempenhara da última vez, e os mortos representavam os papéis de Aggar, Gynir Nariz-Vermelho e Gelmarr, o Triste. *O Cheirete também lá estava*, recordou, *mas era um Cheirete diferente, um Cheirete com mãos ensanguentadas e mentiras a pingar-lhe dos lábios, doces como o mel. Cheirete, Cheirete, rima com barrete.*

As mortes puseram os senhores de Roose Bolton a discutir abertamente no Grande Salão. A alguns começava a faltar a paciência.

— Quanto tempo temos de ficar aqui à espera deste rei que não aparece? — perguntou Sor Hosteen Frey. — Devíamos levar o combate até Stannis e pôr-lhe fim.

— Abandonar o castelo? — coaxou o maneta Harwood Stout. O seu tom de voz sugeria que preferiria que lhe cortassem o braço que lhe restava. — Quereis que arremetamos cegamente pela neve adentro?

— Para combater o Lorde Stannis primeiro temos de encontrá-lo — fez notar Roose Ryswell. — Os nossos batedores saem pelo Portão do Caçador, mas nos últimos tempos nenhum regressa.

O Lorde Wyman Manderly deu uma palmada na enorme barriga.

— Porto Branco não teme acompanhar-vos, Sor Hosteen. Levai-nos para o exterior, que os nossos cavaleiros seguirão atrás de vós.

Sor Hosteen virou-se para o gordo.

— Suficientemente próximos para me espetarem uma lança nas costas, pois. Onde estão os meus irmãos, Manderly? Dizei-me isso. Vossos convidados, que vos devolveram o filho.

— Os ossos dele, quereis vós dizer. — Manderly apunhalou um bocado de presunto com a adaga. — Lembro-me bem deles. O Rhaegar dos ombros redondos, com a sua língua prolixa. O ousado Sor Jared, tão rápido a puxar do aço. Symond, o mestre de espionagem, sempre a fazer tinir moedas. Trouxeram os ossos de Wendel para casa. Foi Tywin Lannister quem me devolveu Wylis, a salvo e inteiro, conforme tinha prometido. Um homem de palavra, o Lorde Tywin, que os Sete lhe salvem a alma. — O Lorde Wyman enfiou a carne na boca, mastigou-a ruidosamente, fez estalar os lábios e disse: — A estrada tem muitos perigos, sor. Eu dei aos vossos irmãos presentes de anfitrião quando partimos de Porto Branco. Jurámos que nos voltaríamos a encontrar no casamento. Foram mais que muitos os que testemunharam a nossa despedida.

— Mais que muitos? — troçou Aenys Frey. — Ou vós e os vossos?

— Que estais a sugerir, Frey? — O Senhor de Porto Branco limpou a boca com a manga. — Não gosto do vosso tom, sor. Não, nem um bocadinho.

— Sai para o pátio, seu saco de sebo, que te sirvo a porra de todos os bocados que conseguires engolir — disse Sor Hosteen.

Wyman Manderly riu-se, mas meia dúzia dos seus cavaleiros puseram-se imediatamente em pé. Coube a Roger Ryswell e Barbrey Dustin acalmá-los com palavras proferidas em voz baixa. Roose Bolton não disse absolutamente nada. Mas Theon Greyjoy viu uma expressão nos seus olhos claros que nunca antes vira; uma inquietação, mesmo um vestígio de medo.

Nessa noite, o novo estábulo ruiu sob o peso da neve que o enterrara. Morreram vinte e seis cavalos e dois palafreneiros, esmagados debaixo do telhado caído ou sufocados sob a neve. Desenterrar os corpos demorou a maior parte da manhã. O Lorde Bolton apareceu brevemente no pátio exterior para inspecionar a cena, após o que ordenou que os restantes cavalos fossem trazidos para dentro com as montadas ainda amarradas no pátio exterior. E assim que os homens acabaram de desenterrar os mortos e de esquartejar os cavalos foi encontrado outro cadáver.

Aquele não podia ser ignorado como uma queda de bêbado ou o coice de um cavalo. O morto era um dos favoritos de Ramsay, o atarracado, escrofuloso, feio homem-de-armas chamado Picha Amarela. Era difícil determinar se a sua picha teria realmente sido amarela ou não, visto que alguém lha cortara e lha enfiara na boca com tal força que lhe partira três dos dentes. Quando os cozinheiros o encontraram à porta das cozinhas, enterrado até ao pescoço num monte de neve, tanto a picha como o homem estavam azuis de frio.

— Queimai o corpo — ordenou Roose Bolton — e assegurai-vos de não falar disto. Não quero que esta história se espalhe.

Apesar disso, a história espalhou-se. Ao meio-dia a maior parte de Winterfell já a tinha ouvido, muitos através dos lábios de Ramsay Bolton, de quem o Picha Amarela fora um dos "rapazes".

— Quando encontrarmos o homem que fez isto — prometeu o Lorde Ramsay — arranco-lhe a pele, cozinho-a para a deixar estaladiça e obrigo-o a comê-la, todinha. — Espalhou-se a notícia de que o nome do assassino valeria um dragão de ouro.

O fedor no interior do Grande Salão era palpável ao cair da noite. Com centenas de cavalos, cães e homens enfiados sob um teto, com o soalho escorregadio de lama e neve a derreter, caca de cavalo, poias de cão e até fezes humanas, com o ar fragrante com cheiros a cão molhado, lã molhada e às mantas encharcadas dos cavalos, não se encontrava conforto nos bancos repletos de gente, mas havia comida. Os cozinheiros serviram grandes fatias de carne fresca de cavalo, esturricada por fora e vermelha de sangue por dentro, com cebola assada e nabo… e, por uma vez, os soldados comuns comeram tão bem como os senhores e cavaleiros.

A carne de cavalo era demasiado dura para as ruínas dos dentes de Theon. As suas tentativas de mastigar davam-lhe dores atrozes. Por conseguinte, esmagou e misturou os nabos e as cebolas com o lado da lâmina do punhal e fez disso refeição, após o que cortou a carne de cavalo em bocados muito pequenos, chupou-os um a um e cuspiu-os. Assim pelo menos obtinha o sabor, e algum sustento proveniente da gordura e do sangue. O osso, contudo, estava para lá das suas capacidades, portanto atirou-o aos cães e observou o modo como a Jeyne Cinzenta fugiu com ele enquanto Sara e Willow tentavam mordê-la.

O Lorde Bolton ordenou a Abel para tocar para eles enquanto comiam. O bardo cantou "Lanças de Ferro," e depois "A Donzela de Inverno." Quando Barbrey Dustin pediu algo mais alegre, tocou-lhes "A Rainha Tirou a Sandália, o Rei Tirou a Coroa," e "O Urso e a Bela Donzela." Os Frey juntaram-se à cantoria, e até alguns nortenhos esmurraram a mesa ao ritmo do refrão, berrando *Um urso! Um urso!* Mas o barulho assustou os cavalos, e depressa os cantores se calaram e a música se silenciou.

Os Rapazes do Bastardo reuniram-se por baixo de uma arandela onde um archote ardia com muito fumo. Luton e o Esfolador jogavam aos dados, o Grunhido tinha uma mulher ao colo, com um seio na mão. Damon Dança-Para-Mim oleava o chicote.

— *Cheirete* — chamou. Bateu com o chicote na barriga da perna, como um homem poderia fazer para chamar um cão. — Estás outra vez a começar a feder, Cheirete.

Theon não tinha resposta a dar àquilo, além de um pouco sonoro:

— Sim.

— O Lorde Ramsay pretende cortar-te os lábios quando tudo isto chegar ao fim — disse Damon, afagando o chicote com um trapo oleado.

*Os meus lábios estiveram entre as pernas da senhora dele. Essa insolência não pode passar impune.*

— É como dizeis.

Luton soltou uma gargalhada grosseira.

— Acho que ele quer.

— Vai-te embora, Cheirete — disse o Esfolador. — O cheiro que deitas dá-me a volta ao estômago. — Os outros riram-se.

Fugiu rapidamente, antes que os outros mudassem de ideias. Os seus atormentadores não o seguiriam até lá fora. Pelo menos enquanto houvesse lá dentro comida e bebida, mulheres prestáveis e fogos quentes. Quando abandonou o salão, Abel estava a cantar "As Donzelas que Florescem na Primavera."

Lá fora a neve caía tão densamente que Theon não conseguia ver mais que um metro à sua frente. Deu por si sozinho numa desolação branca, com muralhas de neve a erguerem-se de ambos os lados até à altura do peito. Quando ergueu a cabeça, os flocos de neve roçaram-lhe no rosto como suaves beijos frios. Ouvia o som da música que vinha do salão atrás de si. Agora era uma canção suave e triste. Por um momento sentiu-se quase em paz.

Mais à frente deparou com um homem que seguia a passos largos na direção oposta, com um manto com capuz a esvoaçar atrás de si. Quando deram por si face a face, os olhos dos dois encontraram-se brevemente. O homem levou uma mão ao punhal.

— Theon Vira-Mantos. Theon Mata-Parentes.

— Não sou. Nunca… eu era nascido no ferro.

— O que tu eras era falso. Como é possível que ainda respires?

— Os deuses não se fartaram de mim — respondeu Theon, perguntando a si próprio se poderia ser aquele o assassino, o caminhante noturno que enfiara o pau do Picha Amarela na boca dele e que empurrara das ameias o lacaio de Roger Ryswell. Estranhamente, não tinha medo. Descalçou a luva da mão esquerda. — O Lorde Ramsay não se fartou de mim.

O homem olhou, depois riu-se.

— Nesse caso deixo-te com ele.

Theon avançou penosamente pela tempestade até ficar com os braços e as pernas cobertos de neve e as mãos e os pés entorpecidos de frio, após o que voltou a subir às ameias da muralha interior. Lá em cima, a trinta metros de altura, soprava um pouco de vento, agitando a neve. Todas as ameias se tinham enchido. Theon teve de esmurrar uma muralha de neve para fazer um buraco… só conseguindo descobrir que nada se via para lá do fosso. Da muralha exterior nada restava além de uma vaga sombra e de algumas ténues luzes a flutuar na escuridão.

*O mundo desapareceu.* Porto Real, Correrrio, Pyke e as Ilhas de Ferro, todos os Sete Reinos, todos os lugares que conhecera, todos os lugares sobre os quais lera ou sonhara, tudo desaparecera. Só restava Winterfell.

Estava encurralado ali, com os fantasmas. Os velhos fantasmas das criptas, e os mais novos que ele próprio criara, Mikken e Farlen, Gynir Nariz-Vermelho, Aggar, Gelmarr, o Triste, a mulher do moleiro de Água de Bolotas e os seus dois filhos pequenos, e todos os outros. *Obra minha.*

*Fantasmas meus. Estão todos aqui, e estão zangados.* Pensou nas criptas, naquelas espadas em falta.

Theon regressou aos seus aposentos. Estava a despir a roupa molhada quando o Walton Pernas-d'Aço o encontrou.

— Vem comigo, Vira-Mantos. Sua senhoria quer falar contigo.

Não tinha roupa limpa e seca, portanto voltou a enfiar-se nos mesmos trapos molhados e seguiu o outro. O Pernas-d'Aço levou-o de volta para a Grande Torre e o aposento privado que fora em tempos de Eddard Stark. O Lorde Bolton não se encontrava só. A Senhora Dustin estava com ele, pálida e severa; um broche de ferro em forma de cabeça de cavalo prendia o manto de Roger Ryswell; Aenys Frey estava em pé junto da lareira, com as bochechas chupadas coradas de frio.

— Disseram-me que tendes andado a vaguear pelo castelo — começou o Lorde Bolton. — Os homens relataram ter-vos visto nos estábulos, nas cozinhas, nas casernas, nas ameias. Fostes observado perto das ruínas de torres caídas, junto do antigo septo da Senhora Catelyn, a ir e a vir do bosque sagrado. Negais?

— Não, s'nhor. — Theon assegurou-se de pronunciar mal a palavra. Sabia que isso agradava ao Lorde Bolton. — Não consigo dormir, s'nhor. Passeio. — Manteve a cabeça baixa, de olhos fixos na velha palha dos estábulos espalhada pelo chão. Não era sensato olhar sua senhoria no rosto. — Fui aqui rapaz antes da guerra. Um protegido de Eddard Stark.

— Éreis um refém — disse Bolton.

— Sim, s'nhor. Um refém. *Mas isto era o meu lar. Não um verdadeiro lar, mas o melhor que alguma vez conheci.*

— Alguém tem andado a matar os meus homens.

— Sim, s'nhor.

— Vós não, espero. — A voz de Bolton tornou-se ainda mais murmurada. — Vós não pagaríeis toda a minha gentileza com tal traição.

— Não, s'nhor, eu não. Não o faria. Eu… só passeio, nada mais.

A Senhora Dustin interveio.

— Descalçai as luvas.

Theon olhou vivamente para cima.

— Por favor, não. Eu… eu…

— Fazei o que ela diz — disse Sor Aenys. — Mostrai-nos as vossas mãos.

Theon descalçou as luvas e ergueu as mãos para eles verem. *Não é como se estivesse nu na frente deles. Não é assim tão mau.* A mão esquerda tinha três dedos, a direita quatro. Ramsay só tirara o mindinho de uma, o anelar e o indicador da outra.

— Foi o bastardo que vos fez isto — disse a Senhora Dustin.

— Se aprouver à s'nhora, eu... eu pedi-lhe. — Ramsay obrigava-o sempre a pedir. *Ramsay obriga-me sempre a suplicar.*

— Porque haveríeis de fazer isso?

— Eu... eu não precisava de tantos dedos.

— Quatro são suficientes. — Sor Aenys Frey afagou a insignificante barba castanha que brotava do seu queixo recuado como uma cauda de ratazana. — Quatro na mão direita. Ainda podia pegar numa espada. Num punhal.

A Senhora Dustin riu-se.

— Serão todos os Frey uns palermas assim tão grandes? Olhai para ele. Pegar num punhal? Quase nem para pegar numa colher tem força. Julgais mesmo que podia ter dominado a repugnante criatura do Bastardo e ter-lhe enfiado o membro viril pela goela abaixo?

— Todos os mortos eram homens fortes — disse Roger Ryswell — e nenhum foi apunhalado. O vira-mantos não é o nosso assassino.

Os olhos claros de Roose Bolton estavam fixos em Theon, tão penetrantes como a faca de esfolar do Esfolador.

— Sinto-me inclinado a concordar. Mesmo pondo de parte a força, ele não tem o que é preciso para trair o meu filho.

Roger Ryswell soltou um grunhido.

— Se não foi ele, foi quem? Stannis tem um homem dentro do castelo, isso é evidente.

*O Cheirete não é nenhum homem. O Cheirete não. Eu não.* Perguntou a si próprio se a Senhora Dustin lhes teria falado das criptas, das espadas em falta.

— Temos de dirigir o olhar para Manderly — resmungou Sor Aenys Frey. — O Lorde Wyman não simpatiza connosco.

Ryswell não se mostrou convencido.

— Mas simpatiza com os seus bifes, costeletas e empadões de carne. Percorrer o castelo na escuridão exigiria que abandonasse a mesa. A única altura em que faz isso é quando vai à latrina para um dos seus agachamentos de uma hora.

— Não afirmo que o Lorde Wyman faça as coisas pessoalmente. Trouxe trezentos homens consigo. Cem cavaleiros. Qualquer um deles pode ter...

— Trabalho noturno não é trabalho de cavaleiro — disse a Senhora Dustin. — E o Lorde Wyman não foi o único homem a perder familiares no vosso Casamento Vermelho, Frey. Imaginais que o Terror-das-Rameiras gosta mais de vós? Se não tivésseis o Grande-Jon prisioneiro, arrancar-vos-ia as entranhas e obrigar-vos-ia a comê-las, como a Senhora Hornwood comeu os dedos. Os Flint, os Cerwyn, os Tallhart, os Slate... todos tinham homens com o Jovem Lobo.

— A Casa Ryswell também — disse Roger Ryswell.

— Até havia Dustins de Vila Acidentada. — A Senhora Dustin separou os lábios num sorriso fino, feroz. — O norte tem memória, Frey.

A boca de Aenys Frey estremeceu de indignação.

— O Stark desonrou-nos. É disso que é melhor que vós, os nortenhos, se lembrem.

Roose Bolton esfregou os lábios gretados.

— Estas discussões não servem para nada. — Sacudiu os dedos na direção de Theon. — Sois livre para vos irdes embora. Tomai cuidado com os sítios por onde vagueais. Caso contrário pode ser a vós que encontramos amanhã, a sorrir um sorriso vermelho.

— É como dizeis, s'nhor. — Theon voltou a calçar as luvas nas mãos mutiladas e retirou-se, coxeando sobre os pés mutilados.

A hora do lobo foi encontrá-lo ainda acordado, envolto em camadas de lã pesada e peles sebentas, percorrendo mais uma vez o circuito das muralhas interiores, na esperança de se exaurir o suficiente para dormir. Tinha as pernas cobertas de neve até aos joelhos, a cabeça e os ombros amortalhados de branco. Naquela parte da muralha o vento soprava-lhe para a cara, e neve a derreter escorria-lhe pelas bochechas como lágrimas geladas.

Foi então que ouviu o corno.

Um longo e grave gemido, parecia pairar sobre as ameias, demorando-se no ar negro, infiltrando-se profundamente nos ossos de todos os homens que o ouvissem. Ao longo de todas as muralhas do castelo, sentinelas viraram-se para o som, apertando as mãos em volta dos cabos das suas lanças. Nos salões e torres arruinados de Winterfell, senhores mandaram calar outros senhores, cavalos relincharam e homens adormecidos agitaram-se nos cantos escuros. Assim que o som do corno de guerra morreu, um tambor começou a tocar: *BUM fim BUM fim BUM fim*. E um nome passou dos lábios de um homem para o seguinte, escrito em pequenas nuvenzinhas brancas. *Stannis*, sussurraram, *Stannis está aqui, Stannis chegou, Stannis, Stannis, Stannis.*

Theon estremeceu. Baratheon ou Bolton, para ele não fazia diferença. Stannis fizera causa comum com Jon Snow na Muralha, e Jon cortar-lhe-ia a cabeça num piscar de olhos. *Arrancado às garras de um bastardo para morrer às mãos de outro, que anedota.* Theon teria rido alto se se lembrasse de como se fazia.

O tambor parecia vir da mata de lobos para lá do Portão do Caçador. *Estão mesmo junto das muralhas.* Theon abriu caminho ao longo do adarve, um homem mais entre uma vintena que fazia o mesmo. Mas, quando chegaram às torres que flanqueavam o portão propriamente dito, nada havia para ver para lá do véu de brancura.

— Será que eles pretendem tentar derrubar-nos as muralhas ao sopro? — gracejou um Flint quando o corno de guerra voltou a soar. — Se calhar acha que encontrou o Corno de Joramun.

— Será Stannis suficientemente tolo para assaltar o castelo? — perguntou uma sentinela.

— Ele não é Robert — declarou um homem de Vila Acidentada. — Vai esperar, hás de ver se não. Vai tentar derrotar-nos pela fome.

— Antes disso congela os tomates — disse outra sentinela.

— Devíamos levar o combate até ele — declarou um Frey.

*Faz isso*, pensou Theon. *Cavalga para a neve e morre. Deixa Winterfell comigo e com os fantasmas.* Parecia-lhe que Roose Bolton acolheria com satisfação um tal combate. *Ele precisa de um fim para isto.* O castelo estava demasiado cheio para aguentar um longo cerco, e demasiados dos senhores que lá se encontravam eram de dúbia lealdade. O gordo Wyman Manderly, o Terror-das-Rameiras Umber, os homens da Casa Hornwood e da casa Tallhart, os Locke, os Flint e os Ryswell, todos eram *nortenhos*, ajuramentados à Casa Stark há incontáveis gerações. Era a rapariga que os segurava ali, sangue do Lorde Eddard, mas a rapariga era só um estratagema de saltimbanco, um cordeiro em pele de lobo gigante. Por isso, porque não fazer avançar os nortenhos para batalhar com Stannis antes que a farsa fosse desvendada? *Um massacre na neve. E cada homem que cair é um inimigo a menos para o Forte do Pavor.*

Theon perguntou a si próprio se lhe permitiriam combater. Assim, pelo menos, podia morrer uma morte de homem, de espada na mão. Essa era uma dádiva que Ramsay nunca lhe daria, mas o Lorde Roose talvez desse. *Se lhe suplicar. Fiz tudo o que me pediu, desempenhei o meu papel, entreguei a rapariga.*

A morte era o melhor salvamento que podia esperar.

No bosque sagrado a neve ainda se dissolvia quando tocava na terra. Erguia-se vapor das lagoas quentes, aromatizado com o cheiro do musgo, da lama e da putrefação. Um nevoeiro tépido pairava no ar, transformando as árvores em sentinelas, altos soldados envoltos em mantos de sombras. Durante as horas diurnas, o bosque brumoso estava frequentemente cheio de nortenhos que vinham rezar aos deuses antigos, mas àquela hora Theon Greyjoy descobriu que o tinha todo para si.

E no coração do bosque, o represeiro aguardava com os seus sabedores olhos vermelhos. Theon parou à beira da lagoa e baixou a cabeça perante a rubra cara esculpida da árvore. Mesmo ali conseguia ouvir os tambores, *bum FIM bum FIM bum FIM bum FIM*. Como trovões distantes, o som parecia vir de todos os lados ao mesmo tempo.

A noite estava sem vento, a neve descia a direito de um frio céu negro, mas as folhas na árvore coração restolhavam mesmo assim.

— Theon — pareciam murmurar — Theon.

*Os deuses antigos*, pensou. *Conhecem-me. Sabem o meu nome. Eu era Theon da Casa Greyjoy. Era protegido de Eddard Stark, amigo e irmão dos seus filhos.*

— Por favor — Caiu sobre os joelhos. — Uma espada, é tudo o que peço. Deixai-me morrer como Theon, não como Cheirete. — Lágrimas escorreram-lhe pela cara, impossivelmente quentes. — Eu era nascido no ferro. Um filho… um filho de Pyke, das ilhas.

Uma folha pairou vinda de cima, roçou-lhe na testa e aterrou na lagoa. Flutuou na água, vermelha, com cinco dedos, como uma mão ensanguentada.

— … Bran — murmurou a árvore.

*Eles sabem. Os deuses sabem. Viram o que eu fiz.* E por um estranho momento pareceu-lhe ser a cara de Bran que estava esculpida no pálido tronco do represeiro, a fitá-lo com olhos vermelhos e sábios e tristes. *O fantasma de Bran*, pensou, mas isso era uma loucura. Porque haveria Bran de o assombrar? Ele gostara do rapaz, nunca lhe fizera qualquer mal. *Não foi Bran que matámos. Não foi Rickon. Eles eram só filhos do moleiro, do moinho junto a Água de Bolotas.*

— Eu tinha de cortar duas cabeças, senão teriam troçado de mim… ter-se-iam rido de mim… eles…

Uma voz disse:

— Com quem estás tu a falar?

Theon rodopiou sobre si próprio, aterrorizado com a possibilidade de Ramsay o ter encontrado, mas eram só as lavadeiras; Holly, Rowan e uma cujo nome não conhecia.

— Com os fantasmas — disse com precipitação. — Eles falam-me em murmúrios. Eles… eles conhecem o meu nome.

— Theon Vira-Mantos. — Rowan agarrou-lhe a orelha, torcendo-a. — Tinhas de cortar duas cabeças, era?

— Senão os homens ter-se-iam *rido* dele — disse Holly.

*Elas não entendem.* Theon libertou-se.

— Que quereis vós? — perguntou.

— Queremos-te a ti — disse a terceira lavadeira, uma mulher mais velha, com uma voz profunda e madeixas grisalhas no cabelo.

— Já te tinha dito. Quero tocar-te, vira-mantos. — Holly sorriu. Na sua mão apareceu uma lâmina.

*Podia gritar*, pensou Theon. *Alguém ouvirá. O castelo está cheio de homens armados.* Estaria morto antes de a ajuda lhe chegar, com certeza, com o sangue a infiltrar-se na terra para ir alimentar a árvore-coração. *E que haveria nisso de errado?*

— Toca-me — disse. — Mata-me. — Havia mais desespero do que desafio na sua voz. — Vá. Acabai comigo como acabastes com os outros. O Picha Amarela e os outros. Fostes vós.

Holly riu-se.

— Como poderíamos ter sido nós? Somos mulheres. Tetas e ratas. Estamos cá para sermos fodidas, não temidas.

— O Bastardo fez-te mal? — perguntou Rowan. — Cortou-te os dedos, foi? Esfolou-te os dedinhos dos pés? Partiu-te os dentes? Pobre moço.

— Deu-lhe palmadinhas na cara. — Não vai haver mais disso, prometo. Rezaste e os deuses enviaram-nos. Queres morrer como Theon? Podemos dar-te isso. Uma morte boa e rápida, não vai doer quase nada. — Sorriu. — Mas só depois de cantares p'ró Abel. Ele 'tá à tua espera.

— Lote noventa e sete. — O leiloeiro fez estalar o chicote. — Um par de anões, bem treinados para o vosso divertimento.

O recinto para leilões fora construído no local onde o largo e castanho Skahazadhan desaguava na Baía dos Escravos. Tyrion Lannister sentia o cheiro a sal no ar, misturado com o fedor que vinha das latrinas escavadas por trás dos cercados para escravos. O calor não o incomodava tanto como a humidade. O próprio ar parecia pesar sobre ele, como uma manta quente e molhada posta sobre a sua cabeça e ombros.

— Cão e porco incluídos no lote — anunciou o leiloeiro. — Os anões montam-nos. Deliciai os convidados do vosso próximo banquete, ou usai-os para um espetáculo.

Os licitadores estavam sentados em bancos de madeira a beber sumos. Alguns tinham escravos a refrescá-los com leques. Muitos usavam *tokars*, essa peculiar peça de vestuário adorada pelo sangue antigo da Baía dos Escravos, tão elegante como pouco prática. Outros vestiam-se com mais simplicidade; homens com túnicas e mantos de capuz, mulheres com sedas coloridas. Rameiras ou sacerdotisas, provavelmente; ali tão para leste era difícil distinguir umas das outras.

Atrás dos bancos, trocando gracejos e ridicularizando o que se ia passando, estava um coágulo de ocidentais. *Mercenários*, compreendeu Tyrion. Viu espadas longas, adagas e punhais, um feixe de machados de arremesso, cota de malha sob os mantos. O cabelo, as barbas e as caras denunciavam a maioria como homens das Cidades Livres, mas aqui e ali havia alguns que podiam ter provindo de Westeros. *Estarão a comprar? Ou será que só apareceram para ver o espetáculo?*

— Quem abre para este par?

— Trezentas — licitou uma matrona num antigo palanquim.

— Quatrocentas — gritou um yunkaita monstruosamente gordo da liteira onde se esparramava como um leviatã. Todo coberto de seda amarela debruada de ouro, parecia tão grande como quatro Illyrios. Tyrion apiedou-se dos escravos que tinham de carregar com ele. *Pelo menos seremos poupados a esse dever. Que alegria, ser um anão.*

— E uma — disse uma velha com um *tokar* violeta. O leiloeiro deitou-lhe um olhar azedo, mas não rejeitou a licitação.

Os marinheiros escravos do *Selaesori Qhoran*, vendidos individualmente, tinham chegado a preços que variavam entre as quinhentas e as novecentas peças de prata. Marinheiros experientes eram mercadoria valiosa. Nenhum dera qualquer tipo de luta quando os esclavagistas abordaram a sua coca mutilada. Para eles, tratava-se apenas de uma mudança de dono. Os imediatos do navio tinham sido homens livres, mas a viúva da borda d'água escrevera para eles uma promissória, prometendo pagar os seus resgates num caso como aquele. Os três dedos fogosos sobreviventes ainda não tinham sido vendidos, mas eram escravos do Senhor da Luz, e podiam esperar serem comprados por um templo vermelho qualquer. As chamas que tinham tatuadas nas caras eram a sua promissória.

Tyrion e Centava não possuíam tais garantias.

— Quatrocentas e cinquenta — soou a licitação.

— Quatrocentas e oitenta.

— Quinhentas.

Algumas licitações eram gritadas em alto valiriano, outras na língua mestiça de Ghis. Alguns compradores faziam sinal com um dedo, com a torção de um pulso ou com o aceno de um leque pintado.

— Estou contente por nos manterem juntos — sussurrou Centava.

O vendedor de escravos atirou-lhes um olhar.

— Nada de conversa.

Tyrion deu um apertão ao ombro de Centava. Madeixas de cabelo, louras claras e negras, aderiam-lhe à testa, os farrapos da túnica pegavam-se-lhe às costas. Parte disso era suor, parte sangue seco. Não fora insensato ao ponto de dar combate aos esclavagistas, como Jorah Mormont fizera, mas isso não significava que tivesse escapado à punição. No seu caso fora a boca a fazer-lhe lucrar chibatadas.

— Oitocentas.

— E cinquenta.

— E uma.

*Valemos tanto como um marinheiro*, refletiu Tyrion. Se bem que o que os compradores queriam talvez fosse a Porca Bonita. *Um porco bem treinado é difícil de arranjar.* Decerto não estavam a licitar ao quilo.

Às novecentas peças de prata a licitação começou a abrandar. Às novecentas e cinquenta e uma (vinda da velha), parou. Mas o leiloeiro farejava dinheiro, e exigiu que os anões dessem à multidão um cheirinho do seu espetáculo. O Trincão e a Porca Bonita foram levados para a plataforma. Sem selas nem arreios, montá-los revelou-se complicado. No momento em que a porca começou a mexer-se, Tyrion escorregou-lhe da garupa e aterrou sobre a sua, provocando um vendaval de gargalhadas vindas dos licitadores.

— Mil — licitou o gordo grotesco.

— E uma. — Outra vez a velha.

A boca de Centava estava congelada num ricto. *Bem treinada para o vosso divertimento.* O pai da rapariga tinha muito por que responder no inferninho que estava reservado para os anões.

— Mil e duzentas. — O leviatã de amarelo. Um escravo a seu lado entregou-lhe uma bebida. *Limão, sem dúvida.* O modo como aqueles olhos amarelos estavam fixos no estrado deixou Tyrion desconfortável.

— Mil e trezentas.

— E uma. — A velha.

*O meu pai sempre disse que um Lannister valia dez vezes o preço de qualquer homem comum.*

Às mil e seiscentas, o ritmo começou a esmorecer, e o mercador de escravos convidou alguns dos compradores a aproximarem-se para examinarem os anões mais de perto.

— A fêmea é nova — prometeu. — Podereis acasalá-los, obter bom dinheiro pelas crias.

— Metade do nariz dele desapareceu — protestou a velha, depois de uma boa olhadela de perto. A sua cara enrugada contraiu-se de desagrado. A pele era branca como a de uma larva; envolta num *tokar* violeta, parecia uma ameixa abolorecida. — E os olhos dele também não combinam. Coisa feia.

— A senhora ainda não viu o meu melhor órgão. — Tyrion agarrou a virilha, para o caso de ela não entender o que queria dizer.

A bruxa silvou de indignação, e Tyrion apanhou com uma lambedela de chicote nas costas, um golpe agudo que o obrigou a ajoelhar. O sabor do sangue encheu-lhe a boca. Sorriu e cuspiu.

— Duas mil — gritou uma nova voz, lá´ atrás entre os bancos.

*E que quererá um mercenário de um anão?* Tyrion voltou a pôr-se em pé para ver melhor. O novo licitador era um homem de uma certa idade, de cabelo branco mas alto e em boa forma, com uma coriácea pele castanha e uma barba grisalha cortada curta. Semiocultos sob um desbotado manto púrpura estavam uma espada longa e um molho de punhais.

— Duas mil e quinhentas. — Uma voz de mulher desta vez; uma rapariga, baixa, com uma cintura larga e seios pesados, vestida com uma ornamentada armadura. A sua esculpida placa de peito de aço negro tinha embutidos de ouro e mostrava uma harpia a erguer-se com correntes penduradas das garras. Um par de soldados escravos erguia-a à altura dos ombros, em cima de um escudo.

— Três mil. — O homem de pele castanha avançou por entre a multidão, com os colegas mercenários a empurrar compradores para abrir caminho. *Sim. Aproxima-te.* Tyrion sabia como lidar com mercenários. Não julgava nem por um momento que aquele homem o quisesse para fazer travessuras em banquetes. *Ele reconhece-me. Tenciona levar-me de volta para Westeros e vender-me à minha irmã.* O anão esfregou a boca para esconder o sorriso. Cersei e os Sete Reinos ficavam a meio mundo de distância. Era mais que muito o que podia acontecer antes de lá chegar. *Dei a volta a Bronn. Dai-me meia hipótese, e pode ser que consiga dar também a volta a este.*

A velha e a rapariga no escudo desistiram da caça às três mil, mas o gordo de amarelo não. Avaliou os mercenários com os seus olhos amarelos, passou a língua pelos dentes amarelos e disse:

— Cinco mil pratas pelo lote.

O mercenário franziu o sobrolho, encolheu os ombros, virou costas.

*Sete infernos.* Tyrion estava bem certo de não querer tornar-se propriedade do imenso Senhor Pançamarela. Vê-lo esparramado na liteira, uma montanha de carne amarelada com olhinhos amarelos de porco e seios tão grandes como a Porca Bonita a empurrar a seda do *tokar,* bastava para arrepiar a pele do anão. E o cheiro que dele se evolava era palpável mesmo no estrado.

— Se não houver mais licitações...

— Sete mil — gritou Tyrion.

Risos ondularam ao longo dos bancos.

— O anão quer comprar-se a si próprio — observou a rapariga sobre o escudo.

Tyrion deitou-lhe um sorriso lascivo.

— Um escravo esperto merece um dono esperto, e vós tendes todos ar de idiotas.

Aquilo provocou mais risos entre os licitadores, e uma carranca ao leiloeiro, o qual afagava o chicote, indeciso, enquanto tentava determinar se aquilo resultaria em seu benefício.

— Cinco mil é um insulto! — gritou Tyrion. — Eu justo, eu canto, eu digo coisas divertidas. Fodo-vos as mulheres e faço-as gritar. Ou a mulher do vosso inimigo, se preferirdes, que melhor maneira haverá para o envergonhar? Sou um assassino com uma besta na mão, e homens com três vezes o meu tamanho intimidam-se e tremem quando nos encontramos à mesa de *cyvasse.* Há quem me tenha visto cozinhar de vez em quando. Licito por mim *dez* mil pratas! E posso pagar, posso, posso. O meu pai disse-me que tenho sempre de pagar as minhas dívidas.

O mercenário do manto púrpura virou-se outra vez. Os seus olhos encontraram os de Tyrion por sobre as fileiras de outros licitadores, e sorriu. *Aquele é um sorriso caloroso,* refletiu o anão. *Amigável. Mas, caramba, aqueles olhos são frios. Afinal sou capaz de não querer que ele nos compre.*

A enormidade amarela estava a torcer-se na liteira, com um ar de aborrecimento na sua enorme cara de tarte. Resmungou qualquer coisa amarga em ghiscari, que Tyrion não entendeu, mas o tom era suficientemente claro.

— Aquilo foi outra licitação? — O anão inclinou a cabeça. — Ofereço todo o ouro de Rochedo Casterly.

Ouviu o chicote antes de o sentir, um assobio no ar, agudo e penetrante. Tyrion grunhiu sob o golpe, mas daquela vez conseguiu permanecer em pé. Os seus pensamentos recuaram aos princípios daquela viagem, quando o seu problema mais premente fora decidir que vinho beber com os caracóis a meio da manhã. *É para veres as consequências que tem caçar dragões.* Uma gargalhada saltou dos seus lábios, salpicando a primeira fila de compradores com sangue e cuspo.

— Estás vendido — anunciou o leiloeiro. Depois voltou a bater-lhe, só porque podia fazê-lo. Daquela vez Tyrion caiu.

Um dos guardas voltou a pô-lo em pé com brusquidão. Outro empurrou Centava para fora da plataforma com o cabo da lança. O escravo estava já a ser levado para ocupar o lugar deles. Uma rapariga, com quinze ou dezasseis anos, que não provinha do *Selaesori Qhoran.* Tyrion não a conhecia. *Da mesma idade de Daenerys Targaryen, ou perto disso.* O vendedor de escravos depressa a deixou nua. *Pelo menos fomos poupados a essa humilhação.*

Tyrion olhou para lá do acampamento yunkaita, para as muralhas de Meereen. Aqueles portões pareciam tão próximos… e se era possível acreditar no que se dizia nos cercados dos escravos, Meereen permanecia por enquanto uma cidade livre. Dentro daquelas muralhas arruinadas, a escravatura e o comércio de escravos continuavam proibidos. Tudo o que tinha de fazer era alcançar aqueles portões e ultrapassá-los, e voltaria a ser um homem livre.

Mas isso era praticamente impossível, a menos que abandonasse Centava. *Ela ia querer levar consigo o cão e a porca.*

— Não vai ser assim tão terrível, pois não? — sussurrou Centava. — Ele pagou tanto por nós. Vai ser gentil, não vai?

*Enquanto o divertirmos.*

— Somos demasiado valiosos para sermos maltratados — garantiu-lhe, ainda com sangue a correr-lhe pelas costas devido às últimas duas chicotadas. *Mas quando o nosso espetáculo perder interesse… e perde, perde interesse…*

O capataz do amo estava à espera para tomar posse deles, com uma carroça puxada por mulas e dois soldados. Tinha uma longa cara estreita e uma pera atada com fio de ouro, e o seu rígido cabelo negro arruivado partia-lhe das têmporas para ir formar um par de mãos providas de garras.

— Que criaturinhas queridas vós sois — disse. — Fazeis-me lembrar os meus filhos… ou faríeis, se os pequerruchos não estivessem mortos. Eu tomarei bem conta de vós. Dizei-me os vossos nomes.

— Centava. — A voz dela era um sussurro, pequeno e assustado.

*Tyrion da Casa Lannister, legítimo senhor de Rochedo Casterly, meu verme ranhoso.*

— Yollo.

— Ousado Yollo. Brilhante Centava. Sois propriedade do nobre e valoroso Yezzan zo Qaggaz, erudito e guerreiro, reverenciado entre os Sábios Mestres de Yunkai. Considerai-vos afortunados, pois Yezzan é um amo amável e benevolente. Pensai nele como pensaríeis no vosso pai.

*De bom grado*, pensou Tyrion, mas daquela vez dominou a língua. Teriam de atuar para o novo amo bem depressa, não duvidava, e não conseguiria aguentar outra chicotada.

— O vosso pai adora acima de tudo os seus tesouros especiais, e vai estimar-vos — estava o capataz a dizer. — Quanto a mim, pensai em mim como pensaríeis na ama-seca que cuidou de vós quando éreis pequenos. É *Amasseca* que todos os meus filhos me chamam.

— Lote noventa e nove — gritou o leiloeiro. — Um guerreiro.

A rapariga fora vendida depressa e estava a ser embrulhada para o seu novo dono, apertando a roupa a pequenos seios de pontas cor-de-rosa. Dois vendedores de escravos arrastaram Jorah Mormont para o estrado a fim de ocupar o lugar dela. O cavaleiro estava nu à exceção de uma tanga, com as costas em carne viva por causa do chicote e a cara tão inchada que estava quase irreconhecível. Grilhetas prendiam-lhe os pulsos e os tornozelos. *Um saborzinho da refeição que cozinhou para mim*, pensou Tyrion, mas descobriu que não conseguia retirar nenhum prazer da desgraça do grande cavaleiro.

Mesmo agrilhoado, Mormont parecia perigoso, um volumoso brutamontes com braços grossos e ombros inclinados. Todos aqueles pelos ásperos e escuros que tinha no peito faziam com que parecesse mais animal do que homem. Tinha ambos os olhos enegrecidos, dois poços escuros naquela cara grotescamente inchada. Numa bochecha ostentava uma marca: uma máscara de demónio.

Quando os esclavagistas abordaram o *Selaesori Qhoran*, Sor Jorah enfrentara-os de espada na mão, matando três antes de o dominarem. Os camaradas desses três homens tê-lo-iam matado de bom grado, mas o capitão proibira-o; um guerreiro valia sempre boa prata. E assim Mormont fora acorrentado a um remo, espancado quase até à morte, deixado à fome e marcado.

— Este é grande e forte — declarou o leiloeiro. — Tem genica com fartura. Dará um bom espetáculo nas arenas de combate. Quem quer começar às trezentas?

Ninguém quis.

Mormont não prestou atenção à multidão variegada; os seus olhos estavam fixos para lá das linhas de cerco, na cidade distante com as antigas muralhas de tijolos multicoloridos. Tyrion conseguia ler aquele olhar tão facilmente como um livro: *tão perto, e no entanto tão distante.* O pobre desgraçado regressara tarde demais. Os guardas do cercado tinham-lhes dito, rindo, que Daenerys Targaryen estava casada. Tomara como seu rei um esclavagista meereenês, tão rico como nobre, e quando a paz fosse assinada e selada, as arenas de combate de Meereen voltariam a abrir. Outros escravos insistiam que os guardas estavam a mentir, que Daenerys Targaryen nunca faria a paz com esclavagistas. Chamavam-lhe *Mhysa*. Alguém lhe disse que isso queria dizer *Mãe*. Em breve a rainha prateada sairia da sua cidade, esmagaria os yunkaitas e quebrar-lhes-ia as correntes, sussurravam uns com os outros.

*E depois vai fazer para todos nós uma torta de limão e beija-nos os dói-dóis e cura-os*, pensou o anão. Não tinha qualquer confiança em salvamentos régios. Se fosse necessário, trataria pessoalmente de os salvar. Os cogumelos enfiados na ponta da bota deviam chegar para ele e para Centava. Trincão e a Porca Bonita teriam de cuidar de si próprios.

O Amasseca continuava ainda a desbobinar a lição às novas presas do seu amo.

— Fazei tudo o que vos disserem e nada mais, e vivereis como senhorzinhos, apaparicados e adorados — prometeu. — Se desobedecerdes… mas vós nunca faríeis isso, pois não? Os meus queridinhos não fariam tal coisa. — Estendeu a mão e beliscou Centava na bochecha.

— Então duzentos — disse o leiloeiro. — Um grande bruto como este, vale três vezes mais. Que guarda-costas dará! Nenhum inimigo se atreverá a molestar-vos!

— Vinde, meus amiguinhos — disse o Amasseca — eu levo-vos para a vossa nova casa. Em Yunkai vivereis na pirâmide dourada de Qaggaz e jantareis em pratos de prata, mas aqui vivemos simplesmente, nas humildes tendas de soldados.

— Quem me quer dar cem? — gritou o leiloeiro.

Aquilo finalmente ocasionou uma licitação, embora fosse apenas cinquenta pratas. O licitador era um homem magro com um avental de couro.

— E uma — disse a velha do *tokar* violeta.

Um dos soldados içou Centava para cima do carro de mulas.

— Quem é a velha? — perguntou-lhe o anão.

— Zahrina — disse o homem. — Dedos sovinas. Carne para heróis. O vosso amigo morto depressa.

*Ele não era amigo meu.* Mas Tyrion Lannister deu por si a virar-se para Amasseca e a dizer:

— Não podes deixar que ela fique com ele.

Amasseca olhou-o de viés.

— Que ruído é esse que estás a fazer?

Tyrion apontou.

— Aquele faz parte do nosso espetáculo. O urso e a bela donzela. Jorah é o urso, Centava é a donzela, eu sou o bravo cavaleiro que a salva. Danço por aí e bato-lhe nos tomates. Muito engraçado.

O capataz olhou o estrado de viés.

— Ele? — A licitação por Jorah Mormont chegara às duzentas pratas.

— E uma — disse a velha no *tokar* violeta.

— O vosso urso. Estou a ver. — O Amasseca atravessou apressadamente a multidão, dobrou-se sobre o enorme yunkaita deitado na liteira, murmurou-lhe ao ouvido. O amo anuiu, fazendo oscilar os queixos, depois ergueu o leque.

— Trezentas — gritou numa voz asmática.

A velha pôs-se hirta e virou costas.

— Porque foi que fizeste aquilo? — perguntou Centava, no idioma comum.

*Boa pergunta*, pensou Tyrion. *Porque foi que o fiz?*

— O teu espetáculo estava a tornar-se aborrecido. Todos os saltimbancos precisam de um urso dançarino.

A rapariga deitou-lhe um olhar reprovador, depois retirou-se para o interior da carroça e sentou-se com os braços em volta de Trincão, como se o cão fosse o único verdadeiro amigo que tinha no mundo. *E talvez seja.*

O Amasseca regressou com Jorah Mormont. Dois dos soldados escravos do seu amo atiraram-no para cima do carro de mulas, entre os anões. O cavaleiro não resistiu. *Perdeu toda a vontade de lutar quando ouviu dizer que a sua rainha tinha casado*, compreendeu Tyrion. Uma palavra murmurada fizera aquilo de que punhos, chicotes e mocas não tinham sido capazes; quebrara-o. *Devia ter deixado que a velha ficasse com ele. Vai ser tão útil como mamilos numa placa de peito.*

O Amasseca subiu para a carroça e pegou nas rédeas, e partiram pelo acampamento sitiante até ao recinto do novo amo, o nobre Yezzan zo Qaggaz. Quatro soldados escravos marchavam ao lado deles, dois de cada lado da carroça.

Centava não chorou, mas tinha os olhos vermelhos e infelizes, e não os tirou de Trincão. *Será que ela pensa que tudo isto desaparece se não olhar?*

Sor Jorah Mormont não olhava para nada nem para ninguém. Mantinha-se enrolado, a cismar, preso pelas grilhetas.

Tyrion olhava para tudo e todos.

O acampamento yunkaita não era um acampamento, mas uma centena de acampamentos erguidos lado a lado num crescente em volta das muralhas de Meereen; uma cidade de seda e lona com as suas próprias avenidas e vielas, tabernas e prostitutas, bons e maus bairros. Entre as linhas de cerco e a baía tinham brotado tendas como cogumelos amarelos. Algumas eram pequenas e mal feitas, não passavam de um bocado de velha lona manchada para manter o sol e a chuva afastados, mas ao lado delas erguiam-se tendas de aquartelamento suficientemente grandes para nelas dormir uma centena de homens, e pavilhões de seda grandes como palácios, com harpias a cintilar no topo dos mastros. Alguns acampamentos eram ordeiros, com as tendas dispostas em círculos concêntricos em volta de uma fogueira, com armas e armaduras empilhadas em volta do anel interior e linhas para cavalos no exterior. Noutros, parecia reinar o puro caos.

As planícies secas e ressequidas em volta de Meereen eram planas e nuas e sem árvores por longas léguas, mas os navios yunkaitas tinham trazido madeira e peles do sul, em quantidade suficiente para construir seis enormes trabucos. Estavam dispostos de três lados da cidade, todos menos o lado do rio, rodeados por pilhas de pedras partidas e barris de piche e resina apenas à espera de um archote. Um dos soldados que caminhava junto da carroça viu para onde Tyrion estava a olhar e disse-lhe com orgulho que a cada um dos trabucos fora dado um nome: Quebra-dragões, Prostituta, Filha da Harpia, Irmã Malvada, Fantasma de Astapor, Punho de Mazdhan. Erguendo-se acima das tendas a uma altura de doze metros, os trabucos eram os principais pontos de referência do acampamento dos sitiantes.

— Bastou vê-los para pôr a rainha dos dragões de joelhos — vangloriou-se. — E aí vai ficar, a mamar na nobre picha de Hizdahr, senão fazemos as muralhas dela em cascalho.

Tyrion viu um escravo a ser chicoteado, golpe atrás de golpe, até ficar com as costas feitas sangue e carne viva. Uma fila de homens passou a marchar, a ferros, tinindo a cada passo. Levavam lanças e usavam espadas curtas, mas correntes ligavam-nos pulso com pulso e tornozelo com tornozelo. O ar cheirava a carne assada, e viu um homem a esfolar um cão para a panela.

Também viu os mortos e ouviu os moribundos. Sob o fumo que pairava no ar, o cheiro a cavalos e o penetrante cheiro salgado da baía, havia um fedor a sangue e a merda. *Uma fluxão qualquer*, compreendeu, enquanto via dois mercenários tirar o cadáver de um terceiro de uma das tendas.

Isso fê-lo torcer os dedos. Ouvira o pai dizer uma vez que a doença podia dizimar um exército mais depressa do que qualquer batalha.

*Mais um motivo para fugir, e depressa.*

Um quarto de milha mais à frente, descobriu um bom motivo para pensar melhor. Formara-se uma multidão em volta de três escravos capturados enquanto tentavam escapar.

— Eu sei que os meus tesourinhos serão doces e obedientes — disse. — Vede o que acontece àqueles que tentam fugir.

Os cativos tinham sido atados a uma fila de traves e um par de fundibulários estava a usá-los para testar a sua perícia.

— Tolosinos — disse-lhes um dos guardas. — Os melhores fundibulários do mundo. Atiram bolas de chumbo mole em vez de pedras.

Tyrion nunca entendera o objetivo das fundas, quando os arcos tinham um alcance tão superior... mas nunca tinha visto tolosinos em ação. As suas bolas de chumbo causavam muito mais danos do que as pedras lisas que os outros fundibulários usavam, e também mais do que qualquer seta. Uma atingiu o joelho de um dos cativos, e este rebentou numa chuva de sangue e osso que deixou a perna do homem pendurada por um tendão vermelho escuro. *Bem, ele não voltará a fugir*, concedeu Tyrion, enquanto o homem desatava a gritar. Os guinchos dele misturaram-se no ar da manhã com os risos das seguidoras de acampamentos e com as pragas daqueles que tinham apostado bom dinheiro no falhanço do fundibulário. Centava afastou o olhar, mas o Amasseca pegou-lhe no queixo e voltou a virar-lhe a cabeça para a cena.

— Observa — ordenou. — Tu também, urso.

Jorah Mormont ergueu a cabeça e fitou o Amasseca. Tyrion via a tensão nos seus braços. *Vai esganá-lo, e isso será o fim de todos nós.* Mas o cavaleiro limitou-se a fazer uma careta, após o que se virou para observar o sangrento espetáculo.

Para leste, as maciças muralhas de tijolo de Meereen tremeluziam ao calor da manhã. Esse era o refúgio que aqueles pobres patetas tinham esperado alcançar. *Mas durante quanto tempo continuará a ser um refúgio?*

Todos os três aspirantes a fugitivos estavam mortos antes do Amasseca voltar a pegar nas rédeas. O carro de mulas continuou a avançar.

O acampamento do amo deles ficava a sul e a leste da Prostituta, quase à sua sombra e estendia-se ao longo de vários acres. A humilde tenda de Yezzan zo Qaggaz revelou-se um palácio de seda cor de limão. Harpias douradas erguiam-se no topo dos mastros centrais de cada um dos seus nove telhados bicudos, brilhando ao sol. Tendas menores rodeavam-na por todos os lados.

— Aqueles são os alojamentos dos cozinheiros, das concubinas e dos guerreiros do nosso nobre amo, e de alguns dos seus familiares menos próximos — disse-lhes o Amasseca — mas vós, queridinhos, tereis o raro privilégio de dormir dentro do pavilhão do próprio Yezzan. Agrada-lhe manter as suas criaturas por perto. — Franziu o sobrolho a Mormont. — Tu não, urso. És grande e feio, ficarás acorrentado cá fora. — O cavaleiro não respondeu. — Mas primeiro arranjaremos coleiras para todos.

As coleiras eram feitas de ferro, ligeiramente douradas para as fazer brilhar à luz. O nome de Yezzan estava gravado no metal em glifos valirianos, e um par de minúsculas campainhas estava preso por baixo das orelhas de forma que cada passo de quem as usava produzia um alegre tilintar. Jorah Mormont aceitou a sua coleira num silêncio carrancudo, mas Centava desatou a chorar enquanto o armeiro colocava a dela no lugar.

— É tão pesada — queixou-se.

Tyrion apertou-lhe a mão.

— É de ouro maciço — mentiu. — Em Westeros, as senhoras de nascimento elevado sonham com um colar como esse. — *Antes uma coleira do que uma marca. Uma coleira pode ser tirada.* Lembrou-se de Shae, e do modo como a corrente de ouro reluzira quando a apertara mais e mais em volta da sua garganta.

Depois, o Amasseca mandou prender as correntes de Sor Jorah a uma estaca perto da fogueira, enquanto levava os dois anões para dentro do pavilhão do amo e lhes mostrava o sítio onde iriam dormir, numa alcova atapetada separada da tenda principal por paredes de seda amarela. Iam partilhar aquele espaço com os outros tesouros de Yezza; um rapaz com umas "pernas de cabra" torcidas e peludas, uma rapariga de duas cabeças oriunda de Mantarys, uma mulher barbuda e uma criatura graciosa chamada Doces que se vestia de selenite e renda de Myr.

— Estais a tentar decidir se sou homem ou mulher — disse Doces quando foi posta perante os anões. Depois ergueu as saias e mostrou-lhes o que estava por baixo. — Sou as duas coisas, e é de mim que o amo mais gosta.

*Uma coleção de aberrações,* compreendeu Tyrion. *Algures, há um deus qualquer que se está a rir.*

— Adorável — disse a Doces, com o seu cabelo purpúreo e olhos violeta — mas tínhamos a esperança de ser os bonitos, para variar.

Doces soltou um risinho, mas o Amasseca não se mostrou divertido.

— Guarda os gracejos para esta noite, quando atuares para o nosso nobre amo. Se lhe agradares, serás bem recompensado. Se não... — Esbofeteou a cara de Tyrion.

— Vais querer ter cuidado com o Amasseca — disse Doces depois do capataz se ir embora. — Ele é o único verdadeiro monstro que aqui há. — A mulher barbuda falava uma variedade incompreensível de ghiscari, o rapaz cabra uma mistura gutural de marinheiros chamada fala mercantil. A rapariga de duas cabeças era fraca da cabeça; uma cabeça não era maior do que uma laranja e não falava de todo, a outra tinha dentes aguçados e era habitual que rosnasse a quem quer que se aproximasse demasiado da sua jaula. Mas Doces era fluente em quatro línguas, uma das quais alto valiriano.

— Como é o amo? — perguntou Centava com ansiedade.

— Tem os olhos amarelos e fede — disse Doces. — Há dez anos foi a Sothoros, e tem vindo a apodrecer por dentro desde então. Se o fizeres esquecer que está a morrer, mesmo se um bocadinho, pode ser muito generoso. Não lhe recuses nada.

Só tiveram a tarde para aprender os costumes dos escravos. Os escravos corporais de Yezzan encheram uma banheira de água quente, e os anões foram autorizados a tomar banho; Centava primeiro, depois Tyrion. Depois, outro escravo espalhou um unguento picante pelos cortes nas suas costas para impedir que gangrenassem, após o que os cobriu com um cataplasma fresco. O cabelo de Centava foi cortado e a barba de Tyrion sofreu uma aparadela. Foram-lhes dados chinelos suaves e roupa fresca, simples mas limpa.

Quando a noite caiu, o Amasseca regressou para lhes dizer que estava na altura de envergarem as armaduras de saltimbancos. Yezzan ia receber o supremo comandante yunkaita, o nobre Yurkhaz zo Yunzak, e esperava-se que eles atuassem.

— Deverei desacorrentar o vosso urso?

— Esta noite não — disse Tyrion. — Justemos primeiro para o nosso amo e guardemos o urso para outra ocasião.

— Muito bem. Depois de acabardes as cabriolas, ireis ajudar a servir. Tratai de não derramar bebida sobre os convidados, caso contrário pagareis por isso.

Um malabarista deu início aos divertimentos da noite. Depois veio um trio de enérgicos acrobatas. Depois deles, o rapaz das pernas de cabra apareceu e dançou uma grotesca jiga enquanto um dos escravos de Yurkhaz tocava numa flauta de osso. Tyrion sentiu-se inclinado a perguntar-lhe se ele conhecia "As Chuvas de Castamere." Enquanto esperavam a sua vez de atuar, observou Yezzan e os convidados. A ameixa humana no lugar de honra era claramente o supremo comandante yunkaita, o qual parecia tão impressionante como um banco desconjuntado. Viera acompanhado de uma dúzia de outros senhores yunkaitas. Dois capitães mercenários também estavam presentes, cada um acompanhado por uma dúzia de homens da sua companhia. Um era um pentoshi elegante, de cabelo grisalho e vestido de seda, à exceção do manto, uma coisa esfarrapada feita de dúzias de faixas de tecido rasgado e manchado de sangue. O outro capitão era o homem que tentara comprá-lo naquela manhã, o licitante de pele castanha com a barba grisalha.

— Ben Castanho Plumm — chamou-lhe Doces. — Capitão dos Segundos Filhos.

*Um westerosiano e um Plumm. Cada vez melhor.*

— Vós sois a seguir — informou o Amasseca. — Sede divertidos, queridinhos, senão ireis desejar tê-lo sido.

Tyrion não dominara metade dos velhos truques de Tostão, mas conseguia montar a porca, cair quando devia, rolar e voltar a pôr-se de pé. Tudo isso acabou por ser bem recebido. Ver gente pequena a correr ebriamente de um lado para o outro e a bater uma na outra com armas de madeira parecia ser tão hilariante num acampamento de sitiantes nas margens da Baía dos Escravos como no banquete de casamento de Joffrey em Porto Real. *Desprezo*, pensou Tyrion, *a língua universal.*

O amo Yezzan ria-se mais ruidosamente e durante mais tempo sempre que um dos seus anões sofria uma queda ou apanhava com um golpe, com todo o vasto corpo a sacudir-se como sebo num tremor de terra; os seus convidados esperavam para ver como Yurkhaz zo Yunzak reagia antes de se lhe juntarem. O supremo comandante parecia tão débil que Tyrion teve receio de que rir pudesse matá-lo. Quando o elmo de Centava foi atingido e voou até ao colo de um yunkaita de expressão azeda vestido com um *tokar* às riscas verdes e douradas, Yurkhaz cacarejou como uma galinha. Quando esse senhor meteu a mão no elmo e de lá tirou um grande melão purpúreo a pingar polpa, arquejou até ficar com a cara da mesma cor do fruto. Virou-se para o seu anfitrião e murmurou qualquer coisa que fez o amo dos anões rir-se à gargalhada e lamber os lábios… se bem que parecesse a Tyrion que havia um sinal de ira naqueles olhos rachados e amarelos.

Depois, os anões tiraram as armaduras de madeira e a roupa ensopada em suor que tinham por baixo e vestiram as frescas túnicas amarelas que lhes tinham sido fornecidas para servirem. A Tyrion foi dado um jarro de vinho purpúreo, a Centava um jarro de água. Deslocaram-se pela tenda enchendo taças, fazendo murmurar os chinelos em tapetes espessos. Era um trabalho mais duro do que parecia. Tyrion não demorou muito a ficar com fortes cãibras nas pernas, e um dos golpes nas suas costas recomeçara a sangrar, espalhando vermelho pelo linho amarelo da túnica. Tyrion mordeu a língua e continuou a servir.

A maioria dos convidados não lhes prestou mais atenção do que aos outros escravos… mas um yunkaita declarou ebriamente que Yezzan devia obrigar os dois anões a foder, e outro exigiu saber como fora que Tyrion perdera o nariz. Quase respondeu: *Enfiei-o na cona da tua mulher, e ela arrancou-mo à dentada*... mas a tempestade persuadira-o de que ainda não queria morrer, portanto disse:

— Foi cortado para me punir por insolência, senhor.

Então, um nobre de *tokar* azul fimbriado de olhos-de-tigre lembrou-se de que Tyrion se gabara da sua perícia no *cyvasse* durante o leilão.

— Testemo-lo — disse. Um tabuleiro e um conjunto de peças foram devidamente apresentados. Escassos momentos mais tarde, o nobre ruborizado virou o tabuleiro numa fúria, espalhando as peças pelos tapetes ao som de gargalhadas yunkaitas.

— Devias tê-lo deixado ganhar — murmurou Centava.

O Ben Castanho Plumm ergueu o tabuleiro caído, sorrindo.

— Testa-me a seguir, anão. Quando eu era mais novo, os Segundos Filhos aceitaram um contrato com Volantis. Aprendi lá a jogar.

— Eu sou só um escravo. O meu nobre amo decide quando e com quem jogo. — Tyrion virou-se para Yezzan. — Meu amo?

O senhor amarelo pareceu divertido pela ideia.

— Que aposta propondes, capitão?

— Se eu ganhar, dai-me este escravo — disse Plumm.

— Não — disse Yezzan zo Qaggaz. — Mas se conseguirdes derrotar o meu anão, dou-vos o preço que paguei por ele, em ouro.

— Feito — disse o mercenário. As peças espalhadas foram recolhidas do tapete e sentaram-se para jogar.

Tyrion ganhou o primeiro jogo. Plumm conquistou o segundo, duplicando a aposta. Quando se prepararam para o terceiro embate, o anão estudou o seu oponente. De pele castanha, com as bochechas e o queixo cobertos por uma densa barba cortada curta, cinzenta e branca, a cara fendida por um milhar de rugas e algumas cicatrizes antigas, Plumm tinha um ar amigável, especialmente quando sorria. *O fiel servidor*, decidiu Tyrion. *O tio favorito de qualquer um, cheio de gargalhadinhas, velhos ditados e rude sabedoria*. Era tudo um embuste. Aqueles sorrisos nunca tocavam os olhos de Plumm, onde a cobiça se escondia por trás de um véu de cautela. *Este é faminto, mas prudente.*

O mercenário era um jogador quase tão mau como o nobre yunkaita, mas a sua forma de jogar era impassível e tenaz em vez de ousada. As suas formações de abertura eram sempre diferentes, mas sempre iguais; conservadoras, defensivas, passivas. *Ele não joga para ganhar*, compreendeu Tyrion. *Joga para não perder*. Funcionara com o segundo jogo, quando o homenzinho se ultrapassara com um assalto pouco sensato. Não funcionou com o terceiro jogo, nem com o quarto, nem com o quinto, que acabou por ser o último.

Perto do fim desse último embate, com a sua fortaleza em ruínas, o dragão morto, elefantes à sua frente e cavalaria pesada a circundar a retaguarda, Plumm ergueu os olhos, sorrindo, e disse:

— Yollo volta a ganhar. Morte em quatro jogadas.

— Três. — Tyrion deu pancadinhas no dragão. — Tive sorte. Talvez devêsseis dar uma boa esfregadela à minha cabeça antes do nosso próximo jogo, capitão. Alguma dessa sorte talvez se transmitisse aos vossos dedos.
— *Perderás na mesma, mas talvez me dês mais luta.* Sorrindo, afastou-se da mesa de *cyvasse*, pegou no jarro de vinho e voltou a servi-lo com Yezzan zo Qaggaz consideravelmente mais rico e o Ben Castanho Plumm consideravelmente empobrecido. O seu gargantuesco amo caíra num sono ébrio durante o terceiro jogo, deixando escorregar o cálice dos dedos amarelecidos para ir derramar o conteúdo no tapete, mas talvez ficasse satisfeito quando acordasse.

Quando o supremo comandante Yurkhaz zo Yunzak se foi embora, sustentado por um par de corpulentos escravos, isso pareceu ser um sinal para os outros convidados se retirarem também. Depois de a tenda se esvaziar, o Amasseca reapareceu para dizer aos servidores que podiam obter o seu próprio banquete dos restos.

— Comei depressa. Tudo isto tem de estar outra vez limpo antes de irdes dormir.

Tyrion estava de joelhos, com as pernas a doer e as costas ensanguentadas a gritar de dor, tentando lavar a nódoa que o vinho derramado do nobre Yezzan deixara no tapete do nobre Yezzan, quando o capataz lhe bateu gentilmente na cara com a ponta do chicote.

— Yollo. Estiveste bem. Tu e a tua mulher.

— Ela não é minha mulher.

— A tua rameira, nesse caso. Em pé, os dois.

Tyrion levantou-se instavelmente, com uma perna a tremer debaixo do corpo. Sentia as coxas feitas em nós, com tantas cãibras que Centava teve de lhe estender uma mão para o ajudar a pôr-se em pé.

— Que foi que nós fizemos?

— Mais que muito — disse o capataz. — O Amasseca disse que seríeis recompensados se agradásseis ao vosso pai, não disse? Embora o nobre Yezzan deteste perder os seus tesourinhos, como vistes, Yurkhaz zo Yunzak convenceu-o de que seria um egoísmo guardar para si umas palhaçadas tão engraçadas. Rejubilai! Para celebrar a assinatura da paz, tereis a honra de justar na Grande Arena de Daznak. Milhares de pessoas virão ver-vos! Dezenas de milhares! E, oh, como nos riremos!

O Solar de Corvarbor era antigo. Musgo crescia, denso, entre as suas pedras antigas, trepando pelas muralhas como as veias nas pernas de uma velha. Duas enormes torres flanqueavam o portão principal do castelo, e torres mais pequenas defendiam cada ângulo das suas muralhas. Todas eram quadradas. Torres redondas e em meia-lua aguentavam melhor contra catapultas, visto que as pedras arremessadas tendiam a ricochetear numa parede curva, mas Corvarbor antecedia esse fragmento específico de sabedoria arquitetónica.

O castelo dominava o largo vale fértil a que tanto os mapas como os homens chamavam Vale da Floresta Negra. Vale era, sem sombra de dúvida, mas não crescia lá qualquer floresta há vários milhares de anos, fosse ela negra, castanha ou verde. Em tempos, sim, mas há muito que os machados tinham derrubado as árvores. Casas, moinhos e fortalezas tinham-se erguido onde em tempos altos carvalhos cresciam. O terreno estava nu e lamacento, e salpicado, aqui e ali, com montes de neve em fusão.

No interior das muralhas do castelo, contudo, ainda restava um bocado da floresta. A Casa Blackwood mantinha-se fiel aos deuses antigos, e rezava como os Primeiros Homens rezavam nos dias anteriores à chegada dos ândalos a Westeros. Dizia-se que algumas das árvores no seu bosque sagrado eram tão velhas como as torres quadradas de Corvarbor, especialmente a árvore-coração, um represeiro de um tamanho colossal cujos ramos superiores se viam a léguas de distância, como dedos ossudos a arranhar o céu.

Quando Jaime Lannister e a sua escolta ziguezaguearam pelas colinas onduladas até ao vale, pouco restava dos campos, quintas e pomares que outrora tinham rodeado Corvarbor; só lama e cinzas, e aqui e ali as cascas enegrecidas de casas e moinhos. Ervas daninhas, espinheiros e urtigas cresciam nessa terra desolada, mas nada a que se pudesse chamar cultivo. Jaime via a mão do pai por todo o lado, mesmo nos ossos que por vezes vislumbravam à beira da estrada. A maior parte eram ossos de ovelha, mas também havia cavalos e gado, e de vez em quando um crânio humano, ou um esqueleto sem cabeça com ervas daninhas a espreitar entre as costelas.

Nenhuma grande hoste rodeava Corvarbor, como Correrrio fora rodeado. Aquele cerco era coisa mais íntima, o último passo numa dança que recuava muitos séculos. Jonos Bracken tinha, no máximo, quinhentos homens em volta do castelo. Jaime não viu torres de cerco, não viu aríetes, não viu catapultas. Bracken não pretendia quebrar os portões de Corvarbor, nem tomar de assalto as suas altas e grossas muralhas. Sem perspetiva de libertação à vista, contentava-se em derrotar o rival pela fome. Sem dúvida teria havido surtidas e escaramuças no início do cerco, e setas a voar de um lado para o outro; meio ano depois, toda a gente estava demasiado cansada para tais disparates. O aborrecimento e a rotina, os inimigos da disciplina, tinham conquistado o seu lugar.

*Já passa da altura disto terminar*, pensou Jaime Lannister. Com Correrio agora bem seguro em mãos Lannister, Corvarbor era o último resquício do breve reino do Jovem Lobo. Depois do castelo se render, o seu trabalho ao longo do Tridente estaria concluído, e ficaria livre para regressar a Porto Real. *Para junto do rei*, disse a si próprio, mas outra parte de si sussurrou: *para junto de Cersei.*

Supunha que teria de a enfrentar. Partindo do princípio de que o Alto Septão não a tivesse já mandado matar quando regressasse à cidade. "*Vem imediatamente,*" escrevera ela, na carta que mandara Peck queimar em Correrio. "*Ajuda-me. Salva-me. Preciso agora de ti como nunca antes precisei. Amo-te. Amo-te. Amo-te. Vem imediatamente.*" A necessidade da irmã era bastante real, disso Jaime não duvidava. Quanto ao resto... *tem andado a foder Lancel, Osmund Kettleblack e o Rapaz Lua, tanto quanto sei...* Mesmo se tivesse regressado não podia nutrir esperança de a salvar. Era culpada de todas as traições de que era acusada, e a ele faltava uma mão da espada.

Quando a coluna surgiu a trote nos campos, as sentinelas fitaram-na com mais curiosidade do que medo. Ninguém fez soar o alarme, o que convinha bastante a Jaime. O pavilhão do Lorde Bracken não se revelou difícil de encontrar. Era o maior do acampamento e o melhor situado; erguido no topo de uma pequena elevação ao lado de um ribeiro, tinha vista desobstruída para dois dos portões de Corvarbor.

A tenda era castanha, como o estandarte que esvoaçava do mastro central, onde o garanhão vermelho da Casa Bracken se empinava por cima do seu escudete dourado. Jaime deu ordem de desmontar, e disse aos seus homens que podiam conviver se o desejassem.

— Vós os dois, não — disse aos porta-estandartes. — Ficai por perto. Isto não me vai reter por muito tempo. — Jaime saltou de cima de Honra e dirigiu-se a passos largos para a tenda de Bracken, com a espada a chocalhar na bainha.

Os guardas em frente da aba da tenda trocaram um olhar ansioso quando ele se aproximou.

— Senhor — disse um deles. — Devemos anunciar-vos?

— Eu anuncio-me a mim próprio. — Jaime empurrou a aba para o lado com a mão dourada, e inclinou-se para entrar.

Estavam bem mergulhados na coisa quando entrou, tão concentrados no cio que nenhum dos dois reparou na sua chegada. A mulher tinha os olhos fechados. As suas mãos agarravam os pelos ralos e castanhos nas costas de Bracken. Arquejava de todas as vezes que ele entrava nela. A cabeça de sua senhoria estava enterrada nos seios dela, as suas mãos agarravam-se-lhe às ancas. Jaime pigarreou.

— Lorde Jonos.

Os olhos da mulher abriram-se num rompante, e ela soltou um guincho sobressaltado. Jonos Bracken rolou de cima dela, estendeu a mão para a bainha da espada, e levantou-se de aço nu na mão, praguejando.

— *Sete malditos infernos* — começou — *quem se atreve...* — Então viu o manto branco e a placa de peito dourada de Jaime. A ponta da sua espada caiu. — Lannister?

— Lamento incomodar o vosso prazer, senhor — disse Jaime com um meio sorriso — mas tenho uma certa pressa. Podemos conversar?

— Conversar. Sim. — Lorde Jonos embainhou a espada. Não era tão alto como Jaime, mas era mais pesado, com ombros grossos e braços que teriam enchido um ferreiro de inveja. Uma barba castanha por fazer cobria-lhe as bochechas e o queixo. Os olhos também eram castanhos, e escondiam mal a ira que continham. — Apanhastes-me desprevenido, senhor. Não fui informado da vossa vinda.

— E eu pareço ter impedido a vossa. — Jaime sorriu à mulher que estava na cama dele. Tinha uma mão sobre o seio esquerdo e a outra entre as pernas, o que deixava o seio direito à mostra. Os mamilos eram mais escuros do que os de Cersei e tinham o triplo do tamanho. Quando sentiu o olhar de Jaime tapou o mamilo direito, mas isso descobriu-lhe o púbis. — As seguidoras de acampamentos serão todas tão modestas? — perguntou. — Se um homem quer vender os seus nabos, precisa de os pôr à vista.

— Estais a olhar para os meus nabos desde que chegastes, sor. — A mulher descobriu a manta e puxou-a o suficiente para se tapar até à cintura, após o que ergueu uma mão para afastar o cabelo dos olhos. — E além disso não estão à venda.

Jaime encolheu os ombros.

— As minhas desculpas se vos confundi com algo que não sois. Tenho a certeza de que o meu irmão mais novo conheceu uma centena de rameiras, mas eu só me deitei com uma.

— Ela é um prémio de guerra. — Bracken apanhou as bragas do chão e sacudiu-as. — Pertencia a uma das espadas ajuramentadas ao Blackwood até eu lhe abrir a cabeça em duas. Põe as mãos para baixo, mulher. O meu senhor de Lannister quer dar a essas mamas uma olhadela como deve ser.

Jaime ignorou aquilo.

— Estais a vestir essas bragas ao contrário, senhor — disse a Bracken. Enquanto Jonos praguejava, a mulher esgueirou-se para fora da cama para apanhar a roupa espalhada por todo o lado, com os dedos a voltear nervosamente entre os seios e a racha enquanto se dobrava, virava e estendia a mão. Os esforços que fazia para se ocultar eram estranhamente provocantes, muito mais do que se tivesse simplesmente tratado nua do que tinha a tratar. — Tens nome, mulher? — perguntou-lhe.

— A minha mãe chamou-me Hildy, sor. — Enfiou uma combinação porca pela cabeça e sacudiu o cabelo para fora. Tinha a cara quase tão suja como os pés, e tinha pelos suficientes entre as pernas para passar por irmã de Bracken, mas mesmo assim havia nela algo de atraente. Aquele nariz achatado, a juba felpuda… ou o modo como fez uma pequena vénia depois de vestir a saia. — Vistes o meu outro sapato, s'nhor?

A pergunta pareceu vexar o Lorde Bracken.

— Serei eu uma porcaria de uma aia, para te ir buscar sapatos? Sai descalça, se tiver de ser. Mas sai.

— Isso quer dizer que o s'nhor não me vai levar convosco p'ra casa, p'ra rezar com a sua mulherzinha? — Rindo, Hildy deitou a Jaime um olhar descarado. — Tendes uma mulherzinha, sor?

*Não, tenho uma irmã.*

— De que cor é o meu manto?

— Branco — disse ela — mas a vossa mão é de ouro maciço. Gosto disso num homem. E de que gostais vós numa mulher, s'nhor?

— De inocência.

— Numa mulher, disse eu. Não numa filha.

Pensou em Myrcella. *Também vou ter de lhe dizer.* Os dorneses podiam não gostar. Doran Martell prometera-a ao filho na crença de que era do sangue de Robert. *Nós e empeços*, pensou Jaime, desejando poder cortar tudo com um golpe rápido da espada.

— Prestei um juramento — disse fatigadamente a Hildy.

— Então não há nabos para vós — disse a rapariga, com insolência.

— *Sai* — rugiu-lhe o Lorde Jonos.

Ela saiu. Mas quando passou por Jaime, agarrada a um sapato e a uma pilha de roupa, baixou a mão e deu-lhe um apertão à picha através das bragas.

— *Hildy* — fez-lhe lembrar, antes de se escapulir, seminua, da tenda.

*Hildy*, matutou Jaime.

— E como passa a senhora vossa esposa? — perguntou ao Lorde Jonos depois de a rapariga sair.

— Como hei de saber? Perguntai ao septão dela. Quando o vosso pai queimou o nosso castelo, decidiu que os deuses estavam a punir-nos. Agora não faz nada além de rezar. — Jonos conseguira finalmente virar as calças pelo direito, e estava a atá-las à frente. — Que vos traz por cá, senhor? O Peixe Negro? Ouvimos contar como ele fugiu.

— Ah ouvistes? — Jaime instalou-se num banco de acampar. — Pelo homem em pessoa, talvez?

— Sor Brynden sabe que não é boa ideia vir a correr ter comigo. Gosto do homem, não o vou negar. Isso não me impediria de o pôr a ferros se ele mostrasse a cara perto de mim ou dos meus. Sabe que dobrei o joelho. Devia ter feito o mesmo, mas sempre foi teimoso. O irmão podia ter-vos dito isso.

— Tytos Blackwood não dobrou o joelho — fez Jaime notar. — Será possível que o Peixe Negro tenha procurado refúgio em Corvarbor?

— Ele podia procurá-lo, mas para o achar teria de passar pelas minhas linhas de cerco, e tanto quanto sei não lhe cresceram asas. Não falta muito para que o próprio Tytos precise de refúgio. Estão reduzidos a ratazanas e raízes lá dentro. Ele render-se-á antes da próxima lua cheia.

— Ele render-se-á antes do pôr-do-sol. Tenciono oferecer-lhe termos e aceitá-lo de volta à paz do rei.

— Estou a ver. — Lorde Jonos encolheu-se para dentro de uma túnica castanha de lã com o garanhão vermelho de Bracken bordado na parte da frente. — O senhor quer beber um corno de cerveja?

— Não, mas que não fiqueis a seco por minha causa.

Bracken encheu um corno para si, bebeu metade, limpou a boca.

— Falastes de termos. Que tipo de termos?

— O tipo habitual. O Lorde Blackwood terá de confessar a sua traição e de abjurar da sua lealdade aos Stark e aos Tully. Jurará solenemente perante os deuses e os homens permanecer daqui em diante um leal vassalo de Harrenhal e do Trono de Ferro, e eu perdoá-lo-ei em nome do rei. Exigiremos um ou dois potes de ouro, claro. O preço da rebelião. Também vou exigir um refém, para garantir que Corvarbor não se volta a revoltar.

— A filha — sugeriu Bracken. — O Blackwood tem seis filhos, mas só aquela filha. Ama-a loucamente. Uma criaturinha ranhosa, não pode ter mais de sete anos.

— É nova, mas talvez sirva.

Lorde Jonos emborcou o resto da cerveja e atirou o corno para longe.

— Então e as terras e castelos que nos foram prometidos?

— Que terras são essas?

— A margem oriental do Brejo da Viúva, da Serra da Besta ao Prado Podre, e todas as ilhas do brejo. O Moinho de Milhomoído e o Moinho do Senhor, as ruínas de Solar Lamacento, Arrebatamento, o Vale da Batalha, Forjavelha, as aldeias de Fivela, Fivelapreta, Mamoas e Barreiro e a vila franca de Valalama. A Mata de Vespas, a Mata de Lorgen, Monteverde e as Tetas de Barba. Os Blackwood chamam-lhes Tetas de Missy, mas primeiro foram de Barba. Melarbor e todas as colmeias. Assinalei-as aqui, se o senhor quiser ver. — Esgravatou numa mesa e apresentou um mapa desenhado em pergaminho.

Jaime pegou-lhe com a mão boa, mas teve de usar a dourada para o abrir e o manter aberto.

— Isto é bastante terra — observou. — Estareis a aumentar os vossos domínios em um quarto.

A boca de Bracken adotou uma expressão obstinada.

— Todas essas terras pertenceram em tempos a Barreira de Pedra. Os Blackwood roubaram-nas.

— Então e esta aldeia aqui, entre as Tetas? — Jaime bateu no mapa com o nó de um dedo dourado.

— Pataqueira. Essa também foi nossa em tempos, mas é um feudo real há cem anos. Deixai-a de fora. Só pedimos as terras roubadas pelos Blackwood. O senhor vosso pai prometeu que nos seriam devolvidas se subjugássemos o Lorde Tytos em seu nome.

— E no entanto, enquanto me aproximava vi estandartes Tully a esvoaçar das muralhas do castelo, e também o lobo gigante dos Stark. Isso parece sugerir que o Lorde Tytos não foi subjugado.

— Expulsámo-lo e aos seus do campo de batalha e encurralámo-los dentro de Corvarbor. Dai-me homens suficientes para assaltar as suas muralhas, senhor, e subjugá-los-ei a todos nas respetivas tumbas.

— Se vos desse homens suficientes, seriam eles a tratar da subjugação, não vós. E nesse caso devia recompensar-me a mim próprio. — Jaime deixou que o mapa se voltasse a enrolar. — Fico com isto, se puder ser.

— O mapa é vosso. As terras são nossas. Diz-se que um Lannister paga sempre as suas dívidas. Combatemos por vós.

— Nem metade do tempo que combatestes contra nós.

— O rei perdoou-nos por isso. As vossas espadas levaram-me o sobrinho e o meu filho ilegítimo. A vossa Montanha roubou-me a colheita e queimou tudo o que não pôde levar. Passou o meu castelo pelo archote e violou uma das minhas filhas. Quero ser recompensado.

— A Montanha está morta, tal como o meu pai — disse-lhe Jaime — e há quem diga que a vossa cabeça já é recompensa suficiente. Vós *de-*

*clarastes*-vos pelo Stark e mantiveste-vos fiel a ele até que o Lorde Walder o matou.

— O assassinou, e a uma dúzia de bons homens do meu próprio sangue. — Lorde Jonos virou a cabeça e cuspiu. — Sim, mantive-me fiel ao Jovem Lobo. Tal como me manterei fiel a vós, desde que me trateis com justiça. Dobrei o joelho porque não encontrei sentido em morrer pelos mortos, nem em derramar sangue Bracken numa causa perdida.

— Um homem prudente. — *Embora alguns pudessem dizer que o Lorde Blackwood foi mais honrado.* — Obtereis as vossas terras. Algumas, pelo menos. Uma vez que subjugastes parcialmente os Blackwood.

Aquilo pareceu satisfazer o Lorde Jonos.

— Contentar-nos-emos com qualquer porção que o senhor julgue justa. Se vos puder dar um conselho, porém, não é bom ser demasiado gentil com aqueles Blackwood. A traição corre-lhes no sangue. Antes dos Ândalos chegarem a Westeros, a Casa Bracken dominava este rio. Éramos reis e os Blackwood eram nossos vassalos, mas traíram-nos e usurparam a coroa. Todos os Blackwood nascem traiçoeiros. Faríeis bem em lembrar-vos disso quando estiverdes a estabelecer termos.

— Oh, lembrar-me-ei — prometeu Jaime.

Quando cavalgou do acampamento Bracken até aos portões de Corvarbor, Peck seguiu na frente dele com uma bandeira de paz. Antes de chegarem ao castelo, vinte pares de olhos observavam-nos das ameias do portão. Fez parar Honra à beira do fosso, uma profunda vala orlada de pedra, cujas águas estavam afogadas de sujidade. Jaime preparava-se para ordenar a Sor Kennos para fazer soar o Corno de Herrock quando a ponte levadiça começou a descer.

O Lorde Tytos Blackwood foi ao seu encontro no pátio exterior, montado num corcel de batalha tão escanzelado como ele. Muito alto e muito magro, o Senhor de Corvarbor tinha um nariz adunco, cabelo comprido e uma barba grisalha e irregular que mostrava mais branco do que negro. Um embutido de prata na placa de peito da sua lustrosa armadura escarlate mostrava uma árvore branca, nua e morta, rodeada por um bando de corvos de ónix a levantar voo. Um manto de penas de corvo esvoaçava dos ombros.

— Lord Tytos — disse Jaime.

— Sor.

— Obrigado por me autorizardes a entrar.

— Não direi que sois bem-vindo. Nem negarei que esperei que viésseis. Estais aqui para obter a minha espada.

— Estou aqui para pôr fim a isto. Os vossos homens combateram com valentia, mas a vossa guerra está perdida. Estais preparado para vos renderdes?

— Ao rei. Não a Jonos Bracken.

— Compreendo.

Blackwood hesitou por um momento.

— É vosso desejo que eu desmonte e ajoelhe perante vós aqui e agora? Havia cem olhos a ver.

— O vento está frio e o pátio é lamacento — disse Jaime. — Podeis ajoelhar no tapete do vosso aposento privado, depois de termos concordado a respeito dos termos.

— Isso é cavalheiresco da vossa parte — disse o Lorde Tytos. — Vinde, sor. O meu salão pode carecer de comida, mas nunca de cortesia.

O aposento privado de Blackwood ficava no segundo piso de uma cavernosa fortaleza de madeira. Havia um fogo a arder na lareira quando entraram. A sala era grande e arejada, com grandes traves de carvalho escuro a suportar o teto elevado. Tapeçarias de lã cobriam as paredes, e um par de largas portas gradeadas dava para o bosque sagrado. Através dos vidros amarelos das grossas vidraças em forma de losango Jaime vislumbrou os ramos nodosos da árvore da qual o castelo obtivera o nome. Era um represeiro antigo e colossal, dez vezes maior que o que havia no Jardim de Pedra em Rochedo Casterly. Aquela árvore estava morta e nua, porém.

— Os Bracken envenenaram-na — disse o anfitrião. — Há mil anos que não mostra uma folha. Dentro de mais mil ter-se-á transformado em pedra, segundo os meistres. Os represeiros nunca apodrecem.

— E os corvos? — perguntou Jaime. — Onde estão?

— Chegam ao ocaso e passam a noite aí empoleirados. Às centenas. Cobrem a árvore como folhas pretas, todos os ramos e raminhos. Há milhares de anos que vêm para aqui. Como ou porquê, ninguém sabe dizer, mas a árvore atrai-os todas as noites. — Blackwood instalou-se numa cadeira de espaldar alto. — A bem da honra, tenho de vos perguntar pelo meu suserano.

— Sor Edmure está a caminho de Rochedo Casterly como meu cativo. A sua esposa permanecerá nas Gémeas até que o filho de ambos nasça. Depois ela e o bebé irão juntar-se-lhe. Desde que não tente fugir ou planear rebeliões, Edmure viverá uma longa vida.

— Longa e amarga. Uma vida sem honra. Até ao dia da sua morte, os homens dirão que teve medo de lutar.

*Injustamente*, pensou Jaime. *Era pelo filho que temia. Sabia melhor de quem eu sou filho do que a minha própria tia.*

— A opção foi dele. O tio ter-nos-ia feito sangrar.

— Nisso concordamos. — A voz de Blackwood não revelava nada. — Que fizestes com Sor Brynden, se é que posso perguntar?

— Ofereci-me para o deixar vestir o negro. Em vez disso, fugiu. — Jaime sorriu. — Tê-lo-eis aqui, por acaso?

— Não.

— Dir-me-íeis se tivésseis?

Foi a vez de Tytos Blackwood sorrir.

Jaime juntou as mãos, pondo os dedos de ouro no interior dos de carne.

— Talvez esteja na altura de falarmos dos termos.

— É aqui que me ponho de joelhos?

— Se vos aprouver. Ou podemos dizer que o fizestes.

Lorde Blackwood permaneceu sentado. Depressa chegaram a acordo sobre os pontos principais: confissão, lealdade, perdão, uma certa soma em ouro e prata a ser paga.

— Que terras exigis? — perguntou o Lorde Bracken. Quando Jaime lhe entregou o mapa, ele deitou-lhe uma olhadela e soltou um risinho. — Com certeza. Ao vira-mantos tem de ser dada a respetiva recompensa.

— Sim, mas uma recompensa menor do que ele imagina, por um serviço menor. Quais destas terras consentis em ceder?

Lorde Tytos refletiu por um momento.

— Sebemadeira, Serra da Besta e Fivela.

— Uma ruína, uma cumeada e umas quantas cabanas? Vá lá, senhor. Tendes de sofrer pela vossa traição. Ele vai querer um dos moinhos, pelo menos. — Os moinhos eram uma valiosa fonte de impostos. O senhor recebia um décimo de todos os cereais que moíam.

— Então o Moinho do Senhor. Milhomoído é nosso.

— E outra aldeia. Mamoas?

— Tenho antepassados enterrados por baixo das pedras de Mamoas. — Voltou a olhar para o mapa. — Dai-lhe Melarbor e as suas colmeias. Todo esse doce fá-lo-á engordar e apodrecer os dentes.

— Então está feito. À exceção de uma última coisa.

— Um refém.

— Sim, senhor. Tendes uma filha, creio.

— Bethany. — Lorde Tytos pareceu magoado. — Também tenho dois irmãos e uma irmã. Um par de tias viúvas. Sobrinhas, sobrinhos, primos. Pensei que pudésseis consentir…

— Tem de ser uma criança do vosso sangue.

— Bethany só tem oito anos. É uma rapariga amável, cheia de risos. Nunca esteve a mais de um dia a cavalo do meu palácio.

— Por que não deixá-la ver Porto Real? Sua Graça tem quase a sua idade. Ficaria contente por ter outra amiga.

— Uma amiga que pode enforcar se o pai da amiga lhe desagradar? — perguntou o Lorde Tytos. — Tenho quatro filhos. Poderíeis aceitar um deles? Ben tem doze anos e está sedento de aventura. Podia servir-vos como escudeiro, se aprouver ao senhor.

— Tenho tantos escudeiros que não sei o que faça com eles. De todas as vezes que mijo, lutam pelo direito de me segurar na picha. E vós tendes seis filhos, senhor, não quatro.

— Tive. Robert era o meu mais novo, e nunca foi forte. Morreu há nove dias, de uma soltura nas tripas. Lucas foi assassinado no Casamento Vermelho. A quarta mulher de Walder Frey era uma Blackwood, mas nas Gémeas os laços de família não contam mais do que o direito de hóspede. Gostaria de enterrar Lucas debaixo da árvore, mas os Frey ainda não acharam por bem devolver-me os seus ossos.

— Eu tratarei de que o façam. Lucas era o vosso filho mais velho?

— O segundo. O mais velho e meu herdeiro é Brynden. A seguir é o Hoster. Um rapaz dado aos livros, temo bem.

— Também há livros em Porto Real. Lembro-me de o meu irmão mais novo os ler de vez em quando. O vosso filho talvez goste de lhes dar uma vista de olhos. Aceitarei Hoster como vosso refém.

O alívio de Blackwood foi palpável.

— Obrigado, senhor. — Hesitou por um momento. — Se posso ter a ousadia de o dizer, faríeis bem em exigir também um refém ao Lorde Jonos. Uma das filhas. Apesar de passar a vida no cio, não mostrou ser homem suficiente para gerar filhos.

— Tinha um filho bastardo que foi morto na guerra.

— Teria? Harry era um bastardo, isso é verdade, mas agora se foi Jonos a gerá-lo já é questão mais espinhosa. Era um rapaz de cabelo claro, e bem-parecido. Jonos não é nem uma coisa nem outra. — Lorde Tytos pôs-se em pé. — Dar-me-eis a honra de jantar comigo?

— Noutra altura, senhor. — O castelo estava faminto; nenhum bem viria de Jaime roubar comida das suas bocas. — Não me posso demorar. Correrrio aguarda.

— Correrrio? Ou Porto Real?

— Ambos.

Lorde Tytos não tentou dissuadi-lo.

— Hoster pode ficar pronto a partir dentro de uma hora.

E ficou. O rapaz foi ao encontro de Jaime junto dos estábulos, com um colchão de campanha enrolado ao ombro e um maço de pergaminhos debaixo do braço. Não podia ter mais de dezasseis anos, mas era ainda mais alto do que o pai, quase dois metros e dez de pernas, canelas e cotovelos, um rapaz desengonçado e desajeitado com cabelo espetado.

— Senhor Comandante. Sou o vosso refém, Hoster. Chamam-me Hos. — Sorriu.

*Pensará ele que isto é uma brincadeira?*

— Diz-me, quem é que te chama isso?

— Os meus amigos. Os meus irmãos.

— Eu não sou teu amigo e não sou teu irmão. — Aquilo varreu o sorriso da cara do rapaz. Jaime virou-se para o Lorde Tytos. — Senhor, que não haja aqui nenhum mal-entendido. O Lorde Beric Dondarrion, Thoros de Myr, Sandor Clegane, Brynden Tully, aquela mulher Coração-de-Pedra... todos eles são fora-da-lei e rebeldes, inimigos do rei e de todos os seus súbditos leais. Se eu vier a saber que vós ou os vossos estão a escondê-los, a protegê-los ou a auxiliá-los de qualquer maneira, não hesitarei em enviar-vos a cabeça do vosso filho. Espero que compreendais isso. E compreendei também o seguinte: eu não sou Ryman Frey.

— Pois não. — Todos os vestígios de simpatia tinham desaparecido da boca do Lorde Blackwood. — Eu sei com quem estou a lidar. Regicida.

— Ótimo. — Jaime montou e virou Honra para o portão. — Desejo-vos uma boa colheita e a alegria da paz do rei.

Não cavalgou até longe. Lorde Jonos Bracken estava à espera dele à saída de Corvarbor, logo para lá do alcance de uma boa besta. Estava montado num corcel de batalha couraçado e envergara a sua armadura e cota de malha e um grande elmo de aço cinzento com uma crista de crina de cavalo.

— Vi-os arrear a bandeira do lobo gigante — disse, quando Jaime chegou junto dele. — Está feito?

— Feito e acabado. Ide para casa e plantai os vossos campos.

O Lorde Bracken ergueu a viseira.

— Confio ter mais campos para plantar do que quando entrastes naquele castelo.

— Fivela, Sebemadeira, Melarbor com todas as suas colmeias. — Estava a esquecer-se de um. — Ah, e a Serra da Besta.

— Um moinho — disse Bracken. — Tenho de ficar com um moinho.

— O Moinho do Senhor.

Lorde Jonos resfolegou.

— Sim, isso serve. Por agora. — Apontou para Hoster Blackwood, em montaria dupla com Peck. — Foi isto que vos deu como refém? Fostes intrujado, sor. Este é um fracote. Tem água em lugar de sangue. Não importa o alto que é, qualquer uma das minhas moças era capaz de o quebrar como a um graveto podre.

— Quantas filhas tendes, senhor? — perguntou-lhe Jaime.

— Cinco. Duas da minha primeira mulher e três da terceira — Tarde demais, pareceu aperceber-se de que talvez tivesse dito demasiado.

— Enviai uma para a corte. Terá o privilégio de servir a Rainha Regente.

A cara de Bracken escureceu quando se apercebeu da importância daquelas palavras.

— É assim que pagais a amizade de Barreira de Pedra?

— Servir a rainha é uma grande honra — fez Jaime lembrar a sua senhoria. — Talvez queirais convencê-la disso. Esperamos a rapariga antes de o ano terminar. — Em vez de esperar pela resposta do Lorde Bracken, esporeou levemente Honra com as suas esporas douradas e afastou-se a trote. Os seus homens formaram e seguiram-no, com os estandartes a adejar. Castelo e acampamento depressa se perderam atrás deles, escondidos pela poeira dos seus cascos.

Nem fora-da-lei nem lobos os tinham incomodado a caminho de Corvarbor, portanto Jaime decidiu regressar por outra via. Se os deuses fossem bons, talvez tropeçasse no Peixe Negro ou levasse Beric Dondarrion a desencadear um ataque insensato.

Estavam a seguir o Brejo da Viúva quando se lhes esgotou o dia. Jaime chamou o refém, perguntou-lhe onde se encontrava o vau mais próximo e o rapaz levou-os até lá. No momento em que a coluna chapinhava nas águas pouco profundas, o Sol punha-se atrás de um par de colinas relvadas.

— As Tetas — disse Hoster Blackwood.

Jaime lembrou-se do mapa do Lorde Bracken.

— Há uma aldeia entre aquelas colinas.

— Pataqueira — confirmou o rapaz.

— Acampamos lá esta noite. — Se houvesse aldeões por perto, podiam saber alguma coisa sobre Sor Brynden ou os fora-da-lei. — Lorde Jonos fez um comentário qualquer sobre a dona das tetas — recordou, dirigindo-se ao rapaz Blackwood enquanto cavalgavam na direção das colinas que iam escurecendo e da última luz do dia. — Os Bracken chamam-lhes uma coisa, e os Blackwood outra.

— Sim, senhor. Há coisa de cem anos. Antes disso, eram as Tetas da Mãe, ou só as Tetas. São duas, e achava-se que se assemelhavam a...

— Eu consigo ver aquilo a que se assemelham. — Jaime deu por si a lembrar-se da mulher na tenda, e no modo como ela tentara esconder os grandes mamilos escuros. — Que mudou há cem anos?

— Aegon, o Indigno, tomou Barba Bracken como amante — respondeu o estudioso rapaz. — Era uma rapariga muito roliça, segundo consta, e um dia, quando o rei estava de visita em Barreira de Pedra saiu para caçar, viu as Tetas e...

— ... batizou-as em honra da amante. — Aegon IV morrera muito antes de Jaime nascer, mas lembrava-se de suficiente história do seu reinado para adivinhar o que devia ter acontecido em seguida. — Só que depois pôs a rapariga Bracken de parte e arranjou uma amante Blackwood, foi isso que aconteceu?

— A Senhora Melissa — confirmou Hoster. — Chamavam-lhe Missy. Há uma estátua dela no nosso bosque sagrado. Era *muito* mais bela do que Barba Bracken, mas era esguia, e houve quem ouvisse Barba dizer que Missy era lisa como um rapaz. Quando o Rei Aegon ouviu aquilo...

— ... deu-lhe as tetas de Barba. — Jaime riu-se. — Como foi que começou tudo isto entre Blackwood e Bracken? Está escrito?

— Está, senhor — disse o rapaz — mas algumas das histórias foram redigidas pelos meistres deles e outras pelos nossos, séculos depois dos acontecimentos que pretendem historiar. Vem da Era dos Heróis. Os Blackwood eram reis nesses tempos. Os Bracken eram pequenos senhores, renomados pela criação de cavalos. Em vez de pagarem ao seu rei o que lhe era devido, usaram o ouro que os cavalos lhes trouxeram para contratar espadas e o derrubar.

— Quando aconteceu tudo isso?

— Quinhentos anos antes dos Ândalos. Mil, se se puder crer na *História Verdadeira*. Só que ninguém sabe quando foi que os Ândalos atravessaram o mar estreito. A *História Verdadeira* diz que se passaram quatro mil anos desde então, mas alguns meistres afirmam que foram só dois. A partir de um certo ponto, todas as datas se tornam nebulosas e confusas, e a clareza da história transforma-se na bruma da lenda.

*O Tyrion havia de gostar deste. Podiam conversar do ocaso à alvorada, discutindo sobre livros.* Por um momento, a amargura que sentia relativamente ao irmão foi esquecida, até se lembrar do que o Duende fizera.

— Então estais a lutar por causa de uma coroa que um de vós roubou ao outro quando os Casterly ainda dominavam Rochedo Casterly, é essa a raiz da coisa? A coroa de um reino que já não existe há milhares de anos? — Soltou um risinho. — Tantos anos, tantas guerras, tantos reis... julgar-se-ia que alguém teria feito uma paz.

— Alguém fez, senhor. Muitos alguéns. Tivemos cem pazes com os Bracken, muitas delas seladas com casamentos. Há sangue Blackwood em todos os Bracken e sangue Bracken em todos os Blackwood. A Paz do Velho Rei durou meio século. Mas depois rebentou uma querela fresca qualquer, e as velhas feridas abriram-se e recomeçaram a sangrar. O meu pai diz que é sempre assim que acontece. Enquanto os homens recordarem as desfeitas cometidas contra os seus antepassados, nenhuma paz durará. Portanto continuamos século após século, nós a odiarmos os Bracken e eles a odiarem-nos a nós. O meu pai diz que nunca haverá fim para isto.

— Pode haver.

— Como, senhor? Os velhos ferimentos nunca saram, diz o meu pai.

— O meu pai também tinha um ditado. Nunca firas um inimigo quando podes matá-lo. Os mortos não reclamam vingança.

— Os seus filhos reclamam — disse Hoster como quem pede desculpa.

— Não se também se matar os filhos. Interroga os Casterly sobre isso, se duvidas de mim. Pergunta ao Senhor e à Senhora Tarbeck, ou aos Reyne de Castamere. Pergunta ao Príncipe de Pedra do Dragão. — Por um instante, as profundas nuvens vermelhas que coroavam as colinas ocidentais fizeram-lhe lembrar os filhos de Rhaegar, todos envoltos em mantos carmesim.

— Foi por isso que matastes todos os Stark?

— Nem todos — disse Jaime. — As filhas do Lorde Eddard estão vivas. Uma acabou de casar. A outra… — *Brienne, onde estás? Encontraste-a?* — … se os deuses forem bons, irá esquecer-se de que era uma Stark. Vai casar com um ferreiro corpulento qualquer ou com um estalajadeiro de cara gorda, encher-lhe a casa de filhos e nunca precisar de temer que um cavaleiro possa aparecer para lhes esmagar as cabeças contra uma parede.

— Os deuses são bons — disse o refém, com incerteza.

*Continua a acreditar nisso.* Jaime deixou que Honra lhe sentisse as esporas.

Pataqueira revelou ser uma aldeia muito maior do que ele esperara. A guerra também passara por ali; pomares enegrecidos e os esqueletos esturricados de casas quebradas testemunhavam-no. Mas por cada casa em ruínas outras três tinham sido reconstruídas. Através do ocaso azul que se aprofundava, Jaime vislumbrou colmo fresco em cima de uma vintena de telhados e portas feitas de madeira nova em bruto. Entre um charco de patos e uma forja de ferreiro, deparou com a árvore que dava nome ao lugar, um carvalho antigo e alto. As suas raízes nodosas torciam-se para dentro e para fora da terra como um ninho de lentas serpentes castanhas, e centenas de velhas moedas de cobre tinham sido pregadas ao enorme tronco.

Peck fitou a árvore e depois as casas vazias.

— Onde estão as pessoas?

— Escondidas — disse-lhe Jaime.

Dentro das casas todos os fogos tinham sido apagados, mas alguns ainda fumegavam, e nenhum deles estava frio. A cabra que o Harry Quente Merrell encontrou a pastar numa horta era a única criatura viva que estava visível… mas a aldeia tinha uma fortaleza tão forte como qualquer outra das terras fluviais, com espessas muralhas de pedra com três metros e meio de altura, e Jaime sabia que seria aí que encontraria os aldeões. *Esconde-ram-se atrás daquelas muralhas sempre que os atacantes chegaram, é por isso que ainda aqui está uma aldeia. E estão outra vez ali escondidos, de mim.*

Cavalgou Honra até aos portões da fortaleza.

— Vós, na fortaleza. Não vos queremos fazer qualquer mal. Somos homens do rei.

Caras apareceram na muralha por cima do portão.

— Foram homens do rei que queimaram a nossa aldeia — gritou um homem para baixo. — Antes disso, homens do rei roubaram as nossas ove-lhas. Eram de um rei diferente, mas isso p'rás nossas ovelhas não importou nada. Homens do rei mataram Harsley e Sor Ormont e violaram Lacey até à morte.

— Os meus homens não — disse Jaime. — Não abris os portões?

— Quando vos fordes embora, abrimos.

Sor Kennos aproximou-se dele.

— Podíamos deitar abaixo aquele portão com bastante facilidade, ou passá-lo pelo archote.

— Enquanto eles fazem chover pedras sobre nós e nos enchem de se-tas. — Jaime abanou a cabeça. — Podia ser coisa sangrenta, e para quê? Esta gente não nos fez mal nenhum. Abrigamo-nos nas casas, mas não quero roubos. Temos as nossas próprias provisões.

Prenderam os cavalos a estacas nos baldios da aldeia enquanto uma meia lua subia no céu, e jantaram carneiro salgado, maçãs secas e quei-jo duro. Jaime comeu pouco, e partilhou um odre de vinho com Peck e o refém Hos. Tentou contar as moedas pregadas ao velho carvalho, mas eram demasiadas e perdia-lhes a conta. *Que terá levado a isto?* O rapaz Bla-ckwood dir-lhe-ia se perguntasse, mas isso estragaria o mistério.

Embora a noite estivesse a ficar fria, Jaime sentia-se curiosamente sa-tisfeito. A guerra estava praticamente ganha. Pedra do Dragão e Ponta Tem-pestade cairiam bem depressa, sem dúvida, e Stannis estava praticamente acabado. Se Roose Bolton não o destruísse, o inverno fá-lo-ia.

Colocara sentinelas para se assegurar de que ninguém saía dos limites da aldeia. Também enviara batedores em redor, a fim de se certificar de que nenhum inimigo os apanhava de surpresa. Era perto da meia-noite quando dois destes cavalgaram de volta com uma mulher que tinham feito cativa.

— Ela aproximou-se a cavalo com toda a ousadia do mundo, s'nhor, exigindo falar convosco.

Jaime pôs-se precipitadamente em pé.

— Senhora. Não julgava voltar a ver-vos tão cedo. — *Pela bondade dos deuses, parece dez anos mais velha do que da última vez que a vi. E que lhe aconteceu à cara?* — Essa ligadura… fostes ferida…

— Uma dentada. — Tocou o cabo da espada, a espada que lhe dera. *Cumpridora de Promessas.* — Senhor, atribuístes-me uma demanda.

— A rapariga. Encontraste-la?

— Encontrei — disse Brienne, a Donzela de Tarth.

— Onde está?

— A um dia de viagem. Posso levar-vos até ela, sor… mas tereis de vir sozinho. Caso contrário, o Cão de Caça matá-la-á.

— R'hllor — cantou Melisandre, com os braços erguidos contra a neve que caía — sois a luz nos nossos olhos, o fogo nos nossos corações, o calor nos nossos ventres. Vosso é o sol que aquece os nossos dias, vossas as estrelas que nos guardam na escuridão da noite.

— *Louvemos todos R'hllor, o Senhor da Luz* — responderam os convidados do casamento num coro desgarrado, antes que uma rajada de vento frio como gelo levasse para longe as suas palavras. Jon Snow ergueu o capuz do manto.

O nevão estava ligeiro naquele dia, flocos pouco densos que dançavam no ar, mas o vento soprava do leste ao longo da Muralha, frio como o hálito do dragão de gelo nas histórias que a Velha Nan contava. Até o fogo de Melisandre tremia; as chamas aninhavam-se na vala, crepitando suavemente enquanto a sacerdotisa vermelha cantava. Só o Fantasma parecia não sentir o frio.

Alys Karstark inclinou-se para Jon.

— Neve durante uma boda quer dizer um casamento frio. A senhora minha mãe sempre o disse.

Deitou um relance à Rainha Selyse. *Deve ter havido uma tempestade de neve no dia em que ela e Stannis casaram.* Encolhida por baixo do manto de arminho e rodeada pelas suas damas, criadas e cavaleiros, a rainha sulista parecia uma coisa débil, pálida e minguada. Um sorriso tenso estava congelado nos seus lábios finos, mas os olhos transbordavam de reverência. *Ela odeia o frio mas adora as chamas.* Bastava-lhe olhá-la para ver isso. *Uma palavra de Melisandre, e entrará no fogo de boa vontade, abraçá-lo-á como uma amante.*

Nem todos os homens da rainha pareciam partilhar o seu fervor. Sor Brus parecia meio bêbado, a mão enluvada de Sor Malegorn estava semicerrada em volta do rabo da senhora que se encontrava a seu lado, Sor Narbert bocejava, e Sor Patrek da Montanha Real parecia zangado. Jon Snow começara a compreender o motivo por que Stannis os deixara com a rainha.

— A noite é escura e cheia de terrores — cantou Melisandre. — Sozinhos nascemos e sozinhos morremos, mas enquanto caminhamos por este vale negro obtemos força uns dos outros, e de vós, senhor. — As suas sedas e cetins escarlates rodopiavam a cada rajada de vento. — Dois vieram hoje juntar as suas vidas, para poderem enfrentar juntos a escuridão deste mundo. Enchei os seus corações de fogo, senhor, para poderem percorrer o vosso caminho brilhante de mãos dadas para sempre.

— *Senhor da Luz, protegei-nos* — gritou a Rainha Selyse. Outras vozes ecoaram a resposta. Os fiéis de Melisandre; senhoras pálidas, criadas trémulas, Sor Axell, Sor Narbert e Sor Lambert, homens-de-armas com cotas de malha e Thenns de bronze, até alguns dos irmãos negros de Jon. — *Senhor da Luz, abençoai os nossos filhos.*

Melisandre tinha as costas voltadas para a Muralha, de um dos lados da profunda vala onde o seu fogo ardia. O casal a ser unido enfrentava-a do outro lado da vala. Por trás deles encontrava-se a rainha, com a filha e o bobo tatuado. A Princesa Shireen estava envolta em tantas peles que parecia redonda, respirando em nuvenzinhas brancas através do cachecol que lhe tapava a maior parte da cara. Sor Axell Florent e os seus homens da rainha rodeavam o grupo real.

Embora só alguns dos homens da Patrulha da Noite se tivessem reunido em volta da fogueira, havia mais a olhar de telhados e janelas e dos degraus da grande escada em ziguezague. Jon tomou uma nota cuidadosa das presenças e das ausências. Alguns homens estavam de serviço; muitos que tinham acabado de sair de turno estariam profundamente adormecidos. Mas outros tinham decidido ausentar-se para mostrar desaprovação. Othell Yarwyck e Bowen Marsh encontravam-se entre os faltosos. O Septão Chayle saíra brevemente do septo, afagando o cristal de sete lados que trazia na tira de couro em volta do pescoço, só para voltar para dentro assim que as preces tiveram início.

Melisandre ergueu as mãos, e a fogueira saltou na direção dos seus dedos, como um grande cão a pular para obter uma guloseima. Um rodopio de faúlhas ergueu-se ao encontro dos flocos de neve que caíam.

— Oh, Senhor da Luz, agradecemo-vos — cantou ela às chamas famintas. — Agradecemo-vos pelo bravo Stannis, pela vossa graça nosso rei. Guiai-o e defendei-o, R'hllor. Protegei-o das traições de homens maldosos e concedei-lhe a força para esmagar os servos da escuridão.

— *Concedei-lhe força* — respondeu a Rainha Selyse e as suas damas e cavaleiros. — *Concedei-lhe coragem. Concedei-lhe sabedoria.*

Alys Karstark deu o braço a Jon.

— Quanto tempo ainda demora, Lorde Snow? Se vou ficar enterrada debaixo desta neve, gostaria de morrer como mulher casada.

— Pouco, senhora — sossegou-a Jon. — Pouco.

— *Agradecemo-vos pelo Sol que nos aquece* — entoou a rainha. — *Agradecemo-vos pelas estrelas que velam por nós na escuridão da noite. Agradecemo-vos pelas nossas lareiras e archotes, que mantêm a escuridão selvagem à distância. Agradecemo-vos pelos nossos espíritos brilhantes, pelos fogos nos nossos ventres e nos nossos corações.*

E Melisandre disse:

— Eles que avancem, os que querem ser unidos. — As chamas delineavam a sua sombra na Muralha atrás dela, e o seu rubi reluzia contra a palidez da garganta.

Jon virou-se para Alys Karstark.

— Senhora. Estais pronta?

— Sim. Oh, sim.

— Não tendes medo?

A rapariga sorriu, de um modo que fez tanto lembrar a Jon a irmã mais nova que quase lhe quebrou o coração.

— Ele que tenha medo de mim. — Os flocos de neve derretiam-se-lhe na cara, mas o cabelo estava envolto num turbilhão de renda que o Cetim encontrara algures, e a neve começara a acumular-se aí, dando-lhe uma coroa de gelo. Tinha as bochechas coradas e vermelhas, e os olhos cintilavam.

— A senhora do inverno. — Jon apertou-lhe a mão.

O Magnar de Thenn estava à espera junto da fogueira, vestido como quem parte para a batalha, com peles, couro e escamas de bronze e com uma espada de bronze à anca. O seu cabelo a recuar fazia com que parecesse mais velho do que era, mas quando se virou para observar a aproximação da noiva, Jon conseguiu ver o rapaz que nele havia. Os seus olhos estavam grandes como nozes, se bem que Jon não soubesse dizer se teria sido o fogo, a sacerdotisa ou a mulher a pôr o medo nele. *Alys tinha mais razão do que pensava.*

— Quem traz esta mulher para ser casada? — perguntou Melisandre.

— Sou eu — disse Jon. — Aqui vem Alys da Casa Karstark, uma mulher feita e florida, de nobre sangue e nascimento. — Deu um último apertão na mão dela, e recuou para se ir juntar aos outros.

— Quem avança para reclamar esta mulher? — perguntou Melisandre.

— Eu. — Sigorn deu uma palmada no peito. — Magnar de Thenn.

— Sigorn — perguntou Melisandre — estás disposto a partilhar o teu fogo com Alys e a aquecê-la quando a noite for escura e cheia de terrores?

— Juro mim. — A promessa do Magnar era uma nuvem branca no ar. Neve pintalgava-lhe os ombros. Tinha as orelhas vermelhas. — Pelas chamas do deus vermelho, aqueço ela todos os dias.

— Alys, juras partilhar o teu fogo com Sigorn, e aquecê-lo quando a noite for escura e cheia de terrores?

— Até ele ficar com o sangue a ferver. — O seu manto de donzela era da lã negra da Patrulha da Noite. O esplendor Karstark cosido nas suas costas era feito com a mesma pele branca que o forrava.

Os olhos de Melisandre brilharam tanto como o rubi na sua garganta.

— Então vinde até mim, e sede como um. — Enquanto chamava, uma muralha de chamas rugiu para cima, lambendo os flocos de neve com quentes línguas cor-de-laranja. Alys Karstark pegou na mão do seu Magnar.

Lado a lado saltaram a vala.

— Dois penetraram nas chamas. — Uma rajada de vento ergueu as saias escarlates da mulher vermelha até ela voltar a empurrá-las para baixo. — Um emerge. — O seu cabelo acobreado dançou-lhe em volta da cabeça. — O que o fogo junta ninguém pode separar.

— *O que o fogo junta ninguém pode separar* — soou o eco, vindo dos homens da rainha, dos Thenn, e mesmo de alguns dos irmãos negros.

*Exceto reis e tios*, pensou Jon Snow.

Cregan Karstark aparecera um dia depois da sobrinha. Com ele tinham vindo quatro homens-de-armas a cavalo, um caçador e uma matilha de cães, a perseguir a Senhora Alys como se ela fosse uma corça. Jon Snow foi ao seu encontro na estrada do rei, meia milha a sul de Vila Toupeira, antes que aparecessem em Castelo Negro e reclamassem direito de hóspede ou exigissem parlamentar. Um dos homens Karstark disparara um dardo de besta contra Ty e morrera por isso. O que deixara quatro e o próprio Cregan.

Felizmente, tinham uma dúzia de celas de gelo. *Espaço para todos.*

Como tantas outras coisas, a heráldica terminava na Muralha. Os Thenn não possuíam armas de família como era costume entre os nobres dos Sete Reinos, portanto Jon dissera aos intendentes para improvisarem. Achava que se tinham saído bem. O manto de noiva que Sigorn prendeu em torno dos ombros da Senhora Alys mostrava um disco de bronze num fundo de lã branca, rodeado por chamas feitas com farrapos de seda carmesim. O eco do esplendor Karstark estava lá para aqueles que quisessem ver, mas diferenciado para tornar as armas apropriadas para a Casa Thenn.

O Magnar praticamente arrancou o manto de donzela dos ombros de Alys, mas quando prendeu o manto de noiva em volta dela foi quase terno. Quando se baixou para a beijar na cara, os seus hálitos misturaram-se. As chamas voltaram a rugir. Os homens da rainha começaram a cantar uma canção de elogio.

— Está feito? — ouviu Jon o Cetim murmurar.

— Feito e acabado — resmungou Mully — e ainda bem. Eles estão casados e eu estou meio congelado. — Estava agasalhado com os seus melhores negros, lãs tão novas que mal tinham tido oportunidade de desbotar, mas o vento pusera-lhe as bochechas tão vermelhas como o cabelo. — O

Hobb temperou algum vinho com canela e cravinho. Isso há de nos aquecer um bocado.

— Que é cravinho? — perguntou o Owen Idiota.

A neve passara a cair mais densa e a fogueira na vala estava a apagar-se. A multidão começou a quebrar-se e a sair do pátio, tanto homens da rainha, como homens do rei ou do povo livre, todos ansiosos por sair do vento e do frio.

— O senhor vai banquetear-se connosco? — perguntou Mully a Jon Snow.

— Daqui a pouco. — Sigorn podia encarar como descortesia que ele não aparecesse. *E este casamento é obra minha, afinal de contas.* — Mas tenho outros assuntos a tratar primeiro.

Jon aproximou-se da Rainha Selyse, com Fantasma a seu lado. As botas rangeram em montes de neve antiga. Estava a tornar-se cada vez mais demorado limpar à pazada os caminhos que iam de uns edifícios aos outros; os homens recorriam cada vez mais às passagens subterrâneas a que chamavam caminhos de verme.

— … um rito tão belo — estava a rainha a dizer. — Consegui sentir o olhar fogoso do senhor posto em nós. Oh, não podeis saber quantas vezes supliquei a Stannis para nos voltarmos a casar, uma união verdadeira de corpo e de espírito abençoada pelo Senhor da Luz. Eu sei que podia dar mais filhos a Sua Graça se estivéssemos unidos em fogo.

*Para lhe dares mais filhos precisavas primeiro de o meter na tua cama.* Mesmo na Muralha, era sabido por todos que Stannis Baratheon evitava a mulher há anos. Não era difícil imaginar como Sua Graça teria respondido à ideia de um segundo casamento no meio daquela guerra.

Jon fez uma vénia.

— Se aprouver a Vossa Graça, o banquete aguarda.

A rainha deitou um relance desconfiado ao Fantasma, após o que ergueu a cabeça para Jon.

— Com certeza. A Senhora Melisandre conhece o caminho.

A sacerdotisa vermelha interveio.

— Eu tenho de cuidar dos meus fogos, Vossa Graça. Talvez R'hllor me conceda um vislumbre de Sua Graça. Um vislumbre de alguma grande vitória, porventura.

— Oh. — A Rainha Selyse pareceu magoada. — Com certeza. Rezemos por uma visão do nosso senhor…

— Cetim, acompanha Sua Graça até ao seu lugar — disse Jon.

Sor Malegorn avançou.

— Eu acompanharei Sua Graça até ao banquete. Não precisaremos do vosso… intendente. — O modo como o homem arrancou a última palavra disse a Jon que pensara dizer outra coisa. *Rapaz? Animal de estimação? Prostituto?*

Jon voltou a fazer uma vénia.

— Como quiserdes. Juntar-me-ei a vós em breve.

Sor Malegorn ofereceu o braço e a Rainha Selyse deu-lhe o seu com rigidez. A sua outra mão pousou no ombro da filha. Os patinhos reais fizeram fila atrás deles ao atravessarem o pátio, marchando à música das campainhas no chapéu do bobo.

— Debaixo do mar os tritões banqueteiam-se com sopa de estrela-do-mar, e todos os criados são caranguejos — proclamou o Cara-Malhada enquanto se afastavam. — Eu sei, eu sei, hei, hei, hei.

A cara de Melisandre escureceu.

— Aquela criatura é perigosa. Foram muitas as vezes em que o vislumbrei nas minhas chamas. Às vezes há crânios à volta dele, e os lábios estão vermelhos de sangue.

*Espanta-me que não tenhas mandado queimar o pobre homem.* Bastaria uma palavra ao ouvido da rainha, e o Cara-Malhada iria alimentar as fogueiras.

— Vedes bobos no vosso fogo, mas nenhum sinal de Stannis?

— Quando procuro por ele, só o que vejo é neve.

*A mesma resposta inútil.* Clydas enviara um corvo para Bosque Profundo a fim de avisar o rei da traição de Arnolf Karstark, mas Jon não sabia se a ave teria chegado a Sua Graça a tempo. O banqueiro bravosiano também andava à procura de Stannis, acompanhado pelos guias que Jon lhe dera, mas entre a guerra e o estado do tempo seria de admirar que o encontrasse.

— Saberíeis se o rei estivesse morto? — perguntou Jon à sacerdotisa vermelha.

— Não está morto. Stannis é o escolhido do Senhor, destinado a liderar a luta contra a escuridão. Eu vi-o nas chamas, li-o numa antiga profecia. Quando a estrela vermelha sangra e a escuridão se aprofunda, Azor Ahai renascerá por entre fumo e sal para despertar dragões da pedra. Pedra do Dragão é o lugar de fumo e sal.

Jon já antes ouvira tudo aquilo.

— Stannis Baratheon era Senhor de Pedra do Dragão, mas não nasceu lá. Nasceu em Ponta Tempestade, como os irmãos. — Franziu o sobrolho. — E Mance? Também está perdido? O que é que os vossos fogos mostram?

— O mesmo, temo bem. Só neve.

*Neve.* Jon sabia que nevava fortemente a sul. Dizia-se que a estrada do rei estava intransitável a apenas dois dias de viagem dali. *Melisandre também sabe disso*. E, a leste, uma violenta tempestade assolava a Baía das Focas. Segundo os últimos relatórios, a frota improvisada que tinham reunido para salvar o povo livre de Larduro ainda se mantinha aninhada em Atalaialeste-do-Mar, confinada ao porto por mares alterosos.

— Estais a ver cinzas a dançar no vento.

— Estou a ver crânios. E a vós. Vejo a vossa cara de todas as vezes que olho para as chamas. O perigo de que vos avisei está agora a ficar muito próximo.

— Punhais no escuro. Eu sei. Perdoareis as minhas dúvidas, senhora. *Uma rapariga cinzenta num cavalo moribundo, a fugir de um casamento*, foi isso que dissestes.

— Não me enganei.

— Não acertastes. Alys não é Arya.

— A visão foi verdadeira. Foi a minha leitura que foi falsa. Sou tão mortal como vós, Jon Snow. Todos os mortais erram.

— Até senhores comandantes. — Mance Rayder e as suas esposas de lanças não tinham regressado, e Jon não conseguia evitar perguntar a si próprio se a mulher vermelha teria mentido de propósito. *Estará ela a jogar o seu próprio jogo?*

— Faríeis bem em manter o lobo junto a vós, senhor.

— O Fantasma raramente anda por longe. — O lobo gigante ergueu a cabeça ao ouvir o som do seu nome. Jon coçou-o atrás das orelhas. — Mas agora deveis desculpar-me. Fantasma, comigo.

Escavadas na base da Muralha e fechadas com pesadas portas de madeira, as celas de gelo iam de pequenas a mais pequenas. Algumas eram suficientemente grandes para permitir que um homem passeasse, outras eram tão pequenas que os prisioneiros eram forçados a ficar sentados; as mais pequenas eram demasiado exíguas até para isso.

Jon atribuíra ao seu cativo principal a cela maior, um balde onde cagar, peles suficientes para o impedir de gelar, e um odre de vinho. Os guardas precisaram de algum tempo para lhe abrir a cela, pois formara-se gelo dentro da fechadura. Dobradiças ferrugentas guincharam como almas danadas quando o Wick Palito abriu a porta o suficiente para que Jon a atravessasse. Foi saudado por um ténue odor a fezes, embora menos esmagador do que esperara. Até a merda ficava gelada como pedra num frio tão intenso. Jon Snow conseguia ver o seu reflexo apagado dentro das paredes de gelo.

A um canto da cela, uma pilha de peles chegava quase à altura de um homem.

— Karstark — disse Jon Snow. — Acordai.

As peles mexeram-se. Algumas tinham-se colado e o gelo que as cobria reluziu quando se mexeram. Emergiu um braço, depois uma cara; cabelo castanho, emaranhado, eriçado e manchado de cinzento, dois olhos ferozes, um nariz, uma boca, uma barba. Gelo cobria o bigode do prisioneiro; bocados de ranho gelado.

— Snow. — O hálito fumegava no ar, embaciando o gelo por trás da sua cabeça. — Não tendes o direito de me manter prisioneiro. As leis da hospitalidade...

— Vós não sois meu hóspede. Viestes para a Muralha sem a minha licença, armado, para levardes a vossa sobrinha contra a sua vontade. À Senhora Alys foi dado pão e sal. Ela é uma hóspede. Vós sois um prisioneiro. — Jon deixou aquilo no ar por um momento, depois disse: — A vossa sobrinha está casada.

Os lábios de Cragan Karstark afastaram-se dos seus dentes.

— Alys foi-me prometida. — Embora tivesse mais de cinquenta anos, fora um homem forte quando entrara na cela. O frio roubara-lhe essa força, e deixara-o hirto e fraco. — O senhor meu pai...

— O vosso pai é um castelão, não um senhor. E um castelão não tem o direito de fazer pactos de casamento.

— O meu pai Arnolf é Senhor de Karhold.

— Um filho tem prioridade sobre um tio, segundo todas as leis que eu conheço.

Cregan pôs-se em pé e afastou com um pontapé as peles que se lhe agarravam aos tornozelos.

— Harrion está morto.

*Ou estará em breve.*

— Uma filha também tem prioridade sobre um tio. Se o irmão está morto, Karhold pertence à Senhora Alys. E ela deu a mão em casamento a Sigorn, Magnar de Thenn.

— Um selvagem. Um selvagem nojento e assassino. — As mãos de Cregan cerraram-se em punhos. As luvas que as cobriam eram de couro, forradas de pele para combinar com o manto que pendia amarrotado e hirto dos ombros largos. O sobretudo de lã negra estava ornamentado com o esplendor branco da sua casa. — Eu vejo o que tu és, Snow. Meio lobo e meio selvagem, descendente ilegítimo de um traidor e de uma rameira. Tu eras homem para pôr uma donzela bem-nascida na cama de um selvagem malcheiroso. Provaste-a primeiro? — Riu-se. — Se pretendes matar-me, trata disso e fica amaldiçoado como assassino de parentes. Stark e Karstark são de um só sangue.

— O meu nome é Snow.

— *Bastardo.*

— Culpado. Disso, pelo menos.

— Esse Magnar que venha a Karhold. Cortamos-lhe a cabeça e enfia-mo-la numa latrina para podermos mijar-lhe para a boca.

— Sigorn lidera duzentos Thenns — fez Jon notar — e a Senhora Alys crê que Karhold lhe abrirá os portões. Dois dos vossos homens já se puseram ao seu serviço, e confirmaram tudo o que ela tinha a dizer sobre os planos que o vosso pai fez com Ramsay Snow. Tendes familiares próximos em Karhold, segundo ouvi dizer. Uma palavra vossa podia salvar-lhes as vidas. Rendei o castelo. A Senhora Alys perdoará as mulheres que a traíram e permitirá que os homens vistam o negro.

Cregan abanou a cabeça. Bocados de gelo tinham-se-lhe formado entre os nós do cabelo e soltavam pequenos estalinhos quando ele se mexia.

— Nunca — disse. — Nunca, nunca, nunca.

*Devia fazer da cabeça dele presente de casamento para a Senhora Alys e o seu Magnar*, pensou Jon, mas não se atrevia a correr esse risco. A Patrulha da Noite não participava nas querelas do reino; alguns diriam que ele já dera a Stannis demasiada ajuda. *Se decapitar este idiota, dirão que ando a matar nortenhos para entregar as suas terras a selvagens. Se o libertar, ele fará tudo o que puder para destruir o que fiz com a Senhora Alys e o Magnar.* Jon perguntou a si próprio o que o pai faria, como o tio lidaria com aquilo. Mas Eddard Stark estava morto, Benjen Stark perdido nos ermos gelados para lá da Muralha. *Não sabes nada, Jon Snow.*

— Nunca é muito tempo — disse Jon. — Talvez penseis de forma diferente amanhã, ou daqui a um ano. No entanto, mais tarde ou mais cedo o Rei Stannis regressará à Muralha. Quando o fizer, mandará matar-vos... a menos que calhe estardes a usar um manto negro. Quando um homem veste o negro, os seus crimes são limpos. — *Mesmo um homem como tu.* — Peço que me deis licença. Tenho um banquete a que estar presente.

Depois do frio mordente das celas de gelo, a adega cheia de gente estava tão quente que Jon se sentiu sufocado desde o momento em que desceu a escada. O ar cheirava a fumo, a carne a assar e a vinho com especiarias. Axell Florent estava a fazer um brinde quando Jon ocupou o seu lugar no estrado.

— Ao Rei Stannis e à sua esposa, a Rainha Selyse, Luz do Norte! — berrou Sor Axell. — A R'hllor, o Senhor da Luz, que ele nos defenda a todos! Uma terra, um deus, um rei!

— *Uma terra, um deus, um rei!* — ecoaram os homens da rainha.

Jon bebeu com os outros. Não saberia dizer se Alys Karstark encontraria alguma alegria no casamento, mas aquela noite, pelo menos, devia ser de celebração.

Os intendentes começaram a trazer o primeiro prato, um caldo de cebola a que bocados de cabra e cenoura davam sabor. Não era propriamente comida régia, mas era nutritiva; sabia suficientemente bem e aquecia a barriga. O Owen Idiota pegou na rabeca e vários dos membros do povo livre juntaram-se-lhe com flautas e tambores. As mesmas flautas e tambores que tocaram para desencadear o ataque de Mance Rayder contra a Muralha. Jon achava que agora soavam melhor. Com o caldo vinham fatias de pão preto grosseiro, ainda quente do forno. Havia sal e manteiga nas mesas. Vê-lo deixou Jon melancólico. Estavam bem abastecidos de sal, dissera-lhe Bowen Marsh, mas a manteiga acabar-se-ia dentro de uma volta de lua.

Ao Velho Flint e ao Norrey tinham sido dados lugares de grande honra logo abaixo do estrado. Ambos os homens eram demasiado velhos para marcharem com Stannis; tinham enviado os filhos e os netos em seu lugar. Mas tinham sido bem rápidos a descer a Castelo Negro para o casamento. Cada um trouxera também uma ama-de-leite para a Muralha. A mulher Norrey tinha quarenta anos e os maiores seios que Jon vira na vida. A rapariga Flint tinha catorze e um peito liso como o de um rapaz, embora não lhe faltasse leite. Entre as duas, a criança a que Val chamava Monstro parecia estar a vicejar.

Por isso, Jon sentia-se grato... mas não acreditava nem por um momento que velhos guerreiros encanecidos como aqueles dois se tivessem apressado a descer dos seus montes apenas por esse motivo. Cada um trouxera uma comitiva de combatentes; cinco o Velho Flint, doze o Norrey, todos vestidos de peles esfarrapadas e couros com tachões, temíveis como o rosto do inverno. Alguns tinham longas barbas, alguns tinham cicatrizes, alguns tinham as duas coisas; todos adoravam os deuses antigos do norte, os mesmos deuses adorados pelo povo livre do outro lado da Muralha. Mas ali estavam, a beber a um casamento consagrado por um estranho deus vermelho vindo do outro lado do mar.

*Antes isso do que recusarem-se a beber.* Nem Flint nem Norrey tinham virado as taças ao contrário para derramar o vinho no chão. Isso podia denotar uma certa aceitação. *Ou talvez simplesmente detestem a ideia de desperdiçar bom vinho do sul. Não devem ter saboreado muito lá em cima naqueles seus montes pedregosos.*

Entre os pratos, Sor Axell Florent levou a Rainha Selyse para dançar. Outros seguiram-nos; primeiro os cavaleiros da rainha, emparceirados com as damas dela. Sor Brus concedeu à Princesa Shireen a sua primeira dança, após o que deu uma volta com a mãe. Sor Narbert foi dançando à vez com todas as damas de companhia de Selyse.

Os homens da rainha eram três vezes mais que as damas da rainha, por isso mesmo as mais humildes criadas foram pressionadas para dançar. Após algumas canções, uns quantos irmãos negros lembraram-se de habilidades aprendidas nas cortes e castelos da juventude, antes de os seus pecados os enviarem para a Muralha, e também foram dançar. O velho patife Ulmer da Mata de Rei mostrou-se tão hábil na dança como era no tiro com arco, sem dúvida regalando as parceiras com as suas histórias sobre a Irmandade da Mata de Rei, quando acompanhara Simon Toyne e o Ben Barrigudo e ajudara Wenda, a Cerva Branca, a queimar a sua marca nas nádegas dos seus cativos bem-nascidos. O Cetim era todo boa elegância, revezando-se a dançar com três criadas, mas sem nunca ter a ousadia de abordar uma senhora de nascimento elevado. Jon achou-o sensato. Não gostava do modo como alguns dos cavaleiros da rainha estavam a olhar para o intendente, em particular Sor Patrek da Montanha Real. *Aquele quer derramar um pouco de sangue*, pensou. *Anda à procura de alguma provocação.*

Quando o Owen Idiota se pôs a dançar com o bobo Cara-Malhada, ecoaram gargalhadas no teto abobadado. A cena fez a Senhora Alys sorrir.

— Dançais com frequência, aqui em Castelo Negro?

— Sempre que temos um casamento, senhora.

— Podíeis dançar comigo, sabeis? Seria cortês da vossa parte. Já dançastes comigo.

— Já? — brincou Jon.

— Quando éramos crianças. — Arrancou um bocado de pão e atirou-lho. — Como bem sabeis.

— A senhora devia dançar com o seu marido.

— Temo que o meu Magnar não seja homem para danças. Se não quereis dançar comigo, ao menos servi-me um pouco do vinho com especiarias.

— Às vossas ordens. — Pediu o jarro com um gesto.

— Então — disse Alys, enquanto Jon enchia a taça — agora sou uma mulher casada. Um marido selvagem com o seu próprio exercitozinho selvagem.

— O que eles chamam a si próprios é "povo livre." A maioria, pelo menos. Se bem que os Thenn sejam um povo à parte. Muito antigo. — Fora Ygritte quem lho dissera. *Não sabes nada, Jon Snow.* — Vêm de um vale escondido na ponta norte dos Colmilhos de Gelo, rodeado por picos elevados, e há milhares de anos que têm mais negócios com os gigantes do que com os outros homens. Isso tornou-os diferentes.

— Diferentes — disse ela — mas mais semelhantes a nós.

— Sim, senhora. Os Thenn têm senhores e leis. — *Sabem como se ajoelha.* — Minam estanho e cobre para fazer bronze, forjam as suas próprias armas e armaduras em vez de as roubarem. São um povo orgulhoso e valente. Mance Rayder teve de derrotar o antigo Magnar por três vezes antes de Styr o aceitar como Rei-para-lá-da-Muralha.

— E agora aqui estão, do nosso lado da Muralha. Empurrados para fora do seu baluarte nas montanhas e para dentro do meu quarto. — Fez um sorriso irónico. — A culpa é minha. O senhor meu pai disse-me que devia encantar o vosso irmão Robb, mas eu só tinha seis anos e não sabia como.

*Pois, mas agora tens quase dezasseis e temos de rezar para que saibas como encantar o teu novo marido.*

— Senhora, como estão as coisas em Karhold no que toca às provisões alimentares?

— Não estão bem. — Alys suspirou. — O meu pai levou consigo tantos dos nossos homens para sul que só ficaram as mulheres e os rapazes novos para a colheita. Eles e os homens velhos ou aleijados demais para partir para a guerra. Os cultivos murcharam nos campos ou foram enterrados na lama pelas chuvas de outono. E agora chegaram os nevões. Este inverno vai ser duro. Poucos dos velhos lhe sobreviverão, e muitas crianças perecerão também.

Era uma história que todos os nortenhos conheciam bem.

— A avó do meu pai, do lado da mãe, era uma Flint das montanhas — disse-lhe Jon. — Chamam a si próprios os Primeiros Flints. Dizem que os outros Flint são do sangue de filhos mais novos que tiveram de abandonar as montanhas para encontrar comida, terra e esposas. Lá em cima a vida sempre foi dura. Quando a neve cai e a comida escasseia, os seus jovens têm de viajar para a vila de inverno ou de se pôr ao serviço num ou noutro dos castelos. Os velhos reúnem as forças que lhes restam e anunciam que vão caçar. Alguns são encontrados ao chegar a primavera. São mais os que nunca mais são vistos.

— Em Karhold as coisas são muito semelhantes.

Aquilo não o surpreendeu.

— Quando as vossas provisões começarem a minguar, senhora, lembrai-vos de nós. Mandai os velhos para a Muralha, permiti que profiram as nossas palavras. Aqui, pelo menos, não morrerão sozinhos na neve sem nada a não ser memórias para se aquecerem. Mandai-nos também rapazes, se tiverdes rapazes a mais.

— Como quiserdes. — Tocou-lhe na mão. — Karhold lembra-se.

O alce estava a ser trinchado. Cheirava melhor do que Jon tinha motivos para esperar. Enviou uma porção ao Couros, na Torre de Hardin, bem como três grandes bandejas de legumes assados para Wun Wun, após o que comeu ele uma saudável fatia. *O Hobb Três-Dedos saiu-se bem.* Esse fora um motivo de preocupação. Hobb viera ter com ele duas noites antes queixando-se de que aderira à Patrulha da Noite para matar selvagens, não para cozinhar para eles.

— Além disso, nunca fiz um banquete de casamento, s'nhor. Os irmãos negros nunca tomam esposas. 'Tá nos malditos votos, juro que 'tá.

Jon estava a empurrar o assado para baixo com um gole de vinho com especiarias quando Clydas apareceu a seu lado.

— Uma ave — anunciou, e enfiou um pergaminho na mão de Jon. A nota vinha selada com um ponto de cera negra dura. *Atalaialeste*, compreendeu Jon, antes ainda de quebrar o selo. A carta fora escrita pelo Meistre Harmune; Cotter Pyke não sabia ler nem escrever. Mas as palavras eram de Pyke, apontadas à medida que ele as dizia, sem rodeios e diretas ao ponto.

*Hoje há mares calmos. Onze navios zarparam para Larduro na maré da manhã. Três bravosianos, quatro lisenos, quatro dos nossos. Dois dos lisenos mal aguentam o mar. Podemos afogar mais selvagens do que os que salvamos. Ordens vossas. Doze corvos a bordo e o Meistre Harmune também. Mandaremos relatórios. Eu comando a partir da Garra, o Farrapo Salgado é o segundo-comandante no Melro, Sor Glendon comanda Atalaialeste.*

— Asas escuras, palavras escuras? — perguntou Alys Karstark.

— Não, senhora. Estas notícias eram há muito aguardadas. — *Embora a última parte me perturbe.* Glendon Hewett era um homem experiente e forte, uma escolha sensata para comandar na ausência de Cotter Pyke. Mas também era aquilo a que Alliser Thorne mais podia chamar amigo, e fora uma espécie de compincha de Janos Slynt, ainda que brevemente. Jon ainda se lembrava de como Hewett o arrastara da cama, e da sensação da sua bota a esmagar-se-lhe contra as costelas. *Não é o homem que eu teria escolhido.* Enrolou o pergaminho e enfiou-o no cinto.

O prato seguinte era de peixe, mas enquanto o lúcio estava a ser limpo de espinhas, a Senhora Alys arrastou o Magnar para dançar. Pelo modo como se movia, era claro que Sigorn nunca antes dançara, mas bebera vinho suficiente para isso não parecer importar.

— Uma donzela nortenha e um guerreiro selvagem, unidos pelo Senhor da Luz. — Sor Axell Florent enfiou-se no lugar deixado vago pela Senhora Alys. — Sua Graça aprova. Eu sou próximo dela, senhor, portanto sei o que pensa. O Rei Stannis também aprovaria.

*A menos que Roose Bolton lhe tenha espetado a cabeça numa lança.*

— Nem todos concordam, infelizmente. — A barba de Sor Axell era um arbusto irregular sob o queixo descaído; pelos ásperos despontavam-lhe nas orelhas e narinas. — Sor Patrek sente que teria sido melhor par para a Senhora Alys. Perdeu as terras quando veio para norte.

— Há muitos neste salão que perderam muito mais do que isso —

disse Jon — e mais que abriram mão das vidas para servirem o reino. Sor Patrek devia considerar-se afortunado.

Axell Florent sorriu.

— O rei poderia dizer o mesmo se estivesse aqui. No entanto, decerto que algumas providências têm de ser tomadas em prol dos leais cavaleiros de Sua Graça. Seguiram-no até tão longe e a um custo tão grande. E precisamos de vincular estes selvagens ao rei e ao reino. Este casamento é um bom primeiro passo, mas sei que agradaria à rainha ver também a princesa selvagem casada.

Jon suspirou. Estava farto de explicar que Val não era uma verdadeira princesa. Por mais que lhes dissesse, eles nunca pareciam escutar.

— Sois persistente, Sor Axell, isso admito.

— Censurais-me, senhor? Um prémio como aquele não se conquista facilmente. Uma rapariga núbil, segundo ouvi dizer, e que não faz mal à vista. Boas ancas, bons seios, bem feita para parir filhos.

— E quem seria pai desses filhos? Sor Patrek? Vós?

— Quem haveria melhor? Nós, os Florent, temos o sangue dos velhos reis Gardener nas veias. A Senhora Melisandre podia executar os ritos, tal como fez para a Senhora Alys e o Magnar.

— Só o que vos falta é uma noiva.

— Isso remedeia-se facilmente. — O sorriso do Florent era tão falso que parecia doloroso. — Onde está ela, Lorde Snow? Mudaste-la para um dos outros castelos? Para Guardagris ou para a Torre Sombria? Para o Buraco das Rameiras com as outras raparigas? — Aproximou-se mais. — Há quem diga que a tendes escondida para vosso próprio prazer. A mim não importa, desde que não esteja à espera de bebé. Eu faço nela os meus próprios filhos. Se a iniciastes à sela, bem… somos ambos homens do mundo, não somos?

Jon já ouvira o suficiente.

— Sor Axell, se realmente sois Mão da Rainha, apiedo-me de Sua Graça.

A cara de Florent corou de raiva.

— Então *é* verdade. Pretendeis guardá-la para vós, agora vejo. O bastardo quer os domínios do pai.

*O bastardo recusou os domínios do pai. Se o bastardo tivesse querido Val, ter-lhe-ia bastado pedi-la.*

— Tereis de me dar licença, sor — disse. — Preciso de um pouco de ar fresco. — *Isto aqui fede.* A cabeça virou-se-lhe. — Aquilo foi um corno.

Outros também o tinham ouvido. A música e os risos morreram de imediato. Dançarinos imobilizaram-se onde estavam, à escuta. Até o Fantasma espetou as orelhas.

— Ouvistes aquilo? — perguntou a Rainha Selyse aos seus cavaleiros.

— Um corno de guerra, Vossa Graça — disse Sor Narbert.

A mão da rainha pairou até à sua garganta.

— Estamos sob ataque?

— Não, Vossa Graça — disse Ulmer da Mata de Rei. — São os vigilantes na Muralha, nada mais.

*Um sopro*, pensou Jon Snow. *Patrulheiros de regresso.*

Foi então que voltou a soar. O som pareceu encher a cave.

— Dois sopros — disse Mully.

Irmão negros, nortenhos, povo livre, Thenns, homens da rainha, todos se calaram, à escuta. Passaram quatro segundos. Dez. Vinte. Então o Owen Idiota soltou um risinho abafado e Jon Snow conseguiu voltar a respirar.

— Dois sopros. Selvagens. — *Val.*

Tormund Terror dos Gigantes chegara por fim.

O salão ressoava com gargalhadas yunkaitas, canções yunkaitas, preces yunkaitas. Dançarinos dançavam; músicos tocavam estranhas melodias com campainhas, chiadores e câmaras de ar; cantores cantavam antigas canções de amor na incompreensível língua da Velha Ghis. Fluía vinho; não o líquido fino e pálido da Baía dos Escravos, mas ricas colheitas saborosas da Árvore e vinho de sonhos de Qarth, temperado com estranhas especiarias. Os yunkaitas tinham vindo a convite do Rei Hizdahr, a fim de assinar a paz e assistir ao renascimento das afamadas arenas de combate de Meereen. O seu nobre marido abrira a Grande Pirâmide para os banquetear.

*Detesto isto*, pensou Daenerys Targaryen. *Como foi que isto aconteceu, como foi que acabei a beber e a sorrir com homens que preferiria esfolar?*

Foi servida uma dúzia de diferentes tipos de carne e peixe: camelo, crocodilo, lula cantante, pato lacado e lagartas espinhosas, com cabra, presunto e cavalo para aqueles cujos gostos eram menos exóticos. E cão. Nenhum banquete ghiscariota estava completo sem um prato de cão. Os cozinheiros de Hizdahr preparavam cão de quatro maneiras diferentes.

— Os ghiscariotas comem qualquer coisa que nade, voe ou ande, à exceção de homem e dragão — avisara-a Daario — e aposto que também comeriam dragão se lhes fosse dada meia oportunidade. — Porém, a carne sozinha não dava uma refeição, portanto também havia frutas, cereais e legumes. O ar estava temperado com os odores a açafrão, canela, cravinho, pimenta e outras especiarias dispendiosas.

Dany quase nem tocou na comida. *Isto é a paz*, disse a si própria. *Era isto que eu queria, aquilo para que trabalhei, foi para isto que casei com Hizdahr. Então porque sabe tanto a derrota?*

— É só durante mais algum tempo, meu amor — garantira-lhe Hizdahr. — Os yunkaitas depressa se irão embora, e os seus aliados e mercenários irão com eles. Teremos tudo o que desejávamos. Paz, comida, comércio. O nosso porto está de novo aberto, e navios são autorizados a ir e vir.

— Eles estão a *autorizar* isso, sim — respondera — mas os seus navios de guerra permanecem cá. Podem voltar a fechar os dedos em volta da nossa garganta quando quiserem. *Abriram um mercado de escravos à vista das minhas muralhas!*

— *Fora* das nossas muralhas, querida rainha. Essa foi uma condição para a paz, que Yunkai fosse livre de negociar em escravos como dantes, sem ser incomodada.

— Na sua própria cidade. Não onde eu tenha de ver. — Os Sábios Mestres tinham instalado os seus cercados de escravos e estrado de leilões mesmo a sul do Skahazadhan, onde o largo rio castanho desaguava na Baía dos Escravos. — Estão a troçar da minha cara, a fazer espetáculo da minha impotência para lhes pôr travão.

— Estão a posar e a marcar uma posição — dissera o seu nobre esposo. — Um espetáculo, como dissestes. Eles que façam a sua pantomina. Quando se forem embora, transformaremos o que deixarem ficar em mercado de fruta.

— Quando se forem embora — repetira Dany. — E quando é que eles se vão embora? Foram vistos cavaleiros para lá do Skahazadhan. Batedores dothraki, segundo Rakharo, com um *khalasar* atrás. Deverão ter cativos. Homens, mulheres e crianças, presentes para os esclavagistas. — Os dothraki não compravam nem vendiam, mas davam presentes e recebiam-nos. — Foi para isso que os yunkaitas construíram o mercado. Sairão daqui com milhares de novos escravos.

Hozdahr zo Loraq encolhera os ombros.

— Mas sairão. É essa a parte importante, meu amor. Yunkai negociará com escravos, Meereen não, foi nisto que concordámos. Suportai isto durante mais um pouco, e passará.

E assim Daenerys ficara em silêncio durante a refeição, envolta num *tokar* vermelhão e em pensamentos negros, falando apenas quando lhe dirigiam a palavra, matutando nos homens e mulheres que estavam a ser comprados e vendidos fora das suas muralhas mesmo enquanto se banqueteavam no interior da cidade. O seu nobre esposo que fizesse os discursos e se risse dos débeis gracejos yunkaitas. Esse era o direito de um rei, e o dever de um rei.

Muitas das conversas em volta da mesa debruçavam-se sobre os combates que seriam travados no dia seguinte. Barsena Cabelopreto ia enfrentar um javali, contrapondo as presas do animal ao seu punhal. Khrazz ia combater, e o Gato Malhado também. E no combate final do dia, Goghor, o Gigante, enfrentaria Belaquo Quebra-Ossos. Um deles estaria morto antes de o Sol se pôr. *Nenhuma rainha tem as mãos limpas*, disse Dany a si própria. Pensou em Doreah, em Quaro, em Eroeh… numa rapariguinha que nunca conhecera, cujo nome fora Hazzea. *É melhor que morram alguns na arena do que milhares aos portões. Este é o preço da paz, pago-o de boa vontade. Se olhar para trás estou perdida.*

O Supremo Comandante Yunkaita, Yurkhaz zo Yunzak, podia ter estado vivo durante a Conquista de Aegon, julgando pela sua aparência.

De costas tortas, cheio de rugas e desdentado, fora trazido para a mesa por dois robustos soldados. Os outros senhores yunkaitas pouco mais impressionantes eram. Um era pequeno e raquítico, embora os soldados escravos que o serviam fossem grotescamente altos e magros. O terceiro era jovem, mostrava-se em forma e elegante, mas estava tão bêbado que Dany dificilmente entendia uma palavra do que dizia. *Como posso ter sido trazida a esta situação por criaturas como estas?*

Os mercenários eram outra coisa. Todas as quatro companhias livres ao serviço de Yunkai tinham enviado o seu comandante. Os Aventados eram representados pelo nobre pentoshi conhecido como Príncipe Esfarrapado, as Longas Lanças por Gylo Rhegan, que se parecia mais com um sapateiro do que com um soldado e falava em murmúrios. O Barba Sangrenta, da Companhia do Gato, fazia barulho suficiente por ele e por mais uma dúzia. Homem enorme, com um grande matagal na barba e um prodigioso apetite por vinho e mulheres, berrava, arrotava, peidava-se como um trovão, e beliscava todas as criadas que surgiam ao seu alcance. De vez em quando puxava uma para o seu colo para lhe apertar os seios e a acariciar entre as pernas.

Os Segundos Filhos também estavam representados. *Se Daario estivesse aqui, esta refeição terminaria em sangue.* Nenhuma paz prometida poderia ter persuadido o seu capitão a permitir que o Ben Castanho Pulmm regressasse calmamente a Meereen e partisse vivo. Dany jurara que nenhum mal aconteceria aos sete emissários e comandantes, embora isso não tivesse sido suficiente para os yunkaitas. Estes tinham-lhe exigido também reféns. Para equilibrar os três nobres yunkaitas e quatro capitães mercenários, Meereen enviara sete dos seus para o acampamento sitiante: a irmã de Hizdahr, dois dos seus primos, o companheiro de sangue de Dany, Jhogo, o seu almirante Groleo, o capitão Imaculado Herói e Daario Naharis.

— Deixo as minhas meninas contigo — dissera o seu capitão, entregando-lhe o cinturão da espada e as libertinas douradas. — Mantém-nas a salvo por mim, amada. Não queremos que elas façam travessuras sangrentas entre os yunkaitas.

O Tolarrapada também se encontrava ausente. A primeira coisa que Hizdahr fizera após ser coroado fora afastá-lo do comando dos Feras de Bronze, substituindo-o pelo seu primo, o rechonchudo e macilento Marghaz zo Loraq. *É melhor assim. A Graça Verde diz que há sangue entre Loraq e Kandaq, e o Tolarrapada nunca fez segredo do seu desdém pelo senhor meu marido. E Daario...*

Daario só se tornara mais incontrolável desde o casamento. A paz não lhe agradava, o casamento agradava-lhe menos ainda, e ficara furioso por ter sido enganado pelos dorneses. Quando o Príncipe Quentyn lhes dissera que os outros westerosianos se tinham passado para os Corvos Tormentosos às ordens do Príncipe Esfarrapado só a intervenção do Verme Cinzento impedira Daario de os matar a todos. Os falsos desertores tinham sido aprisionados em segurança nas profundezas da pirâmide… mas a ira de Daario continuara a ulcerar.

*Ele estará mais seguro como refém. O meu capitão não foi feito para a paz.* Dany não podia arriscar que ele abatesse o Ben Castanho Plumm, troçasse de Hizdahr perante a corte, provocasse os yunkaitas ou perturbasse de outra forma o acordo que conquistara abrindo mão de tantas coisas. Daario era guerra e sofrimento. Dali em diante tinha de o manter fora da sua cama, fora do seu coração e fora de si. Se ele não a traísse, dominá-la-ia. Não sabia qual dessas alternativas mais temia.

Quando a glutonaria terminou e toda a comida semi-ingerida foi levada — para ser dada aos pobres que se tinham reunido lá em baixo, por insistência da rainha — copos altos de vidro foram enchidos com um licor condimentado vindo de Qarth, escuro como âmbar. De seguida tiveram início os divertimentos.

Uma trupe de *castrati* yunkaitas pertencentes a Yurkhaz zo Yunzak cantou-lhe canções na antiga língua do Velho Império, com vozes agudas, doces e impossivelmente puras.

— Alguma vez ouvistes um canto assim, meu amor? — perguntou-lhe Hizdahr. — Têm as vozes de deuses, não têm?

— Sim — disse ela — embora eu pergunte a mim própria se não prefeririam ter os frutos de homens.

Todos os artistas eram escravos. Isso fora parte da paz, que aos donos de escravos fosse dado o direito de trazerem os seus servos para Meereen sem receio de os verem libertados. Em troca, os yunkaitas tinham concordado respeitar os direitos e liberdades dos antigos escravos que Dany libertara. Um acordo justo, dissera Hizdahr, mas o sabor que deixara na boca da rainha era mau. Bebeu outro copo de vinho para o afastar.

— Se vos aprouver, não duvido de que Yurkhaz se sentirá feliz por nos oferecer os cantores — disse o seu nobre esposo. — Um presente para selar a nossa paz, um ornamento para a nossa corte.

*Ele dar-nos-á aqueles* castrati, pensou Dany, *e depois marchará para casa e fará mais uns quantos. O mundo está cheio de rapazes.*

Os acrobatas que se seguiram também não conseguiram tocá-la, nem mesmo quando formaram uma pirâmide humana com nove andares de altura, com uma rapariguinha nua no topo. *Quererá aquilo representar a minha pirâmide?*, perguntou a rainha a si própria. *Pretender-se-á que a rapariga no topo seja eu?*

Depois, o senhor seu esposo levou os convidados para o terraço inferior, para que os visitantes da Cidade Amarela pudessem contemplar Meereen à noite. De copos de vinho nas mãos, os yunkaitas vaguearam pelo jardim em pequenos grupos, sob limoeiros e flores noturnas, e Dany deu por si cara a cara com o Ben Castanho Plumm.

Ele fez uma profunda vénia.

— Reverência. Estais adorável. Bem, sempre estivestes. Nenhum daqueles yunkaitas tem metade da vossa beleza. Pensei trazer-vos um presente de casamento, mas os lances subiram demasiado para o velho Ben Castanho.

— Não quero presentes teus.

— Este talvez quisésseis. A cabeça de um velho inimigo.

— A tua? — disse ela com doçura. — Traíste-me.

— Ora aí está uma maneira desagradável de pôr as coisas, se permitis que o diga. — O Ben Castanho coçou as suíças malhadas de cinzento e branco. — Nós passámo-nos para o lado vencedor, nada mais. Tal como fizemos antes. E não fui só eu. Perguntei aos meus homens o que fazer.

— Então foram *eles* que me traíram, é isso o que estás a dizer? Porquê? Terei maltratado os Segundos Filhos? Enganei-vos nos pagamentos?

— Isso nunca — disse o Ben Castanho — mas nem tudo é dinheiro, Vossa Poderosa Alteza. Aprendi isso há muito tempo, na minha primeira batalha. Na manhã depois do combate, estava eu a esgravatar entre os mortos, à procura duma ou doutra coisinha p'ra saquear. Encontrei um cadáver, um machado qualquer tinha-lhe cortado o braço inteirinho pelo ombro. 'Tava coberto de moscas, todo cheio de sangue seco, se calhar foi por isso que ninguém mais lhe tinha tocado, mas por baixo das moscas usava um justilho tachonado, parecia ser de bom couro. Achei que era capaz de me servir bem, de modo que enxotei as moscas e arranquei-lhe aquilo do corpo. Mas a maldita coisa era mais pesada do que tinha o direito de ser. Debaixo do forro tinha cosida uma fortuna em dinheiro. *Ouro*, Reverência, belo ouro amarelo. Suficiente p'ra qualquer homem viver como um senhor p'ró resto dos seus dias. Mas de que lhe serviu? Ali 'tava ele com todo o seu dinheiro, a jazer no sangue e na lama com a merda do braço cortado. E a lição é essa, vedes? A prata é uma doçura e o ouro é a nossa mãe, mas depois de estarmos mortos valemos menos do que aquela última cagada que fazemos ao morrer. Eu disse-vos uma vez que há mercenários velhos e mercenários ousados, mas não há mercenários velhos e ousados. Os meus rapazes não quiseram morrer, nada mais, e quando lhes disse que não podíeis soltar aqueles dragões contra os yunkaitas, bom…

*Viste-me como derrotada*, pensou Dany, *e quem sou eu para dizer que te enganavas?*

— Compreendo. — Podia ter acabado por ali, mas estava curiosa. —

Ouro suficiente para viver como um senhor, disseste tu. Que fizeste com toda essa riqueza?

O Ben Castanho riu-se.

— Como rapaz tolo que era, contei a um homem que julgava meu amigo, e ele contou ao nosso sargento, e os meus irmãos-de-armas chegaram e aliviaram-me desse fardo. O sargento disse que eu era novo demais, que só o ia desperdiçar todo em rameiras e coisas do género. Mas deixou-me ficar com o justilho. — Escarrou. — Não quereis nunca confiar num mercenário, s'nhora.

— Já aprendi isso. Um dia tenho de não me esquecer de te agradecer pela lição.

Os olhos do Ben Castanho enrugaram-se.

— Não há necessidade. Eu sei que tipo de agradecimento tendes em mente. — Fez outra vénia e afastou-se.

Dany virou-se para fitar a sua cidade. Para lá das muralhas, as tendas amarelas dos yunkaitas erguiam-se em fileiras ordenadas junto ao mar, protegidas pelas valas que os seus escravos tinham escavado. Duas legiões de ferro de Nova Ghis, treinadas e armadas de forma semelhante aos Imaculados, estavam acampadas do outro lado do rio, a norte. Outras duas legiões ghiscariotas tinham erguido acampamento a leste, estrangulando a estrada para o passo de Khyzai. As linhas de cavalos e as fogueiras para cozinhar das companhias livres estavam a sul. De dia, finas colunas de fumo erguiam-se para o céu como irregulares fitas cinzentas. De noite viam-se fogueiras distantes. Mesmo junto à baía encontrava-se a abominação, o mercado de escravos à sua porta. Não o conseguia ver agora, com o Sol posto, mas sabia que estava lá. Isso só a deixava mais zangada.

— Sor Barristan? — disse em voz baixa.

O cavaleiro branco apareceu de imediato.

— Vossa Graça.

— O que ouvistes?

— O suficiente. Ele não estava errado. Nunca confieis num mercenário.

*Ou numa rainha*, pensou Dany.

— Haverá algum homem nos Segundos Filhos que possa ser persuadido a… afastar… o Ben Castanho?

— Como Daario Naharis afastou os outros capitães dos Corvos Tormentosos? — O velho cavaleiro fez uma expressão de desconforto. — Talvez. Eu não o saberia, Vossa Graça.

*Pois não*, pensou, *és demasiado honesto e honrado.*

— Se não houver, os yunkaitas empregam outras três companhias.

— Patifes e assassinos, escumalha de uma centena de campos de batalha — avisou Sor Barristan — com capitães precisamente tão traiçoeiros como o Plumm.

— Eu sou só uma rapariguinha e pouco sei dessas coisas, mas parece-me que *queremos* que eles sejam traiçoeiros. Um dia, se bem vos lembrais, convenci os Segundos Filhos e os Corvos Tormentosos a juntarem-se-nos.

— Se Vossa Graça desejar uma conversa privada com Gylo Rhegan ou com o Príncipe Esfarrapado, posso trazê-los aos vossos aposentos.

— Este não é o momento. Demasiados olhos, demasiados ouvidos. A sua ausência não passaria despercebida, mesmo se conseguísseis afastá-los discretamente dos yunkaitas. Temos de arranjar alguma forma mais discreta de os contactar… esta noite não, mas em breve.

— Às vossas ordens. Se bem que tema que esta não seja tarefa para a qual eu seja adequado. Em Porto Real trabalho deste género era deixado para o Lorde Mindinho ou para a Aranha. Nós, os velhos cavaleiros, somos homens simples, que só prestam para o combate. — Deu uma palmada no cabo da espada.

— Os nossos prisioneiros — sugeriu Dany. — Os westerosianos que se passaram dos Aventados com os três dorneses. Ainda os temos em celas, não temos? Usai-os.

— Falais em libertá-los? Será isso sensato? Foram enviados para cá a fim de ganhar a vossa confiança para poderem trair Vossa Graça à primeira oportunidade.

— Então falharam. Não confio neles. Nunca confiarei neles. — Em boa verdade, Dany estava a esquecer-se de como se confiava. — Mesmo assim podemos usá-los. Um era uma mulher. Meris. Enviai-a de volta, como um… um sinal da minha consideração. Se o seu capitão for esperto, compreenderá.

— A mulher é a pior de todos.

— Tanto melhor. — Dany refletiu por um momento. — Também devíamos sondar as Longas Lanças. E a Companhia do Gato.

— Barba Sangrenta. — A testa de Sor Barristan franziu-se mais. — Se aprouver a Vossa Graça, não queremos contactos com ele. Vossa Graça é demasiado jovem para se lembrar dos Reis dos Nove Dinheiros, mas este Barba Sangrenta foi cortado do mesmo pano selvagem. Não há honra nele, só sede… de ouro, de glória, de sangue.

— Sabeis mais sobre tais homens do que eu, sor. — Se o Barba Sangrenta fosse realmente o mais desonrado e ganancioso dos mercenários, podia ser o mais fácil de desencaminhar, mas relutava em ir contra os conselhos de Sor Barristan em tais assuntos. — Fazei o que achardes melhor. Mas fazei-o depressa. Se a paz de Hizdahr for quebrada, quero estar pronta.

Não confio nos esclavagistas. — *Não confio no meu marido.* — Virar-se-ão contra nós ao primeiro sinal de fraqueza.

— Os yunkaitas também se vão tornando mais fracos. A fluxão sangrenta instalou-se entre os tolosinos, segundo se diz, e espalhou-se para a outra margem do rio, até à terceira legião ghiscariota.

*A égua branca.* Daenerys suspirou. *Quaithe avisou-me da chegada da égua branca. Também me falou do príncipe dornês, o filho do sol. Disse-me mais que muitas coisas, mas tudo em adivinhas.*

— Não posso depender da praga para me salvar dos meus inimigos. Libertai a Linda Meris. Imediatamente.

— Às vossas ordens. Se bem que… Vossa Graça, se me permitis a ousadia, existe outro caminho…

— O caminho dornês? — Dany suspirou. Os três dorneses tinham estado no banquete, como era próprio do estatuto do Príncipe Quentyn, se bem que Reznak tivesse tido o cuidado de os sentar o mais longe possível do marido. Hizdahr não parecia ter uma natureza ciumenta, mas nenhum homem ficaria satisfeito com a presença de um pretendente rival perto da sua nova esposa. — O rapaz parece agradável e bem-falante, mas…

— A Casa Martell é antiga e nobre, e é uma leal amiga da Casa Targaryen há mais de um século, Vossa Graça. Tive a honra de servir com o tio-avô do Príncipe Quentyn nos sete do vosso pai. Nenhum homem podia desejar um irmão de armas mais valente do que o Príncipe Lewyn. Quentyn Martell é do mesmo sangue, se aprouver a Vossa Graça.

— Aprazer-me-ia se ele tivesse aparecido com aquelas cinquenta mil espadas de que fala. Em vez disso traz-me dois cavaleiros e um pergaminho. Irá um pergaminho proteger o meu povo dos yunkaitas? Se ele tivesse chegado com uma frota…

— Lançassolar nunca foi uma potência marítima, Vossa Graça.

— Pois não. — Dany sabia o suficiente da história de Westeros para saber isso. Nymeria encalhara dez mil navios nas costas arenosas de Dorne, mas quando casara com o seu príncipe dornês queimara-os a todos e virara para sempre as costas ao mar. — Dorne fica longe demais. Para agradar a este príncipe, eu teria de abandonar todo o meu povo. Devíeis mandá-lo para casa.

— Os dorneses são notoriamente teimosos, Vossa Graça. Os antepassados do Príncipe Quentyn passaram praticamente duzentos anos a combater os vossos. Ele não irá sem vós.

*Então morrerá aqui,* pensou Daenerys, *a menos que haja nele mais do que eu consigo ver.*

— Ele ainda está lá dentro?

— A beber com os seus cavaleiros.

— Trazei-o até mim. Está na altura de conhecer os meus filhos.

Um clarão de dúvida passou pela longa, séria cara de Barristan Selmy.

— Às vossas ordens.

O seu rei estava a rir-se com Yurkhaz zo Yunzak e os outros senhores yunkaitas. Não parecia a Dany que lhe sentisse a falta, mas, pelo sim pelo não, instruiu as aias para lhe dizerem que estava a responder a um chamamento da natureza, no caso de perguntar por ela.

Sor Barristan estava à espera junto das escadas com o príncipe dornês. A cara quadrada de Martell estava corada. *Demasiado vinho*, concluiu a rainha, embora ele estivesse a fazer o seu melhor para o esconder. À exceção da fila de sóis de cobre que lhe ornamentavam o cinto, o dornês estava vestido com simplicidade. *Chamam-lhe Sapo*, recordou Dany. Conseguia ver porquê. Não era um homem bonito.

Sorriu.

— Meu príncipe. A descida é longa. Tendes a certeza de que quereis fazer isto?

— Se aprouver a Vossa Graça.

— Então vinde.

Um par de Imaculados desceu as escadas à frente deles, portando archotes; atrás vinham duas Feras de Bronze, uma mascarada de peixe, a outra de falcão. Mesmo ali, na sua pirâmide, naquela noite feliz de paz e celebração, Sor Barristan insistia em manter guardas à sua volta fosse ela para onde fosse. O pequeno grupo fez a longa descida em silêncio, parando três vezes ao longo do caminho a fim de recuperarem as forças.

— O dragão tem três cabeças — disse Dany, quando chegaram ao último lanço. — O meu casamento não tem de ser o fim de todas as vossas esperanças. Eu sei porque estais aqui.

— Por vós — disse Quentyn, todo ele desajeitada galanteria.

— Não — disse Dany. — Por fogo e sangue.

Um dos elefantes bramiu-lhes da sua baia. A resposta, um rugido vindo de baixo, fê-la corar com um súbito calor. O Príncipe Quentyn ergueu o olhar, alarmado.

— Os dragões sabem quando ela está perto — disse-lhe Sor Barristan.

*Todos os filhos conhecem as mães*, pensou Dany. *Quando os mares secarem e as montanhas forem sopradas pelo vento como folhas…*

— Eles chamam-me. Vinde. — Pegou na mão do Príncipe Quentyn e levou-o para o fosso onde dois dos seus dragões estavam confinados. — Ficai aí fora — disse Dany a Sor Barristan enquanto os Imaculados abriam as enormes portas de ferro. — O Príncipe Quentyn proteger-me-á. — Puxou o Príncipe Quentyn para dentro consigo e pararam por cima do fosso.

Os dragões viraram os pescoços, fitando-os com olhos ardentes. Viserion estilhaçara uma corrente e derretera as outras. Agarrava-se ao teto do fosso como um enorme morcego branco, enterrando profundamente as garras nos tijolos queimados e a desfazerem-se. Rhaegal, ainda acorrentado, roía a carcaça de um touro. A camada de ossos no chão do fosso estava mais profunda do que da última vez que ali estivera, e as paredes e os soalhos estavam negros e cinzentos, mais cinza que tijolo. Não aguentariam durante muito mais tempo… mas por baixo havia apenas terra e pedra. *Conseguirão os dragões abrir túneis na rocha, como as serpentes de fogo da antiga Valíria?* Esperava que não.

O príncipe dornês tinha-se tornado branco como leite.

— Eu… eu tinha ouvido dizer que havia três.

— Drogon anda à caça. — Não precisava de saber o resto. — O branco é Viserion, o verde Rhaegal. Batizei-os em honra dos meus irmãos. — A sua voz ecoou nas paredes de pedra chamuscadas. Soou pequena; uma voz de rapariga, não a voz de uma rainha e conquistadora, nem a voz alegre de uma mulher acabada de casar.

Rhaegal rugiu em resposta, e fogo encheu o fosso, uma lança de vermelho e amarelo. Viserion respondeu, com as suas chamas douradas e alaranjadas. Quando bateu as asas, uma nuvem de cinza cinzenta encheu o ar. Correntes quebradas tiniram e chocalharam em volta das suas patas. Quentyn Martell deu um salto de meio metro para trás.

Uma mulher mais cruel poderia ter-se rido dele, mas Dany apertou-lhe a mão e disse:

— Também a mim assustam. Não há vergonha nisso. Os meus filhos tornaram-se violentos e furiosos na escuridão.

— Vós… tencionais montá-los?

— Um deles. Tudo o que sei sobre dragões é o que o meu irmão me contou quando era rapariga, e algo do que li em livros, mas diz-se que nem Aegon, o Conquistador, se atreveu a montar Vhagar ou Meraxes, tal como as irmãs não montaram Balerion, o Terror Negro. Os dragões vivem mais do que os homens, alguns vivem centenas de anos, portanto Balerion teve outros cavaleiros depois da morte de Aegon… mas nunca nenhum cavaleiro montou dois dragões.

Viserion voltou a silvar. Fumo ergueu-se entre os seus dentes e, nas profundezas da garganta, viram fogo dourado a agitar-se.

— Eles são… eles são temíveis criaturas.

— São *dragões*, Quentyn. — Dany pôs-se em bicos de pés e deu-lhe dois pequenos beijos, um em cada bochecha. — E eu também sou.

O jovem príncipe engoliu em seco.

— Eu… eu também tenho em mim o sangue do dragão, Vossa Graça. Posso traçar a minha linhagem até à primeira Daenerys, a princesa Targaryen que foi irmã do Rei Daeron, o Bom, e esposa do Príncipe de Dorne. Foi para ela que ele construiu os Jardins de Água.

— Os Jardins de Água — Dany sabia menos que pouco sobre Dorne e a sua história, em boa verdade.

— O lugar preferido do meu pai. Um dia gostaria de vo-lo mostrar. São todos feitos de mármore rosado, com piscinas e fontanários, e com vista para o mar.

— Parecem adoráveis. — Afastou-o do fosso. *O lugar dele não é aqui. Nunca devia ter vindo.* — Devíeis regressar para lá. Temo que a minha corte não seja sítio seguro para vós. Tendes mais inimigos do que julgais. Fizestes com que Daario parecesse um tolo, e ele não é homem para esquecer tal desfeita.

— Eu tenho os meus cavaleiros. Os meus protetores ajuramentados.

— Dois cavaleiros. Daario tem quinhentos Corvos Tormentosos. E também faríeis bem em terdes cuidado com o senhor meu esposo. Parece um homem brando e agradável, bem sei, mas não vos deixeis enganar. A coroa de Hizdahr deriva da minha, e ele detém a lealdade de alguns dos mais temíveis combatentes do mundo. Se algum deles pensar em conquistar a sua benevolência livrando-o de um rival…

— Eu sou um príncipe de Dorne, Vossa Graça. Não fujo de escravos e de mercenários.

*Então és realmente um idiota, Príncipe Sapo.* Dany deitou aos seus filhos selvagens um último olhar demorado. Enquanto levava o rapaz para a porta foi ouvindo os gritos dos dragões e vendo o jogo de luz nos tijolos, reflexos dos seus fogos. *Se olhar para trás estou perdida.*

— Sor Barristan terá chamado um par de liteiras para nos levar para o banquete, mas mesmo assim a ascensão pode ser cansativa. — Atrás de si as grandes portas de ferro fecharam-se com um estrondo ressonante. — Falai-me dessa outra Daenerys. Sei menos do que devia sobre a história do reino do meu pai. Nunca tive um meistre enquanto crescia. — *Só um irmão.*

— O prazer será meu, Vossa Graça — disse Quentyn.

Já passava muito da meia-noite quando os últimos convidados se retiraram, e Dany recolheu-se aos aposentos para se ir juntar ao seu rei e senhor. Hizdahr, pelo menos, estava feliz, embora algo ébrio.

— Cumpri as minhas promessas — disse-lhe, enquanto Irri e Qhiqui os vestiam para a cama. — Desejastes a paz, e ela é vossa.

*E tu desejaste sangue, e bem depressa terei de to dar*, pensou Dany, mas o que disse foi:

— Estou grata.

A excitação do dia inflamara as paixões do marido. Assim que as aias se retiraram para a noite, arrancou-lhe o roupão e atirou-a de costas para a cama. Dany envolveu-o nos braços e deixou-o levar a sua avante. Sabia que, bêbado como estava, não estaria muito tempo dentro dela.

E não esteve. Depois, enfiou-lhe o nariz na orelha e sussurrou:

— Os deuses permitam que tenhamos feito um filho esta noite.

As palavras de Mirri Mas Duur ressoaram-lhe na cabeça. *Quando o Sol nascer a ocidente e se puser a oriente. Quando os mares secarem e as montanhas forem sopradas pelo vento como folhas. Quando o vosso ventre voltar a ganhar vida e derdes à luz um filho vivo. Então, e não antes, ele regressará.* O significado fora bastante claro; era tão provável que Khal Drogo regressasse dos mortos como que ela desse à luz um filho vivo. Mas havia alguns segredos que não se conseguia levar a partilhar, mesmo com um marido, pelo que deixou Hizdahr zo Loraq manter as esperanças.

O seu nobre esposo depressa adormeceu profundamente. Daenerys só conseguiu virar-se e mudar de posição ao lado dele. Apeteceu-lhe abaná-lo, acordá-lo, obrigá-lo a abraçá-la, a beijá-la, a fodê-la de novo, mas mesmo se o fizesse voltaria a adormecer depois, deixando-a sozinha na escuridão. Perguntou a si própria o que estaria Daario a fazer. Também estaria desassossegado? Estaria a pensar nela. Amá-la-ia, realmente? Odiá-la-ia por se ter casado com Hizdahr? *Nunca o devia ter levado para a minha cama.* Ele era apenas um mercenário, não era consorte adequado para uma rainha, e no entanto…

*Eu sempre o soube, mas fi-lo na mesma.*

— Minha rainha? — disse uma voz suave na escuridão.

Dany estremeceu.

— Quem está aí?

— Só Missandei. — A escriba naatina aproximou-se da cama. — Esta ouviu-vos chorar.

— Chorar? Eu não estava a chorar. Porque haveria de chorar? Tenho a minha paz, tenho o meu rei, tenho tudo o que uma rainha podia desejar. Tiveste um pesadelo, nada mais.

— É como dizeis, Vossa Graça. — A rapariga fez uma vénia e fez tenção de se ir embora.

— Fica — disse Dany. — Não quero ficar sozinha.

— Sua Graça está convosco — fez notar Missandei.

— Sua Graça está a sonhar, mas eu não consigo dormir. Amanhã tenho de tomar banho em sangue. O preço da paz. — Fez um sorriso abatido e deu palmadinhas na cama. — Anda. Senta-te. Conversa comigo.

— Se vos aprouver. — Missandei sentou-se a seu lado. — Conversamos sobre o quê?

— Casa — disse Dany. — Naath. Borboletas e irmãos. Fala-me das coisas que te tornam feliz, das coisas que te fazem rir, de todas as tuas memórias mais queridas. Faz-me lembrar que ainda há coisas boas no mundo.

Missandei fez o seu melhor. Ainda estava a falar quando Dany finalmente caiu no sono, para ter sonhos estranhos e meio formados sobre fumo e fogo.

A manhã chegou cedo demais.

O dia aproximou-se deles como Stannis se aproximara: sem ser visto.

Winterfell estava acordado há horas, com as ameias e as torres repletas de homens vestidos de lã, cota de malha e couro, à espera de um ataque que não chegou. Quando o céu começou a clarear, o som dos tambores tinha emudecido, embora cornos de guerra fossem ouvidos mais três vezes, de cada uma um pouco mais próximos. E a neve continuava a cair.

— A tempestade vai acabar hoje — insistia ruidosamente um dos moços de estrebaria sobreviventes. — Ora, nem sequer é inverno. — Theon ter-se-ia rido se se tivesse atrevido. Lembrou-se de histórias que a Velha Nan lhes contara sobre tempestades que se tinham prolongado durante quarenta dias e quarenta noites, durante um ano, durante dez anos... tempestades que tinham enterrado castelos e cidades e reinos inteiros sob trinta metros de neve.

Estava sentado ao fundo do Grande Salão, não muito longe dos cavalos, a ver Abel, Rowan e uma lavadeira com um cabelo de um castanho de rato, chamada Esquila, atacar fatias de pão duro e castanho assado em gordura de bacon. Theon quebrava o jejum com uma caneca de cerveja escura, enevoada de levedura e suficientemente densa para se mastigar. Com mais algumas canecas talvez o plano de Abel deixasse de parecer tão louco.

Roose Bolton entrou, de olhos claros e a bocejar, acompanhado pela sua rechonchuda e grávida esposa Walda Gorda. Vários senhores e capitães tinham-no precedido, entre os quais o Terror-das-Rameiras Umber, Aenys Frey e Roger Ryswell. Mais ao fundo da mesa, Wyman Manderly devorava salsichas e ovos cozidos, enquanto o velho Lorde Locke, a seu lado, enfiava papas de aveia na boca sem dentes.

O Lorde Ramsay depressa surgiu também, afivelando o cinturão da espada enquanto se dirigia à parte dianteira do salão. *Hoje está de mau humor.* Theon conseguia vê-lo. *Os tambores mantiveram-no acordado a noite toda,* supôs, *ou alguém lhe desagradou.* Uma palavra errada, um olhar impensado, uma gargalhada a destempo, qualquer coisa poderia provocar a fúria de sua senhoria, e custar a um homem uma fita de pele. *Por favor, s'nhor, não olheis para este lado.* Um relance seria o suficiente para Ramsay compreender tudo. *Vê-lo-á escrito na minha cara. Saberá. Sabe sempre.*

Theon virou-se para Abel.

— Isto não vai resultar. — Fez soar a voz tão baixo que nem os cavalos poderiam ter ouvido. — Seremos apanhados antes de sairmos do castelo. Mesmo se escaparmos, o Lorde Ramsay dar-nos-á caça, ele, o Ben Ossos e as raparigas.

— O Lorde Stannis está lá fora e, a ajuizar pelo som, não está longe. Basta-nos chegar até ele. — Os dedos de Abel dançavam nas cordas do seu alaúde. A barba do cantor era castanha, embora a maior parte do seu cabelo comprido se tivesse tornado grisalha. — Se o Bastardo vier atrás de nós, talvez viva o suficiente para se arrepender.

*Pensa isso*, pensou Theon. *Acredita nisso. Diz a ti próprio que é verdade.*

— Ramsay usará as tuas mulheres como presas — disse ao cantor. — Irá persegui-las, violá-las e dar os seus cadáveres a comer aos cães. Se a perseguição for boa, talvez batize a ninhada seguinte de cadelas em sua honra. A ti, esfolará. Ele e o Esfolador e o Damon Dança-Para-Mim, farão disso um jogo. Acabarás a suplicar-lhes que te matem. — Agarrou no braço do cantor com uma mão estropiada. — Juraste que não me voltarias a deixar cair nas mãos dele. Deste-me a tua palavra. — Precisava de voltar a ouvi-la.

— A palavra de Abel — disse a Esquila. — Forte como carvalho. — O próprio Abel limitou-se a encolher os ombros.

— Aconteça o que acontecer, meu príncipe.

Lá em cima, no estrado, Ramsay estava a discutir com o pai. Estavam longe demais para Theon distinguir alguma das palavras, mas o medo na cara redonda e cor-de-rosa da Walda Gorda era plenamente eloquente. Conseguiu ouvir Wyman Manderly a gritar por mais salsichas, e a gargalhada com que Roger Ryswell respondeu a um gracejo do maneta Harwood Stout.

Theon perguntou a si próprio se alguma vez veria os salões aquáticos do Deus Afogado, ou se o seu fantasma permaneceria ali em Winterfell. *Morto é morto. Antes morto que Cheirete.* Se o plano de Abel corresse mal, Ramsay tornaria as suas mortes demoradas e duras. *Desta vez esfolar-me-á da cabeça aos pés, e nenhuma quantidade de súplica porá fim ao sofrimento.* Nenhuma dor que Theon tivesse sentido se aproximava da agonia que o Esfolador era capaz de despertar com uma pequena lâmina de esfolar. Abel aprenderia bem depressa essa lição. E por quê? *Jeyne, o nome dela é Jeyne, e os olhos são da cor errada.* Uma saltimbanca a desempenhar um papel. *O Lorde Bolton sabe, e Ramsay também, mas os outros estão cegos, mesmo este maldito bardo com os seus sorrisos matreiros. O alvo da piada és tu, Abel, tu e as tuas rameiras assassinas. Morrerás pela rapariga errada.*

Estivera a milímetros de lhes contar a verdade quando Rowan o levara a Abel nas ruínas da Torre Queimada, mas no último instante dominara a língua. O cantor parecia decidido a fugir com a filha de Eddard Stark. Se soubesse que a noiva do Lorde Ramsay não passava da cria de um intendente, bem...

As portas do Grande Salão abriram-se com estrondo.

Um vento frio entrou aos turbilhões, e uma nuvem de cristais de gelo cintilou, branca azulada, no ar. Através dessa nuvem entrou Hosteen Frey, a passos largos, coberto de neve até à cintura, com um corpo nos braços. Ao longo dos bancos, os homens pousaram os copos e as colheres para se virarem e olharem de boca aberta o espetáculo macabro. O salão silenciou-se.

*Outro assassínio.*

Neve foi deslizando do manto de Sor Hosteen enquanto ele caminhava na direção da mesa elevada, fazendo ressoar os passos no chão. Uma dúzia de cavaleiros e homens-de-armas Frey entrou atrás dele. Um era um rapaz que Theon conhecia; o Walder Grande, o pequeno, com cara de raposa e escanzelado como um pau. Trazia o peito, os braços e o manto salpicados de sangue.

O odor do sangue pôs os cavalos a berrar. Cães saíram de baixo das mesas, a farejar. Homens levantaram-se dos bancos. O corpo nos braços de Sor Hosteen cintilou à luz dos archotes, couraçado de geada rosada. O frio, lá fora, congelara-lhe o sangue.

— O filho do meu irmão Merrett. — Hosteen Frey baixou o corpo para o chão em frente do estrado. — Massacrado como um cão e enfiado debaixo de um monte de neve. Um *rapaz*.

*O Walder Pequeno*, pensou Theon. *O grande.* Deitou uma olhadela a Rowan. *Elas são seis*, recordou. *Qualquer uma pode ter feito isto.* Mas a lavadeira sentiu o seu olhar.

— Isto não foi obra nossa — disse.

— Cala-te — avisou Abel.

O Lorde Ramsay desceu do estrado até junto do rapaz morto. O seu pai ergueu-se mais devagar, de olhos pálidos, de rosto imóvel, solene.

— Isto foi uma maldade. — Por uma vez, a voz de Roose Bolton soou suficientemente sonora para se projetar. — Onde foi encontrado o rapaz?

— Debaixo daquela torre arruinada, senhor — respondeu o Walder Grande. — A que tem as velhas gárgulas. — As luvas do rapaz estavam cobertas com o sangue do primo. — Eu disse-lhe para não sair sozinho, mas ele disse que tinha de ir ao encontro de um homem que lhe devia prata.

— Que homem? — quis saber Ramsay. — Diz-me o nome dele. Aponta-mo, que te faço um manto com a pele dele.

— Ele não chegou a dizer, senhor. Só que ganhou o dinheiro aos dados. — O rapaz Frey hesitou. — Foram uns homens de Porto Branco que lhe ensinaram a jogar aos dados. Ele não soube dizer quem, mas foram eles.

— Senhor — trovejou Hosteen Frey. — Conhecemos o homem que

fez isto. O homem que matou este rapaz e todos os outros. Não pela sua própria mão, não. É demasiado gordo e cobarde para cometer os seus próprios assassínios. Mas pelas palavras. — Virou-se para Wyman Manderly. — Negai-lo?

O Senhor de Porto Branco cortou uma salsicha em duas com uma dentada.

— Confesso... — Limpou a gordura dos lábios com a manga. — ... confesso que pouco sei sobre este pobre rapaz. Era escudeiro do Lorde Ramsay, não era? Que idade tinha o moço?

— Fez nove no último dia do seu nome.

— Tão novo — disse Wyman Manderly. — Se bem que isto talvez tenha sido uma bênção. Se tivesse sobrevivido, teria crescido para se tornar um Frey.

Sor Hosteen deu um pontapé no tampo da mesa, arrancando-o de cima dos suportes e atirando-o contra a barriga inchada do Lorde Wyman. Voaram taças e pratos, salsichas espalharam-se por todo o lado, e uma dúzia de homens Manderly pôs-se de pé a praguejar. Alguns agarraram em facas, bandejas, jarros, em qualquer coisa que pudesse servir-lhes de arma.

Sor Hosteen Frey arrancou a espada da bainha e saltou sobre Wyman Manderly. O Senhor de Porto Branco tentou afastar-se, mas o tampo da mesa prendia-o contra a cadeira. A lâmina cortou três dos seus quatro queixos num borrifo de sangue vermelho vivo. A Senhora Walda soltou um guincho e agarrou-se ao braço do senhor seu esposo.

— Parai — gritou Roose Bolton. — *Parai com esta loucura.* — Os seus homens correram em frente, enquanto os Manderly saltavam sobre os bancos para cair sobre os Frey. Um atirou-se a Sor Hosteen com um punhal, mas o grande cavaleiro rodopiou e cortou-lhe o braço pelo ombro. O Lorde Wyman conseguiu pôr-se de pé, mas apenas para estatelar-se. O velho Lorde Locke gritou por um meistre enquanto Manderly tombava no chão como uma morsa atingida por uma moca, numa crescente poça de sangue. À volta dele, cães lutavam por salsichas.

Foram necessárias duas vintenas de lanceiros do Forte do Pavor para separar os combatentes e pôr fim à carnificina. Por essa altura, já seis homens de Porto Branco e dois Freys jaziam mortos no chão. Mais uma dúzia estava ferida e um dos Rapazes do Bastardo, Luton, morria ruidosamente, gritando pela mãe enquanto tentava enfiar uma mancheia de entranhas viscosas num grande corte que tinha na barriga. O Lorde Ramsay silenciou-o, arrancando uma lança a um dos homens do Pernas-d'Aço e enfiando-a no peito de Luton. Mesmo depois disso as vigas continuaram a ressoar com gritos, preces e pragas, com os guinchos de cavalos aterrorizados e os rosnidos das cadelas de Ramsay. O Walton Pernas-d'Aço teve de bater uma dúzia de vezes com a haste da lança no chão até o salão se silenciar o suficiente para que Roose Bolton fosse ouvido.

— Vejo que todos quereis sangue — disse o Senhor do Forte do Pavor. O Meistre Rhodry estava a seu lado, com um corvo pousado no braço. A plumagem negra da ave brilhava como óleo de carvão à luz dos archotes. *Húmido*, apercebeu-se Theon. *E na mão de sua senhoria está um pergaminho. Aquilo também deve estar húmido. Asas escuras, palavras escuras.* — Em vez de usardes as espadas uns contra os outros, podíeis experimentá-las contra o Lorde Stannis. — O Lorde Bolton desenrolou o pergaminho. — A sua hoste está a menos de três dias a cavalo daqui, encurralada pela neve e a passar fome, e eu, por mim, estou farto de esperar por ele. Sor Hosteen, reuni os vossos cavaleiros e homens-de-armas junto do portão principal. Visto que estais tão ansioso pela batalha, desencadeareis o nosso primeiro golpe. Lorde Wyman, reuni os vossos homens de Porto Branco junto do portão oriental. Eles também irão sair.

A espada de Hosteen Frey estava vermelha quase até ao cabo. Salpicos de sangue pintalgavam-lhe as bochechas como sardas. Baixou a lâmina e disse:

— Às ordens do senhor. Mas depois de vos entregar a cabeça de Stannis Baratheon, tenciono acabar de cortar a do Senhor Toucinho.

Quatro cavaleiros de Porto Branco tinham formado um anel em volta do Lorde Wyman, enquanto o Meistre Medrick trabalhava nele para lhe estancar a hemorragia.

— Primeiro tereis de passar por nós, sor — disse o mais velho, um veterano de cara dura cujo sobretudo manchado de sangue mostrava três tritões prateados sobre violeta.

— De bom grado. Um de cada vez ou todos ao mesmo tempo, não importa.

— *Basta* — rugiu o Lorde Ramsay, brandindo a lança ensanguentada. — Mais uma ameaça, e eu próprio vos esventrarei a todos. O senhor meu pai falou! Poupai a vossa fúria para o pretendente Stannis.

Roose Bolton fez um aceno de aprovação.

— É como ele diz. Haverá tempo bastante para vos combaterdes uns aos outros depois de nos vermos livres de Stannis. — Virou a cabeça, perscrutando o salão com os frios olhos claros até encontrarem o bardo Abel ao lado de Theon. — Cantor — chamou — Vem cantar-nos qualquer coisa calmante.

Abel fez uma vénia.

— Se aprouver a sua senhoria. — De alaúde na mão, dirigiu-se descontraidamente para o estrado, saltando com leveza sobre um ou dois cadáveres, e sentou-se de pernas cruzadas na mesa elevada. Quando começou a tocar, uma canção triste e suave que Theon Greyjoy não reconheceu, Sor Hosteen, Sor Aenys e os outros Frey viraram costas para levar os cavalos para fora do salão.

Rowan agarrou o braço de Theon.

— O banho. Tem de ser agora.

Theon libertou-se do toque dela com uma sacudidela.

— De dia? Seremos vistos.

— A neve esconde-nos. Estais surdo? O Bolton vai enviar os seus homens para o exterior. Temos de chegar ao Rei Stannis antes deles.

— Mas… o Abel…

— O Abel sabe cuidar de si próprio — murmurou a Esquila.

*Isto é uma loucura. Impossível, insensata, condenada ao fracasso.* Theon esvaziou as últimas borras da cerveja e pôs-se relutantemente em pé.

— Vai à procura das tuas irmãs. É necessária bastante água para encher a banheira da minha senhora.

Esquila escapuliu-se, segura de pés, como sempre. Rowan acompanhou Theon para fora do salão. Desde que ela e as irmãs o tinham encontrado no bosque sagrado, uma delas acompanhara cada um dos seus passos, sem o perder nunca de vista. Não confiavam nele. *Porque haveriam de confiar? Eu antes era o Cheirete, e posso voltar a ser o Cheirete. Cheirete, Cheirete, rima com diabrete.*

Lá fora continuava a nevar. Os homens de neve que os escudeiros tinham feito haviam crescido até se transformarem em monstruosos gigantes, com três metros de altura e hediondamente deformados. Muralhas brancas ergueram-se de ambos os lados quando ele e Rowan se dirigiram para o bosque sagrado; os caminhos entre as torres, os baluartes e o salão tinham-se transformado em trincheiras geladas, limpas à pazada de hora a hora para serem mantidas desimpedidas. Era fácil perder-se naquele labirinto gelado, mas Theon Greyjoy conhecia cada curva e cada esquina.

Até o bosque sagrado estava a ficar branco. Formara-se uma película de gelo na lagoa sob a árvore coração, e a cara esculpida no seu tronco branco arranjara um bigode de pequenos pingentes. Àquela hora não podiam nutrir a esperança de ter para si os velhos deuses. Rowan afastou Theon dos nortenhos que rezavam em frente da árvore, levando-o para um ponto oculto perto da parede da caserna, ao lado de uma poça de lama tépida que fedia a ovos podres. Theon viu que mesmo a lama estava a gelar nas bordas.

— O inverno está a chegar…

Rowan deitou-lhe um olhar duro.

— Não tens o direito de proferir o lema do Lorde Eddard. Tu não. Nunca. Depois do que fizeste…

— Vós também matastes um rapaz.

— Não fomos nós. Já te tinha dito.

— As palavras são vento. — *Elas não são melhores do que eu. Somos só iguais.* — Matastes os outros, porque não ele? O Picha Amarela…

— … fedia tanto como tu. Um porco.

— E o Walder Pequeno era um leitão. Matá-lo pôs os Frey e os Manderly em pé de guerra, foi astucioso, vós…

— *Não fomos nós.* — Rowan agarrou-o pela garganta e empurrou-o contra a parede da caserna, com a cara a um centímetro da dele. — Volta a dizer isso, que te arranco essa língua mentirosa, assassino de parentes.

Ele sorriu por entre os dentes partidos.

— Não arrancas. Precisas da minha língua para vos fazer passar pelos guardas. Precisas das minhas mentiras.

Rowan cuspiu-lhe na cara. Depois largou-o e limpou as mãos enluvadas nas pernas, como se bastasse tocar-lhe para a emporcalhar.

Theon sabia que não devia picá-la. À sua maneira, aquela era tão perigosa como o Esfolador ou o Damon Dança-Para-Mim. Mas tinha frio e estava cansado, sentia a cabeça a latejar, não dormia havia dias.

— Fiz coisas terríveis… traí os meus, virei o manto, ordenei a morte de homens que confiavam em mim… mas não sou assassino de parentes.

— Os rapazes Stark nunca foram irmãos para ti, pois. Nós sabemos.

Aquilo era verdade, mas não fora o que Theon quisera dizer. *Eles não eram do meu sangue mas, mesmo assim, nunca lhes fiz mal. Os dois que matámos eram só filhos de um moleiro qualquer.* Theon não queria pensar na mãe deles. Conhecia a mulher do moleiro havia anos, e até se deitara com ela. *Grandes seios pesados com largos mamilos escuros, uma boca doce, uma gargalhada alegre. Alegrias que não voltarei a saborear.*

Mas não valia a pena dizer nada disso a Rowan. Ela nunca acreditaria nas suas negações, tal como ele não acreditava nas dela.

— Há sangue nas minhas mãos, mas não o sangue de irmãos — disse, fatigado. — E fui punido.

— Não o suficiente. — Rowan virou-lhe as costas.

*Parva.* Theon podia ser uma coisa quebrada, mas continuava a trazer um punhal. Teria sido simples puxar por ele e enfiar-lho entre as omoplatas. Isso ainda era capaz de fazer, com dedos em falta e dentes partidos e tudo. Até podia ser uma bondade; um fim mais rápido e limpo do que aquele que ela e as irmãs enfrentariam quando Ramsay as apanhasse.

O Cheirete podê-lo-ia ter feito. *Tê-lo-ia* feito, na esperança de que isso agradasse ao Lorde Ramsay. Aquelas rameiras pretendiam roubar-lhe a noiva, o Cheirete não podia permiti-lo. Mas os velhos deuses tinham-no reconhecido, tinham-lhe chamado Theon. *Nascido no ferro, eu fui nascido no ferro, filho de Balon Greyjoy, e legítimo herdeiro de Pyke.* Os tocos dos seus dedos deram-lhe comichão e remexeram-se, mas manteve o punhal na bainha.

Quando a Esquila regressou, as outras quatro vinham com ela: a descarnada e grisalha Myrtle, Willow Olho-de-Bruxa com a sua longa trança negra, a Frenya da cintura larga e enormes seios, Holly com a sua faca. Vestidas como criadas, com camadas de tecido grosseiro de um cinzento sem graça, usavam mantos de lã castanha forrada com pelo branco de coelho. Nada de espadas, viu Theon. Nada de machados, nada de martelos, nenhuma arma além de facas. O manto de Holly estava preso com um pregador de prata, e Frenya tinha uma cinta de corda de cânhamo enrolada em volta do corpo, da cintura aos seios. Fazia com que parecesse ainda mais pesada do que era.

Myrtle trazia vestuário de criada para Rowan.

— Os pátios estão cheios de idiotas — avisou-os. — Querem sair a cavalo.

— Ajoelhadores — disse Willow, com uma fungadela de desprezo. — O seu senhorial senhor falou, têm de obedecer.

— Vão morrer — chilreou Holly, em tom de felicidade.

— Eles e nós — disse Theon. — Mesmo que consigamos passar pelos guardas, como tencionais fazer sair a Senhora Arya?

Holly sorriu.

— Seis mulheres entram, seis saem. Quem olha para criadas? Vestimos a rapariga Stark com a roupa da Esquila.

Theon deitou um olhar à Esquila. *São quase do mesmo tamanho. Talvez resulte.*

— E como é que a Esquila sai?

Esta respondeu por si própria.

— Por uma janela, direitinha para o bosque sagrado. Tinha doze anos da primeira vez que o meu irmão me levou num ataque a sul da vossa Muralha. Foi aí que arranjei o nome. O meu irmão disse que eu parecia um esquilo a correr por uma árvore acima. Desde essa altura, subi a Muralha seis vezes, para um lado e para o outro. Acho que consigo descer de uma torre de pedra.

— Satisfeito, vira-mantos? — perguntou Rowan. — Vamos lá a isso.

A cavernosa cozinha de Winterfell ocupava um edifício próprio, separado dos edifícios e torres principais para o caso de se incendiar. Lá dentro, os cheiros mudavam de hora a hora; um perfume sempre mutável de carnes a assar, alho-porro e cebola, pão acabado de fazer. Roose Bolton colocara guardas à porta da cozinha. Com tantas bocas para alimentar, cada bocado de comida era precioso. Até os cozinheiros e os ajudantes de cozinha eram constantemente vigiados. Mas os guardas conheciam o Cheirete.

Gostavam de provocá-lo quando vinha buscar água quente para o banho da Senhora Arya. Nenhum se atrevia a fazer mais do que isso, contudo. Sabia-se que o Cheirete era o animal de estimação do Lorde Ramsay.

— O Príncipe do Fedor veio buscar água quente — anunciou um guarda quando Theon e as criadas apareceram na sua frente. Abriu-lhes a porta. — Agora despacha-te, antes que todo esse delicioso ar quente fuja.

Lá dentro, Theon agarrou num ajudante de cozinha pelo braço.

— Água quente p'rá s'nhora, rapaz — ordenou. — Seis baldes cheios, e trata de que esteja boa e quente. O Lorde Ramsay deseja-a rosada e limpa.

— Sim, s'nhor — disse o rapaz. — Imediatamente, s'nhor.

O "imediatamente" demorou mais tempo do que Theon teria gostado. Nenhum dos grandes panelões estava limpo, portanto o ajudante de cozinha teve de lavar um antes de o encher de água. Depois pareceu levar um tempo infinito a romper fervura, e o dobro do tempo a encher seis baldes de madeira. Durante todo esse tempo, as mulheres de Abel esperaram, com as caras ocultas pelos capuzes. *Estão a fazer tudo errado.* As criadas verdadeiras andavam sempre a arreliar os ajudantes de cozinha, a namoriscar com os cozinheiros, a ganhar através da sedução um bocadinho disto, uma dentada daquilo. Rowan e as irmãs conspiradoras não queriam atrair atenções, mas o seu silêncio carrancudo depressa pôs os guardas a deitar-lhes olhares estranhos.

— Onde 'tá a Maisie, a Jez e as outras moças? — perguntou um deles a Theon. — As do costume.

— A Senhora Arya estava descontente com elas — mentiu. — Da última vez a água arrefeceu antes de chegar à banheira.

A água quente enchia o ar de nuvens de vapor, derretendo os flocos de neve ainda no ar. O cortejo regressou pelo labirinto de trincheiras muradas de gelo. A cada passo sacolejado, a água arrefecia. As passagens estavam coaguladas de soldados; cavaleiros de armadura com sobretudos de lã e mantos de peles, homens-de-armas com lanças a tiracolo, arqueiros que transportavam arcos sem cordas e molhos de setas, cavaleiros livres, palafreneiros com cavalos de guerra pelas arreatas. Os homens dos Frey usavam o símbolo das duas torres, os de Porto Branco exibiam o tritão e o tridente. Atravessavam a tempestade aos encontrões, em direções opostas, e olhavam-se uns aos outros com cautela, mas não havia espadas desembainhadas. Ali não. *Pode ser diferente lá fora na floresta.*

Meia dúzia de homens experientes do Forte do Pavor guardavam as portas da Grande Torre.

— Outro maldito banho? — disse o seu sargento quando viu os baldes de água fumegante. Tinha as mãos enfiadas nos sovacos para as proteger do frio. — Tomou banho ontem à noite. Quão suja consegue uma mulher ficar na sua cama?

*Mais suja do que tu julgas, quando se partilha essa cama com Ramsay,* pensou Theon, lembrando-se da noite do casamento e das coisas que ele e Jeyne tinham sido obrigados a fazer.

— Ordens do Lorde Ramsay.

— Então enfiai-vos lá dentro, antes que a água gele — disse o sargento. Dois dos guardas abriram as portas duplas.

A entrada estava quase tão fria como o ar da rua. Holly bateu os pés para fazer saltar a neve das botas e baixou o capuz do manto.

— Julguei que fosse mais difícil. — O seu hálito congelou no ar.

— Há mais guardas lá em cima junto do quarto do s'nhor — avisou Theon. — Homens de Ramsay. — Não se atrevia a chamar-lhes Rapazes do Bastardo, ali não. Nunca se sabia quem poderia estar à escuta. — Mantende as cabeças baixas e os capuzes erguidos.

— Faz o que ele diz, Holly — disse Rowan. — Há alguns capazes de te reconhecer a cara. Não precisamos desse problema.

Theon levou-as pela escada acima. *Já subi estes degraus mil vezes.* Em rapaz, subia-os a correr; ao descer saltava os degraus três a três. Uma vez saltara para cima da Velha Nan e atirara-a ao chão. Isso levara à maior tarefa que apanhara em Winterfell, embora tivesse sido suave comparada com os espancamentos que os irmãos costumavam dar-lhe em Pyke. Ele e Robb tinham travado muitas heroicas batalhas naqueles degraus, golpeando-se um ao outro com espadas de madeira. Esse fora um bom treino; deixara bem claro como era difícil avançar em combate por uma escada em espiral contra uma oposição determinada. Sor Rodrik gostava de dizer que um bom homem era capaz de conter uma centena, combatendo de cima para baixo.

Mas isso fora há muito tempo. Agora estavam todos mortos. Jory, o velho Sor Rodrik, o Lorde Eddard, Harwin e Hullen, Cayn e Desmond e o Tom Gordo, Alyn com os seus sonhos de cavalaria, Mikken que lhe dera a sua primeira espada verdadeira. Até a Velha Nan, provavelmente.

E Robb. Robb, que fora para Theon mais um irmão do que qualquer filho nascido das virilhas de Balon Greyjoy. *Assassinado no Casamento Vermelho, massacrado pelos Frey. Eu devia ter estado com ele. Onde estava? Devia ter morrido com ele.*

Theon parou tão de súbito que Willow quase mergulhou nas suas costas. Tinha a porta do quarto de Ramsay na sua frente. E a guardá-la estavam dois dos Rapazes do Bastardo, o Alyn Azedo e o Grunhido.

*Os deuses antigos devem querer o nosso sucesso.* O Lorde Ramsay gostava de dizer que o Grunhido não tinha língua e o Alyn Azedo não tinha miolos. Um era brutal, o outro mau, mas ambos tinham passado a maior parte das suas vidas ao serviço do Forte do Pavor. Faziam o que lhes diziam.

— Trago água quente para a Senhora Arya — disse-lhes Theon.

— Experimenta também tu tomar banho, Cheirete — disse o Alyn Azedo. — Cheiras a mijo de cavalo. — O Grunhido grunhiu em concórdia. Ou talvez pretendesse que aquele ruído fosse uma gargalhada. Mas Alyn destrancou a porta do quarto, e Theon fez sinal às mulheres para entrarem.

Dentro do quarto não existira alvorada. Sombras cobriam tudo. Um último lenho crepitava debilmente entre as brasas moribundas na lareira, e uma vela tremeluzia na mesa ao lado de uma cama desfeita e vazia. *A rapariga desapareceu*, pensou Theon. *Atirou-se da janela em desespero.* Mas as janelas, ali, estavam cerradas contra a tempestade, e isoladas por crostas de neve soprada pelo vento e por gelo.

— Onde é que ela está? — perguntou Holly. As irmãs despejaram os baldes na grande banheira redonda de madeira. Frenya fechou a porta do aposento e encostou-lhe as costas. — *Onde é que ela está?* — voltou a dizer Holly. Lá fora soou um corno. *Uma trombeta. Os Frey, reunindo-se para a batalha.* Theon sentiu comichão nos dedos que lhe faltavam.

Então viu-a. Estava aninhada no canto mais escuro do quarto, no chão, enrolada numa bola sob uma pilha de peles de lobo. Theon poderia nunca a ter detetado, se não fosse a forma como tremia. Jeyne puxara as peles para cima de si para se esconder. *De nós? Ou estaria à espera do senhor seu esposo?* A ideia de que Ramsay podia estar a caminho fê-lo ter vontade de gritar.

— Senhora. — Theon não conseguia levar-se a chamar-lhe Arya, e não se atrevia a chamar-lhe Jeyne. — Não tendes necessidade de vos esconderdes. Estas são amigas.

As peles mexeram-se. Um olho espreitou, brilhante de lágrimas. *Escuro, escuro demais. Um olho castanho.*

— Theon?

— Senhora Arya. — Rowan aproximou-se. — Tendes de vir connosco, e depressa. Viemos levar-vos ao vosso irmão.

— Irmão? — A cara da rapariga saiu de debaixo das peles de lobo. — Eu… eu não tenho irmãos.

*Esqueceu-se de quem é. Esqueceu o seu nome.*

— É verdade — disse Theon. — Mas em tempos tiveste irmãos. Três. Robb, Bran e Rickon.

— Eles estão mortos. Agora não tenho irmãos.

— Tendes um meio irmão — disse Rowan. — O Lorde Corvo.

— Jon Snow?

— Nós levamo-vos a ele, mas tendes de vir imediatamente.

Jeyne puxou as peles de lobo até ao queixo.

— Não. Isto é um truque qualquer. É ele, é o meu… o meu senhor, o meu querido senhor, ele enviou-vos, isto é só um teste qualquer para se assegurar de que o amo. Amo, amo, amo-o mais do que qualquer coisa. — Uma lágrima escorreu-lhe pela cara abaixo. — Dizei-lhe, vós dizei-lhe. Eu faço o que ele quiser… tudo o que ele quiser… com ele ou… ou com o cão ou… por favor… ele não precisa de me cortar os pés, eu não vou tentar fugir, nunca, eu dou-lhe filhos, juro, juro…

Rowan assobiou baixinho.

— Que os deuses amaldiçoem o homem.

— Eu sou uma *boa* rapariga — choramingou Jeyne. — Eles *treinaram*-me.

Willow franziu o sobrolho.

— Alguém que a faça parar de chorar. Aquele guarda era mudo, não surdo. Eles vão ouvir.

— Levanta-a, vira-mantos. — Holly tinha a faca na mão. — Põe-na em pé, senão ponho eu. *Temos de ir.* Põe a putinha em pé e enfia nela um bocado de coragem ao safanão.

— E se ela gritar? — disse Rowan.

*Estamos todos mortos*, pensou Theon. *Eu disse-lhes que isto era uma loucura, mas nenhum deles quis ouvir.* Abel condenara-os. Todos os cantores eram meio loucos. Em canções, o herói salvava sempre a donzela do castelo do monstro, mas a vida não era mais uma canção do que Jeyne era Arya Stark. *Os seus olhos são da cor errada. E aqui não há heróis, só rameiras.* Mesmo assim, ajoelhou ao lado dela, puxou as peles para baixo, tocou-lhe a cara.

— Tu conheces-me. Sou Theon, tu lembras-te. Eu também te conheço. Sei o teu nome.

— O meu nome? — Ela abanou a cabeça. — O meu nome… é…

Theon pôs-lhe um dedo sobre os lábios.

— Podemos conversar sobre isso mais tarde. Agora precisas de ficar calada. Vem connosco. Comigo. Vamos levar-te daqui. Para longe dele.

Os olhos dela esbugalharam-se.

— Por favor — sussurrou. — Oh, por favor.

Theon enfiou a mão entre as dela. Os tocos dos seus dedos perdidos formigaram quando pôs a rapariga em pé. As peles de lobo caíram de cima dela. Por baixo estava nua, com os pequenos seios pálidos cobertos de marcas de dentes. Ouviu uma das mulheres suster a respiração. Rowan enfiou-lhe uma trouxa de roupa na mão.

— Veste-a. Lá fora está frio. — A Esquila despira-se até ficar em roupa de baixo, e estava a esgravatar numa arca de cedro à procura de qualquer coisa mais quente. Por fim decidiu-se por um dos gibões acolchoados do Lorde Ramsay e por umas bragas muito usadas que adejavam em volta das suas pernas como as velas de um navio numa tormenta.

Com a ajuda de Rowan, Theon enfiou Jeyne Poole na roupa da Esquila. *Se os deuses forem bons e os guardas forem cegos, ela talvez passe.*

— Agora vamos sair e descer a escada — disse Theon à rapariga. — Mantém a cabeça baixa e o capuz erguido. Segue Holly. Não corras, não chores, não fales, não olhes ninguém nos olhos.

— Fica perto de mim — disse Jeyne. — Não me abandones.

— Estarei mesmo a teu lado — prometeu Theon enquanto a Esquila se enfiava na cama da Senhora Arya e puxava a manta para cima.

Frenya abriu a porta do quarto.

— Deste-lhe uma boa lavadela, Cheirete? — perguntou o Alyn Azedo quando saíram. O Grunhido deu um apertão ao seio de Willow quando ela passou por ele. Tiveram sorte com a escolha. Se o homem tivesse tocado em Jeyne, a rapariga podia ter gritado. Depois, Holly ter-lhe ia aberto a goela com a faca que levava oculta na manga. Willow limitou-se a torcer-se e a passar por ele.

Por um momento, Theon sentiu-se quase zonzo. *Eles nem olharam. Eles não viram. Passámos com a rapariga mesmo nas barbas deles.*

Mas na escada o medo regressou. E se deparassem com o Esfolador ou com o Damon Dança-Para-Mim ou com o Walton Pernas-d'Aço? Ou com o próprio Ramsay? *Que os deuses me salvem, o Ramsay não, qualquer um menos ele.* De que servia tirarem a rapariga do quarto? Continuavam a estar dentro do castelo, com todos os portões fechados e trancados e as ameias repletas de sentinelas. O mais provável era que os guardas à porta da torre os fizessem parar. Holly e a sua faca de pouco serviriam contra seis homens de cota de malha armados de espadas e lanças.

Mas os guardas lá fora estavam enrolados sobre si próprios junto das portas, de costas viradas para o vento gelado e a neve que ele trazia. Nem o sargento lhes deitou mais que um rápido relance. Theon sentiu uma pontada de piedade por ele e pelos seus homens. Ramsay esfolá-los-ia a todos quando soubesse que a esposa desaparecera, e nem conseguia pensar no que faria ao Grunhido e ao Alyn Azedo.

A menos de dez metros da porta, Rowan deixou cair o balde vazio e as irmãs fizeram o mesmo. A Grande Torre estava quase fora de vista atrás deles. O pátio era um ermo branco, cheio de sons semiouvidos que ecoavam estranhamente na tempestade. As trincheiras geladas erguiam-se à volta deles, até aos joelhos, depois até à cintura, depois mais alto do que as suas cabeças. Estavam no coração de Winterfell, com o castelo a toda a volta, mas não se via qualquer sinal dele. Facilmente poderiam estar perdidos na Terra de Sempre Inverno, mil léguas para lá da Muralha.

— Está frio — choramingou Jeyne Poole enquanto ia tropeçando ao lado de Theon.

*E em breve ficará mais frio.* Para lá das muralhas do castelo, o inverno esperava com os seus dentes gelados. *Se chegarmos lá.*

— Por aqui — disse, quando chegaram a uma encruzilhada onde se juntavam três trincheiras.

— Frenya, Holly, ide com eles — disse Rowan. — Nós vamos com o Abel. Não espereis por nós. — E com aquelas palavras girou sobre si própria e mergulhou na neve, dirigindo-se para o Grande Salão. Willow e Myrtle apressaram-se a segui-la, com os mantos a esvoaçarem ao vento. *Cada vez mais louco*, pensou Theon Greyjoy. A fuga parecera improvável com todas as seis mulheres de Abel; só com duas, parecia impossível. Mas tinham ido demasiado longe para devolver a rapariga ao seu quarto e fingir que nada daquilo acontecera. Em vez de o fazer pegou no braço de Jeyne e puxou-a pelo caminho que levava ao Portão das Ameias. *É só um meio portão*, lembrou a si próprio. *Mesmo se os guardas nos deixarem passar, não há maneira de atravessar a muralha exterior.* Em outras noites, os guardas tinham deixado Theon passar, mas de todas essas vezes ele viera sozinho. Não passaria tão facilmente com três criadas a reboque, e se os guardas olhassem para baixo do capuz de Jeyne e reconhecessem a esposa do Lorde Ramsay…

A passagem torceu-se para a esquerda. Ali na frente deles, por trás de um véu de neve a cair, escancarava-se o Portão das Ameias, flanqueado por um par de guardas. Enfiados nas suas lãs, peles e couro, pareciam grandes como ursos. As lanças que seguravam tinham dois metros e meio de altura.

— Quem vem lá? — gritou um deles. Theon não reconheceu a voz. A maior parte dos traços do homem estavam tapados pelo cachecol que tinha em volta da cara. Só se lhe viam os olhos. — Cheirete, és tu?

*Sim*, quis dizer. Em vez disso ouviu-se a responder:

— Theon Greyjoy. Eu… eu trouxe-vos umas mulheres.

— Vós, pobres rapazes, deveis estar gelados — disse Holly. — Anda cá, deixa-me aquecer-te. — Passou pela ponta da lança do guarda e levou a mão à sua cara, soltando o cachecol meio gelado para lhe plantar um beijo na boca. E quando os lábios se tocaram, a lâmina dela deslizou através da carne do pescoço dele, logo abaixo da orelha. Theon viu os olhos do homem dilatarem-se. Havia sangue nos lábios de Holly quando deu um passo para trás, e sangue pingava da boca dele quando caiu.

O segundo guarda estava ainda de boca aberta, sem entender, quando do Frenya lhe agarrou na haste da lança. Lutaram por um momento, aos puxões, até que a mulher lhe arrancou a arma dos dedos e lhe deu uma pancada na têmpora com a base. Quando o homem tropeçou para trás, ela fez rodopiar a lança e enfiou-lhe a ponta na barriga com um grunhido.

Jeyne Poole soltou um grito agudo e estridente.

— Oh, grande merda — disse Holly. — Aquilo vai fazer os ajoelhadores cair sobre nós, de certezinha. *Correi!*

Theon tapou a boca de Jeyne com uma mão, agarrou nela em volta da cintura com a outra, e fê-la passar pelos guardas mortos e moribundos, pelo portão e por cima do fosso gelado. E era possível que os deuses antigos ainda estivessem a olhar por eles; a ponte levadiça fora deixada em baixo, a fim de permitir que os defensores de Winterfell mais depressa atravessassem o fosso para irem e virem das ameias exteriores. Atrás deles soaram alarmes e pés a correr, depois soou o sopro de uma trombeta nas ameias da muralha interior.

Na ponte levadiça, Frenya parou e virou-se.

— Continuai. Eu retenho aqui os ajoelhadores. — A lança ensanguentada continuava nas suas grandes mãos.

Theon cambaleava quando chegou à base da escada. Pôs a rapariga ao ombro e começou a subir. Por essa altura, Jeyne já parara de se debater, e era além disso uma coisinha tão pequena… mas os degraus estavam escorregadios de gelo sob uma neve nova e pulverulenta, e a meio da subida perdeu o equilíbrio e caiu com força sobre um joelho. A dor foi tão forte que quase perdeu a rapariga e, durante meio segundo, temeu não poder avançar mais. Mas Holly voltou a pô-lo em pé e, entre os dois, conseguiram finalmente levar Jeyne para as ameias.

Enquanto se encostava a um merlão, ofegante, Theon ouvia os gritos vindos de baixo, onde Frenya combatia meia dúzia de guardas na neve.

— Para onde? — gritou a Holly. — Para onde vamos agora? *Como é que saímos?*

A fúria na cara de Holly transformou-se em horror.

— Oh, caralhos me fodam. A corda. — Soltou uma gargalhada histérica. — É Frenya quem tem a corda. — Depois soltou um grunhido e agarrou-se ao estômago. Um dardo brotara das suas tripas. Quando o envolveu com uma mão, sangue escorreu-lhe por entre os dedos. — Ajoelhadores na muralha interior… — arquejou, antes de uma segunda haste aparecer entre os seus seios. Holly agarrou-se ao merlão mais próximo e caiu. A neve que soltara enterrou-a com um *tum* suave.

Ressoaram gritos, vindos da esquerda. Jeyne Poole fitava Holly, enquanto a manta nevada que a cobria ia passando de branca a vermelha. Theon sabia que, na muralha interior, o besteiro devia estar a recarregar a arma. Começou a correr para a direita, mas também havia homens a vir dessa direção, correndo para eles de espadas na mão. Longe, para norte, ouviu o som de um corno de guerra. *Stannis*, pensou, desesperado. *Stannis é a nossa única esperança, se conseguirmos chegar até ele.* O vento uivava, e ele e a rapariga estavam encurralados.

A besta disparou. Um dardo passou a menos de meio metro dele, desfazendo a crosta de neve gelada que tapara a ameia mais próxima. De Abel, Rowan, Esquila e das outras não havia qualquer sinal. Ele e a rapariga estavam sós. *Se nos apanharem vivos, entregar-nos-ão a Ramsay.*

Theon agarrou em Jeyne pela cintura, e saltou.

O céu era de um azul sem misericórdia, sem um farrapo de nuvens à vista. *Os tijolos depressa estarão a cozer ao sol*, pensou Dany. *Lá em baixo, nas areias, os lutadores sentirão o calor através das solas das sandálias.*

Jhiqui fez-lhe deslizar o roupão de seda pelos ombros e Irri ajudou-a a entrar na piscina para banhos. A luz do Sol nascente cintilou na água, quebrada pela sombra do diospireiro.

— Mesmo que as arenas abram, Vossa Graça tem de ir pessoalmente? — perguntou Missandei, enquanto lavava o cabelo da rainha.

— Metade de Meereen estará lá para me ver, coração gentil.

— Vossa Graça — disse Missandei — esta pede licença para dizer que metade de Meereen estará lá para ver homens sangrar e morrer.

*Ela não se engana*, sabia a rainha, *mas isso não tem importância.*

Depressa Dany ficou tão limpa como iria ficar. Pôs-se em pé, chapinhando suavemente. Água escorreu-lhe pelas pernas e formou gotas nos seios. O Sol subia no céu, e o seu povo começar-se-ia em breve a reunir. Preferiria ter passado o dia inteiro a boiar na piscina odorífera, comendo fruta gelada trazida em bandejas de prata e sonhando com uma casa de porta vermelha, mas uma rainha pertence ao seu povo, não a si.

Jhiqui trouxe uma toalha suave para a secar.

— *Khaleesi*, que *tokar* quereis hoje? — perguntou Irri.

— O de seda amarela. — A rainha dos coelhos não podia ser vista sem as suas orelhas de abano. A seda amarela era leve e fresca, e na arena estaria uma brasa. *As areias vermelhas queimarão as solas dos pés dos que estão prestes a morrer.* — E por cima, os véus vermelhos compridos. — Os véus impediriam o vento de lhe soprar areia para a boca. *E o vermelho esconderá os salpicos de sangue que houver.*

Enquanto Jhiqui escovava o cabelo de Dany e Irri pintava as unhas da rainha, tagarelaram com alegria sobre os combates do dia. Missandei reapareceu.

— Vossa Graça. O rei pede que se lhe junteis quando estiverdes vestida. E o Príncipe Quentyn chegou com os seus homens de Dorne. Suplicam uma conversa, se vos aprouver.

*Pouco neste dia me aprazará.*

— Noutro dia qualquer.

Na base da Grande Pirâmide, Sor Barristan aguardava-os ao lado de um ornamentado palanquim aberto, rodeado por Feras de Bronze. *Sor Avô*, pensou Dany. Apesar da idade parecia alto e bonito na armadura que lhe dera.

— Ficaria mais contente se hoje tivésseis guardas Imaculados à vossa volta, Vossa Graça — disse o velho cavaleiro, enquanto Hizdahr ia cumprimentar o primo. — Metade destes Feras de Bronze são libertos não postos à prova. — *E a outra metade são meereeneses de duvidosa lealdade*, deixou ele por dizer. Selmy desconfiava de todos os meereeneses, mesmo dos tolarrapadas.

— E assim permanecerão, a menos que os ponhamos à prova.

— Uma máscara pode esconder muitas coisas, Vossa Graça. Será o homem por trás da máscara da coruja a mesma coruja que vos guardou ontem e no dia anterior? Como podemos saber?

— Como poderá Meereen confiar nos Feras de Bronze se eu não confio? Há bons homens valentes por baixo daquelas máscaras. Ponho a vida nas mãos deles. — Dany sorriu-lhe. — Preocupais-vos demasiado, sor. Ter-vos-ei a meu lado, de que outra proteção necessito?

— Eu sou um velho, Vossa Graça.

— Belwas, o Forte, também estará comigo.

— É como dizeis. — Sor Barristan baixou a voz. — Vossa Graça. Libertámos a mulher Meris, conforme ordenastes. Antes de se ir embora pediu para falar convosco. Em vez disso, encontrei-me eu com ela. Afirma que aquele Príncipe Esfarrapado pretendia desde o início passar os Aventados para a vossa causa. Que a enviou cá para negociar convosco em segredo, mas os dorneses desmascararam-nos e traíram-nos antes de ela ter oportunidade de nos abordar.

*Traições sobre traições*, pensou a rainha, fatigada. *Não haverá fim para elas?*

— Até que ponto acreditais nisso, sor?

— Menos que pouco, Vossa Graça, mas foram estas as palavras dela.

— Eles passar-se-ão para o nosso lado, se for necessário?

— Ela diz que sim. Mas por um preço.

— Pagai-o. — Meereen precisava de ferro, não de ouro.

— O Príncipe Esfarrapado vai querer mais do que moedas, Vossa Graça. Meris diz que ele quer Pentos.

— Pentos? — Os olhos de Dany estreitaram-se. — Como é que lhe posso dar Pentos? Está a meio mundo de distância.

— A mulher Meris sugeriu que ele estará disposto a esperar. Até nos pormos em marcha para Westeros.

*E se eu nunca marchar para Westeros?*

— Pentos pertence aos pentoshi. E o Magíster Illyrio está em Pentos. Aquele que combinou o meu casamento com Khal Drogo e me deu os ovos de dragão. Aquele que me enviou vós, Belwas e Groleo. Devo-lhe mais que muito. *Não* pagarei essa dívida entregando a sua cidade a um mercenário qualquer. Não.

Sor Barristan inclinou a cabeça.

— Vossa Graça é sensata.

— Alguma vez vistes dia tão auspicioso, meu amor? — comentou Hizdahr zo Loraq, quando Dany se juntou a ele. Ajudou-a a subir para o palanquim, onde dois grandes tronos se encontravam lado a lado.

— Auspicioso para vós, talvez. Menos para aqueles que terão de morrer antes de o Sol se pôr.

— Todos os homens têm de morrer — disse Hizdahr — mas nem todos podem morrer em glória, com as aclamações da cidade a ressoar-lhes aos ouvidos. — Ergueu uma mão para os soldados junto às portas. — Abri.

A praça que se estendia em frente da sua pirâmide era pavimentada de tijolos de muitas cores, e o calor erguia-se dela em ondas tremeluzentes. Pessoas formigavam por todo o lado. Algumas seguiam sentadas em liteiras, algumas montadas em burros, muitas circulavam a pé. Nove em cada dez deslocavam-se para oeste, ao longo da larga estrada de tijolo que levava à Arena de Daznak. Quando viram o palanquim que emergia da pirâmide, uma aclamação ergueu-se de entre os mais próximos e espalhou-se pela praça. *Que estranho*, pensou Dany. *Aclamam-me na mesma praça onde eu um dia empalei cento e sessenta e três Grandes Mestres.*

Um grande tambor liderava a comitiva real, para lhe abrir caminho pelas ruas. Entre cada batida, um arauto tolarrapada com um camisão de discos de cobre polidos gritava à multidão para abrir caminho.

— Eles vêm! — *BUUM.* — Abram alas! — *BUUM.* — A rainha! — *BUUM.* — O rei! — *BUUM.* Atrás do tambor marchavam Feras de Bronze em filas de quatro. Alguns traziam cacetes, outros bordões; todos usavam saias plissadas, sandálias de couro e mantos feitos com quadrados de muitas cores, para refletir os tijolos multicoloridos de Meereen. As suas máscaras reluziam ao sol; javalis e touros, falcões e garças, leões, tigres e ursos, serpentes de línguas bifurcadas e hediondos basiliscos.

Belwas, o Forte, que não nutria qualquer amizade por cavalos, caminhava à frente deles com o seu colete tachonado, fazendo a cada passo abanar a barriga coberta de cicatrizes. Irri e Jhiqui seguiam a cavalo, com Aggo e Rakharo, depois Reznak numa liteira ornamentada com um toldo para manter o sol afastado da cabeça. Sor Barristan Selmy seguia a cavalo ao lado de Dany, com a armadura a relampejar ao sol. Um longo manto fluía dos seus ombros, branco como osso. No braço esquerdo levava um grande escudo branco. Um pouco mais para trás seguia Quentyn Martell, o príncipe dornês, com os dois companheiros.

A coluna foi avançando lentamente pela longa rua de tijolo.

— Eles vêm! — *BUUM.* — A nossa rainha! O nosso rei! — *BUUM.*— Abram alas! — *BUUM.*

Dany conseguia ouvir as aias a discutir atrás dela, debatendo quem iria vencer o último combate do dia. Jhiqui favorecia o gigantesco Goghor, que parecia mais touro do que homem, mesmo ao ponto de usar uma argola de bronze no nariz. Irri insistia que o mangual de Belaquo Quebra-Ossos seria a perdição do gigante. *As minhas aias são dothraki*, disse a si própria. *A morte acompanha todos os* khalasares. No dia em que casara com Khal Drogo, os *arakhs* tinham relampejado no seu banquete de casamento, e homens tinham morrido enquanto outros bebiam e acasalavam. A vida e a morte seguiam de mãos dadas entre os senhores dos cavalos, e pensava-se que uns borrifos de sangue abençoavam um casamento. O seu novo casamento ficaria em breve ensopado de sangue. Como seria abençoado!

*BUUM, BUUM, BUUM, BUUM, BUUM, BUUM*, soou o tambor, mais depressa do que antes, de súbito zangado e impaciente. Sor Barristan puxou pela espada quando a coluna fez uma paragem abrupta entre a pirâmide rosada e branca de Pahl e a verde e negra de Naqqan.

Dany virou-se.

— Porque parámos?

Hizdahr pôs-se em pé.

— O caminho está bloqueado.

Um palanquim estava virado de viés no seu caminho. Um dos carregadores caíra nos tijolos, derrubado pelo calor.

— Ajudai aquele homem — ordenou Dany. — Tirai-o da rua antes que seja espezinhado e dai-lhe comida e água. Tem ar de quem não come há quinze dias.

Sor Barristan olhou inquieto para a esquerda e para a direita. Viam-se caras ghiscariotas nos terraços, olhando para baixo com olhos frios e antipáticos.

— Vossa Graça, não gosto desta paragem. Isto pode ser alguma armadilha. Os Filhos da Harpia...

— ... foram domados — declarou Hizdahr zo Loraq. — Porque haveriam de tentar fazer mal à minha rainha, quando ela me tomou como seu rei e consorte? E agora ajudai aquele homem, como a minha querida rainha ordenou. — Pegou na mão de Dany e sorriu.

Os Feras de Bronze fizeram o que lhes fora pedido. Dany observou-os a trabalhar.

— Aqueles carregadores eram escravos antes de eu chegar. Tornei-os livres. Mas aquele palanquim não é mais leve do que era dantes.

— É verdade — disse Hizdahr — mas agora aqueles homens são pagos para carregar o seu peso. Antes de chegardes, aquele homem que caiu teria um capataz em cima a arrancar-lhe a pele das costas com um chicote. Em vez disso, está a ser-lhe prestada ajuda.

Era verdade. Uma Fera de Bronze com uma máscara de javali oferecera ao carregador da liteira um odre de água.

— Suponho que tenho de me sentir grata pelas pequenas vitórias — disse a rainha.

— Um passo primeiro e outro depois, e depressa estaremos a correr. Juntos criaremos uma nova Meereen. — A rua, em frente, fora finalmente desimpedida. — Continuamos?

Que podia ela fazer além de anuir? *Um passo primeiro e outro depois, mas para onde estou a ir?*

Aos portões da Arena de Daznak dois enormes guerreiros de bronze estavam enclavinhados num combate mortal. Um brandia uma espada, o outro um machado; o escultor retratara-os no ato de se matarem um ao outro, formando com as suas lâminas e corpos uma arcada.

*A arte mortal*, pensou Dany.

Vira as arenas de combate muitas vezes do seu terraço. As pequenas pintalgavam o rosto de Meereen como marcas de bexigas; as maiores eram chagas infetadas, rubras e em carne viva. Mas nenhuma se comparava com aquela. Belwas, o Forte, e Sor Barristan puseram-se de ambos os lados quando ela e o senhor seu esposo passaram sob as estátuas de bronze, para irem sair no topo de uma grande bacia de tijolo, rodeada por fileiras descendentes de bancos, todas de cores diferentes.

Hizdahr zo Loraq levou-a para baixo, através de negro, púrpura, azul, verde, branco, amarelo e laranja, até ao vermelho, onde os tijolos escarlates tomavam a cor das areias lá em baixo. À volta deles, vendedores vendiam salsichas de cão, cebolas assadas e fetos de cachorro espetados num pau, mas Dany não tinha necessidade de tais coisas. Hizdahr abastecera o camarote de ambos com jarros de vinho e água-doce gelados, com figos, tâmaras, melões e romãs, e nozes, pimentos e uma grande tigela de gafanhotos em mel. Belwas, o Forte, berrou:

— *Gafanhotos!* — quando se apoderou da tigela se pôs a esmagá-los às mancheias.

— Os gafanhotos estão muito saborosos — aconselhou Hizdahr. — Devíeis provar alguns, meu amor. São rolados em especiarias antes do mel, de modo que são ao mesmo tempo doces e picantes.

— Isso explica o modo como Belwas está a suar — disse Dany. — Acho que me vou contentar com figos e tâmaras.

Do outro lado da arena, as Graças encontravam-se sentadas, vestidas com leves vestes de muitas cores, aglomeradas em torno da austera silhueta de Galazza Galare, a qual era a única entre elas que usava o verde. Os Grandes Mestres de Meereen ocupavam os bancos vermelhos e os cor-de-laranja. As mulheres estavam veladas, e os homens tinham escovado e lacado os cabelos formando cornos, mãos e espigões. A família de Hizdahr, da antiga linhagem de Loraq, parecia preferir *tokars* de púrpura, índigo e lilás, enquanto aqueles de Pahl eram listados de rosa e branco. Os emissários de Yunkai estavam todos de amarelo, e enchiam o camarote ao lado do do rei, cada um com os seus escravos e criados. Meereeneses de nascimento menos nobre enchiam as fileiras superiores, mais distantes da carnificina. Os bancos negros e purpúreos, mais altos e mais distantes da areia, estavam repletos de libertos e de outros plebeus. Daenerys viu que os mercenários também tinham sido colocados lá em cima, e os seus capitães sentavam-se entre os soldados comuns. Vislumbrou a cara estragada do Ben Castanho e as fogosas suíças e longas tranças do Barba Sangrenta.

O senhor seu esposo pôs-se em pé e ergueu as mãos.

— *Grandes Mestres!* A minha rainha veio neste dia mostrar o amor que nutre por vós, o seu povo. Por sua mercê e com a sua licença ofereço-vos agora a vossa arte mortal. *Meereen!* Que a Rainha Daenerys ouça o vosso amor!

Dez mil gargantas rugiram os seus agradecimentos; depois vinte mil; depois todas. Não gritaram o seu nome, o qual poucos conseguiam pronunciar. "*Mãe!*", gritaram em vez disso; na velha e morta língua de Ghis, a palavra era *Mhysa*. Bateram os pés e deram palmadas nas barrigas e gritaram "*Mhysa, Mhysa, Mhysa,*" até que toda a arena pareceu tremer. Dany deixou que o som a cobrisse. *Eu não sou a vossa mãe*, podia ter gritado em resposta, *sou a mãe dos vossos escravos, de todos os rapazes que morreram nestas areias enquanto vos empanturráveis de gafanhotos com mel.* Atrás dela, Reznak aproximou-se para lhe sussurrar ao ouvido:

— Magnificência, escutai como vos amam!

*Não*, sabia Dany, *eles amam a sua arte mortal.* Quando as aclamações começaram a acalmar, permitiu-se sentar-se. O seu camarote estava à sombra, mas sentia a cabeça a latejar.

— Jhiqui — chamou — água-doce, por favor. Tenho a garganta muito seca.

— Khrazz terá a honra da primeira matança do dia — disse-lhe Hizdahr.

— Nunca houve melhor lutador.

— Belwas, o Forte, era melhor — insistiu Belwas, o Forte.

Khorazz era meereenês, de nascimento nobre; um homem alto com um pincel de cabelo negro arruivado a descer-lhe pelo centro da cabeça. O adversário era um lanceiro de pele de ébano proveniente das Ilhas do Verão, cujas estocadas mantiveram Khrazz à distância durante algum tempo, mas depois de o meereenês ter penetrado na defesa da lança só se seguiu carnificina. Depois de terminar, Khrazz arrancou o coração ao negro, ergueu-o acima da cabeça, rubro e a pingar, e deu-lhe uma dentada.

— Khrazz acredita que os corações dos homens corajosos o tornam mais forte — disse Hizdahr. Jhiqui murmurou a sua aprovação. Dany comera em tempos um coração de garanhão para dar forças ao seu filho por nascer... mas isso não salvara Rhaego quando a *maegi* o assassinara no seu ventre. *Três traições conhecerás. Ela foi a primeira, Jorah o segundo, o Ben Castanho Plumm o terceiro.* Ter-se-lhe-iam acabado as traições?

— Ah — disse Hizdahr, contente. — Agora é o Gato Malhado. Vede como ele se mexe, minha rainha. Um poema sobre dois pés.

O adversário que Hizdahr arranjara para o poema andante era tão alto como Goghor e tão largo como Belwas, mas lento. Estavam a lutar a dois metros do camarote de Dany quando o Gato Malhado o jarreteou. Quando o homem caiu de joelhos, o Gato pôs-lhe um pé nas costas e uma mão em volta da cabeça e abriu-lhe a garganta de orelha a orelha. As areias vermelhas beberam-lhe o sangue, o vento as últimas palavras. A multidão gritou a sua aprovação.

— Mal lutado, bem morrido — disse Belwas, o Forte. — Belwas, o Forte, detesta quando eles gritam. — Acabara com todos os gafanhotos com mel. Soltou um arroto e bebeu um trago de vinho.

Pálidos qartenos, negros ilhéus do Verão, dothraki de peles acobreadas, tyroshi com barbas azuis, homens-ovelhas, Jogos Nhai, carrancudos bravosianos, semi-homens de pele malhada das selvas de Sothoros — vinham dos fins do mundo morrer na Arena de Daznak.

— Este mostra grande promessa, minha querida — disse Hizdahr referindo-se a um jovem liseno com um longo cabelo louro que flutuava ao vento... mas o seu adversário agarrou uma mancheia desse cabelo, desequilibrou o rapaz e esventrou-o. Na morte, pareceu ainda mais novo do que parecera de espada na mão.

— Um rapaz — disse Dany. — Ele não passava de um rapaz.

— Dezasseis anos — insistiu Hizdahr. — Um homem feito, que veio livremente arriscar a vida por ouro e glória. Nenhuma criança morrerá hoje na Arena de Daznak, conforme a minha gentil rainha na sua sabedoria decretou.

*Outra pequena vitória. Talvez não possa tornar o meu povo bom,* disse a si própria, *mas devia pelo menos tentar torná-lo um pouco menos mau.* Daenerys teria também proibido combates entre mulheres, mas Barsena Cabelopreto protestou que tinha tanto direito de arriscar a vida como qualquer homem. A rainha também desejara proibir as farsas, combates cómicos em que aleijados, anões e velhas caíam uns sobre os outros com mocas, archotes e martelos (pensava-se que quanto mais ineptos fossem os combatentes, mais engraçada era a farsa), mas Hizdahr dissera que o seu povo a amaria mais se ela risse com ele, e argumentara que, sem tais divertimentos, os aleijados, anões e velhas passariam fome. Portanto Dany cedera.

Fora costume sentenciar criminosos às arenas; concordara que essa prática fosse reatada, mas só para certos crimes.

— Assassinos e violadores podem ser forçados a combater, e todos aqueles que persistam em ter escravos também, mas ladrões ou devedores não.

Animais ainda eram permitidos, contudo. Dany viu um elefante a exterminar uma alcateia de seis lobos vermelhos. De seguida, um touro foi emparelhado com um urso numa batalha sangrenta que deixou ambos os animais feridos e moribundos.

— A carne não é desperdiçada — disse Hizdahr. — Os carniceiros usam as carcaças para fazer um saudável estufado para os famintos. Qualquer homem que se apresente nos Portões do Destino pode comer uma tigela.

— Uma boa lei — disse Dany. *Tendes tão poucas.* — Temos de nos assegurar de que esta tradição perdura.

Após os combates entre animais veio uma batalha fingida, opondo seis homens a pé a seis cavaleiros, os primeiros armados de escudos e espadas longas, os segundos com *arakhs* dothraki. Os falsos cavaleiros traziam lorigões de cota de malha, enquanto os falsos dothraki não usavam qualquer armadura. A princípio, os cavaleiros pareceram deter vantagem, atropelando dois dos adversários e cortando a orelha a um terceiro, mas depois os cavaleiros sobreviventes começaram a atacar os cavalos e, um por um, os cavaleiros foram desmontados e mortos, para grande consternação de Jhiqui.

— Aquilo não era um verdadeiro *khalasar* — disse.

— Aquelas carcaças não se destinam ao vosso saudável estufado, espero eu — disse Dany, enquanto os mortos eram levados.

— Os cavalos, sim — disse Hizdahr. — Os homens, não.

— Carne de cavalo e cebolas deixam-vos fortes — disse Belwas.

A batalha foi seguida pela primeira farsa do dia, uma justa entre um par de anões, apresentada por um dos senhores yunkaitas que Hizdahr convidara para os jogos. Um montava um cão, o outro uma porca. As suas armaduras de madeira tinham sido pintadas de fresco, de modo que um mostrava o veado do usurpador Robert Baratheon, o outro o leão dourado da Casa Lannister. Aquilo era claramente para seu proveito. As palhaçadas depressa puseram Belwas a roncar gargalhadas, embora o sorriso de Dany fosse débil e forçado. Quando o anão de vermelho caiu da sela e se pôs a perseguir a porca pela areia fora, enquanto o anão no cão galopava atrás dele massacrando-lhe as nádegas com uma espada de madeira, disse:

— Isto é simpático e pateta, mas…

— Tende paciência, doçura — disse Hizdahr. — Eles estão prestes a soltar os leões.

Daenerys deitou-lhe um olhar confuso.

— Leões?

— Três. Os anões não os esperam.

Dany franziu o sobrolho.

— Os anões têm espadas de madeira. Armaduras de madeira. Como esperais que combatam leões?

— Mal — disse Hizdahr — se bem que talvez nos surpreendam. O mais provável é desatarem aos guinchos e a correr por aí e a tentar trepar para fora da arena. É o que transforma isto numa farsa.

Dany não estava contente.

— Proíbo-o.

— Gentil rainha. Não quereis desapontar o vosso povo.

— Jurastes-me que os combatentes seriam homens feitos que consentiram livremente arriscar as vidas por ouro e pela honra. Estes anões não consentiram combater leões com espadas de madeira. Ireis impedi-lo. Já.

A boca do rei apertou-se. Por um segundo, Dany julgou ver um clarão de ira naqueles olhos plácidos.

— Às vossas ordens. — Hizdahr chamou com um gesto o mestre da arena. — Nada de leões — disse, quando o homem se aproximou a trote, de chicote na mão.

— Nem um, Magnificência? Onde está a piada nisso?

— A minha rainha falou. Os anões não serão magoados.

— O público não vai gostar.

— Então faz entrar Barsena. Isso deve apaziguá-lo.

— Vossa Senhoria é que sabe. — O mestre da arena fez estalar o chicote e gritou ordens. Os anões foram pastoreados para fora, com porca, cão e tudo, enquanto os espetadores silvavam a sua desaprovação e faziam chover sobre eles pedras e fruta podre.

Um rugido soou quando Barsena Cabelonegro caminhou pela areia a passos largos, nua à exceção de uma tanga e um par de sandálias. Alta e escura, com cerca de trinta anos, movia-se com a elegância feroz de uma pantera.

— Barsena é muito estimada — disse Hizdahr, enquanto o som aumentava para encher a arena. — A mulher mais corajosa que eu já vi.

Belwas, o Forte, disse:

— Combater raparigas não é lá muito corajoso. Combater Belwas, o Forte, seria corajoso.

— Ela hoje combate um javali — disse Hizdahr.

*Pois*, pensou Dany, *porque não conseguiste encontrar uma mulher para a enfrentar, por mais gorda que fosse a bolsa.*

— E não será com uma espada de madeira, ao que parece.

O javali era um animal enorme, com presas tão longas como o antebraço de um homem e pequenos olhos que nadavam em raiva. Perguntou a si própria se o javali que matara Robert Baratheon teria parecido assim tão feroz. *Uma criatura terrível, e uma morte terrível.* Durante um segundo quase sentiu pena do Usurpador.

— Barsena é muito rápida — disse Reznak. — Vai dançar com o javali, Magnificência, e golpeá-lo quando ele passar perto dela. O animal ficará lavado em sangue antes de cair, vereis.

O combate começou precisamente como ele dissera. O javali arremeteu, Barsena girou para o lado, a sua lâmina relampejou prateada ao sol.

— Precisa de uma lança — disse Sor Barristan, quando Barsena saltou por cima da segunda arremetida do animal. — Aquilo não é maneira de lutar com um javali. — Soava como o avô rabugento de alguém, tal como Daario não se cansava de dizer.

A lâmina de Barsena estava a ficar vermelha, mas o javali depressa parou. *Ele é mais inteligente do que um touro*, compreendeu Dany. *Não voltará a arremeter.* Barsena chegara à mesma conclusão. Gritando, aproximou-se mais do javali, atirando a faca de mão em mão. Quando o animal recuou, praguejou e lançou-lhe um golpe ao focinho, tentando provocá-lo... e tendo sucesso. Daquela vez o seu salto chegou um instante tarde demais, e uma presa rasgou-lhe a perna do joelho à virilha.

Um gemido ergueu-se de trinta mil gargantas. Agarrando-se à perna dilacerada, Barsena deixou cair a faca e tentou afastar-se a coxear, mas antes de andar meio metro o javali caiu de novo sobre ela. Dany virou a cara.

— Aquilo foi suficientemente corajoso? — perguntou a Belwas, o Forte, enquanto um grito ressoava pela areia.

— Lutar com porcos é corajoso, mas não é corajoso gritar tão alto. Magoa Belwas, o Forte, nos ouvidos. — O eunuco esfregou o estômago inchado, coberto de velhas cicatrizes brancas entrelaçadas. — E também deixa Belwas, o Forte, doente da barriga.

O javali enterrou o focinho na barriga de Barsena e pôs-se a fossar nas suas entranhas. O cheiro foi mais do que a rainha podia aguentar. O calor, as moscas, os gritos da multidão... *não consigo respirar.* Ergueu o véu e deixou que flutuasse para longe. Também despiu o *tokar*. As pérolas chocalharam baixinho umas nas outras enquanto desenrolava a seda.

— *Khaleesi?* — perguntou Irri. — Que estais a fazer?

— Estou a tirar as orelhas de abano. — Uma dúzia de homens com lanças para javalis entraram a trote na areia, a fim de afastar o javali do cadáver e de o levar de regresso ao seu cercado. O mestre da arena estava com eles, com um longo chicote farpado na mão. Quando o fez estalar contra o javali, a rainha levantou-se. — Sor Barristan, levais-me em segurança de volta ao meu jardim?

Hizdahr pareceu confuso.

— Ainda há mais coisas. Uma farsa, seis velhas, e mais três combates. Belaquo e Goghor!

— Belaquo vencerá — declarou Irri. — É sabido.

— *Não* é sabido — disse Jhiqui. — Belaquo morrerá.

— Ou morrerá um, ou o outro — disse Dany. — E aquele que sobreviver morrerá noutro dia qualquer. Isto foi um erro.

— Belwas, o Forte, comeu demasiados gafanhotos. — Havia uma expressão nauseada na larga cara de Belwas. — Belwas, o Forte, precisa de leite.

Hizdahr ignorou o eunuco.

— Magnificência, o povo de Meereen veio celebrar a nossa união. Ouviste-los a aclamar-vos. Não deiteis fora o seu amor.

— O que eles aclamaram foram as minhas orelhas de abano, não a mim. Levai-me deste matadouro, marido. — Ouvia o javali a resfolegar, os gritos dos lanceiros, o estalar do chicote do mestre de arena.

— Querida senhora, não. Ficai só um pouco mais. Para a farsa e um último combate. Fechai os olhos, ninguém verá. Estarão a ver Belaquo e Ghogor. Isto não é altura para…

Uma sombra passou-lhe a ondular pela cara.

O tumulto e os gritos morreram. Dez mil vozes silenciaram-se. Todos os olhos se viraram para o céu. Um vento quente roçou no rosto de Dany, e por cima do bater do seu coração ouviu o som de asas. Dois lanceiros precipitaram-se em busca de abrigo. O mestre da arena ficou gelado onde se encontrava. O javali regressou a Barsena, a fungar. Belwas, o Forte, soltou um gemido, desequilibrou-se de onde estava sentado e caiu de joelhos.

Por cima de todos, o dragão descreveu uma curva, escuro contra o céu. As suas escamas eram negras, os olhos, os cornos e as placas espinhais de um vermelho sanguíneo. Sempre o maior dos três, em liberdade Drogon tornara-se ainda maior. As suas asas estendiam-se seis metros de ponta a ponta, negras como azeviche. Bateu-as uma vez ao dar a volta sobre as areias, e o som foi como um trovão. O javali ergueu a cabeça, resfolegando… e chamas engoliram-no, fogo negro riscado de vermelho. Dany sentiu a onda de calor a dez metros de distância. O grito de morte do animal pareceu quase humano. Drogon aterrou sobre a carcaça e enterrou as garras na carne fumegante. Quando começou a alimentar-se, não fez qualquer distinção entre Barsena e o javali.

— Oh, deuses — gemeu Reznak — ele está a *comê-la*! — O senescal tapou a boca. Belwas, o Forte, vomitava ruidosamente. Uma estranha expressão passou pela longa e pálida cara de Hizdahr zo Loraq; em parte medo, em parte sede de sangue, em parte arrebatamento. Lambeu os lábios. Dany viu os Pahl a correr pelos degraus acima, agarrando os *tokars* e tropeçando nas fímbrias na pressa de se irem embora. Outros seguiram-nos. Alguns correram, empurrando-se uns aos outros. Foram mais os que ficaram nos seus lugares.

Um homem encarregou-se de ser herói.

Era um dos lanceiros que tinham saído para empurrar o javali de volta ao seu cercado. Talvez estivesse bêbado, ou louco. Talvez amasse Barsena Cabelopreto à distância, ou tivesse ouvido algum murmúrio sobre a rapariga chamada Hazzea. Talvez fosse apenas um homem comum que queria que os bardos cantassem sobre ele. Precipitou-se em frente, de lança para javalis nas mãos. Areia vermelha ergueu-se de sob os seus calcanhares, e gritos ressoaram vindos dos bancos. Drogon ergueu a cabeça, com sangue a pingar-lhe dos dentes. O herói saltou para o seu dorso e espetou a ponta de lança de ferro na base do longo pescoço escamoso do dragão.

Dany e Drogon gritaram como um só.

O herói inclinou-se sobre a lança, usando o seu peso para empurrar a ponta mais para dentro. Drogon arqueou o pescoço para cima com um silvo de dor. A sua cauda atirou uma chicotada para o lado. Dany viu a cabeça do dragão virar-se na extremidade daquele longo pescoço serpentino, viu as asas negras a desdobrarem-se. O matador de dragões perdeu o equilíbrio e estatelou-se na areia. Estava a tentar pôr-se de novo em pé quando os dentes do dragão se fecharam com força em volta do seu antebraço.

— Não — foi tudo o que o homem teve tempo de gritar. Drogon arrancou-lhe o braço do ombro e arremessou-o para o lado como um cão poderia arremessar um roedor numa arena de ratazanas.

— Matai-o — gritou Hizdahr zo Loraq aos outros lanceiros. — *Matai a fera!*

Sor Barristan abraçou-a com força.

— Afastai o olhar, Vossa Graça.

— Lar*gai*-me! — Dany arrancou-se aos seus braços. O mundo pareceu abrandar ao saltar sobre o parapeito. Quando aterrou na arena perdeu uma sandália. Correndo, sentia a areia entre os dedos, quente e áspera. Sor Barristan gritava atrás dela. Belwas, o Forte, continuava a vomitar. Correu mais depressa.

Os lanceiros também estavam a correr. Alguns precipitavam-se para o dragão, de lanças na mão. Outros corriam para longe, deitando fora as armas enquanto fugiam. O herói estrebuchava na areia, com o sangue brilhante a jorrar do coto irregular do seu ombro. A lança permanecia no dorso do dragão, oscilando quando o dragão batia as asas. O ferimento deitava fumo. Quando os outros lanceiros se aproximaram, o dragão cuspiu fogo, banhando dois homens em chamas negras. A sua cauda golpeou para o lado, e apanhou o mestre da arena que tentava aproximar-se do animal por trás, quebrando-o em dois. Outro atacante lançou-lhe estocadas aos olhos, até que o dragão o apanhou entre as maxilas e lhe rasgou a barriga. Os meereeneses gritavam, praguejavam, uivavam. Dany ouviu alguém que corria atrás dela.

— Drogon — gritou. — *Drogon.*

A cabeça dele girou. Fumo ergueu-se de entre os seus dentes. O sangue também fumegava, onde pingara no chão. Voltou a bater as asas, fazendo voar uma tempestade sufocante de areia escarlate. Dany entrou aos tropeções na nuvem vermelha e quente, tossindo. Ele tentou mordê-la.

— Não — foi tudo o que teve tempo de dizer. *Não, a mim não, não me reconheces?* Os dentes negros fecharam-se a centímetros do seu rosto. *Ele queria arrancar-me a cabeça.* Dany tinha areia nos olhos. Tropeçou no cadáver do mestre da arena, e caiu de traseiro.

Drogon rugiu. O som encheu a arena. Um vento de fornalha cobriu-a. O longo pescoço escamoso do dragão estendeu-se para ela. Quando a boca se lhe abriu, Dany viu bocados de osso partido e de carne carbonizada entre os dentes negros. Os seus olhos estavam em fusão. *Estou a olhar para o inferno, mas não me atrevo a afastar o olhar.* Nunca tivera tanta certeza de nada. *Se fugir dele, ele queimar-me-á e devorar-me-á.* Em Westeros, os septões falavam de sete infernos e sete céus, mas os Sete Reinos e os seus deuses estavam longe. Dany perguntou a si própria se, no caso de morrer ali, o deus cavalo dos dothraki afastaria a erva e a reclamaria para o seu *khalasar* estrelado, para poder percorrer as terras da noite ao lado do seu sol-e-estrelas. Ou seriam os deuses zangados de Ghis a enviar as suas harpias para lhe capturar a alma e a arrastar para o tormento? Drogon rugiu-lhe em cheio na cara, com um hálito suficientemente quente para encher a pele de bolhas. À sua direita, Dany ouviu Barristan Selmy a gritar:

— *A mim!* Prova-me a mim. Aqui. *A mim!*

Nos poços rubros e em brasa dos olhos de Drogon, Dany viu o seu reflexo. Como parecia pequena, como parecia fraca, débil e assustada. *Não posso deixar que ele veja o meu medo.* Esgravatou na areia, empurrando o cadáver do mestre de arena, e seus dedos roçaram no cabo do chicote do homem. Tocá-lo fê-la sentir mais coragem. O couro estava tépido, vivo.

Drogon voltou a rugir, com um som tão alto que ela quase deixou cair o chicote. Os dentes fecharam-se na sua direção.

Dany bateu-lhe.

— *Não* — gritou, brandindo o látego com toda a força que tinha no corpo. O dragão puxou a cabeça para trás. — *Não* — voltou a gritar. — *NÃO!* — As farpas arranharam-no ao longo do focinho. Drogon levantou-se, cobrindo-a com a sombra das asas. Dany brandiu o chicote contra a barriga escamosa do dragão, de um lado para o outro até que o braço começou a doer-lhe. O longo pescoço serpentino do dragão dobrou-se como o arco de um arqueiro. Com um *sssssss*, o dragão cuspiu fogo negro para cima dela. Dany precipitou-se por baixo das chamas, brandindo o chicote e gritando: — *Não, não, não. Para BAIXO!* — O rugido que lhe respondeu estava cheio de medo e fúria, cheio de dor. As asas do dragão bateram uma vez, duas…

… e dobraram-se. O dragão soltou um último silvo e deitou-se sobre a barriga. Sangue negro fluía da ferida onde a lança o perfurara, fumegando nos locais onde pingava sobre as areias ressequidas. *Ele é fogo feito carne,* pensou, *e eu também.*

Daenerys Targaryen saltou para o dorso do dragão, agarrou na lança e arrancou-a. A ponta quase derretera, e o ferro estava em brasa e brilhava. Deitou-a fora. Drogon torceu-se por baixo do seu corpo, fazendo ondular os músculos enquanto reunia as forças. O ar estava repleto de areia. Dany não conseguia ver, não conseguia respirar, não conseguia pensar. As asas negras estalaram como trovões, e de súbito as areias escarlates estavam a cair atrás dela.

Tonta, Dany fechou os olhos. Quando voltou a abri-los, vislumbrou os meereeneses abaixo de si através de uma névoa de lágrimas e poeira, jorrando pelas escadas acima e para as ruas.

Ainda tinha o chicote na mão. Bateu com ele no pescoço de Drogon e gritou:

— *Mais alto!* — A sua outra mão agarrava-se às escamas do dragão, esgravatando com os dedos em busca de apoio. As vastas asas negras de Drogon batiam no ar. Dany sentiu o calor do animal entre as pernas. Sentia o coração prestes a rebentar. *Sim,* pensou, *sim, agora, agora, fá-lo, fá-lo, leva-me, leva-me, VOA!*

Não era um homem alto, o Tormund Terror dos Gigantes, mas os deuses tinham-lhe concedido um peito largo e uma barriga maciça. Mance Rayder chamara-lhe Tormund Soprador de Chifres devido ao poder dos seus pulmões, e costumava dizer que Tormund era capaz de fazer cair a neve dos cumes das montanhas à gargalhada. Em fúria, os seus brados faziam lembrar a Jon os bramidos de um mamute.

Nesse dia Tormund bradou frequente e ruidosamente. Rugiu, gritou, bateu com o punho na mesa com tal força que um jarro de água se virou e se derramou. Um corno de hidromel nunca estava longe da sua mão, de modo que os perdigotos que espalhava enquanto fazia ameaças estavam adoçados com mel. Chamou a Jon Snow cobarde, mentiroso e ladrão e gralha preta, acusou-o de querer ir ao cu ao povo livre. Por duas vezes atirou o corno de beber à cabeça de Jon, embora só o fizesse depois de o esvaziar. Tormund não era homem para desperdiçar bom hidromel. Jon deixou que tudo aquilo passasse por si. Nunca levantou a voz nem respondeu às ameaças com ameaças, mas também não cedeu mais terreno do que o que tinha vindo preparado para ceder.

Por fim, já as sombras da tarde se tornavam longas fora da tenda, Tormund Terror dos Gigantes — Alto-falante, Soprador de Chifres e Quebrador de Gelo, Tormund Punho de Trovão, Esposo de Ursas, Rei-Hidromel de Solar Ruivo, Falador com os Deuses e Pai de Hostes — espetou a mão.

— Então está feito e que os deuses me perdoem. Há uma centena de mães que nunca perdoarão, bem sei.

Jon apertou a mão que lhe era oferecida. As palavras do seu juramento ressoaram-lhe na cabeça. *Sou a espada na escuridão. Sou o vigilante nas muralhas. Sou o fogo que arde contra o frio, a luz que traz consigo a alvorada, a trombeta que acorda os que dormem, o escudo que defende os reinos dos homens.* E para si um novo refrão: *Sou o guarda que abriu os portões, e deixou o inimigo marchar por eles.* Teria dado mais que muito para saber que o que estava a fazer era certo. Mas fora demasiado longe para voltar agora para trás.

— Feito e acabado — disse.

O apertão de Tormund quebrava ossos. Pelo menos isso, nele, não mudara. A barba também era a mesma, embora a cara sob aquele matagal de pelos brancos tivesse emagrecido consideravelmente e houvesse profundas rugas gravadas naquelas bochechas rosadas.

— O Mance devia ter-te matado quando teve oportunidade — disse, enquanto fazia os possíveis por transformar a mão de Jon em polpa e osso. — Ouro por papas de aveia, e rapazes… um preço cruel. Que aconteceu àquele moço simpático que eu conheci?

*Fizeram dele senhor comandante.*

— Ouvi dizer que um acordo justo deixa os dois lados insatisfeitos. Três dias?

— Se eu viver o suficiente. Alguns dos meus hão de cuspir em mim quando souberem destes termos. — Tormund largou a mão de Jon. — Os teus corvos tamém hão de resmungar, se bem os conheço. E devia conhecer. Matei mais dos vossos paneleiros pretos do que consigo contar.

— Talvez seja melhor que não menciones isso tão alto quando vieres para sul da Muralha.

— Ha! — riu Tormund. Isso também não mudara; ainda se ria fácil e frequentemente. — Sábias palavras. Não vou querer que vós, corvos, me matem à bicada. — Deu uma palmada nas costas de Jon. — Quando toda a minha gente 'tiver a salvo a sul da tua Muralha, havemos de partilhar um bocado de carne e hidromel. Até lá… — O selvagem tirou a braçadeira do braço esquerdo e atirou-a a Jon, após o que fez o mesmo à gémea que trazia no direito. — O teu primeiro pagamento. Recebi-as do meu pai e ele do dele. Agora são tuas, seu bastardo preto e gatuno.

As braçadeiras eram de ouro antigo, sólido e pesado, gravado com as antigas runas dos Primeiros Homens. Tormund Terror dos Gigantes usara-as desde que Jon o conhecia; tinham parecido tão parte dele como a barba.

— Os bravosianos vão derreter isto para obter o ouro. Parece uma pena. Talvez devesses ficar com elas.

— Não. Não quero que se diga que Tormund Punho de Trovão obrigou o povo livre a abdicar dos seus tesouros enquanto ficava com os dele. — Sorriu. — Mas vou ficar com o anel que uso em volta do membro. Muito maior do que essas coisinhas. Em ti, era um torque.

Jon teve de se rir.

— Tu nunca mudas.

— Oh, mas mudo. — O sorriso derreteu como neve no verão. — Não sou o homem que era em Solar Ruivo. Vi demasiada morte, e tamém coisas piores. Os meus filhos… — O desgosto torceu a cara de Tormund. — Dormund foi abatido na batalha pela Muralha, e ainda era meio rapaz. Um dos cavaleiros do teu rei deu cabo dele, um sacana qualquer todo vestido de aço cinzento com mariposas no escudo. Eu vi o golpe, mas o meu moço estava

271

morto antes de conseguir chegar lá. E Torwynd... foi o frio que o levou. Andava sempre adoentado, esse. Limitou-se a morrer uma noite. E o pior de tudo foi que ainda antes de sabermos que tinha morrido levantou-se todo pálido com aqueles olhos azuis. Tive de ver com os meus próprios olhos. Foi duro, Jon. — Lágrimas brilharam-lhe nos olhos. — Ele não era grande coisa como homem, é verdade, mas tinha sido o meu rapazinho e eu gostava dele.

Jon pôs-lhe uma mão no ombro.

— Lamento tanto.

— Porquê? Não foi obra tua. Há sangue nas tuas mãos, sim, tal como nas minhas. Mas o dele não. — Tormund abanou a cabeça. — Ainda tenho dois filhos fortes.

— A tua filha?...

— Munda. — Aquilo trouxe o sorriso de Tormund de volta. — Tomou aquele Lança-Longa Ryk como marido, se é que dá p'ra acreditar. O miúdo tem mais manias que senso, cá p'ra mim, mas trata-a bastante bem. Disse-lhe que se alguma vez lhe fizesse mal, lhe arrancava o membro e o espancava com ele até fazer sangue. — Deu a Jon outra palmada vigorosa. — 'Tá na altura de voltares. Se te prender aqui mais tempo, o mais certo é que eles pensem que te comemos.

— Então à aurora. Daqui a três dias. Os rapazes primeiro.

— Eu ouvi-te das primeiras dez vezes, corvo. Um tipo ainda julga que não há confiança entre a gente. — Cuspiu. — Os rapazes primeiro, pois. Os mamutes dão a volta longa. Tu trata de que Atalaialeste os espere. Eu trato de que não haja lutas, nem correrias para o vosso maldito portão. Vamos ser bonitinhos e ordeiros, patinhos em fila. E eu sou a mãe pata. Ha! — Tormund levou Jon para fora da tenda.

Lá fora, o dia estava luminoso e sem nuvens. O sol regressara ao céu após uma ausência de uma quinzena e, a sul, a Muralha erguia-se azul clara e reluzente. Havia um ditado que Jon ouvira da boca dos homens mais velhos em Castelo Negro: *a Muralha tem mais humores que o Rei Louco Aerys*, diziam ou, por vezes, *a Muralha tem mais humores que uma mulher*. Em dias enevoados parecia ser rocha branca. Em noites sem luar era negra como carvão. Em tempestades de neve parecia ser esculpida de neve. Mas em dias como aquele não havia forma de a confundir com qualquer coisa que não fosse gelo. Em dias como aquele, a Muralha reluzia, brilhante como um cristal de septão, com cada fenda e racha iluminada pela luz do sol, enquanto arcos-íris gelados dançavam e morriam por trás de ondulações translúcidas. Em dias como aquele, a Muralha era bela.

O filho mais velho de Tormund estava junto dos cavalos, conversando com o Couros. Entre o povo livre era conhecido como Alto Toregg. Embora mal chegasse a ter um par de centímetros de altura a mais do que o Couros, era trinta centímetros mais alto do que o pai. Hareth, o bem constituído rapaz de Vila Toupeira a que chamavam Cavalo, aninhava-se junto da fogueira, com as costas voltadas para os outros dois. Ele e o Couros tinham sido os únicos homens que Jon trouxera consigo para a conferência; mais podiam ter sido vistos como um sinal de medo, e vinte homens não serviriam de mais do que dois se Tormund estivesse decidido a derramar sangue. O Fantasma era a única proteção de que Jon precisava; o lobo gigante era capaz de farejar inimigos, mesmo aqueles que escondiam a inimizade atrás de sorrisos.

Mas o Fantasma desaparecera. Jon descalçou uma luva negra, levou dois dedos à boca e assobiou.

— *Fantasma!* A mim.

Vindo de cima, ouviu-se o súbito som de asas. O corvo de Mormont levantou voo do ramo de um velho carvalho para se ir empoleirar na sela de Jon.

— *Grão* — gritou. — *Grão, grão, grão.*

— Tu também me seguiste? — Jon estendeu a mão para enxotar a ave, mas acabou por lhe afagar as penas. O corvo inclinou o olho para ele.

— *Snow* — resmungou, bandeando a cabeça com ar sabedor. Em seguida, o Fantasma saiu de entre duas árvores, com Val a seu lado.

*Parece que o lugar daqueles dois é um com o outro.* Val estava toda vestida de branco; bragas de lã branca enfiadas em botas de cano alto de couro branco, um manto de pele branca de urso, preso ao ombro por uma cara esculpida de represeiro, túnica branca com presilhas de osso. A sua respiração também era branca... mas os olhos eram azuis, a longa trança da cor do mel escuro, o seu rosto estava enrubescido pelo frio. Passara-se bastante tempo desde que Jon vira algo tão adorável.

— Estivestes a tentar roubar-me o lobo? — perguntou-lhe.

— E porque não? Se todas as mulheres tivessem um lobo gigante, os homens seriam muito mais simpáticos. Até os corvos.

— Ha! — riu-se Tormund Terror dos Gigantes. — Não discutas com aquela, Lorde Snow, é esperta demais para gente como tu e eu. É melhor que a roubes depressa antes que Toregg acorde e a leve primeiro.

Que tinha aquele imbecil do Axell Florent dito sobre Val? *"Uma rapariga núbil, e que não faz mal à vista. Boas ancas, bons seios, bem feita para parir filhos."* Tudo bastante verdadeiro, mas a selvagem era muito mais do que isso. Demonstrara-o encontrando Tormund onde patrulheiros experientes da Patrulha tinham falhado. *Ela pode não ser uma princesa, mas daria uma esposa digna para qualquer senhor.*

Mas essa ponte fora queimada há muito tempo, e fora o próprio Jon a atirar o archote.

— Que faça bom proveito a Toregg — anunciou. — Eu prestei um juramento.

— Ela não se importa. Pois não, rapariga?

Val deu uma palmadinha na longa faca de osso que trazia à anca.

— O Lorde Corvo pode esgueirar-se para a minha cama em qualquer noite em que se atreva. Depois de ser castrado, cumprir esse juramento será muito mais fácil para ele.

— *Ha!* — voltou Tormund a resfolegar. — Estás a ouvir isto, Toregg? Fica longe desta mulher. Eu já tenho uma filha, não preciso de outra. — Abanando a cabeça, o chefe selvagem baixou-se para regressar à sua tenda.

Enquanto Jon coçava o Fantasma atrás da orelha, Toregg trouxe o cavalo de Val. Ela ainda montava o garrano cinzento que Mully lhe dera no dia em que partira da Muralha, uma coisinha hirsuta e atrofiada, cega de um olho. Quando o virou para a Muralha, perguntou:

— Como passa o monstrinho?

— Está o dobro de quando nos deixastes, e três vezes mais ruidoso. Quando quer teta, consegue-se ouvi-lo chorar em Atalaialeste. — Jon montou o seu cavalo.

Val pôs-se a seu lado.

— Então… trouxe-vos Tormund, como disse que traria. E agora? Vou ser devolvida à minha antiga cela?

— A vossa antiga cela está ocupada. A Rainha Selyse reivindicou para si a Torre do Rei. Lembrais-vos da Torre de Hardin?

— Aquela que parece estar a ponto de ruir?

— Já tem esse aspeto há cem anos. Mandei preparar o piso superior para vós, senhora. Tereis mais espaço do que na Torre do Rei, embora talvez não estejais tão confortável. Nunca ninguém lhe chamou Palácio de Hardin.

— Eu preferia a liberdade ao conforto num piscar de olhos.

— Liberdade de castelo tereis, mas lamento dizer que tereis de permanecer cativa. No entanto, posso prometer-vos que não sereis incomodada por visitantes indesejados. São os meus próprios homens que guardam a Torre de Hardin, não os da rainha. E Wun Wun dorme no átrio.

— Um gigante como protetor? Nem Dalla se podia gabar de tal coisa.

Os selvagens de Tormund viram-nos passar, espreitando de tendas e abrigos erguidos sob árvores desprovidas de folhas. Por cada homem em idade de combater, Jon viu três mulheres e outras tantas crianças, coisas de caras descarnadas com bochechas encovadas e olhos fixos. Quando Mance

Rayder liderara o povo livre contra a Muralha, os seus seguidores conduziam grandes rebanhos de ovelhas e cabras e suínos, mas agora os únicos animais que estavam à vista eram os mamutes. Não duvidava de que, se não fosse a ferocidade dos gigantes, esses também teriam sido mortos. Havia muita carne presa aos ossos de um mamute.

Jon também viu sinais de doença. Isso inquietou-o mais do que podia expressar. Se o bando de Tormund estava faminto e doente, como estariam os milhares que tinham seguido a Mãe Toupeira para Larduro? *Cotter Pyke deve chegar a eles em breve. Se os ventos forem favoráveis, a sua frota pode perfeitamente estar neste momento de regresso a Atalaialeste, com todos os membros do povo livre que conseguiu amontoar a bordo.*

— Como vos saístes com Tormund? — perguntou Val.

— Perguntai-me daqui a um ano. A parte difícil ainda me espera. A parte onde convenço os meus a comer a refeição que cozinhei para eles. Temo que nenhum vá gostar do sabor.

— Deixai-me ajudar.

— Já ajudastes. Trouxestes-me Tormund.

— Posso fazer mais.

*E porque não?*, pensou Jon. *Estão todos convencidos de que ela é uma princesa.* Val tinha um aspeto adequado ao papel, e montava como se tivesse nascido em cima de um cavalo. *Uma princesa guerreira*, decidiu, *não uma qualquer criaturinha elegante que se mantém no topo de uma torre, escovando o cabelo e esperando que um cavaleiro a salve.*

— Tenho de informar a rainha sobre este acordo — disse. — Podeis vir conhecê-la se encontrardes em vós o que é preciso para dobrar um joelho. — Não seria nada bom ofender Sua Graça antes mesmo de abrir a boca.

— Posso rir-me enquanto ajoelho?

— Não, não podeis. Isto não é um jogo. Um rio de sangue corre entre os nossos povos, antigo, profundo e vermelho. Stannis Baratheon é um dos poucos que são favoráveis a deixar entrar selvagens no reino. Preciso do apoio da sua rainha para aquilo que fiz.

O sorriso brincalhão de Val morreu.

— Tendes a minha palavra, Lorde Snow. Serei para a vossa rainha uma princesa selvagem como deve ser.

*Ela não é minha rainha*, podia ele ter dito. *Em boa verdade, o dia da sua partida não pode chegar depressa demais para mim. E, se os deuses forem bons, levará Melisandre consigo.*

Seguiram o resto do dia montados em silêncio, com o Fantasma aos saltos logo atrás. O corvo de Mormont seguiu-os até ao portão, após o que bateu as asas para o alto enquanto o resto do grupo desmontava. O Cavalo seguiu à frente com um archote para iluminar o caminho através do túnel gelado.

Uma pequena multidão de irmãos negros aguardava junto do portão quando Jon e os companheiros emergiram a sul da Muralha. Ulmer da Mata de Rei encontrava-se entre eles, e foi o velho arqueiro que avançou para falar pelos outros.

— Se aprouver ao s'nhor, os rapazes 'tavam curiosos. Vai ser a paz, s'nhor? Ou sangue e ferro?

— Paz — respondeu Jon Snow. — Daqui a três dias, Tormund Terror dos Gigantes levará o seu povo a atravessar a Muralha. Como amigos, não como inimigos. Alguns podem mesmo ampliar as nossas fileiras, como irmãos. Caber-nos-á a nós fazer com que se sintam bem-vindos. Agora regressai aos vossos deveres. — Jon entregou as rédeas do cavalo ao Cetim. — Tenho de falar com a Rainha Selyse. — Sua Graça encararia como desfeita se ele não fosse imediatamente ter com ela. — Depois, terei cartas a escrever. Leva pergaminho, penas e um pote de preto de meistre para os meus aposentos. Depois chama Marsh, Yarwyck, o Septão Cellador e Clydas. — Cellador estaria meio bêbado, e Clydas era fraco substituto para um verdadeiro meistre, mas eram o que tinha. *Até que Sam regresse.* — Os nortenhos também. O Flint e o Norrey. Couros, tu também lá devias estar.

— O Hobb está a fazer empadões de cebola — disse o Cetim. — Devo pedir que se juntem todos a vós para o jantar?

Jon refletiu.

— Não. Pede-lhes para se juntarem a mim no topo da Muralha ao pôr-do-sol. — Virou-se para Val. — Senhora. Comigo, por favor.

— O corvo manda, a cativa tem de obedecer. — O seu tom de voz era brincalhão. — Esta vossa rainha deve ser feroz, se as pernas de homens feitos cedem debaixo dos seus corpos quando se encontram com ela. Deveria ter-me vestido de cota de malha em vez de lã e peles? Esta roupa foi-me dada por Dalla, preferia não a encher de manchas de sangue.

— Se as palavras fizessem sangrar, talvez tivésseis motivo para temer. Julgo que a vossa roupa está suficientemente a salvo, senhora.

Abriram caminho até à Torre do Rei, por caminhos acabados de limpar à pazada, entre montes de neve suja.

— Ouvi dizer que a vossa rainha tem uma grande barba escura.

Jon sabia que não devia sorrir, mas sorriu.

— É só um bigode. Muito ralo. Conseguem-se contar os pelos.

— Que desapontamento.

Apesar de toda a conversa sobre querer ser senhora dos seus domínios, Selyse Baratheon não parecia ter grande pressa de trocar o conforto de Castelo Negro pelas sombras de Fortenoite. Mantinha guardas, claro;

quatro homens à porta, dois do lado de fora, nos degraus, dois do lado de dentro, junto do braseiro. A comandá-los estava Sor Patrek da Montanha Real, vestido com o seu traje de cavaleiro branco, azul e prateado, e com uma sementeira de estrelas de cinco pontas no manto. Quando foi apresentado a Val, o cavaleiro caiu sobre um joelho para lhe beijar a luva.

— Ainda sois mais adorável do que me foi dito, princesa — declarou.
— A rainha falou-me muito da vossa beleza.

— Que estranho, se ela nunca me viu. — Val deu uma palmadinha na cabeça de Sor Patrek. — Vá, upa, upa, sor ajoelhador. Para cima, para cima. — Parecia estar a falar com um cão.

Foi com grande dificuldade que Jon evitou rir-se. Com uma expressão pétrea, disse ao cavaleiro que pediam uma audiência com a rainha. Sor Patrek mandou um dos guardas precipitar-se escada acima, a fim de inquirir se Sua Graça os receberia.

— Mas o lobo fica aqui — insistiu Sor Patrek.

Jon já o esperava. O lobo gigante deixava a Rainha Selyse ansiosa, quase tanto como Wun Weg Wun Dar Wun.

— Fantasma, fica.

Foram encontrar Sua Graça a coser junto da lareira, enquanto o seu bobo dançava em redor, ao som de música que só ele conseguia ouvir, fazendo repicar os badalos que trazia presos às hastes.

— O corvo, o corvo — gritou o Cara-Malhada quando viu Jon. — Debaixo do mar os corvos são brancos como neve, eu sei, eu sei, hei, hei, hei. — A Princesa Shireen estava enrolada sobre si própria num banco de janela, com o capuz erguido para esconder o pior da escamagris que lhe desfigurara a cara.

Não havia sinal da Senhora Melisandre. Por isso, Jon sentiu-se grato. Mais cedo ou mais tarde teria de encarar a sacerdotisa vermelha, mas preferia que não fosse na presença da rainha.

— Vossa Graça — Caiu sobre um joelho. Val imitou-o.

A Rainha Selyse pôs de parte a costura.

— Podeis erguer-vos.

— Se aprouver a Vossa Graça, posso apresentar-vos a Senhora Val? A irmã Dalla foi…

— … mãe daquele bebé chorão que nos mantém acordados à noite. Eu sei quem ela é, Lorde Snow. — A rainha fungou. — Sois afortunado por ela ter regressado para junto de nós antes do rei meu esposo, caso contrário as coisas poderiam ter corrido mal para o vosso lado. Muito mal mesmo.

— Sois vós a princesa selvagem? — perguntou Shireen a Val.

— Há quem me chame isso — disse Val. — A minha irmã foi mulher de Mance Rayder, o Rei-para-lá-da-Muralha. Morreu a dar-lhe um filho.

— Eu também sou uma princesa — anunciou Shireen — mas nunca tive uma irmã. Em tempos tive um primo, antes de ele embarcar. Era só um bastardo, mas eu gostava dele.

— Francamente, Shireen — disse a mãe. — Tenho a certeza de que o senhor comandante não veio ouvir falar dos filhos ilegítimos de Robert. Cara-Malhada, sê um bom bobo e leva a princesa para o quarto dela.

Os chocalhos no chapéu do bobo ressoaram.

— Fora, fora — cantou o bobo. — Vem comigo para baixo do mar, para fora, fora, fora. — Pegou numa mão da princesinha e levou-a da sala, aos saltinhos.

Jon disse:

— Vossa Graça, o líder do povo livre concordou com os meus termos.

A Rainha Selyse fez o mais minúsculo dos acenos.

— Sempre foi desejo do senhor meu esposo conceder santuário a esses povos selvagens. Desde que mantenham a paz do rei e cumpram as leis do rei, são bem-vindos aos nossos domínios. — Espetou os lábios. — Disseram-me que têm mais gigantes com eles.

Val respondeu.

— Quase duzentos, Vossa Graça. E mais de oitenta mamutes.

A rainha estremeceu.

— Pavorosas criaturas. — Jon não conseguiu decidir se ela estaria a falar dos mamutes ou dos gigantes. — Se bem que tais animais possam ser úteis ao senhor meu esposo nas suas batalhas.

— Pode ser que sim, Vossa Graça — disse Jon — mas os mamutes são grandes demais para passar pelo nosso portão.

— O portão não pode ser alargado?

— Isso… isso seria insensato, creio.

Selyse soltou uma fungadela.

— Se o dizeis. Sem dúvida tereis conhecimentos sobre tais coisas. Onde tencionais instalar esses selvagens? Certamente que Vila Toupeira não é suficientemente grande para conter… quantos são?

— Quatro mil, Vossa Graça. Ajudar-nos-ão a guarnecer os nossos castelos abandonados, para melhor defendermos a Muralha.

— Fui levada a crer que esses castelos eram ruínas. Lugares sombrios, desolados e frios, pouco mais que pilhas de entulho. Em Atalaialeste ouvimos falar de ratazanas e aranhas.

*O frio deve ter matado as aranhas por esta altura*, pensou Jon, *e as ratazanas podem ser uma fonte útil de carne quando o inverno chegar.*

— É tudo verdade, Vossa Graça… mas mesmo ruínas fornecem algum abrigo. E a Muralha estará entre eles e os Outros.

— Vejo que refletistes cuidadosamente sobre tudo isto, Lorde Snow.

Tenho a certeza de que o Rei Stannis ficará satisfeito quando regressar triunfante da sua batalha.

*Partindo do princípio de que regressa.*

— Claro — prosseguiu a rainha — que os selvagens têm primeiro de reconhecer Stannis como seu rei e R'hllor como seu deus.

*E aqui estamos nós, frente a frente na passagem estreita.*

— Vossa Graça, perdoai-me. Não foram esses os termos em que acordámos.

O rosto da rainha endureceu.

— Um grave equívoco. — Os ténues vestígios de calor que a sua voz contivera tinham desaparecido de repente.

— O povo livre não ajoelha — disse-lhe Val.

— Então têm de ser ajoelhados — declarou a rainha.

— Se fizerdes tal coisa, Vossa Graça, voltaremos a erguer-nos à primeira oportunidade — prometeu Val. — A erguer-nos com armas na mão.

Os lábios da rainha apertaram-se, e o seu queixo deu um pequeno abanão.

— Sois insolente. Suponho que era de se esperar de uma selvagem. Temos de vos arranjar um marido que vos consiga ensinar cortesia. — A rainha voltou para Jon o seu olhar furioso. — Não aprovo, senhor comandante. E o senhor meu esposo também não aprovará. Não posso impedir-vos de abrir o vosso portão, como ambos sabemos perfeitamente, mas garanto-vos que respondereis por isso quando o rei regressar da batalha. Talvez queirais reconsiderar.

— Vossa Graça. — Jon voltou a ajoelhar. Desta vez Val não se lhe juntou. — Lamento que os meus atos vos tenham desagradado. Fiz o que achei melhor. Tenho a vossa licença para sair?

— Tendes. Imediatamente.

Uma vez lá fora e bem longe dos homens da rainha, Val deu vazão à sua fúria.

— Mentistes sobre a barba dela. Aquela tem mais pelos no queixo do que eu tenho entre as pernas. E a filha… a cara dela…

— Escamagris.

— O nome que lhe damos é morte cinzenta.

— Nem sempre é mortal nas crianças.

— A norte da Muralha é. Cicuta é uma cura segura, mas uma almofada ou uma lâmina funcionam igualmente bem. Se eu tivesse dado à luz aquela pobre criança ter-lhe-ia dado a dádiva da misericórdia há muito tempo.

Aquela era uma Val que Jon nunca antes vira.

— A Princesa Shireen é a única filha da rainha.

— Tenho pena das duas. A criança não está limpa.

— Se Stannis vencer esta guerra, Shireen será herdeira do Trono de Ferro.

— Então tenho pena dos vossos Sete Reinos.

— Os meistres dizem que a escamagris não é…

— Os meistres podem acreditar no que quiserem. Perguntai a uma bruxa da floresta se quereis saber a verdade. A morte cinzenta dorme, para voltar a despertar. *A criança não está limpa!*

— Parece ser uma rapariga simpática. Não podeis saber…

— Posso. Não sabeis nada, Jon Snow. — Val agarrou-lhe no braço. — Quero o monstro fora daqui. Ele e as amas-de-leite. Não os podeis deixar na mesma torre da rapariga morta.

Jon sacudiu-lhe a mão.

— *Ela não está morta.*

— Está. A mãe não consegue ver que está. Nem vós, ao que parece. Mas a morte está lá. — Afastou-se dele, parou, virou para trás. — Eu trouxe-vos Tormund Terror dos Gigantes. Trazei-me o meu monstro.

— Se puder, trarei.

— Trazei. Tendes uma dívida para comigo, Jon Snow.

Jon viu-a a afastar-se em passos largos. *Ela está enganada. Tem de estar enganada. A escamagris não é tão mortífera como diz, nas crianças não.*

O Fantasma voltara a desaparecer. O Sol estava baixo a oeste. *Uma taça de vinho quente com especiarias ser-me-ia útil neste momento. Duas seriam ainda melhores.* Mas isso teria de esperar. Tinha inimigos a enfrentar. Inimigos da pior espécie: irmãos.

Foi dar com Couros à sua espera junto da gaiola do guincho. Subiram os dois juntos. Quanto mais subiam, mais forte era o vento. A quinze metros de altura, a pesada gaiola começou a oscilar a cada rajada. De vez em quando raspava na Muralha, dando origem a pequenas chuvadas cristalinas de gelo que relampejavam à luz do sol enquanto caíam. Ergueram-se acima das mais altas torres do castelo. Aos cento e vinte metros o vento tinha dentes, e mordia-lhe o manto negro de tal modo que batia ruidosamente nas barras de ferro. Aos duzentos, trespassava-o. *A Muralha é minha,* fez Jon lembrar a si próprio enquanto os operadores do guincho puxavam a gaiola, *pelo menos por mais dois dias.*

Jon saltou para o gelo, agradeceu aos homens que operavam o guincho e acenou aos lanceiros que estavam de sentinela. Ambos usavam capuzes de lã puxados para cima das cabeças, de modo que nada se via das suas caras salvo os olhos, mas reconheceu Ty pela emaranhada corda de sebento cabelo negro que lhe caía pelas costas abaixo e Owen pela salsicha que estava enfiada na bainha que trazia à anca. Podia tê-los reconhecido na mesma, só pela forma como se mantinham em pé. *Um bom senhor tem de conhecer os seus homens*, dissera o pai um dia a si e a Robb, em Winterfell.

Jon caminhou até à borda da Muralha e fitou o campo de matança onde a hoste de Mance Rayder morrera. Perguntou a si próprio onde estaria agora Mance. *Ele chegou a encontrar-te, irmãzinha? Ou será que foste só um estratagema que usou para que eu o libertasse?*

Passara-se tanto tempo desde que vira Arya. Que aspeto teria agora? Chegaria até a reconhecê-la? *Arya Debaixo-dos-Pés. Andava sempre com a cara suja.* Teria ainda aquela pequena espada que pedira a Mikken para forjar para ela? *Espeta-lhes a ponta afiada*, dissera-lhe. Sabedoria para a sua noite de núpcias, se metade do que ouvira sobre Ramsay Snow fosse verdade. *Trá-la para casa, Mance. Eu salvei o teu filho de Melisandre, e agora preparo-me para salvar quatro mil dos do teu povo livre. Deves-me esta rapariguinha.*

Na floresta assombrada, para norte, as sombras da tarde avançavam por entre as árvores. O céu ocidental era um incêndio de vermelho, mas a leste as primeiras estrelas começavam a espreitar. Jon Snow fletiu os dedos da mão da espada, recordando tudo o que perdera. *Sam, meu caro palerma gordo, pregaste-me uma partida cruel quando fizeste de mim senhor comandante. Um senhor comandante não tem amigos.*

— Lorde Snow? — disse o Couros. — A gaiola está a subir.

— Eu ouço-a — Jon afastou-se da borda.

Os primeiros a fazerem a subida foram os chefes de clã, Flint e Norrey, vestidos de peles e ferro. O Norrey parecia-se com uma velha raposa; enrugado e de constituição ligeira, mas com uns olhos astutos e ágil. Torghen Flint era meia cabeça mais baixo mas devia pesar o dobro; um homem robusto e rude, com umas mãos nodosas grandes como presuntos, de nós dos dedos vermelhos, apoiava-se pesadamente a uma bengala de espinheiro negro enquanto ia coxeando gelo fora. Bowen Marsh chegou em seguida, entrouxado numa pele de urso. Depois dele veio Othell Yarwyck. Depois o Septão Cellador, meio ébrio.

— Acompanhai-me — disse-lhes Jon. Caminharam para oeste ao longo da Muralha, por caminhos cobertos de gravilha, na direção do sol poente. Quando se afastaram cinquenta metros do barracão, disse: — Sabeis porque vos convoquei. Daqui a três dias, à alvorada, o portão abrir-se-á para deixar Tormund e a sua gente atravessar a Muralha. Precisamos de fazer muitos preparativos.

O silêncio acolheu o anúncio. Depois Othell Yarwyck disse:

— Senhor Comandante, há *milhares* de…

— … selvagens escanzelados, fatigados até aos ossos, famintos, longe de casa. — Jon apontou para as luzes das suas fogueiras. — Ali estão eles. Quatro mil, segundo Thormund.

— Estimo três mil, pelas fogueiras. — Bowen Marsh vivia para contagens e medições. — Mais do que duas vezes esse número em Larduro com a bruxa da floresta, segundo nos foi informado. E Sor Denys escreve sobre grandes acampamentos nas montanhas para lá da Torre Sombria...

Jon não o negou.

— Tormund diz que o Chorão pretende voltar a tentar atravessar a Ponte das Caveiras.

A Velha Granada tocou a cicatriz. Tinha-a arranjado a defender a Ponte das Caveiras da última vez que o Chorão tentara abrir caminho pela Garganta.

— Decerto que o senhor comandante não tenciona deixar esse... esse demónio atravessar também?

— De bom grado, não. — Jon não se esquecera das cabeças que o Chorão lhe deixara, com buracos sangrentos onde os olhos tinham estado. *O Jack Negro Bulwer, o Hal Peludo, o Garth Greyfeather. Não posso vingá-los, mas não me esquecerei dos seus nomes.* — Mas sim, senhor, ele também. Não podemos escolher entre o povo livre, dizendo que este pode passar, aquele não. Paz significa paz para todos.

Norrey puxou um escarro e cuspiu-o.

— Mais valia fazer a paz com lobos e gralhas pretas.

— As minhas masmorras são pacíficas — resmungou o Velho Flint. — Dai-me o Chorão.

— Quantos patrulheiros matou o Chorão? — perguntou Othell Yarwyck. — Quantas mulheres violou, matou ou raptou?

— Três da minha família — disse o Velho Flint. — E cega as raparigas que não leva.

— Quando um homem veste o negro, os seus crimes são perdoados — fez-lhes lembrar Jon. — Se queremos que o povo livre combata a nosso lado, temos de perdoar os seus crimes anteriores como perdoaríamos os dos nossos.

— O Chorão não dirá as palavras — insistiu Yarwyck. — Ele não usará o manto. Nem os outros assaltantes confiam nele.

— Não é preciso confiar num homem para fazer uso dele. — *Se assim não fosse, como poderia eu fazer uso de todos vós?* — Precisamos do Chorão, e de outros como ele. Quem conhece a selva melhor que um selvagem? Quem conhece os nossos inimigos melhor que um homem que os combateu?

— As únicas coisas que o Chorão conhece são a violação e o assassínio — disse Yarwyck.

— Depois de atravessarem a Muralha, os selvagens serão o triplo de nós — disse Bowen Marsh. — E só estou a falar do bando de Tormund. Acrescentai os homens do Chorão e os que estão em Larduro, e eles terão força para acabar com a Patrulha da Noite numa única noite.

— Os números, por si só, não ganham guerras. Vós não os vistes. Metade são mortos em pé.

— Preferia que fossem mortos debaixo da terra — disse Yarwyck. — Se aprouver ao senhor.

— *Não* me apraz. — A voz de Jon estava tão fria como o vento que lhes fazia bater os mantos. — Há crianças naquele acampamento, centenas delas, milhares. Mulheres também.

— Esposas de lanças.

— Algumas. E também mães e avós, viúvas e donzelas… quereis condená-las todas a morrer, senhor?

— Os irmãos não deviam discutir — disse o Septão Cellador. — Ajoelhemos e rezemos à Velha para iluminar o nosso caminho para a sabedoria.

— Lorde Snow — disse o Norrey — onde tencionais pôr esses vossos selvagens? Não nas *minhas* terras, espero eu.

— Pois — declarou o Velho Flint. — Vós querei-los na Dádiva, a tolice é vossa, mas assegurai-vos de que não se põem a vaguear, caso contrário eu mando-vos de volta as cabeças deles. O inverno já quase chegou, não quero mais bocas para alimentar.

— Os selvagens permanecerão junto da Muralha — assegurou-lhes Jon. — A maior parte será alojada em algum dos nossos castelos abandonados. — A patrulha tinha agora guarnições em Marcagelo, Monte Longo, Solar das Trevas, Guardagris e Lago Profundo, todas com grande falta de homens, mas ainda havia dez castelos vazios e abandonados. — Homens com mulheres e crianças, todas as órfãs e os rapazes órfãos com menos de dez anos de idade, velhas, mães viúvas, qualquer mulher que não queira lutar. Mandaremos as esposas de lanças para Monte Longo para se irem juntar às suas irmãs, os homens solteiros para os outros fortes que reabrimos. Aqueles que vestirem o negro permanecerão aqui, ou serão colocados em Atalaialeste ou na Torre Sombria. Tormund ficará sedeado em Escudorroble, para o manter por perto.

Bowen Marsh suspirou.

— Se eles não nos matarem com as espadas, fá-lo-ão com as bocas. Dizei-me, como propõe o senhor comandante alimentar Tormund e os seus milhares?

Jon já esperava aquela pergunta.

— Através de Atalaialeste. Traremos comida por navio, tanta quanta for necessária. Das terras fluviais, das terras da tempestade e do Vale de Arryn, de Dorne e da Campina, das Cidades Livres do outro lado do mar.

— E esta comida será paga... como, se é que posso perguntar?

*Com ouro, do Banco de Ferro de Bravos*, podia ter respondido Jon. Em vez disso disse:

— Concordei que o povo livre podia ficar com as suas peles. Precisarão delas para se aquecerem quando o inverno chegar. Terão de entregar toda a restante riqueza. Ouro e prata, âmbar, pedras preciosas, esculturas, qualquer coisa de valor. Enviaremos tudo para o outro lado do mar estreito para ser vendido nas Cidades Livres.

— Toda a riqueza dos selvagens — disse o Norrey. — Isso há de vos dar p'a comprar aí uns dez galões de cevada. Quinze, se calhar.

— Senhor comandante, porque não exigir que os selvagens deponham também as armas? — perguntou Clydas.

O Couros riu-se daquilo.

— Quereis que o povo livre combata ao vosso lado contra o inimigo comum. Como faremos isso sem armas? Quereis que atiremos bolas de neve às criaturas? Ou será que nos ireis dar paus para lhes bater com eles?

*As armas que a maior parte dos selvagens trazem pouco mais são do que paus*, pensou Jon. Mocas de madeira, machados de pedra, malhos, lanças com pontas endurecidas pelo fogo, facas de osso, pedra e vidro de dragão, escudos de vime, armaduras de osso, couro fervido. Os Thenn trabalhavam o bronze, e assaltantes como o Chorão usavam aço roubado e espadas de ferro saqueadas de algum cadáver... mas mesmo essas eram frequentemente coisas antigas, entalhadas por anos de intenso uso e manchadas de ferrugem.

— Tormund Terror dos Gigantes nunca desarmará voluntariamente o seu povo — disse Jon. — Ele não é o Chorão, mas também não é nenhum cobarde. Se lho tivesse pedido, teria havido derramamento de sangue.

O Norrey afagou a barba.

— Podeis pôr os selvagens nesses fortes arruinados, Lorde Snow, mas como os obrigareis a ficar? Que existe que os impeça de se mudarem para sul, para terras mais amenas e mais quentes?

— As nossas terras — disse o Velho Flint.

— Tormund fez-me um juramento. Servirá connosco até à primavera. O Chorão e os outros capitães jurarão o mesmo, caso contrário não os deixaremos passar.

O Velho Flint abanou a cabeça.

— Eles vão trair-nos.

— A palavra do Chorão não vale nada — disse Othell Yarwyck.

— Eles são selvagens ímpios — disse o Septão Cellador. — Até no sul o caráter traiçoeiro dos selvagens é famoso.

O Couros cruzou os braços ao peito.

— Aquela batalha lá em baixo? Eu 'tava do outro lado, lembrais-vos? Agora uso os vossos panos pretos e treino os vossos rapazes p'ra matar. Alguns podiam chamar-me traidor. Pode ser que sim… mas nã' sou mais selvagem do que vós, os corvos. Tamém temos deuses. Os mesmos deuses que têm em Winterfell.

— Os deuses do Norte, desde antes da construção desta Muralha — disse Jon. — Foi por esses deuses que Tormund jurou. Ele cumprirá a sua palavra. Eu conheço-o, tal como conheci Mance Rayder. Marchei com eles durante algum tempo, talvez vos recordeis disso.

— Não me tinha esquecido — disse o Senhor Intendente.

*Pois não*, pensou Jon, *não me pareceu que tivesses.*

— Mance Rayder também prestou um juramento — prosseguiu Marsh. — Jurou não usar coroas, não tomar esposa, não gerar filhos. Depois virou o manto, fez todas essas coisas, e liderou uma hoste temível contra o reino. São os restos dessa hoste que esperam do outro lado da Muralha.

— Restos quebrados.

— Uma espada quebrada pode voltar a ser forjada. Uma espada quebrada pode matar.

— O povo livre não tem nem leis nem senhores — disse Jon — mas ama os seus filhos. Admitireis que é verdade?

— Não são os filhos deles que nos preocupam. Nós tememos os pais, não os filhos.

— Tal como eu. Por isso insisti em reféns. — *Não sou o idiota confiante por que me tomas… nem sou meio selvagem, acredites no que acreditares.* — Cem rapazes com idades entre os oito e os dezasseis. Um filho de cada um dos seus chefes e capitães, os outros escolhidos por sorteio. Os rapazes servirão como pajens e escudeiros, libertando os nossos homens para outros deveres. Alguns podem decidir um dia vestir o negro. Já aconteceram coisas mais estranhas. Os outros ficarão reféns da lealdade dos seus pais.

Os nortenhos olharam uns para os outros.

— Reféns — matutou o Norrey. — Tormund concordou com isto?

*Era isso ou ver o seu povo morrer.*

— Chama-lhe o meu preço de sangue — disse Jon Snow — mas pagará.

— Sim, e porque não? — O Velho Flint bateu com a bengala no gelo. — Sempre lhes chamámos protegidos, quando Winterfell nos exigia rapazes, mas eram reféns e nenhum ficou pior por isso.

— Nenhum, menos aqueles cujos pais desagradaram aos Reis do Inverno — disse o Norrey. — Esses voltaram uma cabeça mais baixos. Então dizei-me, rapaz… se esses vossos amigos selvagens se mostrarem traiçoeiros, tendes estômago p'ra fazer o que tem de ser feito?

*Pergunta a Janos Slynt.*

— Tormund Terror dos Gigantes sabe que não é boa ideia pôr-me à prova. Posso parecer um rapaz verde aos vossos olhos, Lorde Norrey, mas continuo a ser filho de Eddard Stark.

Contudo, nem aquilo apaziguou o seu Senhor Intendente.

— Dizeis que esses rapazes servirão como escudeiros. Decerto que o Senhor Comandante não pretende que eles sejam treinados *nas armas*?

A ira de Jon estalou.

— Não, senhor, pretendo pô-los a coser roupa interior de renda. Claro que serão treinados nas armas. Também baterão manteiga, acartarão lenha, limparão estábulos, esvaziarão penicos, e entregarão mensagens… e entretanto serão treinados com lanças, espadas e arcos.

Marsh pôs-se de um tom mais profundo de vermelho.

— O senhor comandante tem de perdoar a minha franqueza, mas não tenho maneira mais suave de dizer isto. O que propondes não é menos que traição. Há oito mil anos que os homens da Patrulha da Noite se mantêm na Muralha a combater estes selvagens. Agora pretendeis deixá-los passar, dar-lhes abrigo nos nossos castelos, alimentá-los, vesti-los e ensiná-los a combater. Lorde Snow, terei de vos fazer lembrar? *Vós prestastes um juramento.*

— Eu sei o que jurei. — Jon disse as palavras. — *Sou a espada na escuridão. Sou o vigilante nas muralhas. Sou o fogo que arde contra o frio, a luz que traz consigo a alvorada, a trombeta que acorda os que dormem, o escudo que defende os reinos dos homens.* Foram estas as mesmas palavras que dissestes quando prestastes o vosso juramento?

— Foram. Como o senhor comandante bem sabe.

— Tendes a certeza de que não vos esquecestes de algumas? Aquelas sobre o rei e as suas leis, e sobre como temos de defender cada centímetro das suas terras e de nos agarrarmos a todos os castelos arruinados? Como é essa parte? — Jon esperou por uma resposta. Nenhuma veio. — *Sou o escudo que defende os reinos dos homens.* As palavras são estas. Portanto dizei-me, senhor: que são estes selvagens se não são homens?

Bowen Marsh abriu a boca. Não saíram quaisquer palavras. Um rubor subiu-lhe pelo pescoço.

Jon Snow virou-lhe as costas. A última luz do sol começara a desvanecer-se. Observou as fendas ao longo da Muralha a passarem de vermelhas a cinzentas e depois a negras, de faixas de fogo a rios de gelo negro. Lá em baixo, a Senhora Melisandre estaria a acender a sua fogueira noturna e a entoar: *Senhor da Luz, defendei-nos, pois a noite é escura e cheia de terrores.*

— O inverno está a chegar — disse Jon por fim, quebrando o silêncio incómodo — e com ele vêm os caminhantes brancos. Será na Muralha que os travaremos. A Muralha foi *feita* para os travar… mas a Muralha tem de ser guarnecida. Esta discussão chegou ao fim. Temos muito para fazer antes de o portão ser aberto. Tormund e o seu povo terão de ser alimentados, vestidos e abrigados. Alguns estão doentes e precisarão de tratamento. Esses caber-te-ão a ti, Clydas. Salva todos os que puderes.

Clydas piscou os seus baços olhos rosados.

— Farei o melhor que puder, Jon. Senhor, quero eu dizer.

— Vamos precisar de preparar todos os carros e carroças para transportar o povo livre para as suas novas casas. Othell, irás tratar disso.

Yarwyck fez uma careta.

— Sim, senhor comandante.

— Lorde Bowen, vós recolhereis as taxas. O ouro e a prata, o âmbar, os torques, braçadeiras e colares. Organizai-as, contai-as, assegurai-vos de que chegam em segurança a Atalaialeste.

— Sim, Lorde Snow — disse Bowen Marsh.

E Jon pensou: *Gelo, disse ela, e punhais no escuro. Sangue gelado, vermelho e duro, e aço nu.* A sua mão da espada fletiu. O vento estava a aumentar.

Cada noite parecia mais fria do que a anterior.

A cela não tinha nem lareira nem braseiro. A única janela era alta demais para lhe fornecer uma vista e era pequena demais para que por ela se esgueirasse, mas tinha mais do que o tamanho suficiente para deixar entrar o frio. Cersei rasgara a primeira combinação que lhe tinham dado, exigindo a devolução da sua roupa, mas isso só a deixara nua e a tremer. Quando lhe trouxeram outra combinação, enfiara-a pela cabeça e agradecera-lhes, engasgando-se nas palavras.

A janela também deixava entrar sons. Essa era a única maneira que a rainha tinha de saber o que podia estar a acontecer na cidade. As septãs que lhe traziam comida não lhe queriam dizer nada.

Odiava isso. Jaime deveria estar a caminho para a ir buscar, mas como saberia quando ele chegasse? Cersei só esperava que o irmão não fosse suficientemente insensato para se precipitar à frente do seu exército. Precisaria de todas as espadas para lidar com a horda esfarrapada de Pobres Companheiros que rodeava o Grande Septo. Fazia frequentemente perguntas sobre o gémeo, mas as carcereiras não lhe respondiam. Também perguntava por Sor Loras. Segundo as últimas notícias, o Cavaleiro das Flores estava a morrer em Pedra do Dragão, de ferimentos sofridos enquanto tomava o castelo. *Ele que morra*, pensou Cersei, *e que se despache*. A morte do rapaz quereria dizer um lugar vago na Guarda Real, e isso poderia ser a sua salvação. Mas as septãs tinham a boca tão fechada sobre Loras Tyrell como sobre Jaime.

O Lorde Qyburn fora o seu último e único visitante. O seu mundo tinha uma população de quatro pessoas: ela e as três carcereiras, piedosas e inflexíveis. A Septã Unella tinha ossos grandes e era máscula, com mãos calosas e feias feições carrancudas. A Septã Moelle tinha um rígido cabelo branco e pequenos olhos maus perpetuamente semicerrados em suspeita, espreitando de uma cara enrugada, tão afilada como a lâmina de um machado. A Septã Scolera era grossa de cintura e baixa, e possuía seios pesados, uma pele cor de azeitona e um cheiro azedo, como o do leite prestes a estragar-se. Traziam-lhe comida e água, esvaziavam-lhe o penico e levavam-lhe a combinação para lavar de tantos em tantos dias, deixando-a enrolada nua sob a manta até que lhe fosse devolvido. Por vezes, Scolera lia-lhe passagens da *Estrela de Sete Pontas* ou d'*O Livro das*

*Preces Sagradas*, mas à parte isso nenhuma falava com ela nem respondia a nenhuma das suas perguntas.

Odiava e desprezava as três, quase tanto como odiava e desprezava os homens que a tinham traído.

Falsos amigos, criados traiçoeiros, homens que lhe haviam declarado um amor imorredouro, mesmo o seu próprio sangue… todos a tinham abandonado na sua hora de necessidade. Osney Kettleblack, esse fracote, quebrara sob o látego, enchendo os ouvidos do Alto Septão com segredos que devia ter levado para a sepultura. Os irmãos, escumalha das ruas que ela elevara bem alto, nada tinham feito além de ficarem de braços cruzados. Aurane Waters, o seu almirante, fugira para o mar com os dromones que construíra para ele. Orton Merryweather fugira de volta para Mesalonga, levando a mulher, Taena, que fora a única amiga verdadeira da rainha naqueles tempos terríveis. Harys Swyft e o Grande Meistre Pycelle tinham-na abandonado ao cativeiro e tinham oferecido o reino aos mesmíssimos homens que haviam conspirado contra ela. Meryn Trant e Boros Blount, os protetores ajuramentados do rei, não se viam em lado nenhum. Até o primo Lancel, que em tempos afirmara amá-la, era um dos acusadores. O tio recusara-se a ajudá-la a governar quando ela quisera fazer dele Mão do Rei.

E Jaime…

Não, nisso não podia acreditar, não queria acreditar. Jaime pôr-se-ia ali assim que soubesse da situação em que a irmã se encontrava. *"Vem imediatamente,"* escrevera-lhe. *"Ajuda-me. Salva-me. Preciso agora de ti como nunca antes precisei. Amo-te. Amo-te. Amo-te. Vem imediatamente."* Qyburn jurara que se asseguraria de que a carta chegasse ao gémeo, o qual andava pelas terras fluviais com o seu exército. Mas Qyburn não regressara. Tanto quanto soubesse, podia estar morto, com a cabeça empalada num espigão por cima dos portões da fortaleza da cidade. Ou talvez estivesse a definhar numa das celas negras sob a Fortaleza Vermelha, sem ter ainda enviado a carta. A rainha perguntara por ele uma centena de vezes, mas as suas captoras não queriam falar dele. Tudo o que sabia com certeza era que Jaime não viera.

*Ainda não*, dizia a si própria. *Mas virá em breve. E quando vier, o Alto Pardal e as suas cadelas cantarão outra cantiga.*

Odiava sentir-se impotente.

Ameaçara, mas as suas ameaças tinham sido recebidas com caras de pedra e orelhas moucas. Ordenara, mas as suas ordens tinham sido ignoradas. Invocara a misericórdia da Mãe, apelando à solidariedade natural de uma mulher por outra, mas as três septãs engelhadas deviam ter posto de parte a sua condição de mulheres quando proferiram os votos. Tentara o encanto, falando-lhes com gentileza, aceitando docilmente cada novo ultraje. Não se deixaram influenciar. Oferecera-lhes recompensas, prometera clemência, honrarias, ouro, cargos na corte. Trataram as promessas como trataram as ameaças.

E rezara. Oh, como rezara. Eram preces que elas desejavam, portanto servira-lhas, servira-as de joelhos como se fosse uma comum prostituta de rua e não uma filha do Rochedo. Rezara por alívio, por salvamento, por Jaime. Em voz alta, pedira aos deuses para a defenderem na sua inocência; em silêncio rezara para que os seus acusadores sofressem mortes súbitas e dolorosas. Rezara até ficar com os joelhos em carne viva e ensanguentados, até sentir a língua tão inchada e pesada que corria o risco de sufocar com ela. Todas as preces que lhe tinham sido ensinadas em rapariga ocorreram a Cersei na sua cela, e inventara novas conforme foram sendo necessárias, apelando à Mãe e à Donzela, ao Pai e ao Guerreiro, à Velha e ao Ferreiro. Até rezara ao Estranho. *Numa tempestade, qualquer deus serve.* Os Sete mostraram-se tão surdos como os seus servos terrenos. Cersei entregara a todos as palavras que tinha em si, entregara-lhes tudo menos lágrimas. *Isso, nunca terão*, dissera a si própria.

Odiava sentir-se fraca.

Se os deuses lhe tivessem dado a força que haviam dado a Jaime e àquele fanfarrão idiota do Robert, teria criado a sua própria fuga. *Oh, uma espada, e a força para a brandir.* Tinha um coração de guerreiro, mas os deuses na sua cega malícia haviam-lhe dado o débil corpo de uma mulher. A rainha tentara combatê-las no início, mas as septãs tinham-se-lhe sobreposto. Eram demasiadas, e eram mais fortes do que pareciam. Velhas feias, todas elas, mas todas aquelas preces e esfregas e espancamentos de noviças com paus tinham-nas deixado duras como raízes.

E não a deixavam descansar. De noite ou de dia, sempre que a rainha fechava os olhos para dormir, uma das suas captoras apareceria para a acordar e exigir que confessasse os seus pecados. Estava acusada de adultério, fornicação, alta traição, até assassínio, pois Osney Kettleblack confessara ter sufocado o último Alto Septão às suas ordens.

— Vim ouvir-vos falar de todos os vossos assassínios e fornicações — rosnava a Septã Unella, quando abanava a rainha para a acordar. A Septã Moelle dizia-lhe que eram os seus pecados que a mantinham acordada.

— Só os inocentes conhecem a paz de um sono imperturbado. Confessai os vossos pecados e dormireis como um bebé recém-nascido.

Acordar e adormecer e voltar a acordar, todas as noites eram quebradas em bocados pelas rudes mãos das suas algozes, e cada noite era mais fria e mais desagradável do que a anterior. A hora da coruja, a hora do lobo, a hora do rouxinol, o nascer da Lua e o pôr da Lua, o ocaso e a alvorada, passavam a cambalear como bêbados. Que horas eram? Que dia era? Onde estava? Seria aquilo um sonho, ou teria acordado? Os pequenos estilhaços de sono que lhe concediam transformavam-se em navalhas, cortando-lhe o juízo. Cada dia ia encontrá-la mais embotada do que o anterior, exausta e febril. Perdera todo o sentido de há quanto tempo estava aprisionada naquela cela, bem alto numa das sete torres do Grande Septo de Baelor. *Vou envelhecer e morrer aqui*, pensava, desesperando.

Cersei não podia deixar que isso acontecesse. O filho precisava dela. O reino precisava dela. Tinha de se libertar, fosse qual fosse o risco. O seu mundo reduzira-se a uma cela com dois metros de lado, um penico, uma enxerga grumosa e uma manta de lã castanha, fina como a esperança, que lhe enchia a pele de comichões. Mas continuava a ser herdeira do Lorde Tywin, uma filha do Rochedo.

Exausta pela falta de sono, tremendo do frio que penetrava todas as noites na sua cela de torre, ora febril, ora faminta, Cersei compreendeu por fim que tinha de confessar.

Nessa noite, quando Unella veio arrancá-la ao sono, descobriu a rainha à espera, ajoelhada.

— Pequei — disse Cersei. Sentia a língua inchada na boca, os lábios em carne viva e gretados. — Pequei com grande gravidade. Agora vejo que sim. Como posso ter sido tão cega durante tanto tempo? A Velha apareceu-me com a sua lâmpada bem erguida e à sua luz sagrada vi o caminho que tenho de percorrer. Quero voltar a estar limpa. Só quero a absolvição. Por favor, boa septã, suplico-vos, levai-me ao Alto Septão para que possa confessar os meus crimes e fornicações.

— Eu digo-lhe, Vossa Graça — disse a Septã Unella. — Sua Alta Santidade ficará muito contente. Só através da confissão e do verdadeiro arrependimento podem ser salvas as nossas almas imortais.

E durante o resto dessa longa noite deixaram-na dormir. Horas e horas de abençoado sono. A coruja, o lobo e o rouxinol passaram, por uma vez sem que a sua passagem fosse vista ou notada, enquanto Cersei sonhava um longo e doce sonho em que Jaime era seu marido e o filho de ambos ainda estava vivo.

Ao chegar a manhã, a rainha voltara quase a sentir-se ela própria. Quando as captoras vieram buscá-la, voltou a dirigir-lhes ruídos piedosos e disse-lhes como estava determinada a confessar os seus pecados e a ser perdoada por tudo o que fizera.

— Rejubilamos por ouvir isso — disse a Septã Moelle.

— Será um grande peso a ser tirado de cima da vossa alma — disse a Septã Scolera. — Sentir-vos-eis muito melhor depois, Vossa Graça.

*Vossa Graça.* Aquelas duas simples palavras entusiasmaram-na. Durante o longo cativeiro, fora frequente que as carcereiras nem se incomodassem com essa simples cortesia.

— Sua Alta Santidade aguarda — disse a Septã Unella.

Cersei baixou a cabeça, humilde e obediente.

— Posso ser autorizada a tomar banho primeiro? Não estou em estado de o servir.

— Podeis lavar-vos depois, se Sua Alta Santidade o permitir — disse a Septã Unella. — É a limpeza da vossa alma imortal que vos deve preocupar agora, não tais futilidades da carne.

As três septãs levaram-na pela escada da torre abaixo, a Septã Unella à sua frente, a Septã Moelle e a Septã Scolera logo atrás, como se tivessem medo que ela tentasse fugir.

— Passou-se tanto tempo desde que tive um visitante — murmurou Cersei numa voz calma enquanto desciam. — O rei está bem? Só pergunto como mãe, temerosa pelo meu filho.

— Sua Graça está de boa saúde — disse a Septã Scolera — e está bem protegido, de dia e de noite. A rainha está com ele, sempre.

*A rainha sou eu!* Cersei engoliu em seco, sorriu e disse:

— É bom saber isso. Tommen ama-a tanto. Nunca acreditei naquelas coisas terríveis que eram ditas sobre ela. — Teria Margaery Tyrell arranjado maneira de se escapulir às acusações de fornicação, adultério e alta traição? — Houve um julgamento?

— Haverá em breve — disse a Septã Scolera — mas o irmão...

— *Chiu.* — A Septã Unella virou-se para atirar um olhar furioso a Scolera por cima do ombro. — Tagarelais demasiado, velha tonta. Não nos cabe a nós falar dessas coisas.

Scolera baixou a cabeça.

— Por favor, perdoai-me.

Fizeram o resto da descida em silêncio.

O Alto Pardal recebeu-as no seu gabinete, um austero aposento de sete lados onde caras toscamente esculpidas dos Deuses olhavam de paredes de pedra com expressões quase tão amargas e desaprovadoras como a da própria Sua Alta Santidade. Quando entrou, ele estava sentado por trás de uma mesa tosca, a escrever. O Alto Septão não mudara desde a última vez que estivera na sua presença, no dia em que a mandara capturar e aprisionar. Continuava a ser um homem magricela e grisalho, com um ar ligeiro, duro e meio faminto, uma cara com traços bem definidos, enrugada, olhos desconfiados. Em vez das ricas vestes dos seus antecessores, usava uma túnica sem forma, de lã por tingir, que lhe caía até aos tornozelos.

— Vossa Graça — disse, em jeito de saudação. — Informaram-me que quereis fazer uma confissão.

Cersei caiu de joelhos.

— Quero, Alta Santidade. A Velha apareceu-me enquanto dormia com a sua lâmpada bem erguida...

— Com certeza. Unella, vós ficareis e fareis um registo das palavras de Sua Graça. Scolera, Moelle, tendes licença para vos irdes embora. — Juntou os dedos das mãos, o mesmo gesto que Cersei vira o pai usar mil vezes.

A Septã Unella sentou-se atrás dela, estendeu um pergaminho, mergulhou uma pena em tinta de meistre. Cersei sentiu uma pontada de medo.

— Depois de confessar ser-me-á permitido...

— Lidaremos com Vossa Graça em função dos vossos pecados.

*Este homem é implacável*, compreendeu uma vez mais. Concentrou-se por um momento.

— Que a Mãe se apiede de mim, nesse caso. Deitei-me com homens fora dos limites do matrimónio. Confesso.

— Quem? — Os olhos do Alto Septão estavam fixos nos dela.

Cersei ouvia Unella a escrever atrás dela. A pena fazia um ténue e débil som de raspar.

— Lancel Lannister, meu primo. E Osney Kettleblack. — Ambos tinham confessado ter dormido com ela, não lhe serviria de nada negá-lo. — Os irmãos dele também. Ambos. — Não tinha maneira de saber o que Osfryd e Osmund poderiam dizer. Era mais seguro confessar demasiado do que pouco demais. — Isto não justifica o meu pecado, Alta Santidade, mas sentia-me só e com medo. Os deuses tinham-me levado o Rei Robert, o meu amor e protetor. Estava sozinha, rodeada por intriguistas, falsos amigos e traidores que conspiravam a morte dos meus filhos. Não sabia em quem confiar, portanto... usei os únicos meios de que dispunha para ligar a mim os Kettleblack.

— Estais assim a referir-vos aos vossos órgãos femininos?

— À minha carne. — Levou uma mão à cara, tremendo. Quando voltou a baixá-la, tinha os olhos húmidos de lágrimas. — Sim. Que a Donzela me perdoe. Mas foi pelos meus filhos, pelo reino. Não tive nenhum prazer nisso. Os Kettleblack... são homens duros e cruéis, e usaram-me rudemente, mas que podia eu fazer? Tommen precisava de ter à sua volta homens em quem eu podia confiar.

— Sua Graça estava protegido pela Guarda Real.

— A Guarda Real ficou parada, inútil, enquanto o seu irmão Joffrey morria, assassinado no próprio banquete de casamento. Eu vi um filho morrer, não consegui suportar perder outro. Pequei, cometi fornicação promíscua, mas fi-lo por Tommen. Perdoai-me, Alta Santidade, mas abriria as pernas a todos os homens em Porto Real se fosse o que tivesse de fazer para manter os meus filhos a salvo.

— O perdão só provém dos deuses. E Sor Lancel, que era vosso primo e escudeiro do senhor vosso esposo? Também o levastes para a cama para conquistar a sua lealdade?

— Lancel. — Cersei hesitou. *Cuidado*, disse a si própria, *Lancel deve-lhe ter dito tudo.* — Lancel amava-me. Era meio rapaz, mas nunca duvidei da sua devoção a mim ou ao meu filho.

— E mesmo assim corrompeste-lo.

— Estava sozinha. — Sufocou um soluço. — Tinha perdido o meu marido, o meu filho, o senhor meu pai. Era regente, mas uma rainha continua a ser uma mulher, e as mulheres são fracos recetáculos, fáceis de tentar... Vossa Alta Santidade sabe que é verdade. Sabe-se até de santas septãs que pecaram. Obtive conforto com Lancel. Ele era bondoso e gentil, e eu precisava de alguém. Foi errado, eu sei, mas não tinha mais ninguém... uma mulher *precisa* de ser amada, precisa de um homem a seu lado, ela... ela... — E desatou a soluçar descontroladamente.

O Alto Septão não fez qualquer movimento para a reconfortar. Ficou ali sentado com os seus olhos duros fixos nela, vendo-a chorar, tão pétreo como as estátuas dos Sete no septo, lá em cima. Longos momentos se passaram, mas por fim todas as suas lágrimas secaram. Por essa altura tinha os olhos vermelhos e ardentes de chorar, e sentia-se prestes a desmaiar.

O Alto Pardal não estava satisfeito, porém.

— Esses são pecados comuns — disse. — A malvadez das viúvas é bem conhecida, e todas as mulheres são no fundo libertinas, dadas a usar as suas astúcias e beleza para impor aos homens a sua vontade. Não existe aí traição, desde que não vos tenhais afastado da vossa cama de casada enquanto Sua Graça, o Rei Robert, ainda estava vivo.

— Nunca — sussurrou, tremendo. — *Nunca*, juro.

Ele não lhe prestou qualquer atenção.

— Há outras acusações contra Vossa Graça, crimes muito mais graves do que simples fornicações. Admitis que Sor Osney Kettleblack era vosso amante, e Sor Osney insiste que sufocou o meu antecessor às vossas ordens. Também insiste que prestou falso testemunho contra a Rainha Margaery e as primas, contando histórias de fornicações, adultério e alta traição, de novo às vossas ordens.

— Não — disse Cersei. — Não é verdade. Amo Margaery como amaria uma filha. E o resto... eu queixei-me do Alto Septão, admito. Era criatura de Tyrion, fraco e corrupto, uma mancha na nossa Fé Sagrada, Vossa Alta Santidade sabe disso tão bem como eu. Pode ser que Osney tenha pensado que a sua morte me agradaria. Se assim é, cabe-me parte da culpa... mas assassínio? Não. Disso estou inocente. Levai-me ao septo e apresentar-me-ei ao julgamento do Pai, jurando ser verdade o que digo.

— A seu tempo — disse o Alto Septão. — Também estais acusada de conspirar para o assassínio do senhor vosso esposo, o nosso falecido e amado Rei Robert, o Primeiro do Seu Nome.

*Lancel*, pensou Cersei.

— Robert foi morto por um javali. Será que agora dizem que eu sou uma troca-peles? Uma *warg*? Será que também sou acusada de matar Joffrey, o meu querido filho, o meu primogénito?

— Não. Só o vosso esposo. Negai-lo?

— Nego-o. Nego. Perante os deuses e os homens, nego.

Ele anuiu.

— Por último, e o pior de tudo, há quem diga que os vossos filhos não foram gerados pelo Rei Robert, que são bastardos nascidos de incesto e adultério.

— Quem diz isso é Stannis — disse imediatamente Cersei. — Uma mentira, uma mentira, uma manifesta mentira. Stannis deseja o Trono de Ferro para si, mas os filhos do irmão estão no caminho, portanto precisa de alegar que não são do irmão. Aquela carta nojenta… não há nem um grão de verdade nela. Nego-o.

O Alto Septão pousou ambas as mãos abertas na mesa e pôs-se em pé.

— Ótimo. O Lorde Stannis virou costas à verdade dos Sete para adorar um demónio vermelho, e não há lugar para a sua falsa fé nestes Sete Reinos.

Aquilo era quase animador. Cersei acenou com a cabeça.

— Ainda assim — prosseguiu Sua Alta Santidade — estas acusações são terríveis, e o reino tem de conhecer a verdade que contêm. Se Vossa Graça disse a verdade, um julgamento provará a vossa inocência.

*Ainda um julgamento.*

— Eu confessei…

— … certos pecados, sim. Outros negais. O vosso julgamento separará as verdades das falsidades. Pedirei aos Sete para perdoarem os pecados que confessastes, e rezarei para que sejais declarada inocente das outras acusações.

Cersei pôs-se lentamente em pé.

— Vergo-me perante a sabedoria de Sua Alta Santidade — disse — mas se puder suplicar apenas uma gota da misericórdia da Mãe, eu… passou-se tanto tempo desde a última vez que vi o meu filho, por favor…

Os olhos do velho eram lascas de pederneira.

— Não seria apropriado permitir a vossa presença perto do rei até ficardes limpa de toda a vossa malvadeza. Contudo, destes o primeiro passo no caminho de regresso à honradez, e à luz disso autorizar-vos-ei a receber outras visitas. Uma por dia.

A rainha recomeçou a chorar. Desta vez as lágrimas eram verdadeiras.

— A vossa bondade é imensa. Obrigada.

— A Mãe é misericordiosa. É a ela que deveis agradecer.

Moelle e Scolera estavam à espera para a levar de volta à sua cela de torre. Unella seguiu logo atrás delas.

— Estivemos todas a rezar por Vossa Graça — disse a Septã Moelle enquanto subiam.

— Sim — ecoou a Septã Scolera — e deveis sentir-vos agora tão mais leve, limpa e inocente como uma donzela na manhã do casamento.

*Fodi Jaime na manhã do meu casamento*, recordou a rainha.

— Sinto — disse — sinto-me renascida, como se um furúnculo infetado tivesse sido lancetado e agora pudesse finalmente começar a sarar. Quase seria capaz de voar. — Imaginou como seria bom dar uma cotovelada na cara da Septã Scolera e atirá-la à cambalhota pela escada em espiral abaixo. Se os deuses fossem bons, a velha puta enrugada talvez chocasse com a Septã Unella, levando-a para baixo consigo.

— É bom ver-vos de novo a sorrir — disse Scolera.

— Sua Alta Santidade disse que eu podia ter visitas?

— Disse — disse a Septã Unella. — Se Vossa Graça nos disser quem deseja ver, mandar-lhes-emos dizer.

*Jaime, preciso de Jaime.* Mas se o seu gémeo estava na cidade porque não teria vindo ter com ela? Podia ser mais sensato manter Jaime em suspenso até ter uma ideia mais concreta sobre o que estava a acontecer para lá das paredes do Grande Septo de Baelor.

— O meu tio — disse. — Sor Kevan Lannister, irmão do meu pai. Está na cidade?

— Está — disse a Septã Unella. — O Senhor Regente estabeleceu residência na Fortaleza Vermelha. Mandá-lo-emos chamar imediatamente.

— Obrigada — disse Cersei, pensando: *com que então Senhor Regente?* Não podia fingir estar surpreendida.

Um coração humilde e contrito mostrou trazer benefícios que ultrapassavam a limpeza dos pecados da alma. Nessa noite a rainha foi transferida para uma cela maior, dois andares mais abaixo, com uma janela por onde podia olhar e mantas quentes e suaves para a cama. E quando chegou a altura de jantar, em vez de pão duro e papas de aveia, foi-lhe servido capão assado, uma tigela de verduras frescas salpicadas com nozes esmagadas, e um monte de puré de nabo a nadar em manteiga. Nessa noite meteu-se na cama de barriga cheia pela primeira vez desde que fora aprisionada, e dormiu sem ser incomodada durante toda a noite negra.

Na manhã seguinte, com a alvorada, chegou o tio.

Cersei ainda estava a comer o pequeno-almoço quando a porta se abriu e Sor Kevan Lannister entrou.

— Deixai-nos — disse ele às carcereiras. A Septã Moelle enxotou Scolera e Moelle para fora e fechou a porta atrás delas. A rainha pôs-se em pé.

Sor Kevan parecia mais velho do que da última vez que o vira. Era um homem grande, largo de ombros e de cintura, com uma barba loura cortada curta que seguia a linha do pesado maxilar, e um cabelo louro cortado curto que estava em plena retirada da sua testa. Um pesado manto de lã, tingido de carmesim, estava preso ao seu ombro com um broche dourado com a forma de uma cabeça de leão.

— Obrigada por terdes vindo — disse a rainha.

O tio franziu o sobrolho.

— Devíeis sentar-vos. Há coisas que tenho de vos dizer…

Cersei não queria sentar-se.

— Continuais zangado comigo. Ouço-o na vossa voz. Perdoai-me, tio. Foi errado da minha parte atirar-vos o vinho, mas…

— Achais que me importo com uma taça de vinho? Lancel é meu *filho*, Cersei. Vosso sobrinho. Se estou zangado convosco, a razão é essa. Devíeis ter cuidado dele, devíeis tê-lo guiado, devíeis ter-lhe arranjado uma rapariga promissora de boas famílias. Em vez disso…

— Eu sei. Eu sei. — *Lancel desejava-me mais do que alguma vez o desejei a ele. E ainda deseja, aposto.* — Estava sozinha, fraca. Por favor. Tio. Oh, tio. É tão bom ver a vossa cara, a vossa querida, querida cara. Fiz coisas malignas, bem sei, mas não conseguia suportar que me odiásseis. — Atirou os braços em volta dele, beijou-o na cara. — Perdoai-me. Perdoai-me.

Sor Kevan aguentou o abraço durante alguns segundos antes de finalmente erguer os braços para lhe responder. O seu abraço foi curto e desajeitado.

— Basta — disse, ainda com a voz monocórdica e fria. — Estais perdoada. Agora sentai-vos. Trago notícias duras, Cersei.

As palavras dele assustaram-na.

— Aconteceu alguma coisa a Tommen? Por favor, não. Tenho tido tanto medo pelo meu filho. Ninguém me quer dizer nada. Por favor, dizei-me que Tommen está bem.

— Sua Graça está bem. Pergunta por vós com frequência. — Sor Kevan pôs-lhe as mãos nos ombros, segurou-a à distância de um braço.

— Então é Jaime? É Jaime?

— Não. Jaime ainda está nas terras fluviais, algures.

— Algures? — Cersei não gostou de como aquilo soava.

— Tomou Corvarbor e aceitou a rendição do Lorde Blackwood —

disse o tio — mas no caminho de regresso a Correrrio abandonou o séquito e desapareceu com uma mulher.

— Uma mulher? — Cersei ficou a fitá-lo, sem compreender. — Que mulher? Porquê? Para onde foram?

— Ninguém sabe. Não tivemos mais notícias dele. A mulher pode ter sido a filha da Estrela da Tarde, a Senhora Brienne.

*Ela.* A rainha lembrava-se da Donzela de Tarth, uma coisa enorme, feia e desajeitada que se vestia com cota de malha masculina. *Jaime nunca me abandonaria por uma tal criatura. O meu corvo não lhe chegou, caso contrário teria vindo.*

— Recebemos relatórios sobre mercenários a desembarcar por todo o sul — estava Sor Kevan a dizer. — Em Tarth, nos Degraus, no Cabo da Fúria... muito gostaria eu de saber onde Stannis foi encontrar dinheiro para contratar uma companhia livre. Não tenho força para lidar com eles, aqui não. Mace Tyrell tem, mas recusa-se a mexer-se até que este assunto com a filha fique resolvido.

*Um carrasco resolveria Margaery bem depressa.* Cersei não se importava nem um pouco com Stannis e os seus mercenários. *Os Outros que os carreguem a eles e aos Tyrell. Eles que se massacrem uns aos outros, o reino só beneficiará.*

— Por favor, tio, tirai-me daqui.

— Como? Pela força das armas? — Sor Kevan dirigiu-se à janela e olhou para fora, franzindo o sobrolho. — Teria de transformar este lugar sagrado num matadouro. E não tenho homens suficientes. A maior parte das nossas forças estava em Correrrio com o vosso irmão. Não tive tempo para recrutar uma nova hoste. — Voltou-se para encará-la. — Falei com Sua Alta Santidade. Ele não vos libertará até terdes expiado os vossos pecados.

— Eu confessei.

— O que eu disse foi *expiado*. Perante a cidade. Uma caminhada...

— Não. — Sabia o que o tio se preparava para dizer, e não queria ouvi-lo. — Nunca. Dizei-lhe isso, se voltardes a conversar. Eu sou uma rainha, não uma rameira das docas.

— Nenhum mal vos acontecerá. Ninguém irá tocar...

— *Não* — disse ela, num tom mais penetrante. — Preferia morrer.

Sor Kevan manteve-se impassível.

— Se é esse o vosso desejo, talvez o vejais satisfeito em breve. Sua Alta Santidade está decidido a que sejais julgada por regicídio, deicídio, incesto e alta traição.

— Deicídio? — Cersei quase se riu. — Quando foi que matei um deus?

— O Alto Septão fala pelos Sete aqui na terra. Se o atacardes estais a atacar os próprios deuses. — O tio ergueu uma mão antes de ela ter tempo de protestar. — De nada serve falar dessas coisas. Aqui não. O momento para tudo isso é no julgamento. — Olhou a cela em volta. A expressão no seu rosto era pura eloquência.

*Alguém está à escuta.* Mesmo ali, mesmo naquele momento, não se atrevia a falar livremente. Respirou fundo.

— Quem irá julgar-me?

— A Fé — disse o tio — a menos que insistais num julgamento por batalha. Nesse caso tendes de ser defendida por um cavaleiro da Guarda Real. Seja qual for o desenlace, o vosso governo terminou. Eu servirei como regente de Tommen até ele ser um homem feito. Mace Tyrell foi nomeado Mão do Rei. O Grande Meistre Pycelle e Sor Harys Swyft continuarão como dantes, mas Paxter Redwyne é agora senhor almirante e Randyll Tarly assumiu os deveres de magistrado.

*Vassalos dos Tyrell, os dois.* Todo o governo do reino estava a ser entregue aos seus inimigos, amigos e parentes da Rainha Margaery.

— Margaery também está acusada. Ela e aquelas suas primas. Como foi que os pardais a libertaram mas a mim não?

— Randyll Tarly insistiu. Ele foi o primeiro a chegar a Porto Real quando a tempestade rebentou, e trouxe consigo o seu exército. As raparigas Tyrell serão julgadas na mesma, mas o caso contra elas é fraco, Sua Alta Santidade admite-o. Todos os homens identificados como amantes da rainha negaram a acusação ou desdisseram-se, exceto o vosso cantor mutilado, que parece estar meio louco. Portanto o Alto Septão deixou as raparigas à responsabilidade de Tarly, e o Lorde Randyll prestou o juramento sagrado de as apresentar a julgamento quando o momento chegar.

— E os acusadores dela? — perguntou a rainha. — Quem os tem em seu poder?

— Osney Kettleblack e o Bardo Azul estão aqui, por baixo do septo. Os irmãos Redwyne foram declarados inocentes, e Hamish, o Harpista, morreu. Os outros estão nas masmorras sob a Fortaleza Vermelha, a cargo do vosso homem, Qyburn.

*Qyburn,* pensou Cersei. Isso era bom, era um cordelinho, pelo menos, a que se podia agarrar. O Lorde Qyburn tinha-os em seu poder, e o Lorde Qyburn podia fazer maravilhas. *E horrores. Ele também pode fazer horrores.*

— Há mais, pior. Não vos ides sentar?

— Sentar? — Cersei abanou a cabeça. O que podia ser pior? Ela ia ser julgada por alta traição, enquanto a rainhazinha e as primas se escapavam livres como passarinhos. — Dizei-me. O que é?

— Myrcella. Recebemos graves notícias de Dorne.

— *Tyrion* — disse de imediato. Fora Tyrion a mandar a sua filhinha para Dorne, e Cersei enviara Sor Balon Swann para a trazer para casa. Todos os dorneses eram serpentes, e os Martell eram os piores de todos. A Víbora Vermelha até tentara defender o Duende, chegara mesmo a um milímetro de uma vitória que teria permitido que o anão escapasse à culpa pelo assassínio de Joffrey. — É ele, ele tem estado este tempo todo em Dorne, e agora capturou a minha filha.

Sor Kevan dirigiu-lhe outra carranca.

— Myrcella foi atacada por um cavaleiro dornês chamado Gerold Dayne. Está viva, mas ferida. Ele golpeou-lhe a cara, ela… lamento… ela perdeu uma orelha.

— Uma orelha. — Cersei fitou-o, horrorizada. *Era só uma criança, a minha preciosa princesa. E era tão linda.* — Ele cortou-lhe uma orelha. E o Príncipe Doran e os seus cavaleiros dorneses, onde estão? Não conseguiram defender uma rapariguinha? Onde está Arys Oakheart?

— Foi morto, defendendo-a. Dayne abateu-o, segundo se diz.

A rainha lembrou-se de que a Espada da Manhã fora um Dayne, mas estava há muito morto. Quem era aquele Sor Gerold, e por que motivo desejaria ele fazer mal à sua filha? Não conseguia tirar daquilo um sentido, a menos que…

— Tyrion perdeu metade do nariz na Batalha da Água Negra. Golpear-lhe a cara, cortar uma orelha… os porcos dedinhos do Duende estão aqui por toda a parte.

— O Príncipe Doran nada diz sobre o vosso irmão. E Balon Swann escreve que Myrcella atribui tudo àquele Gerold Dayne. Chamam-lhe Estrela Negra.

Cersei soltou uma gargalhada amarga.

— Chamem-lhe o que lhe chamarem, é pau-mandado do meu irmão. Tyrion tem amigos entre os dorneses. O Duende planeou isto desde o início. Foi Tyrion quem prometeu Myrcella ao Príncipe Trystane. Agora vejo porquê.

— Vedes Tyrion em cada sombra.

— Ele é uma criatura das sombras. Matou Joffrey. Matou o pai. Julgáveis que pararia por aí? Eu temi que o Duende continuasse em Porto Real, a planear maldades contra Tommen, mas em vez disso deve ter ido para Dorne para matar primeiro Myrcella. — Cersei calcorreou toda a cela. — Tenho de estar com Tommen. Aqueles cavaleiros da Guarda Real são tão inúteis como mamilos numa placa de peito. — Virou-se para o tio. — Sor Arys foi morto, dizeis.

— Pelas mãos do tal Estrela Negra, sim.

— Morto, ele está *morto*, tendes a certeza disso?

— Foi o que me foi dito.

— Então há um lugar vago na Guarda Real. Tem de ser preenchido de imediato. Tommen tem de ser protegido.

— O Lorde Tarly está a elaborar uma lista de cavaleiros valorosos para pôr à consideração do vosso irmão, mas até que Jaime reapareça...

— O rei pode dar um manto branco a um homem. Tommen é um bom rapaz. Se lhe disserdes quem nomear, ele nomeá-lo-á.

— E quem quereis que ele nomeie?

A rainha não tinha uma resposta pronta. *O meu campeão precisará tanto de um novo nome como de uma nova cara.*

— Qyburn há de saber. Confiai nele a respeito disto. Vós e eu tivemos as nossas divergências, tio, mas, pelo sangue que partilhamos e pelo amor que tínheis pelo meu pai, para bem de Tommen e da sua pobre irmã mutilada, fazei o que vos peço. Ide falar com o Lorde Qyburn em meu nome, levai-lhe um manto branco e dizei-lhe que o momento chegou.

— Vós éreis o homem da rainha — disse Reznak mo Reznak. — O rei deseja ter os seus próprios homens à sua volta quando der audiência.

*Eu ainda sou o homem da rainha. Hoje, amanhã, sempre, até ao meu último suspiro ou ao dela.* Barristan Selmy recusava-se a acreditar que Daenerys Targaryen estivesse morta.

Talvez fosse por isso que estava a ser posto de parte. *Um por um, Hizdahr afasta-nos a todos.* Belwas, o Forte, demorava-se às portas da morte, no templo, sob os cuidados das Graças Azuis... embora Selmy nutrisse uma certa suspeita de que estavam a terminar o serviço que aqueles gafanhotos com mel tinham começado. Skahaz Tolarrapada fora demitido do seu comando. Os Imaculados tinham retirado para as casernas. Jhogo, Daario Naharis, o Almirante Groleo e Herói, dos Imaculados, permaneciam reféns dos yunkaitas. Aggo e Rakharo e o resto do *khalasar* da rainha tinham sido enviados para a outra margem do rio, em busca da sua rainha perdida. Até Missandei fora substituída; o rei não julgava próprio usar uma criança como arauta, sobretudo uma naatina e antiga escrava. *E agora eu.*

Houvera uma época em que poderia ter encarado aquela demissão como uma mancha na sua honra. Mas isso fora em Westeros. No ninho de víboras que era Meereen, a honra parecia tão tola como os retalhos de um bobo. E aquela desconfiança era mútua. Hizdahr zo Loraq podia ser consorte da sua rainha, mas nunca seria seu rei.

— Se Sua Graça deseja que me afaste da corte...

— Sua Radiância — corrigiu o senescal. — Não, não, não, estais a compreender-me mal. Sua Reverência vai receber uma delegação dos yunkaitas, para discutir a retirada dos seus exércitos. Podem pedir uma... ah... recompensa por aqueles que perderam as vidas para a fúria do dragão. Uma situação delicada. O rei sente que será melhor se virem um rei meereenês no trono, protegido por guerreiros meereeneses. Decerto compreendeis tal coisa, sor.

*Compreendo mais do que tu julgas.*

— Posso saber que homens Sua Graça escolheu para o protegerem?

Reznak mo Reznak fez o seu sorriso servil.

— Temíveis combatentes, que nutrem grande amor por Sua Reverência. Goghor, o Gigante. Khrazz. O Gato Malhado. Belaquo Quebra-Ossos. Todos heróis.

*Todos lutadores de arena.* Sor Barristan não estava surpreendido. Hozdahr zo Loraq sentava-se de forma incómoda no seu novo trono. Tinham-se passado mil anos desde a última vez que Meereen tivera um rei, e havia alguns, mesmo entre o sangue antigo, que pensavam que podiam ter feito uma escolha melhor do que ele. Fora da cidade estavam os yunkaitas com os seus mercenários e aliados; dentro dela havia os Filhos da Harpia.

E os protetores do rei tornavam-se menos todos os dias. O deslize de Hizdahr com Verme Cinzento custara-lhe os Imaculados. Quando Sua Graça tentara pô-los sob o comando de um primo, como fizera com os Feras de Bronze, Verme Cinzento informara o rei de que eram homens livres que só aceitavam ordens da sua mãe. Quanto aos Feras de Bronze, metade eram libertos e a outra metade tolarrapadas, cuja verdadeira lealdade podia ainda residir em Skahaz mo Kandaq. Os lutadores de arena eram o único apoio fiável do Rei Hizdahr, contra um mar de inimigos.

— Que eles defendam Sua Graça contra todas as ameaças. — O tom de Sor Barristan não transmitia qualquer pista sobre os seus verdadeiros sentimentos; aprendera a escondê-los em Porto Real, anos antes.

— Sua *Magnificência* — sublinhou Reznak mo Reznak. — Os vossos outros deveres permanecerão os mesmos, sor. Se esta paz falhar, Sua Radiância continua a desejar que comandeis as suas forças contra os inimigos da nossa cidade.

*Pelo menos essa sensatez tem.* Belaquo Quebra-Ossos e Goghor, o Gigante, podiam servir como protetores de Hizdahr, mas a ideia de algum deles a liderar um exército para a batalha era tão ridícula que o velho cavaleiro quase sorriu.

— Estou às ordens da Sua Graça.

— *Graça* não — protestou o senescal. — Esse título é de Westeros. Sua Magnificência, Sua Radiância, Sua Reverência.

*Sua Vaidade adequar-se-ia melhor.*

— Como queirais.

Reznak lambeu os lábios.

— Então terminámos. — Daquela vez o sorriso untuoso simbolizava uma despedida. Sor Barristan retirou-se, grato por deixar para trás de si o fedor do perfume do senescal. *Um homem deve cheirar a suor, não a flores.*

A Grande Pirâmide de Meereen tinha duzentos e quarenta metros de altura da base à ponta. Os quartos do senescal ficavam no segundo piso. Os aposentos da rainha, e os seus, ocupavam o último. *Uma longa ascensão para um homem da minha idade*, pensou Sor Barristan, ao começar a subir. Fora visto a fazer aquela ascensão cinco ou seis vezes por dia, a tratar de assuntos da rainha, como as dores nos seus joelhos e ao fundo das costas podiam atestar. *Chegará um dia em que já não conseguirei enfrentar estes degraus*, pensou, *e esse dia chegará mais cedo do que eu gostaria*. Antes de o dia chegar tinha de se assegurar de que pelo menos alguns dos seus rapazes estariam prontos para tomar o seu lugar ao lado da rainha. *Armá-los-ei eu próprio cavaleiros quando forem dignos, e darei um cavalo e esporas douradas a cada um.*

Os aposentos reais estavam quietos e silenciosos. Hizdahr não tomara ali residência, preferindo estabelecer o seu conjunto de salas no coração da Grande Pirâmide, onde paredes de tijolo maciças o rodeavam por todos os lados. Mezzara, Miklaz, Qezza e o resto dos jovens copeiros da rainha — na verdade reféns, mas tanto Selmy como a rainha tinham ganho uma amizade tão grande por eles que lhe era difícil pensar nos pequenos dessa forma — tinham ido com o rei, ao passo que Irri e Jhiqui haviam partido com os outros dothraki. Só Missandei permanecia, um pequeno fantasma desamparado que assombrava os aposentos da rainha no ápice da pirâmide.

Sor Barristan saiu para o terraço. O céu por cima de Meereen estava da cor da pele de um cadáver, baço, branco e pesado, uma massa inteiriça de nuvens, de horizonte a horizonte. O Sol estava escondido por trás de uma muralha de nuvem. Iria pôr-se sem ser visto, tal como naquela manhã nascera sem ser visto. A noite seria quente; uma noite suada, sufocante e peganhenta, sem um sopro de ar. Havia três dias que ameaçava chover, mas nem uma gota caíra. *Chuva seria um alívio. Podia ajudar a lavar a cidade.*

Dali conseguia ver quatro pirâmides mais pequenas, as muralhas ocidentais da cidade e os acampamentos dos yunkaitas junto das costas da Baía dos Escravos, onde uma espessa coluna de fumo oleoso se torcia para cima como uma serpente monstruosa. *Os yunkaitas queimam os seus mortos*, compreendeu. *A égua branca galopa pelos seus acampamentos sitiantes.* Apesar de tudo o que a rainha fizera, a doença espalhara-se, tanto no interior das muralhas da cidade, como no exterior. Os mercados de Meereen estavam fechados, as suas ruas vazias. O Rei Hizdahr permitira que as arenas de combate permanecessem abertas, mas o público era pouco numeroso. Os meereeneses até tinham começado a evitar o Templo das Graças, segundo se dizia.

*Os esclavagistas hão de arranjar alguma maneira de culpar Daenerys também por isso*, pensou Sor Barristan com amargura. Quase conseguia ouvi-los a murmurar; Grandes Mestres, Filhos da Harpia, yunkaitas, todos a dizer uns aos outros que a sua rainha estava morta. Metade da cidade acreditava nisso, apesar de por enquanto não ter coragem de dizer tais palavras em voz alta. *Mas em breve terá, parece-me.*

Sor Barristan sentiu-se muito cansado, muito velho. *Para onde foram os anos todos?* Nos últimos tempos, sempre que se ajoelhava para beber de uma lagoa calma via a cara de um estranho a fitá-lo das profundezas da água. Quando tinham aparecido aquelas rugas em volta dos seus olhos azuis-claros? Há quanto tempo teria o seu cabelo passado de luz do sol a neve? *Há anos, meu velho. Há décadas.*

Mas parecia ter sido no dia anterior que fora armado cavaleiro, depois do torneio em Porto Real. Ainda se lembrava do toque da espada do Rei Aegon no seu ombro, leve como um beijo de donzela. As palavras tinham-lhe ficado presas na garganta quando proferira os votos. No banquete, nessa noite, comera costeletas de javali selvagem, preparadas à moda dornesa com pimenta de dragão, tão picante que lhe fizera arder a boca, mas não conseguiria dizer o que jantara dez dias antes nem se todos os sete reinos dependessem disso. *Cão cozido, provavelmente. Ou outro prato nojento qualquer, que não me soube melhor.*

Não pela primeira vez, Selmy espantou-se com os estranhos fados que o tinham trazido até ali. Era um cavaleiro de Westeros, um homem das terras da tempestade e das marcas de Dorne; o seu lugar era nos Sete Reinos, não ali nas costas asfixiantes da Baía dos Escravos. *Vim levar Daenerys para casa.* Mas perdera-a, tal como perdera o pai e o irmão dela. *Até Robert. Também a ele falhei.*

Talvez Hizdahr fosse mais sensato do que julgava. *Há dez anos, eu teria pressentido o que Daenerys queria fazer. Há dez anos, teria sido suficientemente rápido para a impedir.* Mas em vez disso permanecera confundido enquanto ela saltava para a arena, gritando o seu nome, e correndo depois inutilmente atrás dela pelas areias escarlates. *Tornei-me velho e lento.* Pouco admirava que Naharis troçasse dele chamando-lhe Sor Avô. *Ter-se-ia Daario mexido mais depressa, se tivesse estado ao lado da rainha naquele dia?* Selmy julgava saber a resposta para aquilo, embora não fosse uma resposta que lhe agradasse.

Voltara a sonhar com isso na noite anterior: Belwas de joelhos vomitando bílis e sangue, Hizdahr incentivando os matadores de dragões, homens e mulheres fugindo aterrorizados, lutando nos escadas, trepando para cima uns dos outros, gritando e guinchando. E Daenerys...

*Ela tinha o cabelo em chamas. Tinha o chicote na mão e estava a gritar, e depois apareceu em cima do dragão, a voar.* A areia que Drogon fizera voar quando levantara voo picara-lhe nos olhos mas, através de um véu de lágrimas, Sor Barristan vira a fera voar para fora da arena, chicoteando com as grandes asas negras os ombros dos guerreiros de bronze nas portas.

O resto soubera mais tarde. Para lá das portas estivera uma multidão compacta. Enlouquecidos pelo cheiro do dragão, cavalos tinham-se empinado, aterrorizados, escoiceando com cascos ferrados. Tanto bancas de comida como palanquins foram virados, homens foram derrubados e espezinhados. Lanças foram arremessadas, bestas disparadas. Algumas atingiram o alvo. O dragão torcera-se violentamente no ar, com os ferimentos a fumegar, a rapariga agarrada ao seu dorso. Depois, soltara o fogo.

As Feras de Bronze tinham levado o resto do dia e a maior parte da noite a recolher os cadáveres. A contagem final fora de duzentos e catorze mortos, e o triplo desse número de queimados ou feridos. Por essa altura já Drogon desaparecera da cidade, tendo sido visto pela última vez bem alto por cima do Skahazadhan, voando para norte. De Daenerys Targaryen, nenhum vestígio fora encontrado. Alguns juravam tê-la visto cair. Outros insistiam que o dragão a levara para a devorar. *Enganam-se.*

Sor Barristan não sabia mais sobre dragões do que as histórias que todas as crianças ouvem, mas conhecia os Targaryen. Daenerys estava *montada* naquele dragão, tal como Aegon montara o antigo Balerion.

— Pode estar a voar para casa — disse a si próprio, em voz alta.

— Não — murmurou uma voz suave atrás de si. — Ela não faria isso, sor. Não iria para casa sem nós.

Sor Barristan virou-se.

— Missandei. Filha. Há quanto tempo estás aí?

— Não muito. Esta lamenta se vos perturbou. — Hesitou. — Skahaz mo Kandaq quer falar convosco.

— O Tolarrapada? Falaste com ele? — Aquilo era imprudente, imprudente. A inimizade entre Skahaz e o rei era profunda, e a rapariga era suficientemente esperta para o saber. Skahaz fora franco na sua oposição ao casamento da rainha, facto que Hizdahr não esquecera. — Ele está aqui? Na pirâmide?

— Quando deseja. Ele vai e vem, sor.

*Sim. É homem para isso.*

— Quem te disse que ele quer falar comigo?

— Uma Fera de Bronze. Usava uma máscara de coruja.

*Ele usou uma máscara de coruja quando falou contigo. Agora pode ser um chacal, um tigre, uma preguiça.* Sor Barristan odiara as máscaras desde o início, e nunca as odiara mais do que agora. Homens honestos nunca deviam ter de esconder as caras. E o Tolarrapada…

*Em que poderá estar a pensar?* Depois de Hizdahr entregar o comando dos Feras de Bronze ao seu primo Marghaz zo Loraq, Skahaz fora nomeado Protetor do Rio, a cargo de todos os transbordadores, dragas e valas de irrigação ao longo do Skahazadhan numa extensão de cinquenta léguas, mas o Tolarrapada recusara esse "cargo antigo e honroso," como Hizdahr lhe chamara, preferindo retirar-se para a modesta pirâmide de Kandaq. *Sem a rainha a protegê-lo, corre um grande risco vindo até aqui.* E se Sor Barristan fosse visto a falar com ele, a suspeita também podia cair sobre si.

Não gostava do cheiro daquilo. Cheirava a ludíbrio, a murmúrios, mentiras e conjuras chocadas nas trevas, a todas as coisas que esperara deixar para trás com a Aranha e o Lorde Mindinho e a gente dessa laia. Barristan Selmy não era um homem dado aos livros, mas passara frequentemente os olhos pelas páginas do Livro Branco, onde os feitos dos seus predecessores tinham ficado registados. Alguns tinham sido heróis, alguns fracos, patifes ou cobardes. A maior parte fora apenas homens; mais rápidos e mais fortes do que a maioria, mais hábeis com a espada e o escudo, mas ainda presas de orgulho, ambição, luxúria, amor, ira, ciúme, avidez por ouro, sede de poder, e todas as outras fraquezas que afligiam os meros mortais. Os melhores de entre eles dominavam as suas falhas, cumpriam o seu dever e morriam de espada na mão. Os piores...

*Os piores foram aqueles que jogaram o jogo dos tronos.*

— Consegues voltar a encontrar essa coruja? — perguntou a Missandei.

— Esta pode tentar, sor.

— Diz-lhe que eu falarei com... com o nosso amigo... depois de escurecer, junto dos estábulos. — As portas principais da pirâmide eram fechadas e trancadas ao pôr-do-sol. Os estábulos estariam sossegados a essa hora. — Assegura-te de que é a mesma coruja. — Não seria bom que a Fera de Bronze errada ouvisse falar daquilo.

— Esta compreende. — Missandei virou-se como que para se ir embora, depois fez uma pausa momentânea e disse: — Diz-se que os yunkaitas cercaram toda a cidade com balistas, para disparar dardos de ferro para o céu se Drogon regressar.

Sor Barristan também ouvira dizer o mesmo.

— Não é coisa simples matar um dragão no céu. Em Westeros, muitos tentaram abater Aegon e as irmãs. Nenhum teve sucesso.

Missandei acenou com a cabeça. Era difícil saber se se sentiria tranquilizada.

— Achais que a vão encontrar, sor? As estepes são tão vastas, e os dragões não deixam rastos no céu.

— Aggo e Rakharo são sangue do seu sangue... e quem conhece o mar dothraki melhor do que os dothraki? — Apertou-lhe o ombro. — Vão encontrá-la, se ela puder ser encontrada. — *Se ainda estiver viva.* Havia outros khals que percorriam a erva, senhores dos cavalos com *khalasares* cujos cavaleiros ascendiam a dezenas de milhares. Mas a rapariga não precisava de ouvir aquilo. — Tu gostas muito dela, eu sei. Juro, mantê-la-ei a salvo.

As palavras pareceram dar à rapariga algum consolo. *Mas as palavras são vento*, pensou Sor Barristan. *Como posso eu proteger a rainha se não estou com ela?*

Barristan Selmy conhecera muitos reis. Nascera durante o turbulento reinado de Aegon, o Improvável, amado pelos plebeus, recebera o grau de cavaleiro das suas mãos. O filho de Aegon, Jaehaerys, entregara-lhe o manto branco aos vinte e três anos, depois de ter morto Maelys, o Monstruoso, durante a Guerra dos Reis dos Nove Vinténs. Com esse mesmo manto estivera ao lado do Trono de Ferro enquanto a loucura consumia o filho de Jaehaerys, Aerys. *Estive lá, e vi, e escutei, e no entanto nada fiz.*

Mas não. Isso não era justo. Ele cumprira o seu dever. Em certas noites, Sor Barristan perguntava a si próprio se não teria cumprido esse dever bem demais. Prestara o seu juramento perante os olhos dos deuses e dos homens, não podia contrariá-los de forma honrosa... mas cumpri-los tornara-se difícil durante os últimos anos do reinado do Rei Aerys. Vira coisas que lhe doía recordar, e por mais de uma vez perguntara a si próprio quanto do sangue estava nas suas mãos. Se não tivesse ido a Valdocaso salvar Aerys das masmorras do Lorde Darklyn, o rei podia perfeitamente ter morrido aí enquanto Tywin Lannister saqueava a vila. Então, o Príncipe Rhaegar teria ascendido ao Trono de Ferro, talvez para sarar o reino. Valdocaso fora o seu melhor momento, mas o sabor da memória era-lhe amargo na língua.

Eram os fracassos que o atormentavam à noite, contudo. *Jaehaerys, Aerys, Robert. Três reis mortos. Rhaegar, que teria sido um rei melhor do que qualquer deles. A Princesa Elia e as crianças. Aegon, só um bebé, Rhaenys com o seu gatinho.* Mortos, todos eles, e no entanto ele, que jurara protegê-los, ainda vivia. E agora Daenerys, a sua brilhante rainha criança. *Ela não está morta. Não acreditarei que o esteja.*

A tarde trouxe a Sor Barristan um breve alívio no que tocava às dúvidas. Passou-a no salão de treinos no terceiro piso da pirâmide, trabalhando com os seus rapazes, ensinando-lhes a arte da espada e do escudo, do cavalo e da lança... e cavalaria, o código que transformava um cavaleiro em algo mais que um lutador de arena. Daenerys precisaria de ficar rodeada por protetores da sua idade depois de ele partir, e Sor Barristan estava determinado a dar-lhos.

Os rapazes que estava a instruir tinham idades entre os oito e os vinte anos. Começara com mais de sessenta, mas o treino revelara-se demasiado rigoroso para muitos deles. Restava agora menos de metade desse número, mas alguns mostravam grande potencial. *Sem rei a guardar, terei agora mais tempo para os treinar,* compreendeu, enquanto caminhava de par em par, observando como os jovens se atacavam com espadas embotadas e lanças de pontas arredondadas. *Bravos rapazes. Plebeus, sim, mas alguns darão bons cavaleiros, e adoram a rainha. Se não fosse ela, todos teriam acabado nas arenas. O Rei Hizdahr tem os seus lutadores de arena, mas Daenerys terá cavaleiros.*

— Mantende os escudos erguidos — gritava. — Mostrai-me os vossos golpes. Agora juntos. Em baixo, em cima, em baixo, em baixo, em cima, em baixo…

Nessa noite, Selmy levou o seu jantar simples para o terraço da rainha, e comeu-o enquanto o Sol se punha. Através do crepúsculo purpúreo, viu fogos a despertar, um por um, nas grandes pirâmides de degraus, à medida que os tijolos multicoloridos de Meereen se iam desvanecendo em cinzento e depois em negro. Sombras reuniram-se nas ruas e vielas lá em baixo, criando rios e lagoas. No lusco-fusco, a cidade parecia um lugar tranquilo, até belo. *Aquilo é pestilência, não paz*, disse o velho cavaleiro a si próprio, com o último gole de vinho.

Não queria dar nas vistas, por isso, quando acabou o jantar despiu a roupa de corte, trocando o manto branco da guarda real pelo manto castanho com capuz de um viajante, que qualquer homem comum poderia usar. Ficou com a espada e o punhal. *Isto ainda pode vir a ser alguma armadilha.* Pouca confiança tinha em Hizdahr, e menos em Reznak mo Reznak. O senescal perfumado podia perfeitamente ter naquilo algum papel, tentando atraí-lo a um encontro secreto para poder capturá-lo e a Skahaz e acusá-los de conspirarem contra o rei. *Se o Tolarrapada falar de traição, não me deixará alternativa a prendê-lo. Hizdahr é consorte da minha rainha, por pouco que isso me agrade. O meu dever é para com ele, não para com Skahaz.*

Ou não seria?

O primeiro dever da Guarda Real era proteger o rei do mal ou de ameaças. Os cavaleiros brancos juravam também obedecer às ordens do rei, guardar os seus segredos, aconselhá-lo quando conselhos eram pedidos e manter-se em silêncio quando não eram, acompanhá-lo e defender o seu nome e a sua honra. Estritamente falando, cabia apenas ao rei a decisão de alargar, ou não, a proteção da Guarda Real a outros, mesmo aos de sangue real. Alguns reis achavam ser correto e apropriado enviar membros da Guarda Real para servir e defender as suas esposas e filhos, irmãos, tias, tios e primos mais próximos ou mais afastados, e ocasionalmente servir os seus amantes e bastardos. Mas outros preferiam usar cavaleiros e homens-de-armas da sua guarda doméstica para esses fins, enquanto mantinham os seus sete como guarda pessoal, sem nunca se afastarem muito deles.

*Se a rainha me tivesse ordenado que protegesse Hizdahr, eu não teria qualquer alternativa a obedecer.* Mas Daenerys Targaryen nunca estabelecera uma Guarda Real propriamente dita, nem mesmo para si própria, nem dera quaisquer ordens a respeito do consorte. *O mundo era mais simples quando tinha um senhor comandante para decidir sobre assuntos destes*, refletiu Selmy. *Agora sou eu o senhor comandante e é difícil saber qual o caminho certo.*

Quando chegou por fim ao fundo do último lanço de escadas, deu por si praticamente sozinho nos corredores iluminados por archotes do interior das maciças paredes de tijolo da pirâmide. As grandes portas estavam fechadas e trancadas, como previra. Quatro Feras de Bronze estavam de guarda do lado de fora dessas portas, outras quatro do lado de dentro. Foi essas que o velho cavaleiro encontrou; homens grandes, mascarados como um javali, um urso, um arganaz e uma mantícora.

— Tudo calmo, sor — disse-lhe o urso.

— Mantende-o assim. — Não era inédito que Sor Barristan fizesse uma ronda durante a noite, para se certificar de que a pirâmide estava em segurança.

Mais no interior da pirâmide, outras quatro Feras de Bronze tinham sido colocadas a guardar as portas de ferro que davam para o fosso onde Viserion e Rhaegal estavam acorrentados. A luz dos archotes tremeluzia nas suas máscaras; macaco, carneiro, lobo, crocodilo.

— Eles foram alimentados? — perguntou Sor Barristan.

— Sim, senhor — respondeu o macaco. — Uma ovelha cada um.

*E durante quanto tempo continuará isso a ser suficiente?* À medida que os dragões cresciam, o mesmo acontecia aos seus apetites.

Estava na altura de ir em busca do Tolarrapada. Sor Barristan passou pelos elefantes e pela égua prateada da rainha, dirigindo-se ao fundo dos estábulos. Um burro zurrou quando por ele passou, e alguns dos cavalos agitaram-se ao ver a sua lanterna. Fora isso, tudo estava escuro e silencioso.

Então, uma sombra separou-se do interior de uma baia vazia e transformou-se noutro Fera de Bronze, vestido com uma saia plissada negra, grevas e placa de peito musculosa.

— Um gato? — disse Barristan Selmy, quando viu o bronze sob o capuz. Quando o Tolarrapada comandara os Feras de Bronze preferira uma máscara de cabeça de serpente, imperiosa e assustadora.

— Os gatos vão a todo o lado — respondeu a voz familiar de Skahaz mo Kandaq. — Nunca ninguém olha para eles.

— Se Hizdahr soubesse que estáveis aqui…

— Quem lhe dirá? Marghaz? Marghaz sabe o que eu quero que saiba. As Feras continuam a ser minhas. Não vos esqueçais disso. — A voz do Tolarrapada estava abafada pela máscara, mas Selmy ouvia a ira que nela havia. — Tenho o envenenador.

— Quem?

— O pasteleiro de Hizdahr. O nome dele não significaria nada para vós. O homem não passa de uma ferramenta. Os Filhos da Harpia raptaram-lhe a filha e juraram que ela lhe seria devolvida, incólume, depois de a rainha estar morta. Belwas e o dragão salvaram Daenerys. Ninguém salvou a rapariga. Foi devolvida ao pai, noite cerrada, em nove bocados. Um por cada ano que viveu.

— Porquê? — A dúvida roía-o. — Os Filhos pararam com as mortes. A paz de Hizdahr…

— … é uma impostura. A princípio não era, não. Os yunkaitas tinham medo da nossa rainha, dos seus Imaculados, dos seus dragões. Esta terra já antes conheceu dragões. Yurkhaz zo Yunzak tinha lido as suas histórias, ele sabia. Hizdahr também. Porque não uma paz? Daenerys desejava-a, conseguiam vê-lo. Desejava-a demasiado. Devia ter marchado para Astapor. — Skahaz aproximou-se mais. — Mas isso foi dantes. A arena mudou tudo. Daenerys desaparecida, Yurkhaz morto. No lugar de um velho leão, uma matilha de chacais. O Barba Sangrenta… esse não gosta de paz. E há mais. Pior. Volantis lançou a sua frota contra nós.

— Volantis. — Selmy sentia um formigueiro na mão da espada. *Fizemos a paz com Yunkai. Não com Volantis.* — Tendes a certeza?

— A certeza. Os Sábios Mestres sabem. Os amigos deles também. A Harpia, Reznak, Hizdahr. Este rei abrirá os portões da cidade aos volantenos quando estes chegarem. Todos aqueles que Daenerys libertou serão de novo escravizados. Mesmo alguns que nunca foram escravos serão postos a ferros. Podeis acabar os vossos dias numa arena de combate, velho. Khrazz comer-vos-á o coração.

Selmy tinha a cabeça a latejar.

— Daenerys tem de ser informada.

— Encontrai-a primeiro. — Skahaz agarrou-lhe o antebraço. Os seus dedos eram como ferro. — Não podemos esperar por ela. Falei com os Irmãos Livres, com os Homens da Mãe, com os Escudos Vigorosos. Não têm confiança em Loraq. Temos de quebrar os yunkaitas. Mas precisamos dos Imaculados. O Verme Cinzento dar-vos-á ouvidos. Falai com ele.

— Para que fim? — *Ele está a falar de traição. Conspiração.*

— Sobreviver. — Os olhos do Tolarrapada eram lagoas negras por trás da máscara de gato em bronze. — Temos de atacar antes da chegada dos volantenos. Quebrar o cerco, matar os senhores dos escravos, fazer com que os mercenários deles mudem de lado. Os yunkaitas não esperarão um ataque. Tenho espiões nos acampamentos deles. Há doença, dizem, e piora todos os dias. A disciplina apodreceu. Os senhores passam mais tempo bêbados do que sóbrios, empanturrando-se em banquetes, falando uns aos outros das riquezas que dividirão quando Meereen cair, brigando por primazia. O Barba Sangrenta e o Príncipe Esfarrapado desprezam-se mutuamente. Ninguém espera luta. Agora não. Acreditam que a paz de Hizdahr nos levou a adormecer.

— Daenerys assinou essa paz — disse Sor Barristan. — Não nos cabe a nós quebrá-la sem a sua licença.

— E se ela estiver morta? — perguntou Skahaz. — Que acontece nesse caso, sor? Eu digo que ela quereria que protegêssemos a sua cidade. Os seus filhos.

Os filhos dela eram os libertos. *Era Mhysa que lhe chamavam todos aqueles cujas correntes quebrou. "Mãe."* O Tolarrapada não se enganava. Daenerys quereria que os seus filhos fossem protegidos.

— E Hizdahr? Continua a ser seu consorte. Seu rei. Seu marido.

— O seu envenenador.

*Será?*

— Onde estão as vossas provas?

— A coroa que usa é prova suficiente. O trono em que se senta. Abri os olhos, velho. Era isso tudo o que desejava de Daenerys, tudo o que alguma vez quis. Depois de o ter, porquê partilhar o governo?

De facto, porquê? Fizera tanto calor, lá em baixo na arena. Ainda conseguia ver o ar a ondular por cima das areias escarlates, cheirar o sangue que jorrava dos homens que tinham morrido para divertimento da multidão. E ainda conseguia ouvir Hizdahr a incentivar a sua rainha a provar os gafanhotos com mel. *Estão muito saborosos... doces e picantes... mas ele próprio não tocou nem num...* Selmy esfregou a têmpora. *Não prestei nenhum juramento a Hizdahr zo Loraq. E mesmo que tivesse prestado, ele pôs-me de lado, como Joffrey fez.*

— Esse... esse pasteleiro, quero interrogá-lo pessoalmente. Sozinho.

— Então é assim? — O Tolarrapada cruzou os braços ao peito. — Nesse caso está feito. Interrogai-o como quiserdes.

— Se... se aquilo que ele tiver a dizer me convencer... se me juntar a vós neste, nesta... quero a vossa palavra de que nenhum mal acontecerá a Hizdahr zo Loraq até que... a menos que... possa ser provado que ele desempenhou um papel nisto.

— Porque vos importais tanto com Hizdahr, velho? Se ele não é a Harpia, é o filho primogénito da Harpia.

— Tudo o que eu sei com certeza é que é o consorte da rainha. Quero a vossa palavra a este respeito, de contrário, juro, irei opor-me a vós.

O sorriso de Skahaz era selvagem.

— Então tendes a minha palavra. Nenhum mal acontecerá a Hizdahr até que a sua culpa seja provada. Mas quando tivermos a prova, pretendo matá-lo com as minhas próprias mãos. Quero arrancar-lhe as entranhas e mostrar-lhas antes de o deixar morrer.

*Não*, pensou o velho cavaleiro. *Se Hizdahr conspirou para a morte da minha rainha, eu próprio tratarei dele, mas a sua morte será rápida e lim-*

*pa*. Os deuses de Westeros estavam distantes, mas Sor Barristan Selmy fez um momento de pausa para proferir uma prece silenciosa, pedindo à Velha para iluminar o seu caminho para a sabedoria. *Pelos filhos*, disse a si próprio. *Pela cidade. Pela minha rainha.*

— Eu falarei com o Verme Cinzento — disse.

O *Desgosto* apareceu sozinho ao nascer do dia, com as velas negras bem definidas contra os pálidos céus róseos da manhã.

*Cinquenta e quatro*, pensou amargamente Victarion quando o acordaram, *e ele veleja sozinho*. Em silêncio, amaldiçoou o Deus da Tempestade pela sua maldade, com a raiva transformada numa pedra negra na barriga. *Onde estão os meus navios?*

Zarpara dos Escudos com noventa e três, da centena que em tempos havia constituído a Frota de Ferro, uma frota que não pertencia a um único senhor mas à própria Cadeira da Pedra do Mar, capitaneada e tripulada por homens de todas as ilhas. Navios mais pequenos do que os grandes dromones de guerra das terras verdes, sim, mas com o triplo do tamanho dos dracares comuns, com porões profundos e poderosos esporões, adequados para enfrentar em batalha as frotas do próprio rei.

Nos Degraus tinham embarcado cereais, carne e água doce, após a longa viagem ao largo da costa estéril e desolada de Dorne, com os seus baixios e remoinhos. Aí, o *Vitória de Ferro* capturara um gordo navio mercante, a grande coca *Nobre Senhora*, que seguia a caminho de Vilavelha via Vila Gaivota, Valdocaso e Porto Real com uma carga de bacalhau salgado, óleo de baleia e arenque de salmoura. A comida fora um acrescento bem-vindo às suas reservas. Cinco outras presas capturadas nos Estreitos Redwyne e ao longo da costa dornesa — três cocas, um galeão e uma galé — tinham feito subir a frota a noventa e nove navios.

Noventa e nove navios haviam abandonado os Degraus em três orgulhosas frotas, com ordens para voltarem a juntar-se ao largo da ponta meridional da Ilha dos Cedros. Quarenta e cinco tinham agora chegado ao outro lado do mundo. Vinte e dois dos navios de Victarion haviam conseguido arrastar-se até lá, três a três e quatro a quatro, por vezes sozinhos; catorze dos de Ralf, o Coxo; só nove daqueles que tinham zarpado com o Ralf Vermelho Stonehouse. O próprio Ralf Vermelho encontrava-se entre os desaparecidos. A esse número, a frota acrescentara nove novas presas capturadas nos mares, portanto a soma era cinquenta e quatro... mas os navios capturados eram cocas e barcos de pesca, navios mercantes e de escravos, não navios de guerra. Em batalha, seriam fracos substitutos para os navios perdidos da Frota de Ferro.

O último navio a aparecer tinha sido o *Desgraça da Donzela*, três dias antes. No dia anterior a esse, três navios tinham chegado juntos do sul; o cativo *Nobre Senhora*, arrastando-se entre o *Alimenta-Corvos* e o *Beijo de Ferro*. Mas no dia anterior e no outro antes desse não houvera nada, e antes só tinham chegado a *Jeyne Decapitada* e o *Medo*, depois de mais dois dias de mares vazios e céus sem nuvens após Ralf, o Coxo, ter aparecido com os restos do seu esquadrão. *Lorde Quellon, Viúva Branca, Lamentação, Angústia, Leviatã, Senhora de Ferro, Vento do Ceifeiro*, e *Martelo de Guerra*, com mais seis navios atrás, dois dos quais devastados pela tempestade e sob reboque.

— Tempestades — resmungara Ralf, o Coxo, quando viera ter com Victarion. — Três grandes tempestades, e maus ventos entre elas. Ventos vermelhos vindos de Valíria a cheirar a cinza e a enxofre, e ventos negros que nos empurraram para essa costa maligna. Esta viagem está amaldiçoada desde o início. O Olho de Corvo teme-vos, senhor, por que outro motivo vos enviaria para tão longe? Ele não quer que regressemos.

Victarion pensara o mesmo quando deparara com a primeira tempestade a um dia de Velha Volantis. *Os deuses odeiam assassinos de parentes*, matutara, *se assim não fosse Euron Olho de Corvo teria morrido uma dúzia de mortes às minhas mãos*. Enquanto o mar batia à sua volta e o convés se erguia e caía sob os seus pés, vira o *Banquete do Dragão* e a *Maré Vermelha* a serem atirados com tal violência um contra o outro que ambos explodiram em lascas. *Obra do meu irmão*, pensara. Aqueles tinham sido os primeiros dois navios do seu terço da frota que perdera. Mas não os últimos.

Portanto esbofeteara o Coxo por duas vezes e dissera:

— O primeiro tabefe é pelos navios que perdeste, o segundo por essa conversa sobre maldições. Volta a falar nisso, e prego-te a língua ao mastro. Se o Olho de Corvo pode criar mudos, eu também posso. — O latejar de dor na sua mão esquerda tornara as palavras mais duras do que poderiam ter sido de outra forma, mas falava a sério. — Mais navios chegarão. As tempestades terminaram por agora. Eu terei a minha frota.

Um macaco em cima do mastro uivara em troça, quase como se conseguisse saborear a sua frustração. *Nojento animal barulhento*. Podia mandar um homem subir para o apanhar, mas os macacos pareciam gostar desse jogo, e tinham-se demonstrado mais ágeis do que a tripulação. Mas os uivos ressoavam-lhe nos ouvidos, e faziam com que o latejar na sua mão parecesse pior.

— Cinquenta e quatro — rosnou. Teria sido demasiado esperar ter a força completa da Frota de Ferro depois de uma viagem de uma tal extensão… mas o Deus Afogado podia ter-lhe concedido setenta navios, até oitenta. *Teria sido bom se tivéssemos connosco o Cabelo-Molhado ou outro sacerdote qualquer*. Victarion fizera um sacrifício antes de içar a vela, e voltara a fazê-lo nos Degraus quando dividira a frota em três, mas talvez tivesse proferido as preces erradas. *Ou isso, ou o Deus Afogado não tem poder aqui.* Cada vez mais, vinha temendo que tivessem velejado até demasiado longe, até mares estranhos onde até os deuses fossem incomuns... mas só confidenciava essas dúvidas à sua mulher sombria, que não tinha língua para as repetir.

Quando o *Desgosto* apareceu, Victarion chamou o Wulfe Uma-Orelha.

— Quero falar com o Arganaz. Manda avisar Ralf, o Coxo, o Tom Exangue e o Pastor Negro. Todos os grupos de caçadores devem ser chamados, os acampamentos costeiros devem estar desmontados à primeira luz da aurora. Carregai toda a fruta que puder ser recolhida e metei os porcos a bordo dos navios. Podemos matá-los conforme vá sendo necessário. O *Tubarão* vai ficar aqui para dizer aos que se tenham deixado ficar para trás para onde fomos. — Esse navio iria precisar desse tempo para fazer reparações; as tempestades tinham-no deixado como pouco mais que um casco. Isso fá-los-ia descer a cinquenta e três, mas não havia alternativa. — A frota parte amanhã, na maré da noite.

— Às vossas ordens — disse Wulfe — mas outro dia pode querer dizer outro navio, senhor capitão.

— Pois. E dez dias podem querer dizer dez navios, ou absolutamente nenhum. Já desperdiçámos demasiados dias à espera de vermos velas. A nossa vitória será ainda mais saborosa se a conquistarmos com uma frota mais pequena. — *E eu tenho de chegar à rainha dos dragões antes dos volantenos.*

Em Volantis, vira as galés a embarcar provisões. A cidade inteira parecera ébria. Marinheiros, soldados e latoeiros tinham sido vistos a dançar nas ruas com nobres e mercadores gordos e, em todas as estalagens e tabernas, copos eram erguidos aos novos triarcas. Todas as conversas versavam sobre o ouro, as pedras preciosas e os escravos que inundariam Volantis quando a rainha dos dragões estivesse morta. Um dia desses relatos fora tudo o que Victarion Greyjoy conseguira aguentar; pagara o preço de ouro por comida e água, apesar de isso o envergonhar, e levara os seus navios de novo para o mar.

As tempestades teriam espalhado e demorado os volantenos, tal como o tinham feito com os seus navios. Se a fortuna lhe sorrisse, muitos dos navios de guerra volantenos podiam ter-se afundado ou dado à costa. Mas não todos. Nenhum deus era assim tão bom, e as galés verdes que tivessem sobrevivido podiam perfeitamente ter contornado Valíria. *Estarão a avançar para norte na direção de Meereen e Yunkai, grandes dromones de guerra repletos de soldados escravos. Se o Deus da Tempestade os poupou, por esta altura podem estar no Golfo da Mágoa. Trezentos navios, talvez chegue mesmo aos quinhentos.* Os seus aliados já estavam ao largo de Meereen; yunkaitas e astaporitas, homens de Nova Ghis, Qarth e Tolos e só o Deus da Tempestade sabia de onde mais, até os navios de guerra da própria Meereen, aqueles que tinham fugido da cidade antes da sua queda. Contra tudo isso, Victarion tinha cinquenta e quatro. Cinquenta e três, excluindo o *Tubarão*.

O Olho de Corvo dera meia volta ao mundo, colhendo e pilhando de Qarth à Vila das Árvores Altas, escalando portos ímpios para lá de onde só loucos iam. Euron até enfrentara o Mar Fumegante e sobrevivera para contar a história. *E isso só com um navio. Se ele pode troçar dos deuses, eu também posso.*

— Sim, capitão — disse o Wulfe Uma-Orelha. Não era metade do homem que Nute, o Barbeiro, fora, mas o Olho de Corvo roubara-lhe Nute. Promovendo-o a Senhor de Escudorroble, o irmão tornara seu o melhor homem de Victarion. — Ainda vamos para Meereen?

— Para onde havíamos de ir? A rainha dos dragões espera-me em Meereen. — *A mais bela mulher do mundo, se for possível crer no meu irmão. O seu cabelo é louro prateado, os seus olhos são ametistas.*

Seria demasiado esperar que, por uma vez, Euron tivesse dito a verdade? *Talvez.* O mais provável era que a rapariga se revelasse uma desmazelada de cara marcada, com tetas que lhe batiam nos joelhos, e que os "dragões" não passassem de lagartos tatuados dos pântanos de Sothoryos. *Mas se ela for tudo o que Euron diz...* Tinham escutado conversas sobre a beleza de Daenerys Targaryen da boca de piratas nos Degraus e de gordos mercadores na Velha Volantis. Podia ser verdade. E Euron não presenteara Victarion com ela; o Olho de Corvo pretendia tomá-la para si. *Ele manda-me buscá-la como se fosse um criado. Como uivará quando a reclamar para mim!* Os homens que resmungassem. Tinham viajado até longe demais e tinham perdido demasiado para que Victarion virasse para oeste sem a sua presa.

O capitão de ferro cerrou a mão boa num punho.

— Vai assegurar-te de que as minhas ordens sejam executadas. E encontra o meistre, onde quer que se esconda, e manda-o à minha cabina.

— Sim. — Wulfe afastou-se a coxear.

Victarion Greyjoy virou-se para a proa, varrendo a frota com o olhar. Dracares enchiam o mar, com as velas enroladas e os remos recolhidos, flutuando ancorados ou encalhados na pálida costa arenosa. *A Ilha dos Cedros.* Onde estavam esses cedros? Afogados há quatrocentos anos, aparentemente. Victarion fora a terra uma dúzia de vezes, à caça de carne fresca, e ainda não vira um cedro.

O efeminado meistre que Euron lhe impusera em Westeros afirmava que aquele lugar fora em tempos chamado "Ilha das Cem Batalhas," mas os homens que tinham travado essas batalhas haviam-se feito em pó havia séculos. *Ilha dos Macacos, é isso que deviam chamar-lhe.* Também havia porcos: os maiores e mais negros javalis que qualquer dos nascidos no ferro vira na vida e fartura de leitões aos guinchos por entre a vegetação rasteira, corajosas criaturas que não tinham medo do homem. *Mas estão a aprender.* As despensas da Frota de Ferro estavam a encher-se com presuntos fumados, porco salgado e bacon.

Mas os macacos… os macacos eram uma praga. Victarion proibira os seus homens de trazer alguma das demoníacas criaturas para bordo dos navios mas, sem que percebesse como, metade da frota estava agora infestada com eles, até a sua *Vitória de Ferro*. Via alguns naquele momento, a balouçar de verga em verga e de navio em navio. *Gostava de ter uma besta.*

Victarion não gostava daquele mar, nem daqueles infinitos céus sem nuvens, nem do sol ardente que lhes batia nas cabeças e cozia os conveses até deixar as tábuas suficientemente quentes para esturricar pés descalços. Não gostava daquelas tempestades, que pareciam aparecer vindas de lado nenhum. Os mares em volta de Pyke estavam frequentemente tempestuosos, mas aí, pelo menos, um homem podia cheirar a sua aproximação. Aquelas tempestades do sul eram traiçoeiras como mulheres. Até a água era da cor errada; um reluzente turquesa perto da costa, e mais para o largo um azul tão escuro que era quase negro. Victarion tinha saudades das águas cinzentas esverdeadas da pátria, com os seus carneirinhos e vagas.

E também não gostava daquela Ilha dos Cedros. A caça podia ser boa, mas as florestas eram demasiado verdes e silenciosas, cheias de árvores retorcidas e estranhas flores brilhantes que não se assemelhavam a nada que os seus homens já tivessem visto, e havia horrores à espreita entre os palácios quebrados e estátuas estilhaçadas da afogada Velos, meia légua a norte do ponto onde a frota se encontrava ancorada. Da última vez que Victarion passara uma noite em terra, os seus sonhos tinham sido sombrios e perturbadores, e quando acordara tinha a boca cheia de sangue. O meistre dissera que mordera a língua enquanto dormia, mas ele vira nisso um sinal do Deus Afogado, um aviso de que, se se demorasse demasiado por ali, se afogaria no próprio sangue.

No dia em que a Destruição chegara a Valíria, dizia-se, uma muralha de água com noventa metros de altura caíra sobre a ilha, afogando centenas de milhares de homens, mulheres e crianças, sem deixar ninguém para contar a história além de alguns pescadores que estavam no mar e uma mancheia de lanceiros velosinos destacados para uma robusta torre de pedra no monte mais alto da ilha, que tinham visto os montes e vales abaixo de si transformarem-se num mar furioso. A bela Velos com os seus palácios de cedro e mármore rosado desaparecera num piscar de olhos. Na ponta norte da ilha, as antigas muralhas de tijolo e pirâmides de degraus do porto esclavagista de Ghozai haviam sofrido o mesmo destino.

*Tantos homens afogados, o Deus Afogado deve ser forte por lá*, pensara Victarion, quando escolhera a ilha para que as três partes da sua frota se voltassem a reunir. Mas ele não era nenhum sacerdote. E se tivesse percebido tudo ao contrário? Era possível que o Deus Afogado tivesse destruído a ilha em fúria. O irmão Aeron teria sabido, mas o Cabelo-Molhado estava nas Ilhas de Ferro, a pregar contra o Olho de Corvo e o seu domínio. *Nenhum homem sem deus se pode sentar na Cadeira da Pedra do Mar*. No entanto, os capitães e reis tinham gritado por Euron na assembleia de homens livres, preferindo-o a Victarion e a outros homens devotos.

O sol da manhã brilhava na água, em ondulações de luz demasiado brilhante para serem olhadas. A cabeça de Victarion começara a latejar, embora não soubesse dizer se seria do sol, da mão ou das dúvidas que o perturbavam. Dirigiu-se para baixo, para a cabina, onde o ar estava fresco e havia pouca luz. A mulher sombria sabia o que ele queria mesmo sem pedir. Enquanto se instalava na cadeira, ela tirou um suave pano húmido da bacia e pousou-lho na testa.

— Ótimo — disse. — Ótimo. E agora a mão.

A mulher sombria não respondeu. Euron cortara-lhe a língua antes de lha dar. Victarion não duvidava de que o Olho de Corvo também dormira com ela. Era esse o costume do irmão. *Os presentes de Euron estão envenenados*, fizera o capitão lembrar a si próprio no dia em que a mulher sombria viera para bordo. *Não quero nenhum dos seus restos*. Decidira então que lhe cortaria a garganta e a atiraria ao mar, um sacrifício de sangue ao Deus Afogado. Mas, sem que soubesse porquê, nunca se decidira a fazê-lo.

Tinham percorrido um longo caminho desde então. Victarion podia falar com a mulher sombria. Ela nunca tentava responder-lhe.

— O *Desgosto* é o último — disse-lhe, enquanto ela lhe descalçava a luva. — Os outros estão perdidos, atrasados ou afundados. — Fez uma careta quando a mulher enfiou a ponta da faca por baixo do linho sujo enrolado em volta da sua mão do escudo. — Haverá quem diga que eu não devia ter dividido a frota. Idiotas. Tínhamos noventa e nove navios… um animal complicado de pastorear mares fora até ao fim mais longínquo do mundo. Se os tivesse mantido juntos, os navios mais rápidos teriam sido mantidos reféns dos mais lentos. E onde se encontram provisões para tantas bocas? Nenhum porto quer ter tantos navios de guerra nas suas águas.

As tempestades haviam de nos ter dispersado em qualquer caso. Como folhas espalhadas pelo Mar do Verão.

Em vez disso dividira a grande frota em esquadrões, e enviara cada um deles por uma rota diferente até à Baía dos Escravos. Entregara ao Ralf Vermelho Stonehouse os navios mais rápidos para percorrer a rota dos corsários ao longo da costa norte de Sothoryos. Era melhor evitar as cidades mortas que apodreciam nessa costa abrasadora e asfixiante, todos os marinheiros o sabiam, mas nas vilas de lama e sangue das Ilhas Basilisco, repletas de escravos fugidos, de esclavagistas, de esfoladores, de prostitutas, de caçadores, de homens malhados e de coisas piores, era sempre possível, a homens que não tivessem medo de pagar o preço de ferro, obter provisões.

Os navios maiores, mais pesados e mais lentos, dirigiram-se a Lys, para vender os cativos obtidos nos Escudos, as mulheres e crianças de Vila do Lorde Hewett e de outras ilhas, bem como os homens que tinham decidido que preferiam render-se a morrer. Victarion só sentia desprezo por tais fracotes. Mesmo assim, vendê-los deixara-lhe um sabor amargo na boca. Tomar um homem como servo ou uma mulher como esposa de sal, isso estava certo e era digno, mas os homens não eram cabras ou aves de capoeira para serem comprados e vendidos por ouro. Ficou contente por deixar a venda com Ralf, o Coxo, que usaria o dinheiro para carregar os seus grandes navios com provisões para a longa e lenta passagem intermédia para leste.

Os seus navios tinham-se arrastado ao longo das costas das Terras Disputadas para embarcar comida, vinho e água doce em Volantis antes de virar para sul contornando Valíria. Esse era o rumo mais comum para leste, e aquele que tinha um tráfego mais denso, presas prontas a capturar, e pequenas ilhas onde podiam abrigar-se durante as tempestades, fazer reparações e renovar as provisões se necessário.

— Cinquenta e quatro navios não chegam — disse à mulher sombria — mas não posso esperar mais. A única maneira… — Soltou um grunhido quando ela tirou a ligadura, arrancando também uma crosta. A carne por baixo estava verde e negra onde a espada o cortara. — … a única maneira de fazer isto é apanhar os esclavagistas desprevenidos, como fiz em tempos em Lannisporto. Arremeter vindo do mar e esmagá-los, depois capturar a rapariga e correr para casa antes de os Volantenos caírem sobre nós. — Victarion não era nenhum cobarde, mas tampouco era um idiota; não podia derrotar trezentos navios com cinquenta e quatro. — Ela será minha esposa, e tu serás a sua aia. — Uma aia sem língua não podia nunca deixar escapar segredos.

Podia ter dito mais, mas foi então que o meistre chegou, batendo à porta da cabina, tímido como um rato.

— Entra — gritou Victarion — e tranca a porta. Sabes porque estás aqui.

— Senhor capitão. — O meistre também se parecia com um rato, com as suas vestes cinzentas e pequeno bigode castanho. *Será que ele julga que isso o faz parecer mais másculo?* O nome dele era Kerwin. Era muito novo, talvez com vinte e dois anos. — Posso ver a vossa mão? — perguntou.

*Pergunta de tolo.* Os meistres tinham a sua utilidade, mas Victarion nada sentia por aquele Kerwin a não ser desprezo. Com as suas lisas bochechas rosadas, mãos suaves e caracóis castanhos, parecia mais feminino do que muitas raparigas. Quando subira pela primeira vez a bordo do *Vitória de Ferro* trazia também um sorrisinho afetado, mas uma noite ao largo dos Degraus sorrira ao homem errado e Quellon Humble partira-lhe quatro dos dentes. Não muito tempo depois disso, Kerwin viera ter com o capitão para se queixar de que quatro dos membros da tripulação o tinham arrastado para as cobertas e o tinham tratado como a uma mulher.

— Eis como pões fim a isso — dissera-lhe Victarion, batendo com um punhal na mesa entre os dois. Kerwin pegara na lâmina (demasiado temeroso para a recusar, segundo julgava o capitão) mas nunca a usara.

— A minha mão está aqui — disse Victarion. — Vê tudo o que quiseres.

O Meistre Kerwin apoiou-se num joelho para melhor inspecionar o ferimento. Até o farejou, como um cão.

— Vou ter de extrair o pus outra vez. A cor… senhor capitão, o golpe não está a sarar. Pode ser que tenha de vos cortar a mão.

Já antes tinham falado sobre aquilo.

— Se me cortares a mão, eu mato-te. Mas primeiro ato-te à amurada e dou o teu cu de presente à tripulação. Trata disso.

— Vai doer.

— Sempre. — *A vida é dor, meu palerma. Não há alegria, a não ser nos salões aquáticos do Deus Afogado.* — Trata disso.

O rapaz — era difícil pensar em alguém tão suave e rosado como um homem — levou o fio do punhal à palma do capitão e cortou. O pus que jorrou era espesso e amarelo como leite estragado. A mulher sombria franziu o nariz ao cheiro, o meistre sufocou um vómito, e até o próprio Victarion sentiu o estômago a dar uma volta.

— Corta mais fundo. Tira tudo. Mostra-me o sangue.

O Meistre Kerwin empurrou o punhal para bem fundo. Daquela vez doeu, mas jorrou sangue além de pus, um sangue tão escuro que pareceu negro à luz da lanterna.

*Sangue era bom.* Victarion grunhiu de aprovação. Manteve-se ali sem vacilar enquanto o meistre friccionava, espremia e limpava o pus com quadrados de pano suave fervidos em vinagre. Quando terminou, a água limpa na bacia tinha-se transformado numa sopa cheia de espuma. Bastaria vê-la para deixar qualquer homem maldisposto.

— Pega nessa porcaria e vai-te embora. — Victarion indicou a mulher sombria com um aceno. — Ela pode ligar-me.

Mesmo depois de o rapaz ter fugido, o fedor permaneceu. Nos últimos tempos não havia maneira de lhe fugir. O meistre sugerira que talvez fosse melhor drenar o ferimento no convés, ao ar fresco e à luz do sol, mas Victarion proibira-o. Aquilo não era algo que a tripulação pudesse ver. Estavam a meio mundo de distância de casa, longe demais para que os deixasse ver que o seu capitão de ferro começara a enferrujar.

A mão esquerda ainda latejava; uma dor abafada, mas persistente. Quando cerrava a mão num punho tornava-se mais aguda, como se uma faca estivesse a apunhalar-lhe o braço. *Uma faca não, uma espada. Uma espada longa na mão de um fantasma.* Serry, fora esse o seu nome. Um cavaleiro, e herdeiro de Escudossul. *Matei-o, mas ele apunhala-me do além-túmulo. Do coração quente de seja qual for o inferno para onde o enviei, espeta-me o aço na mão e torce.*

Victarion lembrava-se do combate como se tivesse sido ontem. O seu escudo estivera feito em estilhaços, pendendo-lhe inútil do braço, portanto quando a espada de Serry aparecera, relampejando, erguera a mão e agarrara-a. O jovem era mais forte do que parecia; a sua lâmina trespassara o metal articulado da manopla do capitão e a luva almofadada que tinha por baixo, cortando-lhe a carne da palma da mão. *O arranhão de um gatinho*, dissera Victarion depois a si próprio. Lavara o golpe, despejara nele um pouco de vinagre fervido, ligara-o, e pouco mais pensara nele, confiando que a dor se desvaneceria e a mão sararia com o tempo.

Mas em vez disso a ferida infetara, e Victarion começara a perguntar a si próprio se a lâmina de Serry estaria envenenada. Por que outro motivo se recusaria o golpe a sarar? A ideia enfurecera-o. Nenhum verdadeiro homem matava com veneno. Em Fosso Cailin os demónios dos pauis tinham disparado setas envenenadas contra os seus homens, mas isso era de se esperar de criaturas degradadas como aquelas. Serry fora um cavaleiro, bem nascido. O veneno era para cobardes, mulheres e dorneses.

— Se não foi o Serry, foi quem? — perguntou à mulher sombria. — Poderá o rato daquele meistre estar a fazer isto? Os meistres conhecem feitiços e outros truques. Ele pode estar a usar um para me envenenar, esperando que eu o deixe cortar-me a mão. — Quanto mais pensava no assunto, mais provável lhe parecia. — O Olho de Corvo deu-mo, maldita criatura. — Euron tirara Kerwin de Escudoverde, onde estivera ao serviço do Lorde Chester, cuidando dos seus corvos e ensinando os seus filhos, ou talvez ensinando os corvos e cuidando dos filhos. E como o rato guinchara quando um dos mudos de Euron o entregara a bordo do *Vitória de Ferro*, arrastando-o pela conveniente corrente que tinha em volta do pescoço. — Se isto é uma vingança, ele injustiça-me. Foi Euron quem insistiu que fosse levado, para evitar que fizesse traquinices com as aves. — O irmão também lhe dera três gaiolas de corvos, para que Kevin pudesse enviar notícias das viagens, mas Victarion proibira-o de os soltar. *O Olho de Corvo que ferva e se interrogue.*

A mulher sombria estava a ligar-lhe a mão com linho lavado, enrolando-o cinco vezes em volta da palma, quando Agualonga Pyke veio bater à porta da cabina para lhe dizer que o capitão do *Desgosto* subira a bordo com um prisioneiro.

— Diz que nos trouxe um feiticeiro, capitão. Diz que o pescou do mar.

— Um feiticeiro? — Poderia o Deus afogado ter-lhe enviado um presente, ali no outro lado do mundo? O seu irmão Aeron teria sabido, mas Aeron vira a majestade dos salões aquáticos do Deus Afogado debaixo do mar antes de ser devolvido à vida. Victarion sentia um saudável medo do seu deus, como todos os homens deviam sentir, mas depositava a fé no aço. Fletiu a mão ligada, fazendo uma careta, após o que calçou a luva e se pôs em pé. — Mostra-me esse feiticeiro.

O capitão do *Desgosto* esperava-os no convés. Pequeno, tão peludo como feio, era um Sparr por nascimento. Os seus homens chamavam-lhe Arganaz.

— Senhor capitão — disse, quando Victarion surgiu — este é Moqorro. Um presente do Deus Afogado para nós.

O feiticeiro era um homem monstruoso, tão alto como o próprio Victarion e com o dobro da largura, com uma barriga que mais parecia um pedregulho e um matagal de pelos brancos como osso, que lhe crescia em volta da cara como a juba de um leão. A sua pele era negra. Não do castanho de avelã que os ilhéus do verão mostravam nos seus navios cisne, nem do castanho-avermelhado dos senhores dos cavalos dothraki, nem da cor entre terra e carvão da pele da mulher sombria, mas *negra*. Mais negra que carvão, mais negra que azeviche, mais negra que a asa de um corvo. *Queimada*, pensou Victarion, *como um homem que tivesse sido assado sobre as chamas até que a carne ficasse esturricada e estaladiça e se lhe soltasse dos ossos.* Os fogos que o tinham chamuscado ainda dançavam nas suas bochechas e testa, onde os olhos espreitavam do seio de uma máscara de chamas congeladas. *Tatuagens de escravo*, compreendeu o capitão. *Marcas do mal.*

— Encontrámo-lo agarrado a um bocado partido de aparelho — disse o Arganaz. — Estava há dez dias na água, depois de o navio onde vinha se afundar.

— Se estivesse dez dias na água, estaria morto ou então louco de beber água do mar. — A água salgada era sagrada; Aeron Cabelo-Molhado e outros sacerdotes podiam abençoar os homens com ela e engolir um trago ou dois de tempos a tempos para fortalecer a sua fé, mas nenhum mortal podia passar dias de uma vez a beber do mar profundo e ter esperança de sobreviver. — Afirmas ser um feiticeiro? — perguntou Victarion ao prisioneiro.

— Não, capitão — respondeu o negro no idioma comum. A sua voz era tão profunda que parecia vir do fundo do mar. — Não passo de um humilde escravo de R'hllor, o Senhor da Luz.

*R'hllor. Então é um sacerdote vermelho.* Victarion vira homens daqueles em cidades estrangeiras, a cuidar dos seus fogos sagrados. Esses usavam ricas vestes vermelhas de seda, veludo e lã de ovelha. Aquele estava vestido com trapos desbotados e manchados pelo sal que se lhe colavam às grossas pernas e pendiam em volta do torso em farrapos… mas quando o capitão examinou mais de perto os trapos, de facto pareceu-lhe que em tempos tinham sido vermelhos.

— Um sacerdote cor-de-rosa — anunciou Victarion.

— Um sacerdote demoníaco — disse Wulfe Uma-Orelha. E escarrou.

— Pode ser que as vestes dele tenham pegado fogo e ele tenha saltado borda fora para as apagar — sugeriu o Agualonga Pyke, gerando uma gargalhada geral. Até os macacos ficaram divertidos. Tagarelaram lá no alto, e um deles atirou uma mancheia de caca que se foi espalhar nas tábuas.

Victarion Greyjoy desconfiava do riso. O som deixava-o sempre com a incómoda sensação de estar a ser alvo de algum gracejo que não compreendia. Euron Olho de Corvo troçara dele com frequência quando eram rapazes. Aeron também, antes de se ter transformado no Cabelo-Molhado. A troça vinha frequentemente disfarçada de elogios, e por vezes Victarion nem sequer se apercebera de que estava a ser alvo de chacota. Até ouvir os risos. Depois vinha a ira, fervendo no fundo da garganta até se sentir prestes a sufocar com o sabor. Era assim que se sentia a respeito dos macacos. As suas palhaçadas nunca traziam nem um sorriso à cara do capitão, apesar de a sua tripulação rugir, gargalhar e assobiar.

— Mandai-o ao Deus Afogado antes que faça cair uma maldição sobre nós — instou Burton Humble.

— Um navio afundou-se e só ele se agarrou aos destroços — disse o Wulfe Uma-Orelha. — Onde está a tripulação? Ele convocou demónios para os devorar? Que aconteceu ao navio dele?

— Uma tempestade. — Moqorro cruzou os braços ao peito. Não parecia assustado, embora a toda a sua volta os homens estivessem a pedir-lhe a morte. Nem os macacos pareciam gostar daquele feiticeiro. Saltavam de cabo em cabo, lá em cima, aos gritos.

Victarion estava incerto. *Ele veio do mar. Porque haveria o Deus Afogado de o empurrar para a tona, se não quisesse que o encontrássemos?* O irmão Euron tinha os seus feiticeiros de estimação. Talvez o Deus Afogado quisesse que Victarion também tivesse um.

— Porque é que dizes que este homem é um feiticeiro? — perguntou ao Arganaz. — Só estou a ver um sacerdote vermelho esfarrapado.

— Eu pensei o mesmo, senhor capitão... mas ele *sabe* coisas. Sabia que nos dirigíamos à Baía dos Escravos antes de algum homem lhe dizer, e sabia que estaríeis aqui, ao largo desta ilha. — O pequeno homem hesitou. — Senhor capitão, ele disse-me... ele disse-me que morreríeis com certeza, a menos que o trouxesse até vós.

— Que *eu* morreria? — Victarion soltou uma fungadela. Estava prestes a dizer "Cortai-lhe a garganta e atirai-o ao mar" quando uma punhalada de dor na mão má lhe subiu pelo braço acima quase até ao cotovelo, uma agonia tão intensa que as palavras se lhe transformaram em bílis na garganta. Tropeçou e agarrou-se à amurada para evitar cair.

— O feiticeiro amaldiçoou o capitão — disse uma voz.

Outros homens pegaram no grito.

— *Cortai-lhe a garganta! Matai-o antes que faça cair os seus demónios sobre nós!* — O Agualonga Pyke foi o primeiro a puxar pela adaga.

— *NÃO!* — berrou Victarion. — Recuai! Todos. Pyke, guarda o aço. Arganaz, de volta para o teu navio. Humble, leva o feiticeiro para a minha cabina. Os outros, para os vossos deveres. — Durante meio segundo não se sentiu certo de que lhe obedeceriam. Ficaram por ali a resmungar, metade com armas na mão, todos a olhar uns para os outros em busca de determinação. Caca de macaco choveu em volta de todos, *splás splás splás*. Ninguém se mexeu até que Victarion pegou no feiticeiro pelo braço e o puxou para a escotilha.

Quando abriu a porta da cabina do capitão, a mulher sombria virou-se para ele, silenciosa e sorridente... mas quando viu o sacerdote vermelho a seu lado os lábios afastaram-se-lhe dos dentes e *sssilvou* numa súbita fúria, como uma serpente. Victarion ofereceu-lhe as costas da mão boa e atirou-a ao chão.

— Calada, mulher. Vinho para nós os dois. — Virou-se para o negro. — O Arganaz disse a verdade? Viste a minha morte?

— Isso e mais coisas.

— Onde? Quando? Morrerei em batalha? — A mão boa abriu-se e

fechou-se. — Se me mentires, abro-te a cabeça como um melão e deixo que os macacos te comam os miolos.

— A vossa morte está agora connosco, senhor. Dai-me a vossa mão.

— A minha mão. Que sabes tu da minha mão?

— Vi-vos nas fogueiras noturnas, Victarion Greyjoy. Saíeis em passos largos das chamas, severo e feroz, com o vosso grande machado a pingar sangue, cego para os tentáculos que vos agarram nos pulsos, no pescoço e nos joelhos, os cordéis negros que vos fazem dançar.

— *Dançar?* — Victarion irritou-se. — As tuas fogueiras noturnas mentem. Eu não fui feito para dançar, e não sou marioneta de ninguém. — Arrancou a luva e pôs a mão na frente da cara do sacerdote. — Toma. Era isto que querias? — O novo linho já estava manchado por sangue e pus. — Ele, o homem que me deu isto, tinha uma rosa no escudo. Arranhei a mão num espinho.

— Até o mais pequeno arranhão pode mostrar-se mortal, senhor capitão mas, se mo permitirdes, eu curarei isto. Vou precisar de uma lâmina. Prata seria melhor, mas ferro servirá. De um braseiro também. Tenho de acender um lume. Vai haver dor. Uma dor terrível, uma dor como nunca haveis sentido. Mas quando acabarmos, a mão ser-vos-á devolvida.

*São todos iguais, estes homens mágicos. O rato também me avisou contra a dor.*

— Eu sou nascido no ferro, sacerdote. Rio-me da dor. Vais ter aquilo de que precisas… mas se falhares, e se a minha mão não ficar sarada, eu próprio te cortarei a garganta e te oferecerei ao mar.

Moqorro fez uma vénia, com os olhos escuros a brilhar.

— Assim seja.

O capitão de ferro não voltou a ser visto nesse dia, mas com o passar das horas a tripulação do seu *Vitória de Ferro* relatou ter ouvido o som de fortes gargalhadas vindas da cabina do capitão, gargalhadas profundas, escuras e loucas, e quando o Agualonga Pyke e o Wulfe Uma-Orelha testaram a porta da cabina foram encontrá-la trancada. Mais tarde ouviram-se cantos, uma estranha canção aguda e lamentosa numa língua que o meistre disse ser alto valiriano. Foi nessa altura que os macacos abandonaram o navio, gritando enquanto saltavam para a água.

Ao chegar o pôr-do-sol, enquanto o mar se tornava negro como tinta e o Sol inchado pintava o céu de um vermelho profundo e sangrento, Victarion regressou ao convés. Estava nu da cintura para cima, e o seu braço esquerdo era sangue até ao cotovelo. Quando a sua tripulação se reuniu, murmurando e trocando olhares, ergueu uma mão chamuscada e enegrecida. Fios de fumo escuro ergueram-se dos seus dedos quando apontou para o meistre.

— Aquele. Cortai-lhe a garganta e atirai-o ao mar, e os ventos favorecer-nos-ão até Meereen. — Moqorro vira isso nos seus fogos. Também vira a rapariga casada, mas e daí? Não seria a primeira mulher que Victarion Greyjoy transformava em viúva.

O curandeiro entrou na tenda a murmurar palavras de circunstância, mas uma baforada do ar nauseabundo e um olhar a Yezzan zo Qaggaz puseram fim a isso.

— A égua branca — disse o homem a Doces.

*Que surpresa*, pensou Tyrion. *Quem teria adivinhado? Além de qualquer homem com nariz, ou de mim com metade.* Yezzan ardia de febre, contorcendo-se de vez em quando num charco dos próprios excrementos. A caca dele transformara-se num lodo castanho manchado de sangue... e cabia a Yollo e a Centava limpar o seu traseiro amarelo. Mesmo com ajuda, o amo de Tyrion era incapaz de levantar o seu peso; precisava de todas as suas forças em declínio para rolar sobre um lado.

— As minhas artes não servirão aqui — anunciou o curandeiro. — A vida do nobre Yezzan está nas mãos dos deuses. Mantende-o fresco, se puderdes. Há quem diga que isso ajuda. Trazei-lhe água. — Os atacados pela égua branca estavam sempre com sede, bebendo galões de água entre cagadelas. — Água limpa e fresca, tanta quanta ele queira beber.

— Água do rio não — disse Doces.

— De modo algum. — E com aquelas palavras, o curandeiro fugiu.

*Nós também temos de fugir*, pensou Tyrion. Era um escravo com um colarinho dourado, provido de pequenas campainhas que tiniam alegremente a cada passo que dava. *Um dos tesouros especiais de Yezzan. Uma honra indistinguível de uma condenação à morte.* Yezzan zo Qaggaz gostava de manter os seus queridinhos por perto, portanto coubera a Yollo, Centava, Doces e aos outros tesouros servi-lo quando adoecera.

*Pobre velho Yezzan.* O senhor do sebo não era assim tão mau enquanto amo. Doces tivera razão quanto a isso. Servindo nos seus banquetes noturnos, Tyrion depressa ficara a saber que Yezzan era um dos principais lordes yunkaitas favoráveis à ideia de honrar o acordo de paz com Meereen. A maior parte dos outros estava só a ganhar tempo, à espera da chegada dos exércitos de Volantis. Alguns queriam assaltar imediatamente a cidade, para evitar que os volantenos lhes roubassem a glória e a melhor parte do saque. Yezzan não queria participar em tal coisa. E também não consentia em devolver os reféns de Meereen através de trabucos, como o mercenário Barba Sangrenta propusera.

Mas é mais do que muito o que pode mudar em dois dias. Dois dias antes, Amasseca estivera vigoroso e saudável. Dois dias antes, Yezzan não ouvia os cascos fantasmagóricos da égua branca. Dois dias antes, as frotas de Velha Volantis estavam dois dias mais longe. E agora…

— Yezzan vai morrer? — perguntou Centava, naquela sua voz de por-favor-diz-que-não-é-verdade.

— Todos nós vamos morrer.

— Da fluxão, quero eu dizer.

Doces dirigiu a ambos um olhar desesperado.

— Yezzan não pode morrer. — O hermafrodita afagou a testa do seu gargantuesco amo, puxando para trás o cabelo húmido de suor. O yunkaita gemeu, e outra inundação de água castanha jorrou-lhe pelas pernas abaixo. A roupa da cama estava manchada e fedia, mas não tinham maneira de o deslocar.

— Há amos que libertam os escravos quando morrem — disse Centava.

Doces soltou um risinho abafado. Era um som sinistro.

— Só os favoritos. Libertam-nos das angústias do mundo, para acompanharem o seu querido amo para a sepultura e servirem-no no além.

*O Doces há de saber. A dele será a primeira garganta a ser cortada.*

O rapaz-cabra interveio.

— A rainha prateada…

— … está morta — insistiu Doces. — Esquece-a! O dragão levou-a para o outro lado do rio. Afogou-se no tal mar dothraki.

— Não nos podemos afogar em *erva* — disse o rapaz-cabra.

— Se fôssemos livres — disse Centava — podíamos encontrar a rainha. Ou pelo menos ir à procura dela.

*Tu montada no teu cão e eu na minha porca, a perseguir um dragão pelo mar dothraki.* Tyrion coçou a cicatriz para evitar rir-se.

— Este dragão em particular já demonstrou gosto por porco assado. E anão assado é duplamente saboroso.

— Era só um desejo — disse Centava, com um ar melancólico. — Podíamos ir embora por mar. Voltou a haver navios, agora que a guerra acabou.

*Acabou?* Tyrion sentia-se inclinado a duvidar disso. Pergaminhos tinham sido assinados, mas as guerras não eram travadas com pergaminhos.

— Podíamos viajar para Qarth — prosseguiu Centava. — O meu irmão sempre disse que as ruas lá são pavimentadas com jade. As muralhas da cidade são uma das maravilhas do mundo. Quando atuarmos em Qarth, ouro e prata choverão sobre nós, vais ver.

— Alguns daqueles navios que estão na baía são qartenos — fez-lhe

Tyrion lembrar. — Lomas Longstrider viu as muralhas de Qarth. Os livros dele chegam-me. Já fui tanto para leste quanto pretendo ir.

Doces deu pancadinhas na cara febril de Yezzan com um pano húmido.

— Yezzan tem de sobreviver. Senão morreremos todos com ele. A égua branca não leva todos os que a montam. O amo vai recuperar.

Aquilo era uma mentira descarada. Seria espantoso se Yezzan vivesse mais um dia. A Tyrion parecia que o senhor do sebo já estava a morrer da hedionda doença que trouxera de Sothoryos, fosse ela qual fosse. Aquilo só iria apressar-lhe o fim. *Uma misericórdia, na verdade.* Mas não o tipo de misericórdia que o anão desejava para si.

— O curandeiro disse que ele precisa de água fresca. Nós tratamos disso.

— Isso é bom da vossa parte. — Doces parecia estar num estado de entorpecimento. Era mais do que simples medo de lhe ser cortada a garganta; ao contrário dos restantes tesouros de Yezzan, parecia realmente gostar do seu imenso amo.

— Centava, vem comigo. — Tyrion abriu a aba da tenda e empurrou-a para fora, para o calor de uma manhã meereenesa. O ar estava sufocante e opressivo, mas mesmo assim era um bem-vindo alívio do miasma de suor, caca e doença que enchia o interior do pavilhão palaciano de Yezzan.

— Água vai ajudar o amo — disse Centava. — Foi isso que o curandeiro disse, deve ser verdade. Água fresca e doce.

— Água fresca e doce não ajudou o Amasseca. — Pobre velho Amasseca. Os soldados de Yezzan tinham-no atirado para a carroça dos cadáveres ao crepúsculo anterior, outra vítima da égua branca. Quando há homens a morrer hora a hora, ninguém olha com muita atenção para mais um morto, em especial se é tão desprezado como o Amasseca. Os outros escravos de Yezzan tinham-se recusado a aproximar-se do capataz depois de começarem as cãibras, portanto coubera a Tyrion mantê-lo quente e levar-lhe bebida. *Vinho aguado e limonada e uma bela sopa quente de rabo de cão, com fatias de cogumelo no caldo. Bebe tudo, Amassecazinha, que essa água de merda que te jorra do traseiro tem de ser substituída.* A última palavra que o Amasseca dissera fora:

— Não.

As últimas palavras que ouvira tinham sido:

— Um Lannister paga sempre as suas dívidas.

Tyrion ocultara de Centava a verdade sobre aquilo, mas ela precisava de compreender como funcionavam as coisas com o amo.

— Se Yezzan sobreviver para ver o Sol nascer, eu fico de boca aberta.

Ela agarrou-lhe o braço.

— Que nos vai acontecer?

— Ele tem herdeiros. Sobrinhos. — Tinham vindo quatro com Yezzan de Yunkai, para comandar os seus soldados escravos. Um estava morto, abatido por mercenários Targaryen durante uma surtida. Os outros três, provavelmente, dividiriam entre si os escravos da enormidade amarela. Era muito menos seguro que algum dos sobrinhos partilhasse do gosto de Yezzan por aleijados, anormais e deformados. — Um deles talvez nos herde. Ou podemos acabar outra vez no leilão.

— Não. — Os olhos esbugalharam-se-lhe. — Isso não. Por favor.

— Também não é ideia que me atraia.

Alguns metros mais à frente, seis dos soldados escravos de Yezzan estavam acocorados na poeira, a atirar ossos e a passar um odre de vinho de mão em mão. Um era o sargento chamado Cicatriz, um brutamontes de mau temperamento com uma cabeça lisa como pedra e os ombros de um touro. *E também é esperto como um touro*, recordou Tyrion.

Bamboleou-se na direção deles.

— Cicatriz — ladrou — o nobre Yezzan precisa de água fresca e limpa. Leva dois homens e traz todos os baldes que consigam carregar. E despacha-te.

Os soldados interromperam o jogo. Cicatriz pôs-se em pé, com a testa a franzir-se.

— Que foi que tu disseste, anão? Quem julgas tu que és?

— Sabes quem sou. Yollo. Um dos tesouros do teu amo. Agora faz o que te disse.

Os soldados riram-se.

— Vai lá, Cicatriz — troçou um — e despacha-te. O macaco de Yezzan deu-te uma ordem.

— Tu não dizes a soldados o que fazer — disse o Cicatriz.

— Soldados? — Tyrion fingiu confusão. — O que eu vejo são escravos. Usas uma coleira em volta do pescoço, tal como eu.

O violento estalo que Cicatriz lhe deu atirou-o ao chão e fendeu-lhe o lábio.

— A coleira é de Yezzan. Não é tua.

Tyrion limpou o sangue do lábio rachado com as costas da mão. Quando tentou levantar-se, uma perna cedeu debaixo de si e voltou a cair de joelhos. Precisou da ajuda de Centava para voltar a pôr-se em pé.

— O Doces disse que o amo tinha de beber água — disse, na sua melhor lamúria.

— O Doces pode ir foder-se. Foi feito para isso. Também não recebemos ordens desse anormal.

*Pois não*, pensou Tyrion. Mesmo entre escravos havia senhores e camponeses, como depressa aprendera. O hermafrodita era há muito o animal de estimação do amo, estragado com mimos e favorecido, e os outros escravos do nobre Yezzan odiavam-no por isso.

Os soldados estavam habituados a receber ordens dos amos e dos capatazes. Mas o Amasseca estava morto, e Yezzan encontrava-se demasiado doente para nomear um sucessor. E quanto aos três sobrinhos, esses corajosos homens livres haviam-se lembrado de assuntos urgentes longe dali assim que tinham começado a soar os cascos da égua branca.

— A á-água — disse Tyrion, com servilismo. — Água do rio não, disse o curandeiro. Água limpa e doce, do poço.

Cicatriz soltou um grunhido.

— Ide *vós* buscá-la. E despachai-vos.

— Nós? — Tyrion trocou um olhar impotente com Centava. — A água é pesada. Nós não somos tão fortes como vós. Podemos… podemos levar a carroça das mulas?

— Levai as vossas pernas.

— Teremos de fazer uma dúzia de viagens.

— Fazei uma centena de viagens. Estou-me a cagar.

— Só nós dois… não conseguiremos carregar toda a água de que o amo precisa.

— Leva o teu urso — sugeriu o Cicatriz. — Não presta para mais nada além de carregar água.

Tyrion recuou.

— É como dizeis, amo.

O Cicatriz sorriu. *Amo. Oh, ele gostou disto.*

— Morgo, traz as chaves. E tu enche os baldes e volta logo, anão. Sabes o que acontece a escravos que tentam fugir.

— Traz os baldes — disse Tyrion a Centava. Foi com o tal Morgo tirar Sor Jorah Mormont da sua jaula.

O cavaleiro não se adaptara bem à escravidão. Quando era chamado para fazer de urso e levar a bela donzela, mostrara-se carrancudo e pouco cooperante, arrastando-se sem vida pelo que tinha de fazer nas ocasiões em que sequer se dignava participar no espetáculo. Apesar de não ter tentado escapar nem respondido com violência aos seus captores, era mais frequente ignorar as ordens, ou responder com pragas resmungadas, do que obedecer-lhes. Nada disso deixara o Amasseca divertido, o qual tornara claro o seu desagrado confinando Mormont a uma jaula de ferro e mandando espancá-lo todas as noites quando o Sol se afundava na Baía dos Escravos. O cavaleiro absorvia os espancamentos em silêncio; os únicos sons eram as pragas resmungadas dos escravos que o espancavam e as batidas surdas das mocas contra a pele pisada e maltratada de Sor Jorah.

*O homem é uma casca*, pensou Tyrion, da primeira vez que viu o grande cavaleiro a ser espancado. *Devia ter controlado a língua e deixado que Zahrina ficasse com ele. Podia ter sido um destino mais suave do que este.*

Mormont saiu do acanhado confinamento da jaula dobrado e a olhar de viés, com os olhos negros e as costas cobertas com uma crosta de sangue seco. Tinha a cara tão pisada e inchada que mal parecia humano. Estava nu, à exceção de uma tanga, um bocado imundo de trapo amarelo.

— Vais ajudar a carregar água — disse-lhe Morgo.

A única resposta de Sor Jorah foi um olhar carrancudo. *Há homens que prefeririam morrer livres a viver como escravos, suponho.* O próprio Tyrion não fora atacado por tal enfermidade, felizmente, mas se Mormont assassinasse Morgo, os outros escravos talvez não fizessem essa distinção.

— Vinde — disse, antes de o cavaleiro fazer alguma coisa corajosa e estúpida. Afastou-se a bambolear-se, na esperança de que Mormont o seguisse.

Os deuses foram bons, para variar. Mormont seguiu-o.

Dois baldes para Centava, dois para Tyrion e quatro para Sor Jorah, dois em cada mão. O poço mais próximo ficava a sul e a oeste da Prostituta, pelo que partiram nessa direção, fazendo cantar alegremente as campainhas nas suas coleiras a cada passo. Ninguém lhes prestou a mínima atenção. Eram apenas escravos a ir buscar água para o seu amo. Usar uma coleira conferia certas vantagens, em particular se se tratasse de uma coleira dourada com o nome de Yezzan zo Qaggaz nela escrito. O tinir daquelas pequenas campainhas proclamava o seu valor perante qualquer um que tivesse ouvidos. Um escravo tinha apenas a importância do seu amo; Yezzan era o homem mais rico da Cidade Amarela, e trouxera seiscentos soldados escravos para a guerra, mesmo que se parecesse com uma monstruosa lesma amarela e cheirasse a mijo. As coleiras davam-lhes autorização para irem onde desejassem no interior do acampamento.

*Até que Yezzan morra.*

Os Senhores dos Tinidos tinham os seus soldados escravos a treinar no campo de treinos mais próximo. O tinir das correntes que os prendiam fazia uma desagradável música metálica enquanto marchavam pela areia em passo acertado e formavam com as suas longas lanças. Noutro local, equipas de soldados estavam a erguer rampas de pedra e areia por baixo das manganelas e balistas, inclinando-as para cima, para o céu, a fim de melhor defenderem o acampamento no caso de o dragão negro regressar. Vê-los a suar e a praguejar enquanto empurravam as pesadas máquinas para as rampas fez o anão sorrir. Viam-se também muitas bestas. Um em cada dois homens parecia ter uma nas mãos, com uma aljava cheia de dardos pendurada da anca.

Se alguém se tivesse lembrado de lhe perguntar, Tyrion podia ter-lhes dito para não se incomodarem com aquilo. A menos que algum daqueles longos dardos de ferro das balistas calhasse acertar num olho, não era provável que o monstro de estimação da rainha fosse abatido por tais brinquedos. *Os dragões não são assim tão fáceis de matar. Se lhe fizerdes cócegas com isso, só o ireis deixar zangado.*

Era nos olhos que um dragão era mais vulnerável. Nos olhos e no cérebro por trás deles. Não no baixo-ventre, como certas velhas lendas diziam. As escamas eram aí precisamente tão duras como as do dorso e flancos de um dragão. E pela garganta abaixo também não. Isso era uma loucura. Aqueles aspirantes a matadores de dragões, já agora, também podiam tentar apagar um incêndio com uma estocada de lança. "A morte sai pela boca de um dragão," escrevera o Septão Barth na sua *História Não-Natural*, "mas a morte não entra por aí."

Mais à frente, duas legiões de Nova Ghis enfrentavam-se, muralha de escudos contra muralha de escudos, enquanto sargentos com as cabeças cobertas por meios elmos de ferro com cristas de crina de cavalo gritavam ordens no seu incompreensível dialeto. A olho nu, os ghiscariotas pareciam mais formidáveis do que os soldados escravos yunkaitas, mas Tyrion cultivava dúvidas. Os legionários podiam estar armados e organizados da mesma forma que os Imaculados... mas os eunucos não conheciam outra vida, ao passo que os ghiscariotas eram cidadãos livres que serviam por períodos de três anos.

A fila para o poço estendia-se ao longo de um quarto de milha.

Só havia uma mancheia de poços a um dia de marcha de Meereen, portanto a espera era sempre longa. A maior parte da hoste yunkaita tirava a sua água de beber do Skahazadhan, o que Tyrion já sabia ser péssima ideia mesmo antes do aviso do curandeiro. Os espertos tinham o cuidado de ficar a montante das latrinas, mas continuavam a estar a jusante da cidade.

O facto de haver bons poços a um dia de marcha da cidade só provava que Daenerys Targaryen ainda era uma inocente no que tocava às artes de cerco. *Ela devia ter envenenado todos os poços. Assim, todos os yunkaitas estariam a beber do rio. Ver-se-ia quanto tempo duraria o cerco nesse caso.* Tyrion não duvidava de que seria isso o que o senhor seu pai teria feito.

De todas as vezes que davam mais um passo, as campainhas nas coleiras tilintavam vivamente. *É um som tão feliz que me dá vontade de arrancar os olhos a alguém com uma colher.* Por aquela altura Griff, o Pato e o Semimeistre deviam estar em Westeros com o seu jovem príncipe. *Eu devia estar com eles... mas não, tinha de ter uma rameira. Matar parentes não era suficiente, precisava de cona e vinho para selar a minha ruína, e aqui estou do lado errado do mundo, a usar uma coleira de escravo com campainhazinhas douradas a anunciar a minha chegada. Se dançar mesmo da maneira certa talvez consiga fazer soar "As Chuvas de Castamere."*

Não havia melhor lugar para ouvir as últimas notícias e boatos do que em volta do poço.

— Eu sei o que vi — estava a dizer um velho escravo com uma ferrugenta coleira de ferro quando Tyrion e Centava avançaram fila fora — e vi aquele dragão a arrancar braços e pernas, a partir homens ao meio, a queimá-los até os fazer em cinza e ossos. As pessoas desataram a fugir, tentando sair daquela arena, mas eu tinha ido ver um espetáculo e, por todos os deuses de Ghis, foi o que vi. Estava lá em cima no púrpura, de modo que não achei que o dragão me fosse arranjar problemas.

— A rainha subiu para cima do dragão e voou — insistiu uma mulher alta e castanha.

— Tentou — disse o velho — mas não se conseguiu agarrar. As bestas feriram o dragão, e segundo ouvi dizer a rainha foi atingida mesmo entre as lindas tetas cor-de-rosa. Foi nessa altura que caiu. Morreu na sarjeta, esmagada debaixo das rodas de uma carroça. Conheço uma rapariga que conhece um homem que a viu morrer.

Naquela companhia, o silêncio era a maior parte da sabedoria, mas Tyrion não conseguiu conter-se.

— Não foi encontrado nenhum cadáver — disse.

O velho franziu o sobrolho.

— Que sabes tu disso?

— Eles 'tavam lá — disse a mulher castanha. — São eles, os anões combatentes, aqueles que justaram p'rá rainha.

O velho semicerrou os olhos, como que a vê-lo e a Centava pela primeira vez.

— Fostes vós que montastes os porcos.

*A nossa fama precede-nos.* Tyrion esboçou uma vénia cortês, e absteve-se de fazer notar que um dos porcos era na verdade um cão.

— A porca que montei é na verdade minha irmã. Temos o mesmo nariz, não vês? Um feiticeiro enfeitiçou-a, mas se lhe deres um grande beijo húmido ela transforma-se numa bela mulher. A pena é que, depois de a conheceres, vais querer voltar a beijá-la para que volte a ser porca.

Romperam gargalhadas a toda a volta deles. Até o velho se lhes juntou.

— Então viste-a — disse o rapaz ruivo atrás deles. — Viste a rainha. É tão linda como dizem?

*Vi uma rapariga esguia com cabelo prateado enrolada num* tokar, podia ter-lhes dito Tyrion. *Tinha a cara velada, e não cheguei a aproximar-me o suficiente para a ver bem. Estava a montar um porco.* Daenerys Targaryen estivera sentada no camarote do dono ao lado do seu rei ghiscariota, mas os olhos de Tyrion tinham sido atraídos para o cavaleiro de armadura branca e dourada que estava a seu lado. Apesar de ter as feições ocultas, o anão teria reconhecido Barristan Selmy em qualquer lado. *Illyrio tinha razão sobre isso, pelo menos*, lembrava-se de ter pensado. *Mas irá Selmy reconhecer-me? E que fará se reconhecer?*

Quase revelara a sua identidade ali e naquele momento, mas algo o impedira; cautela, cobardia, instinto, chamai-lhe o que quiserdes. Não conseguia imaginar Barristan, o Ousado, a acolhê-lo com outra coisa que não fosse hostilidade. Selmy nunca aprovara a presença de Jaime na sua preciosa Guarda Real. Antes da rebelião, o velho cavaleiro julgara-o demasiado novo e insuficientemente experimentado; depois, tinha sido ouvido a dizer que o Regicida devia trocar aquele manto branco por um negro. E os seus crimes eram piores. Jaime matara um louco. Tyrion trespassara com um dardo as virilhas do seu próprio progenitor, um homem que Sor Barristan conhecera e servira durante anos. Podia ter arriscado mesmo assim, mas nessa altura Centava dera-lhe uma pancada no escudo e o momento passara, para nunca regressar.

— A rainha viu-nos justar — estava Centava a dizer aos outros escravos da fila — mas foi só nessa altura que a vimos.

— Deveis ter visto o dragão — disse o velho.

*Gostaria de o ter visto.* Os deuses nem sequer lhe tinham concedido essa mercê. Enquanto Daenerys Targaryen levantava voo, o Amasseca estava a prender ferros em volta dos tornozelos dos anões, para se assegurar de que não tentariam fugir no caminho de regresso para junto do seu amo. Se ao menos o capataz se tivesse retirado depois de os ter entregado no matadouro, ou se tivesse fugido como o resto dos esclavagistas quando o dragão descera do céu, os dois anões podiam ter-se afastado, livres. *Ou fugido, o mais certo, com as nossas campainhinhas a retinir.*

— Houve um dragão? — disse Tyrion, com um encolher de ombros. — Tudo o que sei é que não foram encontradas rainhas mortas.

O velho não estava convencido.

— Ah, encontraram cadáveres às centenas. Arrastaram-nos para a arena e queimaram-nos, apesar de metade já estarem esturricados. Se calhar não a reconheceram, queimada, ensanguentada e esmagada. Se calhar reconheceram mas decidiram dizer que não, para vos manter, aos escravos, calmos.

— *Nós*, os escravos? — disse a mulher castanha. — Tu também usas uma coleira.

— A coleira de *Ghazdor* — vangloriou-se o velho. — Conheço-o desde que nasceu. Sou quase como um irmão para ele. Escravos como tu, o

336

refugo de Astapor e Yunkai, lamuriam-se acerca de serem livres, mas eu não daria a minha coleira à rainha dos dragões nem mesmo se ela se oferecesse para me mamar a picha por ela. O homem que tem o amo certo está melhor.

Tyrion não discutiu com ele. A coisa mais insidiosa na servidão era a facilidade com que as pessoas se habituavam a ela. Parecia-lhe que a vida da maioria dos escravos não era assim tão diferente da vida de um criado em Rochedo Casterly. Sim, alguns donos de escravos e os seus capatazes eram brutais e cruéis, mas o mesmo se podia dizer de alguns senhores de Westeros e dos seus intendentes e beleguins. A maior parte dos yunkaitas tratavam os escravos com bastante decência, desde que executassem as suas tarefas e não causassem problemas… e aquele velho com a coleira ferrugenta, com a sua feroz lealdade ao Lorde Bochechas de Baloiço, seu amo, não era nem um pouco atípico.

— Ghazdor, o de Grande Coração? — disse Tyrion, com simpatia. — O nosso amo Yezzan falou frequentemente na sua inteligência. — O que Yezzan realmente dissera andara mais perto de: *Eu tenho mais inteligência na nádega esquerda do que Ghazdor e os irmãos têm entre todos.* Achou prudente omitir as palavras realmente proferidas.

O meio dia chegou e partiu antes de ele e Centava chegarem ao poço, de onde um escravo escanzelado e perneta tirava água. Olhou-os desconfiado e de viés.

— É sempre o Amasseca que vem buscar a água de Yezzan, com quatro homens e uma carroça de mulas. — Voltou a deixar cair o balde no poço. Ouviu-se um suave chapinhar. O perneta deixou que o balde se enchesse e depois começou a içá-lo. Os seus braços estavam queimados pelo sol e a pelar, tinham um ar descarnado, mas eram só músculo.

— A mula morreu — disse Tyrion. — O Amasseca também, pobre homem. E agora o próprio Yezzan montou a égua branca, e seis dos seus soldados estão de caganeira. Podes-me dar dois baldes cheios?

— Como queiras. — Aquilo foi o fim das conversas de circunstância. *O que estás a ouvir são cascos?* A mentira sobre os soldados pôs o velho perneta a mexer-se muito mais depressa.

Voltaram para trás, com cada um dos anões a transportar dois baldes cheios de água doce até à borda, e Sor Jorah com dois baldes em cada mão. O dia estava a ficar mais quente, o ar tornava-se denso e húmido como lã molhada, e os baldes pareciam ir ficando mais pesados a cada passo. *Uma longa caminhada em cima de pernas curtas.* A água sacolejava nos baldes a cada passo, esparrinhando em volta das pernas, enquanto as campainhas tocavam uma canção de marcha. *Se eu soubesse que daria nisto, pai, talvez te tivesse deixado vivo.* A meia milha para leste, uma coluna escura de fumo estava a erguer-se de onde uma tenda fora incendiada. *A queimar os mortos da noite passada.*

— Por aqui — disse Tyrion, sacudindo a cabeça para a direita.

Centava dirigiu-lhe um olhar confuso.

— Não foi por aí que viemos.

— Não queremos respirar aquele fumo. Está cheio de humores malignos. — Não era mentira. *Não por inteiro.*

Centava depressa ficou arquejante, a lutar com o peso dos seus baldes.

— Preciso de descansar.

— Como quiseres. — Tyrion pousou os baldes de água no chão, grato pela paragem. Tinha fortes cãibras nas pernas, por isso arranjou para si uma pedra prometedora e sentou-se nela para massajar as coxas.

— Eu podia fazer-te isso — ofereceu-se Centava.

— Eu sei onde estão os nós. — Por mais que tivesse acabado por gostar da rapariga, ainda se sentia desconfortável quando ela o tocava. Virou-se para Sor Jorah. — Mais alguns espancamentos, e ficarás mais feio do que eu, Mormont. Diz-me, resta em ti algum combate?

O grande cavaleiro ergueu dois olhos enegrecidos e olhou-o como poderia olhar um bicho.

— O suficiente para te partir o pescoço, Duende.

— Ótimo. — Tyrion pegou nos baldes. — Então vamos por aqui.

Centava enrugou a testa.

— Não. É para a esquerda. — Apontou. — Aquela ali é a Prostituta.

— E aquela ali é a Irmã Malvada. — Tyrion acenou com a cabeça na outra direção. — Confia em mim — disse. — O meu caminho é mais rápido. — E pôs-se a andar, com as campainhas a tilintar. Centava segui-lo-ia, bem o sabia.

Por vezes invejava os lindos sonhozinhos da rapariga. Fazia-lhe lembrar Sansa Stark, a noiva criança que desposara e perdera. Apesar dos horrores que sofrera, permanecia de algum modo crédula. *Devia ter mais juízo. É mais velha do que Sansa. E é uma anã. Age como se se tivesse esquecido disso, como se fosse bem nascida e linda de se ver, em vez de uma escrava numa coleção de aberrações.* À noite era frequente que Tyrion a ouvisse rezar. *Um desperdício de palavras. Se houver alguns deuses à escuta, são deuses monstruosos, que nos atormentam por prazer. Quem mais faria um mundo como este, tão cheio de servidão, sangue e dor? Quem mais nos daria a forma que eles deram?* Por vezes apetecia-lhe esbofeteá-la, abaná-la, gritar-lhe, fazer qualquer coisa para a despertar dos seus sonhos. *Ninguém nos vai salvar,* queria gritar-lhe. *O pior ainda está para vir.* Mas sem que entendesse porquê nunca conseguira dizer as palavras. Em vez de lhe dar um bom e duro tabefe naquela sua cara feia para lhe arrancar as vendas dos olhos, dava por si a apertar-lhe o ombro ou a dar-lhe um abraço. *Cada toque é uma mentira. Paguei-lhe com tanta moeda falsa, que quase se acha rica.*

Até lhe escondera a verdade sobre a Arena de Daznak.

*Leões. Eles iam soltar leões contra nós.* Isso teria sido requintadamente irónico. Talvez tivesse tempo para uma curta gargalhada amarga antes de ser feito em pedaços.

Ninguém chegou a informá-lo do fim que estivera planeado para eles, não com todas as palavras, mas não fora difícil deduzi-lo, lá em baixo sob os tijolos da Arena de Daznak, no mundo oculto sob os bancos, no domínio escuro dos lutadores de arena e dos criados que cuidavam deles, dos rápidos e dos mortos — os cozinheiros que os alimentavam, os ferreiros que os armavam, os barbeiros-cirurgiões que os sangravam, os barbeavam e lhes ligavam os ferimentos, as rameiras que lhes prestavam servicinhos antes e depois das lutas, os transportadores de cadáveres que arrastavam os perdedores para fora das areias com correntes e ganchos de ferro.

A cara do Amasseca dera a Tyrion a primeira indicação. Depois do espetáculo, ele e Centava tinham regressado à cave iluminada por archotes onde os lutadores se reuniam antes e depois dos seus combates. Alguns afiavam as armas; outros faziam sacrifícios a estranhos deuses, ou embotavam os nervos com leite de papoila antes de saírem para morrer. Aqueles que tinham combatido e vencido jogavam aos dados a um canto, rindo como só homens que tinham acabado de encarar a morte e sobrevivido conseguiam rir.

O Amasseca estava a pagar com prata uma aposta perdida a um homem da arena quando vira Centava com Trincão pela trela. A confusão nos seus olhos desaparecera em meio segundo, mas não antes de Tyrion se aperceber do que queria dizer. *O Amasseca não nos esperava de volta.* Olhara outras caras em volta. *Nenhum deles nos esperava de volta. Estávamos destinados a morrer ali fora.* A última peça caíra no lugar quando ouvira um tratador a queixar-se ruidosamente ao mestre da arena.

— Os leões têm fome. Já não comem há dois dias. Disseram-me para não os alimentar, e não alimentei. A rainha devia pagar pela carne.

— Leva-lhe o assunto da próxima vez que ela conceder audiência — atirara-lhe em resposta o mestre da arena.

Nem agora Centava suspeitava. Quando falava da arena, a sua preocupação principal era que pouca gente se tinha rido. *Eles ter-se-iam mijado a rir se os leões tivessem sido soltos,* quase lhe dissera Tyrion. Mas em vez disso apertara-lhe o ombro.

Centava parou de súbito.

— Estamos a ir na direção errada.

— Não estamos. — Tyrion pôs os baldes no chão. As pegas tinham aberto profundos sulcos nos seus dedos. — As tendas que queremos são aquelas ali.

— Os Segundos Filhos? — Um estranho sorriso fendeu a cara de Sor Jorah. — Se julgas que vais encontrar ajuda ali, não conheces o Ben Castanho Plumm.

— Oh, mas conheço. Eu e o Plumm jogámos cinco jogos de *cyvasse*. O Ben Castanho é astuto, tenaz, não destituído de inteligência... mas cauteloso. Gosta de deixar o oponente correr os riscos enquanto ele fica sentadinho com todas as opções em aberto, reagindo à batalha à medida que ela toma forma.

— Batalha? Que batalha? — Centava afastou-se dele. — Temos de *voltar*. O amo precisa de água limpa. Se demorarmos demasiado seremos chicoteados. E a Porca Bonita e o Trincão estão lá.

— O Doces assegurar-se-á de que tratem deles — mentiu Tyrion. O mais certo era que o Cicatriz e os amigos se banqueteassem em breve com presunto e bacon e um saboroso estufado de cão, mas Centava não precisava de ouvir isso. — O Amasseca está morto e Yezzan moribundo. Pode ser noite antes que alguém dê pela nossa falta. Nunca teremos uma oportunidade melhor do que agora.

— *Não*. Sabes o que eles fazem quando apanham escravos que tentam fugir. Tu *sabes*. Por favor. Nunca nos deixarão sair do acampamento.

— Nós não saímos do acampamento. — Tyrion pegou nos baldes. Arrancou a um vivo passo, sem olhar para trás. Mormont pôs-se a seu lado. Passado um momento ouviu o som de Centava a apressar-se atrás dele, descendo uma ladeira arenosa que terminava num círculo de tendas andrajosas.

O primeiro guarda apareceu quando se aproximavam das linhas de cavalos; um esguio lanceiro cuja barba castanha-avermelhada o identificava como tyroshi.

— Que quereis daqui? E que tendes nesses baldes?

— Água — disse Tyrion — se te aprouver.

— Cerveja aprazer-me-ia mais. — Uma ponta de lança picou-o nas costas; um segundo guarda, surgido de trás deles. Tyrion ouviu Porto Real na voz dele. *Escumalha do Fundo das Pulgas.*

— 'Tás perdido, anão? — quis saber o guarda.

— Estamos aqui para nos juntarmos à vossa companhia.

Um balde escorregou da mão de Centava e virou-se. Metade da água tinha-se derramado antes de ela conseguir voltar a endireitá-lo.

— Já temos suficientes bobos nesta companhia. Porque haveríamos de querer mais três? — O tyroshi deu uma pancada na coleira de Tyrion com a ponta da sua lança, fazendo retinir a pequena campainha de ouro.

— O que eu vejo é um escravo fugido. Três escravos fugidos. De quem é a coleira?

— Da Baleia Amarela. — Aquilo viera de um terceiro homem, atraído pelas vozes; uma figurinha magricela de barba por fazer com dentes manchados de vermelho pela folhamarga. *Um sargento*, compreendeu Tyrion pelo modo como os outros dois se lhe submeteram. Tinha um gancho onde a mão direita devia estar. *Se não é a sombra bastarda e mais maldosa de Bronn, eu sou Baelor, o Adorado.* — Estes são os anões que o Ben tentou comprar — disse o sargento aos lanceiros, semicerrando os olhos — mas o grande… é melhor trazê-lo também. Todos os três.

O tyroshi fez um gesto com a lança. Tyrion avançou. O outro mercenário — um jovem, pouco mais que um rapaz, com penugem nas bochechas e cabelo da cor da palha seca — meteu Centava debaixo de um braço.

— Ooh, o meu tem tetas — disse, rindo-se. Enfiou uma mão sob a túnica de Centava, só para ter a certeza.

— Limita-te a trazê-la — ordenou o sargento.

O jovem pôs Centava ao ombro. Tyrion foi à frente, o mais depressa que as pernas atrofiadas permitiam. Sabia para onde estavam a ir: a grande tenda do outro lado da fogueira, com paredes de lona pintada rachadas e desbotadas por anos de sol e chuva. Alguns mercenários viraram-se para os ver passar, e uma seguidora de acampamentos soltou um risinho trocista, mas ninguém se mexeu para interferir.

Dentro da tenda, depararam com bancos de acampar e uma mesa de montar, um suporte para lanças e alabardas, um chão coberto de tapetes puídos de meia dúzia de cores dissonantes e três oficiais. Um era magro e elegante, com uma barba pontiaguda, uma espada de espadachim e um gibão fendido cor-de-rosa. Outro era rechonchudo, estava a perder o cabelo e tinha manchas de tinta nos dedos e uma pena numa mão.

O outro era o homem que procurava. Tyrion fez uma vénia.

— Capitão.

— Apanhámo-los a entrar no acampamento. — O jovem deixou cair Centava no tapete.

— Fugidos — declarou o tyroshi. — Com baldes.

— Baldes? — disse o Ben Castanho Plumm. Quando ninguém adiantou uma explicação, disse: — De volta aos vossos postos, rapazes. E nem uma palavra sobre isto a ninguém. — Depois de se irem embora, sorriu a Tyrion. — Vieste p'ra outro jogo de *cyvasse*, Yollo?

— Se quiserdes. Eu realmente gosto de vos derrotar. Ouvi dizer que sois duplamente traidor, Plumm. Um homem cá dos meus.

O sorriso do Ben Castanho não lhe chegou aos olhos. Estudou Tyrion como um homem estudaria uma serpente falante.

— Porque estás aqui?

— Para realizar os vossos sonhos. Tentastes comprar-nos no leilão. Depois tentastes ganhar-nos ao *cyvasse*. Nem mesmo quando eu tinha nariz era suficientemente bonito para provocar uma tal paixão... exceto em alguém que calhasse conhecer o meu verdadeiro valor. Bem, aqui estou, livre para ser apanhado. Agora sede amigo, mandai buscar o vosso ferreiro e tirai-nos estas coleiras. Estou farto de tilintar quando faço xixi.

— Não quero problemas com o teu nobre amo.

— Yezzan tem assuntos mais urgentes com que se preocupar do que três escravos em falta. Está a montar a égua branca. E porque haveriam eles de pensar procurar-nos aqui? Tendes espadas suficientes para desencorajar qualquer um que venha meter o nariz por cá. Um pequeno risco por um grande ganho.

O palerma do gibão fendido e cor-de-rosa silvou.

— Eles trouxeram a doença para o meio de nós. Para as nossas tendas. — Virou-se para Ben Plumm. — Corto-lhe a cabeça, capitão? Podemos atirar o resto para a fossa das latrinas. — Puxou por uma espada, uma esguia lâmina de espadachim com o cabo cravejado de joias.

— Tem cuidado com a minha cabeça — disse Tyrion. — Não queres que nenhum do meu sangue te caia em cima. O sangue transporta a doença. E vais querer ferver a nossa roupa, ou então queimá-la.

— Tenho cá uma ideia de a queimar contigo ainda lá dentro, Yollo.

— O meu nome não é esse. Mas vós sabeis disso. Sabeis disso desde que me vistes pela primeira vez.

— Se calhar sei.

— E eu também vos conheço, senhor — disse Tyrion. — Sois menos púrpura e mais castanho do que os Plumm da pátria, mas a menos que o vosso nome seja uma mentira, sois um homem do oeste, pelo sangue ainda que não pelo nascimento. A Casa Plumm está ajuramentada a Rochedo Casterly, e acontece que eu conheço um pouco da sua história. O vosso ramo brotou de um caroço cuspido para o outro lado do mar estreito, sem dúvida. Um filho mais novo de Viserys Plumm, aposto. Os dragões da rainha gostavam de vós, não gostavam?

Aquilo pareceu divertir o mercenário.

— Quem te disse isso?

— Ninguém. A maior parte das histórias sobre dragões que se ouve contar são alimento para parvos. Dragões falantes, dragões a proteger ouro e pedras preciosas, dragões com quatro patas e barrigas tão grandes como elefantes, dragões a trocar enigmas com esfinges... tudo disparates. Mas também há verdades nos velhos livros. Eu não só sei que os dragões da rainha se tornaram vossos amigos, como sei porquê.

— A minha mãe dizia que o meu pai tinha uma gota de sangue de dragão.

— Duas gotas. Ou isso, ou uma picha de metro e oitenta. Conheceis essa história? Eu conheço. Ora bem, vós sois um Plumm esperto, portanto sabeis que esta minha cabeça vale uma senhoria… em Westeros, a meio mundo de distância. Quando a levardes até lá, só restarão ossos e larvas. A minha querida irmã negará que a cabeça é minha e roubar-vos-á a prometida recompensa. Vós sabeis como as rainhas são. Umas putéfias volúveis, todas elas, e Cersei é a pior.

O Ben Castanho coçou a barba.

— Nesse caso podia entregar-te vivo e a espernear. Ou enfiar a tua cabeça num frasco e conservá-la em salmoura.

— Ou juntar-vos a mim. Essa é a jogada mais sensata. — Sorriu. — Eu nasci segundo filho. Esta companhia é o meu destino.

— Os Segundos Filhos não têm lugar para saltimbancos — disse o espadachim de cor-de-rosa em tom de escárnio. — Nós precisamos é de combatentes.

— Eu trouxe-vos um. — Tyrion indicou Mormont com um polegar.

— Essa criatura? — riu-se o espadachim. — Um feio brutamontes, mas não bastam as cicatrizes para fazer um Segundo Filho.

Tyrion rolou os seus olhos desiguais.

— Lorde Plumm, quem são estes vossos dois amigos? O rosadinho é aborrecido.

O espadachim enrugou um lábio enquanto o tipo com a pena soltou um risinho, divertido com a insolência. Mas foi Jorah Mormont quem forneceu os nomes deles.

— O Tinteiros é o tesoureiro da companhia. O pavão chama a si próprio Kasporio, o Astucioso, se bem que Kasporio, o Asqueroso, fosse mais adequado. Um tipo desagradável.

A cara de Mormont podia estar irreconhecível no estado em que se encontrava, mas a sua voz não mudara. Kasporio dirigiu-lhe um olhar surpreendido, enquanto as rugas em volta dos olhos de Plumm se engelharam de divertimento.

— Jorah *Mormont*? És tu? Menos orgulhoso do que quando desapareceste. Ainda temos de te chamar *sor*?

Os lábios inchados de Sor Jorah torceram-se num sorriso grotesco.

— Dá-me uma espada, e podes chamar-me o que quiseres, Ben.

Kasporio recuou.

— Tu… ela mandou-te embora…

— Voltei. Chama-me parvo.

*Um parvo apaixonado.* Tyrion pigarreou.

— Podeis falar dos velhos tempos mais tarde… depois de eu acabar de explicar porque é que a minha cabeça vos seria mais útil em cima dos ombros. Ireis descobrir, Lorde Plumm, que eu posso ser muito generoso para com os meus amigos. Se duvidais do que digo, perguntai a Bronn. Perguntai a Shagga, filho de Dolf. Perguntai a Timett, filho de Timett.

— E quem vêm a ser esses? — perguntou o homem chamado Tinteiros.

— Bons homens que puseram as espadas ao meu serviço e prosperaram grandemente com ele. — Encolheu os ombros. — Oh, muito bem, menti na parte do "bons." São uns bastardos sedentos de sangue, como vós.

— Talvez — disse o Ben Castanho. — Ou talvez tenhas acabado de inventar uns quantos nomes. *Shagga*, dizes tu? Isso é nome de mulher?

— As mamas dele são suficientemente grandes. Da próxima vez que nos encontrarmos hei de espreitar-lhe para baixo das bragas para ter a certeza. Aquilo ali é um tabuleiro de *cyvasse*? Trazei-lo cá, e jogamos o tal jogo. Mas primeiro, acho eu, uma taça de vinho. Tenho a garganta seca como osso velho, e estou a ver que tenho bastante para dizer.

# JON

Nessa noite sonhou com selvagens a uivar nos bosques, a avançar sob o gemido de cornos de guerra e o rufar de tambores. *Bum FIM bum FIM bum FIM* soava o som, um milhar de corações com um único ritmo. Alguns tinham lanças e alguns tinham arcos e alguns tinham machados. Outros avançavam em quadrigas feitas de ossos, puxadas por equipas de cães, grandes como póneis. Gigantes arrastavam-se entre eles, com dez metros de altura e malhos do tamanho de carvalhos.

— Mantende-vos firmes — gritou Jon Snow. — Empurrai-os para trás. — Estava no topo da Muralha, sozinho. — Chamas — bradou — dai-lhes chamas — mas não havia ninguém para lhe dar ouvidos.

*Desapareceram todos. Abandonaram-me.*

Setas a arder silvaram para cima, seguidas por línguas de fogo. Irmãos espantalhos caíram, com mantos negros em chamas.

— *Snow* — gritou uma águia, enquanto inimigos amarinhavam pelo gelo acima como aranhas. Jon estava couraçado de gelo negro, mas a espada ardia-lhe, rubra, na mão cerrada. À medida que os mortos iam chegando ao topo da Muralha, ele atirava-os para baixo para voltarem a morrer. Matou um homem grisalho e um rapaz imberbe, um gigante, um homem descarnado com dentes afiados, uma rapariga com cabelos ruivos espessos. Tarde demais, reconheceu Ygritte. Desaparecera tão depressa como aparecera.

O mundo dissolveu-se numa névoa rubra. Jon apunhalou, golpeou e cortou. Abateu Donal Noye e esventrou o Dick Surdo Follard. Qhorin Meia-Mão caiu de joelhos, tentando em vão estancar o jorro de sangue do pescoço.

— Eu *sou* o Senhor de Winterfell — gritou Jon. Era Robb quem estava agora na sua frente, com o cabelo húmido de neve a derreter. Garralonga cortou-lhe a cabeça. Depois, uma mão nodosa agarrou rudemente no ombro de Jon. Rodopiou...

... e acordou com um corvo a bicar-lhe o peito.

— *Snow* — gritou a ave. Jon enxotou-a. O corvo guinchou o seu desagrado e esvoaçou até uma das colunas da cama para o fitar ameaçadoramente na fraca luz que antecedia a alvorada.

O dia chegara. Estava-se na hora do lobo. Muito em breve o Sol nasceria, e quatro mil selvagens jorrariam através da Muralha. *Loucura.*

Jon Snow passou a mão queimada pelo cabelo e voltou a perguntar a si próprio o que estava a fazer. Depois do portão aberto não haveria regresso. *Devia ter sido o Velho Urso a negociar com Tormund. Devia ter sido Jeremy Rykker ou Qhorin Meia-Mão ou Denys Mallister ou qualquer outro homem experiente. Devia ter sido o meu tio.* Era tarde demais para tais incertezas, porém. Todas as decisões acarretavam os seus riscos, todas as decisões tinham as suas consequências. Ele jogaria o jogo até à sua conclusão.

Levantou-se e vestiu-se na escuridão, enquanto o corvo de Mormont resmungava do outro lado do quarto.

— *Grão* — disse a ave, e — *Rei* — e — *Snow, Jon Snow, Jon Snow.* — Aquilo era estranho. A ave nunca antes dissera o seu nome completo, tanto quanto Jon conseguisse recordar.

Quebrou o jejum na cave com os oficiais. A refeição era constituída por pão frito, ovos fritos, morcela e papas de cevada, empurrados para baixo por cerveja amarela e aguada. Enquanto comiam, voltaram uma vez mais a recapitular os preparativos.

— Está tudo a postos — assegurou-lhe Bowen Marsh. — Se os selvagens cumprirem os termos do acordo, tudo correrá como ordenastes.

*E se não cumprirem, podemos cair em sangue e carnificina.*

— Lembrai-vos — disse Jon — a gente de Tormund está com fome, frio e medo. Alguns odeiam-nos tanto como alguns de vós os odiais a eles. Estamos aqui a dançar em gelo frágil, tanto eles como nós. Uma racha, e afogamo-nos todos. Se hoje for derramado sangue, é melhor que não seja um de nós a desferir o primeiro golpe, senão juro pelos velhos deuses e pelos novos que cortarei a cabeça do homem que o fizer.

Responderam-lhe com sins, acenos de cabeça e palavras resmungadas, com "Às vossas ordens," e "Será feito," e "Sim, senhor." E, um por um, levantaram-se e afivelaram as espadas e envergaram os quentes mantos negros, e saíram para o frio.

O último a abandonar a mesa foi o Edd Doloroso Tollett, que chegara de Monte Longo durante a noite com seis carroças. Era Buraco das Rameiras que os irmãos negros chamavam agora à fortaleza. Edd fora enviado para reunir todas as esposas de lanças que as suas carroças pudessem transportar, e levá-las para se irem juntar às irmãs.

Jon viu-o limpar uma gema derramada com um bocado de pão. Era estranhamente reconfortante voltar a ver a severa cara de Edd.

— Como vão os trabalhos de restauro? — perguntou ao seu antigo intendente.

— Mais dez anos devem bastar — respondeu Tollett, no tom sombrio do costume. — O sítio 'tava empestado de ratazanas quando nos mudámos.

As esposas de lanças mataram essa bicharada. Agora, o sítio 'tá empestado de esposas de lanças. Há dias em que quero as ratazanas de volta.

— Que achas de servires abaixo do Emmett de Ferro? — perguntou Jon.

— É principalmente a Maris Preta quem serve debaixo dele, s'nhor. Quanto a mim, tenho as mulas. A Urtigas diz que somos da mesma família. É verdade que temos a mesma cara comprida, mas eu não sou, nem de perto, tão teimoso. E seja como for, pela minha honra que nunca conheci as mães delas. — Acabou o último dos ovos e suspirou. — Gosto mesmo de um bom ovo estrelado. Se aprouver ao s'nhor, não deixeis que os selvagens vos comam todas as galinhas.

Lá fora, no pátio, o céu oriental começara a clarear. Não se via nem sinal de nuvens.

— Temos um bom dia para isto, parece — disse Jon. — Um dia luminoso, quente e soalheiro.

— A Muralha vai chorar. E o inverno está quase a chegar. Não é natural, s'nhor. Um mau sinal, cá p'ra mim.

Jon sorriu.

— E se nevasse?

— Um sinal pior.

— Que tipo de tempo preferias tu?

— O tipo que se guarda dentro de portas — disse o Edd Doloroso. — Se aprouver ao s'nhor, eu devia voltar p'ra junto das minhas mulas. Têm saudades de mim quando me afasto. É mais do que posso dizer das esposas de lanças.

Separaram-se aí, seguindo Tollett para a estrada do nascente onde as suas carroças o esperavam, e Jon Snow para os estábulos. O Cetim tinha o seu cavalo selado e ajaezado e à sua espera; um fogoso corcel cinzento com uma crina tão negra e brilhante como tinta de meistre. Não era o tipo de montada que Jon teria escolhido para uma patrulha, mas naquela manhã tudo o que importava era que parecesse impressionante, e para isso o garanhão era perfeito.

A sua comitiva também o esperava. Jon nunca gostara de se rodear de guardas, mas naquele dia parecia prudente manter alguns bons homens a seu lado. Mostravam um aparato sombrio, com as suas cotas de malha, meios elmos de ferro e mantos negros, com altas lanças nas mãos e espadas e punhais pendurados dos cintos. Para aquilo, Jon afastara todos os rapazes verdes e homens grisalhos sob o seu comando, escolhendo oito homens na flor da vida; Ty e Mully, o Lew Mão Esquerda, o Liddle Grande, Rory, Fulk, o Pulga, Garrett Greenspear. E o Couros, o novo mestre-de-armas de Castelo Negro, para mostrar ao povo livre que mesmo um homem que lutara por Mance na batalha à sombra da Muralha podia encontrar um lugar de honra na Patrulha da Noite.

Um profundo rubor vermelho aparecera a leste quando se reuniram todos junto do portão. *As estrelas estão a apagar-se,* viu Jon. Quando reaparecessem, brilhariam sobre um mundo mudado para sempre. Alguns homens da rainha observavam de junto das brasas da fogueira noturna da Senhora Melisandre. Quando Jon deitou uma olhadela à Torre do Rei, vislumbrou um relâmpago vermelho por trás de uma janela. Da Rainha Selyse não viu qualquer sinal.

Era tempo.

— Abri o portão — disse Jon Snow em voz baixa.

— *ABRI O PORTÃO!* — rugiu o Liddle Grande. A sua voz era um trovão.

Duzentos metros mais acima, as sentinelas ouviram e levaram os cornos de guerra aos lábios. O som ressoou, ecoando na Muralha e percorrendo o mundo. *Ahuuuuuuuuuuuuuuuuuuuuu.* Um sopro longo. Havia mil anos ou mais, aquele som significara patrulheiros a regressar a casa. Naquele dia queria dizer outra coisa. Naquele dia chamava o povo livre para as suas novas casas.

Em ambas as extremidades do longo túnel, portões abriram-se e trancas de ferro destrancaram-se. A luz da aurora tremeluziu no gelo, lá em cima, rosada, dourada e purpúrea. O Edd Doloroso não se enganara. A Muralha em breve estaria a chorar. *Que os deuses permitam que chore sozinha.*

O Cetim seguiu à frente para o interior do gelo, iluminando o caminho através das trevas do túnel com uma lanterna de ferro. Jon seguiu-o, levando o cavalo pela arreata. Depois vieram os guardas. Depois destes veio Bowen Marsh e os seus intendentes, uma vintena, todos eles com uma tarefa predeterminada. Lá em cima, Ulmer da Mata de Rei tinha a Muralha. Duas vintenas dos melhores arqueiros de Castelo Negro estavam com ele, prontos a responder a qualquer problema lá em baixo com uma chuva de setas.

A norte da Muralha, Tormund Terror dos Gigantes esperava, montado num pequeno garrano que parecia muito mais esgalgado do que devia ser para suportar o seu peso. Os dois filhos que lhe restavam acompanhavam-no, o alto Toregg e o jovem Dryn, juntamente com três vintenas de guerreiros.

— *Ha!* — gritou Tormund. — Com que então guardas? Onde 'tá a confiança nisso, corvo?

— Tu trouxeste mais homens do que eu.

— Pois trouxe. Anda cá p'ra o pé de mim, rapaz. Quero que a minha gente te veja. Tenho milhares que nunca viram um senhor comandante, homens feitos que ouviram dizer em rapazes que vós, os patrulheiros, haviam de os comer se não se portassem bem. Precisam de te ver com clareza, um moço de cara comprida vestido com um velho manto preto. Precisam de saber que a Patrulha da Noite não é nada a temer.

*Essa é uma lição que eu preferia que nunca aprendessem.* Jon descalçou a luva da mão queimada, levou dois dedos à boca e assobiou. O Fantasma saiu a correr do portão. O cavalo de Tormund espantou-se tanto que o selvagem quase caiu da sela.

— Nada a temer? — disse Jon. — Fantasma, fica.

— És um bastardo de coração negro, Jon Corvo. — Tormund Soprador de Chifres levou o seu corno aos lábios. O som que dele saiu ecoou no gelo como um trovão demorado, e os primeiros membros do povo livre começaram a fluir na direção do portão.

Da alvorada até ao ocaso, Jon viu os selvagens passar.

Os reféns seguiram à frente; uma centena de rapazes entre as idades de oito e dezasseis anos.

— O teu preço de sangue, Lorde Corvo — declarou Tormund. — Espero que o choro das suas pobres mães não te assombre os sonhos à noite.

— Alguns dos rapazes foram levados até ao portão por uma mãe ou um pai, outros por irmãos mais velhos. Eram mais os que seguiam sozinhos. Rapazes de catorze e quinze anos eram quase homens, e não queriam que os vissem agarrados às saias de uma mulher.

Dois intendentes contaram os rapazes à medida que foram passando, anotando o nome de cada um em longos rolos de pele de cordeiro. Um terceiro recolhia as suas posses para a taxa e também assentavam isso. Os rapazes iam para um lugar que nunca tinham visto, para servir uma ordem que fora o inimigo dos seus amigos e familiares durante milhares de anos, e no entanto Jon não viu lágrimas, não ouviu mães chorosas. *Esta é a gente do inverno,* fez lembrar a si próprio. *No lugar de onde vêm, as lágrimas congelam-lhes nas caras.* Nem um único refém recuou ou tentou escapulir-se quando chegou a sua vez de entrar naquele túnel sombrio.

Quase todos os rapazes estavam magros, alguns eram mesmo escanzelados, com canelas fininhas e braços semelhantes a gravetos. Não era mais do que Jon esperara. À parte isso, eram de todas as formas, tamanhos e cores. Viu rapazes altos e rapazes baixos, rapazes de cabelo castanho e rapazes de cabelo negro, louros de mel e louros arruivados e ruivos beijados pelo fogo, como Ygritte. Viu rapazes com cicatrizes, rapazes coxos, rapazes com caras marcadas pelas bexigas. Muitos dos rapazes mais velhos tinham bochechas aveludadas e pequenos bigodes, mas havia um tipo com uma barba tão densa como a de Tormund. Alguns estavam vestidos com boas peles fofas, alguns com couro fervido e bocados desencontrados de armadura, mais com lã e peles de foca, uns poucos de farrapos. Um vinha nu. Muitos traziam armas; lanças aguçadas, malhos com cabeças de pedra, facas feitas de osso, pedra ou vidro de dragão, mocas com espigões, redes, até uma velha espada comida pela ferrugem aqui e ali. Os rapazes de Cornopé caminhavam despreocupadamente e descalços por montes de neve acumulada pelo vento. Outros rapazes tinham patas de urso nas botas e caminhavam por cima dos mesmos montes de neve, sem nunca se afundarem através da crosta. Seis rapazes chegaram montados em cavalos, dois em mulas. Um par de irmãos apareceu com uma cabra. O maior dos reféns tinha dois metros de altura mas uma cara de bebé; o mais pequeno era um rapaz enfezado que afirmava ter nove anos mas não parecia ultrapassar os seis.

Especialmente notáveis eram os filhos dos notáveis. Tormund teve o cuidado de os identificar à medida que iam passando.

— Ali aquele rapaz é filho de Soren Quebrascudos — disse, referindo-se a um moço alto. — O do cabelo ruivo é prole do Gerrick Sanguederrei. Se ligares ao que ele diz, é da linhagem do Raymun Barbavermelha. É da linhagem do irmão mais novo do Barbavermelha, se quiseres a verdade. — Dois rapazes eram suficientemente parecidos para serem gémeos, mas Tormund insistiu que eram primos, nascidos com um ano de diferença. — Um foi gerado por Harle, o Caçador, o outro por Harle, o Bonito. Os dois na mesma mulher. Os pais odeiam-se um ao outro. Se fosse a ti, mandava um p'ra Atalaialeste e o outro p'rá vossa Torre Sombria.

Outros reféns foram nomeados como filhos de Howd Vadio, de Brogg, de Devyn Esfolafocas, de Kyleg da Orelha de Madeira, de Morna Máscara Branca, do Grande Morsa…

— Grande Morsa? A sério?

— Eles têm uns nomes esquisitos ao longo da Costa Gelada.

Três reféns eram filhos de Alfyn Mata-Corvos, um infame assaltante morto por Qhorin Meia-Mão. Pelo menos era o que Tormund afirmava.

— Não parecem irmãos — observou Jon.

— Meios irmãos, nascidos de mães diferentes. O membro do Alfyn era uma coisinha de nada, mais pequeno até do que o teu, mas nunca foi tímido com os sítios onde o enfiava. Esse tinha um filho em cada aldeia.

Sobre um certo rapaz atrofiado e com cara de ratazana, Tormund disse:

— Aquele é cria do Varamyr Seis-Peles. Lembras-te do Varamyr, Lorde Corvo?

Lembrava-se.

— O troca-peles.

— Pois, ele era isso. E um sacaninha maldoso tamém. Agora, o mais certo é que 'teja morto. Ninguém o viu desde a batalha.

Dois dos rapazes eram raparigas disfarçadas. Quando Jon as viu, mandou Rory e o Liddle Grande trazer-lhas. Uma veio com razoável docilidade, a outra a espernear e a morder. *Isto pode acabar mal.*

— Estas duas têm pais famosos?

— Ha! Essas coisinhas magricelas? Pouco provável. Escolhidas por sorteio.

— São raparigas.

— Ah são? — Tormund semicerrou os olhos para as duas de cima da sela. — Eu e o Lorde Corvo fizemos uma aposta sobre qual de vós tem o membro maior. Puxai essas bragas p'ra baixo, deixai-nos ver.

Uma das raparigas enrubesceu. A outra olhou-o, desafiadora.

— Tu deixa-nos em paz, Tormund Fedor dos Gigantes. Deixa-nos em paz.

— Ha! Ganhaste, corvo. Não há uma picha entre as duas. Mas a pequena tem um par de tomates. Uma esposa de lanças em formação, essa.

— Chamou os seus homens. — Ide buscar uma coisa feminina p'ra elas vestirem antes que o Lorde Snow molhe a roupa de baixo.

— Vou precisar de dois rapazes para o lugar delas.

— Como é que é? — Tormund coçou a barba. — Um refém é um refém, cá p'ra mim. Essa grande espada afiada que tens aí consegue cortar a cabeça de uma rapariga tão facilmente como a de um rapaz. Um pai também ama as filhas. Bom, a maior parte dos pais.

*Não são os pais delas que me preocupam.*

— O Mance alguma vez cantou sobre o Bravo Danny Flint?

— Que me lembre, não. Quem era esse?

— Uma rapariga que se vestiu de rapaz para vestir o negro. A canção dela é triste e bonita. O que lhe aconteceu não foi. — Em algumas versões da canção, o seu fantasma ainda percorria Fortenoite. — Eu mando as raparigas para Monte Longo. — Os únicos homens que lá havia eram o Emmett de Ferro e o Edd Doloroso, ambos homens em que confiava. Isso não era algo que pudesse dizer de todos os irmãos.

O selvagem compreendeu.

— Uns pássaros desagradáveis, vós, os corvos. — Cuspiu. — Então mais dois rapazes. Vais tê-los.

Depois de noventa e nove reféns terem passado por eles para atravessar por baixo da muralha, Tormund Terror dos Gigantes apresentou o último.

— O meu filho Dryn. Vais assegurar-te de que ele é bem tratado, corvo, senão cozinho esse teu fígado preto e como-o.

Jon inspecionou o rapaz de perto. Da idade de Bran, ou da idade que ele teria se Theon não o tivesse matado. Mas Dryn não possuía nenhuma da doçura de Bran. Era um rapaz atarracado, com pernas curtas, braços grossos e uma cara larga e vermelha; uma versão em miniatura do pai, com um matagal de cabelo castanho escuro.

— Ele vai servir como meu pajem — prometeu Jon a Tormund.

— 'Tás a ouvir, Dryn? Vê se não te armas em mais do que és. — A Jon disse: — Ele vai precisar de uma boa surra de vez em quando. Mas cuidado com os dentes. Morde. — Voltou a apanhar o corno, levantou-o e fez soar mais um sopro.

Daquela vez foram guerreiros que avançaram. E não foi só uma centena. *Quinhentos*, avaliou Jon Snow enquanto os guerreiros iam saindo de debaixo das árvores, *talvez cheguem mesmo a mil*. Um em cada dez vinha montado, mas todos vinham armados. A tiracolo traziam escudos redondos de vime cobertos de peles e couro fervido, exibindo imagens pintadas de serpentes e aranhas, cabeças cortadas, martelos ensanguentados, crânios partidos e demónios. Alguns vinham vestidos com aço roubado, bocados amolgados e desemparelhados de armaduras saqueadas dos cadáveres de patrulheiros caídos. Outros tinham-se couraçado com ossos, como o Lorigão de Chocalho. Todos usavam peles e couro.

Havia esposas de lanças com eles, com cabelos longos. Jon não conseguia olhá-las sem se lembrar de Ygritte; a cintilação de fogo no seu cabelo, a expressão no seu rosto quando se despira para si na gruta, o som da sua voz.

— Não sabes nada, Jon Snow — dissera-lhe, uma centena de vezes.

*E isso é tão verdadeiro agora como era nessa altura.*

— Podias ter mandado as mulheres primeiro — disse a Tormund. — As mães e as donzelas.

O selvagem deitou-lhe um olhar astuto.

— Sim, podia. E vós, os corvos, podíeis decidir fechar aquele portão. Com alguns combatentes do outro lado, bom, assim o portão fica aberto, não fica? — Sorriu. — Eu comprei a merda do teu cavalo, Jon Snow. Isso não quer dizer que não possa contar-lhe os dentes. Mas agora não te ponhas a pensar que eu e os meus não confiamos em ti. Confiamos tanto em ti como tu confias em nós. — Soltou uma fungadela. — Querias guerreiros, não querias? Bom, aí 'tão eles. Cada um vale seis dos vossos corvos pretos.

Jon teve de sorrir.

— Desde que guardem aquelas armas para o nosso inimigo comum, estou satisfeito.

— Dei-te a minha palavra quanto a isso, não dei? A palavra de Tormund Terror dos Gigantes. Forte como ferro. — Virou-se e cuspiu.

No interior do fluxo de guerreiros encontravam-se os pais de muitos dos reféns de Jon. Alguns fitavam-no com frios olhos mortos ao passar, afagando os cabos das suas espadas. Outros sorriam-lhe como familiares há muito perdidos, embora alguns desses sorrisos desconcertassem mais Jon Snow do que qualquer olhar furioso. Nenhum se ajoelhou, mas muitos prestaram-lhe juramentos.

— O que Tormund jurou, eu juro — declarou o Brogg dos cabelos negros, um homem de poucas palavras. Soren Quebrascudos baixou a cabeça um par de centímetros e rosnou:

— O machado de Soren é teu, Jon Snow, se alguma vez precisares dele. — O Gerrick Sanguederrei, da barba ruiva, trouxe três filhas.

— Elas darão boas esposas, e darão aos seus maridos filhos fortes de sangue real — vangloriou-se. — Tal como o pai, descendem de Raymun Barbavermelha, que foi Rei-para-lá-da-Muralha.

Jon sabia que o sangue queria dizer menos que pouco entre o povo livre. Ygritte ensinara-lho. As filhas de Gerrick partilhavam o mesmo cabelo vermelho de fogo que ela tivera, embora o de Ygritte tivesse sido uma confusão de caracóis e os delas fossem longos e lisos. *Beijadas pelo fogo.*

— Três princesas, cada uma mais adorável do que a anterior — disse ao pai. — Assegurar-me-ei de que sejam apresentadas à rainha. — Suspeitava de que Selyse Baratheon gostaria mais daquelas três do que gostara de Val; eram mais novas, e estavam consideravelmente mais intimidadas. *Têm um ar bastante doce, embora o pai pareça um idiota.*

O Howd Vadio prestou o seu juramento sobre a espada, o bocado de ferro mais amolgado e entalhado que Jon alguma vez vira. Devyn Esfolafocas presenteou-o com um chapéu de pele de foca, Harle, o Caçador, com um colar de garras de urso. A bruxa guerreira, Morna, tirou a máscara de represeiro durante o tempo suficiente para lhe beijar a mão enluvada e jurar ser seu homem ou sua mulher, consoante o que preferisse. E etc., e etc., e etc.

Ao passar, cada guerreiro despia-se dos seus tesouros e atirava-os para uma das carroças que os intendentes tinham colocado em frente do portão. Pendentes de âmbar, torques de ouro, punhais cravejados de joias, broches de prata incrustados de pedras preciosas, pulseiras, anéis, taças de nigelo e cálices de ouro, cornos de guerra e cornos de beber, um pente de jade verde, um colar de pérolas de água doce… tudo entregue e registado por Bowen Marsh. Um homem entregou um camisão de escamas de prata que tinha certamente sido feito para algum grande senhor. Outro apresentou uma espada quebrada com três safiras no cabo.

E havia coisas mais estranhas: um mamute de brinquedo feito de verdadeiro pelo de mamute, um falo de marfim, um elmo feito de uma cabeça de unicórnio, com corno e tudo. Jon Snow não era capaz de começar a imaginar quanta comida tais coisas comprariam nas Cidades Livres.

Depois dos guerreiros vieram os homens da Costa Gelada. Jon viu uma dúzia das suas grandes quadrigas de osso passar por ele uma a uma, chocalhando como o Lorigão de Chocalho. Metade ainda tinha rodas como dantes; as outras haviam-nas substituído por patins. Deslizavam suavemente pelos montes de neve nos locais onde as quadrigas com rodas se atolavam e afundavam.

Os cães que puxavam as quadrigas eram animais temíveis, grandes como lobos gigantes. As mulheres vinham vestidas com peles de foca, algumas com bebés ao colo. Outras crianças caminhavam atrás das mães e olhavam para Jon com olhos tão escuros e duros como as pedras que traziam nas mãos. Alguns dos homens usavam hastes nos chapéus, e alguns usavam presas de morsa. Depressa concluiu que os dois grupos não gostavam um do outro. Algumas renas magras constituíam a retaguarda, com os grandes cães a morder os calcanhares das que se deixavam ficar para trás.

— Cautela com aqueles tipos, Jon Snow — avisou Tormund. — Um povo selvagem. Os homens são maus, as mulheres piores. — Tirou um odre da sela e ofereceu-o a Jon. — Toma. Isto pode ser que os faça parecer menos temíveis. E vai aquecer-te p'rá noite. Não, vá lá, podes ficar com ele, é teu. Bebe bem.

Dentro do odre estava um hidromel tão potente que deixou Jon a lacrimejar e pôs-lhe gavinhas de fogo a serpentear pelo peito. Bebeu demoradamente.

— És um bom homem, Tormund Terror dos Gigantes. Para selvagem.

— Melhor do que a maioria, se calhar. Não tão bom como alguns.

E os selvagens continuaram a passar, enquanto o Sol avançava pelo brilhante céu azul. Mesmo antes do meio-dia, o movimento parou quando um carro de bois ficou entalado numa curva do túnel. Jon Snow foi até lá dentro para ver com os seus olhos. O carro estava agora solidamente encravado. Os homens atrás dele estavam a ameaçar fazê-lo em pedaços e matar o boi ali mesmo, enquanto o condutor e a família juravam matá-los se tentassem. Com a ajuda de Tormund e do filho Toregg, Jon conseguiu evitar que os selvagens derramassem o sangue uns dos outros, mas demorou a maior parte de uma hora até que o caminho voltasse a ficar aberto.

— Precisas de um portão maior — queixou-se Tormund a Jon, com um olhar amargo ao céu, onde algumas nuvens tinham aparecido. — Isto assim é lento como o raio. É como chupar o Guadeleite por uma palhinha. *Ha*. Gostava de ter o Corno de Joramun. Dava-lhe uma bela sopradela, e depois trepávamos p'lo entulho acima.

— Melisandre queimou o Corno de Joramun.

— Ah sim? — Tormund deu uma palmada na coxa e riu ruidosamente. — Queimou aquele belo e grande corno, sim. É uma porra de um pecado, cá p'ra mim. Tinha mil anos, aquilo. Encontrámo-lo na tumba de um gigante, e nenhum homem dos nossos tinha alguma vez visto um corno tão grande. Deve ter sido por isso que Mance teve a ideia de te dizer que era o de Joramun. Queríamos que os corvos pensassem que o tínhamos em nosso poder p'ra deitar a vossa maldita Muralha abaixo com um sopro. Mas nunca encontrámos o verdadeiro corno, por mais que cavássemos. Se tivéssemos encontrado, todos os ajoelhadores nos vossos Sete Reinos iam ter bocados de gelo p'ra lhes arrefecer o vinho durante o verão inteiro.

Jon virou-se na sela, franzindo o sobrolho. *E Joramun soprou o Corno do Inverno, e despertou gigantes da terra.* Aquele enorme corno com as suas faixas de ouro antigo, inscrito com runas antigas… ter-lhe-ia Mance Rayder mentido, ou estaria Tormund a mentir agora? *Se o corno de Mance foi só uma simulação, onde está o verdadeiro?*

À tarde o Sol desapareceu, e o dia tornou-se cinzento e ventoso.

— Um céu de neve — anunciou sombriamente Tormund.

Outros tinham visto o mesmo presságio naquelas nuvens brancas e lisas. Pareceu espicaçá-los, dar-lhes pressa. Os temperamentos começaram a chocar-se. Um homem foi apunhalado quando tentou enfiar-se na coluna à frente de outros que já lá estavam há horas. Toregg arrancou a faca das mãos do atacante, arrastou ambos os homens para fora da fila e mandou-os de volta para o acampamento dos selvagens para começarem de novo.

— Tormund — disse Jon, enquanto viam quatro velhas a puxar uma carroça cheia de crianças na direção do portão — fala-me do nosso inimigo. Quero saber tudo o que houver para saber sobre os Outros.

O selvagem esfregou a boca.

— Aqui não — resmungou — deste lado da vossa Muralha não. — O velho deitou um relance inquieto às árvores sob as suas capas brancas. — Eles nunca 'tão longe, sabes? Não saem de dia, não saem quando aquele velho sol 'tá a brilhar, mas não julgues que isso quer dizer que se foram embora. As sombras nunca vão embora. Pode ser que não as vejas, mas 'tão sempre agarradas aos teus calcanhares.

— Incomodaram-vos a caminho do sul?

— Nunca vieram em força, se é isso que queres dizer, mas estiveram connosco na mesma, a mordiscar os nossos flancos. Perdemos mais batedores do que eu quero pensar, e deixares-te ficar p'ra trás ou pores-te a vaguear por aí custava-te a vida. Ao cair de todas as noites rodeávamos os acampamentos com fogo. Eles não gostam lá muito de fogo, quanto a isso não há dúvida. Mas quando as neves vinham… neve e chuva gelada, é difícil como o raio encontrar madeira seca e pôr as acendalhas a arder, e o *frio*... havia noites em que as nossas fogueiras pareciam simplesmente murchar e morrer. Em noites assim, encontravam-se sempre uns quantos mortos quando a manhã chegava. A menos que eles te encontrassem primeiro. A noite em que Torwynd... o meu moço... ele... — Tormund afastou a cara.

— Eu sei — disse Jon Snow.

Tormund voltou a virar-se.

— Tu não sabes nada. Mataste um morto, sim, ouvi dizer. O Mance matou uma centena. Um homem pode combater os mortos, mas quando os amos deles aparecem, quando as névoas brancas se levantam... como é que combates uma *névoa*, corvo? Sombras com dentes... ar tão frio que dói respirar, como se tivesses uma faca no peito... tu não sabes, não podes saber... a tua espada consegue cortar o *frio*?

*Veremos*, pensou Jon, lembrando-se das coisas que Sam lhe dissera, das coisas que encontrara nos seus velhos livros. Garralonga fora forjada nos fogos da antiga Valíria, fora forjada em chama de dragão e fora preparada com feitiços. *O Sam chamou-lhe aço de dragão. Mais forte do que qualquer aço comum, mais leve, mais duro, mais afiado...* Mas palavras num livro eram uma coisa. O verdadeiro teste surgia em batalha.

— Não te enganas — disse Jon. — Não sei. E se os deuses forem bons, nunca saberei.

— Os deuses raramente são bons, Jon Snow. — Tormund indicou o céu com um aceno. — As nuvens aproximam-se. Já 'tá a ficar mais escuro, mais frio. A Muralha já não chora. Olha. — Virou-se e gritou ao filho Toregg. — Volta ao acampamento e põe-nos a mexer. Os doentes e os fracos, os dorminhocos e os cobardes, põe-nos de pé. Incendeia a merda das tendas se tiver de ser. O portão tem de se fechar ao cair da noite. Qualquer homem que não tenha atravessado a Muralha por essa altura é melhor que reze para os Outros o apanharem antes de mim. 'Tás a ouvir?

— 'Tou a ouvir. — Toregg encostou os calcanhares ao cavalo e galopou ao longo da coluna.

E os selvagens foram chegando, e chegando. O dia ficou mais escuro, tal como Tormund dissera. Nuvens cobriram o céu de horizonte a horizonte, e o calor fugiu. Houve mais empurrões junto do portão, quando homens, cabras e vitelos lutaram uns com os outros para saírem do caminho. *É mais do que impaciência*, compreendeu Jon. *Eles têm medo. Guerreiros, esposas de lanças, assaltantes, têm medo destes bosques, de sombras a deslocarem-se por entre as árvores. Querem pôr a Muralha entre eles e as árvores antes de a noite cair.*

Um floco de neve dançou no ar. Depois outro. *Dança comigo, Jon Snow*, pensou. *Já antes dançaste comigo.*

E os selvagens foram chegando, e chegando. Alguns deslocavam-se agora mais depressa, apressando-se a atravessar o campo de batalha. Outros — os velhos, os novos, os débeis — quase não se conseguiam deslocar. Naquela manhã, o campo estivera coberto com um espesso manto de neve velha, cuja crosta branca brilhava ao sol. Agora, o campo estava castanho e negro e lamacento. A passagem do povo livre transformara o terreno em lama e lodo; rodas e madeira e cascos de cavalos, patins de osso, chifre e ferro, patas de porco, botas pesadas, os cascos fendidos de vacas e vitelos, os negros pés descalços da gente de Cornopé, tudo deixara as suas marcas. O apoio mole abrandava ainda mais a coluna.

— Precisas de um portão maior — voltou Tormund a protestar.

Ao fim da tarde nevava firmemente, mas o rio de selvagens reduzira-se a um ribeiro. Colunas de fumo erguiam-se de entre as árvores, no local onde o seu acampamento estivera.

— Toregg — explicou Tormund. — A queimar os mortos. Há sempre uns quantos que vão dormir e não acordam. Encontram-se nas tendas, os que têm tendas, enrolados e congelados. O Toregg sabe o que fazer.

O ribeiro não passava de um regato quando Toregg saiu da floresta. Com ele vinha uma dúzia de guerreiros a cavalo armados com lanças e espadas.

— A minha guarda de retaguarda — disse Tormund, com um sorriso desdentado. — Vós, os corvos, tendes patrulheiros. Nós tamém. Deixei-os no acampamento, p'ró caso de sermos atacados antes de sairmos todos.

— Os teus melhores homens.

— Ou os piores. Todos eles já mataram corvos.

Entre os cavaleiros vinha um homem a pé, com um grande animal a trotar atrás dele. *Um javali*, viu Jon. *Um javali monstruoso.* Com o dobro do tamanho do Fantasma, a criatura era revestida de pelo negro áspero e tinha presas do tamanho do braço de um homem. Jon nunca vira um javali tão enorme ou tão feio. O homem a seu lado também não era nenhuma beldade; pesadão, de sobrancelhas negras, tinha um nariz achatado, pesados maxilares escuros de barba por fazer, e pequenos olhos negros e muito próximos.

— Borroq. — Tormund virou a cabeça e cuspiu.

— Um troca-peles. — Não era uma pergunta. Sem que soubesse como, sabia.

O Fantasma virou a cabeça. A neve que caía ocultara o odor do javali, mas agora o lobo branco havia-o captado. Avançou em frente de Jon, com os dentes descobertos num rosnido silencioso.

— *Não!* — exclamou Jon. — Fantasma, para baixo. Fica. *Fica!*

— Javalis e lobos — disse Tormund. — É melhor manteres esse teu animal trancado esta noite. Eu asseguro-me de que Borroq faça o mesmo com o porco dele. — Ergueu o olhar para o céu que escurecia. — Estes são os últimos, e nem é tarde nem é cedo. Vai nevar a noite toda, 'tou a senti-lo. 'Tá na altura de dar uma olhadela ao que há do outro lado de todo aquele gelo.

— Vai em frente — disse-lhe Jon. — Quero ser o último a atravessar o gelo. Junto-me a ti no banquete.

— Banquete? *Ha!* Ora aí está uma palavra que eu gosto de ouvir. — O selvagem virou o garrano para a Muralha e deu-lhe uma palmada na garupa. Toregg e os cavaleiros seguiram-no, desmontando junto ao portão para levar os cavalos pela arreata. Bowen Marsh ficou o tempo suficiente para supervisionar enquanto os seus intendentes puxavam as últimas carroças para dentro do túnel. Só ficaram Jon Snow e os seus guardas.

O troca-peles parou a dez metros de distância. O seu monstro escarvou a lama com a pata, farejando. Uma leve poeira de neve cobria o corcovado dorso negro do javali. O animal resfolegou e baixou a cabeça e, por meio segundo, Jon pensou que se preparava para arremeter. De ambos os lados, os seus homens baixaram as lanças.

— Irmão — disse Borroq.

— É melhor continuares. Estamos quase a fechar o portão.

— Faz isso — disse Borroq. — Fecha-o bem fechadinho. Eles vêm aí, corvo. — Fez o sorriso mais feio que Jon vira na vida, e dirigiu-se para o portão. O javali seguiu-o. A neve que caía cobriu os rastos atrás deles.

— Então está feito — disse Rory depois de Borroq se ir embora.

*Não*, pensou Jon Snow, *ainda só começou.*

Bowen Marsh estava à sua espera a sul da Muralha, com um bloco cheio de números.

— Três mil, cento e dezanove selvagens passaram hoje pelo portão — disse-lhe o Senhor Intendente. — Sessenta dos vossos reféns foram enviados para Atalaialeste e para a Torre Sombria depois de serem alimentados. Os outros permanecem connosco.

— Não por muito tempo — prometeu-lhe Jon. — Tormund tenciona levar o seu povo para Escudorroble dentro de um dia ou dois. Os outros segui-lo-ão, assim que decidamos onde os pôr.

— É como dizeis, Lorde Snow. — As palavras eram rígidas. O tom de voz sugeria que Bowen Marsh sabia onde *ele* os poria.

O castelo a que Jon regressou era muito diferente daquele que tinha deixado naquela manhã. Desde que o conhecera, Castelo Negro fora um lugar de silêncio e sombras, onde uma magra companhia de homens de negro se movia como fantasmas por entre as ruínas de uma fortaleza que tinha em tempos alojado dez vezes mais homens. Tudo isso mudara. Luzes brilhavam agora através de janelas onde Jon Snow nunca antes vira luzes brilhar. Estranhas vozes ecoavam nos pátios, e havia povo livre a ir e a vir por caminhos gelados que durante anos só tinham conhecido as botas negras de corvos. À porta da velha Caserna Flint, deparou com uma dúzia de homens a encher-se uns aos outros com neve. *A brincar*, pensou Jon, espantado, *homens feitos a brincar como crianças, atirando bolas de neve como Bran e Arya fizeram em tempos, e Robb e eu antes deles.*

Mas o velho armeiro de Donal Noye ainda estava escuro e silencioso, e os aposentos de Jon nas traseiras da velha forja estavam ainda mais escuros. Contudo, assim que despiu o manto Dannel meteu a cabeça na soleira da porta para anunciar que Clydas trouxera uma mensagem.

— Manda-o entrar. — Jon acendeu um pavio numa das brasas do braseiro, e três velas com o pavio.

Clydas entrou, rosado e pestanejante, agarrando o pergaminho na mão suave.

— Peço perdão, senhor comandante. Eu sei que deveis estar cansado, mas achei que quereríeis ver isto imediatamente.

— Fizestes bem. — Jon leu:

*Em Larduro, com seis navios. Mares alterosos. O Melro perdeu-se com toda a tripulação, dois navios lisenos foram empurrados para a costa em Skane, o Garra mete água. Isto aqui está muito mau. Selvagens comem os seus próprios mortos. Coisas mortas na floresta. Capitães bravosianos só querem embarcar mulheres e crianças nos seus navios. A bruxa chama-nos traficantes de escravos. Tentativa de tomar o Corvo de Tempestade repelida, seis mortos na tripulação, muitos selvagens. Restam oito corvos. Coisas mortas na água. Mandai ajuda por terra, os mares estão desfeitos por tempestades. Da Garra, pela mão do Meistre Harmune.*

Cotter Pyke fizera a sua marca zangada por baixo.

— É grave, senhor? — perguntou Clydas.

— Bastante grave. — *Coisas mortas na floresta. Coisas mortas na água. Restam seis navios dos onze que zarparam.* Jon Snow enrolou o pergaminho, franzindo o sobrolho. *A noite cai,* pensou, *e agora começa a minha guerra.*

— *Ajoelhai todos para Sua Magnificência Hizdahr zo Loraq, Décimo Quarto Desse Nobre Nome, Rei de Meereen, Rebento de Ghis, Octarca do Velho Império, Mestre do Skahazadhan, Consorte de Dragões e Sangue da Harpia* — rugiu o arauto. A sua voz ecoou no chão de mármore e ressoou entre as colunas.

Sor Barristan Selmy enfiou uma mão sob a dobra do manto e soltou a espada na bainha. Não eram permitidas armas na presença do rei, salvo aquelas dos seus protetores. Parecia que ainda se contava entre eles, apesar de ter sido demitido. Pelo menos, ninguém tentara tirar-lhe a espada.

Daenerys Targaryen preferira dar audiência sentada num banco de ébano polido, liso e simples, coberto com as almofadas que Sor Barristan arranjara para a deixar mais confortável. O Rei Hizdahr substituíra o banco por dois imponentes tronos de madeira dourada, cujos altos espaldares estavam esculpidos para tomarem a forma de dragões. O rei sentava-se no trono da direita com uma coroa de ouro na cabeça e um ceptro cravejado de joias numa mão pálida. O segundo trono permanecia vazio.

*O trono importante,* pensou Sor Barristan. *Nenhuma cadeira em forma de dragão pode substituir um dragão, por mais elaborada que seja a escultura.*

Em pé, à direita dos tronos gémeos, estava Goghor, o Gigante, um homem enorme com uma cara brutal e coberta de cicatrizes. À esquerda via-se o Gato Malhado, com uma pele de leopardo atirada sobre um ombro. Atrás deles estavam Belaquo Quebra-Ossos e os olhos frios de Khrazz. *Todos assassinos experientes,* pensou Selmy, *mas uma coisa é enfrentar um adversário na arena quando a sua chegada é anunciada por trombetas e tambores, outra é descobrir um assassino escondido antes de ele ter tempo de atacar.*

O dia era novo e estava fresco, e no entanto Sor Barristan sentia-se cansado até aos ossos, como se tivesse levado a noite inteira a combater. Quanto mais velho ficava, de menos sono parecia precisar. Enquanto escudeiro podia dormir dez horas por noite e continuar a bocejar quando saía aos tropeções para o pátio de treinos. Aos sessenta e três anos achava que cinco horas por noite eram mais que suficientes. Na noite anterior quase não dormira de todo. O seu quarto era uma pequena cela junto dos aposentos da rainha, originalmente um aposento de escravos; o mobiliário consistia de uma cama, um penico, um guarda-roupa para o vestuário, até mesmo uma cadeira para o caso de se querer sentar. Numa mesa-de-cabeceira tinha uma vela de cera de abelha e uma pequena estatueta do Guerreiro. Embora não fosse um homem piedoso, a estatueta fazia-o sentir-se menos só naquela estranha cidade estrangeira, e fora para ela que se virara nas horas negras da noite. *Protegei-me destas dúvidas que me corroem*, rezara, *e dai-me força para fazer o que está certo*. Mas nem a prece nem a alvorada lhe haviam trazido certezas.

O salão estava cheio como o velho cavaleiro nunca o vira, mas foi nas caras em falta que Barristan Selmy mais reparou: Missandei, Belwas, o Verme Cinzento, Aggo, Jhogo e Rakharo, Irri e Jhiqui, Daario Naharis. No lugar do Tolarrapada estava um gordo com uma musculosa placa de peito e uma máscara de leão, com as pesadas pernas a espreitar por baixo de uma saia de tiras de couro: Marghaz zo Loraq, primo do rei, novo comandante das Feras de Bronze. Selmy já formara um saudável desprezo pelo homem. Conhecera gente do seu tipo em Porto Real; lisonjeiro para com os superiores, duro para com os inferiores, tão cego como gabarola e muito mais orgulhoso do que tinha direito a ser.

*Skahaz também pode estar no salão*, compreendeu Selmy, *com aquela sua feia cara escondida por trás de uma máscara*. Duas vintenas de Feras de Bronze estavam entre as colunas, com a luz dos archotes a brilhar no bronze polido das suas máscaras. O Tolarrapada podia ser qualquer um deles.

O salão zumbia com o som de uma centena de vozes baixas, ecoando nas colunas e no chão de mármore. Faziam um som agoirento, zangado. Fazia lembrar a Selmy o som que um ninho de vespas faria, um instante antes de todas as vespas jorrarem para fora. E, nas caras da multidão, viu ira, desgosto, suspeita, medo.

O novo arauto mal apelara à ordem na sala de audiências quando o tumulto começou. Uma mulher começou a chorar por um irmão que morrera na Arena de Daznak, outra por causa dos danos sofridos pelo seu palanquim. Um gordo arrancou as ligaduras para mostrar à corte o seu braço queimado, ainda em carne viva e a sangrar. E quando um homem num *tokar* azul e dourado começou a falar sobre Harghaz, o Herói, um liberto atrás dele atirou-o ao chão. Foram precisos seis Feras de Bronze para os afastar um do outro e os arrastar para fora do salão. *Raposa, falcão, foca, gafanhoto, leão, sapo*. Selmy perguntou a si próprio se as máscaras teriam significado para os homens que as usavam. Usariam os mesmos homens as mesmas máscaras todos os dias, ou escolheriam novas caras todas as manhãs?

— Silêncio! — estava Reznak mo Reznak a suplicar. — Por favor! Eu responderei, se vós…

— É verdade? — gritou uma liberta. — A nossa mãe está morta?

— Não, não, não — guinchou Reznak. — A Rainha Daenerys regressará a Meereen quando decidir fazê-lo, em todo o seu poder e majestade. Até essa altura, Sua Reverência, o Rei Hizdahr, irá...

— Ele não é rei meu — berrou um liberto.

Homens puseram-se aos empurrões uns com os outros.

— *A rainha não está morta* — proclamou o senescal. — Os seus companheiros de sangue foram enviados para a outra margem do Skahazadhan a fim de encontrarem Sua Graça e a devolverem ao seu carinhoso senhor e aos seus leais súbditos. Cada um leva dez cavaleiros escolhidos, e cada homem tem três cavalos rápidos, para poderem viajar depressa e até longe. A Rainha Daenerys será encontrada.

Um ghiscariota alto com uma veste de brocado falou de seguida, na voz mais sonora que conseguiu arranjar. O Rei Hizdahr mexeu-se no seu trono de dragão, com uma expressão de pedra, fazendo os possíveis para parecer preocupado mas não perturbado. De novo foi o senescal a dar resposta.

Sor Barristan deixou as palavras oleosas de Reznak passar por ele. Os anos passados na Guarda Real tinham-lhe ensinado o truque de escutar sem ouvir, especialmente útil quando o orador estava decidido a provar que as palavras eram mesmo vento. Viu o principelho dornês e os seus dois companheiros ao fundo do salão. *Não deviam ter vindo. O Martell não se apercebe do perigo em que se encontra. Daenerys era a sua única amiga na corte, e ela desapareceu.* Perguntou a si próprio até que ponto compreenderiam os dorneses o que estava a ser dito. Nem mesmo ele conseguia sempre tirar sentido do ghiscariota híbrido que os esclavagistas falavam, especialmente quando falavam depressa.

O Príncipe Quentyn estava a escutar com atenção, pelo menos. *Aquele é filho do seu pai.* Baixo e atarracado, de cara simples, parecia ser um rapaz decente, sério, sensível, cumpridor... mas não era o tipo de rapaz capaz de fazer o coração de uma jovem rapariga bater mais depressa. E Daenerys Targaryen, independentemente do que fosse além disso, ainda era uma jovem rapariga, como ela própria afirmava quando lhe agradava fazer figura de inocente. Como todas as boas rainhas, colocava o seu povo em primeiro lugar — caso contrário nunca teria casado com Hizdahr zo Loraq — mas a rapariga que nela havia ainda ansiava por poesia, por paixão, por risos. *Ela quer fogo, e Dorne enviou-lhe lama.*

Pode-se fazer um cataplasma de lama para arrefecer uma febre. Pode-se plantar sementes em lama e cultivar alimentos para alimentar os filhos. A lama nutre, ao passo que o fogo apenas consome, mas tolos, crianças e jovens raparigas escolhem sempre o fogo.

Atrás do príncipe, Sor Gerris Drinkwater sussurrava qualquer coisa a

Yronwood. Sor Gerris era tudo o que o príncipe não era: alto, esguio e bem parecido, com uma elegância de espadachim e uma esperteza de cortesão. Selmy não duvidava de que muitas donzelas dornesas tinham passado os dedos por aquele cabelo a que o sol dera madeixas e tinham tirado com beijos aquele sorriso provocador dos seus lábios. *Se tivesse sido este o príncipe, as coisas podiam ter corrido de outra forma*, não conseguiu evitar pensar… mas havia em Drinkwater algo um pouco agradável em demasia para o seu gosto. *Moeda falsa*, pensou o velho cavaleiro. Já conhecera homens assim.

O que quer que Sor Gerris estivesse a murmurar devia ser divertido, pois o seu grande amigo calvo soltou uma súbita gargalhada, suficientemente sonora para o próprio rei virar a cabeça para os dorneses. Quando viu o príncipe, Hizdahr zo Loraq franziu o sobrolho.

Sor Barristan não gostou daquele franzido. E quando o rei chamou o primo Marghaz para mais perto, se inclinou e lhe murmurou ao ouvido, gostou ainda menos.

*Não prestei nenhum juramento a Dorne*, disse Sor Barristan a si próprio. Mas Lewyn Martell fora seu Irmão Ajuramentado, nos tempos em que os laços entre os membros da Guarda Real ainda eram profundos. *Não pude ajudar o Príncipe Lewyn no Tridente, mas posso ajudar agora o seu sobrinho.* O Martell estava a dançar num ninho de víboras, e nem sequer via as serpentes. A sua contínua presença ali, mesmo depois de Daenerys se ter entregue a outro perante os olhos dos deuses e dos homens, era capaz de provocar qualquer marido, e Quentyn já não tinha a rainha para o proteger da ira de Hizdahr. *Se bem que…*

A ideia atingiu-o como um estalo na cara. Quentyn crescera na corte de Dorne. Conspirações e venenos não lhe eram estranhos. E o Príncipe Lewyn não era o seu único tio. *Ele é da família da Víbora Vermelha.* Daenerys tomara outro como consorte, mas se Hizdahr morresse estaria livre para voltar a casar. *Poder-se-ia o Tolarrapada ter enganado? Quem poderá dizer que os gafanhotos se destinavam a Daenerys? Foi no camarote do rei, e se sempre se tivesse pretendido que fosse ele a vítima?* A morte de Hizdahr teria esmagado a frágil paz. Os Filhos da Harpia teriam reatado os assassínios, os yunkaitas a guerra. A Daenerys poderia não restar nenhuma opção melhor do que Quentyn e o seu pacto de casamento.

Sor Barristan ainda lutava com aquela suspeita quando ouviu o som de botas pesadas a subir os degraus de pedra ao fundo do salão. Os yunkaitas tinham chegado. Três Sábios Mestres lideravam o cortejo da Cidade Amarela, trazendo cada um a sua comitiva armada. Um dos esclavagistas usava um *tokar* de seda castanha fimbriado de ouro, outro um *tokar* verde-escuro e laranja, o terceiro uma ornamentada placa de peito com cenas eróticas embutidas, trabalhadas em azeviche, jade e madrepérola. O capitão mercenário Barba Sangrenta acompanhava-os com uma saca de couro atirada sobre um ombro maciço, e uma expressão de divertimento e assassínio na cara.

*Nada de Príncipe Esfarrapado*, notou Selmy. *Nem de Ben Castanho Plumm.* Sor Barristan examinou friamente o Barba Sangrenta. *Dá-me meio motivo para dançar contigo, e veremos quem ri por fim.*

Reznak mo Reznak serpenteou em frente.

— Sábios Mestres, honrais-nos. Sua Radiância, o Rei Hizdahr, dá as boas-vindas aos seus amigos de Yunkai. Compreendemos que…

— Compreende isto. — O Barba Sangrenta tirou uma cabeça cortada da saca e atirou-a ao senescal.

Reznak soltou um guincho de medo e saltou para o lado. A cabeça passou por ele a saltitar, deixando manchas de sangue no chão de mármore púrpura enquanto rolava, até ir parar de encontro ao pé do trono de dragão do Rei Hizdahr. Ao longo de todo o salão, Feras de Bronze baixaram as lanças. Goghor, o Gigante, avançou pesadamente para se ir pôr à frente do trono do rei, e o Gato Malhado e Khrazz avançaram para o lado dele, formando uma muralha.

O Barba Sangrenta riu-se.

— Ele 'tá morto. Não morde.

Cautelosamente, tão cautelosamente, o senescal aproximou-se da cabeça e ergueu-a delicadamente pelo cabelo.

— O Almirante Groleo.

Sor Barristan olhou o trono de relance. Servira tantos reis que não conseguiu evitar imaginar como teriam eles reagido àquela provocação. Aerys ter-se-ia encolhido de terror, provavelmente cortando-se nas farpas do Trono de Ferro, e depois teria guinchado aos seus soldados para fazerem os yunkaitas em bocados. Robert teria gritado pelo martelo de guerra para pagar ao Barba Sangrenta em géneros. Até Jaehaerys, julgado fraco por muitos, teria ordenado a prisão do Barba Sangrenta e dos esclavagistas yunkaitas.

Hizdahr ficou imóvel, um homem paralisado. Reznak pousou a cabeça numa almofada de cetim aos pés do rei, e depois debandou, com a boca torcida numa careta de desagrado. Sor Barristan sentiu o cheiro do pesado perfume floral do senescal a vários metros de distância.

O morto fitava com ar reprovador. A sua barba estava castanha de sangue coagulado, mas um fiozinho vermelho ainda lhe escorria do pescoço. Pelo aspeto, fora necessário mais do que um golpe para lhe separar a cabeça do corpo. Ao fundo do salão, peticionários começaram a escapulir-se. Um dos Feras de Bronze arrancou a máscara de falcão e pôs-se a cuspir o pequeno-almoço.

Barristan Selmy não era inexperiente em cabeças cortadas. Mas aquela… atravessara meio mundo com o velho lobo-do-mar, de Pentos a Qarth e de regresso até Astapor. *Groleo era um bom homem. Não merecia este fim. Tudo o que alguma vez quis foi voltar para casa.* O cavaleiro ficou tenso, à espera.

— Isto — disse por fim o Rei Hizdahr — isto não é… não estamos contentes, isto… que significa este… este…

O esclavagista do *tokar* castanho apresentou um pergaminho.

— Tenho a honra de trazer esta mensagem do conselho de mestres. — Desenrolou o pergaminho. — Está aqui escrito: "*Sete entraram em Mereen para assinar os acordos de paz e testemunhar os jogos de celebração na Arena de Daznak. Como garantia da sua segurança, sete reféns foram-nos entregues. A Cidade Amarela chora o seu nobre filho Yurkhaz zo Yunzak, o qual pereceu cruelmente enquanto hóspede de Meereen. Sangue deve ser pago com sangue.*"

Groleo tinha mulher em Pentos. Filhos, netos. *Porquê ele, de todos os reféns?* Tanto Jhogo, como Herói ou Daario Naharis comandavam combatentes, mas Groleo fora um almirante sem frota. *Terão tirado à sorte, ou terão achado que Groleo era o menos valioso para nós, aquele que seria menos provável provocar represálias?*, perguntou o cavaleiro a si próprio… mas era mais fácil fazer essa pergunta do que dar-lhe resposta. *Não tenho talento para desatar estes nós.*

— Vossa Graça — gritou Sor Barristan. — Se vos aprouver recordar, o nobre Yurkhaz morreu por acidente. Tropeçou nas escadas enquanto tentava fugir do dragão e foi esmagado sob os pés dos seus próprios escravos e companheiros. Ou isso, ou o coração rebentou de terror. Era velho.

— Quem é este que fala sem autorização do rei? — perguntou o nobre yunkaita com o *tokar* listado, um homem pequeno com um queixo recuado e dentes grandes demais para a boca. Fazia lembrar a Selmy um coelho. — Terão os senhores de Yunkai de ouvir os resmungos de guardas? — E sacudiu as pérolas que lhe fimbriavam o *tokar*.

Hizdahr zo Loraq não parecia ser capaz de afastar os olhos da cabeça. Foi só quando Reznak lhe murmurou algo ao ouvido que finalmente se mexeu.

— Yurkhaz zo Yunzak era o vosso supremo comandante — disse. — Qual de vós fala agora por Yunkai?

— Todos nós — disse o coelho. — O conselho de mestres.

O Rei Hizdahr encontrou algum aço.

— Então todos vós partilhais a responsabilidade por esta quebra da nossa paz.

Foi o yunkaita da placa de peito que respondeu.

— A nossa paz não foi quebrada. Sangue paga por sangue, uma vida por uma vida. Para mostrar a nossa boa fé, devolvemos três dos vossos reféns. — As fileiras de ferro atrás dele abriram-se. Três meereeneses foram empurrados para a frente, agarrados aos seus *tokars*; duas mulheres e um homem.

— Irmã — disse Hozdahr zo Loraq, com rigidez. — Primos. — Indicou a cabeça sangrenta com um gesto. — Tirai isso da nossa vista.

— O almirante era um homem do mar — fez-lhe lembrar Sor Barristan. — Será possível que Vossa Magnificência peça aos yunkaitas para nos devolverem o seu corpo, para podermos sepultá-lo sob as ondas?

O nobre de dentes de coelho fez um movimento com a mão.

— Se agradar a Vossa Radiância, isso será feito. Um sinal do nosso respeito.

Reznak mo Reznak pigarreou ruidosamente.

— Sem pretender ofender, mas parece-me que Sua Reverência, a Rainha Daenerys, vos entregou… ah… sete reféns. Os outros três…

— Os outros permanecerão como nossos hóspedes — anunciou o nobre yunkaita da placa de peito — até os dragões terem sido destruídos.

Caiu o silêncio no salão. Depois começaram os murmúrios e os resmungos, pragas sussurradas, preces murmuradas, as vespas a agitarem-se no seu ninho.

— Os dragões… — disse o Rei Hizdahr.

— … são monstros, como todos os homens viram na Arena de Daznak. Nenhuma verdadeira paz é possível enquanto estiverem vivos.

Reznak respondeu.

— Sua Magnificência, a Rainha Daenerys, é Mãe de Dragões. Só ela pode…

O escárnio do Barba Sangrenta interrompeu-o.

— Ela foi-se. Queimada e devorada. Crescem ervas daninhas no seu crânio partido.

Um rugido acolheu aquelas palavras. Alguns puseram-se a gritar e a praguejar. Outros bateram os pés e soltaram assobios de aprovação. Foi preciso que os Feras de Bronze batessem com os cabos das lanças no chão para que o salão voltasse a sossegar.

Sor Barristan não tirou os olhos do Barba Sangrenta. *Ele veio saquear uma cidade e a paz de Hizdahr roubou-lhe a pilhagem. Fará o que puder para dar início ao derramamento de sangue.*

Hizdahr zo Loraq ergueu-se lentamente do seu trono em forma de dragão.

— Tenho de consultar o meu conselho. Esta audiência terminou.

— *Ajoelhai todos para Sua Magnificência Hizdahr zo Loraq, Décimo*

*Quarto Desse Nobre Nome, Rei de Meereen, Rebento de Ghis, Octarca do Velho Império, Mestre do Skahazadhan, Consorte de Dragões e Sangue da Harpia* — gritou o arauto. Feras de Bronze saíram de entre as colunas para formar uma linha, e depois deram início a um lento avanço em passo acertado, empurrando os peticionários para fora do salão.

Os dorneses não tinham tanto que andar como a maioria. Como era próprio da sua posição e estatuto, tinham sido fornecidos a Quentyn Martell aposentos no interior da Grande Pirâmide, dois pisos mais abaixo — uma bela suite com a sua própria latrina e terraço murado. Talvez fosse por isso que ele e os companheiros se deixaram ficar para trás, à espera da diminuição do apinhamento antes de começarem a dirigir-se para as escadas.

Sor Barristan observou-os, pensativo. *Que quereria Daenerys?*, perguntou a si próprio. Julgava saber. O velho cavaleiro atravessou o salão a passos largos, fazendo ondular o longo manto branco atrás de si. Apanhou os dorneses no topo das escadas. Ouviu Drinkwater gracejar:

— A corte do teu pai nunca teve metade desta animação.

— Príncipe Quentyn — chamou Selmy. — Posso pedir uma conversa?

Quentyn Martell virou-se.

— Sor Barristan. Claro. Os meus aposentos ficam um piso mais abaixo.

*Não.*

— Não me cabe a mim aconselhar-vos, Príncipe Quentyn… mas se fosse a vós não regressaria aos vossos aposentos. Vós e os vossos amigos devíeis descer as escadas e partir.

O Príncipe Quentyn fitou-o.

— Partir da pirâmide?

— Partir da cidade. Regressar a Dorne.

Os dorneses trocaram um olhar.

— As nossas armas e armaduras estão nos nossos aposentos — disse Gerris Drinkwater. — Já para não falar da maior parte do dinheiro que nos resta.

— Espadas podem ser substituídas — disse Sor Barristan. — Eu posso fornecer-vos dinheiro suficiente para passagens de regresso a Dorne. Príncipe Quentyn, o rei reparou hoje em vós. Franziu o sobrolho.

Gerris Drinkwater riu-se.

— Deveremos ficar assustados com Hizdahr zo Loraq? Viste-lo agora mesmo. Ele tremeu perante os yunkaitas. Enviaram-lhe uma *cabeça*, e ele não fez nada.

Quentyn Martell anuiu, de acordo.

— Um príncipe faz bem em pensar antes de agir. Este rei… não sei o que pensar dele. A rainha também me avisou contra ele, é certo, mas…

— Ela avisou-vos? — Selmy franziu o sobrolho. — Porque continuais aqui?

O Príncipe Quentyn corou.

— O pacto de casamento...

— ... foi feito por dois mortos, e não continha nem uma palavra sobre a rainha ou sobre vós. Prometia a mão da vossa irmã ao irmão da rainha, outro morto. Não tem validade. Até aparecerdes aqui, Sua Graça estava na ignorância sobre a sua existência. O vosso pai guarda bem os seus segredos, Príncipe Quentyn. Temo que bem demais. Se a rainha tivesse sabido deste pacto em Qarth, podia nunca ter virado para a Baía dos Escravos, mas chegastes tarde demais. Não desejo pôr-vos sal nas feridas, mas Sua Graça tem um novo esposo e um velho amante e parece preferir ambos a vós.

A ira relampejou nos olhos escuros do príncipe.

— Este fidalgote ghiscariota não é consorte adequado para a rainha dos Sete Reinos.

— Determinar isso não vos cabe a vós. — Sor Barristan fez uma pausa, perguntando a si próprio se teria já dito demasiado. *Não. Conta-lhe o resto.* — Naquele dia, na Arena de Daznak, alguma da comida no camarote real estava envenenada. Foi só por sorte que Belwas, o Forte, a comeu toda. As Graças Azuis dizem que só o tamanho dele e a sua força anormal o salvaram, mas foi por pouco. Ainda pode morrer.

O choque foi evidente na cara do Príncipe Quentyn.

— Veneno... destinado a Daenerys?

— A ela ou a Hizdahr. Talvez a ambos. Mas o camarote era dele. Sua Graça fez todos os preparativos. Se o veneno foi obra dele... bem, precisava de um bode expiatório. Quem melhor do que um rival vindo de uma terra distante sem amigos nesta corte? Quem melhor do que um pretendente que a rainha rejeitou?

Quentyn Martell empalideceu.

— *Eu?* Eu nunca... vós não podeis pensar que eu participei nalgum... *Ou isto foi a verdade, ou ele é um mestre saltimbanco.*

— Outros poderão pensá-lo — disse Sor Barristan. — O Víbora Vermelha era vosso tio. E tendes bons motivos para querer o Rei Hizdahr morto.

— Outros também os têm — sugeriu Gerris Drinkwater. — Naharis, para começar. O...

— ... amante da rainha — concluiu Sor Barristan, antes que o cavaleiro dornês pudesse dizer alguma coisa que manchasse a honra da rainha. — É isso que lhes chamam em Dorne, não é? — Não esperou por uma resposta. — O Príncipe Lewyn foi meu Irmão Ajuramentado. Nesses tempos havia poucos segredos entre os membros da Guarda Real. Eu sei que ele tinha uma amante. Não sentia que houvesse nisso alguma vergonha.

— Pois não — disse Quentyn, ruborizado — mas…

— Daario mataria Hizdahr num piscar de olhos, se se atrevesse — prosseguiu Sor Barristan. — Mas não com veneno. Nunca. E em todo o caso, Daario não estava aqui. Mesmo assim, Hizdahr ficaria satisfeito por culpá-lo pelos gafanhotos… mas o rei pode ainda vir a ter necessidade dos Corvos Tormentosos, e perdê-los-á se parecer ser cúmplice na morte do seu capitão. Não, meu príncipe. Se Sua Graça precisar de um envenenador, olhará para vós. — Dissera tudo o que podia dizer em segurança. Dentro de mais alguns dias, se os deuses lhes sorrissem, Hizdahr zo Loraq já não governaria Meereen… mas nada de bom resultaria de ter o Príncipe Quentyn apanhado no banho de sangue que aí vinha. — Se tiverdes de permanecer em Meereen, faríeis bem em ficar longe da corte e esperar que Hizdahr vos esqueça — concluiu Sor Barristan — mas um navio para Volantis seria mais sensato, meu príncipe. Seja qual for o rumo que escolherdes, desejo-vos sorte.

Antes de se afastar três passos, Quentyn Martell chamou-o.

— Chamam-vos Barristan, o Ousado.

— Alguns chamam. — Selmy conquistara aquele nome com dez anos de idade, logo após ter-se tornado escudeiro, mas já tão vaidoso, orgulhoso e insensato que metera na cabeça que era capaz de justar com cavaleiros testados e experimentados. Portanto levara emprestado um cavalo de guerra e algum aço do armeiro do Lorde Dondarrion, e entrara na liça em Portonegro como cavaleiro mistério. *Até o arauto se riu. Os meus braços eram tão magros que quando baixei a lança tive dificuldade em evitar que a ponta se espetasse no chão.* O Lorde Dondarrion estaria no seu direito de o arrancar de cima do cavalo e de lhe dar uma surra, mas o Príncipe das Libélulas apiedara-se do desmiolado rapaz da armadura mal ajustada e concedera-lhe o respeito de aceitar o desafio. Uma arremetida fora o bastante. Depois, o Príncipe Duncan ajudara-o a levantar-se e tirara-lhe o elmo.

— Um rapaz — proclamara para a multidão. — Um rapaz ousado. — *Há cinquenta e três anos. Quantos dos homens que estiveram lá em Portonegro continuarão vivos?*

— Que nome julgais que me darão se eu regressar a Dorne sem Daenerys? — perguntou o Príncipe Quentyn. — Quentyn, o Cauteloso? Quentyn, o Cobarde? Quentyn, o Titubeante?

*O Príncipe Que Chegou Tarde Demais,* pensou o velho cavaleiro… mas se um cavaleiro da Guarda Real aprende alguma coisa, é a dominar a língua.

— Quentyn, o Sensato — sugeriu, e esperou que fosse verdade.

A hora dos fantasmas já quase chegara quando Sor Gerris Drinkwater regressou à pirâmide, para relatar que encontrara o Feijões, o Livros e o Velho Bill Bone numa das adegas menos respeitáveis de Meereen, a beber vinho amarelo e a ver escravos nus matarem-se uns aos outros com mãos vazias e dentes afiados.

— O Feijões puxou de uma arma e propôs uma aposta para determinar se os desertores tinham barrigas cheias de lodo amarelo — relatou Sor Gerris — portanto atirei-lhe um dragão e perguntei-lhe se ouro amarelo serviria. Ele mordeu a moeda e perguntou o que eu pretendia comprar. Quando lhe disse, guardou a faca e perguntou se estávamos bêbados ou loucos.

— Ele que pense o que quiser, desde que entregue a mensagem — disse Quentyn.

— Isso fará. Aposto que também vais ter o teu encontro, mesmo que só para que o Farrapos possa mandar a Linda Meris cortar-te o fígado e fritá-lo com cebolas. Devíamos dar ouvidos a Selmy. Quando Barristan, o Ousado, te diz para fugir, um homem sensato ata as botas. Devíamos arranjar navio para Volantis enquanto o porto continua aberto.

Bastou mencionar a ideia para pôr a cara de Sor Archibald verde.

— Mais navios, não. Preferia voltar para Volantis a pé-coxinho.

*Volantis*, pensou Quentyn. *Depois Lys, depois a pátria. De volta pelo caminho de vinda, de mãos vazias. Três homens corajosos mortos, e para quê?*

Seria bom voltar a ver o Sangueverde, visitar Lançassolar e os Jardins de Água e respirar o limpo e agradável ar de montanha de Paloferro em vez dos humores quentes, húmidos e imundos da Baía dos Escravos. Quentyn sabia que o pai não diria uma palavra de censura, mas o desapontamento estaria nos seus olhos. A irmã mostrar-se-ia desdenhosa, as Serpentes de Areia troçariam dele com sorrisos cortantes como espadas, e o Lorde Yronwood, o seu segundo pai, que enviara o próprio filho para o manter em segurança...

— Não vos manterei aqui — disse Quentyn aos amigos. — O meu pai atribuiu-me a mim esta tarefa, não a vós. Ide para casa, se é isso que quereis. Por quaisquer meios que quiserdes. Eu fico.

O grandalhão encolheu os ombros.

— Então o Drinque e eu também ficamos.

Na noite seguinte, Denzo D'han apareceu à porta do Príncipe Quentyn para discutir termos.

— Ele encontra-se convosco amanhã, junto do mercado de especiarias. Procurai uma porta marcada com um lótus púrpura. Batei duas vezes e gritai pela liberdade.

— De acordo — disse Quentyn. — Arch e Gerris estarão comigo. Ele também pode trazer dois homens. Mais não.

— Se aprouver ao meu príncipe. — As palavras eram bastante educadas, mas o tom de Denzo estava orlado de malícia, e os olhos do poeta guerreiro brilhavam de troça.

— Vinde ao pôr-do-sol. E tratai de não serdes seguidos.

Os dorneses abandonaram a Grande Pirâmide horas antes do pôr-do-sol, para o caso de virarem no sítio errado e terem dificuldade a encontrar o lótus púrpura. Quentyn e Gerris levaram os cinturões das espadas. O grandalhão levou o martelo de guerra pendurado das costas largas, a tiracolo.

— Ainda não é tarde demais para abandonar esta loucura — disse Gerris, enquanto desciam por uma viela fétida na direção do velho mercado de especiarias. Havia um cheiro a mijo no ar, e ouviram o trovejar das rodas reforçadas a ferro de uma carroça de transporte de cadáveres mais à frente. — O Velho Bill Bone dizia que a Linda Meris era capaz de fazer a morte de um homem demorar uma volta de lua. Nós *mentimos-lhes*, Quent. Usámo-los para chegar cá, e depois passámo-nos para os Corvos Tormentosos.

— Como nos foi ordenado.

— Mas o Farrapos nunca quis que o fizéssemos a sério — argumentou o grandalhão. — Os outros rapazes dele, Sor Orson e o Dick Straw, Hungerford, o Will dos Bosques, esse grupo, ainda estão numa masmorra qualquer graças a nós. O velho Farrapos não pode ter gostado lá muito disso.

— Pois não — disse o Príncipe Quentyn — mas gosta de ouro.

Gerris riu-se.

— É uma pena que não tenhamos nenhum. Confias nesta paz, Quent? Eu não. Metade da cidade está a chamar herói ao matador de dragões e a outra metade cospe sangue quando ouve mencionar o nome dele.

— Harzu — disse o grandalhão.

Quentyn franziu o sobrolho.

— O nome dele era Harghaz.

— Hizdahs, Humzum, Hagnag, que interessa? Eu chamo-lhes a todos Harzu. Não era nenhum matador de dragões. A única coisa que fez foi ficar com o traseiro esturricado e estaladiço.

— Era corajoso. — *Teria eu tido a coragem de enfrentar aquele monstro sem nada além de uma lança?*

— O que queres dizer é que morreu corajosamente.

— Morreu aos gritos — disse Arch.

Gerris pousou uma mão no ombro de Quentyn.

— Mesmo se a rainha regressar, continuará a estar casada.

— Se eu der ao Rei Harzu uma pancadinha com o meu martelo, não — sugeriu o grandalhão.

— Hizdahr — disse Quentyn. — O nome dele é Hizdahr.

— Um beijo do meu martelo, e ninguém quererá saber qual era o nome dele — disse Arch.

*Eles não entendem.* Os amigos tinham perdido de vista o verdadeiro propósito que o trouxera até ali. *A estrada passa por ela, não leva a ela.* Daenerys era o meio para a conquista, não a conquista em si.

— Ela disse-me que o dragão tem três cabeças. "O meu casamento não tem de ser o fim de todas as vossas esperanças", disse ela. "Eu sei porque estais aqui. Por fogo e sangue." Eu tenho sangue Targaryen, sabeis disso. Consigo seguir a minha linhagem até…

— Que se foda a tua linhagem — disse Gerris. — Os dragões não se vão importar com o teu sangue, exceto, talvez, com o sabor que ele tem. Não podes domar um dragão com uma lição de história. Eles são monstros, não meistres. Quent, é mesmo isto que queres fazer?

— Isto é o que tenho de fazer. Por Dorne. Pelo meu pai. Por Cletus, Will e pelo Meistre Kedry.

— Eles estão mortos — disse Gerris. — Não se importarão.

— Todos mortos — concordou Quentyn. — Para quê? Para me trazer até aqui, para que eu pudesse casar com a rainha dos dragões. Cletus chamava-lhe uma grandiosa aventura. Estradas de demónios e mares tempestuosos, e no fim a mais bela mulher do mundo. Uma história para contar aos nossos netos. Mas Cletus nunca gerará um filho, a menos que tenha deixado um bastardo na barriga daquela moça de taberna de que gostava. O Will nunca terá o seu casamento. As mortes deles deviam ter algum significado.

Gerris apontou para onde um cadáver estava encostado a uma parede de tijolo, rodeado por uma nuvem de moscas verdes reluzentes.

— A morte daquele teve significado?

Quentyn olhou para o corpo com desagrado.

— Esse morreu da fluxão. Mantém-te bem longe dele. — A égua branca estava dentro das muralhas da cidade. Pouco admirava que as ruas parecessem tão vazias. — Os Imaculados mandarão uma carroça de transporte de cadáveres para o vir buscar.

— Sem dúvida. Mas a minha pergunta não era essa. São as vidas dos homens que têm significado, não as suas mortes. Eu também gostava do Will e de Cletus, mas isto não no-los devolverá. Isto é um erro, Quent. Não se pode confiar em mercenários.

— São homens como quaisquer outros. Querem ouro, glória, poder. É só nisso que estou a confiar. — *Nisso, e no meu próprio destino. Sou um príncipe de Dorne, e corre-me nas veias o sangue de dragões.*

O Sol tinha-se afundado abaixo da muralha da cidade quando descobriram o lótus púrpura, pintado na velha porta de madeira de um atarracado casinhoto de tijolo, que se encolhia, no meio de uma fileira de casinhotos semelhantes, à sombra da grande pirâmide amarela e verde de Rhazdar. Quentyn bateu duas vezes à porta, como lhe tinham dito. Uma voz dura respondeu do outro lado, rosnando qualquer coisa ininteligível na língua mestiça da Baía dos Escravos, uma feia fusão de Ghiscari Antigo e de Alto Valiriano. O príncipe respondeu na mesma língua.

— Liberdade.

A porta abriu-se. Gerris foi o primeiro a entrar, a bem da cautela, com Quentyn logo atrás e o grandalhão a fechar a retaguarda. Lá dentro, o ar estava enevoado com um fumo azulado, cujo cheiro doce não conseguia sobrepor-se por completo aos fedores mais profundos a mijo, vinho azedo e carne apodrecida. O espaço era muito maior do que parecera de fora, prolongando-se para as cabanas adjacentes à direita e à esquerda. O que da rua parecera ser uma dúzia de estruturas transformava-se lá dentro num longo salão.

Àquela hora, a casa estava menos que meio cheia. Alguns dos fregueses ofereceram aos dorneses olhares aborrecidos, hostis ou curiosos. O resto aglomerava-se em volta da arena na ponta mais distante da sala, onde um par de homens nus se golpeava com facas enquanto o público os aclamava.

Quentyn não viu sinal dos homens ao encontro dos quais tinham vindo. Depois, uma porta que não vira antes abriu-se, e dela saiu uma velha, uma coisa encarquilhada com um *tokar* vermelho-escuro fimbriado com minúsculos crânios dourados. A sua pele era tão branca como leite de égua, o cabelo tão fino que se via o couro cabeludo por baixo.

— Dorne — disse a velha — Sou Zahrina. Lótus Púrpura. Desce aqui, vais encontrá-los. — Manteve a porta aberta e gesticulou para eles entrarem.

Atrás da porta havia um conjunto de degraus de madeira, íngremes e em espiral. Daquela vez foi o grandalhão a seguir à frente e Gerris a fechar a retaguarda, com o príncipe entre eles. *Uma subcave.* A descida era longa, e tão escura que Quentyn teve de avançar aos apalpões para evitar escorregar. Perto do fundo, Sor Archibald puxou do punhal.

Emergiram numa cave abobadada com o triplo do tamanho da taberna lá em cima. Enormes tonéis de madeira alinhavam-se junto das paredes até onde o príncipe via. Uma lanterna vermelha estava pendurada de um gancho junto da porta, e uma vela negra gordurosa tremeluzia em cima de um barril virado ao contrário que servia de mesa. Não havia mais luz.

Caggo Mata-Cadáveres passeava-se junto dos tonéis de vinho, com o *arakh* negro pendurado da anca. A Linda Meris abraçava uma besta, com os olhos tão frios e mortos como duas pedras cinzentas. Denzo D'han trancou a porta depois de os dorneses entrarem, após o que tomou posição à sua frente, com os braços cruzados ao peito.

*Há um a mais*, pensou Quentyn.

O próprio Príncipe Esfarrapado estava sentado à mesa, embalando um copo de vinho. À luz amarela da vela o seu cabelo cinzento prateado parecia quase dourado, embora as olheiras que tinha sob os olhos estivessem delineadas e grandes como alforges. Usava um manto de viajante de lã castanha, com cota de malha prateada a reluzir por baixo. Seria isso sinal de traição, ou de simples prudência? *Um velho mercenário é um mercenário cauteloso*. Quentyn aproximou-se da mesa.

— Senhor. Tendes um aspeto diferente sem o vosso manto.

— A minha veste esfarrapada? — O pentoshi encolheu os ombros. — Fraca coisa… mas aqueles farrapos enchem os meus inimigos de medo, e no campo de batalha ver os meus trapos soprados pelo vento dá mais coragem aos meus homens do que qualquer estandarte. E se quiser andar sem ser visto, basta-me despi-los para me tornar simples e corriqueiro. — Indicou com um gesto o banco na sua frente. — Sentai-vos. Ouvi dizer que sois um príncipe. Gostaria de o ter sabido. Bebeis? A Zahrina também tem comida. O pão é duro e o guisado é indescritível. Gordura e sal, com uma fatia ou duas de carne. Cão, diz ela, mas acho que é mais provável que seja ratazana. No entanto, não vos matará. Descobri que é só quando a comida é tentadora que se tem de ter cuidado. Os envenenadores escolhem invariavelmente os pratos de melhor qualidade.

— Trouxestes três homens — fez Sor Gerris notar, com dureza na voz. — Concordámos em dois cada um.

— A Meris não é homem nenhum. Meris, querida, desabotoa a camisa, mostra-lhe.

— Isso não será necessário — disse Quentyn. Se o que ouvira dizer fosse verdade, por baixo daquela camisa, a Linda Meris tinha apenas as cicatrizes deixadas pelos homens que lhe tinham cortado os seios. — Concordo que Meris é uma mulher. Mesmo assim torcestes os termos acordados.

— Esfarrapado e torcido, que patife que eu sou. Três para dois não é grande vantagem, há que admitir, mas conta para alguma coisa. Neste mundo um homem tem de aprender a agarrar todos os presentes que os deuses decidam enviar-lhe. Essa foi uma lição que aprendi a um certo custo. Ofereço-a como sinal de boa fé. — Voltou a indicar a cadeira com um gesto. — Sentai-vos e dizei o que viestes dizer. Prometo não vos mandar matar até vos ouvir até ao fim. É o mínimo que posso fazer por um colega príncipe. Quentyn, não é?

— Quentyn da Casa Martell.

— Sapo fica-vos melhor. Não é meu hábito beber com mentirosos e desertores, mas deixastes-me curioso.

Quentyn sentou-se. *Uma palavra errada, e isto pode dar em sangue em meio segundo.*

— Peço-vos perdão pelo engano. Os únicos navios que zarpavam para a Baía dos Escravos eram aqueles que tinham sido contratados para vos trazer para as guerras.

O Príncipe Esfarrapado encolheu os ombros.

— Todos os traidores têm as suas histórias. Não sois o primeiro a ajuramentar-me a espada, a pegar no meu dinheiro e a fugir. Todos eles têm *razões*. "O meu filhinho está doente," ou "A minha mulher está a pôr-me os cornos," ou "Todos os outros homens me obrigam a mamar-lhes as pichas." Era um rapaz tão encantador, este último, mas não lhe perdoei a deserção. Outro tipo disse-me que a nossa comida era uma porcaria tão grande que teve de fugir antes que o deixasse doente, portanto mandei cortar-lhe o pé, assei-o, e dei-lho a comer. Depois fiz dele o nosso cozinheiro. As nossas refeições melhoraram de forma notória, e quando o contrato do homem terminou, assinou outro. Mas vós… vários dos meus melhores homens estão trancados nas masmorras da rainha graças a essa vossa língua mentirosa, e duvido que saibais sequer cozinhar.

— Eu sou um príncipe de Dorne — disse Quentyn. — Tinha de cumprir um dever para com o meu pai e o meu povo. Havia um pacto secreto de casamento.

— Foi o que ouvi dizer. E quando a rainha prateada viu o vosso bocado de pergaminho caiu-vos nos braços, não foi?

— Não — disse a Linda Meris.

— Ah não? Oh, já me lembro. A vossa noiva voou para longe montada num dragão. Bem, quando regressar assegurai-vos de que nos convidais para a boda. Os homens da minha companhia adorariam beber à vossa felicidade, e eu gosto imenso de casamentos à moda de Westeros. A parte de levar para a cama, em especial, só… oh, esperai… — Virou-se para Denzo D'han. — Denzo, julgava que me tinhas dito que a rainha do dragão tinha casado com um ghiscariota qualquer.

— Um nobre meereenês. Rico.

O Príncipe Esfarrapado voltou a virar-se para Quentyn.

— Poderá tal coisa ser verdade? Decerto que não. Então e o vosso pacto de casamento?

— Ela riu-se dele — disse a Linda Meris.

*Daenerys não se riu.* O resto de Meereen poderia vê-lo como uma curiosidade divertida, como o ilhéu do verão exilado que o Rei Robert mantinha em Porto Real, mas a rainha sempre lhe falara com gentileza.

— Chegámos tarde demais — disse Quentyn.

— Uma pena que não tenhais desertado mais cedo. — O Príncipe Esfarrapado bebeu do vinho. — Então… nada de casamento para o Príncipe Sapo. Foi por isso que voltastes aos saltos para junto de mim? Os meus três bravos rapazes dorneses decidiram honrar os seus contratos?

— Não.

— Que aborrecimento.

— Yurkhaz zo Yunzak está morto.

— Notícias antigas. Eu vi-o morrer. O pobre homem viu um dragão e tropeçou ao tentar fugir. Depois, mil dos seus amigos mais próximos espezinharam-no. Sem dúvida que a Cidade Amarela está inundada por lágrimas. Pedistes-me para vir cá para fazermos um brinde à sua memória?

— Não. Os yunkaitas escolheram um novo comandante?

— O conselho dos mestres foi incapaz de concordar. Yezzan zo Qaggaz era quem tinha mais apoio, mas agora também está morto. Os Sábios Mestres estão a revezar-se no comando supremo. Hoje o nosso líder é aquele a que os vossos amigos nas fileiras chamavam o Conquistador Bêbado. Amanhã, será o Senhor Bochechas de Baloiço.

— O Coelho — disse Meris. — O Bochechas de Baloiço foi ontem.

— Obrigado pela correção, minha querida. Os nossos amigos yunkaitas tiveram a bondade de nos fornecer uma tabela. Tenho de tentar ser mais dedicado na sua consulta.

— Yurkhaz zo Yunzak foi o homem que vos contratou.

— Ele assinou o nosso contrato em nome da cidade. É verdade.

— Meereen e Yunkai fizeram a paz. O cerco vai ser levantado, os exércitos serão dissolvidos. Não haverá batalha, não haverá massacre, não haverá cidade para saquear e pilhar.

— A vida está cheia de desilusões.

— Durante quanto tempo julgais que os yunkaitas continuarão a querer pagar salários a quatro companhias livres?

O Príncipe Esfarrapado bebeu um gole de vinho e disse:

— Uma questão aborrecida. Mas a vida é assim para os homens das companhias livres. Uma guerra termina, outra começa. Felizmente há sempre alguém a combater alguém, algures. Talvez aqui. Enquanto nós bebemos, o Barba Sangrenta está a insistir com os nossos amigos yunkaitas para presentearem o Rei Hizdahr com outra cabeça. Os libertos e os esclavagistas olham os pescoços uns dos outros e afiam as navalhas, os Filhos da Harpia conspiram nas suas pirâmides, a égua branca atropela tanto senhores como escravos, os nossos amigos da Cidade Amarela olham para o mar, e algures nas estepes um dragão mordisca a tenra carne de Daenerys Targaryen. Quem governa Meereen esta noite? Quem a governará amanhã? — O pentoshi encolheu os ombros. — Duma coisa tenho certeza. Alguém terá necessidade das nossas espadas.

— Eu tenho necessidade dessas espadas. Dorne quer contratar-vos.

O Príncipe Esfarrapado deitou uma olhadela à Linda Meris.

— Não lhe falta desplante, a este Sapo. Terei de lhe fazer lembrar? Meu caro príncipe, o último contrato que assinámos foi usado por vós para limpar o vosso lindo traseiro cor-de-rosa.

— Eu duplico o que quer que os yunkaitas estejam a pagar-vos.

— E pagais em ouro no momento em que assinardes o contrato, certo?

— Pagarei parte quando chegarmos a Volantis, o resto quando estiver de volta a Lançassolar. Trouxemos ouro connosco quando zarpámos, mas teria sido difícil de esconder quando nos juntámos à companhia, portanto entregámo-lo aos bancos. Posso mostrar-vos papéis.

— Ah. Papéis. Mas seremos pagos *a dobrar*.

— O dobro dos papéis — disse a Linda Meris.

— O resto recebereis em Dorne — insistiu Quentyn. — O meu pai é um homem de honra. Se eu puser o meu selo num acordo, ele cumprirá os seus termos. Tendes a minha palavra a esse respeito.

O Príncipe Esfarrapado bebeu o resto do vinho, virou o copo ao contrário, e pousou-o entre os dois.

— Bom. Deixai ver se entendo. Um comprovado mentiroso e perjuro quer contratar-nos e pagar-nos com promessas. E por que serviços? Deverão os meus Aventados esmagar os yunkaitas e saquear a Cidade Amarela? Derrotar um khalasar dothraki no campo de batalha? Escoltar-vos para casa, para junto do vosso pai? Ou contentar-vos-eis se entregarmos a Rainha Daenerys na vossa cama, húmida e pronta? Dizei-me a verdade, Príncipe Sapo. Que quereis de mim e dos meus?

— Preciso que me ajudeis a roubar um dragão.

Caggo Mata-Cadáveres soltou um risinho. A Linda Meris encurvou o lábio num meio sorriso. Denzo D'han assobiou.

O Príncipe Esfarrapado limitou-se a inclinar-se para trás no seu banco e a dizer:

— O dobro não paga por dragões, principelho. Até um sapo devia saber isso. Dragões são caros. E homens que pagam com promessas deviam ter pelo menos o bom senso de prometer *mais*.

— Se quereis que eu triplique…

— O que eu quero — disse o Príncipe Esfarrapado — é Pentos.

Enviou os arqueiros primeiro.

O Balaq Preto comandava mil arcos. Na juventude, Jon Connington partilhara do desdém que a maior parte dos cavaleiros sentia por arqueiros, mas tornara-se mais sábio no exílio. À sua maneira, a seta era tão mortífera como a espada, portanto insistira que, para a longa viagem, o Harry Sem-Abrigo Strickland dividisse os homens sob o comando de Balaq em dez companhias de cem homens e pusesse cada uma num navio diferente.

Seis desses navios tinham-se aguentado suficientemente bem juntos para entregar os seus passageiros nas costas do Cabo da Fúria (os outros quatro estavam atrasados mas os volantenos asseguravam-lhes que acabariam por aparecer, embora Griff julgasse igualmente provável que estivessem perdidos ou que tivessem desembarcado noutros pontos), o que deixava a companhia com seiscentos arcos. Para aquilo, duzentos revelaram-se suficientes.

— Eles tentarão enviar corvos — disse ele ao Balaq Preto. — Observa a torre do meistre. Aqui. — Apontou para o mapa que desenhara na lama do acampamento. — Abate todas as aves que partirem do castelo.

— Faremos isso — respondeu o ilhéu do verão.

Um terço dos homens de Balaq usava bestas, outro terço usava os arcos de dupla curvatura, de chifre e tendão, que se usavam no leste. Melhores eram os grandes arcos longos de teixo usados pelos arqueiros de sangue westerosi, e os melhores de todos eram os grandes arcos de amagodouro acarinhados pelo próprio Balaq Preto e pelos seus cinquenta ilhéus do verão. Só um arco de osso de dragão tinha maior alcance do que um arco feito de amagodouro. Independentemente do tipo de arco que usavam, todos os homens de Balaq eram veteranos de olhos penetrantes e experientes que tinham provado o seu valor numa centena de batalhas, incursões e escaramuças. E voltaram a prová-lo no Poleiro do Grifo.

O castelo erguia-se na costa do Cabo da Fúria, num majestoso penhasco de rocha vermelha escura, rodeado por três lados pelas águas encapeladas da Baía dos Naufrágios. A sua única abordagem era defendida por um portão fortificado, atrás do qual se estendia a longa, estreita e nua saliência a que os Connington chamavam garganta do grifo. Forçar entrada pela garganta podia ser coisa sangrenta, uma vez que a saliência expunha os atacantes às lanças, pedras e setas dos defensores nas duas torres redondas que flanqueavam os portões principais do castelo. E depois de chegarem a esses portões, os homens lá dentro podiam despejar-lhes azeite a ferver em cima das cabeças. Griff contava perder cem homens, talvez mais.

Perderam quatro.

Permitira-se que a floresta invadisse o campo em frente do portão fortificado, e Franklyn Flowers teve oportunidade de usar a vegetação rasteira para se ocultar e levar os seus homens até vinte metros do portão, antes de sair de entre as árvores com o aríete que tinham fabricado ainda no acampamento. Madeira a bater em madeira trouxe dois homens às ameias; os arqueiros do Balaq Preto abateram-nos a ambos antes de terem tempo de esfregar o sono para fora dos olhos. O portão mostrou estar fechado, mas não trancado; cedeu ao segundo golpe, e os homens de Sor Franklyn tinham já percorrido metade da garganta quando um corno de guerra fez soar o alarme no castelo propriamente dito.

O primeiro corvo levantou voo quando os ganchos de abordagem dos atacantes arqueavam por cima da muralha exterior, o segundo alguns momentos mais tarde. Nenhuma ave voou cem metros antes de uma seta a abater. Um guarda no interior despejou um balde de azeite em cima do primeiro homem a chegar aos portões, mas como não tinham tido tempo de o aquecer, o balde provocou mais danos do que o seu conteúdo. Depressa se ouviram ressoar espadas em meia dúzia de locais ao longo das ameias. Os homens da Companhia Dourada treparam entre os merlões e correram pelos adarves gritando *"Um grifo! Um grifo!,"* o antigo grito de batalha da Casa Connington, o que deve ter deixado os defensores ainda mais confusos.

Minutos depois, tudo terminou. Griff cavalgou o corcel branco garganta fora, ao lado do Harry Sem-Abrigo Strickland. Quando se aproximaram do castelo viu um terceiro corvo a levantar voo da torre do meistre, voo que terminou com uma seta do próprio Balaq Preto.

— Não quero mais mensagens — disse a Sor Franklyn Flowers, no pátio. A coisa seguinte a sair em voo da torre do meistre foi o meistre. Com a maneira como batia os braços, podia ter sido confundido com outra ave.

Isso foi o fim de toda a resistência. Os guardas que restavam tinham deitado fora as armas. E foi com toda aquela rapidez que o Poleiro do Grifo voltou a ser seu, e Jon Connington voltou a ser um senhor.

— Sor Franklyn — disse — percorrei a torre de menagem e as cozinhas e ponde a mexer cá para fora toda a gente que encontrardes. Malo, faz o mesmo com a torre do meistre e com o armeiro. Sor Brendel, os estábulos, septo e casernas. Trazei-os para o pátio e tentai não matar ninguém que não insista em morrer. Queremos conquistar as terras da tormenta para o nosso lado, e não o faremos com massacres. Assegurai-vos de olhar para baixo do altar da Mãe, há aí uma escada escondida que leva a um refúgio secreto. E há outra junto da torre noroeste que leva diretamente ao mar. Ninguém pode fugir.

— Não fugirão, s'nhor — prometeu Franklyn Flowers.

Connington viu-os a afastar-se em corrida, e depois chamou o Semi-meistre com um gesto.

— Haldon, encarrega-te da colónia de corvos. Terei mensagens a enviar esta noite.

— Esperemos que nos tenham deixado alguns corvos.

Até o Harry Sem-Abrigo estava impressionado com a rapidez da vitória.

— Nunca pensei que fosse tão fácil — disse o capitão-general enquanto se dirigiam ao grande salão para dar uma olhadela ao esculpido e dourado Cadeirão do Grifo, no qual cinquenta gerações de Conningtons se tinham sentado e de onde haviam governado.

— Tornar-se-á mais difícil. Até agora apanhámo-los de surpresa. Isso não pode durar para sempre, mesmo que o Balaq Preto abata todos os corvos do reino.

Strickland estudou as tapeçarias desbotadas nas paredes, as janelas arqueadas com a sua miríade de painéis losangulares de vidro vermelho e branco, as fileiras de lanças, espadas e martelos de guerra.

— Eles que venham. Este sítio consegue resistir contra vinte vezes mais homens do que os que temos, desde que estejamos bem aprovisionados. E vós dizeis que há maneira de entrar e sair por mar?

— Lá em baixo. Uma angra escondida sob o penhasco, que só aparece na maré baixa. — Mas Connington não tinha qualquer intenção de os "deixar vir." O Poleiro do Grifo era forte mas pequeno, e enquanto estivessem ali pareceriam também pequenos. Contudo, havia outro castelo por perto, muito maior e inexpugnável. *Se tomar esse, o reino tremerá.* — Tendes de me desculpar, capitão-general. O senhor meu pai está enterrado por baixo do septo e passaram-se demasiados anos desde a última vez que rezei por ele.

— Claro, senhor.

Mas quando se separaram, Jon Connington não se dirigiu ao septo. Em vez disso, os passos levaram-no ao telhado da torre oriental, a mais alta do Poleiro do Grifo. Enquanto subia, lembrou-se de anteriores ascensões; uma centena com o senhor seu pai, o qual gostava de subir e olhar os bosques, os penhascos e o mar, sabendo que tudo o que via pertencia à Casa Connington, e uma (só uma!) com Rhaegar Targaryen. O Príncipe Rhaegar regressava de Dorne, e ele e a escolta tinham-se demorado ali uma quinzena. *Era tão novo nessa altura, e eu mais novo era. Rapazes, os dois.* No banquete de boas-vindas, o príncipe pegara na sua harpa de cordas de prata e tocara para eles. *Uma canção de amor e perdição*, recordou Jon Connington, *e todas as mulheres no salão estavam a chorar quando pousou a harpa.* Os homens não, claro. Em especial o pai de Jon, cujo único amor era a terra. O Lorde Armond Connington passara a noite inteira a tentar conquistar o príncipe para o seu lado na disputa com o Lorde Morrigen.

A porta que levava ao telhado da torre estava de tal forma emperrada que era claro que ninguém a abria havia vários anos. Teve de lhe encostar o ombro para a obrigar a abrir. Mas quando Jon Connington saiu para as ameias elevadas, a vista era tão inebriante como a recordava: o penhasco com os seus rochedos esculpidos pelo vento e as suas agulhas irregulares, o mar lá em baixo, a rosnar e a roer a base do castelo como um animal inquieto, intermináveis léguas de céu e nuvens, a floresta com as suas cores outonais.

— As terras do vosso pai são belas — dissera o Príncipe Rhaegar, mesmo ali onde Jon se encontrava agora. E o rapaz que ele fora respondera:

— Um dia serão todas minhas. — *Como se isso pudesse impressionar um príncipe que era herdeiro do reino inteiro, da Árvore à Muralha.*

O Poleiro do Grifo *fora* seu, a seu tempo, ainda que apenas durante alguns curtos anos. Dali, Jon Connington governara vastas terras que se estendiam muitas léguas para oeste, norte e sul, tal como o pai e o pai do pai antes dele. Mas o pai e o pai do pai nunca tinham perdido as suas terras. Ele perdera. *Subi alto demais, amei demasiado, tive demasiado atrevimento. Tentei agarrar uma estrela, não a alcancei e caí.*

Após a Batalha dos Sinos, depois de Aerys Targaryen lhe tirar os títulos e o enviar para o exílio num ataque louco de ingratidão e suspeita, as terras e senhoria tinham ficado na Casa Connington, passando para o primo Sor Ronald, o homem que Jon tornara castelão quando fora para Porto Real servir o Príncipe Rhaegar. Robert Baratheon completara a destruição dos grifos depois da guerra. O primo fora autorizado a ficar com o castelo e a cabeça, mas perdera a senhoria, passando a ser apenas o Cavaleiro do Poleiro do Grifo, e nove décimos das suas terras foram-lhe tiradas e acabaram distribuídas por senhores vizinhos que tinham apoiado a pretensão de Robert.

Ronald Connington morrera anos antes. Dizia-se que o atual Cavaleiro do Poleiro do Grifo, o seu filho Ronnet, andava por longe, na guerra nas terras fluviais. Ainda bem. Segundo a experiência de Jon Connington, os homens lutarão por coisas que julgam suas, mesmo coisas que ganharam através do roubo. Não lhe agradava a ideia de festejar o regresso matando alguém da sua família. O pai do Ronnet Vermelho fora rápido a aproveitar-se da queda do senhor seu primo, era certo, mas o filho era uma criança nesse tempo. Jon Connington nem sequer odiava tanto o falecido Sor Ronald como poderia ter odiado. A culpa era sua.

Perdera tudo no Septo de Pedra, devido à sua arrogância.

Robert Baratheon estivera escondido algures na vila, ferido e sozinho. Jon Connington sabia-o, e também sabia que a cabeça de Robert na ponta de uma lança poria fim à rebelião, ali e naquele momento. Era jovem e cheio de orgulho. Como não o ser? O Rei Aerys nomeara-o Mão e dera-lhe um exército, e ele pretendia demonstrar-se merecedor dessa confiança, do amor de Rhaegar. Mataria pessoalmente o lorde rebelde, e esculpiria para si um lugar em todas as histórias dos Sete Reinos.

E assim caíra sobre o Septo de Pedra, fechara a vila e dera início a uma busca. Os seus cavaleiros foram de casa em casa, arrombando todas as portas, espreitando para todas as caves. Até mandara homens rastejar pelos esgotos mas, sem que entendesse como, Robert continuara a fugir-lhe. A gente da vila estava a escondê-lo. Mudavam-no de um esconderijo secreto para outro, sempre um passo à frente dos homens do rei. Toda a vila era um ninho de traidores. Por fim encurralaram o usurpador num bordel. Que tipo de rei era aquele, que se escondia atrás das saias das mulheres? Mas enquanto a busca se prolongava, Eddard Stark e Hoster Tully caíram sobre a vila com um exército rebelde. Seguiram-se os sinos e a batalha, Robert saíra do seu bordel de espada na mão, e quase matara Jon nos degraus do velho septo que dera o nome à vila.

Depois disso, durante anos, Jon Connington dissera a si próprio que a culpa não fora sua, que fizera tudo o que qualquer homem podia fazer. Os seus soldados passaram busca a todos os buracos e casebres, oferecera perdões e recompensas, capturara reféns e pendurara-os em gaiolas de corvos e jurara que não teriam nem comida nem bebida até que Robert lhe fosse entregue. Tudo para nada.

— Nem o Tywin Lannister em pessoa poderia ter feito mais — insistira uma noite com o Coração Negro, durante o seu primeiro ano de exílio.

— É aí que te enganas — respondera Myles Toyne. — O Lorde Tywin não teria perdido tempo com uma busca. Teria queimado aquela vila e todas as criaturas vivas que ela contivesse. Homens e rapazes, bebés de peito, nobres cavaleiros e santos septões, porcos e rameiras, ratazanas e rebeldes, tê-los-ia queimado a todos. Quando os incêndios se apagassem e só restassem cinzas e brasas, teria mandado os seus homens encontrar os ossos de Robert Baratheon. Mais tarde, quando o Stark e o Tully aparecessem com a sua hoste, ter-lhes-ia oferecido perdões a ambos, e eles teriam aceitado e regressado a casa com os rabos entre as pernas.

*Ele não se enganava*, refletiu Jon Connington, encostado às ameias dos seus antepassados. *Eu desejava a glória de matar Robert em combate*

*singular e não queria o nome de carniceiro. Por isso Robert escapou-me, e*
*abateu Rhaegar no Tridente.*

— Falhei ao pai — disse — mas não falharei ao filho.

Quando Connington desceu, os seus homens tinham reunido no pátio a guarnição e os plebeus sobreviventes do castelo. Embora Sor Ronnet estivesse de facto algures para norte com Jaime Lannister, o Poleiro do Grifo não estava totalmente privado de grifos. Entre os prisioneiros contava-se o irmão mais novo de Ronnet, Raymund, a sua irmã Alynne e o seu filho ilegítimo, um feroz rapaz ruivo a que chamavam Ronald Storm. Todos dariam reféns úteis se e quando o Ronnet Vermelho regressasse para tentar recuperar o castelo que o pai roubara. Connington ordenou que fossem confinados à torre ocidental, sob guarda. A rapariga desatou a chorar ao ouvir aquilo, e o bastardo tentou morder o lanceiro que estava mais perto dele.

— Parai com isso, os dois — ordenou. — Nenhum mal acontecerá a nenhum de vós, a menos que o Ronnet Vermelho mostre ser um completo idiota.

Só alguns dos cativos estavam ali ao serviço quando Jon Connington fora senhor: um sargento grisalho, cego de um olho; um par de lavadeiras; um palafreneiro que fora moço de estrebaria durante a Rebelião de Robert; a cozinheira que se tornara enormemente gorda; o armeiro do castelo. Griff deixara a barba crescer durante a viagem, pela primeira vez em muitos anos, e para sua surpresa nascera ruiva, na sua maior parte, embora aqui e ali a cinza espreitasse por entre o fogo. Vestido com uma longa túnica vermelha e branca decorada com os grifos gémeos da sua Casa, de um no outro e batalhantes, parecia uma versão mais velha e severa do jovem senhor que fora amigo e companheiro do Príncipe Rhaegar... mas os homens e mulheres do Poleiro do Grifo continuavam a fitá-lo com olhos de estranhos.

— Alguns de vós reconhecem-me — disse-lhes. — Os outros aprenderão. Sou o vosso legítimo senhor, regressado do exílio. Os meus inimigos disseram-vos que estou morto. Essas histórias são falsas, como podeis ver. Servi-me fielmente como servistes o meu primo, e nenhum mal tem de acontecer a nenhum de vós.

Fê-los avançar um por um, perguntou o nome a cada homem e depois pediu-lhes para ajoelharem e lhe jurarem fidelidade. Tudo se processou com rapidez. Os soldados da guarnição — só quatro tinham sobrevivido ao ataque, o velho sargento e três rapazes — depuseram as armas a seus pés. Ninguém mostrou relutância. Ninguém morreu.

Nessa noite, no grande salão, os vencedores banquetearam-se com carnes assadas e peixe acabado de pescar, empurrado para baixo com ricos vinhos tintos vindos da adega do castelo. Jon Connington presidiu, sentado no Cadeirão do Grifo, partilhando a mesa elevada com o Harry Sem-Abrigo Strickland, o Balaq Preto e Franklyn Flowers e os três jovens grifos que tinham feito cativos. As crianças eram do seu sangue e sentia que devia conhecê-las, mas quando o rapaz bastardo anunciou:

— O meu pai vai matar-te — decidiu que já as conhecia o suficiente, enviou-as de volta para as celas e retirou-se.

Haldon Semimeistre tinha estado ausente do banquete. O Lorde Jon foi encontrá-lo na torre do meistre, debruçado sobre uma pilha de pergaminhos, com mapas espalhados a toda a volta.

— Com a esperança de determinar onde poderá estar o resto da companhia? — perguntou-lhe Connington.

— Bem gostaria de poder, senhor.

Dez mil homens tinham zarpado de Volon Therys, com todas as suas armas, cavalos, elefantes. Não chegavam a metade os que tinham aparecido até então em Westeros, no local destinado ao desembarque ou perto dele, uma extensão deserta de costa no limite da mata de chuva… terras que Jon Connington conhecia bem, visto que tinham em tempos sido suas.

Apenas alguns anos antes nunca se teria atrevido a tentar um desembarque no Cabo da Fúria; os senhores da tempestade nutriam uma lealdade demasiado feroz para com a Casa Baratheon e o Rei Robert. Mas com Robert e o irmão Renly mortos, tudo mudara. Stannis era um homem demasiado ríspido e frio para inspirar grande lealdade, mesmo se não estivesse a meio mundo de distância, e as terras da tempestade tinham poucos motivos para amar a Casa Lannister. E Jon Connington não estava desprovido de amigos naquela zona. *Alguns dos senhores mais velhos ainda se lembrarão de mim, e os seus filhos terão ouvido as histórias. E todos eles saberão de Rhaegar, e do seu jovem filho cuja cabeça foi esmagada contra uma fria parede de pedra.*

Felizmente, o seu navio fora dos primeiros a chegar ao destino. Depois, fora só questão de estabelecer um acampamento, de ir reunindo os seus homens à medida que desembarcavam, e de avançar depressa, antes dos fidalgos locais terem algum indício do perigo em que se encontravam. E aí, a Companhia Dourada demonstrara o seu brio. O caos que teria inevitavelmente atrasado uma tal marcha com uma hoste reunida à pressa de cavaleiros domésticos e recrutas locais, não se vira em lado algum. Aqueles eram os herdeiros de Açamargo, e a disciplina era, para eles, leite materno.

— Amanhã por esta hora devemos controlar três castelos — disse. A força que tomara o Poleiro do Grifo representava um quarto das forças que tinham à disposição; Sor Tristan Rivers avançara em simultâneo para a sede da Casa Morrigen, no Ninho de Corvo, e Laswell Peake dirigira-se para Casais de Chuva, o forte dos Wyle, ambos com forças de tamanho comparável. O resto dos seus homens permanecera no acampamento para defender o local de desembarque e o príncipe, sob o comando do tesoureiro volanteno da companhia, Gorys Edoryen. Esperava-se que o número dos seus homens continuasse a aumentar; chegavam mais navios todos os dias. — Ainda não temos cavalos suficientes.

— E nenhum elefante — fez-lhe lembrar o Semimeistre. Nem uma das grandes cocas que transportavam os elefantes tinha aparecido por enquanto. Tinham-nas visto pela última vez em Lys, antes da tempestade que dispersara metade da frota. — Cavalos arranjam-se em Westeros. Elefantes...

— ... não importam. — Os grandes animais seriam úteis numa batalha campal, sem dúvida, mas demoraria algum tempo até terem força suficiente para enfrentar os inimigos no campo de batalha. — Esses pergaminhos disseram-te algo de útil?

— Oh, mais que muito, senhor. — Haldon dirigiu-lhe um sorriso fino. — os Lannister fazem inimigos facilmente, mas parecem ter maior dificuldade em conservar os amigos. A sua aliança com os Tyrell está a desfazer-se, julgando pelo que li aqui. A Rainha Cersei e a Rainha Margaery estão a lutar pelo pequeno rei como duas cadelas por um osso de galinha, e ambas foram acusadas de traição e deboche. Mace Tyrell abandonou o cerco a Ponta Tempestade para marchar de regresso a Porto Real e salvar a filha, deixando para trás só uma força simbólica para manter os homens de Stannis encurralados dentro do castelo.

Connington sentou-se.

— Diz-me mais.

— A norte, os Lannister estão a contar com os Bolton e nas terras fluviais com os Frey, ambas casas com antigo renome de traição e crueldade. O Lorde Stannis Baratheon continua em rebelião aberta e os homens de ferro das ilhas também coroaram um rei. Nunca ninguém parece mencionar o Vale, o que me sugere que os Arryn não participaram em nada disto.

— E Dorne? — O Vale ficava longe; Dorne estava perto.

— O filho mais novo do Príncipe Doran foi prometido a Myrcella Baratheon, o que sugeriria que os dorneses se aliaram à Casa Lannister, mas têm um exército no Caminho do Espinhaço e outro no Passo do Príncipe, só à espera...

— À espera. — Franziu o sobrolho. — De quê? — Sem Daenerys e os seus dragões, Dorne ocupava uma posição central nas suas esperanças. — Escreve para Lançassolar. Doran Martell tem de saber que o filho da irmã ainda está vivo e voltou para casa a fim de reclamar o trono do pai.

— Às vossas ordens, senhor. — O Semimeistre deitou uma olhadela a outro pergaminho. — Dificilmente poderíamos ter escolhido um momento melhor para o desembarque. Temos amigos e aliados potenciais por todos os lados.

— Mas não temos dragões — disse Jon Connington — o que quer dizer que para conquistarmos esses aliados para a nossa causa teremos de ter alguma coisa para lhes oferecer.

— Ouro e terras são os incentivos tradicionais.

— Seria bom que tivéssemos uma coisa e a outra. Promessas de terras e promessas de ouro podem ser suficientes para alguns, mas Strickland e os seus homens esperarão primazia na escolha dos melhores campos e castelos, aqueles que foram tirados aos seus antepassados quando fugiram para o exílio. Não.

— O senhor tem um prémio a oferecer — fez notar Haldon Semimeistre. — A mão do Príncipe Aegon. Uma aliança de casamento, para atrair alguma grande casa à nossa bandeira.

*Uma noiva para o nosso prometedor príncipe.* Jon Connington lembrava-se bem demais do casamento de Rhaegar. *Elia nunca o mereceu. Era débil e enfermiça desde o início, e os partos só a deixaram mais fraca.* Depois do nascimento da Princesa Rhaenys, a mãe passara meio ano de cama, e o nascimento do Príncipe Aegon quase lhe causara a morte. Os meistres disseram depois ao Príncipe Rhaegar que não daria à luz mais filhos.

— Daenerys Targaryen ainda pode vir um dia — disse Connington ao Semimeistre. — Aegon tem de estar livre para casar com ela.

— O senhor sabe o que será melhor — disse Haldon. — Nesse caso, podíamos pensar em oferecer a potenciais amigos um prémio mais pequeno.

— Que sugeririas?

— Vós. Não sois casado. Um grande senhor, ainda viril, sem herdeiros, exceto estes primos que acabámos de despojar, descendente de uma casa antiga com um belo e robusto castelo e vastas e ricas terras que lhe irão ser sem dúvida restituídas e talvez expandidas por um rei grato, depois de triunfarmos. Tendes renome como guerreiro, e na condição de Mão do Rei Aegon falareis com a sua voz e governareis o reino em tudo menos em nome. Parece-me que muitos senhores ambiciosos estariam ansiosos para casar uma filha com um homem assim. Até, talvez, o Príncipe de Dorne.

A resposta de Jon Connington foi um longo olhar frio. Havia alturas em que o Semimeistre o irritava quase tanto como aquele anão irritara.

— Não me parece. — *A morte vai-me subindo pelo braço. Nenhum homem pode saber, nem nenhuma esposa.* Voltou a pôr-se em pé. — Prepara a carta para o Príncipe Doran.

— Às vossas ordens, senhor.

Nessa noite Jon Connington dormiu nos aposentos do senhor, na cama que fora em tempos do pai, sob um empoeirado dossel de veludo vermelho e branco. Acordou de madrugada ao som da chuva que caía e da tímida batida de um criado, ansioso por saber como o seu novo senhor quebraria o jejum.

— Ovos cozidos, pão frito e feijões. E uma bilha de vinho. O pior vinho que houver na adega.

— O... o *pior*, s'nhor?

— Ouviste-me.

Depois da comida e do vinho serem trazidos, trancou a porta, esvaziou a bilha para dentro de uma bacia e ensopou nela a mão. Lavagens e banhos com vinagre eram o tratamento que a Senhora Lemore determinara para o anão, quando temera que ele pudesse ter escamagris, mas pedir uma bilha de vinagre todas as manhãs revelaria o jogo. Vinho teria de servir, embora não visse motivo para desperdiçar uma boa colheita. As unhas de todos os quatro dedos estavam agora negras, embora a do polegar ainda não estivesse. No dedo médio, o cinzento ultrapassara o segundo nó. *Devia cortá-los*, pensou, *mas como explicaria dois dedos a menos?* Não se atrevia a permitir que se soubesse da escamagris. Por estranho que parecesse, homens que enfrentariam alegremente a batalha e arriscariam a morte para salvar um companheiro abandonariam esse mesmo companheiro num piscar de olhos se se soubesse que ele tinha escamagris. *Devia ter deixado que o maldito anão se afogasse.*

Mais tarde nesse dia, de novo vestido e enluvado, Connington fez uma inspeção ao castelo e mandou dizer ao Harry Sem-Abrigo Strickland e aos seus capitães para se lhe juntarem para um conselho de guerra. Reuniram-se nove no aposento privado; Connington e Strickland, Haldon Semimeistre, o Balaq Preto, Sor Franklyn Flowers, Malo Jayn, Sor Brendel Byrne, Dick Cole e Lymond Pease. O Semimeistre tinha boas novas.

— Chegaram ao acampamento notícias de Marq Mandrake. Os volantenos puseram-no em terra naquilo que acabou por ser Estermonte, com perto de quinhentos homens. Tomou Pedraverde.

Estermonte era uma ilha ao largo do Cabo da Fúria, que nunca fora um dos seus objetivos.

— Os malditos volantenos estão tão ansiosos por se verem livres de nós que andam a despejar-nos em qualquer bocado de terra que vejam — disse Franklyn Flowers. — Aposto que também temos rapazes espalhados por metade dos malditos Degraus.

— Com os meus elefantes — disse Harry Strickland, num tom fúnebre. Tinha saudades dos elefantes, o velho Harry Sem-Abrigo.

— Mandrake não tem arqueiros consigo — disse Lymond Pease. — Sabemos se Pedraverde enviou corvos antes de cair?

— Suponho que sim — disse Jon Connington — mas que mensagens teriam eles transportado? No máximo um relato confuso sobre atacantes vindos do mar. — Mesmo antes de zarparem de Volon Therys, dera instruções aos seus capitães para não mostrarem estandartes durante os primeiros ataques; nem o dragão de três cabeças do Príncipe Aegon, nem os seus grifos, nem os crânios e os estandartes de batalha dourados da companhia. Os Lannister que suspeitassem de Stannis Baratheon, de piratas vindos dos Degraus, de fora-da-lei saídos das florestas ou de quem quer que quisessem culpar. Se os relatos que chegassem a Porto Real fossem confusos e contraditórios, tanto melhor. Quanto mais lento fosse o Trono de Ferro a reagir, mais tempo teriam para reunir as suas forças e atrair aliados para a sua causa. — Deve haver navios em Estermonte. Aquilo *é* uma ilha. Haldon, manda dizer a Mandrake para deixar uma guarnição para trás e trazer o resto dos seus homens para o Cabo da Fúria, juntamente com quaisquer cativos nobres que tenha arranjado.

— Às vossas ordens, senhor. Acontece que a Casa Estermont tem laços de sangue com ambos os reis. Bons reféns.

— Bons resgates — disse o Harry Sem-Abrigo, feliz.

— Também está na altura de mandarmos buscar o Príncipe Aegon — anunciou o Lorde Jon. — Ele estará mais seguro aqui atrás das muralhas do Poleiro do Grifo do que no acampamento.

— Eu mando um cavaleiro — disse Franklyn Flowers — mas posso dizer-vos já que o rapaz não gostará muito da ideia de ficar seguro. Ele quer estar no centro das coisas.

*Todos nós o quisemos, na idade dele*, pensou o Lorde Jon, recordando.

— Será que chegou a altura de içar a bandeira dele? — perguntou Pease.

— Ainda não. Porto Real que pense que isto não passa de um senhor exilado que voltou para casa com umas quantas espadas contratadas para reclamar os seus direitos de nascença. É uma velha história familiar, essa. Eu até vou escrever ao Rei Tommen, dizendo isso mesmo e pedindo um perdão e a devolução das minhas terras e títulos. Isso dar-lhes-á algo para roer durante algum tempo. E enquanto eles vacilam, mandaremos mensagens em segredo a potenciais amigos nas terras da tempestade e na Campina. E em Dorne. — Esse era o passo crucial. Senhores de menor estatuto podiam juntar-se à sua causa por temerem danos ou por esperarem ganhos, mas só o Príncipe de Dorne tinha o poder de desafiar a Casa Lannister e os seus aliados. — Acima de tudo temos de ter Doran Martell do nosso lado.

— Há poucas hipóteses disso acontecer — disse Strickland. — O dornês tem medo da própria sombra. Não é aquilo a que se poderá chamar ousado.

*Tal como tu.*

— O Príncipe Doran é um homem cauteloso, é verdade. Ele nunca se juntará a nós, a menos que esteja convencido de que ganharemos. Portanto, para o persuadir, temos de mostrar a nossa força.

— Se Peake e Rivers tiverem sucesso, controlaremos a maior parte do Cabo da Fúria — argumentou Strickland. — Quatro castelos noutros tantos dias, é um magnífico começo, mas ainda só temos metade das nossas forças. Precisamos de esperar pelo resto dos meus homens. Também nos faltam cavalos e os elefantes. Eu digo para esperarmos. Para reunirmos o nosso poder, conquistarmos alguns pequenos senhores para a nossa causa, deixarmos que Lysono Maar envie os seus espiões para ficarmos a saber o que pudermos sobre os nossos inimigos.

Connington deitou ao rechonchudo capitão-general um olhar frio. *Este homem não é nenhum Coração Negro, nenhum Açamargo, nenhum Maelys. Esperaria até que os sete infernos congelassem, se pudesse, em vez de correr o risco de sofrer outro ataque de borbulhas.*

— Não atravessámos meio mundo para esperar. A nossa melhor hipótese é atacar duramente e depressa, antes de Porto Real saber quem somos. Tenciono tomar Ponta Tempestade. Um forte quase inexpugnável, e a última base de Stannis Baratheon no sul. Depois de tomado, dar-nos-á uma fortaleza segura para onde retirar se necessário, e conquistá-la provará a nossa força.

Os capitães da Companhia Dourada trocaram olhares.

— Se Ponta Tempestade ainda for controlada por homens leais a Stannis, estaremos a tirar-lha a ele, não aos Lannister — objetou Brendel Byrne. — Porque não fazer causa comum com ele contra os Lannister?

— Stannis é irmão de Robert, da mesma laia que derrubou a Casa Targaryen — fez-lhe lembrar Jon Connington. — Além disso, está a mil léguas de distância, com as magras forças que ainda comanda. Entre nós estende-se todo o reino. Precisaríamos de meio ano só para chegarmos junto dele, e tem menos que pouco a oferecer-nos.

— Se Ponta Tempestade é assim tão inexpugnável, como tencionais tomá-la? — perguntou Malo.

— Através de uma artimanha.

O Harry Sem-Abrigo Strickland discordou.

— Devíamos esperar.

— E esperaremos. — Jon Connington pôs-se em pé. — Dez dias. Mais não. Precisaremos desse tempo para nos prepararmos. Na manhã do décimo primeiro dia, partimos para Ponta Tempestade.

O príncipe chegou para se lhes juntar quatro dias mais tarde, cavalgando à cabeça de uma coluna de cem cavaleiros, com três elefantes a avançar pesadamente na retaguarda. A Senhora Lemore vinha com ele, de novo vestida com o trajo branco de uma septã. À frente vinha Sor Rolly Campopato, com um manto branco como a neve a escorrer-lhe dos ombros.

*Um homem sólido e fiel*, pensou Connington enquanto via o Pato desmontar, *mas não é digno da Guarda Real.* Fizera os possíveis para dissuadir o príncipe de dar a Campopato aquele manto, fazendo notar que era melhor manter a honraria de reserva para guerreiros de maior renome cuja lealdade pudesse adicionar esplendor à sua causa, e para os filhos mais novos de grandes senhores de cujo apoio necessitaria na luta que aí vinha, mas o rapaz não se deixara demover.

— O Pato morrerá por mim, se tiver de ser — dissera — e isso é tudo o que eu exijo da minha Guarda Real. O Regicida também era um guerreiro de grande renome e filho de um grande senhor.

*Pelo menos convenci-o a deixar os outros seis lugares em aberto, caso contrário o Pato podia ter seis patinhos a correr atrás dele, cada um mais fulgurantemente inadequado do que o anterior.*

— Escoltai Sua Graça ao meu aposento privado — ordenou. — Imediatamente.

Mas o Príncipe Aegon Targaryen não era nem por sombras tão obediente como o Jovem Griff fora. Passou-se a maior parte de uma hora antes de aparecer no aposento privado, com o Pato ao lado.

— Lorde Connington — disse — gosto do vosso castelo.

*As terras do teu pai são belas, disse ele. O cabelo prateado estava a ser soprado pelo vento, e os seus olhos eram de um profundo tom de púrpura, mais escuros que os deste rapaz.*

— Tal como eu, Vossa Graça. Por favor, sentai-vos. Sor Rolly, não teremos mais falta de vós por agora.

— Não, eu quero que o Pato fique. — O príncipe sentou-se. — Estivemos a conversar com Strickland e Flowers. Falaram-nos desse ataque a Ponta Tempestade que estais a planear.

Jon Connington não deixou transparecer a fúria que sentiu.

— E o Harry Sem-Abrigo tentou convencer-vos a adiá-lo?

— Por acaso tentou — disse o príncipe — mas eu não o vou fazer. O Harry é uma velha donzela, não é? Vós tendes razão, senhor. Quero que o ataque se realize… com uma alteração. Pretendo liderá-lo.

No largo ajardinado da aldeia, os homens da rainha montaram a sua pira. *Ou deveria ser largo nevado?* A neve chegava aos joelhos em todo o lado, exceto onde os homens a tinham limpo à pazada para abrir buracos no chão gelado com machados, pás e picaretas. O vento turbilhonava de oeste, empurrando ainda mais neve por sobre a superfície gelada dos lagos.

— Não quereis ver isto — disse Aly Mormont.

— Não, mas quero. — Asha Greyjoy era filha da lula gigante, não uma donzela apaparicada que não suportava olhar para coisas feias.

Fora um dia escuro, frio e esfomeado, como o dia anterior, e o dia antes desse. Tinham passado a maior parte dele no meio do gelo, a tremer ao lado de um par de buracos que tinham cortado no mais pequeno dos lagos gelados, agarrando linhas de pesca com mãos tornadas desajeitadas pelas luvas. Pouco tempo antes, podiam aspirar a pescar um ou dois peixes cada um, e os homens da mata de lobos, mais habituados a pescar no gelo, tiravam da água quatro ou cinco. Naquele dia, Asha só conseguira regressar com um frio que lhe chegava aos ossos. Aly não se saíra melhor. Tinham-se passado três dias desde que qualquer delas apanhara um peixe.

A Ursa voltou a tentar.

— *Eu* não quero ver isto.

*Não é a ti que os homens da rainha querem queimar.*

— Então ide-vos embora. Tendes a minha palavra, não fugirei. Para onde iria? Para Winterfell? — Asha riu-se. — Só a três dias a cavalo, dizem.

Seis homens da rainha lutavam com dois enormes postes de pinho para os enfiar em buracos que outros seis homens da rainha tinham cavado. Asha não precisava de perguntar o que tencionavam fazer. Sabia. *Estacas.* O cair da noite chegaria em breve, e o deus vermelho tinha de ser alimentado. *Uma oferenda de sangue e fogo*, chamavam-lhe os homens da rainha, *para que o Senhor da Luz vire o seu olho fogoso para nós e derreta estas três vezes malditas neves.*

— Mesmo neste lugar de medo e trevas, o Senhor da Luz protege-nos — disse Sor Godry Farring aos homens que se reuniram para ver as estacas a serem enfiadas nos buracos à martelada.

— Que tem o vosso deus do sul a ver com a *neve*? — quis saber Artos Flint. A sua barba negra estava coberta de gelo. — Isto foi a fúria dos deuses antigos que caiu sobre nós. É a eles que temos de apaziguar.

— Pois — disse o Grande Balde Wull. — O Vermelho Rahlu não significa nada por aqui. Só irritaremos os deuses antigos. Eles observam-nos da sua ilha.

A aldeia dos camponeses ficava entre dois lagos, o maior dos quais era salpicado de pequenas ilhas cobertas de floresta que trespassavam o gelo como os punhos gelados de algum gigante afogado. Numa dessas ilhas erguia-se um represeiro, nodoso e antigo, cujo tronco e ramos eram tão brancos como a neve circundante. Oito dias antes Asha saíra com Aly Mormont para ver mais de perto os seus olhos vermelhos fendidos e a sua boca sangrenta. *É só seiva*, dissera a si própria, *a seiva vermelha que corre no interior destes represeiros.* Mas os seus olhos não ficaram convencidos; ver era crer, e o que eles viram foi sangue congelado.

— Vós, os nortenhos, fizestes cair estas neves sobre nós — insistiu Corliss Penny. — Vós e as vossas árvores demoníacas. R'hllor salvar-nos-á.

— R'hllor perder-nos-á — disse Artos Flint.

*Merda para ambos os vossos deuses*, pensou Asha Greyjoy.

Sor Godry, o Mata-Gigantes, examinou as estacas, empurrando uma delas para se assegurar de que estava firmemente no lugar.

— Ótimo. Ótimo. Servirão. Sor Clayton, trazei o sacrifício.

Sor Clayton Suggs era o forte braço direito de Godry. *Ou deveria chamar-lhe o seu braço mirrado?* Asha não gostava de Sor Clayton. Enquanto Farring parecia feroz na devoção ao seu deus vermelho, Suggs era simplesmente cruel. Vira-o nas fogueiras noturnas, a observar, com os lábios entreabertos e os olhos ávidos. *Não é o deus que ele adora, são as chamas*, concluíra. Quando perguntara a Sor Justin se Suggs sempre fora assim, ele fizera uma careta.

— Em Pedra do Dragão jogava com os torturadores, e dava-lhes uma ajuda nos interrogatórios aos prisioneiros, especialmente se o prisioneiro fosse uma mulher jovem.

Asha não ficara surpreendida. Não duvidava de que Suggs obteria um deleite especial de a queimar. *A menos que as tempestades amainem.*

Estavam a três dias de Winterfell há dezanove. *Cem léguas de Bosque Profundo a Winterfell. Trezentas milhas em voo de corvo.* Mas nenhum deles era um corvo, e a tempestade não esmorecia. Todas as manhãs Asha acordava com a esperança de talvez ver o sol, só para enfrentar outro dia de neve. A tempestade enterrara todas as cabanas e palhotas debaixo de um monte de neve suja, e os montes de neve acumulada depressa seriam suficientemente profundos para engolir também o edifício comum.

E não havia comida, além dos cavalos cada vez mais débeis, do peixe pescado nos lagos (cada dia menos), e de qualquer magro sustento que os forrageadores conseguissem encontrar naquela fria e morta floresta. Com os cavaleiros e senhores do rei a ficar com a parte de leão da carne dos cavalos, era menos que pouco o que restava para os homens comuns. Assim, pouco admirava que tivessem começado a comer os seus mortos.

Asha ficara tão horrorizada como os outros quando a Ursa lhe dissera que quatro dos homens de Peasebury tinham sido encontrados a esquartejar um dos do falecido Lorde Fell, cortando-lhe fatias de carne das coxas e nádegas enquanto um dos antebraços girava num espeto, mas não podia fingir surpresa. Apostava que aqueles quatro não eram os primeiros a provar carne humana durante aquela marcha sombria — só os primeiros a serem descobertos.

Os quatro de Peasebury iam pagar pelo banquete com as vidas, por decreto do rei... e para, ardendo, porem fim à tempestade, segundo afirmavam os homens da rainha. Asha Greyjoy não tinha qualquer fé no deus vermelho deles, mas rezava para terem razão a esse respeito. Se não a tivessem haveria outras piras, e Sor Clayton Suggs poderia vir a obter o que o seu coração desejava.

Os quatro comedores de carne estavam nus quando Sor Clayton os empurrou para o exterior, com os pulsos atados atrás das costas com cordões de couro. O mais novo chorava enquanto ia tropeçando pela neve fora. Outros dois caminhavam como se já estivessem mortos, de olhos fixos no chão. Asha surpreendeu-se ao ver como pareciam banais. *Não são monstros*, compreendeu, *são só homens.*

O mais velho tinha sido seu sargento. Só ele se mantinha desafiador, cuspindo veneno contra os homens da rainha enquanto o empurravam com as lanças.

— Fodei-vos todos e que se foda também o vosso deus vermelho — disse. — Estás a ouvir-me, Farring? *Mata-Gigantes?* Eu ri-me quando o cabrão do teu primo morreu, Godry. Também o devíamos ter comido a ele, cheirou tão bem quando o assaram! Aposto que o rapaz era saboroso e tenrinho. Sumarento. — Um golpe com o cabo de uma lança pôs o homem de joelhos mas não o silenciou. Quando se levantou cuspiu sangue e dentes partidos e prosseguiu onde tinha ficado. — O caralho é a parte mais saborosa, todo estaladiço do espeto. Uma salsichinha gorda. — Mesmo enquanto o envolviam nas correntes, continuou a tresvariar. — Corliss Penny, anda cá. Que raio de nome é *Penny?* Não é uma moeda? Era isso que a tua mãe cobrava? E tu, Suggs, meu bastardo de merda, tu...

Sor Clayton não proferiu palavra. Um golpe rápido abriu a goela ao sargento, inundando-lhe o peito com uma onda de sangue.

O chorão chorou com mais força, com o corpo a estremecer a cada soluço. Estava tão magro que Asha conseguiu contar-lhe as costelas.

— Não — suplicava — por favor, ele 'tava morto, ele 'tava morto e a gente tinha fome, *por favor*...

— O sargento foi o esperto — disse Asha a Aly Mormont. — Levou Suggs a matá-lo. — Perguntou a si própria se o mesmo truque resultaria duas vezes, no caso de chegar a sua vez.

As quatro vítimas foram acorrentadas costas contra costas, duas por estaca. E aí ficaram pendurados, três vivos e um morto, enquanto os devotos do Senhor da Luz empilhavam troncos abertos ao meio e ramos partidos debaixo dos seus pés, e depois ensopavam as pilhas com óleo de lamparina. Tiveram de se apressar. A neve caía pesadamente, como sempre, e a madeira depressa ficaria ensopada.

— Onde está o rei? — perguntou Sor Corliss Penny.

Quatro dias antes, um dos escudeiros do rei sucumbira ao frio e à fome, um rapaz chamado Byren Farring que fora da família de Sor Godry. Stannis Baratheon mantivera-se de cara sombria junto da pira funerária enquanto o corpo do rapaz era entregue às chamas. Depois, o rei retirara para a sua torre de vigia. Não saíra desde então... embora de vez em quando Sua Graça fosse visto no telhado da torre, delineado contra o fogo sinaleiro que aí ardia de noite e de dia. *Conversando com o deus vermelho,* diziam alguns. *A chamar a Senhora Melisandre,* insistiam outros. Fosse como fosse, parecia a Asha Greyjoy que o rei estava perdido e gritava por ajuda.

— Canty, vai à procura do rei e diz-lhe que está tudo a postos — disse Sor Godry ao homem-de-armas mais próximo.

— O rei está aqui. — A voz era a de Richard Horpe.

Por cima da couraça de placa de aço e cota de malha, Sor Richard usava o seu gibão acolchoado, decorado com três borboletas caveira em fundo de cinza e osso. O Rei Stannis caminhava a seu lado. Atrás deles, lutando para se manter a par, coxeava Arnolf Karstark, apoiado na bengala de espinheiro negro. O Lorde Arnolf encontrara-os oito dias antes. O nortenho trouxera um filho, três netos, quatrocentas lanças, duas vintenas de arqueiros, uma dúzia de lanceiros a cavalo, um meistre, e uma gaiola de corvos... mas só provisões suficientes para sustentar os seus.

Asha fora levada a crer que o Karstark não era um verdadeiro senhor; só castelão de Karhold enquanto o verdadeiro senhor continuasse cativo dos Lannister. Magro, corcunda e torto, com o ombro esquerdo quinze centímetros mais alto do que o direito, tinha um pescoço descarnado, uns olhos cinzentos e vesgos e dentes amarelos. Alguns cabelos brancos eram tudo o que o separava da calvície; a sua barba bifurcada era composta em partes iguais por branco e cinzento, mas andava sempre mal cortada. Asha achava que havia algo de azedo nos seus sorrisos. Mas se o que se dizia fosse verdade, seria o Karstark quem ficaria com Winterfell no caso de tomarem o castelo. Algures, no passado distante, a Casa Karstark brotara da Casa Stark, e o Lorde Arnolf fora o primeiro dos vassalos de Eddard Stark a declarar-se partidário de Stannis.

Tanto quanto Asha soubesse, os deuses dos Karstark eram os deuses antigos do norte, deuses que partilhavam com os Wull, os Norrey, os Flint e os outros clãs da montanha. Perguntou a si própria se o Lorde Arnolf teria vindo ver a incineração a pedido do rei, para testemunhar pessoalmente o poder do deus vermelho.

Ao verem Stannis, dois dos homens atados às estacas começaram a suplicar por misericórdia. O rei ouviu em silêncio, com o maxilar tenso. Depois disse a Godry Farring:

— Podeis começar.

O Mata-Gigantes ergueu os braços.

— *Senhor da Luz, escutai-nos.*

— *Senhor da Luz, defendei-nos* — entoaram os homens da rainha — *pois a noite é escura e cheia de terrores.*

Sor Godry ergueu a cabeça para o céu que escurecia.

— *Agradecemo-vos o sol que nos aquece e rezamos para que no-lo devolvais, senhor, para que ele possa iluminar o caminho que leva aos nossos inimigos.* — Flocos de neve derretiam no seu rosto. — *Agradecemo-vos as estrelas que nos vigiam à noite, e rezamos para que arranqueis este véu que as oculta, para podermos voltar a exultar com a sua vista.*

— *Senhor da Luz, protegei-nos* — rezaram os homens da rainha — *e mantende afastada esta escuridão selvagem.*

Sor Corliss Penny deu um passo em frente, agarrando no archote com ambas as mãos. Brandiu-o em volta da cabeça, descrevendo um círculo, avivando as chamas. Um dos cativos começou a choramingar.

— *R'hllor* — cantou Sor Godry — *oferecemo-vos agora quatro homens maus. De corações alegres e fiéis, entregamo-los aos vossos fogos purificadores, para que a escuridão nas suas almas possa ser queimada. Que a sua vil carne seja crestada e enegrecida para que os seus espíritos possam erguer-se livres e puros para ascender para a luz. Aceitai o seu sangue, senhor, e derretei as correntes geladas que prendem os vossos servos. Escutai a sua dor e concedei força às nossas espadas para podermos derramar o sangue dos vossos inimigos. Aceitai este sacrifício e mostrai-nos o caminho para Winterfell, para podermos vencer os incréus.*

— *Senhor da Luz, aceitai este sacrifício* — ecoou uma centena de vozes. Sor Corliss acendeu a primeira pira com o archote, e depois atirou-o para o meio da madeira na base da segunda. Alguns farrapos de fumo começaram a levantar-se. Os cativos desataram a tossir. As primeiras chamas surgiram, precipitando-se e dançando de lenho em lenho. Momentos depois, ambas as estacas estavam engolidas pelo fogo.

— *Ele 'tava morto* — gritou o rapaz que chorava, enquanto as chamas lhe lambiam as pernas. — Encontrámo-lo morto... por favor... a gente tinha *fome*... — O fogo chegou-lhe aos tomates. Quando os pelos em volta da sua picha começaram a arder, a súplica dissolveu-se num longo guincho inarticulado.

Asha Greyjoy sentiu o sabor da bílis ao fundo da garganta. Nas Ilhas de Ferro vira sacerdotes do seu povo cortar as gargantas a servos e entregar os corpos ao mar para prestar reverência ao Deus Afogado. Por mais brutal que isso fosse, aquilo era pior.

*Fecha os olhos*, disse a si própria. *Fecha os olhos. Vira a cara. Não precisas de ver isto.* Os homens da rainha estavam a cantar um hino de louvor ao rubro R'hllor, mas Asha não conseguia ouvir as palavras devido aos guinchos. O calor das chamas batia-lhe na cara, mas mesmo assim estava a tremer. O ar ficou denso de fumo e do fedor a carne queimada, e um dos corpos ainda se contorcia contra as correntes em brasa que o prendiam à estaca.

Passado algum tempo os gritos cessaram.

Sem uma palavra, o Rei Stannis afastou-se, de regresso à solidão da sua torre de vigia. De regresso ao seu fogo sinaleiro, sabia Asha, para perscrutar as chamas em busca de respostas. Arnolf Karstark fez tenção de coxear atrás dele, mas Sor Richard Horpe pegou-lhe no braço e virou-o para o edifício comunitário. A assistência começou a afastar-se, cada pessoa para a sua própria fogueira e qualquer que fosse o magro jantar que conseguisse arranjar.

Clayton Suggs apareceu ao lado dela.

— A cona de ferro gostou do espetáculo? — O seu hálito fedia a cerveja e a cebolas. *Tem olhos de porco*, pensou Asha. Era adequado: o escudo e sobretudo mostravam um porco com asas. Suggs aproximou tanto a cara da dela que Asha contou os pontos negros que ele tinha no nariz, e disse: — A multidão ainda será maior quando fores tu a contorcer-te numa estaca.

Não se enganava. Os lobos não gostavam dela; era nascida no ferro, e tinha de responder pelos crimes da sua gente, por Fosso Cailin e Bosque Profundo e Praça de Torrhen, por séculos de pirataria ao longo da costa pedregosa, por tudo o que Theon fizera em Winterfell.

— Tirai-me as mãos de cima de mim, sor. — De todas as vezes que Suggs falava com ela deixava-a com saudades dos machados. Asha era tão boa dançarina de dedos como qualquer homem das ilhas, e tinha dez dedos para o provar. *Se pudesse dançar com este tipo...* Havia homens que tinham caras que gritavam por uma barba. A cara de Sor Clayton gritava por um machado entre os olhos. Mas ali não tinha machados, portanto o melhor que podia fazer era tentar soltar-se. Isso só fez Sor Clayton agarrá-la com mais força, dedos enluvados a enterrarem-se no seu braço como garras de ferro.

— A senhora pediu-vos que a largásseis — disse Aly Mormont. — Faríeis bem em dar-lhe ouvidos, sor. A Senhora Asha não é para queimar.

— Mas será — insistiu Suggs. — Já abrigámos esta adoradora de demónios entre nós durante demasiado tempo. — Mesmo assim, largou o braço de Asha. Não se provocava a Ursa sem necessidade.

Foi esse o momento que Justin Massey escolheu para aparecer.

— O rei tem outros planos para a sua principal cativa — disse, com o seu sorriso fácil. Tinha as bochechas vermelhas do frio.

— O rei? Ou vós? — Suggs soltou uma fungadela de desprezo. — Conspirai o que quiserdes, Massey. Ela irá na mesma para a fogueira, ela e o seu sangue real. A mulher vermelha costumava dizer que há poder no sangue real. Poder para apaziguar o nosso senhor.

— R'hllor que se contente com os quatro que acabámos de lhe enviar.

— Quatro rústicos plebeus. Uma oferenda de pedinte. Escumalha daquela nunca parará a neve. Ela talvez parasse.

A Ursa interveio.

— E se a queimardes e a neve continuar a cair, que fareis? Quem queimareis de seguida? A mim?

Asha não conseguiu continuar a dominar a língua.

— Porque não Sor Clayton? Talvez R'hllor goste de um dos seus. Um homem fiel que cante louvores enquanto as chamas lhe lambem a picha.

Sor Justin riu-se. Suggs mostrou-se menos divertido.

— Desfruta dos risinhos, Massey. Se a neve continuar a cair, veremos quem se rirá. — Deitou uma olhadela aos mortos nas estacas, sorriu, e foi juntar-se a Sor Godry e aos outros homens da rainha.

— O meu campeão — disse Asha a Justine Massey. Ele merecia-o, fossem quais fossem as suas motivações. — Obrigada pela salvação, sor.

— Com isto não arranjareis amigos entre os homens da rainha — disse a Ursa. — Perdestes a fé no rubro R'hllor?

— Perdi a fé em mais do que isso — disse Massey, com o hálito a transformar-se numa névoa pálida no ar — mas continuo a acreditar no jantar. Juntais-vos a mim, senhoras?

Aly Mormont abanou a cabeça.

— Não tenho apetite.

— Nem eu. Mas mesmo assim é melhor que empurreis para baixo alguma carne de cavalo, senão em breve podeis vir a desejar tê-lo feito. Tínhamos oitocentos cavalos quando nos pusemos em marcha em Bosque Profundo. Na noite passada a contagem foi de sessenta e quatro.

Aquilo não a chocou. Quase todos os grandes corcéis de batalha tinham caído, incluindo o de Massey. A maior parte dos palafréns também se fora. Mesmo os garranos dos nortenhos estavam a fraquejar por lhes faltar ração. Mas para que precisavam de cavalos? Stannis já não estava a marchar para sítio nenhum. O Sol, a Lua e as estrelas tinham desaparecido há tanto tempo que Asha começava a perguntar a si própria se não os teria sonhado.

— Eu comerei.

Aly abanou a cabeça.

— Eu não.

— Então deixai-me vigiar a Senhora Asha — disse-lhe Sor Justin. — Tendes a minha palavra, não permitirei a sua fuga.

A Ursa consentiu de má vontade, surda para a brincadeira no tom dele. Separaram-se ali; Aly foi para a sua tenda, ela e Justin Massey para o edifício comum. Não ficava longe, mas os montes de neve acumulada eram profundos, o vento soprava em rajadas e os pés de Asha eram blocos de gelo. O tornozelo apunhalava-a a cada passo.

Apesar de pequeno e mal feito, o edifício comum era o maior edifício da aldeia, de modo que os senhores e capitães o tinham tomado para si, enquanto Stannis se instalava na torre de vigia de pedra que se erguia na margem do lago. Um par de guardas flanqueava a sua porta, apoiados a altas lanças. Um ergueu a aba de oleado que servia de porta para Massey entrar, e Sor Justin acompanhou Asha para o abençoado calor que fazia no interior.

Bancos e mesas de montar dispunham-se ao longo de ambos os lados do salão, com espaço para cinquenta homens… embora o dobro desse número se tivesse enfiado lá dentro. Uma vala para fogueiras fora escavada no meio do chão de terra, com uma fila de buracos para o fumo no telhado, por cima. Os lobos tinham-se habituado a sentar-se de um dos lados da vala, os cavaleiros e senhores do sul do outro.

A Asha pareceu que os sulistas pareciam um bando lastimável — descarnados e de rostos encovados, alguns pálidos e doentes, outros com caras vermelhas e queimadas pelo vento. Por contraste, os nortenhos pareciam vigorosos e saudáveis, grandes homens rosados com barbas densas como arbustos, vestidos de peles e ferro. Podiam ter também frio e fome, mas a marcha fora-lhes mais fácil, com os seus garranos e patas de urso.

Asha descalçou as luvas de pele, estremecendo quando fletiu os dedos. Dor subiu-lhe as pernas quando os pés meio congelados começaram a degelar com o calor. Os camponeses tinham deixado para trás uma boa provisão de turfa quando fugiram, e por conseguinte o ar estava repleto de fumo e do cheiro rico e terroso da turfa a arder. Pendurou o manto numa cavilha ao lado da porta depois de sacudir a neve que a ele aderia.

Sor Justin arranjou-lhes lugares no banco e foi buscar jantar para os dois; cerveja e bocados de carne de cavalo, carbonizada por fora e vermelha por dentro. Asha bebeu um gole de cerveja e atirou-se à carne de cavalo. A dose era mais pequena do que a última que provara, mas mesmo assim a barriga rosnou quando lhe sentiu o cheiro.

— Os meus agradecimentos, sor — disse, enquanto sangue e gordura lhe escorriam queixo abaixo.

— Justin. Insisto. — Massey cortou a sua carne aos bocados e apunhalou um com a adaga.

Ao fundo da mesa, Will Foxglove estava a dizer aos homens que o rodeavam que Stannis reataria a marcha contra Winterfell dali a três dias. Tinha-o ouvido da boca de um dos palafreneiros que cuidavam dos cavalos do rei.

— Sua Graça viu vitória nas fogueiras — dizia Foxglove — uma vitória que será cantada durante mil anos tanto nos castelos dos senhores como nas cabanas dos camponeses.

Justin Massey ergueu o olhar da sua carne de cavalo.

— A fria contagem, ontem à noite, chegou a oitenta. — Arrancou um bocado de cartilagem dos dentes e atirou-a ao cão mais próximo. — Se nos pusermos em marcha, morreremos às centenas.

— Morreremos aos milhares se ficarmos aqui — disse Sor Humfrey Clifton. — Avançar ou morrer, digo eu.

— Avançar *e* morrer, respondo eu. E se chegarmos a Winterfell, fazemos o quê? Como tomamos o castelo? Metade dos nossos homens estão tão fracos que quase não conseguem pôr um pé à frente do outro. Ides pô-los a escalar muralhas? A construir torres de cerco?

— Devíamos ficar aqui até o tempo melhorar — disse Sor Ormund Wylde, um cadavérico velho cavaleiro, cuja natureza nada tinha de selvagem. Asha ouvira rumores que afirmavam que alguns dos homens-de-armas andavam a apostar sobre qual dos grandes senhores e cavaleiros seria o próximo a morrer. Sor Ormund emergira como um claro favorito. *E quanto dinheiro foi apostado em mim, já agora?*, pensou Asha. *Talvez ainda haja tempo para uma aposta.* — Aqui, pelo menos, temos algum abrigo — estava Wylde a insistir — e há peixe nos lagos.

— Há peixe a menos e pescadores a mais — disse melancolicamente o Lorde Peasebury. Tinha bons motivos para a melancolia; tinham sido seus os homens que Sor Godry acabara de queimar, e havia alguns naquele salão que tinham sido ouvidos a dizer que o próprio Peasebury decerto sabia o que os seus homens andavam a fazer, e podia mesmo ter participado nos seus festins.

— Ele nã' se engana — resmungou Ned Woods, um dos batedores de Bosque Profundo. Chamavam-lhe Ned Sem-Nariz; o frio levara-lhe a ponta do nariz dois invernos antes. Não havia homem vivo que conhecesse a mata de lobos melhor do que Woods. Mesmo os mais orgulhosos senhores do rei tinham aprendido a escutar quando ele falava. — Eu conheço estes lagos. Andaram neles como larvas num cadáver, às centenas. Abriram tantos buracos no gelo que só me espanta que nã tenha caído mais gente lá dentro. Ò pé da ilha há sítios que mais parecem queijo depois de ser roído por ratazanas. — Abanou a cabeça. — Os lagos acabaram-se. Limparam-nos de peixe.

— Mais um motivo para nos pormos em marcha — insistiu Humfrey Clifton. — Se a morte é o nosso destino, morramos de espadas na mão.

Era a mesma discussão da noite anterior e da outra antes dessa. *Avançar e morrer, ficar aqui e morrer, recuar e morrer.*

— Fica à vontade para morreres como quiseres, Humfrey — disse Justin Massey. — Quanto a mim, prefiro viver para ver outra primavera.

— Há quem chame a isso cobardia — respondeu o Lorde Peasebury.

— Antes cobarde que canibal.

A cara de Peasebury torceu-se numa súbita fúria.

— Vós…

— A morte faz parte da guerra, Justin. — Sor Richard Horpe estava à porta, com o cabelo escuro húmido de neve a derreter. — Aqueles que marcharem connosco terão uma porção do saque que obtivermos de Bolton e do seu bastardo e uma porção maior de glória imortal. Os que estiverem fracos demais para se porem em marcha terão de cuidar de si. Mas tendes a minha palavra, enviaremos comida depois de tomarmos Winterfell.

— *Vós não tomareis Winterfell!*

— Tomaremos sim — soou uma risota vinda da mesa elevada, onde Arnolf Karstark se encontrava com o filho Arthor e três netos. O Lorde Arnolf pôs-se em pé, um abutre a erguer-se de cima da presa. Uma mão malhada apoiou-se ao ombro do filho. — Tomá-lo-emos por Ned e pela filha. Sim, e pelo Jovem Lobo, que foi tão cruelmente massacrado. Eu e os meus mostraremos o caminho, se tiver de ser. Disse isso mesmo a Sua boa Graça, o rei. *Marchai*, disse eu, e antes de a lua virar estaremos todos a tomar banho no sangue de Freys e de Boltons.

Homens começaram a bater com os pés, a atirar os punhos contra o tampo da mesa. Asha reparou que quase todos eram nortenhos. Nos bancos do outro lado da vala das fogueiras, os senhores do sul mantiveram-se em silêncio.

Justin Massey esperou até que o burburinho cessasse. Depois disse:

— A vossa coragem é admirável, Lorde Karstark, mas a coragem não abrirá brechas nas muralhas de Winterfell. Dizei, como tencionais tomar o castelo? Com bolas de neve?

Um dos netos do Lorde Arnolf respondeu.

— Abateremos árvores para fazer aríetes e quebrar os portões.

— E morrereis.

Outro neto fez-se ouvir.

— Faremos escadas, escalaremos as muralhas.

— E morrereis.

Interveio Arthor Karstark, o filho mais novo do Lorde Arnolf.

— Construiremos torres de cerco.

— E morrereis, morrereis, morrereis. — Sor Justin fez rolar os olhos. — Pela bondade dos deuses, será que todos os Karstark são loucos?

— *Deuses?* — disse Richard Horpe. — Perdeste a cabeça, Justin. Aqui só temos um deus. Não fales de demónios nesta companhia. Só o Senhor da Luz nos pode salvar agora. Não concordas? — Pôs a mão no cabo da espada, como que para dar ênfase às palavras, mas os olhos não abandonaram a cara de Justin Massey.

Sob aquele olhar, Sor Justin murchou.

— O Senhor da Luz, pois. A minha fé é tão profunda como a tua, Richard, sabes disso.

— É a tua coragem que questiono, Justin, não a tua fé. Vens a pregar derrota desde que partimos de Bosque Profundo. Isso deixa-me curioso sobre de que lado estás.

Um rubor subiu pelo pescoço de Massey.

— Não vou ficar aqui para ser insultado. — Arrancou o manto húmido da parede com tal força que Asha o ouviu a rasgar-se, e depois passou a passos largos por Horpe e pela porta fora. Um sopro de ar frio percorreu o salão, fazendo voar cinzas da vala das fogueiras e espevitando as chamas um pouco mais.

*E assim, tão repentinamente, quebrou*, pensou Asha. *O meu campeão é feito de sebo.* Mesmo assim, Sor Justin era um dos poucos que poderiam levantar objeções se os homens da rainha tentassem queimá-la. Portanto pôs-se em pé, envergou o manto e seguiu-o para a tempestade de neve.

Perdeu-se antes de avançar dez metros. Asha via a fogueira sinaleira a arder no topo da torre de vigia, um ténue brilho cor de laranja a flutuar no ar. À parte isso, a aldeia desaparecera. Estava sozinha num mundo branco de neve e silêncio, cortando através de montes de neve acumulada que lhe chegavam às coxas.

— *Justin?* — chamou. Não houve resposta. Algures, à esquerda, ouviu o relincho de um cavalo. *O pobrezinho parece assustado. Talvez saiba que vai ser o jantar de amanhã.* Asha apertou bem o manto em volta de si.

Sem dar por isso, regressou ao largo da aldeia. As estacas de pinho ainda estavam em pé, chamuscadas e esturricadas mas não completamente queimadas. Viu que as correntes em volta dos mortos já tinham arrefecido, mas ainda prendiam bem os cadáveres no seu abraço de ferro. Um corvo estava empoleirado em cima de um deles, puxando os farrapos de carne queimada que aderiam ao crânio enegrecido. A neve soprada pelo vento cobrira as cinzas na base da pira e subira a perna do morto até ao tornozelo. *Os deuses antigos querem enterrá-lo*, pensou Asha. *Isto não foi obra sua.*

— Dá uma boa e longa olhadela, cona — disse a profunda voz de Clayton Suggs, de trás dela. — Vais ficar assim bonita depois de seres assada. Diz-me, as lulas gritam?

*Deus dos meus pais, se me conseguirdes ouvir nos vossos salões aquáticos sob as vagas, concedei-me só um pequeno machado de arremesso.* O Deus Afogado não respondeu. Raramente o fazia. Era esse o problema com os deuses.

— Viste Sor Justin?

— Esse pavão idiota? Que queres tu com ele, cona? Se é de uma foda que precisas, eu sou mais homem que o Massey.

*Outra vez cona?* Era estranho como homens como Suggs usavam aquela palavra para rebaixar as mulheres, quando era a única parte de uma mulher a que davam valor. E Suggs era pior que o Liddle do Meio. *Quando diz a palavra, di-la a sério.*

— O teu rei castra homens por violação — fez-lhe lembrar.

Sor Clayton soltou um risinho abafado.

— O rei está meio cego de fitar fogueiras. Mas não tenhas medo, cona, eu não te violo. Teria de te matar depois, e prefiro ver-te arder.

*Lá está outra vez o cavalo.*

— Estás a ouvir aquilo?

— A ouvir o quê?

— Um cavalo. Não, cavalos. Mais do que um. — Virou a cabeça, à escuta. A neve fazia coisas estranhas ao som. Era difícil saber de que direção o som viera.

— Isto é algum jogo de lulas? Não ouço… — Suggs franziu o sobrolho. — Maldito inferno. Cavaleiros. — Pôs-se às apalpadelas ao cinturão da espada, com mãos tornadas desajeitadas pelas luvas de pele e couro, e por fim teve sucesso em arrancar a espada à respetiva bainha.

Nessa altura, os cavaleiros estavam em cima deles.

Emergiram da tempestade como uma companhia de espetros, grandes homens montados em cavalos pequenos, tornados ainda maiores pelas volumosas peles que usavam. Traziam espadas às ancas, cantando a sua suave canção de aço enquanto matraqueavam nas bainhas. Asha viu um machado de batalha preso à sela de um homem, um martelo de guerra às costas de outro. Também traziam escudos, mas estavam tão cobertos de neve e gelo que as armas neles desenhadas não se conseguiam ler. Apesar de todas as camadas de lã, peles e couro fervido que usava, Asha sentiu-se nua ali parada. *Um corno*, pensou, *preciso de um corno para despertar o acampamento.*

— Foge, minha cona estúpida — gritou Sor Clayton. — Corre a prevenir o rei. O Lorde Bolton caiu sobre nós. — Podia ser um brutamontes, mas a Suggs não faltava coragem. De espada na mão, avançou neve adentro, interpondo-se entre os cavaleiros e a torre do rei, cuja luz brilhava atrás dele como o olho alaranjado de algum estranho deus. — Quem vem lá? Alto! *Alto!*

O cavaleiro que seguia na dianteira refreou o cavalo na sua frente. Atrás vinham outros, chegando talvez a uma vintena. Asha não teve tempo para os contar. Podiam estar mais centenas no meio da tempestade, avançando logo atrás deles. Toda a hoste de Roose Bolton podia estar a cair sobre eles, escondida pela escuridão e pelos turbilhões de neve. Mas aqueles...

*São demasiados para serem batedores e não são os suficientes para constituírem uma vanguarda.* E dois estavam todos vestidos de preto. *Patrulha da Noite*, compreendeu de súbito.

— Quem sois vós? — gritou.

— Amigos — respondeu uma voz que lhe era meio familiar. — Procurámo-vos em Winterfell, mas só encontrámos o Papa-Corvos Umber a fazer soar tambores e a soprar cornos. Demorámos algum tempo a encontrar-vos. — O cavaleiro saltou da sela, empurrou o capuz para trás e fez uma vénia. Tão densa era a sua barba, e tão incrustada estava de gelo, que por um momento Asha não o reconheceu. Depois o reconhecimento chegou.

— *Tris?* — disse.

— Senhora. — Tristifer Botley caiu sobre um joelho. — O Donzel também aqui está. Roggon, Linguatriste, Dedos, Trapaças... seis de nós, todos os que estavam em estado de montar a cavalo. Cromm morreu dos ferimentos.

— Que é isto? — quis saber Sor Clayton Suggs. — Tu és um dos homens dela? Como foi que te libertaste das masmorras de Bosque Profundo?

Tris levantou-se, e sacudiu a neve dos joelhos.

— Foi oferecido a Sybelle Glover um belo resgate pela nossa liberdade, e ela decidiu aceitá-lo em nome do rei.

— Que resgate? Quem pagaria bom dinheiro por escumalha marinha?

— Paguei eu, sor. — Quem falara avançou montado no seu garrano. Era um homem muito alto, muito magro, com umas pernas tão compridas que era um espanto que os pés não arrastassem pelo chão. — Precisava de uma escolta forte para me trazer em segurança até ao rei, e a Senhora Sybelle precisava de menos bocas para alimentar. — Um cachecol escondia as feições do homem alto, mas no topo da sua cabeça estava empoleirado o mais estranho chapéu que Asha vira desde a última vez que velejara até Tyrosh, uma torre sem abas feita de um tecido mole qualquer, como três cilindros empilhados em cima uns dos outros. — Fui levado a crer que poderia encontrar o Rei Stannis aqui. É muito urgente que fale imediatamente com ele.

— E quem, com os sete empestados infernos, és tu?

O alto deslizou elegantemente de cima do garrano, tirou o peculiar chapéu e fez uma vénia.

— Tenho a honra de ser Tycho Nestoris, um humilde criado do Banco de Ferro de Bravos.

De todas as coisas estranhas que podiam ter saído a cavalo da noite, a última que Asha Greyjoy teria alguma vez esperado era um banqueiro bravosiano. Era demasiado absurdo. Teve de se rir.

— O Rei Stannis alojou-se na torre de vigia. Tenho a certeza de que Sor Clayton ficará feliz por vos levar até ele.

— Isso seria uma grande gentileza. A rapidez é essencial. — O banqueiro estudou-a com olhos escuros astutos. — Vós sois a Senhora Asha da Casa Greyjoy, a menos que me engane.

— Sou Asha da Casa Greyjoy, sim. As opiniões variam quanto a ser uma senhora.

O bravosiano sorriu.

— Trouxemo-vos um presente. — Chamou com um gesto os homens por trás de si. — Esperámos encontrar o rei em Winterfell. Infelizmente, esta tempestade engoliu o castelo. À sombra das suas muralhas encontrámos Mors Umber com uma companhia de rapazes em bruto, à espera da chegada do rei. Ele deu-nos isto.

Uma rapariga e um velho, pensou Asha, quando os dois foram despejados rudemente na neve à frente dela. A rapariga tremia violentamente, mesmo envolta em peles. Se não estivesse tão assustada, podia ter sido bonita, embora tivesse a ponta do nariz negra, queimada pelo frio. O velho… nunca ninguém o acharia bem parecido. Asha vira espantalhos com mais carne. A sua cara era um crânio com pele, o cabelo estava branco como osso e imundo. E *fedia*. Bastou vê-lo para encher Asha de repugnância.

Ele ergueu o olhar.

— Irmã. Vês? Desta vez reconheci-te.

O coração de Asha saltou um batimento.

— *Theon?*

Os lábios dele recuaram naquilo que podia ter sido um sorriso. Metade dos seus dentes tinha desaparecido, e metade dos que lhe restavam estavam partidos e lascados.

— Theon — repetiu. — O meu nome é Theon. Temos de saber o nosso *nome*.

O mar era negro e a Lua era prata e a Frota de Ferro caiu sobre a presa.

Avistaram-na nos estreitos entre a Ilha dos Cedros e os montes escarpados do interior astaporita, precisamente como o sacerdote negro Moqorro dissera que encontrariam.

— Ghiscariotas — gritou o Agualonga Pyke do cesto da gávea. Victarion Greyjoy observou do castelo de proa a vela que crescia. Depressa conseguiu distinguir os remos a subir e a descer, e a longa esteira branca atrás do navio a brilhar ao luar, como uma cicatriz no mar.

*Não é um verdadeiro navio de guerra*, compreendeu Victarion. *Uma galé mercante, e uma das grandes.* Seria uma bela captura. Fez sinal aos capitães para lhe darem caça. Abordariam aquele navio e capturá-lo-iam.

Por essa altura, o capitão da galé já se apercebera do perigo em que se encontrava. Mudou de rumo para oeste, dirigindo-se à Ilha dos Cedros, talvez na esperança de se abrigar nalguma angra escondida ou de atirar os perseguidores contra os rochedos irregulares que corriam ao longo da costa nordeste da ilha. Mas a sua galé estava muito carregada, e os nascidos no ferro tinham o vento a seu favor. *Desgosto* e *Vitória de Ferro* cortaram o caminho à presa, enquanto o rápido *Gavião* e o ágil *Dedos Dançarinos* se aproximavam dela por trás. Nem nessa altura o capitão ghiscariota arriou as pavilhões. Quando a *Lamentação* se pôs ao lado da presa, rasgando-lhe o flanco de bombordo e estilhaçando-lhe os remos, ambos os navios estavam tão próximos das ruínas assombradas de Ghozai que conseguiam ouvir os macacos a tagarelar enquanto a primeira luz da aurora cobria as pirâmides quebradas da cidade.

O navio capturado chamava-se *Aurora Ghiscariota*, segundo disse o capitão da galé quando foi entregue a ferros a Victarion. Era oriundo de Nova Ghis e estava a regressar à base via Yunkai, depois de ter negociado em Meereen. O homem não falava língua decente, só um ghiscari gutural, cheio de rosnidos e silvos, a língua mais feia que Victarion Greyjoy ouvira na vida. Moqorro traduziu as palavras do capitão para o idioma comum de Westeros. A guerra por Meereen estava ganha, segundo afirmava o capitão; a rainha dos dragões estava morta, e um ghiscariota chamado Hizdak governava agora a cidade.

Victarion mandou arrancar-lhe a língua por mentir. Daenerys Targaryen *não* estava morta, segundo lhe assegurava Moqorro; o seu deus vermelho, R'hllor, mostrara-lhe a cara da rainha nos seus fogos sagrados. O capitão não suportava mentiras, portanto mandou atar as mãos e os pés do capitão ghiscariota e atirá-lo borda fora, como sacrifício ao Deus Afogado.

— O teu deus vermelho terá o que lhe é devido — prometeu a Moqorro — mas os mares são governados pelo Deus Afogado.

— Não há deuses além de R'hllor e do Outro, cujo nome não pode ser dito. — O sacerdote feiticeiro estava vestido de um negro sombrio, à parte um vestígio de fio de ouro no colarinho, nos punhos e na bainha. Não havia pano vermelho a bordo da *Vitória de Ferro*, mas não era apropriado que Moqorro andasse por aí com os trapos manchados de sal que usava quando o Arganaz o pescara do mar, pelo que Victarion ordenara a Tom Tidewood para lhe coser vestes novas com o que quer que houvesse à mão, e até doara algumas das suas próprias túnicas para esse fim. Essas eram de negro e ouro, pois as armas da Casa Greyjoy mostravam uma lula gigante dourada em fundo negro, e os pavilhões e as velas dos seus navios exibiam o mesmo. As vestes carmins e escarlates dos sacerdotes vermelhos eram estranhas aos nascidos no ferro, mas Victarion esperara que os seus homens aceitassem mais facilmente Moqorro depois de estar vestido com as cores Greyjoy.

Esperara em vão. Vestido de negro dos pés à cabeça, com uma máscara de chamas vermelhas e cor de laranja tatuada na cara, o sacerdote parecia mais sinistro do que nunca. A tripulação evitava-o quando percorria o convés, e homens cuspiam se a sua sombra calhasse cair sobre eles. Até o Arganaz, que pescara o sacerdote vermelho do mar, insistira com Victarion para o entregar ao Deus Afogado.

Mas Moqorro conhecia aquelas estranhas costas de formas que os nascidos no ferro não conheciam, e também conhecia segredos dos dragões. *O Olho de Corvo tem feiticeiros, porque não hei de tê-los também?* O seu feiticeiro negro era mais poderoso do que todos os três de Euron, mesmo se os atirasse para um caldeirão e os fervesse até criar um só. O Cabelo-Molhado podia desaprovar, mas Aeron e a sua devoção estavam longe.

Portanto Victarion cerrou a mão queimada num punho poderoso e disse:

— *Aurora Ghiscariota* não é um nome adequado para um navio da Frota de Ferro. Por ti, feiticeiro, rebatizá-lo-ei como *Fúria do Deus Vermelho*.

O feiticeiro fez uma vénia.

— Às ordens do capitão. — E os navios da Frota de Ferro voltaram a ascender a cinquenta e quatro.

No dia seguinte, uma súbita borrasca caiu sobre eles. Moqorro também a tinha previsto. Quando as chuvas se foram, descobriu-se que três navios tinham desaparecido. Victarion não tinha maneira de saber se se teriam afundado, se teriam encalhado ou se teriam sido afastados da rota pelo vento.

— Eles sabem para onde vamos — disse à tripulação. — Se ainda flutuam, voltaremos a encontrar-nos. — O capitão de ferro não tinha tempo para esperar por retardatários. Com a sua noiva rodeada por inimigos não. *A mais bela mulher do mundo tem necessidade urgente do meu machado.*

Além disso, Moqorro assegurou-lhe que os três navios não estavam perdidos. Todas as noites, o sacerdote feiticeiro acendia uma fogueira no castelo de proa da *Vitória de Ferro* e caminhava em volta das chamas entoando preces. A luz do fogo fazia-lhe brilhar a pele negra como ónix polido e, por vezes, Victarion era capaz de jurar que as chamas tatuadas na sua cara também estavam a dançar, torcendo-se e dobrando-se, fundindo-se umas nas outras, com as cores a mudar de cada vez que o sacerdote virava a cabeça.

Um remador fora ouvido a dizer:

— O sacerdote vermelho está a evocar demónios para os fazer cair sobre nós. — Quando isso fora relatado a Victarion, este mandara chicoteá-lo até lhe deixar as costas em carne viva dos ombros às nádegas. Por isso, quando Moqorro disse:

— As vossas ovelhas tresmalhadas regressarão ao rebanho ao largo da ilha chamada Yaros — o capitão disse:

— Reza para que regressem, sacerdote. Senão podes ser tu o próximo a experimentar o chicote.

O mar estava azul e verde e o sol jorrava de um céu azul e vazio quando a Frota de Ferro capturou a sua segunda presa, nas águas a noroeste de Astapor.

Daquela vez foi uma coca mirana chamada *Pomba*, a caminho de Yunkai via Nova Ghis, com uma carga de tapetes, vinhos verdes doces e renda de Myr. O capitão possuía um olho de Myr que fazia com que coisas distantes parecessem próximas; duas lentes de vidro numa série de tubos de latão, astutamente feitos por forma a que cada secção deslizasse para dentro da seguinte, até que o olho não fosse maior que uma adaga. Victarion ficou com esse tesouro para si. À coca chamou *Picanço*. O capitão decretou que a tripulação seria mantida para resgate. Não eram nem escravos nem donos de escravos, mas miranos livres e marinheiros experientes. Homens assim valiam bom dinheiro. Tendo zarpado de Myr, a *Pomba* não lhes trouxe notícias frescas de Meereen ou de Daenerys, só relatos velhos sobre cavaleiros dothraki ao longo do Roine, sobre a Companhia Dourada estar em marcha, e outras coisas que Victarion já sabia.

— Que vês? — perguntou o capitão ao seu sacerdote negro nessa noite, quando Moqorro estava em frente da sua fogueira noturna. — Que nos espera amanhã? Mais chuva? — A ele cheirava a chuva.

— Céus cinzentos e ventos fortes — disse Moqorro. — Chuva não. Atrás de nós vêm os tigres. À frente espera o vosso dragão.

*O meu dragão.* Victarion gostava de como aquilo soava.

— Diz-me alguma coisa que eu não saiba, sacerdote.

— O capitão ordena e eu obedeço — disse Moqorro. A tripulação começara a chamar-lhe *Chama Negra*, um nome que lhe fora dado pelo Steffar Gago, que não conseguia dizer "Moqorro." Fosse qual fosse o seu nome, o sacerdote tinha poderes. — A costa aqui corre de oeste para leste — disse a Victarion. — Onde vira para norte, deparareis com mais duas lebres. Das rápidas, com muitas patas.

E assim aconteceu. Daquela vez, a presa revelou ser um par de galés, longas, esguias e rápidas. Ralf, o Coxo, foi o primeiro a avistá-las, mas depressa ganharam distância à *Angústia* e à *Esperança Perdida*, portanto Victarion enviou a *Asa de Ferro*, o *Gavião* e o *Beijo da Lula Gigante* para as apanhar. Não tinha navios mais rápidos do que esses três. A perseguição durou a maior parte do dia, mas por fim ambas as galés foram abordadas e capturadas, após breves mas brutais combates. Victarion soube depois que seguiam vazias, dirigindo-se a Nova Ghis para embarcar provisões e armas para as legiões ghiscariotas acampadas em frente de Meereen... e para trazer novos legionários para a guerra, a fim de substituírem todos os homens que tinham morrido.

— Homens mortos em batalha? — perguntou Victarion. As tripulações das galés negaram-no; as mortes deviam-se a uma fluxão sangrenta. Chamavam-lhe "égua branca." E, tal como o capitão da *Aurora Ghiscariota*, os capitães das galés repetiram a mentira sobre a morte de Daenerys Targaryen.

— Dai-lhe um beijo por mim no inferno em que a encontrardes — disse Victarion. Gritou pelo machado, e cortou-lhes as cabeças ali e naquele momento. Depois mandou matar também as tripulações, poupando apenas os escravos acorrentados aos remos. Quebrou-lhes pessoalmente as correntes e disse-lhes que eram agora homens livres, e teriam o privilégio de remar para a Frota de Ferro, uma honra com que qualquer rapaz das Ilhas de Ferro sonhava ao crescer. — A rainha dos dragões liberta escravos e eu também — proclamou.

Às galés chamou *Fantasma* e *Sombra*.

— Porque quero que assombrem e cacem esses yunkaitas — disse nessa noite à mulher sombria, depois de ter obtido dela prazer. Eram agora chegados, e tornavam-se mais chegados todos os dias. — Cairemos sobre eles como um raio — disse, enquanto apertava o seio da mulher. Perguntou a si próprio se seria assim que o irmão Aeron se sentia quando o Deus Afogado falava com ele. Quase conseguia ouvir a voz do deus a erguer-se das profundezas do mar. *Irás servir-me bem, meu capitão,* pareciam as ondas dizer. *Foi para isto que te fiz.*

Mas queria alimentar também o deus vermelho, o deus de fogo de Moqorro. O braço que o sacerdote curara tinha um aspeto hediondo, porco estaladiço do cotovelo às pontas dos dedos. Às vezes, quando Victarion fechava a mão, a pele abria-se e fumegava, mas o braço era mais forte do que alguma vez fora.

— Tenho agora em mim dois deuses — disse à mulher sombria. — Nenhum inimigo pode resistir a dois deuses. — Depois pô-la de costas e tomou-a outra vez.

Quando as falésias de Yaros apareceram a bombordo das suas proas, descobriu os três navios perdidos à espera, tal como Moqorro prometera. Victarion deu ao sacerdote um torque de ouro como recompensa.

Agora tinha uma decisão a tomar: deveria arriscar os estreitos, ou levar a Frota de Ferro em volta da ilha? A recordação da Ilha Bela ainda amargurava a memória do capitão de ferro. Stannis Baratheon caíra sobre a Frota de Ferro tanto do norte como do sul enquanto estavam encurralados no canal entre a ilha e o continente, causando a mais esmagadora derrota que Victarion sofrera na vida. Mas navegar em volta de Yaros custar-lhe-ia dias preciosos. Com Yunkai tão perto, era provável que o tráfego nos estreitos fosse denso, mas não esperava encontrar navios de guerra yunkaitas até estarem mais próximos de Meereen.

*Que faria o Olho de Corvo?* Matutou naquilo durante algum tempo, depois fez sinal aos capitães.

— Navegaremos pelos estreitos.

Foram capturadas mais três presas antes de Yaros minguar à popa da frota. Um gordo galeão caiu nas mãos do Arganaz e da *Desgosto,* e uma galé mercante nas de Manfryd Merlyn, do *Milhafre.* Os porões estavam repletos de bens de comércio, vinhos, sedas e especiarias, madeiras raras e odores mais raros, mas o verdadeiro prémio eram os navios propriamente ditos. Mais tarde nesse dia, uma galeota pesqueira foi capturada pela *Sete Crânios* e pela *Perdição do Servo.* Era uma coisinha pequena, lenta e suja, quase não valia o esforço da abordagem. Victarion ficou descontente por saber que tinham sido precisos dois dos seus navios para levar os pescadores a ajoelhar. Mas foi através dos seus lábios que ficou a saber do regresso do dragão negro.

— A rainha prateada foi-se — disse-lhe o capitão da galeota. — Voou em cima do dragão, para lá do mar dothraki.

— Onde fica esse mar dothraki? — quis saber. — Atravessá-lo-ei com a Frota de Ferro e encontrarei a rainha onde quer que ela possa estar.

O pescador soltou uma gargalhada.

— Isso haveria de ser coisa digna de se ver. O mar dothraki é feito de erva, palerma.

Não devia ter dito aquilo. Victarion pegou-lhe na garganta com a mão queimada e ergueu-o no ar. Atirando-o contra o mastro, apertou até que a cara do yunkaita ficou tão negra como os dedos que se lhe enterravam na carne. O homem esperneou e contorceu-se por algum tempo, tentando infrutiferamente soltar-se da mão do capitão.

— Nenhum homem chama palerma a Victarion Greyjoy e vive para se gabar disso. — Quando abriu a mão, o corpo sem força do homem caiu sobre o convés. O Agualonga Pyke e Tom Tidewood atiraram-no por cima da amurada, outra oferenda ao Deus Afogado.

— O vosso Deus Afogado é um demónio — disse o sacerdote negro Moqorro mais tarde. — Não passa de um servo do Outro, o deus escuro cujo nome não pode ser dito.

— Cuidado, sacerdote — avisou-o Victarion. — Há homens devotos a bordo deste navio que te arrancariam a língua por dizeres tais blasfémias. O teu deus vermelho terá o que lhe é devido, juro. A minha palavra é de ferro. Pergunta a qualquer um dos meus homens.

O sacerdote vermelho inclinou a cabeça.

— Não há necessidade. O Senhor da Luz mostrou-me o vosso valor, senhor capitão. Todas as noites, nos meus fogos, vislumbro a glória que vos aguarda.

Aquelas palavras agradaram bastante a Victarion Greyjoy, segundo disse nessa noite à mulher sombria.

— O meu irmão Balon foi um grande homem — disse — mas eu farei o que ele não conseguiu fazer. As Ilhas de Ferro voltarão a ser livres, e o Costume Antigo regressará. Nem Dagon conseguiu tal coisa. — Quase cem anos se tinham passado desde que Dagon Greyjoy se sentara na Cadeira da Pedra do Mar, mas os nascidos no ferro ainda contavam histórias sobre as suas incursões e batalhas. Nos tempos de Dagon sentava-se no Trono de Ferro um rei fraco, cujos olhos ramelosos estavam fixos no outro lado do mar estreito, onde bastardos e exilados conspiravam rebeliões. Por isso, o Lorde Dagon zarpara de Pyke para tornar seu o mar do poente. — Enfrentou o leão no seu covil e deu nós ao rabo do lobo gigante, mas nem mesmo Dagon conseguiu derrotar os dragões. Mas eu tornarei minha a rainha dos dragões. Ela partilhará a minha cama e dar-me-á muitos filhos poderosos.

Nessa noite, os navios da Frota de Ferro eram em número de sessenta.

Velas estranhas tornaram-se mais comuns a norte de Yaros. Estavam agora muito perto de Yunkai, e a costa entre a Cidade Amarela e Meereen deveria estar repleta de mercadores e navios de abastecimento a navegar de

412

um lado para o outro, por isso, Victarion levou a Frota de Ferro para águas mais profundas, fora de vista de terra. Mesmo ali encontrariam outras embarcações.

— Que nenhuma escape para avisar os nossos inimigos — ordenou o capitão de ferro. Nenhuma o fez.

O mar estava verde e o céu cinzento na manhã em que a *Desgosto*, a *Rapariga Guerreira* e a *Vitória de Ferro* do próprio Victarion capturaram a galé de escravos de Yunkai nas águas logo a norte da Cidade Amarela. Nos seus porões seguiam vinte rapazes perfumados e quatro vintenas de raparigas destinados às casas de prazer de Lys. A tripulação da galé nunca supusera que encontraria perigo tão perto das suas águas de origem, e os nascidos no ferro tiveram pouca dificuldade em capturá-la. O navio chamava-se *Donzela Prestável*.

Victarion passou os esclavagistas pela espada, após o que mandou os seus homens para baixo desacorrentar os remadores.

— Agora remais para mim. Remai com força, e prosperareis. — Dividiu as raparigas entre os capitães. — Os lisenos teriam feito de vós rameiras — disse-lhes — mas nós salvámo-vos. Agora só tendes de servir um homem em vez de muitos. Aquelas que agradarem aos seus capitães podem tornar-se esposas de sal, uma condição honrosa. — Quanto aos rapazes perfumados, envolveu-os em correntes e atirou-os ao mar. Eram criaturas contranatura, e o navio pareceu-lhe mais limpo depois de se livrar da sua presença.

Para si, Victarion reclamou as sete melhores raparigas. Uma tinha cabelo louro arruivado e sardas nas mamas. Uma rapava-se toda. Uma tinha cabelos e olhos castanhos e era tímida como um rato. Uma tinha os maiores seios que vira na vida. A quinta era coisinha pequena, com um cabelo negro e liso e pele dourada. Os seus olhos eram da cor do âmbar. A sexta era branca como leite, com anéis de ouro nos mamilos e nos lábios de baixo, a sétima era preta como a tinta de uma lula. Os esclavagistas de Yunkai tinham-nas treinado no caminho dos sete suspiros, mas não era por isso que Victarion as queria. A sua mulher sombria bastava para lhe satisfazer os apetites até conseguir chegar a Meereen e reclamar a sua rainha. Nenhum homem precisava de velas quando o sol o esperava.

À galé deu o nome de *Grito do Esclavagista*. Com ela, os navios da Frota de Ferro chegaram a sessenta e um.

— Cada navio que capturamos torna-nos mais fortes — disse Victarion aos seus nascidos no ferro — mas daqui em diante tornar-se-á mais difícil. Amanhã de manhã é provável que encontremos navios de guerra. Estamos a entrar nas águas de Meereen, onde as frotas dos nossos inimigos nos esperam. Depararemos com navios de todas as três Cidades Esclavagistas, com navios de Tolos e Elíria e de Nova Ghis, até com navios de Qarth.

— Teve o cuidado de não mencionar as galés verdes da Velha Volantis, que decerto deviam estar a subir o Golfo da Mágoa naquele preciso momento.

— Aqueles esclavagistas são umas coisinhas débeis. Já vistes como fogem à nossa frente, já ouvistes como guincham quando os passamos pela espada. Cada um de vós vale vinte deles, pois só nós somos feitos de ferro. Lembrai-vos disto quando virmos pela primeira vez as velas de algum esclavagista. Não deis quartel e não o espereis. De que nos serviria o quartel? Nós somos os nascidos no ferro, e são dois os deuses que nos protegem. Capturaremos os seus navios, esmagaremos as suas esperanças e transformaremos a sua baía em sangue.

Um grande grito ergueu-se perante aquelas palavras. O capitão respondeu com um aceno de cabeça, mantendo a cara sombria, e depois gritou para que as sete raparigas que reclamara, as mais adoráveis de todas as que tinham sido encontradas a bordo da *Donzela Prestável*, fossem trazidas para o convés. Beijou-as a todas na cara e falou-lhes da honra que as esperava, embora elas não compreendessem as palavras. Depois mandou pô-las a bordo da galeota de pesca que tinham capturado, soltou o barco e mandou incendiá-lo.

— Com esta dádiva de inocência e beleza, honramos ambos os deuses — proclamou enquanto os navios de guerra da Frota de Ferro passavam pela galeota em chamas, propelidos por remos. — Que aquelas raparigas renasçam na luz, não maculadas pela luxúria mortal, ou que desçam para os salões aquáticos do Deus Afogado, para se banquetearem e dançarem e rirem até os mares secarem.

Perto do fim, antes de a galeota fumegante ser engolida pelo mar, pareceu a Victarion Greyjoy que os gritos das sete queridas se transformaram em canções de júbilo. Um grande vento açoitou-os, um vento que lhes encheu as velas e os empurrou para norte e para leste e de novo para norte, na direção de Meereen e das suas pirâmides de tijolos multicoloridos. *Voo para ti em asas de canção, Daenerys*, pensou o capitão de ferro.

Nessa noite, pela primeira vez, tirou, do lugar onde estava guardado, o corno de dragão que o Olho de Corvo encontrara entre a desolação fumegante da grande Valíria. Era uma coisa retorcida, com um metro e oitenta de ponta a ponta, reluzentemente negra e reforçada com ouro vermelho e aço valiriano escuro. *O corno do inferno de Euron.* Victarion percorreu-o com a mão. O corno era tão tépido e liso como as ancas da mulher sombria, e tão brilhante que conseguia ver um retrato torcido das suas feições nas profundezas do objeto. Estranhos escritos feiticeiros tinham sido entalhados nas faixas que o cingiam.

— Glifos valirianos — chamou-lhes Moqorro.

Até aí Victarion sabia.

— E que dizem?

— Mais que muito. — O sacerdote negro apontou para uma faixa dourada. — Aqui o corno é nomeado. Diz: *"sou o Sujeitador de Dragões."* Já o ouvistes soar?

— Uma vez. — Um dos mestiços do irmão fizera soar o corno do inferno na assembleia de homens livres em Velha Wyk. Fora um homem monstruoso, enorme e de cabeça rapada, com faixas de ouro, azeviche e jade em volta de braços espessos de tanto músculo, e com um grande falcão tatuado no peito. — O som que fez… queimava, de alguma forma. Como se tivesse os ossos em fogo, crestando-me a carne de dentro para fora. Esses escritos brilharam, em tons de vermelho, e depois de branco, dolorosos de ver. Parecia que o som nunca teria fim. Foi como um longo grito. Mil gritos, todos fundidos num só.

— E o homem que soprou o corno, que lhe aconteceu?

— Morreu. Depois de o soprar ficou com bolhas nos lábios. A ave também estava a sangrar. — O capitão deu um soco no peito. — O falcão, aqui mesmo. Todas as penas pingavam sangue. Ouvi dizer que o homem estava todo queimado por dentro, mas pode ter sido só uma história.

— Uma história verdadeira. — Moqorro virou o corno do inferno nas mãos, examinando as estranhas letras que rastejavam por uma segunda das faixas de ouro. — Aqui diz: *"Nenhum mortal me tocará e sobreviverá."*

Amargamente, Victarion matutou no caráter traiçoeiro dos irmãos. *Os presentes de Euron sempre vieram envenenados.*

— O Olho de Corvo jurou que este corno prenderia dragões à minha vontade. Mas de que me servirá isso, se o preço for a morte?

— O vosso irmão não fez soar o corno em pessoa. Vós também não tendes de o fazer. — Moqorro apontou para a faixa de aço. — Aqui. *"Sangue por fogo, fogo por sangue."* Não importa quem sopra o corno do inferno. Os dragões virão ter com o dono do corno. Tendes de *reclamar* o corno. Com sangue.

Onze servos do Deus de Muitas Caras reuniram-se essa noite sob o templo, mais do que ela alguma vez vira ao mesmo tempo juntos. Só o fidalgo e o gordo chegaram pela porta da frente; os outros vieram por caminhos secretos, através de túneis e passagens ocultas. Usavam as vestes de preto e branco mas, à medida que iam ocupando os seus lugares, foram puxando os capuzes para baixo a fim de mostrar as caras que tinham escolhido para usar nesse dia. As elevadas cadeiras tinham sido esculpidas de ébano e represeiro, como as portas do templo, lá em cima. As cadeiras de ébano tinham caras de represeiro nas costas, as de represeiro caras de ébano esculpido.

Um dos outros acólitos estava do outro lado da sala com um jarro de vinho tinto escuro. Ela tinha a água. Sempre que um dos servos desejava beber, levantava os olhos ou enrolava um dedo, e um deles, ou ambos, ia encher-lhe a taça. Mas durante a maior parte do tempo ficaram imóveis, à espera de olhares que não vinham. *Sou esculpida em pedra,* fez ela lembrar a si própria. *Sou uma estátua, como os Senhores do Mar que se erguem ao longo do Canal dos Heróis.* A água era pesada, mas os seus braços eram fortes.

Os sacerdotes usavam a língua de Bravos, embora uma vez, durante vários minutos, três deles tenham conversado acaloradamente em alto valiriano. A rapariga compreendia as palavras, a maioria delas, mas eles falavam em vozes baixas e nem sempre conseguia ouvi-las. Ouviu um sacerdote com a cara de uma vítima da praga dizer:

— Eu conheço esse homem.

— Eu conheço esse homem — ecoou o gordo, enquanto ela o servia. Mas o homem bonito disse:

— Eu quero dar a esse homem a dádiva, que não o conheço. — Mais tarde, o estrábico disse o mesmo, sobre outra pessoa.

Após três horas de vinho e palavras, os sacerdotes retiraram-se... todos menos o homem amável, a criança abandonada e aquele cuja cara mostrava sinais da praga. O seu rosto estava coberto de chagas e o cabelo caíra-lhe. Pingava-lhe sangue de uma narina e tinha crostas nos cantos de ambos os olhos.

— O nosso irmão quer conversar contigo, pequena — disse-lhe o homem amável. — Senta-te, se quiseres. — Ela sentou-se numa cadeira de represeiro com uma cara de ébano. Chagas abertas não continham terror para ela. Já passara demasiado tempo na Casa do Preto e do Branco para ter medo de uma cara falsa.

— Quem és? — perguntou o cara de praga quando ficaram sós.

— Ninguém.

— Não é verdade. És Arya da Casa Stark, que morde o lábio e não sabe dizer uma mentira.

— Era. Agora não sou.

— Porque estás aqui, mentirosa?

— Para servir. Para aprender. Para mudar a minha cara.

— Primeiro muda o coração. A dádiva do Homem de Muitas Caras não é brinquedo de criança. Tu queres matar para os teus próprios fins, para teu próprio prazer. Negas?

Ela mordeu o lábio.

— Eu…

Ele esbofeteou-a.

O golpe deixou-lhe um formigueiro na cara, mas ela sabia que o merecera.

— Obrigada. — Com suficientes estaladas, talvez parasse de mastigar o lábio. Quem fazia isso era a *Arya*, não a loba noturna. — Eu nego-o.

— Mentes. Consigo ver a verdade nos teus olhos. Tens os olhos de um lobo, e gosto por sangue.

*Sor Gregor*, não conseguiu evitar pensar. *Dunsen, Raff, o Querido. Sor Ilyn, Sor Meryn, Rainha Cersei*. Se falasse, teria de mentir e ele saberia. Manteve-se em silêncio.

— Disseram-me que foste uma gata. Que percorreste as vielas a cheirar a peixe, trocando berbigões e mexilhões por dinheiro. Uma vida pequena, bastante adequada a uma criatura pequena como tu. Pede, e pode ser-te devolvida. Empurra o carrinho de mão, apregoa os teus berbigões, contenta-te. O teu coração é demasiado mole para seres uma de nós.

*Ele quer mandar-me embora.*

— Eu não tenho coração. Só tenho um buraco. Matei montes de pessoas. Podia matar-te se quisesse.

— Isso ia saber-te bem?

Não sabia a resposta certa.

— Talvez.

— Então o teu lugar não é aqui. A morte não é saborosa nesta casa. Nós não somos guerreiros nem soldados nem espadachins arrogantes inchados de orgulho. Não matamos para servir algum senhor, para engordar as nossas bolsas, para afagar a nossa vaidade. Nunca oferecemos a dádiva para ficarmos contentes. E também não escolhemos quem matar. Não passamos de servos do Deus das Muitas Caras.

— *Valar dohaeris.* — *Todos os homens têm de servir.*

— Conheces as palavras mas és demasiado orgulhosa para servir. Um servo deve ser humilde e obediente.

— Eu obedeço. Posso ser mais humilde que qualquer outra pessoa. Aquilo fê-lo soltar um risinho.

— Tenho a certeza de que serias a própria deusa da humildade. Mas poderás pagar o preço?

— Que preço?

— O preço és tu. O preço é tudo o que tens e tudo o que esperas vir a ter. Tirámos-te os olhos e devolvemo-los. A seguir tirar-te-emos os ouvidos e caminharás em silêncio. Dar-nos-ás as pernas e rastejarás. Não serás filha de ninguém, mulher de ninguém, mãe de ninguém. O teu nome será uma mentira, e a própria cara que usares não será a tua.

Quase voltou a morder o lábio, mas daquela vez apercebeu-se disso e parou. *A minha cara é uma lagoa parada, esconde tudo, nada mostra.* Pensou em todos os nomes que usara: Arry, Doninha, Pombinha, Gata dos Canais. Pensou naquela estúpida rapariga de Winterfell chamada Arya Cara-de-Cavalo. Os nomes não importavam.

— Posso pagar o preço. Dá-me uma cara.

— As caras têm de ser ganhas.

— Diz-me como.

— Dá uma certa dádiva a um certo homem. Podes fazer isso?

— Que homem?

— Ninguém que conheças.

— Não conheço montes de gente.

— Ele é um deles. Um estranho. Ninguém que amas, ninguém que odeias, ninguém que tenhas conhecido. Matá-lo-ás?

— Sim.

— Então amanhã voltarás a ser a Gata dos Canais. Usa essa cara, observa, obedece. E veremos se és realmente digna de servir O das Muitas Caras.

Por conseguinte, no dia seguinte regressou para junto de Brusco e das filhas na casa junto do canal. Os olhos de Brusco esbugalharam-se quando a viu, e Brea soltou um pequeno arquejo.

— *Valar morghulis* — disse a Gata em jeito de saudação.

— *Valar dohaeris* — respondeu Brusco.

Depois disso foi como se nunca se tivesse ido embora.

Viu pela primeira vez o homem que tinha de matar mais tarde nessa manhã, enquanto empurrava o carrinho de mão pelas ruas empedradas que davam para o Porto Púrpura. Era um velho, bem para lá dos cinquenta anos. *Viveu demais,* tentou dizer a si própria. *Porque haverá ele de ter tantos*

418

*anos quando o meu pai teve tão poucos?* Mas a Gata dos Canais não tinha pai, portanto guardou esse pensamento para si.

— *Amêijoas, mexilhões, berbigões* — gritou a Gata ao passar — *ostras e gambas e gordos mexilhões verdes.* — Até lhe sorriu. Às vezes bastava um sorriso para os fazer parar e comprar. O velho não respondeu ao sorriso. Franziu-lhe o sobrolho e continuou a andar, chapinhando numa poça de água. Os salpicos molharam-lhe os pés.

*Não tem cortesia*, pensou ela, vendo-o partir. *A sua cara é dura e má.* O nariz do velho era estreito e aguçado, os lábios eram finos, os olhos pequenos e próximos. O cabelo tornara-se grisalho, mas a pequena barba pontiaguda na ponta do queixo ainda era negra. A Gata achou que devia ser pintada e perguntou a si própria porque não teria ele pintado também o cabelo. Um dos seus ombros era mais alto do que o outro, dando-lhe um ar torto.

— É um homem mau — anunciou nessa noite, quando regressou à Casa de Preto e Branco. — Os seus lábios são cruéis, os olhos malignos, e tem barba de vilão.

O homem amável soltou um risinho abafado.

— É um homem como qualquer outro, com luz em si, e escuridão também. Não te cabe a ti julgá-lo.

Aquilo fê-la hesitar.

— Os deuses julgaram-no?

— Alguns deuses, talvez. De que servem os deuses, se não for para julgarem os homens? Mas o Deus das Muitas Caras não avalia as almas dos homens. Tanto oferece a dádiva ao melhor dos homens como ao pior. Se assim não fosse, os bons viveriam para sempre.

As mãos do velho eram a pior coisa que tinha, decidiu a Gata no dia seguinte, enquanto o observava de trás do carrinho de mão. Os dedos eram longos e ossudos, sempre em movimento, coçando-lhe a barba, puxando por uma orelha, tamborilando numa mesa, torcendo-se, torcendo-se, torcendo-se. *Tem mãos que parecem duas aranhas.* Quanto mais observava as mãos dele, mais as odiava.

— Mexe demasiado as mãos — disse-lhes, no templo. — Deve estar cheio de medo. A dádiva irá trazer-lhe paz.

— A dádiva traz paz a todos os homens.

— Quando o matar, ele olhar-me-á nos olhos e agradecer-me-á.

— Se o fizer, terás falhado. Seria melhor se não reparasse de todo em ti.

O velho era uma espécie qualquer de mercador, concluiu a Gata depois de o observar durante alguns dias. O seu comércio tinha a ver com o mar, embora ela nunca o tivesse visto a pôr os pés num navio. Passava os dias sentado numa venda de sopas perto do Porto Púrpura, com uma tigela de caldo de cebola a arrefecer a seu lado enquanto remexia em papéis e afixava selos em cera e falava com voz penetrante a uma parada de capitães, donos de navios e outros mercadores, nenhum dos quais parecia gostar muito dele.

Mas traziam-lhe dinheiro: bolsas de couro gordas de ouro e prata e das moedas quadradas de ferro de Bravos. O velho contava cuidadosamente o dinheiro, organizando as moedas e empilhando-as habilmente, iguais com iguais. Nunca as olhava. Em vez disso, mordia-as, sempre com o lado esquerdo da boca, onde ainda tinha todos os dentes. De vez em quando fazia uma girar sobre a mesa e escutava o som que ela fazia quando parava a tilintar.

E depois de todas as moedas serem contadas e saboreadas, o velho escrevinhava num pergaminho, apunha-lhe o seu selo, e entregava-o ao capitão. Ou então abanava a cabeça e voltava a empurrar as moedas para o outro lado da mesa. Sempre que o fazia, o outro homem ficava corado e zangado, ou então pálido e com um ar assustado.

A Gata não compreendia.

— Pagam-lhe ouro e prata, mas ele só lhes dá coisas escritas. São estúpidos?

— Alguns, talvez. A maioria é simplesmente cautelosa. Alguns pensam intrujá-lo. Mas ele não é homem que se deixe intrujar facilmente.

— Mas o que é que lhes está a *vender*?

— Está a escrever para cada um uma apólice. Se os seus navios se perderem numa tempestade ou forem capturados por piratas, promete pagar-lhes o valor do navio e de todo o seu conteúdo.

— É uma espécie de aposta?

— De certa forma. Uma aposta que todos os capitães esperam perder.

— Sim, mas se a ganharem…

— … perdem os navios, muitas vezes as próprias vidas. Os mares são perigosos, e nunca o são mais do que no outono. Sem dúvida que muitos capitães a afundar-se numa tempestade retiraram algum pequeno consolo da apólice que tinham em Bravos, sabendo que a viúva e os filhos não passariam necessidades. — Um sorriso triste tocou-lhe os lábios. — Mas uma coisa é escrever uma apólice daquelas, e outra é cumpri-la.

A Gata compreendeu. *Um deles deve odiá-lo. Um deles veio à Casa do Preto e do Branco e rezou para que o deus o levasse.* Perguntou a si própria quem teria sido, mas o homem amável não lhe quis dizer.

— Não te cabe a ti meteres o nariz nesses assuntos — disse. — Quem és?

— Ninguém.

— Ninguém não faz perguntas. — Pegou-lhe nas mãos. — Se não podes fazer isto, basta-te dizer. Não há nisso vergonha. Alguns foram feitos para servir o Deus das Muitas Caras, alguns não foram. Diz uma palavra e eu tiro esta tarefa de cima de ti.

— Eu fá-lo-ei. Disse que fazia. Farei.

Mas *como*? Isso era mais difícil.

Ele tinha guardas. Dois, um homem alto e magro, e um baixo e gordo. Iam com ele para todo o lado, desde que deixava a casa de manhã até que regressava à noite. Asseguravam-se de que ninguém se aproximava do velho sem a sua licença. Uma vez, um bêbado quase chocou com ele quando se dirigia para casa, vindo da venda de sopas, mas o alto interpôs-se entre ambos e deu ao homem um forte empurrão que o atirou ao chão. Na venda de sopas, o baixo provava sempre o caldo de cebolas primeiro. O velho esperava até ao caldo arrefecer antes de beber um gole, tempo suficiente para se assegurar de que o guarda não sofrera efeitos adversos.

— Ele tem medo — apercebeu-se a Gata — ou então sabe que alguém quer matá-lo.

— Ele não sabe — disse o homem amável — mas suspeita.

— Os guardas vão com ele mesmo quando se vai embora para verter águas — disse ela — mas ele não vai quando é a vez deles. O alto é o mais rápido. Esperarei até ele estar a verter águas, entrarei na venda de sopas e apunhalarei o velho num olho.

— E o outro guarda?

— É lento e estúpido. Também o posso matar.

— És alguma carniceira do campo de batalha, para abateres todos os homens que estejam no teu caminho?

— Não.

— Espero que não. És uma serva do Deus de Muitas Caras, e nós que servimos O das Muitas Caras só oferecemos a sua dádiva àqueles que foram marcados e escolhidos.

Ela compreendeu. *Matá-lo. Matá-lo só a ele.*

Precisou de mais três dias de observação antes de descobrir a maneira, e mais um dia de prática com a faca digital. O Roggo Vermelho ensinara-lhe a usá-la, mas não cortava uma bolsa desde antes de lhe tiraram os olhos. Queria assegurar-se de que ainda sabia como se fazia. *Suave e rapidamente, é assim que se faz, sem atrapalhações*, disse a si própria, e fez sair a pequena lâmina da manga, uma e outra e outra vez. Quando se convenceu de que ainda se lembrava de como se fazia, afiou o aço numa pedra de amolar até deixar o gume a reluzir, azul prateado, à luz das velas. A outra parte era mais complicada, mas a criança abandonada estava lá para a ajudar.

— Vou oferecer a dádiva ao homem amanhã — anunciou enquanto quebrava o jejum.

— O das Muitas Caras ficará contente. — O homem amável ergueu-se. — A Gata dos Canais é conhecida de muita gente. Se for vista a cometer este ato, isso poderá causar problemas a Brusco e às filhas. Está na altura de arranjares outra cara.

A rapariga não sorriu, mas por dentro sentiu-se contente. Tinha perdido a Gata uma vez e chorara-a. Não queria voltar a perdê-la.

— Como vou ser?

— Feia. As mulheres afastarão o olhar quando te virem. As crianças olharão fixamente e apontarão. Homens fortes apiedar-se-ão de ti, e alguns podem derramar uma lágrima. Ninguém que te veja te esquecerá depressa. Vem.

O homem amável tirou a lanterna de ferro do seu gancho e levou-a para lá do tanque negro e parado e das filas de deuses escuros e silenciosos até à escada nas traseiras do templo. A criança abandonada pôs-se atrás deles enquanto desciam. Ninguém falou. O suave raspar de pés calçados com chinelos nos degraus era o único som. Dezoito degraus levaram-nos às caves, de onde cinco passagens arqueadas partiam como dedos de uma mão humana. Ali em baixo, os degraus tornaram-se mais estreitos e mais íngremes, mas a rapariga correra por eles acima e abaixo mil vezes e para ela já não continham terrores. Mais vinte e dois degraus e chegaram à subcave. Os túneis ali eram acanhados e tortos, negros buracos de minhoca que se retorciam através do coração do grande rochedo. Uma passagem estava fechada por uma pesada porta de ferro. O sacerdote pendurou a lanterna num gancho, enfiou uma mão na veste e dela tirou uma chave ornamentada.

Pele de galinha subiu-lhe pelos braços. *O sacrário*. Iam ainda mais para baixo, para o terceiro piso, para os aposentos secretos onde só os sacerdotes podiam entrar.

A chave fez três estalidos, muito baixinho, enquanto o homem amável a virava na fechadura. A porta abriu-se em dobradiças de ferro oleado, sem fazer um som. Em frente havia ainda mais degraus, cortados em rocha sólida. O sacerdote voltou a tirar a lanterna do gancho e avançou à frente. A rapariga seguiu a luz, contando os degraus enquanto descia. *Quatro cinco seis sete.* Deu por si a desejar ter trazido a bengala. *Dez onze doze.* Sabia quantos degraus havia entre o templo e a cave, entre a cave e a subcave, até contara os degraus da apertada escada em espiral que subia até às águas furtadas e os da íngreme escada de madeira que acendia até à porta do telhado e ao poleiro ventoso que aí havia.

Mas aquela escada era-lhe desconhecida, e isso tornava-a perigosa.

*Vinte e um vinte e dois vinte e três.* A cada passo, o ar parecia tornar-se um pouco mais frio. Quando a contagem chegou a trinta compreendeu que estavam por baixo até dos canais. *Trinta e três trinta e quatro.* Até que profundidade iriam?

Chegara a cinquenta e quatro quando os degraus finalmente terminaram noutra porta de ferro. Aquela estava destrancada. O homem amável abriu-a e atravessou-a. Ela seguiu-o, com a criança abandonada logo atrás. Os seus passos ecoavam na escuridão. O homem amável ergueu a lanterna e escancarou as portinholas. Luz cobriu as paredes que os rodeavam.

Mil caras fitavam-na.

Pendiam das paredes, à sua frente e atrás dela, em cima e em baixo, de todos os sítios para onde olhasse, de todos os lugares para onde se virasse. Viu caras velhas e caras novas, caras claras e caras escuras, caras lisas e caras enrugadas, caras sardentas e caras cobertas de cicatrizes, caras bonitas e caras feias, homens e mulheres, rapazes e raparigas, até bebés, caras sorridentes, caras carrancudas, caras cheias de avareza, raiva e luxúria, caras nuas e caras pejadas de pelos. *Máscaras*, disse a si própria, *são só máscaras*, mas já enquanto lhe ocorria o pensamento sabia que não era verdade. Eram peles.

— Assustam-te, pequena? — perguntou o homem amável. — Não é tarde demais para nos deixares. É mesmo isto que queres?

Arya mordeu o lábio. Não sabia o que queria. *Se me for embora, para onde irei?* Lavara e despira uma centena de cadáveres, coisas mortas não a assustavam. *Eles trazem-nos cá para baixo e cortam-lhes as caras, e daí?* Ela era a loba noturna, não havia bocados de pele que a pudessem assustar. *Capuzes de couro, não passam disso, não me podem fazer mal.*

— Trata disso — disse, apressadamente.

Ele levou-a pelo aposento, passando por uma fila de túneis que levavam a passagens laterais. A luz da sua lanterna iluminou-os a todos, um de cada vez. As paredes de túnel estavam cobertas de ossos humanos e o seu teto era suportado por colunas de ossos. Outro abria-se para uma escada em espiral que descia ainda mais. *Quantas caves há?*, perguntou a si própria. *Será que se prolongam até ao infinito?*

— Senta-te — ordenou o sacerdote. Sentou-se. — Agora fecha os olhos, pequena. — Fechou os olhos. — Isto vai doer — avisou-a — mas a dor é o preço do poder. Não te mexas.

*Imóvel como pedra*, pensou ela. Ficou imóvel. O corte foi rápido, a lâmina estava afiada. Devia ter sentido o metal frio contra a carne, mas em vez disso sentiu-o quente. Sentiu o sangue a correr-lhe pela cara abaixo, uma cortina vermelha ondulada que lhe caía sobre a testa, as bochechas e o queixo, e compreendeu por que motivo o sacerdote a obrigara a fechar os olhos. Quando lhe chegou aos lábios, o sabor era a sal e a cobre. Lambeu-o e estremeceu.

— Traz-me a cara — disse o homem amável. A criança abandonada não deu resposta, mas a rapariga ouviu os seus chinelos a murmurar sobre o chão de pedra. Depois, o homem disse-lhe: — Bebe isto — e enfiou-lhe uma taça na mão. Bebeu tudo de uma vez só. O líquido era muito ácido, como morder um limão. Mil anos antes, conhecera uma rapariga que adorava bolos de limão. *Não, isso não fui eu, isso foi só a Arya.*

— Os saltimbancos alteram as caras com artifícios — estava o homem amável a dizer — e os feiticeiros usam encantamentos, tecendo luz, sombra e desejo para fazer ilusões que enganam o olhar. Aprenderás essas artes, mas o que aqui fazemos vai mais fundo. Sábios conseguem ver para lá dos artifícios, e os encantamentos desfazem-se perante olhos penetrantes, mas a cara que vais pôr a seguir será tão verdadeira e sólida como aquela com que nasceste. Mantém os olhos fechados. — Sentiu os dedos dele a empurrar-lhe o cabelo para trás. — Fica quieta. Isto vai parecer estranho. Podes ficar tonta mas não te podes mexer.

Depois houve um puxão e um suave restolhar quando a nova cara foi posta sobre a antiga. O couro raspou-lhe na testa, seco e rígido, mas à medida que o seu sangue o ensopava, amoleceu e tornou-se flexível. As suas bochechas aqueceram, coraram. Sentiu o coração a agitar-se sob o peito e, durante um longo momento, não conseguiu respirar. Mãos fecharam-se-lhe em volta da garganta, duras como pedra, sufocando-a. As suas mãos saltaram para cima, para esgatanhar os braços do seu atacante mas não estava lá ninguém. Uma terrível sensação de medo preencheu-a, e ouviu um barulho, um hediondo barulho de *esmagamento*, acompanhado por uma dor cegante. Uma cara flutuou na sua frente, gorda, barbuda, brutal, com a boca torcida de raiva. Ouviu o sacerdote dizer:

— Respira, pequena. Expira o medo. Sacode as sombras. Ele está morto. Ela está morta. A dor dela desapareceu. *Respira.*

A rapariga fez uma profunda e trémula inspiração e apercebeu-se de que era verdade. Ninguém estava a sufocá-la, ninguém estava a bater-lhe. Mesmo assim, tinha a mão a tremer quando a levou à cara. Flocos de sangue seco desfizeram-se sob as pontas dos seus dedos, negros à luz da lanterna. Tateou as bochechas, tocou os olhos, seguiu a linha do maxilar.

— A minha cara continua igual.

— Ah sim? Tens a certeza?

*Teria* a certeza? Não sentira nenhuma mudança, mas isso talvez não fosse algo que se pudesse sentir. Passou uma mão pela cara, de cima para baixo, como vira um dia Jaqen H'ghar fazer, em Harrenhal. Quando ele o fizera, toda a sua cara ondulara e mudara. Quando ela o fez, nada aconteceu.

— Parece a mesma.

— A ti — disse o sacerdote. — Não tem o mesmo aspeto.

— Para outros olhos tens o nariz e o maxilar partidos — disse a criança abandonada. — Um dos lados da cara tem um buraco onde o malar se estilhaçou, e faltam-te metade dos dentes.

Sondou o interior da boca com a língua, mas não encontrou nem buracos nem dentes partidos. *Feitiçaria*, pensou. *Tenho uma cara nova. Uma cara feia e partida.*

— Podes ter pesadelos durante algum tempo — avisou o homem amável. — O pai dela espancava-a tão frequentemente e com tanta brutalidade que nunca esteve realmente livre de dor ou de medo, até ter vindo ter connosco.

— Mataste-o?

— Ela pediu a dádiva para si, não para o pai.

*Devias tê-lo matado.*

Ele devia ter-lhe lido os pensamentos.

— A morte veio buscá-lo no fim, como vem para todos os homens. Como tem de vir para um certo homem amanhã. — Ergueu a lâmpada. — Já acabámos o que cá viemos fazer.

*Por agora.* Quando se dirigiram de novo para a escada, os buracos vazios dos olhos das peles penduradas das paredes pareceram segui-la. Por um momento, quase conseguiu ver os seus lábios a mexer-se, murmurando escuros segredos doces umas às outras em palavras demasiado baixas para se ouvirem.

O sono não chegou facilmente nessa noite. Enrolada nas mantas, torceu-se de um lado para o outro no quarto frio e escuro mas, virasse-se para onde se virasse, via as caras. *Elas não têm olhos mas conseguem ver-me.* Viu a cara do pai na parede. Ao lado dele estava pendurada a senhora sua mãe, e por baixo deles os três irmãos, em fila. *Não. Essa era outra rapariga qualquer. Eu não sou ninguém, e os meus únicos irmãos usam vestes pretas e brancas.* No entanto estava lá o cantor negro, estava lá o moço de estrebaria que matara com a Agulha, estava lá o escudeiro cheio de borbulhas da estalagem da encruzilhada, e ali estava o guarda cuja garganta cortara para os tirar de Harrenhal. O Cócegas também estava pendurado da parede, com os buracos negros que tinham sido os seus olhos a nadar em malícia. Vê-lo trouxe de volta a sensação do punhal na sua mão quando lho mergulhara nas costas, uma e outra e outra vez.

Quando por fim o dia chegou a Bravos, chegou cinzento, escuro e encoberto. A rapariga tivera esperança de nevoeiro, mas os deuses ignoraram as suas preces, como tão frequentemente os deuses faziam. O ar estava límpido e frio, e o vento vinha desagradável e mordente. *Um bom dia para uma morte*, pensou. Sem ser chamada, a prece veio-lhe aos lábios. *Sor Gregor, Dunsen, Raff, o Querido, Sor Ilyn, Sor Meryn, Rainha Cersei.* Articulou os nomes em silêncio. Na Casa do Preto e do Branco nunca se sabia quem poderia estar à escuta.

As caves estavam cheias de roupa velha, trajes obtidos daqueles que vinham para a Casa de Preto e Branco beber a paz do tanque do templo. Tudo podia ser lá encontrado, desde farrapos de pedinte até ricas sedas e veludos. *Uma rapariga feia deve vestir-se com roupa feia*, decidiu, portanto escolheu um manto castanho manchado e puído na bainha, uma bolorenta túnica verde que cheirava a peixe e um par de botas pesadas. Por último, escamoteou a faca digital.

Não havia pressa, pelo que decidiu dar a volta longa até ao Porto Púrpura. Atravessou a ponte que levava à Ilha dos Deuses. A Gata dos Canais vendera amêijoas e mexilhões entre os templos que aí havia, sempre que a filha de Brusco, Talea, estava com o sangue de lua e ficava de cama. Quase esperou ver Talea a vender lá naquele dia, talvez à porta da Coelheira onde todos os pequenos deuses esquecidos tinham os seus pequenos santuários abandonados, mas isso era uma patetice. O dia estava demasiado frio, e Talea nunca gostara de acordar tão cedo. A estátua à porta do santuário da Senhora Chorosa de Lys estava a chorar lágrimas prateadas quando a rapariga feia por ela passou. Nos Jardins de Gelenei estava uma árvore dourada com trinta metros de altura e folhas de prata martelada. Luz de archotes cintilava por trás de janelas de vitral no palácio de madeira do Senhor da Harmonia, mostrando meia centena de espécies de borboletas em todas as suas vivas cores.

A rapariga lembrou-se de que uma vez a Mulher do Marinheiro fizera com ela a sua ronda e lhe contara histórias sobre os mais estranhos deuses da cidade.

— Aquela é a casa do Grande Pastor. O Trios de três cabeças tem aquela torre com três torreões. A primeira cabeça devora os moribundos, e os renascidos emergem da terceira. Não sei que utilidade tem a cabeça do meio. Aquelas são as Pedras do Deus Silencioso, e ali está a entrada para o Labirinto do Criador de Padrões. Só aqueles que aprenderem a percorrê-lo como deve ser encontrarão o caminho para a sabedoria, segundo dizem os sacerdotes do Padrão. Ali por trás, junto do canal, é o templo de Aquan, o Touro Vermelho. A cada décimo terceiro dia, os sacerdotes cortam a garganta de um bezerro branco puro e oferecem tigelas de sangue a pedintes.

Aquele não era um décimo terceiro dia, aparentemente; os degraus do Touro Vermelho estavam vazios. Os deuses irmãos Semosh e Selloso sonhavam em templos gémeos de lados opostos do Canal Negro, ligados por uma ponte de pedra esculpida. A rapariga atravessou aí e dirigiu-se às docas, após o que atravessou o Porto do Trapeiro e passou pelos coruchéus e cúpulas meio afundados da Cidade Afogada.

Um grupo de marinheiros lisenos saía a cambalear do Porto Feliz quando passou por lá, mas a rapariga não viu nenhuma das rameiras. O Navio estava fechado e abandonado, e a sua trupe de saltimbancos estava sem dúvida ainda na cama. Mas mais à frente, no molhe ao lado de um baleeiro ibbenês, viu Tagganaro, velho amigo da Gata, a atirar uma bola para trás e para a frente com Casso, Rei das Focas, enquanto o seu mais recente carteirista trabalhava por entre a multidão de espetadores. Quando parou para ver e escutar por um momento, Tagganaro deitou-lhe uma olhadela vazia de reconhecimento, mas Casso ladrou e bateu as barbatanas. *Ele reconhece-me*, pensou a rapariga, *ou então cheira o peixe*. Apressou-se a seguir caminho.

Quando chegou ao Porto Púrpura, o velho estava aninhado dentro da venda de sopas na sua mesa habitual, contando uma bolsa de moedas enquanto regateava com o capitão de um navio. O guarda alto e magro pairava por cima dele. O baixo e gordo estava sentado perto da porta, de onde teria uma boa vista de qualquer pessoa que entrasse. Não importava. Ela não tencionava entrar. Em vez disso empoleirou-se no topo de um pilar de madeira a vinte metros de distância, enquanto o vento tempestuoso lhe puxava pelo manto com dedos fantasmagóricos.

Mesmo num dia frio e cinzento como aquele, o porto era um sítio movimentado. Viu marinheiros à caça de rameiras, e rameiras à caça de marinheiros. Um par de espadachins passou por ela, vestidos de roupa fina e amarrotada, apoiados um no outro enquanto iam cambaleando ebriamente ao longo das docas, com as espadas a retinir à ilharga. Um sacerdote vermelho passou apressadamente, com as vestes escarlates e carmesins a esvoaçar ao vento.

Era quase meio-dia quando viu o homem que queria ver, um próspero armador que já por três vezes vira a negociar com o velho. Grande, careca e entroncado, usava um pesado manto de sumptuoso veludo castanho enfeitado com peles, e um cinto de couro castanho ornamentado com luas e estrelas de prata. Um azar qualquer deixara-lhe uma perna hirta. Caminhava lentamente, apoiado numa bengala.

Serviria tão bem como qualquer outro e melhor do que a maioria, decidiu a rapariga feia. Saltou de cima do pilar e pôs-se a segui-lo. Uma dúzia de passos deixaram-na mesmo atrás dele, com a faca digital a postos. A bolsa do homem estava do lado direito, ao cinto, mas o manto estava no caminho. A lâmina saltou, suave e rapidamente, um profundo corte através do veludo, e o homem nada sentiu. O Roggo Vermelho teria sorrido ao ver aquilo. Enfiou a mão na abertura, abriu a bolsa com a faca digital, encheu o punho de ouro…

O grandalhão virou-se.

— Que…

O movimento enredou-lhe o braço nas dobras do manto na altura em que ela estava a tirar a mão para fora. Choveram moedas em volta dos pés de ambos.

— *Ladra!* — O grandalhão levantou a bengala para lhe bater. Ela fê-lo perder o apoio na perna boa com um pontapé, afastou-se a dançar e desatou a correr enquanto ele caía, passando a grande velocidade por uma mulher com um filho. Mais moedas caíram de entre os seus dedos e saltitaram pelo chão. Gritos de "*ladra, ladra*" ressoaram vindos de trás. Um estalajadeiro com barriga de caldeirão que ia a passar fez uma tentativa desajeitada de lhe agarrar no braço, mas ela girou em volta dele, passou num piscar de olhos por uma rameira que ria à gargalhada e precipitou-se para a viela mais próxima.

A Gata dos Canais conhecera aquelas vielas, e a rapariga feia lembrava-se disso. Precipitou-se para a esquerda, saltou sobre um muro baixo, pulou um pequeno canal e esgueirou-se por uma porta não trancada para dentro de um armazém poeirento. Todos os sons de perseguição já se tinham sumido por essa altura, mas era melhor ter a certeza. Encolheu-se por trás de uns caixotes e esperou, envolvendo os joelhos com os braços. Passou a maior parte de uma hora à espera, após o que decidiu que era seguro ir-se embora, trepou a parede exterior do edifício e seguiu pelos telhados quase até ao Canal dos Heróis. Por aquela altura, o armador teria já apanhado as moedas e a bengala e seguido a coxear até à venda das sopas. Podia estar a beber uma tigela de caldo quente naquele preciso momento, queixando-se ao velho da rapariga feia que tentara roubar-lhe a bolsa.

O homem amável esperava-a na Casa de Preto e Branco, sentado à beira do tanque do templo. A rapariga feia sentou-se a seu lado e pousou uma moeda na borda do tanque entre ambos. Era de ouro, com um dragão de um lado e um rei do outro.

— O dragão de ouro de Westeros — disse o homem amável. — E como foi que arranjaste isto? Nós não somos ladrões.

— Não foi roubo. Tirei uma das dele, mas deixei-lhe uma das nossas.

O homem amável compreendeu.

— E com essa moeda e as outras que levava na bolsa, ele pagou a um certo homem. Pouco depois o coração desse homem cedeu. É assim? Muito triste. — O sacerdote pegou na moeda e atirou-a ao tanque. — Tens mais que muito a aprender, mas pode ser que haja esperança para ti.

Nessa noite devolveram-lhe a cara de Arya Stark.

Também lhe trouxeram uma veste, a suave e grossa veste de um acólito, negra de um lado e branca do outro.

— Usa isto quando estiveres aqui — disse o sacerdote — mas fica sabendo que pouco precisarás dela por agora. Amanhã irás ter com Izembaro para dares início ao primeiro aprendizado. Leva a roupa que quiseres das caves, lá em baixo. A patrulha da cidade anda à procura de uma certa rapariga feia, conhecida por frequentar o Porto Púrpura, portanto é melhor teres também uma cara nova. — Pegou-lhe no queixo, virou-lhe a cabeça de um lado para o outro, fez um aceno. — Uma bonita desta vez, parece-me. Tão bonita como a tua. Quem és, pequena?

— Ninguém — respondeu ela.

Na última noite do seu aprisionamento, a rainha não conseguiu dormir. De todas as vezes que fechava os olhos, a cabeça enchia-se-lhe de presságios e fantasias sobre o dia seguinte. *Terei guardas*, disse a si própria. *Eles manterão a multidão afastada. Ninguém será autorizado a tocar-me.* O Alto Pardal prometera-lhe isso.

Mesmo assim, tinha medo. No dia em que Myrcella zarpara para Dorne, o dia dos motins do pão, mantos dourados tinham sido colocados ao longo do trajeto do cortejo, mas a turba rompera as linhas para fazer em pedaços o velho e gordo Alto Septão e violar Lollys Stokeworth meia centena de vezes. E se aquela criatura pálida, mole e estúpida fora capaz de incitar os animais completamente vestida, quão maior seria a luxúria que uma rainha inspiraria?

Cersei percorreu a cela, agitada como os leões enjaulados que viviam nas entranhas de Rochedo Casterly quando era rapariga, um legado dos tempos do avô. Ela e Jaime costumavam desafiar-se um ao outro a subir para a jaula, e uma vez ela arranjara coragem suficiente para enfiar a mão entre duas barras e tocar numa das grandes feras amareladas. Sempre fora mais ousada do que o irmão. O leão virara a cabeça para a fitar com enormes olhos dourados. Depois lambera-lhe os dedos. A sua língua era áspera como uma grosa, mas mesmo assim ela não quisera puxar a mão até que Jaime lhe pegara nos ombros e a afastara violentamente da jaula.

— É a tua vez — dissera-lhe depois. — Puxa-lhe pela juba, não te atreves. — *Ele nunca o fez. Devia ter sido eu a receber a espada, não ele.*

Andou de um lado para o outro descalça e a tremer, com uma manta fina enrolada em volta dos ombros. Estava ansiosa pelo dia que se aproximava. À noite tudo estaria terminado. *Uma pequena caminhada e estarei em casa, estarei de novo com Tommen, nos meus próprios aposentos dentro da Fortaleza de Maegor.* O tio dissera que era a única maneira de se salvar. Mas seria? Não podia confiar no tio, tal como não confiava naquele Alto Septão. *Ainda podia recusar. Ainda podia insistir na minha inocência e arriscar tudo num julgamento.*

Mas não se atrevia a deixar que a Fé a julgasse, como Margaery Tyrell pretendia fazer. Isso podia servir bastante bem à rosinha, mas Cersei tinha poucos amigos entre as septãs e pardais que rodeavam aquele novo Alto

Septão. A sua única esperança era julgamento pela batalha, e para isso precisava de ter um campeão.

*Se Jaime não tivesse perdido a mão...*

Mas essa estrada não levava a sítio nenhum. A mão da espada de Jaime fora-se, e ele também, desaparecido com a tal Brienne algures nas terras fluviais. A rainha tinha de encontrar outro defensor, caso contrário a provação do dia seguinte seria a menor das suas penas. Os seus inimigos acusavam-na de traição. Tinha de chegar a Tommen, qualquer que fosse o custo. *Ele ama-me. Não dirá que não à sua própria mãe. O Joff era teimoso e imprevisível, mas Tommen é um bom rapazinho, um bom reizinho. Ele fará o que lhe disser.* Se ficasse ali estava perdida, e só regressaria à Fortaleza Vermelha caminhando. O Alto Pardal fora inflexível, e Sor Kevan recusava-se a erguer um dedo contra ele.

— Nenhum mal me acontecerá hoje — disse Cersei quando a primeira luz do dia roçou na sua janela. — Só o meu orgulho sofrerá. — As palavras ressoaram a oco nos seus ouvidos. *Jaime pode ainda vir.* Imaginou-o a cavalgar através das brumas matinais, com a armadura dourada brilhante à luz do Sol nascente. *Jaime, se alguma vez me amaste...*

Quando as carcereiras vieram buscá-la, a Septã Unella, a Septã Moelle e a Septã Scolera lideravam a comitiva. Com elas estavam quatro noviças e duas das irmãs silenciosas. Ver as irmãs silenciosas com as suas vestes cinzentas encheu a rainha de súbitos terrores. *Porque estão elas aqui? Vou morrer?* As irmãs silenciosas cuidavam dos mortos.

— O Alto Septão prometeu que nenhum mal me aconteceria.

— E não acontecerá. — A Septã Unella chamou as noviças com um gesto. Trouxeram sabão de lixívia, uma bacia de água quente, uma tesoura e uma longa navalha direita. Um arrepio percorreu-a ao ver o aço. *Elas querem rapar-me. Um pouco mais de humilhação, uma passa para as minhas papas.* Não lhes daria o prazer de a ouvirem suplicar. *Sou Cersei da Casa Lannister, uma leoa do Rochedo, a legítima rainha dos Sete Reinos, filha legítima de Tywin Lannister. E o cabelo volta a crescer.*

— Tratai lá disso — disse.

A mais velha das duas irmãs silenciosas pegou na tesoura. Uma barbeira experiente, sem dúvida; era frequente a sua ordem limpar os cadáveres dos mortos nobres antes de os devolver à família, e fazer barbas e cortar cabelo fazia parte de tal tarefa. A mulher começou por descobrir a cabeça da rainha. Cersei permaneceu tão imóvel como uma estátua de pedra enquanto a tesoura soltava estalidos. Mancheias de cabelo dourado caíam ao chão. Não fora autorizada a cuidar dele como devia ser, ali fechada naquela cela, mas mesmo por lavar e emaranhado brilhava onde o sol o tocava. *A minha coroa,* pensou a rainha. *Tiraram-me a outra coroa, e agora estão tam-*

*bém a tirar esta.* Quando as suas madeixas e caracóis ficaram empilhados em volta dos pés, uma das noviças ensaboou-lhe a cabeça e a irmã silenciosa rapou o resto do cabelo com uma navalha.

Cersei esperara que aquilo fosse o fim, mas não.

— Tirai a combinação, Vossa Graça — ordenou a Septã Unella.

— Aqui? — perguntou a rainha. — Porquê?

— Tendes de ser tosquiada.

*Tosquiada,* pensou, *como uma ovelha.* Puxou com violência a combinação pela cabeça e atirou-a ao chão.

— Fazei o que quiserdes.

Depois foi de novo o sabão, a água quente e a navalha. Os pelos nos sovacos foram-se a seguir, depois as pernas e por fim a fina penugem dourada que lhe cobria o púbis. Quando a irmã silenciosa se meteu entre as suas pernas com a navalha, Cersei deu por si a lembrar-se de todas as vezes que Jaime se ajoelhara onde ela estava agora ajoelhada, plantando beijos na parte de dentro das suas coxas, deixando-a húmida. Os beijos dele eram sempre quentes. A navalha era fria como gelo.

Quando a coisa ficou feita, estava tão nua e vulnerável como uma mulher podia estar. *Nem um pelo atrás do qual me esconder.* Uma gargalhadinha saltou-lhe de entre os lábios, desamparada e amarga.

— Vossa Graça acha isto divertido? — disse a Septã Scolera.

— Não, septã — disse Cersei. *Mas um dia mandarei arrancar-te a língua com turqueses quentes, e isso vai ser hilariante.*

Uma das noviças tinha-lhe trazido uma veste, uma suave veste branca de septã para a cobrir enquanto descia a escada da torre e atravessava o septo, para que os fiéis que encontrassem pelo caminho fossem poupados a ver pele nua. *Que os Sete nos salvem a todos, que grandes hipócritas eles são.*

— Serei autorizada a calçar um par de sandálias? — perguntou. — As ruas estão imundas.

— Não tão imundas como os vossos pecados — disse a Septã Moelle. — Sua Alta Santidade ordenou que vos apresentásseis como os deuses vos fizeram. Tínheis sandálias nos pés quando saístes do ventre da senhora vossa mãe?

— Não, septã — foi a rainha forçada a dizer.

— Então aí tendes a vossa resposta.

Um sino começou a repicar. O longo cativeiro da rainha estava no fim. Cersei aconchegou-se melhor à veste, grata pelo seu calor, e disse:

— Vamos. — O filho aguardava-a do outro lado da cidade. Quanto mais depressa se pusesse a caminho, mais depressa o veria.

A pedra áspera dos degraus raspou nas solas dos seus pés quando

Cersei Lannister fez a sua descida. Chegara ao Septo de Baelor como uma rainha, transportada numa liteira. Estava a sair calva e descalça. *Mas estou a sair. Isso é tudo o que importa.*

Os sinos da torre estavam a cantar, convocando a cidade para testemunhar a sua vergonha. O Grande Septo de Baelor estava repleto de fiéis que tinham vindo para o serviço da alvorada, e o som das suas preces ecoava na cúpula, lá no alto, mas quando a comitiva da rainha surgiu caiu um súbito silêncio e mil olhos viraram-se para a seguir enquanto abria caminho pela nave lateral, passando pelo lugar onde o senhor seu pai jazera em velório depois do seu assassínio. Cersei passou por eles a passos largos, sem olhar nem para a direita nem para a esquerda. Os pés nus esbofeteavam o frio chão de mármore. Sentia os olhares. Atrás dos seus altares, os Sete pareciam também observar.

No Salão das Lâmpadas, uma dúzia de Filhos do Guerreiro esperava a sua chegada. Mantos arco-íris pendiam-lhes das costas, e os cristais que coroavam os seus elmos reluziam à luz das lâmpadas. As armaduras eram aço prateado, polido até um lustre de espelho, mas ela sabia que por baixo cada um daqueles homens usava um cilício. Todos os seus escudos leves mostravam o mesmo símbolo: uma espada de cristal a brilhar nas trevas, o antigo símbolo daqueles a que o povo chamava Espadas.

O capitão ajoelhou na frente dela.

— Vossa Graça talvez se lembre de mim. Sou Sor Theodan, o Fiel, e Sua Alta Santidade deu-me o comando da vossa escolta. Eu e os meus irmãos levar-vos-emos em segurança através da cidade.

O olhar de Cersei percorreu as caras dos homens atrás dele. E ali estava: Lancel, seu primo, filho de Sor Kevan, que em tempos declarara amá-la, antes de decidir que amava mais os deuses. *O meu sangue e o meu traidor.* Não o esqueceria.

— Podeis levantar-vos, Sor Theodan. Estou pronta.

O cavaleiro pôs-se em pé, virou-se, ergueu uma mão. Dois dos seus homens avançaram até às enormes portas e abriram-nas com um empurrão, e Cersei atravessou-as para o ar livre, pestanejando à luz do sol como uma toupeira tirada da toca.

Soprava um vento, com rajadas, que lhe pôs a parte de baixo da veste a bater contra as pernas. O ar da manhã estava repleto dos velhos fedores familiares de Porto Real. Inspirou os odores a vinho azedo, pão em cozedura, peixe podre e dejetos noturnos, fumo, suor e mijo de cavalo. Nunca nenhuma flor cheirara tão bem. Aninhada na veste, Cersei fez uma pausa no topo dos degraus de mármore enquanto os Filhos do Guerreiro formavam à sua volta.

Ocorreu-lhe de súbito que já antes estivera naquele preciso lugar, no dia em que o Lorde Eddard Stark perdera a cabeça. *Não estava planeado que aquilo acontecesse. Joff devia poupar-lhe a vida e enviá-lo para a Muralha.* O filho mais velho do Stark ter-lhe-ia sucedido como Senhor de Winterfell, mas Sansa teria permanecido na corte, como refém. Varys e o Mindinho tinham preparado os termos, e Ned Stark engolira a sua preciosa honra e confessara a traição para poupar a cabecinha vazia da filha. *Eu teria arranjado para Sansa um bom casamento. Um casamento Lannister. Joff não, claro, mas Lancel podia ter servido, ou um dos seus irmãos mais novos.* Recordou que o próprio Petyr Baelish se oferecera para casar com a rapariga, mas claro que isso era impossível, o nascimento dele era demasiado baixo. *Se Joff tivesse feito o que lhe disseram, Winterfell nunca teria partido para a guerra, e o pai teria tratado dos irmãos de Robert.*

Mas em vez disso, Joff ordenara que a cabeça do Stark fosse cortada, e o Lorde Slynt e Sor Ilyn Payne tinham-se apressado a obedecer. *Foi mesmo ali*, recordou a rainha, fitando o local. Janos Slynt levantara a cabeça de Ned Stark pelo cabelo enquanto o sangue da sua vida escorria pelos degraus abaixo, e depois não houvera forma de voltar atrás.

As recordações pareciam agora tão distantes. Joffrey estava morto, e todos os filhos do Stark também. Até o pai perecera. E ali estava ela, de novo nos degraus do Grande Septo, só que desta vez era a si que a turba fitava, não Eddard Stark.

A larga praça de mármore lá em baixo estava tão repleta como estivera no dia em que o Stark morrera. Olhasse para onde olhasse, a rainha via olhos. A multidão parecia ser composta em partes iguais por homens e mulheres. Alguns tinham crianças aos ombros. Pedintes e ladrões, taberneiros e mercadores, curtidores, moços de estrebaria e saltimbancos, a espécie mais pobre de rameira, toda a escumalha aparecera para ver uma rainha a ser rebaixada. E misturados com eles estavam os Pobres Companheiros; criaturas imundas e hirsutas armadas de lanças e machados e vestidas com bocados de aço amolgado, cotas de malha ferrugenta e couro estalado, sob sobretudos de tecido grosseiro branqueado e decorados com a estrela de sete pontas da Fé. O exército esfarrapado do Alto Pardal.

Parte de si ainda ansiava pelo aparecimento de Jaime, por que ele a salvasse daquela humilhação, mas o seu gémeo não se via em lado nenhum. E o tio tampouco se encontrava presente. Isso não a surpreendia. Sor Kevan deixara o seu ponto de vista claro durante a última visita que lhe fizera; não se podia deixar que a sua vergonha manchasse a honra de Rochedo Casterly. Nenhum leão caminharia hoje com ela. Aquela provação era sua, e apenas sua.

A Septã Unella pôs-se à sua direita, a Septã Moelle à esquerda, a Septã Scolera atrás dela. Se a rainha fugisse ou recuasse, as três bruxas arrastá-la-iam de novo para dentro, e daquela vez assegurar-se-iam de que nunca mais sairia da cela.

Cersei levantou a cabeça. Para lá da praça, para lá do mar de olhos famintos e bocas abertas em caras sujas, do outro lado da cidade, a Colina de Aegon ainda se erguia à distância, com as torres e ameias da Fortaleza Vermelha rosadas à luz do Sol nascente. *Não é assim tão longe.* Depois de chegar aos portões da fortaleza terminaria o pior das suas penas. Voltaria a ter o filho. Teria o seu campeão. O tio prometera-lho. *Tommen está à minha espera. O meu reizinho. Posso fazer isto. Tenho de o fazer.*

A Septã Unella deu um passo em frente.

— Uma pecadora apresenta-se perante vós — declarou. — Ela é Cersei da Casa Lannister, rainha viúva, mãe de Sua Graça, o Rei Tommen, viúva de Sua Graça, o Rei Robert, e cometeu graves falsidades e fornicações.

A Septã Moelle avançou à direita da rainha.

— Esta pecadora confessou os seus pecados e suplicou absolvição e perdão. Sua Alta Santidade ordenou-lhe que demonstrasse o seu arrependimento pondo de lado todo o orgulho e artifício e apresentando-se ao bom povo da cidade como os deuses a fizeram.

A Septã Scolera concluiu.

— Portanto, esta pecadora apresenta-se a vós de coração humilde, de segredos e ocultações tosquiados, nua perante os olhos dos deuses e dos homens, para fazer a sua caminhada de expiação.

Cersei tinha um ano quando o avô morrera. A primeira coisa que o pai fizera ao ascender à senhoria fora expulsar de Rochedo Casterly a gananciosa e mal nascida amante do seu próprio pai. As sedas e veludos que o Lorde Tytos lhe prodigalizara e as joias de que se apropriara tinham-lhe sido tirados, e ela fora obrigada a atravessar nua as ruas de Lannisporto, para que o oeste pudesse vê-la tal como era.

Embora fosse nova demais para testemunhar pessoalmente o espetáculo, Cersei ouvira as histórias ao crescer, das bocas de lavadeiras e guardas que tinham lá estado. Falavam de como a mulher chorara e suplicara, do modo desesperado como se agarrara à roupa quando lhe fora ordenado que a despisse, dos seus esforços fúteis para tapar os seios e o sexo com as mãos enquanto coxeava pelas ruas, descalça e nua, rumo ao exílio. Lembrava-se de um guarda dizer:

— Antes era vaidosa e orgulhosa, tão altiva que se diria que se tinha esquecido que veio da terra. Mas depois de lhe tirarmos a roupa, passou a ser só mais uma rameira.

Se Sor Kevan e o Alto Pardal julgavam que seria o mesmo consigo, estavam muito enganados. O sangue do Lorde Tywin corria-lhe nas veias. *Sou uma leoa. Não irei encolher-me perante eles.*

A rainha desfez-se da veste.

Desnudou-se num movimento suave e sem pressa, como se estivesse nos seus aposentos e se despisse para o banho sem ninguém a ver além das aias. Quando o vento frio lhe tocou a pele, tremeu violentamente. Precisou de toda a sua força de vontade para não tentar esconder-se com as mãos, como a rameira do avô fizera. Os dedos apertaram-se-lhe em punhos, espetando as unhas nas palmas das mãos. Estavam a olhá-la, todos os olhos famintos. Mas que estavam a ver? *Sou bela*, fez lembrar a si própria. Quantas vezes lho dissera Jaime? Até Robert lhe dera isso, quando vinha à sua cama, com os copos, para lhe prestar uma homenagem ébria com a picha.

*Mas olharam para Ned Stark da mesma maneira.*

Tinha de se mexer. Nua, rapada, descalça, Cersei desceu lentamente os largos degraus de mármore. Pele de galinha brotou dos seus braços e pernas. Manteve o queixo erguido, como uma rainha devia fazer, e a escolta abriu-se em leque à sua frente. Os Pobres Companheiros empurraram pessoas para o lado, a fim de abrirem caminho através da multidão, enquanto as Espadas se puseram de ambos os lados dela. A Septã Unella, a Septã Scolera e a Septã Moelle seguiram-nos. Atrás das septãs vinham as noviças vestidas de branco.

— *Rameira!* — gritou alguém. Uma voz de mulher. As mulheres eram sempre mais cruéis no que tocava a outras mulheres.

Cersei ignorou-a. *Haverá mais, e pior. Estas criaturas não têm na vida alegria mais saborosa do que escarnecer dos seus superiores.* Não podia silenciá-los, portanto tinha de fingir que não os ouvia. Tampouco os veria. Manteria os olhos postos na Colina de Aegon, do outro lado da cidade, nas torres da Fortaleza Vermelha que reluziam à luz. Seria aí que encontraria a salvação, se o tio tivesse cumprido a sua parte do acordo que haviam alcançado.

*Ele quis isto. Ele e o Alto Pardal. E a rosinha também, sem dúvida. Pequei e tenho de expiar os pecados, tenho de exibir a minha vergonha perante os olhos de todos os pedintes da cidade. Eles acham que isto quebrará o meu orgulho, que me porá fim, mas enganam-se.*

A Septã Unella e a Septã Moelle mantiveram-se a seu lado, com a Septã Scolera a apressar-se atrás, fazendo soar um sino.

— *Vergonha* — gritava a velha bruxa — *vergonha para a pecadora, vergonha, vergonha.* — Algures, à direita, outra voz cantava em contraponto da dela, um qualquer ajudante de padeiro que gritava:

— Pastéis de carne, três dinheiros, há pastéis de carne quentes. — O mármore sob os seus pés estava frio e escorregadio, e Cersei tinha de pisar com cuidado com medo de escorregar. O seu percurso fê-los passar pela estátua de Baelor, o Abençoado, que se erguia alto e sereno do seu pedestal, e cuja cara era um estudo em benevolência. Olhando-o nunca se imaginaria o palerma que fora. A dinastia Targaryen produzira bons reis e maus reis, mas nenhum era tão amado como Baelor, esse piedoso e simpático rei-septão que amava o povo e os deuses em partes iguais mas aprisionara as próprias irmãs. Era espantoso que a estátua não se desfizesse ao ver os seus seios nus. Tyrion costumava dizer que o Rei Baelor tinha pavor da própria picha. Recordou que uma vez expulsara todas as rameiras de Porto Real. Rezara por elas enquanto eram obrigadas a atravessar os portões da cidade, segundo as histórias, mas recusara-se a olhá-las.

— Pega — gritou uma voz. Outra mulher. Algo voou do seio da multidão. Um legume podre qualquer. Castanho e a liquefazer-se, passou sobre a sua cabeça e foi esmagar-se aos pés de um dos Pobres Companheiros. *Não tenho medo. Sou uma leoa.* Continuou a caminhar.

— Pastéis quentes — estava a gritar o ajudante de padeiro. — Tenho aqui tartes quentes.

A Septã Scolera fazia soar o sino, cantando:

— *Vergonha, vergonha, vergonha para a pecadora, vergonha, vergonha.*

Os Pobres Companheiros seguiam à frente deles, forçando as pessoas a afastarem-se com os escudos, servindo de muros para um estreito caminho. Cersei seguia para onde eles a levavam, de cabeça rigidamente erguida, os olhos postos na distância longínqua. Cada passo trazia a Fortaleza Vermelha para mais perto. Cada passo a aproximava mais do filho e da salvação.

A travessia da praça pareceu demorar cem anos, mas o mármore deu por fim lugar a empedrado sob os seus pés, lojas, estábulos e casas aproximaram-se em redor e o grupo deu início à descida da Colina de Visenya.

Ali o avanço era mais lento. A rua era íngreme e estreita, a multidão muito apertada. Os Pobres Companheiros empurravam aqueles que bloqueavam o caminho, tentando afastá-los, mas não havia para onde ir, e os que estavam na parte de trás da multidão empurravam-nos de volta. Cersei tentou manter a cabeça erguida, mas só conseguiu pisar algo escorregadio e húmido que a fez perder o equilíbrio. Podia ter caído, mas a Septã Unella pegou-lhe no braço e manteve-a de pé.

— Vossa Graça devia ver onde põe os pés.

Cersei libertou-se com um sacão.

— Sim, septã — disse, numa voz dócil, embora estivesse suficientemente zangada para cuspir. A rainha continuou a caminhar, vestida apenas de pele de galinha e orgulho. Procurou a Fortaleza Vermelha, mas esta estava agora oculta, escondida do seu olhar pelos altos edifícios de madeira que a rodeavam.

— *Vergonha, vergonha* — cantou a Septã Scolera, com o sino a repicar.

Cersei tentou andar mais depressa, mas rapidamente se viu obstruída pelas costas das Estrelas que seguiam na sua frente e teve de voltar a abrandar o passo. Um homem, logo à frente, vendia espetadas de carne assada com um carrinho de mão, e o cortejo parou enquanto os Pobres Companheiros o afastavam do caminho. Aos olhos de Cersei, a carne parecia-se de forma suspeita com ratazana, mas o seu cheiro enchia o ar e, quando a rua ficou finalmente suficientemente desimpedida para reatar a caminhada, metade dos homens que os rodeavam estava a mastigar, de pauzinhos na mão.

— Quereis um bocadinho, Vossa Graça? — gritou um homem. Era um grande brutamontes corpulento com olhos de porco, uma maciça barriga e uma barba negra mal cuidada que lhe fez lembrar Robert. Quando afastou o olhar, repugnada, ele atirou-lhe a espetada. Esta atingiu-a na perna e caiu na rua, e a carne semicozinhada deixou-lhe uma mancha de gordura e sangue na coxa.

Os gritos pareciam-lhe mais altos ali do que na praça, talvez porque a turba estivesse tão mais próxima. "Rameira" e "pecadora" eram os mais comuns, mas "fodilhona de irmãos", "puta" e "traidora" também lhe eram atirados, e de vez em quando ouvia alguém gritar por Stannis ou Margaery. As pedras sob os seus pés estavam imundas e havia tão pouco espaço que a rainha nem sequer podia contornar as poças. *Nunca ninguém morreu de pés molhados*, disse a si própria. Quis acreditar que as poças eram só de água da chuva, embora mijo de cavalo fosse igualmente provável.

Mais detritos choviam de janelas e varandas: fruta meio apodrecida, baldes de cerveja, ovos que explodiam num cheirete sulfuroso quando se rachavam no chão. Então, alguém atirou um gato morto por cima quer dos Pobres Companheiros, quer dos Filhos do Guerreiro. A carcaça atingiu o empedrado com tal força que rebentou, salpicando-lhe a parte inferior das pernas com entranhas e larvas.

Cersei continuou a andar. *Sou cega e surda, e eles são vermes*, disse a si própria.

— *Vergonha, vergonha* — cantavam as septãs.

— Castanhas, quentes, castanhas assadas — gritou um vendedor ambulante.

— Rainha Puta — declarou solenemente um bêbado de uma varanda, levantando a taça na sua direção num brinde trocista. — Saudai todos as régias tetas!

*Palavras são vento*, pensou Cersei. *As palavras não me podem fazer mal.*

A meio da descida da Colina de Visenya, a rainha caiu pela primeira vez, quando o pé escorregou em algo que podia ter sido dejetos. Quando a Septã Unella a pôs em pé, tinha o joelho esfolado e ensanguentado. Uma gargalhada irregular percorreu a multidão, e um homem gritou, oferecendo-se para beijar o dói-dói e pô-lo melhor. Cersei olhou para trás. Ainda conseguia ver a grande cúpula e as sete torres de cristal do Grande Septo de Baelor no topo da colina. *Terei realmente percorrido um trajeto tão curto?* Pior, cem vezes pior, perdera de vista a Fortaleza Vermelha.

— Onde… onde…?

— Vossa Graça. — O capitão da escolta apareceu a seu lado. Cersei esquecera o seu nome. — Tendes de prosseguir. A multidão está a tornar-se difícil de controlar.

*Sim*, pensou. *Difícil de controlar.*

— Não tenho medo…

— Devíeis ter. — O capitão puxou-lhe pelo braço, obrigando-a a avançar a seu lado. Cersei cambaleou colina abaixo, para baixo, sempre para baixo, estremecendo a cada passo, deixando que ele a sustentasse. *Devia ser Jaime a estar ao meu lado.* Ele puxaria pela espada dourada e abriria caminho à espadeirada através da turba, arrancando os olhos da cabeça de qualquer homem que se atrevesse a olhá-la.

As pedras do pavimento estavam fendidas e irregulares, escorregadias, e ela sentia-as ásperas nos pés suaves. O calcanhar caiu sobre qualquer coisa afiada, uma pedra ou um bocado partido de cerâmica. Cersei soltou um grito de dor.

— Eu pedi sandálias — cuspiu sobre a Septã Unella. — Vós podíeis ter-me dado sandálias, podíeis ter feito pelo menos isso. — O cavaleiro voltou a puxar-lhe pelo braço, como se fosse uma qualquer rapariga de servir. *Ter-se-á ele esquecido de quem eu sou?* Era a rainha de Westeros, ele não tinha qualquer direito de lhe pôr as mãos em cima.

Perto do sopé da colina, o declive diminuiu e a rua começou a alargar. Cersei voltou a ver a Fortaleza Vermelha, a brilhar, carmim, ao sol da manhã, no topo da Colina de Aegon. *Tenho de continuar a andar.* Libertou-se com um esticão da mão de Sor Theodan.

— Não precisais de me arrastar, sor. — Avançou a coxear, deixando atrás de si um rasto de pegadas ensanguentadas nas pedras.

Caminhou por lama e por bosta, sangrando, com pele de galinha, a mancar. A toda a sua volta havia um rebuliço de som.

— A minha mulher tem melhores mamas do que aquelas — gritou um homem. Um carroceiro praguejou quando os Pobres Companheiros ordenaram que a sua carroça saísse do caminho.

— *Vergonha, vergonha, vergonha para a pecadora* — entoavam as septãs.

— Olha p'a esta — gritou uma rameira da janela de um bordel — nã'

tive p'a minha acima metade dos caralhos que ela teve. — Sinos repicavam, repicavam, repicavam.

— Aquilo nã' pode ser a rainha — disse um rapaz — tem tudo tão caído como a minha mãe.

*Esta é a minha penitência*, disse Cersei a si própria. *Pequei com grande gravidade, esta é a minha expiação. Acabará em breve, ficará para trás de mim, depois posso esquecer.*

A rainha começou a ver caras conhecidas. Um careca com suíças hirsutas franziu o sobrolho a uma janela com o cenho franzido do pai, e por um instante pareceu-se tanto com o Lorde Tywin que ela tropeçou. Uma jovem estava sentada sob um fontanário, ensopada de salpicos, e fitava-a com os olhos acusadores de Melara Hetherstone. Viu Ned Stark, e a seu lado a pequena Sansa com o cabelo ruivo e um peludo cão cinzento que podia ter sido o seu lobo. Todas as crianças que corriam através da multidão se transformaram no seu irmão Tyrion, zombando dela como zombara quando Joffrey morrera. E ali estava também Joff, o seu filho, o seu primogénito, o seu belo e brilhante rapaz com os caracóis dourados e sorriso doce, ele tinha uns lábios tão encantadores, ele…

Foi então que caiu pela segunda vez.

Estava a tremer como uma folha quando a puseram em pé.

— Por favor — disse. — Mãe, misericórdia. Eu confessei.

— Confessastes — disse a Septã Moelle. — Esta é a vossa expiação.

— Já não falta muito — disse a Septã Unella. — Vedes? — Apontou. — Subir a colina, nada mais.

*Subir a colina. Nada mais.* Era verdade. Estavam na base da Colina de Aegon, com o castelo por cima.

— Rameira — gritou alguém.

— Fode-irmãos — acrescentou outra voz. — Abominação.

— Quereis mamar nisto, Vossa Graça? — Um homem com um avental de carniceiro tirou a picha de dentro das bragas, sorrindo. Não importava. Ela estava quase em casa.

Cersei começou a subir.

Se havia alguma diferença, era as zombarias e os gritos serem ali mais grosseiros. A caminhada não a levara a atravessar o Fundo das Pulgas, portanto os seus habitantes tinham-se aglomerado nas ladeiras inferiores da Colina de Aegon para ver o espetáculo. As caras que a olhavam de trás dos escudos e lanças dos Pobres Companheiros pareciam retorcidas, monstruosas, hediondas. Tropeçava-se em porcos e crianças nuas por todo o lado, pedintes aleijados e carteiristas enxameavam como baratas pelo meio da multidão. Viu homens cujos dentes tinham sido afiados até formarem pontas, bruxas com inchaços de bócio tão grandes como as cabeças, uma rameira com uma enorme serpente listada enrolada em volta de seios e ombros, um homem cujas bochechas e testa estavam cobertas de chagas que exsudavam pus cinzento. Sorriam e lambiam os lábios e gritavam-lhe quando passava por eles a coxear, com os seios a oscilar devido ao esforço da subida. Alguns gritavam propostas obscenas, outros insultos. *Palavras são vento*, pensou, *palavras não me podem fazer mal. Sou bela, a mais bela mulher de todo o Westeros, é o Jaime que o diz, o Jaime nunca me mentiria. Até Robert, Robert nunca me amou, mas via que eu era bela, ele desejava-me.*

Mas não se sentia bela. Sentia-se velha, usada, imunda, feia. Havia estrias na sua barriga, das crianças que dera à luz, e os seios não eram tão firmes como tinham sido quando era mais nova. Sem um vestido que os sustentasse, pendiam-lhe sobre o peito. *Não devia ter feito isto. Era a rainha deles, mas agora viram, viram, viram. Nunca devia ter deixado que vissem.* Vestida e coroada, era uma rainha. Nua, ensanguentada, a coxear, era apenas uma mulher, não muito diferente das suas esposas, mais parecida com as suas mães do que com as lindas filhinhas donzelas. *Que fiz eu?*

Havia algo nos seus olhos, algo que picava, que lhe enevoava a visão. Não podia chorar, não queria chorar, os vermes não podiam nunca vê-la chorar. Cersei esfregou os olhos com os pulsos. Uma rajada de vento frio fê-la tremer com violência.

E de súbito ali estava a bruxa, no meio da multidão com as suas tetas pendulares e a verrugosa pele esverdeada, olhando como os outros, com malícia a brilhar nos ramelosos olhos amarelos.

— *Rainha serás* — silvou — *até chegar outra, mais nova e mais bela, para te derrubar e te tirar tudo o que te for mais querido.*

E depois disso não houve forma de parar as lágrimas. Escorreram a arder pela cara da rainha, como ácido. Cersei soltou um grito penetrante, tapou os mamilos com um braço, fez descer a outra mão para esconder a racha e desatou a correr, abrindo caminho ao encontrão pela fileira de Pobres Companheiros, inclinando-se para correr colina acima. A meio do caminho tropeçou e caiu, levantou-se, depois voltou a cair dez metros mais à frente. Quando deu por si estava a gatinhar, avançando de gatas colina acima, como um cão, enquanto a boa gente de Porto Real lhe abria caminho, rindo, troçando e aplaudindo-a.

Então, de súbito, a multidão afastou-se e pareceu dissolver-se, e surgiram portões de castelo à sua frente, e uma fileira de lanceiros com meios elmos dourados e mantos carmesim. Cersei ouviu o som duro e familiar do tio a rosnar ordens, e vislumbrou um clarão de branco de ambos os lados quando Sor Boros Blount e Sor Meryn Trant avançaram na sua direção com o aço branco e mantos de neve.

— O meu filho — gritou. — Onde está o meu filho? Onde está Tommen?

— Não está aqui. Nenhum filho deve ser testemunha da vergonha da mãe. — A voz de Sor Kevan estava severa. — Tapai-a.

Depois viu Jocelyn dobrada sobre si, envolvendo-a numa suave e limpa manta de lã verde para tapar a sua nudez. Uma sombra caiu sobre ambas, obscurecendo o sol. A rainha sentiu aço frio a deslizar sob o seu corpo, um par de grandes braços couraçados a levantá-la do chão, a erguê-la no ar tão facilmente como ela erguera Joffrey quando ele ainda era bebé. *Um gigante*, pensou Cersei, entontecida, enquanto ele a levava com grandes passos na direção da casa do portão. Ouvira dizer que ainda se podia encontrar gigantes nas regiões selvagens e ímpias para lá da Muralha. *Isso é só uma lenda. Estarei a sonhar?*

Não. O seu salvador era real. Dois metros e quarenta de altura, ou talvez mais, com pernas tão grossas como árvores, tinha um peito digno de um cavalo de tração e ombros que não envergonhariam um touro. A sua armadura era de placa de aço, esmaltada de branco e brilhante como esperanças de donzela, e era usada por cima de cota de malha dourada. Um grande elmo ocultava-lhe o rosto. Da crista partiam sete plumas de seda nas cores do arco-íris da Fé. Um par de estrelas douradas de sete pontas prendia-lhe aos ombros o manto encapelado.

*Um manto branco.*

Sor Kevan cumprira a sua parte do acordo. Tommen, o seu precioso rapazinho, nomeara o seu campeão para a Guarda Real.

Cersei não chegou a ver de onde Qyburn saíra, mas ele apareceu ali de súbito a seu lado, dando corridinhas para acompanhar os longos passos do seu campeão.

— Vossa Graça — disse — é tão bom ter-vos de volta. Posso ter a honra de vos apresentar o mais recente membro da Guarda Real? Este é Sor Robert Strong.

— Sor Robert — sussurrou Cersei enquanto atravessavam os portões.

— Se aprouver a Vossa Graça, Sor Robert prestou um voto sagrado de silêncio — disse Qyburn. — Jurou que não falaria até todos os inimigos de Vossa Graça estarem mortos e o mal ter sido expulso do reino.

*Sim*, pensou Cersei Lannister. *Oh, sim.*

A pilha de pergaminhos tinha uma altura formidável. Tyrion olhou-a e suspirou.

— Julgava que éreis um bando de irmãos. Isto é o amor que um irmão sente por outro? Onde está a confiança? A amizade, a consideração dedicada, o profundo afeto que só homens que combateram e sangraram juntos poderão conhecer?

— Tudo a seu tempo — disse o Ben Castanho Plumm.

— Depois de assinares — disse o Tinteiros, afiando uma pena.

Kasporio, o Astucioso, tocou no cabo da sua espada.

— Se quiseres começar agora o sangramento, ficarei contente por te fazer a vontade.

— Que bondade a tua de fazeres essa oferta — disse Tyrion. — Acho que não.

O Tinteiros pôs-lhe os pergaminhos na frente e entregou-lhe a pena.

— Aqui 'tá a tua tinta. É da Velha Volantis. Vai durar tanto como preto de meistre como deve ser. Só tens que assinar e passar-me as notas. Eu cá faço o resto.

Tyrion dirigiu-lhe um sorriso torto.

— Posso lê-las primeiro?

— Se quiseres. A maior parte são iguais. Exceto as do fundo, mas a seu tempo lá chegaremos.

*Oh, tenho a certeza de que chegaremos.* Para a maioria dos homens não havia um preço a pagar para se juntarem a uma companhia, mas ele não era a maioria dos homens. Mergulhou a pena no tinteiro, debruçou-se sobre o primeiro pergaminho, fez uma pausa, ergueu o olhar.

— Preferes que eu assine *Yollo* ou *Hugor Hill*?

O Ben Castanho enrugou os olhos.

— Preferes ser devolvido aos herdeiros de Yezzan ou só decapitado?

O anão riu-se e assinou o pergaminho: *Tyrion da Casa Lannister*. Quando o passou para a esquerda, ao Tinteiros, folheou a pilha que estava por baixo.

— São… quê, cinquenta? Sessenta? Julgava que havia quinhentos Segundos Filhos.

— Quinhentos e treze, de momento — disse o Tinteiros. — Quando assinares o nosso livro seremos quinhentos e catorze.

— Então só um em dez recebe uma nota? Isso não me parece lá muito justo. Julgava que nas companhias livres éreis todos partilhar-e-partilhar-igualmente. — Assinou outra folha.

O Ben Castanho soltou um risinho.

— Oh, todos partilham. Mas não igualmente. Os Segundos Filhos não são muito diferentes de uma família…

— … e todas as famílias têm os seus primos invejosos. — Tyrion assinou outra nota. O pergaminho estalou ruidosamente quando o fez deslizar na direção do tesoureiro. — Há celas nas entranhas de Rochedo Casterly onde o senhor meu pai mantinha os piores dos nossos. — Mergulhou a pena no tinteiro. *Tyrion da Casa Lannister*, escrevinhou, prometendo pagar ao portador da nota cem dragões de ouro. *Cada traço de pena me deixa um pouco mais pobre… ou deixaria, se eu não começasse por ser um pedinte.* Um dia talvez se arrependesse daquelas assinaturas. *Mas não no dia de hoje.* Soprou a tinta húmida, fez deslizar o pergaminho na direção do tesoureiro, e assinou o que estava por baixo. E outra vez. E outra. E outra.

— Quero que saibais que isto me fere profundamente — disse-lhes, entre assinaturas. — Em Westeros, considera-se que a palavra de um Lannister vale ouro.

O Tinteiros encolheu os ombros.

— Isto não é Westeros. Deste lado do mar estreito, assentamos as nossas promessas em papel. — Quando cada folha lhe era passada, espalhava areia fina sobre a assinatura para absorver a tinta em excesso, após o que a sacudia e punha a nota de parte. — Dívidas escritas no vento tendem a ser… esquecidas, digamos.

— Por nós, não. — Tyrion assinou outra folha. E outra. Já encontrara um ritmo. — Um Lannister paga sempre as suas dívidas.

Plumm soltou um risinho.

— Pois, mas a palavra de um mercenário não vale nada.

*Bem, a tua não vale nada*, pensou Tyrion, *e graças aos deuses por isso.*

— É verdade, mas eu não serei mercenário até ter assinado o vosso livro.

— Daqui a pouco — disse o Ben Castanho. — Depois das notas.

— Estou a dançar o mais depressa possível. — Apeteceu-lhe rir, mas isso teria arruinado o jogo. O Plumm estava a gostar daquilo, e Tyrion não fazia a mínima intenção de lhe estragar o divertimento. *Ele que continue a pensar que me dobrou e me enrabou bem enrabadinho, que eu continuarei a pagar espadas de aço com dragões de pergaminho.* Se alguma vez conseguisse regressar a Westeros para reclamar os seus direitos de nascença, teria todo o ouro de Rochedo Casterly para cumprir as promessas. Se não, bem, estaria morto e os seus novos irmãos podiam limpar os cus àqueles pergaminhos. Alguns talvez aparecessem em Porto Real com os seus papelinhos nas mãos, esperando convencer a sua querida irmã a pagá-los. *E bem gostava eu de ser uma barata entre as esteiras para ver isso.*

O que estava escrito nos pergaminhos mudou depois de estar assinada cerca de meia pilha. As notas de cem dragões eram todas para sargentos. Por baixo, o número tornou-se subitamente maior. Agora, Tyrion estava a prometer pagar ao portador mil dragões de ouro. Abanou a cabeça, riu-se, assinou. E outra vez. E outra.

— Então — disse enquanto escrevinhava — quais serão os meus deveres na companhia?

— És feio demais para seres o cuzinho do Bokkoko — disse Kasperio — mas podes servir de carne para setas.

— Melhor do que tu julgas — disse Tyrion, recusando-se a morder a isca. — Um homem pequeno com um escudo grande dá os arqueiros em doidos. Um homem mais sábio do que tu disse-me isso uma vez.

— Vais trabalhar com o Tinteiros — disse o Ben Castanho Plumm.

— Vais trabalhar *para* o Tinteiros — disse o Tinteiros. — A manter os livros em dia, a contar dinheiro, a escrever contratos e cartas.

— De bom grado — disse Tyrion. — Adoro livros.

— Que outra coisa farias? — troçou Kasporio. — Olha para ti. Não és capaz de combater.

— Em tempos estive encarregado de todos os esgotos de Rochedo Casterly — disse Tyrion com brandura. — Alguns deles estavam entupidos há anos, mas depressa os pus a funcionar alegremente. — Voltou a mergulhar a pena no tinteiro. Mais uma dúzia de notas, e terminaria. — Talvez pudesse supervisionar as vossas seguidoras de acampamentos. Não podemos ter os homens entupidos, pois não?

Aquele gracejo não agradou ao Ben Castanho.

— Mantém-te longe das rameiras — avisou. — A maior parte tem doenças, e falam. Não és o primeiro escravo fugido a juntar-se à companhia, mas isso não quer dizer que tenhamos de apregoar a tua presença. Não te quero a desfilar por onde possas ser visto. Fica dentro das tendas o mais que puderes e caga no teu balde. Há demasiados olhos nas latrinas. E nunca saias do acampamento sem a minha licença. Podemos vestir-te com aço de escudeiro, fingir que és o cuzinho de Jorah, mas há quem consiga ver para lá dessa máscara. Depois de Meereen ter sido tomada, quando estivermos a caminho de Westeros, podes pavonear-te por onde quiseres vestido de ouro e carmim. Mas até lá…

— … viverei debaixo de uma pedra e não farei um som. Tens a minha palavra a esse respeito. — *Tyrion da Casa Lannister,* assinou mais uma vez, com um floreado. Aquele era o último pergaminho. Restavam três notas, diferentes das outras. Duas estavam escritas em bom velo e identificadas com nomes. Para Kasporio, o Astucioso, dez mil dragões. O mesmo para o Tinteiros, cujo verdadeiro nome parecia ser Tybero Istarion. — *Tybero?* — disse Tyrion. — Isso soa quase a Lannister. És algum primo há muito perdido?

— Talvez. Eu também pago sempre as minhas dívidas. É o que se espera de um tesoureiro. Assina.

Assinou.

A nota do Ben Castanho era a última. Essa fora inscrita num rolo de pele de ovelha. *Cem mil dragões de ouro, cinquenta jeiras de terra fértil, um castelo e uma senhoria. Muito bem. Este Plumm não sai barato.* Tyrion coçou a cicatriz e perguntou a si próprio se deveria fazer uma exibição de indignação. Quando se enraba um homem, espera-se um ou dois guinchos. Podia praguejar, amaldiçoar, arengar sobre ladroagem, recusar-se a assinar durante algum tempo, depois ceder com relutância, sempre a protestar. Mas estava farto de farsas, portanto limitou-se a fazer uma careta, assinou e entregou o rolo ao Ben Castanho.

— O teu caralho é tão grande como nas histórias — disse. — Considerai-me bem e realmente fodido, Lorde Plumm.

O Ben Castanho soprou a assinatura.

— O prazer foi meu, Duende. E agora tornamos-te um de nós. Tinteiros, vai buscar o livro.

O livro era encadernado a couro com dobradiças de ferro e era suficientemente grande para servir de bandeja para o jantar. No interior da pesada capa de madeira estavam nomes e datas que recuavam mais de um século.

— Os Segundos Filhos estão entre as companhias livres mais antigas — disse o Tinteiros, enquanto virava páginas. — Este é o quarto livro. Estão aqui escritos os nomes de todos os homens que serviram connosco. Quando se alistaram, onde combateram, durante quanto tempo serviram, o modo como morreram… tudo no livro. Vais encontrar aqui nomes famosos, alguns dos teus Sete Reinos. Aegor Rivers serviu connosco um ano, antes de sair para fundar a Companhia Dourada. Chamais-lhe Açamargo. O Príncipe Brilhante, Aerion Targaryen, também foi um Segundo Filho. E Rodrik Stark, o Lobo Errante, também. Não, essa tinta não. Toma, usa esta. — Destapou um novo tinteiro e pousou-o.

Tyrion inclinou a cabeça.

— Tinta vermelha?

— Uma tradição da companhia — explicou o Tinteiros. — Houve uma época em que cada novo recruta escrevia o nome com o seu próprio sangue, mas acontece que o sangue não vale nada como tinta.

— Os Lannister adoram a tradição. Empresta-me a tua faca.

O Tinteiros ergueu uma sobrancelha, encolheu os ombros, desembainhou a adaga e entregou-lha com o cabo para a frente. *Ainda dói, Semimeistre, muito obrigado*, pensou Tyrion enquanto picava a ponta do polegar. Espremeu uma gorda gota de sangue para dentro do tinteiro, trocou o punhal por uma pena nova e escrevinhou *Tyrion da Casa Lannister, Senhor de Rochedo Casterly* numa grande letra vigorosa, logo por baixo da assinatura muito mais modesta de Jorah Mormont.

*E está feito*. O anão inclinou para trás o banco de acampar.

— É tudo o que exigis de mim? Não tenho de prestar um juramento? Matar um bebé? Chupar a picha do capitão?

— Chupa o que quiseres. — O Tinteiros virou o livro e espalhou pela página um pouco de areia fina. — Para a maioria de nós, a assinatura é suficiente, mas detestaria desapontar um novo irmão de armas. Bem-vindo aos Segundos Filhos, Lorde Tyrion.

*Lorde Tyrion*. O anão gostou de como aquilo soava. Os Segundos Filhos podiam não beneficiar da brilhante reputação da Companhia Dourada, mas tinham conquistado algumas vitórias fabulosas ao longo dos séculos.

— Houve outros senhores a servir na companhia?

— Senhores sem terras — disse o Ben Castanho. — Como tu, Duende.

Tyrion saltou do banco.

— O meu irmão anterior era inteiramente insatisfatório. Espero mais dos novos. E agora, como é que trato de arranjar armas e armadura?

— Também vais querer uma porca para montar? — perguntou Kasporio.

— Ora, não sabia que a tua mulher estava na companhia — disse Tyrion. — É gentileza tua oferecê-la, mas eu preferia um cavalo.

O espadachim enrubesceu, mas o Tinteiros riu alto e o Ben Castanho concedeu-lhe um risinho.

— Tinteiros, leva-o às carroças. Ele pode escolher de entre o aço da companhia. A rapariga também. Põe-lhe um elmo, um pouco de cota de malha, e pode ser que alguns a confundam com um rapaz.

— Lorde Tyrion, comigo. — O Tinteiros segurou na aba da tenda para que ele a atravessasse a bambolear. — Vou mandar o Arrebato levar-te às carroças. Vai buscar a tua mulher e vai ter com ele junto da tenda do cozinheiro.

— Ela não é minha mulher. Talvez devesses ser tu a ir buscá-la. Nos últimos tempos não faz nada a não ser dormir e deitar-me olhares furiosos.

— Tens de lhe bater com mais força e de a foder mais vezes — aconselhou o tesoureiro. — Trá-la, deixa-a, faz o que quiseres. O Arrebato não se vai importar. Vem à minha procura quando arranjares armadura para te mostrar o livro-mestre.

— Como queiras.

Tyrion encontrou Centava a dormir a um canto da tenda de ambos, enrolada sobre uma fina enxerga de palha sob uma pilha de lençóis sujos. Quando lhe tocou com a ponta da bota, ela rolou, olhou-o a piscar os olhos e bocejou.

— Hugor? Que é?

— Ah já nos falamos, é? — Era melhor do que o silêncio carrancudo do costume. *Tudo por causa de um cão e de um porco abandonados. Salvei-nos a ambos da escravatura, julgar-se-ia que seria motivo para uma certa gratidão.* — Se dormires mais, és capaz de não ver a guerra.

— Estou triste. — Voltou a bocejar. — E cansada. Tão cansada.

*Cansada ou doente?* Tyrion ajoelhou ao lado da enxerga.

— Estás pálida. — Pôs-lhe a mão na testa. *Estará calor aqui dentro, ou será que ela tem um pouco de febre?* Não se atreveu a fazer essa pergunta em voz alta. Mesmo homens duros como os Segundos Filhos tinham terror de montar a égua branca. Se julgassem que Centava estava doente, expulsá-la-iam sem um momento de hesitação. *Até podem devolver-nos aos herdeiros de Yezzan, com notas ou sem elas.* — Assinei o livro deles. À moda antiga, com sangue. Agora sou um Segundo Filho.

Centava sentou-se, afastando com uma esfregadela o sono dos olhos.

— E eu? Também posso assinar?

— Acho que não. Sabe-se de algumas companhias livres que aceitaram mulheres, mas… bem, afinal de contas eles não são as Segundas Filhas.

— *Nós* — disse ela. — Se és um deles, devias dizer *nós*, não *eles*. Alguém viu a Porca Bonita? O Tinteiros disse que ia perguntar por ela. Ou o Trincão, há notícias do Trincão?

*Só se confiares no Kasporio.* O não-tão-astucioso-como-isso segundo comandante do Plumm afirmava que três apanhadores de escravos yunkaitas andavam a percorrer os acampamentos, perguntando por um par de anões fugidos. Um deles transportava uma grande lança com uma cabeça de cão espetada na ponta, segundo Kasporio dizia. Mas não era provável que notícias como aquela a tirassem da cama.

— Ainda não há novidades — mentiu. — Anda. Temos de arranjar uma armadura para ti.

Ela dirigiu-lhe um olhar cauteloso.

— Armadura? Porquê?

— Uma coisa que o meu velho mestre-de-armas me disse. "Nunca vás nu para a batalha, rapaz," disse ele. Eu aceito o conselho. Além disso, agora que sou um mercenário devo ter uma espada para vender. — Ela continuava a não mostrar sinais de se mexer. Tyrion pegou-lhe no pulso, pô-la em pé e atirou-lhe uma mancheia de roupa à cara. — Veste-te. Usa o manto com o capuz e mantém a cabeça baixa. Devemos parecer um par de rapazes promissores, para o caso dos apanhadores de escravos estarem a observar.

O Arrebato estava à espera junto da tenda do cozinheiro, a mascar folhamarga, quando os dois anões apareceram, cobertos com mantos e capuzes.

— Ouvi dizer que vós os dois ides combater p'a nós — disse o sargento. — Isso deve tê-los posto a mijar de medo em Meereen. Algum de vós matou alguém na vida?

— Eu matei — disse Tyrion. — Esmago-os como se fossem moscas.

— Com o quê?

— Um machado, um punhal, um comentário de primeira categoria. Se bem que seja mais mortífero com a minha besta.

O Arrebato coçou a barba por fazer com a ponta do gancho.

— É coisa porca, isso da besta. Quantos homens mataste com isso?

— Nove. — Certamente que o pai valia por tantos, pelo menos. Senhor de Rochedo Casterly, Protetor do Oeste, Escudo de Lannisporto, Mão do Rei, marido, irmão, pai, pai, pai.

— Nove. — O Arrebato soltou uma fungadela e cuspiu uma bola de muco vermelho. Apontara aos pés de Tyrion, talvez, mas acertou-lhe no joelho. Era claro que era isso que pensava dos "nove." Os dedos do sargento estavam manchados de vermelho devido ao suco da folhamarga que mascava. Pôs dois deles dentro da boca e assobiou.

— Kem! Anda cá, penico dum cabrão. — Kem veio a correr. — Leva o Senhor e a Senhora Duende às carroças, e diz ao Martelo para lhes arranjar um bocado de aço da companhia.

— O Martelo pode 'tar caído de bêbado — acautelou Kem.

— Mija-lhe na tromba. Isso há de acordá-lo. — O Arrebato voltou a virar-se para Tyrion e Centava. — Nunca tivemos cá uns merdas de uns anões, mas nunca nos faltaram rapazes. Filhos desta puta ou daquela, palerminhas fugidos de casa p'a terem aventuras, cuzinhos, escudeiros, gente dessa. Alguma da tralha deles pode ser suficientemente pequena p'a servir a duendes. O mais certo é ser tralha que tinham vestida quando morreram, mas eu sei que isso não vai chatear cabrões ferozes como vós dois. Nove, foi? — Abanou a cabeça e afastou-se.

Os Segundos Filhos tinham o armeiro da companhia em seis grandes carroças estacionadas perto do centro do acampamento. Kem indicou o caminho, fazendo oscilar a lança como se fosse um bastão.

— Como foi que um rapaz de Porto Real acabou numa companhia livre? — perguntou-lhe Tyrion.

O rapaz dirigiu-lhe um cauteloso olhar de viés.

— Quem foi que te disse que eu era de Porto Real?

— Ninguém. — *Cada palavra que te sai da boca fede ao Fundo das Pulgas.* — Foram os teus miolos que te denunciaram. Diz-se que não há gente mais esperta que a de Porto Real.

Aquilo pareceu surpreendê-lo.

— Quem é que diz isso?

— Toda a gente. — *Eu.*

— Desde quando?

*Desde que eu inventei o dito, agora mesmo.*

— Há séculos — mentiu. — O meu pai costumava dizê-lo. Conheceste o Lorde Tywin, Kem?

— O Mão. Uma vez vi-o a subir a colina a cavalo. Os homens dele tinham mantos vermelhos e leõezinhos nos elmos. Eu gostava daqueles elmos. — A boca apertou-se-lhe. — Mas nunca gostei do Mão. Ele saqueou a cidade. E depois esmagou-nos na Água Negra.

— Estavas lá?

— Com Stannis. O Lorde Tywin apareceu com o fantasma de Renly e apanhou-nos no flanco. Eu deitei fora a lança e fugi, mas junto dos navios houve um cabrão de um cavaleiro que disse: "Onde 'tá a tua lança, rapaz? Nã temos espaço p'a cobardes," e puseram-se na alheta e deixaram-me lá, a mim e a mais milhares. Mais tarde ouvi dizer que o teu pai 'tava a mandar os que tinham combatido com Stannis p'rá Muralha, de modo que atravessei o mar estreito e juntei-me aos Segundos Filhos.

— Tens saudades de Porto Real?

— Algumas. Tenho saudades de um rapaz, ele… ele era meu amigo. E do meu irmão Kennet, mas esse morreu na ponte de navios.

— Demasiados bons homens morreram nesse dia. — Tinha uma comichão diabólica na cicatriz. Tyrion coçou-a com uma unha.

— Tamém tenho saudades da comida — disse Kem com um ar nostálgico.

— Dos cozinhados da tua mãe?

— Os cozinhados da minha mãe eram bons p'a ratazanas. Mas havia uma casa de pasto. Nunca' ninguém fez uma tigela de castanho como eles. Tão espessa que a colher ficava em pé na tigela, com bocados disto e daquilo. Alguma vez comeste uma tigela de castanho, Meio-Homem?

— Uma ou duas vezes. Chamo-lhe estufado de cantor.

— Porquê?

— Sabe tão bem que me deixa com vontade de cantar.

Kem gostou daquilo.

— Estufado de cantor. Hei de pedir isso da próxima vez que 'tiver no Fundo das Pulgas. De que tens tu saudades, Meio-Homem?

*De Jaime*, pensou Tyrion. *De Shae. De Tysha. Da minha esposa, tenho saudades da minha esposa, a esposa que quase não conheci.*

— De vinho, rameiras e riqueza — respondeu. — Especialmente da riqueza. Com a riqueza pode-se comprar vinho e rameiras. — *E também se pode comprar espadas, e os Kems para as brandirem.*

— É verdade que os penicos em Rochedo Casterly são feitos de ouro puro? — perguntou-lhe Kem.

— Não devias acreditar em tudo o que ouves. Especialmente quando diz respeito à Casa Lannister.

— Dizem que todos os Lannister são serpentes retorcidas.

— Serpentes? — Tyrion riu-se. — Este som que estás a ouvir é o senhor meu pai a serpentear na sepultura. Nós somos *leões*, ou pelo menos é o que gostamos de dizer. Mas não importa, Kem. Quer pises uma serpente, quer pises a cauda de um leão, acabas igualmente morto.

Por essa altura tinham chegado ao arremedo de armeiro. O ferreiro, o tal afamado Martelo, revelou ser uma bisarma com um aspeto invulgar, cujo braço esquerdo parecia ter o dobro da grossura do direito.

— Passa mais tempo bêbado do que sóbrio — disse Kem. — O Ben Castanho deixa-o estar, mas um dia haveremos de arranjar um armeiro a sério. — O aprendiz do Martelo era um jovem rijo de cabelo ruivo chamado Prego. *Claro. Que nome haveria de ter?*, matutou Tyrion. Quando chegaram à forja o Martelo estava a coser uma bebedeira, dormindo, tal como Kem profetizara, mas o Prego não levantou objeções a ter os dois anões a vasculharem as carroças.

— Ferro merdoso, na maior parte — avisou — mas podeis servir-vos de qualquer coisa que consigais usar.

Sob tetos de madeira dobrada e couro enrijecido, as caixas das carroças estavam cheias com grandes pilhas de velhas armas e armaduras. Tyrion deitou-lhes uma olhadela e suspirou, lembrando-se das reluzentes fileiras de espadas, lanças e alabardas no armeiro dos Lannister sob Rochedo Casterly.

— Isto pode levar algum tempo — declarou.

— Há cá aço decente se o conseguires encontrar — rosnou uma voz profunda. — Nenhum é bonito, mas parará uma espada.

Um grande cavaleiro desceu de cima de uma carroça, vestido dos pés à cabeça de aço da companhia. A greva esquerda era diferente da direita, o gorjal estava manchado de ferrugem, os braçais eram ricos e ornamentados, com flores de nigelo neles embutidas. Na mão direita tinha uma manopla de aço articulado, na esquerda uma luva sem dedos de cota de malha ferrugenta. Os mamilos na musculosa placa de peito eram atravessados por um par de aros de ferro. Do elmo brotava um par de cornos de carneiro, um dos quais estava partido.

Quando o tirou, revelou a cara maltratada de Jorah Mormont.

*Parece tal e qual um mercenário e não tem semelhança nenhuma com a coisa meio quebrada que tirámos da jaula de Yezzan*, refletiu Tyrion. Por aquela altura, as nódoas negras já se tinham quase desvanecido, e o inchaço da cara estava praticamente desaparecido, portanto Mormont parecia de novo quase humano... embora só vagamente se parecesse consigo próprio. A máscara de demónio que os esclavagistas tinham queimado na bochecha direita para o marcar como escravo perigoso e desobediente nunca o deixaria. Sor Jorah nunca fora um homem a que se pudesse chamar bonito. A marca transformara a sua cara em algo de assustador.

Tyrion fez um sorriso.

— Desde que fique mais bonito do que tu, ficarei contente. — Virou-se para Centava. — Fica com aquela carroça. Eu começo com esta.

— Será mais rápido se procurarmos juntos. — Pegou num ferrugento meio elmo de ferro, soltou uma gargalhadinha e enfiou-o na cabeça. — Tenho um ar temível?

*Tens ar de saltimbanca com um penico na cabeça.*

— Isso é um meio elmo. Queres um elmo completo. — Encontrou um e trocou-o com o meio elmo.

— É grande demais. — A voz de Centava ecoou dentro do aço. — Não consigo ver para fora. — Tirou o elmo e deitou-o fora. — Que tem o meio elmo de errado?

— É aberto na cara. — Tyrion beliscou-lhe o nariz. — Gosto de olhar para o teu nariz. Preferia que o conservasses.

Os olhos da rapariga esbugalharam-se.

— Gostas do meu nariz?

*Oh, que os Sete me salvem.* Tyrion virou-lhe costas e pôs-se a esgravatar em pilhas de armaduras velhas na parte de trás da carroça.

— Há mais alguma parte de mim de que gostes? — perguntou Centava.

Talvez pretendesse que aquilo soasse como uma brincadeira. Mas em vez disso soou triste.

— Gosto de todas as tuas partes — disse Tyrion, na esperança de pôr fim à discussão sobre o assunto — e ainda gosto mais das minhas.

— Para que precisamos nós de armaduras? Somos só saltimbancos. Só *fingimos* combater.

— Tu finges muito bem — disse Tyrion, examinando um lorigão

de pesada cota de malha de ferro, tão cheia de buracos que quase parecia comida pelas traças. *Que tipo de traças comem cota de malha?* — Fingir estar morto é uma maneira de sobreviver a uma batalha. Boa armadura é outra. — *Embora tema que haja pouquíssimo disso por aqui.* No Ramo Verde, combatera com bocados desirmanados de aço vindos das carroças do Lorde Lefford, com o elmo com espigão que fazia com que parecesse que alguém lhe enfiara um balde de dejetos na cabeça. Aquele aço de companhia era pior. Não se limitava a ser velho e a servir-lhe mal, estava amolgado, estalado e quebradiço. *Aquilo é sangue seco ou só ferrugem?* Cheirou a mancha, mas continuou sem conseguir ter a certeza.

— Está aqui uma besta. — Centava mostrou-lha.

Tyrion deitou-lhe uma olhadela.

— Não posso usar um carregador de estribo. As minhas pernas não são suficientemente compridas. Uma manivela servia-me melhor. — Se bem que, em boa verdade, não quisesse uma besta. Demoravam demasiado a recarregar. Mesmo que se escondesse perto da vala das latrinas à espera de algum inimigo que se fosse lá agachar, as hipóteses de disparar mais do que um dardo não eram boas.

Em vez disso pegou num mangual, brandiu-o, voltou a pousá-lo. *Pesado demais.* Ignorou um martelo de guerra (comprido demais), uma maça (também pesada demais) e meia dúzia de espadas longas antes de encontrar uma adaga de que gostou, um perigoso bocado de aço com uma lâmina triangular.

— Isto talvez sirva — disse. A lâmina tinha um pouco de ferrugem, mas isso só a tornaria mais perigosa. Encontrou uma bainha de madeira e couro que servia, e enfiou a adaga lá dentro.

— Uma espada pequena para um homem pequeno? — gracejou Centava.

— É uma adaga, e foi feita para um homem grande. — Tyrion mostrou-lhe uma velha espada longa. — Uma espada é isto. Experimenta.

Centava pegou nela, brandiu-a, franziu o sobrolho.

— É pesada demais.

— O aço pesa mais do que a madeira. Mas se cortares o pescoço de um homem com essa coisa não é provável que a cabeça dele se transforme num melão. — Tirou-lhe a espada das mãos e inspecionou-a com mais atenção. — Aço barato. E com entalhes. Aqui, vês? Retiro o que disse. Precisas de uma lâmina melhor para cortar cabeças.

— Eu não *quero* cortar cabeças.

— Nem devias querer. Mantém os golpes abaixo do joelho. Barriga da perna, jarrete, tornozelo… até gigantes caem se lhes cortares os pés. Depois de caírem não são maiores do que tu.

Centava pareceu prestes a chorar.

— Ontem à noite sonhei que o meu irmão estava outra vez vivo. Estávamos a justar perante um grande senhor qualquer, montados em Trincão e na Porca Bonita, e os homens atiravam-nos rosas. Estávamos tão felizes…

Tyrion esbofeteou-a.

Foi uma pancada suave; uma pequena torção no pulso, quase sem nenhuma força por trás. Nem sequer lhe deixou uma marca na bochecha. Mas os olhos dela encheram-se de lágrimas na mesma.

— Se queres sonhar, volta a adormecer — disse-lhe. — Quando acordares, continuaremos a ser escravos fugidos no meio de um cerco. O Trincão está morto. A porca também, provavelmente. Agora trata de encontrar uma armadura e veste-a, e não ligues ao sítio onde magoa. O espetáculo de saltimbancos acabou. Luta, esconde-te ou borra-te toda, como queiras, mas seja o que for que decidires fazer, fá-lo vestida de aço.

Centava tocou a bochecha que ele esbofeteara.

— Nunca devíamos ter fugido. Não somos mercenários. Não temos nada a ver com espadas. Com Yezzan não era assim tão mau. Não era. O Amasseca às vezes era cruel, mas Yezzan nunca foi. Nós éramos os seus favoritos, os seus… os seus…

— *Escravos.* A palavra que procuras é escravos.

— Escravos — disse ela, corando. — Mas éramos os seus escravos *especiais.* Como o Doces. Os seus tesouros.

*Os seus animaizinhos de estimação,* pensou Tyrion. *E ele gostava tanto de nós que nos mandou para a arena, para sermos devorados por leões.*

Ela não estava totalmente errada. Os escravos de Yezzan comiam melhor do que muitos camponeses nos Sete Reinos, e era menos provável que morressem à fome quando o inverno chegasse. Escravos eram bens, sim. Podiam ser comprados e vendidos, chicoteados e marcados, usados para o prazer carnal dos seus donos, criados para arranjar mais escravos. Nesse sentido não eram mais que cães ou cavalos. Mas a maior parte dos senhores tratava bastante bem os seus cães e cavalos. Homens orgulhosos podiam gritar que prefeririam morrer livres a viver escravos, mas o orgulho era barato. Quando o aço atingia a pederneira, homens desses eram tão raros como dentes de dragão, e se assim não fosse o mundo não estaria tão cheio de escravos. *Nunca houve um escravo que não tivesse decidido ser escravo,* refletiu o anão. *A escolha pode ser entre a servidão e a morte, mas está sempre lá.*

Tyrion Lannister não se excluía. A sua língua levara-o a ganhar algumas riscas nas costas a princípio, mas depressa aprendera os truques de agradar ao Amasseca e ao nobre Yezzan. Jorah Mormont lutara durante mais tempo e com maior dureza, mas no fim teria chegado ao mesmo lugar.

*E Centava, bem...*

Centava andara à procura de um novo amo desde o dia em que o irmão Tostão perdera a cabeça. *Quer alguém que tome conta dela, alguém que lhe diga o que fazer.*

Mas teria sido demasiado cruel dizê-lo. Em vez disso, Tyrion disse:

— Os escravos especiais de Yezzan não escaparam à égua branca. Estão mortos, todos eles. O Doces foi o primeiro a ir-se. — O Ben Castanho dissera-lhe que o seu colossal amo morrera no dia da fuga. Nem ele, nem Kasporio ou algum dos outros mercenários, conhecia o destino dos membros da coleção de aberrações de Yezzan... mas se a Linda Centava precisava de mentiras para parar com devaneios, ele mentir-lhe-ia. — Se queres voltar a ser escrava, eu arranjo-te um amo bondoso quando esta guerra acabar, e vendo-te por ouro suficiente para voltar para casa — prometeu-lhe Tyrion. — Arranjo-te um yunkaita simpático para te dar outra linda coleira de ouro, com campainhazinhas que tilintem sempre que fores a qualquer lado. Mas primeiro vais ter de sobreviver ao que aí vem. Ninguém compra saltimbancas mortas.

— Ou anões mortos — disse Jorah Mormont. — É provável que todos nós estejamos a alimentar vermes quando esta batalha chegar ao fim. Os yunkaitas perderam esta guerra, mesmo que levem algum tempo a saber disso. Meereen tem um exército de infantaria Imaculada, a melhor do mundo. E Meereen tem dragões. Três, depois de a rainha voltar. E voltará. Tem de voltar. O nosso lado consiste de duas vintenas de fidalgos yunkaitas, cada um com os seus macacos meio treinados. Escravos de andas, escravos acorrentados... não julgaria impossível que também tivessem batalhões de cegos e de crianças entrevadas.

— Oh, eu sei — disse Tyrion. — Os Segundos Filhos estão do lado perdedor. Precisam de voltar a virar os mantos, e de o fazer já. — Sorriu. — Deixa isso comigo.

Uma sombra clara e outra escura, os dois conspiradores juntaram-se no silêncio do armeiro do segundo piso da Grande Pirâmide, entre fileiras de lanças, feixes de dardos e paredes repletas de troféus de batalhas esquecidas.

— Esta noite — disse Skahaz mo Kandaq. A cara de bronze de um morcego vampiro espreitava de baixo do capuz do seu manto de retalhos. — Todos os meus homens estarão no lugar. A senha é *Groleo.*

— Groleo. — *É adequado, suponho.* — Sim. O que lhe fizeram... estáveis na corte?

— Um guarda entre quarenta. Todos à espera de que o tabardo vazio sentado no trono desse a ordem para abatermos o Barba Sangrenta e os outros. Achais que os yunkaitas se teriam atrevido a presentear *Daenerys* com a cabeça do refém?

*Não,* pensou Selmy.

— Hizdahr parecia furioso.

— Embuste. Os seus familiares de Loraq foram devolvidos ilesos. Vós vistes. Os yunkaitas representaram uma farsa para nosso benefício, com o nobre Hizdahr como saltimbanco principal. O problema nunca foi Yurkhaz zo Yunzak. Os outros esclavagistas teriam de bom grado espezinhado pessoalmente esse velho idiota. Isto foi feito para dar a Hizdahr um pretexto para matar os dragões.

Sor Barristan remoeu a ideia.

— Ele atrever-se-ia?

— Atreveu-se a matar a sua rainha. Porque não os seus animais de estimação? Se não agirmos, Hizdahr irá hesitar durante algum tempo, para demonstrar a sua relutância e dar aos Sábios Mestres a oportunidade de o livrarem do Corvo Tormentoso e do companheiro de sangue. *Depois* agirá. Eles querem os dragões mortos antes da chegada da frota volantena.

*Sim, devem querer.* Tudo se encaixava. Isso não queria dizer que Barristan Selmy gostasse mais do que estava a fazer.

— Isso não acontecerá. — A sua rainha era a Mãe dos Dragões; ele não permitiria que algum mal acontecesse aos seus filhos. – Na hora do lobo. Na mais negra parte da noite, quando todo o mundo dorme. — Ouvira aquelas palavras pela primeira vez da boca de Tywin Lannister, junto das muralhas de Valdocaso. *Ele deu-me um dia para trazer Aerys. Disse-me que se eu não regressasse com o rei até à alvorada do dia seguinte, ele tomaria a vila com aço e fogo. Era a hora do lobo quando entrei, e a hora do lobo quando saímos.* — O Verme Cinzento e os Imaculados fecharão e trancarão os portões à primeira luz da aurora.

— É melhor atacar à primeira luz — disse Skahaz. — Arremeter a partir dos portões e cair sobre as linhas de cerco, esmagar os yunkaitas enquanto eles saem aos tropeções das camas.

— Não. — Os dois já antes tinham discutido aquilo. — Há uma paz, assinada e selada por Sua Graça, a rainha. Não seremos os primeiros a quebrá-la. Depois de termos capturado Hizdahr, formaremos um conselho para governar no seu lugar, e exigiremos que os yunkaitas nos devolvam os reféns e retirem os seus exércitos. Se recusarem, então e só então os informaremos de que a paz está quebrada e avançaremos para lhes dar batalha. A vossa maneira é desonrosa.

— A vossa maneira é estúpida — disse o Tolarrapada. — A hora está madura. Os nossos libertos estão prontos. Famintos.

Selmy sabia que aquilo era verdade. Quer Symon Dorsolistado, dos Irmãos Livres, quer Mollono Yos Dob, dos Escudos Vigorosos, estavam ansiosos pela batalha, decididos a provar o seu valor e a lavar todas as desfeitas que tinham sofrido numa maré de sangue yunkaita. Só Marselen, dos Homens da Mãe, partilhava das dúvidas de Sor Barristan.

— Já discutimos isto. Concordastes que seria feito à minha maneira.

— Concordei — rosnou o Tolarrapada — mas isso foi antes de Groleo. Da cabeça. Os esclavagistas não têm honra.

— Mas nós temos — disse Sor Barristan.

O Tolarrapada resmungou qualquer coisa em ghiscari e depois disse:

— Como queirais. Se bem que me pareça que nos iremos arrepender da vossa honra de velho antes de este jogo chegar ao fim. E os guardas de Hizdahr?

— Sua Graça mantém dois homens consigo quando dorme. Um à porta do quarto, um segundo lá dentro, numa alcova contígua. Esta noite serão Khrazz e Peledaço.

— Khrazz — rosnou o Tolarrapada. — Não gosto disso.

— Não é preciso que haja derramamento de sangue — disse-lhe Sor Barristan. — Pretendo falar com Hizdahr. Se ele compreender que não tencionamos matá-lo, talvez ordene aos guardas que se rendam.

— E se não ordenar? Hizdahr não nos pode fugir.

— Não fugirá. — Selmy não temia Khrazz, muito menos Peledaço. Não passavam de lutadores de arena. O temível conjunto de antigos escravos de combate que Hizdahr controlava dava uma guarda medíocre, na melhor das hipóteses. Possuíam rapidez, força e ferocidade, e também alguma perícia com as armas, mas jogos de sangue eram fraco treino para proteger reis. Nas arenas, os inimigos eram anunciados com trombetas e tambores, e depois de a batalha estar terminada e vencida os vencedores podiam mandar ligar os ferimentos e emborcar um pouco de leite da papoila para as dores, sabendo que a ameaça tinha passado e estavam livres para beber e banquetear-se e ir às rameiras até ao combate seguinte. Mas a batalha nunca estava realmente terminada para um cavaleiro da Guarda Real. As ameaças vinham de todo o lado e de lado nenhum, a qualquer hora do dia ou da noite. Nenhuma trombeta anunciava o inimigo; vassalos, criados, amigos, irmãos, filhos, até esposas, qualquer um deles podia ter uma faca oculta sob um manto e assassínio escondido no coração. Por cada hora de combate, um cavaleiro da Guarda Real passava dez mil horas vigiando, esperando, em silêncio nas sombras. Os lutadores de arena do Rei Hizdahr já estavam a ficar aborrecidos e irrequietos com os seus novos deveres, e homens aborrecidos eram descuidados, lentos a reagir.

— Eu lidarei com Khrazz — disse Sor Barristan. — Assegurai-vos apenas de que não terei de lidar também com nenhum Fera de Bronze.

— Não tenhais medo. Teremos Marghaz a ferros antes de ele poder fazer travessuras. Já vos disse, os Feras de Bronze são meus.

— Dissestes que tendes homens entre os yunkaitas?

— Bufos e espiões. Reznak tem mais.

*Não se pode confiar em Reznak. Tem um cheiro demasiado doce e sentimentos demasiado nauseabundos.*

— Alguém tem de libertar os nossos reféns. Se não recuperarmos a nossa gente, os yunkaitas usá-la-ão contra nós.

Skahaz soltou uma fungadela através dos buracos nasais da sua máscara.

— É fácil falar em salvamento. É mais difícil fazê-lo. Os esclavagistas que ameacem.

— E se fizerem mais do que ameaçar?

— Sentiríeis assim tanto a sua falta, velho? Um eunuco, um selvagem e um mercenário?

*Herói, Jhogo e Daario.*

— Jhogo é companheiro de sangue da rainha, sangue do seu sangue. Saíram juntos do Deserto Vermelho. O Herói é o segundo comandante do Verme Cinzento. E Daario... — *Ela ama Daario.* Selmy vira-lho nos olhos quando olhava para ele, ouvira-o na sua voz quando falava dele. — ... Daario é vaidoso e temerário, mas Sua Graça gosta dele. Tem de ser salvo, antes que os seus Corvos Tormentosos decidam tratar eles do assunto. Pode ser feito. Uma vez fiz sair o pai da rainha em segurança de Valdocaso, onde era mantido cativo por um senhor rebelde, mas...

— … nunca poderíeis esperar passar despercebido entre os yunkai-tas. Por esta altura já todos os seus homens conhecem a vossa cara.

*Podia esconder a cara, como tu*, pensou Selmy, mas sabia que o Tolarrapada tinha razão. Valdocaso fora há uma vida. Era velho demais para esse tipo de heroísmos.

— Então temos de encontrar outra maneira. Outro salvador qualquer. Alguém conhecido dos yunkaitas, cuja presença no seu acampamento possa passar despercebida.

— Daario chama-vos Sor Avô — fez-lhe lembrar Skahaz. — Não direi o que me chama a mim. Se vós e eu fôssemos reféns, será que ele arriscaria a pele por nós?

*Não é provável*, pensou, mas disse:

— Talvez arriscasse.

— Daario talvez mijasse em nós se estivéssemos a arder. Caso contrário, não procureis nele ajuda. Que os Corvos Tormentosos escolham outro capitão, um capitão que conheça o seu lugar. Se a rainha não regressar, o mundo ficará com um mercenário a menos. Quem o chorará?

— E quando ela regressar?

— Chorará, arrancará cabelos e amaldiçoará os yunkaitas. Não a nós. Não há sangue nas nossas mãos. Podeis consolá-la. Contar-lhe alguma história dos tempos antigos, ela gosta dessas histórias. Pobre Daario, o seu valente capitão … nunca o esquecerá, não… mas é melhor para todos nós que ele esteja morto, sim? E também é melhor para Daenerys.

*É melhor para Daenerys e para Westeros.* Daenerys Targaryen amava o seu capitão, mas isso era a rapariga que nela havia, não a rainha. *O Príncipe Rhaegar amou a sua Senhora Lyanna e morreram milhares de pessoas por isso. Daemon Blackfyre amava a primeira Daenerys e ergueu-se em rebelião quando ela lhe foi negada. Tanto o Açamargo como o Corvo de Sangue amaram Siera Seastar, e os Sete Reinos sangraram. O Príncipe das Libélulas amou tanto Jenny de Pedravelhas que pôs de lado uma coroa, e Westeros pagou o dote em cadáveres.* Todos os três filhos do quinto Aegon tinham casado por amor, em desafio aos desejos do pai. E porque esse monarca improvável seguira o coração quando escolhera a sua rainha, permitiu que os filhos levassem a sua avante, criando inimigos amargos onde podia ter amigos fiéis. Tinham-se seguido traições e turbulência, como a noite se segue ao dia, desembocando em Solarestival, em feitiçaria, fogo e dor.

*O amor dela por Daario é veneno. Um veneno mais lento do que o dos gafanhotos, mas igualmente mortífero no fim.*

— Ainda há Jhogo — disse Sor Barristan. — Ele e o Herói. Ambos preciosos para Sua Graça.

— Nós também temos reféns — fez-lhe lembrar Skahaz Tolarrapada. — Se os esclavagistas matarem um dos nossos, nós matamos um dos deles.

Por um momento, Sor Barristan não soube a quem se estava o outro a referir. Depois ocorreu-lhe.

— Os copeiros da rainha?

— Reféns — insistiu Skahaz mo Kandaq. — Grazdar e Qezza são do sangue da Graça Verde. Mezzara é dos Merreq, Kezmya é Pahl, Azzak é Ghazeen. Bhakaz é Loraq, da família do próprio Hizdahr. Todos são filhos e filhas das pirâmides. Zhak, Quazzar, Uhlez, Hazkar, Dhazak, Yherizan, todos filhos de Grandes Mestres.

— Raparigas inocentes e rapazes de rostos doces. — Sor Barristan acabara por conhecê-los a todos durante o período em que serviram a rainha; Grazhar com os seus sonhos de glória, a tímida Mezzara, o preguiçoso Miklaz, a vaidosa e bonita Kezmya, Qezza com os seus grandes olhos suaves e voz de anjo, Dhazzar, o dançarino, e os outros. — Crianças.

— Crianças da Harpia. Só sangue pode pagar por sangue.

— Foi isso que disse o yunkaita que nos trouxe a cabeça de Groleo.

— Não se enganava.

— Não o permitirei.

— De que servem reféns se não se lhes pode tocar?

— Talvez devêssemos oferecer três das crianças por Daario, Herói e Jhogo — cedeu Sor Barristan. — Sua Graça...

— ... não está aqui. Cabe a vós e a mim fazer o que tem de ser feito. Sabeis que tenho razão.

— O Príncipe Rhaegar tinha dois filhos — disse-lhe Sor Barristan. — Rhaenys era uma rapariguinha, Aegon um bebé de peito. Quando Tywin Lannister tomou Porto Real, os seus homens mataram-nos a ambos. Ele apresentou os corpos ensanguentados envoltos em mantos carmesins, como presente para o novo rei. — *E que disse Robert quando os viu? Sorriu?* Barristan Selmy fora gravemente ferido no Tridente, portanto fora poupado à visão do presente do Lorde Tywin, mas era frequente sentir curiosidade. *Se eu o tivesse visto sorrir sobre as ruínas dos filhos de Rhaegar, nenhum exército neste mundo podia ter-me impedido de o matar.* — Não tolerarei o assassínio de crianças. Aceitai, caso contrário não desempenharei nenhum papel nisto.

Skahaz soltou um risinho.

— Sois um velho teimoso. Os vossos rapazes de rostos doces só irão crescer para se transformarem em Filhos da Harpia. Ou os matais agora ou os matareis nessa altura.

— Matam-se homens por aquilo que fazem de errado, não por aquilo que poderão fazer um dia.

O Tolarrapada tirou um machado da parede, inspecionou-o e soltou um grunhido.

— Seja. Nenhum mal será feito a Hizdahr ou aos reféns. Isso contentar-vos-á, Sor Avô?

*Nada nisto me contentará.*

— Servirá. A hora do lobo. Lembrai-vos.

— Não é provável que me esqueça, sor. — Embora a boca de bronze do morcego não se mexesse, Sor Barristan apercebeu-se do sorriso sob a máscara. — Há muito que Kandaq espera por esta noite.

*É isso que eu temo.* Se o Rei Hizdahr estivesse inocente, o que fariam naquele dia seria traição. Mas como podia ele estar inocente? Selmy ouvira-o a insistir com Daenerys para provar os gafanhotos envenenados, a gritar com os seus homens para matarem o dragão. *Se não agirmos, Hizdahr matará os dragões e abrirá os portões aos inimigos da rainha. Não temos alternativa.* Mas por mais que virasse e revisasse o problema, o velho cavaleiro não conseguia encontrar honra no que se preparava para fazer.

O resto desse longo dia passou por ele a correr com a velocidade de um caracol. Noutro local, bem o sabia, o Rei Hizdahr consultava Reznak mo Reznak, Marghaz zo Loraq, Galazza Galare e os outros conselheiros meereeneses, decidindo a melhor maneira de responder às exigências de Yunkai… mas Barristan Selmy já não participava nesses conselhos. E também não tinha um rei para guardar. Em vez disso, fez uma ronda à pirâmide, de cima a baixo, para se certificar de que todas as sentinelas estavam nos seus postos. Isso levou a maior parte da manhã. Passou essa tarde com os seus órfãos, até pegou pessoalmente em espada e escudo para fornecer um teste mais severo a alguns dos rapazes mais velhos.

Alguns deles estavam a treinar-se para as arenas de combate quando Daenerys Targaryen tomara Meereen e os libertara das grilhetas. Esses já tinham uma boa familiaridade com a espada, a lança e o machado de guerra mesmo antes de Sor Barristan se encarregar deles. Alguns podiam perfeitamente estar prontos. *O rapaz das Ilhas Basilisco, para começar. Tumco Lho.* Era preto como tinta de meistre, mas era rápido e forte, o melhor espadachim natural que Selmy vira desde Jaime Lannister. *Larraq também. O Chicote.* Sor Barristan não aprovava o seu estilo de combate, mas não era possível duvidar da sua perícia. Larraq tinha anos de trabalho à sua frente antes de dominar as armas próprias de um cavaleiro, a espada, a lança e a maça de armas, mas era mortífero com o chicote e o tridente. O velho cavaleiro avisara-o de que o chicote seria inútil contra um inimigo couraçado… até ver como Larraq o usava, enrolando-o em volta das pernas dos seus oponentes para os derrubar. *Não é um cavaleiro, por enquanto, mas é um feroz guerreiro.*

Larraq e Tumco eram os melhores. Depois deles, o lhazareno, aquele a quem os outros rapazes chamavam Ovelha Vermelha, se bem que por enquanto fosse todo ferocidade e nenhuma técnica. Os irmãos também, talvez, três ghiscariotas de baixo nascimento, escravizados para pagar as dívidas do pai.

Isso fazia seis. *Seis de vinte e sete.* Selmy podia ter esperado mais, mas seis eram um bom começo. Os outros rapazes eram mais novos, na sua maioria, e estavam mais familiarizados com teares, charruas e penicos do que com espadas e escudos, mas trabalhavam duramente e aprendiam depressa. Alguns anos como escudeiros, e podia ter mais seis cavaleiros para dar à rainha. Quanto àqueles que nunca estariam prontos, bem, nem todos os rapazes estavam destinados a ser cavaleiros. *O reino também precisa de veleiros, estalajadeiros e armeiros.* Isso era tão verdadeiro em Meereen como em Westeros.

Enquanto os observava a treinar, Sor Barristan ponderou armar Tumco e Larraq cavaleiros naquele lugar e momento, e talvez a Ovelha Vermelha também. Era necessário um cavaleiro para armar um cavaleiro e, se alguma coisa corresse mal naquela noite, a alvorada podia encontrá-lo morto ou numa masmorra. Nesse caso, quem armaria os seus escudeiros? Por outro lado, a reputação de um jovem cavaleiro derivava pelo menos em parte da honra do homem que lhe tinha conferido o grau. Não fazia bem algum aos seus rapazes que se soubesse que as esporas lhes tinham sido dadas por um traidor, e isso podia perfeitamente levá-los a uma masmorra ao lado da sua. *Eles merecem melhor*, decidiu Sor Barristan. *Antes uma vida longa como escudeiro do que uma curta como cavaleiro manchado.*

Quando a tarde se fundiu na noite, pediu aos seus instruendos para pousarem as espadas e os escudos e se reunirem à sua volta. Falou-lhes do que significava ser um cavaleiro.

— São as regras da cavalaria que fazem um verdadeiro cavaleiro, não uma espada — disse. — Sem honra, um cavaleiro não passa de um assassino comum. É melhor morrer com honra do que viver sem ela. — Pareceu-lhe que os rapazes o olhavam estranhamente, mas um dia compreenderiam.

Mais tarde, de volta ao ápice da pirâmide, Sor Barristan foi encontrar Missandei no meio de pilhas de pergaminhos e de livros, a ler.

— Fica aqui esta noite, pequena — disse-lhe. — Aconteça o que acontecer, seja o que for que vejas ou ouças, não saias dos aposentos da rainha.

— Esta ouve — disse a rapariga. — Se puder perguntar…

— É melhor não. — Sor Barristan saiu sozinho para os jardins do terraço. *Não fui feito para isto*, refletiu, enquanto olhava a extensa cidade. As pirâmides estavam a despertar, uma por uma, com lanternas e archotes a ganharem uma vida tremeluzente enquanto as sombras se reuniam nas ruas, lá em baixo. *Conspirações, estratagemas, sussurros, mentiras, segredos dentro de segredos, e sem que saiba como tornei-me parte deles.*

Por aquela altura talvez já se devesse ter habituado a tais coisas. A Fortaleza Vermelha também tinha os seus segredos. *Mesmo Rhaegar.* O Príncipe de Pedra do Dragão nunca confiara nele como confiara em Arthur Dayne. Harrenhal era prova disso mesmo. *O ano da falsa primavera.*

A recordação ainda lhe era amarga. O velho Lorde Whent anunciara o torneio pouco depois de uma visita do irmão, Sor Oswell Whent, da Guarda Real. Com Varys a murmurar-lhe ao ouvido, o Rei Aerys convencera-se de que o filho estava a conspirar para o depor, de que o torneio do Whent não passava de um estratagema para dar a Rhaegar um pretexto para se encontrar com tantos grandes senhores quantos pudessem ser reunidos. Aerys não punha os pés fora da Fortaleza Vermelha desde Valdocaso, mas de súbito anunciara que acompanharia o Príncipe Rhaegar a Harrenhal, e a partir desse momento tudo correra mal.

*Se eu tivesse sido um cavaleiro melhor... se eu tivesse derrubado o príncipe naquela última arremetida, como derrubei tantos outros, ter-me-ia cabido a mim escolher a rainha do amor e da beleza...*

Rhaegar escolhera Lyanna Stark de Winterfell. Barristan Selmy teria feito uma escolha diferente. Não a rainha, que não estava presente. Nem Elia de Dorne, embora ela fosse boa e elegante; se tivesse sido ela a escolhida muitas guerras e mágoas podiam ter sido evitadas. A sua escolha teria sido uma jovem donzela há pouco tempo na corte, uma das companheiras de Elia... se bem que, quando comparada com Ashara Dayne, a princesa dornesa não passasse de uma criada de cozinha.

Mesmo após todos aqueles anos, Sor Barristan ainda se recordava do sorriso de Ashara, do som do seu riso. Bastava-lhe fechar os olhos para a ver, com o seu longo cabelo escuro a cair-lhe em volta dos ombros e aqueles perturbadores olhos purpúreos. *Daenerys tem os mesmos olhos.* Por vezes, quando a rainha o olhava, sentia-se como se estivesse a olhar para a filha de Ashara...

Mas a filha de Ashara nascera morta, e a sua bela senhora atirara-se de uma torre pouco depois, louca de desgosto pela filha que perdera, e talvez também pelo homem que a desonrara em Harrenhal. Morrera sem nunca saber que Sor Barristan a amara. *Como podia sabê-lo?* Ele era um cavaleiro da Guarda Real, prestara um juramento de celibato. Nenhum bem podia vir de lhe revelar os seus sentimentos. *Também nenhum bem veio do silêncio. Se eu tivesse derrubado Rhaegar e coroado Ashara como rainha do amor e da beleza, poderia ela ter olhado para mim e não para o Stark?*

Nunca saberia. Mas, de todos os seus falhanços, nenhum atormentava tanto Barristan Selmy como esse.

O céu estava encoberto, o ar quente, sufocante, opressivo, mas havia algo nele que lhe fazia formigar a espinha. *Chuva*, pensou. *Vem aí uma tempestade. Se não chegar hoje, chega amanhã.* Sor Barristan perguntou a si próprio se sobreviveria para a ver. *Se Hizdahr tiver a sua Aranha, sou um homem morto.* Se as coisas chegassem a esse ponto, pretendia morrer como vivera, com a espada na mão.

Quando a última luz se desvaneceu a oeste, por trás das velas dos navios que patrulhavam a Baía dos Escravos, Sor Barristan voltou para dentro, chamou um par de criados e disse-lhes para aquecerem água para um banho. A esgrima com os escudeiros ao calor da tarde deixara-o a sentir-se sujo e suado.

A água, quando chegou, estava apenas tépida, mas Selmy deixou-se ficar no banho até arrefecer, e esfregou a pele até a deixar vermelha. Tão limpo como alguma vez estivera, levantou-se, secou-se e vestiu-se de branco. Meias, roupa interior, túnica de seda, justilho acolchoado, tudo lavado de fresco e embranquecido. Por cima disso, envergou a armadura que a rainha lhe dera como sinal da sua estima. A cota de malha era dourada, finamente trabalhada, com os elos tão flexíveis como bom couro; a placa de aço era esmaltada, dura como gelo e brilhante como neve acabada de cair. O punhal foi para uma anca, a espada longa para a outra, pendurados de um cinto de couro branco com fivelas douradas. Por fim, despendurou o longo manto branco e prendeu-o em volta dos ombros.

Quanto ao elmo, deixou-o no seu gancho. A estreita fenda para os olhos limitava-lhe a visão, e precisava de ser capaz de ver para aquilo que se aproximava. Os corredores da pirâmide eram escuros de noite, e era possível ser-se atacado por inimigos vindos de qualquer lado. Além disso, embora as ornamentadas asas de dragão que adornavam o elmo fossem magníficas de contemplar, era demasiado fácil prenderem-se numa espada ou num machado. Deixá-lo-ia para o seu próximo torneio, se os Sete lho concedessem.

Armado e couraçado, o velho cavaleiro esperou, sentado nas sombras do seu pequeno quarto contíguo aos aposentos da rainha. As caras de todos os reis que servira e a que falhara flutuaram na sua frente, no escuro, e as caras dos irmãos que tinham servido a seu lado na Guarda Real também. Perguntou a si próprio quantos deles teriam feito o que se preparava para fazer. *Alguns, certamente. Mas nem todos. Alguns não teriam hesitado em abater o Tolarrapada por traição.* Fora da pirâmide começou a chover. Sor Barristan manteve-se sentado sozinho nas trevas, à escuta. *Soa a lágrimas,* pensou. *Soa a reis mortos a chorar.*

Então chegou a hora de ir.

A Grande Pirâmide de Meereen fora construída como eco da Gran-

464

de Pirâmide de Ghis, cujas colossais ruínas Lomas Longstrider visitara em tempos. Tal como a sua antiga predecessora, cujos corredores de mármore vermelho eram agora o antro de morcegos e aranhas, a pirâmide meereenesa possuía trinta e três pisos, visto que esse número era de alguma forma sagrado para os deuses de Ghis. Sor Barristan iniciou a longa descida sozinho, com o manto branco a ondular atrás de si ao descer. Seguiu pelas escadas dos criados, não as grandes escadarias de mármore repleto de veios, mas as escadas mais estreitas, mais íngremes e mais diretas, ocultas no interior das paredes de tijolo grossas.

Doze pisos mais abaixo encontrou o Tolarrapada à espera, ainda com as feições vulgares escondidas pela máscara que usara nessa manhã, o morcego vampiro. Seis Feras de Bronze estavam com ele. Todos estavam mascarados de insetos, idênticos uns aos outros.

*Gafanhotos*, compreendeu Selmy.

— Groleo — disse.

— Groleo — respondeu um dos gafanhotos.

— Tenho mais gafanhotos, se precisardes deles — disse Skahaz.

— Seis devem servir. E os homens colocados nas portas?

— Meus. Não tereis problemas.

Sor Barristan apertou o braço do Tolarrapada.

— Não derrameis sangue, a menos que tenhais de o fazer. Ao chegar a manhã reuniremos um conselho, e diremos à cidade o que fizemos e porquê.

— Como queirais. Desejo-vos boa sorte, velho.

Afastaram-se, cada um para o seu lado. Os Feras de Bronze puseram-se atrás de Sor Barristan quando ele continuou a descida.

Os aposentos do rei estavam enterrados no preciso coração da pirâmide, no décimo sexto e no décimo sétimo pisos. Quando Selmy chegou a esses andares, foi dar com as portas que levavam ao interior da pirâmide fechadas com correntes, com um par de Feras de Bronze colocados como guardas. Sob os capuzes dos mantos de retalhos, um era uma ratazana, o outro um touro.

— Groleo — disse Sor Barristan.

— Groleo — retorquiu o touro. — Terceiro corredor à direita. — A ratazana destrancou a corrente. Sor Barristan e a sua escolta penetraram num estreito corredor para criados, iluminado por archotes e feito de tijolos vermelhos e negros. Os seus largos passos ecoaram nos soalhos ao passarem por dois corredores, após o que viraram no terceiro à direita.

Junto das portas de talha dura que levavam aos aposentos do rei estava Peledaço, um lutador de arena novo, que ainda não era encarado como pertencente à primeira categoria. Tinha as bochechas e a testa marcadas por intrincadas tatuagens em verde e negro, antigos signos dos feiticeiros valirianos que supostamente tornavam a sua pele e carne duras como aço. Marcas semelhantes cobriam-lhe o peito e os braços, embora ainda estivesse para se ver se parariam realmente uma espada ou um machado.

Mesmo sem elas, o Peledaço tinha um aspeto formidável; era um jovem magro e rijo, quinze centímetros mais alto do que Sor Barristan.

— Quem vem lá? — gritou, estendendo o machado para o lado para impedir a passagem. Quando viu Sor Barristan, com os gafanhotos de bronze atrás dele, voltou a baixá-lo. — Velho Sor.

— Se aprouver ao rei, tenho de conversar com ele.

— A hora é tardia.

— A hora é tardia, mas a necessidade é urgente.

— Posso perguntar. — O Peledaço bateu com o cabo do machado na porta dos aposentos do rei. Um postigo abriu-se. Surgiu um olho de criança. Uma voz de criança chamou através da porta. Peledaço respondeu. Sor Barristan ouviu o som de uma pesada tranca a ser puxada. A porta abriu-se.

— Só vós — disse Peledaço. — As feras esperam aqui.

— Como queiras. — Sor Barristan dirigiu um aceno aos gafanhotos. Um deles devolveu-o. Sozinho, Selmy atravessou a porta.

Escuras e sem janelas, rodeados de paredes de tijolo com dois metros e meio de espessura por todos os lados, as divisões que o rei tornara suas eram grandes e luxuosas. Grandes vigas de carvalho negro sustentavam os tetos elevados. Os soalhos estavam cobertos com tapetes de seda vindos de Qarth. Nas paredes havia inestimáveis tapeçarias, antigas e muito desbotadas, exibindo a glória do Velho Império de Ghis. As maiores mostravam os últimos sobreviventes de um exército valiriano derrotado passando debaixo do jugo e sendo acorrentados. A arcada que levava ao quarto do rei estava guardada por um par de amantes em sândalo, esculpidos, polidos e oleados. Sor Barristan achou-os de mau gosto, embora não houvesse dúvida de que se destinavam a ser excitantes. *Quanto mais depressa nos formos embora deste lugar, melhor.*

Um braseiro de ferro dava a única luz. A seu lado estavam dois dos copeiros da rainha, Draqaz e Qezza.

— Miklaz foi acordar o rei — disse Qezza. — Podemos trazer-vos vinho, sor?

— Não. Agradeço-vos.

— Podeis sentar-vos — disse Draqaz, indicando um banco.

— Prefiro ficar em pé. — Ouvia vozes a vir da arcada que levava ao quarto. Uma delas pertencia ao rei.

Passaram-se ainda alguns bons momentos até que o Rei Hizdahr zo Loraq, Décimo Quarto Desse Nobre Nome, saísse a bocejar, dando um nó à faixa que lhe fechava o roupão. Este era de cetim verde, ricamente trabalhado com pérolas e fio de prata. Por baixo, o rei estava muito nu. Isso era bom. Homens nus sentiam-se vulneráveis, e estavam menos inclinados a atos de heroísmo suicida.

A mulher que Sor Barristan vislumbrou a espreitar pela arcada, de trás de uma cortina transparente, também estava nua, com os seios e ancas apenas parcialmente escondidos pela seda enfunada.

— Sor Barristan. — Hizdahr voltou a bocejar. — Que horas são? Há novidades sobre a minha querida rainha?

— Nenhuma, Vossa Graça.

Hizdahr suspirou.

— "Vossa *Magnificência*", por favor. Embora a esta hora "Vossa Sonolência" se adeque melhor. — O rei foi até ao aparador para se servir de um copo de vinho, mas só restava um fiozinho no fundo do jarro. Um bruxuleio de irritação atravessou-lhe o rosto. — Miklaz, vinho. Imediatamente.

— Sim, Vossa Reverência.

— Leva Draqaz contigo. Um jarro de dourado da Árvore e um daquele tinto doce. Nada do nosso mijo amarelo, obrigadinho. E da próxima vez que eu encontrar o jarro seco, posso ter de vergastar essas vossas lindas bochechinhas rosadas. — O rapaz foi-se embora a correr, e o rei voltou a virar-se para Selmy. — Sonhei que encontrastes Daenerys.

— Os sonhos podem mentir, Vossa Graça.

— "Vossa Radiância" serviria. Que vos traz até mim a esta hora, sor? Algum problema na cidade?

— A cidade está tranquila.

— Ah está? — Hizdahr pareceu confuso. — Porque viestes?

— Para vos fazer uma pergunta. Magnificência, a Harpia sois vós?

A taça de vinho de Hizdahr deslizou-lhe dos dedos, saltou no tapete, rolou.

— Viestes ao meu quarto, noite cerrada, para me perguntar isso? Estais louco? — Foi só então que o rei pareceu reparar que Sor Barristan estava a usar aço e cota de malha. — O que… porque… como vos atreveis…

— O veneno foi obra vossa, Magnificência?

O Rei Hizdahr recuou um passo.

— Os gafanhotos? Isso… isso foi o dornês. Quentyn, o dito príncipe. Perguntai a Reznak, se duvidais de mim.

— Tendes provas disso? Reznak tem-nas?

— Não, caso contrário tê-los-íamos prendido. Talvez devesse fazê-lo mesmo assim. Marghaz arrancar-lhe-á uma confissão, sem dúvida. São todos envenenadores, aqueles dorneses. Reznak diz que eles adoram serpentes.

— Eles comem serpentes — disse Sor Barristan. — Foi na vossa arena, no vosso camarote, nos vossos lugares. Vinho doce e almofadas fofas, figos e melões e gafanhotos com mel. Fostes vós quem forneceu tudo. Insististes com Sua Graça para experimentar os gafanhotos, mas vós não chegastes a prová-los.

— Eu... especiarias picantes não jogam bem comigo. Ela era minha esposa. Minha rainha. Porque haveria de querer envenená-la?

*Era, diz ele. Julga-a morta.*

— Só vós podeis responder a isso, Magnificência. Podia ser por desejardes pôr outra mulher no seu lugar. — Sor Barristan indicou com um aceno de cabeça a rapariga que espreitava timidamente do quarto. — Talvez aquela?

O rei olhou vivamente em volta.

— *Ela?* Ela não é nada. Uma escrava de cama. — Levantou as mãos. — Expressei-me mal. Não é uma escrava. Uma mulher livre. Treinada para o prazer. Até um rei tem necessidades, ela... ela não vos diz respeito, sor. Eu nunca faria mal a Daenerys. Nunca.

— Insististes com a rainha para provar os gafanhotos. Eu ouvi-vos.

— Julguei que talvez gostasse deles. — Hizdahr recuou mais um passo. — Picantes e doces ao mesmo tempo.

— Picantes, doces e envenenados. Foi com os meus próprios ouvidos que vos ouvi a ordenar aos homens na arena para matarem Drogon. A gritar-lhes.

Hizdahr lambeu os lábios.

— A fera devorou a carne de Barsena. Dragões depredam os homens. Ele estava a matar, a queimar...

— ... a queimar homens que queriam fazer mal à vossa rainha. Filhos da Harpia, provavelmente. Vossos amigos.

— Meus amigos, não.

— Dizeis isso, mas quando lhes dissestes para pararem de matar eles obedeceram. Porque haveriam de o fazer se não fôsseis um deles?

Hizdahr abanou a cabeça. Daquela vez não respondeu.

— Dizei-me a verdade — disse Sor Barristan — alguma vez a amastes, mesmo que um pouco? Ou era só pela coroa que sentíeis desejo?

— Desejo? Atreveis-vos a falar-me de *desejo*? — A boca do rei torceu-se em fúria. — Eu desejei a coroa, sim... mas nem metade do que ela desejava o seu mercenário. Talvez tenha sido o seu precioso capitão quem tentou envenená-la, por o ter posto de parte. E se eu tivesse comido também dos seus gafanhotos, bem, tanto melhor.

— Daario é um assassino, mas não é um envenenador. — Sor Barristan aproximou-se mais do rei. — Sois vós a Harpia? — Daquela vez pôs a mão no cabo da espada. — Dizei-me a verdade, e prometo-vos que tereis uma morte rápida e limpa.

— Tendes demasiada ousadia, sor — disse Hizdahr. — Estou farto destas perguntas e de vós. Estais demitido do meu serviço. Abandonai imediatamente Meereen, e deixar-vos-ei viver.

— Se não sois vós a Harpia, dai-me o nome dele. — Sor Barristan tirou a espada da bainha. O gume afiado apanhou a luz vinda do braseiro, transformou-se numa linha de fogo cor de laranja.

Hizdahr quebrou.

— Khrazz! — guinchou, tropeçando para trás, na direção do seu quarto. — Khrazz! *Khrazz!*

Sor Barristan ouviu uma porta que se abria, algures à sua esquerda. Virou-se a tempo de ver Khrazz sair de trás de uma tapeçaria. Mexia-se lentamente, ainda grogue de sono, mas tinha a sua arma preferida na mão: um *arakh* dothraki, longo e curvo. Uma espada para golpes largos, feita para desferir golpes cortantes de cima de um cavalo. *Uma arma assassina contra inimigos seminus, na arena ou no campo de batalha.* Mas ali, num espaço apertado, o comprimento do arakh seria uma desvantagem, e Barristan Selmy estava vestido de aço e cota de malha.

— Estou aqui por Hizdahr — disse o cavaleiro. — Deixa cair o aço e põe-te de parte, e não é preciso que algum mal te aconteça.

Khrazz riu-se.

— Velho. Vou comer-te o coração. — Os dois homens eram da mesma altura, mas Khrazz era quinze quilos mais pesado e quarenta anos mais novo, com pele clara, olhos mortos e uma crista de um hirsuto cabelo negro arruivado que ia da testa à base do pescoço.

— Então vem — disse Barristan, o Ousado.

Khrazz foi.

Pela primeira vez naquele dia, Selmy sentiu certeza. *Foi para isto que eu fui feito*, pensou. *A dança, a doce canção do aço, uma espada na mão e um inimigo na minha frente.*

O lutador de arena era rápido, entontecedoramente rápido, mais rápido do que qualquer homem com quem Sor Barristan algum dia tivesse combatido. Naquelas grandes mãos, o *arakh* transformou-se num borrão que assobiava, numa tempestade de aço que parecia cair contra o velho cavaleiro de três direções ao mesmo tempo. A maior parte dos golpes era dirigida à sua cabeça. Khrazz não era nenhum idiota. Sem elmo, Selmy era mais vulnerável acima do pescoço.

Bloqueou calmamente os golpes, com a espada a parar cada corte e a desviá-los a todos. As lâminas ressoaram e voltaram a ressoar. Sor Barristan recuou. Nos limites da visão, viu os copeiros a observar com olhos tão esbugalhados e brancos como ovos de galinha. Khrazz praguejou, e transformou um golpe alto num baixo, ultrapassando a lâmina do velho cavaleiro, para variar, só conseguindo que o golpe raspasse inutilmente numa greva de aço branco. A estocada de resposta de Selmy foi encontrar o ombro esquerdo do lutador de arena, abrindo o linho fino para ir morder a carne que estava por baixo. A túnica amarela começou a tornar-se rósea, e depois vermelha.

— Só cobardes se vestem de ferro — declarou Khrazz, descrevendo um círculo. Ninguém usava armadura nas arenas de combate. Era por sangue que o público lá ia; por morte, desmembramento e gritos de agonia, a música das areias escarlates.

Sor Barristan virou com ele.

— Este cobarde prepara-se para vos matar, sor. — O homem não era nenhum cavaleiro, mas a coragem demonstrada rendera-lhe essa cortesia. Khrazz não sabia como combater um homem vestido de armadura. Sor Barristan via-o nos seus olhos: dúvida, confusão, o início do medo. O lutador de arena arremeteu outra vez, agora a gritar, como se o som conseguisse matar o inimigo que o aço não atingira. O *arakh* golpeou em baixo, em cima, de novo em baixo.

Selmy bloqueou os golpes atirados contra a sua cabeça e deixou que a armadura parasse os restantes, enquanto a sua lâmina abria a cara do lutador de arena da orelha à boca, e depois lhe traçava um rasgão rubro no peito. Sangue jorrou dos ferimentos de Khrazz. Isso só pareceu torná-lo mais violento. Pegou no braseiro com a mão desocupada e virou-o, espalhando brasas e carvões quentes em redor dos pés de Selmy. Sor Barristan saltou sobre eles. Khrazz golpeou-lhe o braço e atingiu-o, mas o *arakh* só conseguiu lascar o esmalte duro antes de deparar com o aço que havia por baixo.

— Na arena, isto ter-te-ia cortado o braço, velho.

— Não estamos na arena.

— *Tira a armadura!*

— Não é tarde demais para deixardes cair o aço. Rendei-vos.

— Morre — cuspiu Khrazz… mas quando ergueu o *arakh* a ponta da arma roçou numa das colgaduras nas paredes e prendeu-se nela. Sor Barristan não precisou de melhor oportunidade. Golpeou a barriga do lutador de arena, parou o *arakh* quando este se soltou, e depois acabou com Khrazz com uma estocada rápida ao coração enquanto as entranhas do lutador de arena deslizavam para fora como um ninho de enguias gordurosas.

Sangue e vísceras mancharam os tapetes de seda do rei. Selmy deu um passo para trás. Metade da espada que tinha na mão estava vermelha. Aqui e ali, os tapetes tinham começado a incendiar-se, nos pontos onde algumas das brasas espalhadas tinham caído. Ouviu a pobre Qezza a soluçar.

— Não tenhas medo — disse o velho cavaleiro. — Não te quero fazer mal, pequena. Só quero o rei. — Limpou a espada numa cortina e entrou a passos largos no quarto, onde foi encontrar Hizdahr zo Loraq, Décimo Quarto do Seu Nobre Nome, escondido por trás de uma tapeçaria e a choramingar.

— Poupai-me — suplicou. — Não quero morrer.

— Poucos querem. Mas apesar disso todos os homens morrem. — Sor Barristan embainhou a espada e pôs Hizdahr de pé. — Vinde. Eu acompanho-vos até uma cela. — Por aquela altura, os Feras de Bronze deviam já ter desarmado Peledaço. — Sereis mantido prisioneiro até que a rainha regresse. Se nada puder ser provado contra vós, nenhum mal vos acontecerá. Tendes a minha palavra de cavaleiro. — Pegou no braço do rei e levou-o do quarto, sentindo a cabeça estranhamente leve, quase ébria. *Eu era um membro da Guarda Real. Que sou agora?*

Miklaz e Draqaz tinham regressado com o vinho de Hizdahr. Estavam parados à porta aberta, segurando os jarros contra os peitos e fitando de olhos esbugalhados o cadáver de Khrazz. Qezza ainda chorava, mas Jezhene aparecera para a reconfortar. Abraçava a rapariga mais nova, afagando-lhe o cabelo. Alguns dos outros copeiros estavam atrás deles, observando.

— Reverência — disse Miklaz — o nobre Reznak mo Reznak diz para vos d-dizer: vinde de imediato.

O rapaz dirigia-se ao rei como se Sor Barristan não estivesse ali, como se não houvesse nenhum morto esparramado no tapete, com o sangue da sua vida a manchar lentamente a seda de vermelho. *Estava previsto que Skahaz prendesse Reznak até podermos ter certezas sobre a sua lealdade. Terá alguma coisa corrido mal?*

— Ir onde? — perguntou Sor Barristan ao rapaz. — Onde quer o senescal que Sua Graça vá?

— Lá fora. — Miklaz pareceu vê-lo pela primeira vez. — Lá fora, sor. Ao t-terraço. Para ver.

— Para ver o quê?

— D-d-dragões. Os dragões foram soltos, sor.

*Que os Sete nos salvem a todos*, pensou o velho cavaleiro.

A noite passou sobre lentos pés negros. A hora do morcego cedeu lugar à hora da enguia, a hora da enguia à hora dos fantasmas. O príncipe manteve-se deitado na cama, fitando o teto, sonhando sem dormir, recordando, imaginando, remexendo-se sob a colcha de linho, com a mente febril cheia de pensamentos sobre fogo e sangue.

Por fim, desesperando do descanso, Quentyn Martell dirigiu-se ao aposento privado, onde se serviu de uma taça de vinho e a bebeu no escuro. O sabor foi um consolo doce na sua língua, portanto acendeu uma vela e serviu-se de outra. *Vinho ajudar-me-á a dormir*, disse a si próprio, mas sabia que isso era uma mentira.

Fitou a vela durante muito tempo, após o que pousou a taça e pôs a mão por cima da chama. Precisou de todas as migalhas de força de vontade que possuía para a baixar até que o fogo lhe tocasse na pele, e quando o fez puxou a mão com um grito de dor.

— Quentyn, estás doido?

*Não, só assustado. Não quero arder.*

— Gerris?

— Ouvi-te a andar por aí.

— Não conseguia dormir.

— Queimaduras são uma cura para isso? Leite quente e uma canção de embalar talvez te fossem mais úteis. Ou, melhor ainda, devia levar-te ao Templo das Graças e arranjar-te uma rapariga.

— Uma rameira, queres tu dizer.

— Chamam-lhes Graças. Têm várias cores. As vermelhas são as únicas que se fodem. — Gerris sentou-se do outro lado da mesa. — Se me pedires a opinião, as septãs, lá na terra, deviam adotar o costume. Reparaste que todas as septãs velhas parecem ameixas secas? É o que uma vida de castidade te faz.

Quentyn deitou um relance ao terraço, onde as sombras da noite jaziam densas entre as árvores. Ouvia o suave som da água a cair.

— Aquilo é chuva? As tuas rameiras já se terão ido embora.

— Nem todas. Há uns recantozinhos nos jardins do prazer, e elas ficam aí à espera todas as noites até que um homem as escolha. As que não forem escolhidas têm de ficar lá até ao Sol nascer, sentindo-se sós e abandonadas. Podíamos consolá-las.

— O que tu queres dizer é que elas podiam consolar-me a mim.

— Isso também.

— Não é desse tipo de consolo que eu preciso.

— Discordo. Daenerys Targaryen não é a única mulher do mundo. Queres morrer donzel?

Quentyn não queria morrer de todo. *Quero voltar para Yronwood e beijar ambas as tuas irmãs, casar com Gwyneth Yronwood, vê-la rebentar em beleza, ter um filho com ela. Quero cavalgar em torneios, fazer falcoaria e caçar, visitar a minha mãe em Norvos, ler alguns daqueles livros que o meu pai me manda. Quero que Cletus, Will e o Meistre Kedry estejam de novo vivos.*

— Achas que Daenerys ficaria contente se ouvisse dizer que eu me tinha deitado com uma rameira qualquer?

— Talvez ficasse. Os homens têm um fraquinho por donzelas, mas as mulheres gostam de um homem que saiba o que fazer na cama. É outra espécie de esgrima. É preciso treinar para se ser bom.

A chacota picou. Quentyn nunca se sentira tão rapaz como quando se apresentara a Daenerys Targaryen, suplicando-lhe a mão. A ideia de se deitar com ela aterrorizava-o, quase tanto como os dragões o tinham aterrorizado. E se não conseguisse dar-lhe prazer?

— Daenerys tem um amante — disse, em tom defensivo. — O meu pai não me mandou para cá para divertir a rainha no quarto. Sabes porque viemos.

— Não podes casar com ela. Tem marido.

— Ela não ama Hizdahr zo Loraq.

— Que tem o amor a ver com casamento? Um príncipe devia estar melhor informado. O teu pai casou por amor, diz-se. Quanta alegria obteve ele disso?

*Menos que pouca.* Doran Martell e a sua esposa norvoshi tinham passado metade do casamento separados e a outra metade a discutir. Fora a única coisa impetuosa que o pai fizera na vida, segundo se dizia, a única altura em que seguira o coração em vez da cabeça, e vivera para se arrepender.

— Nem todos os riscos levam à ruína — insistiu. — Este é o meu dever. O meu destino. — *Tu supostamente és meu amigo, Gerris. Porque tens de troçar das minhas esperanças? Já tenho dúvidas suficientes sem que despejes azeite no fogo do meu medo.* — Esta será a minha grande aventura.

— Homens morrem em grandes aventuras.

Não se enganava. Isso também estava nas histórias. O herói parte com os amigos e companheiros, enfrenta perigos, volta para casa triunfante. Só que alguns dos companheiros não regressam. *Mas o herói nunca morre. Eu devo ser o herói.*

— Só preciso de coragem. Queres que Dorne me recorde como um falhado?

— Não é provável que Dorne recorde nenhum de nós por muito tempo.

Quentyn chupou o ponto queimado na palma da sua mão.

— Dorne recorda Aegon e as irmãs. Dragões não se esquecem assim tão facilmente. Também recordarão Daenerys.

— Se ela estiver morta, não.

— Está viva. — *Tem de estar.* — Está perdida, mas eu posso encontrá-la. — *E quando encontrar, olhará para mim como olha para o seu mercenário. Depois de me mostrar digno dela.*

— De cima de um dragão?

— Monto a cavalo desde os seis anos.

— E foste atirado ao chão duas ou três vezes.

— Isso nunca me impediu de voltar a subir para a sela.

— Nunca foste atirado ao chão de trezentos metros de altura — fez notar Gerris. — E é raro que os cavalos transformem os cavaleiros em ossos esturricados e cinzas.

*Eu conheço os perigos.*

— Não quero ouvir mais nada sobre isto. Tens a minha licença para te ires embora. Arranja um navio e corre para casa, Gerris. — O príncipe levantou-se, apagou a vela com um sopro e voltou a meter-se na cama e nos lençóis ensopados em suor. *Devia ter beijado uma das gémeas Drinkwater, talvez as duas. Devia tê-las beijado enquanto pude. Devia ter ido a Norvos ver a minha mãe e o lugar que a deu à luz, para que soubesse que não a esqueci.* Ouvia a chuva a cair lá fora, tamborilando contra os tijolos.

Quando a hora do lobo chegou, a chuva estava a cair continuamente, precipitando-se numa torrente dura e fria que depressa transformaria as ruas de tijolo de Meereen em rios. Os três dorneses quebraram o jejum no frio que antecedia a aurora; uma refeição simples de fruta, pão e queijo, empurrada para baixo com leite de cabra. Quando Gerris fez tenção de se servir de uma taça de vinho, Quentyn impediu-o.

— Vinho não. Haverá tempo suficiente para beber depois.

— Espera-se — disse Gerris.

O grandalhão olhou para o terraço.

— Eu sabia que ia chover — disse, num tom sombrio. — Ontem à noite tive dor nos ossos. Doem-me sempre antes de chover. Os dragões não vão gostar disto. Fogo e água não se misturam, e isso é um facto. Acendes uma boa fogueira para cozinhar, deixa-la a arder bem, depois começa a cair chuva e quando dás por ti tens a lenha ensopada e as chamas mortas.

Gerris soltou uma gargalhadinha.

— Os dragões não são feitos de madeira, Arch.

— Alguns são. Aquele velho Rei Aegon, o excitadinho, construiu dragões de madeira para nos conquistar. Mas isso acabou mal.

*Isto também pode acabar mal*, pensou o príncipe. As loucuras e falhanços de Aegon, o Indigno, não lhe diziam respeito, mas estava cheio de dúvidas e pressentimentos. A galhofa pouco natural dos amigos só estava a fazer com que lhe doesse a cabeça. *Eles não compreendem. Podem ser dorneses, mas eu sou Dorne. Daqui a anos, quando estiver morto, será esta a canção que cantarão sobre mim.* Levantou-se de repente.

— Está na altura.

Os amigos puseram-se de pé. Sor Archibald emborcou o resto do seu leite de cabra e limpou o bigode de leite do lábio superior com as costas de uma grande mão.

— Vou buscar o nosso vestuário de saltimbancos.

Regressou com a trouxa que tinham recebido do Príncipe Esfarrapado na segunda reunião. Lá dentro estavam três longos mantos com capuz feitos com uma miríade de pequenos quadrados de pano cosidos uns aos outros, três mocas, três espadas curtas, três máscaras de bronze polido. Um touro, um leão e um macaco.

Tudo o que era necessário para se ser um Fera de Bronze.

— Eles talvez peçam uma senha — avisara-os o Príncipe Esfarrapado, quando lhes entregara a trouxa. — É *cão*.

— Tendes a certeza? — perguntara-lhe Gerris.

— A suficiente para apostar nisso uma vida.

O príncipe não se iludira quanto ao que ele queria dizer.

— A minha vida.

— É essa, sim.

— Como soubestes a senha?

— Calhou encontrarmos uns Feras de Bronze e Meris perguntou-lhes com lindeza. Mas um príncipe devia saber que não é boa ideia fazer perguntas destas, dornês. Em Pentos temos um ditado. Nunca perguntes a um padeiro com que é feita a tarte. Limita-te a comer.

*Limita-te a comer.* Quentyn supunha que havia sabedoria naquilo.

— Eu serei o touro — anunciou Arch.

Quentyn entregou-lhe a máscara de touro.

— Para mim é o leão.

— O que faz de mim macaco. — Gerris encostou a máscara de macaco à cara. — Como é que eles respiram com estas coisas?

— Limita-te a pô-la. — O príncipe não estava com disposição para brincadeiras.

A trouxa continha também um chicote; um perigoso bocado de couro velho com cabo de latão e osso, suficientemente robusto para arrancar a pele a um boi.

— Para que serve isso? — perguntou Arch.

— Daenerys usou um chicote para intimidar a fera preta. — Quentyn enrolou o chicote e pendurou-o do cinto. — Arch, traz também o teu martelo. Podemos precisar dele.

Não era fácil entrar de noite na Grande Pirâmide de Meereen. As portas eram fechadas e trancadas todos os dias ao pôr-do-sol, e permaneciam fechadas até à primeira luz da aurora. Estavam colocados guardas a todas as entradas, e mais guardas patrulhavam o terraço inferior, de onde podiam observar a rua. Anteriormente, esses guardas tinham sido Imaculados. Agora eram Feras de Bronze. E isso faria toda a diferença, esperava Quentyn.

O turno mudava quando o Sol nascia, mas a aurora ainda distava meia hora quando os três dorneses desceram pela escada dos criados. As paredes que os rodeavam eram feitas de tijolos de meia centena de cores, mas as sombras transformavam-nos a todos em cinzento até serem tocados pela luz do archote que Gerris transportava. Não encontraram ninguém na longa descida. O único som era o raspar das botas nos gastos tijolos sob os seus pés.

Os portões principais da pirâmide davam para a praça central de Meereen, mas os dorneses dirigiram-se a uma entrada lateral que abria para uma viela. Aquelas eram as portas que os escravos tinham usado em dias idos quando tratavam dos assuntos dos seus amos, as portas por onde o povo e os mercadores entravam e saíam e faziam as suas entregas.

As portas eram de bronze sólido, trancadas com uma pesada barra de ferro. À frente delas estavam dois Feras de Bronze, armados com mocas, lanças e espadas curtas. A luz do archote reluzia no bronze polido das suas máscaras; uma ratazana e uma raposa. Quentyn indicou com um gesto ao grandalhão para ficar para trás nas sombras. Ele e Gerris avançaram juntos.

— Chegastes cedo — disse a raposa.

Quentyn encolheu os ombros.

— Podemos ir-nos outra vez embora, se quiseres. Por mim, podes cumprir o meu turno. — Bem sabia que não soava nada como um ghiscariota; mas metade dos Feras de Bronze eram escravos libertados, com todos os tipos de línguas nativas, portanto o seu sotaque passava despercebido.

— Cumpro, o caralho — disse a ratazana.

— Dá-nos a senha de hoje — disse a raposa.

— Cão — disse o dornês.

Os dois Feras de Bronze trocaram um olhar. Durante três longos segundos, Quentyn teve receio de que algo tivesse corrido mal, de que de alguma forma a Linda Meris e o Príncipe Esfarrapado tivessem arranjado a senha errada. Depois a raposa grunhiu.

— Então é cão — disse. — A porta é vossa. — Quando se afastaram, o príncipe recomeçou a respirar.

Não tinham muito tempo. A verdadeira rendição apareceria em breve, sem dúvida.

— Arch — chamou, e o grandalhão surgiu, com a luz dos archotes a brilhar na máscara de touro. — A barra. Depressa.

A barra de ferro era grossa e pesada, mas estava bem oleada. Sor Archibald não teve dificuldade em erguê-la. Enquanto a pousava apoiada numa das extremidades, Quentyn abriu as portas e Gerris atravessou-as, brandindo o archote.

— Trá-la já para dentro. Despacha-te.

A carroça do carniceiro estava lá fora, à espera na viela. O condutor deu com o chicote na mula e entrou com estrondo, fazendo as rodas reforçadas a ferro ressoar ruidosamente nos tijolos. A carcaça esquartejada de um boi enchia a caixa da carroça, auxiliada por duas ovelhas mortas. Meia dúzia de homens entraram a pé. Cinco usavam os mantos e máscaras de Feras de Bronze, mas a Linda Meris não se incomodara com disfarces.

— Onde está o teu senhor? — perguntou a Meris.

— Não tenho *senhor* nenhum — respondeu ela. — Se vos referis ao vosso colega príncipe, está por perto, com cinquenta homens. Trazei o vosso dragão cá para fora, e ele faz-vos sair em segurança, conforme prometido. Quem comanda aqui é o Caggo.

Sor Archibald estava a examinar a carroça do carniceiro com um olho amargo.

— Aquela carroça vai ser suficientemente grande para conter um dragão? — perguntou.

— Deve ser. Conteve dois bois. — O Mata-Cadáveres estava vestido de Fera de Bronze, com a cara marcada e cheia de cicatrizes escondida por trás de uma máscara em forma de cobra, mas o familiar *arakh* negro que trazia à anca denunciava-o. — Fomos informados de que estas feras são mais pequenas do que o monstro da rainha.

— O fosso abrandou-lhes o crescimento. — As leituras de Quentyn sugeriam que a mesma coisa ocorrera nos Sete Reinos. Nenhum dos dragões nascido e criado no Fosso dos Dragões de Porto Real se aproximara do tamanho de Vhagar ou de Meraxes, muito menos do do Terror Negro, o monstro do Rei Aegon. — Trouxestes correntes suficientes?

— Quantos dragões tendes? — disse a Linda Meris. — Temos correntes suficientes para dez, escondidas por baixo da carne.

— Muito bem. — Quentyn sentia a cabeça leve. Nada daquilo parecia bem real. Num momento parecia um jogo, no seguinte um pesadelo qualquer, como um sonho em que desse por si a abrir uma porta escura, sabendo que o horror e a morte esperavam do outro lado, mas mesmo assim impotente para se pôr travão. Tinha as palmas das mãos escorregadias de suor. Limpou-as nas pernas e disse: — Haverá mais guardas à porta do fosso.

— Nós sabemos — disse Gerris.

— Temos de estar prontos para eles.

— Estamos — disse Arch.

Apareceu uma dor na barriga de Quentyn. Sentiu uma súbita necessidade de mover as tripas, mas sabia que não se atreveria a afastar-se agora.

— Então por aqui. — Raramente se sentira mais rapaz. No entanto eles seguiram-no; Gerris e o grandalhão, Meris e Caggo e os outros Aventados. Dois dos mercenários tinham tirado bestas de algum esconderijo na carroça.

Depois dos estábulos, o piso térreo da Grande Pirâmide transformava-se num labirinto, mas Quentyn Martell passara por ali com a rainha e lembrava-se do caminho. Passaram sob três enormes arcos de tijolo, depois desceram uma íngreme rampa de pedra que levava às profundezas, atravessaram as masmorras e salas de tortura e passaram por um par de profundas cisternas de pedra. Os seus passos ecoavam ocamente nas paredes, com a carroça do carniceiro a trovejar atrás deles. O grandalhão tirou um archote de uma arandela de parede para iluminar o caminho.

Por fim, um par de pesadas portas de ferro ergueu-se na frente deles, corroído pela ferrugem e ameaçador, fechado com uma corrente com elos grossos como o braço de um homem. O tamanho e espessura daquelas portas bastou para levar Quentyn Martell a questionar a sensatez do que estava a fazer. Ainda pior, ambas as portas tinham claramente sido amolgadas por algo que, no interior, tentava sair. O espesso ferro estava *estalado* e a abrir-se em três pontos, e o canto superior da porta da esquerda parecia parcialmente derretido.

Quatro Feras de Bronze estavam de guarda à porta. Três tinham nas mãos lanças longas; o quarto, o sargento, estava armado com espada curta e punhal. A sua máscara fora trabalhada para tomar a forma de uma cabeça de basilisco. Os outros três estavam mascarados de insetos.

*Gafanhotos*, apercebeu-se Quentyn.

— Cão — disse.

O sargento ficou hirto.

Foi o bastante para Quentyn Martell compreender que algo correra mal.

— Apanhai-os — coaxou, no preciso momento em que a mão do basilisco saltou para a espada curta.

Era rápido, aquele sargento. O grandalhão era-o mais. Atirou o archote ao gafanhoto mais próximo e pegou no martelo de guerra, a lâmina do basilisco mal saíra da sua bainha de couro quando o espigão do martelo se esmagou contra a têmpora do homem, atravessando o fino bronze da sua máscara e a pele e o osso que havia por baixo. O sargento cambaleou meio passo para o lado antes de os joelhos se dobrarem sob o seu corpo e se afundar no chão, todo a tremer de forma grotesca.

Quentyn fitou-o, petrificado, com a barriga às cambalhotas. A sua arma continuava ainda na respetiva bainha. Nem sequer estendera a mão para ela. Os seus olhos estavam presos ao sargento que morria a estrebuchar na sua frente. O archote caído estava no chão, apagando-se, fazendo todas as sombras saltar e torcer-se numa monstruosa caricatura dos estremecimentos do morto. O príncipe só viu a lança do gafanhoto vir na sua direção quando Gerris colidiu com ele fazendo-o cair de lado. A ponta da lança roçou na bochecha da cabeça de leão que usava. Mesmo assim o golpe foi tão violento que quase lhe arrancou a máscara. *Ter-me-ia acertado em cheio na garganta*, pensou o príncipe, entontecido.

Gerris praguejou quando os gafanhotos se aproximaram dele, rodeando-o. Quentyn ouviu o som de pés em corrida. Depois, os mercenários saíram a correr das sombras. Um dos guardas deitou-lhes um relance apenas longo o suficiente para Gerris penetrar na zona defendida pela sua lança. Enfiou a ponta da espada sob a máscara de bronze, trespassando a garganta do homem que a usava, no momento em que do peito do segundo gafanhoto brotava um dardo de besta.

O último gafanhoto deixou cair a lança.

— Rendo-me. Rendo-me.

— Não. Morres. — Caggo cortou a cabeça do homem com um movimento de *arakh*, e o aço valiriano cortou carne, osso e cartilagem como se não passassem de banha. — Demasiado barulho — protestou. — Qualquer homem com ouvidos deve ter ouvido isto.

— Cão — disse Quentyn. — A senha do dia devia ser cão. Porque não nos deixaram eles passar? Foi-nos dito…

— Foi-vos dito que o vosso plano era uma loucura, esquecestes-vos? — disse a Linda Meris. — Fazei o que viestes fazer.

*Os dragões*, pensou o Príncipe Quentyn. *Sim. Viemos buscar os dragões.* Sentiu-se doente. *Que estou eu a fazer aqui? Pai, porquê?* Quatro homens mortos em outros tantos segundos, e para quê?

— Fogo e sangue — sussurrou — sangue e fogo. — O sangue estava a acumular-se a seus pés, ensopando o chão de tijolo. O fogo estava do outro lado daquelas portas. — As correntes… não temos chave…

Arch disse:

— Eu tenho a chave. — Brandiu com violência e rapidez o machado de guerra. Voaram centelhas quando a cabeça do machado atingiu a
fechadura. E depois outra vez, outra vez, outra vez. À quinta, a fechadura
estilhaçou-se, e as correntes caíram num retinir tão ruidoso que Quentyn
teve a certeza de que meia pirâmide tinha de o ter ouvido.

— Trazei a carroça. — Os dragões estariam mais dóceis depois de
serem alimentados. *Eles que se empanturrem de carneiro esturricado.*

Archibald Yronwood agarrou nas portas de ferro e separou-as. As
dobradiças ferrugentas soltaram um par de gritos, para todos aqueles que
tivessem continuado a dormir depois da quebra da fechadura. Uma vaga de
um súbito calor assaltou-os, carregada com cheiros a cinza, enxofre e carne
queimada.

Atrás das portas tudo era negro, uma carrancuda escuridão infer-
nal que parecia viva e ameaçadora, faminta. Quentyn conseguia sentir
que havia algo nessas trevas, enrolado e à espera. *Guerreiro, dá-me coragem*, rezou. Não queria fazer aquilo, mas não via outra maneira. *Por
que outro motivo me teria Daenerys mostrado os dragões? Ela quer que
eu lhe prove o que valho.* Gerris entregou-lhe um archote. Atravessou as
portas.

*O verde é Rhaegal, o branco Viserion*, lembrou a si próprio. *Usa os
seus nomes, comanda-os, fala-lhes com calma mas severidade. Domina-os,
como Daenerys dominou Drogon na arena.* A rapariga estivera sozinha,
vestida de farrapos de seda, mas sem medo. *Não posso ter medo. Ela fê-lo,
eu também posso.* O principal era não mostrar medo. *Os animais conseguem cheirar o medo, e os dragões…* Que sabia ele sobre dragões? *Que sabe
qualquer homem sobre dragões? Há mais de um século que desapareceram
do mundo.*

A borda do fosso estava logo em frente. Quentyn avançou lentamente, movendo o archote de um lado para o outro. As paredes, o chão e o
teto bebiam a luz. *Calcinados*, compreendeu. *Tijolos calcinados até ficarem
negros, a desfazerem-se em cinzas.* O ar foi-se tornando mais quente a cada
passo que dava. Começou a suar.

Dois olhos ergueram-se na sua frente.

Eram de bronze, mais brilhantes do que escudos polidos, brilhando
com o seu próprio calor, ardendo por trás de um véu de fumo que se erguia das narinas do dragão. A luz do archote de Quentyn cobriu escamas
verdes escuras, o verde do musgo na floresta profunda ao lusco-fusco, logo
antes de a última luz se desvanecer. Depois, o dragão abriu a boca e a luz e
o calor cobriram-nos. Por trás de uma paliçada de dentes negros aguçados
vislumbrou o brilho da fornalha, o tremeluzir de um fogo adormecido cem
vezes mais brilhante do que o seu archote. A cabeça do dragão era maior do

que a de um cavalo, e o pescoço prolongava-se sem fim, desenrolando-se como uma grande serpente enquanto a cabeça se erguia, até aqueles dois brilhantes olhos de bronze o olharem de cima.

*Verdes*, pensou o príncipe, *as escamas dele são verdes.*

— Rhaegal — disse. A voz prendeu-se-lhe na garganta, e o que saiu foi um coaxar quebrado. *Sapo*, pensou. *Estou a transformar-me outra vez no Sapo.* — A comida — coaxou, lembrando-se. — Trazei a comida.

O grandalhão ouviu-o. Arch arrancou uma das ovelhas da carroça pegando-lhe em duas das patas, rodopiou e atirou-a ao fosso.

Rhaegal apanhou-a no ar. A sua cabeça deu uma volta rápida, e uma lança de chamas irrompeu de entre as maxilas, uma tempestade turbilhonante de fogo amarelo e cor de laranja, trespassado de veios verdes. A ovelha já ardia antes de começar a cair. Antes de a carcaça fumegante ter tempo de atingir os tijolos, os dentes do dragão fecharam-se à sua volta. Um halo de chamas ainda tremeluzia em volta do corpo. O ar fedia a lã a arder e a enxofre. *Fedor de dragão.*

— Julgava que eram dois — disse o grandalhão.

*Viserion. Sim. Onde está Viserion?* O príncipe baixou o archote para atirar alguma luz para as sombras, lá em baixo. Viu o dragão verde a dilacerar a carcaça fumegante da ovelha, atirando chicoteadas laterais com a longa cauda enquanto comia. Uma grossa coleira de ferro estava visível em volta do seu pescoço, com um metro de corrente quebrada dela pendurada. Elos estilhaçados estavam espalhados pelo chão do fosso entre os ossos enegrecidos; bocados de metal retorcido, parcialmente derretido. *Rhaegal estava acorrentado à parede e ao chão da última vez que aqui estive*, recordou o príncipe, *mas Viserion estava pendurado do teto.* Quentyn recuou um passo, ergueu o archote, inclinou a cabeça para trás.

Por um momento, viu apenas os arcos enegrecidos de tijolos lá em cima, calcinados por fogo de dragão. Uma pequena cascata de cinza capturou-lhe o olhar, traindo movimento. Algo claro, meio oculto, mexendo-se. *Ele fez para si uma gruta*, compreendeu o príncipe. *Uma toca no tijolo.* As fundações da Grande Pirâmide eram maciças e grossas para suportar o peso da enorme estrutura que tinham em cima; até as paredes interiores eram três vezes mais grossas do que a muralha exterior de qualquer castelo. Mas Viserion escavara nelas um buraco para si, com chamas e garras, um buraco suficientemente grande para nele dormir.

*E acabámos de acordá-lo.* Via o que parecia ser uma enorme serpente branca a desenrolar-se dentro da parede, onde ela se curvava para se transformar em teto. Mais cinza caiu lentamente, e um bocado de tijolo a desfazer-se caiu também. A serpente separou-se em pescoço e cauda, e depois surgiu a longa cabeça provida de chifres do dragão, com os olhos a

brilhar no escuro como brasas douradas. As asas do animal rufaram, esten-
dendo-se.

Todos os planos de Quentyn tinham fugido da sua cabeça. Ouviu
Caggo Mata-Cadáveres a gritar aos seus mercenários. *As correntes, ele está
a mandar buscar as correntes*, pensou o príncipe dornês. O plano fora alimentar as feras e acorrentá-las quando estivessem entorpecidas, tal como a
rainha fizera. Um dragão, ou dois, de preferência.

— Mais carne — disse Quentyn. *Depois de os animais estarem alimentados, tornar-se-ão indolentes.* Vira isso acontecer com serpentes, em
Dorne, mas ali, com aqueles monstros... — Trazei... trazei...

Viserion atirou-se do teto, abrindo asas de couro pálidas, estenden-
do-as bem. A corrente quebrada que lhe pendia do pescoço oscilou violentamente. A sua chama iluminou o fosso, ouro pálido trespassado de vermelho e laranja, e o ar viciado explodiu numa nuvem de cinza quente e enxofre
enquanto as asas brancas batiam e voltavam a bater.

Uma mão pegou no ombro de Quentyn. O archote caiu-lhe da mão,
a rodopiar, ricocheteou no chão e depois caiu ao fosso, ainda a arder. Deu
por si a encarar um macaco de bronze. *Gerris.*

— Quent, isto não vai resultar. Eles são demasiado selvagens, são...

O dragão caiu entre os dorneses e a porta com um rugido que teria
feito fugir cem leões. A sua cabeça moveu-se de um lado para o outro enquanto inspecionava os intrusos; dorneses, Aventados, Caggo. A fera dirigiu o último e mais longo dos olhares para a Linda Meris, farejando. *A
mulher*, apercebeu-se Quentyn. *Ele sabe que ela é do sexo feminino. Está à
procura de Daenerys. Quer a mãe, e não compreende porque não está aqui.*

Quentyn soltou-se da mão de Gerris.

— Viserion — chamou. *O branco é Viserion.* Durante meio segundo
temeu ter-se enganado. — Viserion — voltou a chamar, procurando aos
apalpões o chicote que lhe pendia do cinto. *Ela intimidou o preto com um
chicote. Tenho de fazer o mesmo.*

O dragão conhecia o seu nome. A cabeça virou-se e o seu olhar de-
morou-se no príncipe dornês durante três longos segundos. Pálidos fogos
ardiam por trás dos brilhantes punhais negros dos dentes. Os olhos eram
lagos de ouro derretido, e fumo erguia-se das suas narinas.

— Para baixo — disse Quentyn. Depois tossiu e voltou a tossir. O ar
estava pesado de fumo e o fedor a enxofre era sufocante.

Viserion perdeu o interesse. O dragão voltou a virar-se para os Aventados e saltou na direção da porta. Talvez conseguisse cheirar o sangue dos
guardas mortos ou a carne na carroça do carniceiro. Ou talvez só agora
tivesse visto que o caminho estava aberto.

Quentyn ouviu os mercenários gritar. Caggo estava a pedir as correntes e a Linda Meris gritava com alguém que se afastasse. O dragão deslocava-se desajeitadamente no chão, como um homem a rastejar sobre os joelhos e os cotovelos, mas era mais rápido do que o príncipe dornês teria julgado possível. Quando o Aventado foi demasiado lento a sair-lhe do caminho, Viserion soltou outro rugido. Quentyn ouviu o retinir de correntes, o profundo *trum* de uma besta.

— Não — gritou — não, não, não — mas era tarde demais. Só teve tempo de pensar *o idiota* quando o dardo ricocheteou no pescoço de Viserion para ir desaparecer nas sombras. Uma linha de fogo cintilou na sua esteira; sangue de dragão, a brilhar, dourado e vermelho.

O besteiro procurava desajeitadamente outro dardo quando os dentes do dragão se fecharam em volta do seu pescoço. O homem usava a máscara de um Fera de Bronze, o temível retrato de um tigre. Quando deixou cair a arma para tentar separar as maxilas de Viserion, chamas pingaram da boca do tigre. Os seus olhos rebentaram com o suave som de rolhas a saltar, e o bronze à volta deles começou a escorrer. O dragão arrancou um bocado de carne, principalmente do pescoço do mercenário, após o que o devorou enquanto o cadáver queimado caía ao chão.

Os outros Aventados estavam a recuar. Nem a Linda Meris tinha estômago para tanto. A cabeça chifruda de Viserion moveu-se de um lado para o outro, entre eles e a presa, mas passado um momento esqueceu os mercenários e dobrou o pescoço para arrancar outra dentada do morto. Daquela vez foi uma perna.

Quentyn deixou que o chicote se desenrolasse.

— Viserion — chamou, daquela vez mais alto. Era capaz de fazer aquilo, era capaz de fazer aquilo, o pai enviara-o até aos distantes confins da terra para aquilo, não lhe falharia. — *VISERION!* — Fez estalar o chicote no ar com um estrondo que ecoou nas paredes enegrecidas.

A cabeça clara ergueu-se bem alto. Os grandes olhos dourados estreitaram-se. nuvenzinhas de fumo saídas das narinas do dragão espiralaram para cima.

— Para baixo — ordenou o príncipe. *Não podes deixar que ele cheire o teu medo.* — Para baixo, para baixo, *para baixo.* — Fez a ponta do chicote descrever um círculo no ar e atirou uma chicotada ao focinho do dragão. Viserion *silvou.*

Então um vento quente esbofeteou-o, ouviu o som de asas de couro e o ar ficou cheio de cinzas e faúlhas e um monstruoso rugido ecoou nos tijolos crestados e enegrecidos e ouviu os amigos a gritar descontroladamente. Gerris gritava o seu nome, uma e outra vez, e o grandalhão berrava:

— Atrás de ti, atrás de ti, *atrás de ti*!

Quentyn virou-se e pôs o braço esquerdo em frente da cara para proteger os olhos do vento de fornalha. *Rhaegal*, fez lembrar a si próprio, *o verde é Rhaegal.*

Quando ergueu o chicote, viu que estava a arder. A sua mão também. Todo ele, todo ele estava a arder.

*Oh*, pensou. Depois desatou a gritar.

— Eles que morram — disse a Rainha Selyse.

Era a resposta que Jon Snow esperara. *Esta rainha nunca falha em desiludir.* De algum modo, isso não atenuava o golpe.

— Vossa Graça — persistiu, obstinado. — Em Larduro há milhares a passar fome. Muitos são mulheres…

— … e crianças, sim. Muito triste. — A rainha puxou a filha para mais perto de si e deu-lhe um beijo na bochecha. *Na bochecha não desfigurada pela escamagris,* não deixou Jon de reparar. — Temos pena dos pequenos, claro, mas temos de ser sensatos. Não temos comida para eles, e são novos demais para ajudarem o rei meu esposo nas suas guerras. É melhor que renasçam na luz.

Aquela era apenas uma forma mais suave de dizer *eles que morram.*

O aposento estava repleto de gente. A Princesa Shireen estava em pé ao lado da cadeira da mãe, com o Cara-Malhada sentado de pernas cruzadas a seus pés. Por trás da rainha erguia-se Sor Axell Florent. Melisandre de Asshai encontrava-se mais perto do fogo, com o rubi que trazia à garganta a pulsar de cada vez que respirava. Também a mulher vermelha tinha os seus servidores; o escudeiro Devan Seaworth, e dois dos guardas que o rei lhe deixara.

Os protetores da Rainha Selyse encontravam-se ao longo das paredes, brilhantes cavaleiros todos enfileirados: Sor Malegorn, Sor Benethon, Sor Narbert, Sor Patrek, Sor Dorden, Sor Brus. Com tantos selvagens sedentos de sangue a infestar Castelo Negro, Selyse mantinha os defensores a si ajuramentados em seu redor, de noite e de dia. Tormund Terror dos Gigantes rugira quando lho tinham dito.

— Medo de ser levada, é? Espero que nunca lhe tenhas dito como o meu membro é grande, Jon Snow, isso havia de assustar qualquer mulher. Sempre quis uma com bigode. — Depois rira e rira.

*Agora não deve estar a rir.*

Já desperdiçara ali tempo suficiente.

— Lamento ter incomodado Vossa Graça. A Patrulha da Noite tratará deste assunto.

As narinas da rainha dilataram-se.

— Continuais a tencionar cavalgar até Larduro. Vejo-o na vossa cara.

*Eles que morram*, disse eu, mas vós quereis persistir nesta loucura insensata. Não o negueis.

— Tenho de fazer o que achar melhor. Com o devido respeito, Vossa Graça, mas a Muralha é minha, e esta decisão também.

— É — concedeu Selyse — e respondereis por ela quando o rei regressar. E por outras decisões que tomastes, temo bem. Mas vejo que estais surdo ao bom senso. Fazei o que tiverdes de fazer.

Sor Malegorn interveio.

— Lorde Snow, quem liderará essa patrulha?

— Estais a oferecer-vos, sor?

— Pareço assim tão insensato?

O Cara-Malhada pôs-se em pé de um salto.

— Eu lidero-a! — As campainhas ressoaram alegremente. — Marcharemos para o mar e outra vez para terra. Debaixo das ondas montaremos cavalos-marinhos e sereias soprarão em conchas para anunciar a nossa chegada, oh, oh, oh.

Todos se riram. Até a Rainha Selyse se permitiu um fino sorriso. Jon estava menos divertido.

— Não pedirei aos meus homens para fazerem o que eu próprio não faria. Pretendo ser eu a liderar a patrulha.

— Tão valente da vossa parte — disse a rainha. — Aprovamos. Depois um bardo qualquer fará uma canção entusiasmante sobre vós, sem dúvida, e teremos um senhor comandante mais prudente. — Bebeu um gole de vinho. — Falemos de outros assuntos. Axell, trazei o rei selvagem, se tiverdes a bondade.

— Imediatamente, Vossa Graça. — Sor Axell saiu por uma porta e regressou um momento mais tarde com Gerrick Sanguederrei. — Gerrick da Casa Barbavermelha — anunciou — Rei dos Selvagens.

Gerrick Sanguederrei era um homem alto, de pernas longas e ombros largos. A rainha vestira-o com alguma da antiga roupa do rei, aparentemente. Penteado e arranjado, vestido com veludos verdes e uma meia capa de arminho, com o longo cabelo ruivo acabado de lavar e a barba fogosa aparada, o selvagem tinha todo o aspeto de um senhor do sul. *Podia entrar na sala do trono em Porto Real, e ninguém pestanejaria*, pensou Jon.

— Gerrick é o verdadeiro e legítimo rei dos selvagens — disse a rainha — e descende em linha masculina direta, sem interrupções, do seu grande rei Raymun Barbavermelha, ao passo que o usurpador Mance Rayder era filho de uma plebeia qualquer e de um dos vossos irmãos negros.

*Não*, podia Jon ter dito, *Gerrick descende de um irmão mais novo de Raymun Barbavermelha*. Para o povo livre isso contava mais ou menos tanto como ser descendente do cavalo de Raymun Barbavermelha. *Eles não sabem nada, Ygritte. E pior, não querem aprender.*

— Gerrick concordou amavelmente conceder a mão da sua filha mais velha ao meu querido Axell, para serem unidos pelo Senhor da Luz em sagradas núpcias — disse a Rainha Selyse. — As suas outras filhas casarão ao mesmo tempo... a segunda filha com Sor Brus Buckler e a mais nova com Sor Malegorn de Pegorrubro.

— Sores. — Jon inclinou a cabeça na direção dos cavaleiros mencionados. — Que encontreis felicidade com as vossas noivas.

— Debaixo do mar, os homens casam com peixes. — O Cara-Malhada executou um pequeno passo de dança, fazendo ressoar as campainhas. — Pois é, pois é, pois é.

A Rainha Selyse voltou a soltar uma fungadela.

— Quatro casamentos podem ser celebrados tão simplesmente como três. Já passa da altura de assentar a tal mulher, Val, Lorde Snow. Decidi que ela casará com o meu bom e leal cavaleiro, Sor Patrek da Montanha Real.

— Val foi informada, Vossa Graça? — perguntou Jon. — Entre o povo livre, quando um homem deseja uma mulher, rapta-a, e prova assim a sua força, astúcia e coragem. O pretendente arrisca um violento espancamento se for apanhado pela família da mulher e, pior do que isso, se ela própria o achar indigno.

— Um costume selvagem — disse Axell Florent.

Sor Patrek limitou-se a um risinho.

— Nunca nenhum homem teve motivo para pôr em causa a minha coragem. Nunca nenhuma mulher o terá.

A Rainha Selyse fez beicinho.

— Lorde Snow, visto que a Senhora Val não está familiarizada com os nossos costumes, tende a bondade de ma enviar para que eu possa instruí-la quanto aos deveres de uma senhora nobre para com o senhor seu esposo.

*E eu sei que isso correrá magnificamente.* Jon perguntou a si próprio se a rainha estaria tão ansiosa para ter Val casada com um dos seus cavaleiros se conhecesse os sentimentos que ela nutria para com a Princesa Shireen.

— Como quiserdes — disse — se bem que, se puder falar livremente...

— Não, penso que não. Podeis retirar-vos.

Jon Snow dobrou o joelho, inclinou a cabeça, retirou-se.

Desceu os degraus dois a dois, dirigindo acenos aos guardas da rainha enquanto descia. Sua Graça colocara homens em todos os patamares, para a manterem a salvo de selvagens homicidas. A meio da descida, uma voz chamou-o vinda de cima.

— Jon Snow.

Jon virou-se.

— Senhora Melisandre.

— Temos de conversar.

— Ah temos? — *Acho que não.* — Senhora, tenho deveres a cumprir.

— É desses deveres que quero falar. — Ela continuou a descer, com a bainha das saias escarlates a deslizar sobre os degraus. Quase parecia flutuar. — Onde está o vosso lobo gigante?

— A dormir nos meus aposentos. Sua Graça não autoriza o Fantasma na sua presença. Afirma que assusta a princesa. E enquanto Borroq e o javali andarem por aí, não me atrevo a libertá-lo. — O troca-peles iria acompanhar Soren Quebrascudos para Portapedra, assim que as carroças que tinham levado o clã do Esfolafocas para Guardaverde regressassem. Até essa altura, Borroq instalara-se numa das antigas sepulturas junto do cemitério do castelo. Parecia gostar mais da companhia de homens há muito mortos do que da dos vivos, e o javali parecia feliz por fossar entre as tumbas, bem longe dos outros animais. — Aquela coisa é do tamanho de um touro, com presas longas como espadas. O Fantasma atacá-lo-ia se estivesse solto e um, ou ambos, podia não sobreviver ao encontro.

— Borroq é a menor das vossas preocupações. Aquela patrulha...

— Uma palavra vossa poderia ter feito a rainha mudar de ideias.

— Selyse tem razão a este respeito, Lorde Snow. *Eles que morram.* Não podeis salvá-los. Os vossos navios estão perdidos...

— Restam seis. Mais de metade da frota.

— Os vossos navios estão perdidos. *Todos.* Nem um só homem regressará. Vi-o nos meus fogos.

— Os vossos fogos já foram apanhados em mentiras.

— Eu cometi erros, já o admiti, mas...

— Uma rapariga cinzenta num cavalo moribundo. Punhais no escuro. Um príncipe prometido, nascido entre fumo e sal. Parece-me que nada haveis cometido *além* de erros, senhora. Onde está Stannis? E o Lorigão-de-Chocalho e as suas esposas de lanças? *Onde está a minha irmã?*

— Todas as vossas perguntas serão respondidas. Olhai para os céus, Lorde Snow. E quando obtiverdes as vossas respostas, mandai-me chamar. O inverno já quase chegou. Eu sou a vossa única esperança.

— Uma esperança de tolo. — Jon virou-se e deixou-a só.

O Couros percorria o pátio lá fora.

— Toregg regressou — relatou quando Jon saiu. — O pai instalou a sua gente em Escudorroble, e regressará esta tarde com oitenta combatentes. Que tinha a rainha barbuda a dizer?

— Sua Graça não pode fornecer ajuda.

— Demasiado ocupada a arrancar pelos do queixo, é? — O Couros escarrou. — Não interessa. Os homens de Tormund e os nossos serão suficientes.

*Suficientes para nos levar até lá, talvez.* Era a viagem de regresso que preocupava Jon Snow. Ao voltar para casa seriam abrandados por milhares de membros do povo livre, muitos dos quais doentes e esfomeados. *Um rio de humanidade, avançando mais devagar do que um rio de gelo.* Isso deixá-los-ia vulneráveis. *Coisas mortas na floresta. Coisas mortas na água.*

— Quantos homens são suficientes? — perguntou ao Couros. — Cem? Duzentos? Quinhentos? Mil? — *Deverei levar mais homens, ou menos?* Uma patrulha mais pequena chegaria mais cedo a Larduro... mas de que serviam espadas sem comida? A Mãe Toupeira e a sua gente já tinham chegado ao ponto de comer os próprios mortos. Para os alimentar teria de levar carros e carroças, e animais de tração para os puxar; cavalos, bois, cães. Em vez de voar pela floresta, seriam condenados a rastejar. — Ainda há muito a decidir. Passa palavra. Quero todos os líderes no Salão dos Escudos quando começar o turno da noite. Tormund já deverá ter regressado por essa hora. Onde posso encontrar Toregg?

— Com o monstrinho, provavelmente. Ouvi dizer que engraçou com uma das amas-de-leite.

*Engraçou com Val. A irmã era uma rainha, porque não ela?* Tormund pensara em tempos tornar-se Rei-para-lá-da-Muralha, antes de Mance o ter derrotado. Toregg, o Alto, podia perfeitamente estar a sonhar o mesmo sonho. *Antes ele do que Gerrick Sanguederrei.*

— Deixa-os estar — disse Jon. — Posso falar mais tarde com Toregg. — Olhou para cima, para trás da Torre do Rei. A Muralha estava de um branco mortiço, o céu acima dela mais branco ainda. *Um céu de neve.* — Reza para não termos outra tempestade.

À porta do armeiro, Mully e o Pulga tremiam, de guarda.

— Não devíeis estar lá dentro, fora deste vento? — perguntou Jon.

— Isso era bom, s'nhor — disse Fulk, o Pulga — mas hoje o vosso lobo não está com disposição para companhia.

Mully concordou.

— Tentou dar-me uma dentada, tentou pois.

— O *Fantasma?* — Jon estava chocado.

— A menos que vossa s'nhoria tenha outro lobo branco, sim. Nunca o vi assim, s'nhor. Todo selvagem, quero eu dizer.

Não se enganava, como Jon descobriu pessoalmente quando atravessou as portas. O grande lobo gigante branco não parava quieto. Andava de uma extremidade do armeiro à outra, passando pela velha forja, e regressava pelo mesmo caminho.

— Calma, Fantasma — chamou Jon. — Para baixo. Senta-te, Fantasma. Para *baixo.* — Mas quando fez tenção de lhe tocar, o lobo eriçou-se todo e mostrou os dentes. *É aquele maldito javali. Até aqui o Fantasma consegue cheirar o fedor que deita.*

O corvo de Mormont também parecia agitado.

— *Snow* — não parava a ave de gritar. — *Snow, snow, snow.* — Jon enxotou-a, mandou o Cetim acender a lareira, e depois mandou-o chamar Bowen Marsh e Othell Yarwyck. — Traz também um jarro de vinho com especiarias.

— Três copos, s'nhor?

— Seis. Mully e o Pulga parecem estar a precisar de qualquer coisa quente. E tu também vais precisar.

Quando o Cetim saiu, Jon sentou-se e deu outra olhadela aos mapas das terras a norte da Muralha. O caminho mais rápido para Larduro seguia ao longo da costa... a partir de Atalaialeste. A floresta era menos densa perto do mar, o terreno era principalmente composto por planuras, colinas onduladas e pântanos salgados. E quando as tempestades outonais chegavam aos uivos, a costa era mais fustigada por saraiva e chuva gelada do que por neve. *Os gigantes estão em Atalaialeste, e o Couros diz que alguns ajudarão.* A partir de Castelo Negro o caminho era mais difícil, mesmo através do coração da floresta assombrada. *Se a neve tem esta profundidade junto da Muralha, quão pior estará lá em cima?*

Marsh entrou a fungar, Yarwyck severo.

— Outra tempestade — anunciou o Primeiro Construtor. — Como vamos nós trabalhar com este tempo? Preciso de mais construtores.

— Usai o povo livre — disse Jon.

Yarwyck abanou a cabeça.

— Esses não valem os sarilhos que causam. São desleixados, descuidados, preguiçosos... há alguns bons carpinteiros aqui e ali, não vou negá-lo, mas quase não há um pedreiro entre eles, e nem sinal de ferreiros. Costas fortes, talvez, mas não fazem o que lhes dizem para fazer. E nós com todas aquelas ruínas para voltar a transformar em fortes. Não pode ser feito, senhor, estou a dizer-vos a verdade. Não pode ser feito.

— Será feito — disse Jon — caso contrário, eles viverão em ruínas. — Um lorde precisava de homens à sua volta com quem pudesse contar para lhe fornecerem conselhos honestos. Marsh e Yarwyck não eram nenhuns lambe-botas, e ainda bem... mas raramente davam alguma *ajuda.* Era cada vez mais frequente dar por si a saber o que diriam antes de lhes perguntar.

Especialmente no que tocava ao povo livre, tema em que a sua desaprovação chegava aos ossos. Quando Jon povoara Portapedra com Soren Quebrascudos, Yarwyck protestara que o castelo era demasiado isolado. Como podiam saber que travessuras andava Soren a fazer naquelas colinas? Quando atribuíra Escudorroble a Tormund Terror dos Gigantes e Portão da Rainha a Morna Máscara Branca, Marsh fizera notar que Castelo Negro teria agora inimigos de ambos os lados, os quais podiam facilmente isolá-los do resto da Muralha. E quanto a Borroq, Othell Yarwyck afirmava que os bosques a norte de Portapedra estavam cheios de javalis selvagens. Quem poderia afirmar que o troca-peles não arranjaria o seu próprio exército de porcos?

Colina de Geadalva e Portão da Geada ainda não tinham guarnições, e Jon perguntara-lhes o que achavam sobre quais dos restantes chefes e senhores da guerra selvagens eram mais adequados para os defender.

— Temos Brogg, Gavin, o Mercador, o Grande Morsa... O Howd Vadio é solitário, segundo Tormund, mas ainda há Harle, o Caçador, Harle, o Belo, o Doss Cego... Ygon Paivelho comanda um grupo de seguidores, mas a maioria são os seus próprios filhos e netos. Tem dezoito mulheres, metade delas raptadas em incursões. Quais destes...

— Nenhum — dissera Bowen Marsh. — Conheço todos esses homens pelos seus feitos. Devíamos estar a tirar-lhes as medidas para a forca, não a entregar-lhes os nossos castelos.

— Pois — concordara Othell Yarwyck. — Mau, pior e horrendo são as opções de um pedinte. Mais valia que o senhor nos apresentasse uma alcateia de lobos e nos perguntasse qual deles gostaríamos que nos rasgasse a garganta.

Voltou a ser a mesma coisa com Larduro. O Cetim serviu enquanto Jon lhes contava a audiência com a rainha. Marsh ouviu atentamente, ignorando o vinho com especiarias, enquanto Yawyck bebia um copo e depois outro. Mas assim que Jon terminou, o Senhor Intendente disse:

— Sua Graça é sensata. Eles que morram.

Jon recostou-se na cadeira.

— É esse o único conselho que tendes para dar, senhor? Tormund vai trazer oitenta homens. Quantos devemos nós enviar? Devemos chamar os gigantes? As esposas de lanças em Monte Longo? Se tivermos mulheres connosco, isso poderá pôr as pessoas da Mãe Toupeira à vontade.

— Então enviai mulheres. Enviai gigantes. Enviai bebés de peito. É isso o que o senhor deseja ouvir? — Bowen Marsh esfregou a cicatriz que conquistara na Ponte dos Crânios. — Mandai-os a todos. Quanto mais perdermos, menos bocas teremos para alimentar.

Yarwyck não foi mais prestável.

— Se os selvagens em Larduro precisam de ser salvos, que os selvagens daqui os vão salvar. Tormund conhece o caminho para Larduro. Se acreditarmos no que diz, pode salvá-los a todos pessoalmente com o seu enorme membro.

*Isto foi inútil*, pensou Jon. *Inútil, infrutífero, imprestável.*

— Obrigado pelos vossos conselhos, senhores.

O Cetim ajudou-os a vestir os mantos. Quando passaram pelo armeiro, o Fantasma farejou-os, de cauda erguida e pelo eriçado. *Os meus irmãos.* A Patrulha da Noite precisava de líderes com a sabedoria do Meistre Aemon, a instrução de Samwell Tarly, a coragem de Qhorin Meia-Mão, a obstinada força do Velho Urso, a compaixão de Donal Noye. O que tinha em vez disso era aqueles homens.

A neve caía pesadamente lá fora.

— O vento sopra do sul — observou Yarwyck. — Está a soprar a neve contra a Muralha. Vedes?

Tinha razão. Jon viu que a escada em ziguezague estava enterrada quase até ao primeiro patamar, e as portas de madeira das celas de gelo e dos armazéns tinham desaparecido sob uma muralha branca.

— Quantos homens temos nas celas de gelo? — perguntou a Bowen Marsh.

— Quatro vivos. Dois mortos.

*Os cadáveres.* Jon quase os esquecera. Esperara aprender alguma coisa com os corpos que tinham trazido do bosque de represeiros, mas os mortos tinham permanecido teimosamente mortos.

— Temos de desenterrar essas celas.

— Dez intendentes e dez pás devem dar conta do recado — disse Marsh.

— Usai também o Wun Wun.

— Às vossas ordens.

Dez intendentes e um gigante tornaram irrelevantes os montes de neve, mas mesmo depois de as portas estarem de novo a descoberto, Jon continuou insatisfeito.

— Aquelas celas estarão outra vez enterradas quando a manhã chegar. É melhor mudarmos os prisioneiros antes que asfixiem.

— O Karstark tamém, s'nhor? — perguntou Fulk, o Pulga. — Não podemos simplesmente deixar esse a tremer até à primavera?

— Bem gostaria de poder. — Cregan Karstark arranjara o hábito de uivar noite dentro, e de atirar fezes congeladas a qualquer um que fosse levar-lhe comida. Isso não o levara a formar amizades entre os guardas. — Leva-o para a Torre do Senhor Comandante. A subcave deve aguentá-lo. — Apesar de ter ruído parcialmente, a antiga habitação do Velho Urso seria mais quente do que as celas de gelo. As subcaves estavam basicamente intactas.

Cregan atirou pontapés aos guardas quando eles atravessaram a porta, contorceu-se e empurrou-os quando o agarraram, até tentou mordê-los.

Mas o frio enfraquecera-o, e os homens de Jon eram maiores, mais jovens e mais fortes. Carregaram com ele para fora, ainda a debater-se, e arrastaram-no pela neve que lhes chegava às coxas até ao seu novo lar.

— Que quer o senhor comandante que façamos com os cadáveres? — perguntou Marsh depois dos vivos terem sido mudados.

— Deixai-os lá. — Se as tempestades os sepultassem não haveria qualquer problema. A seu tempo teriam de os queimar, sem dúvida, mas por enquanto estavam presos com correntes de ferro dentro das suas celas. Isso e estarem mortos devia bastar para mantê-los inofensivos.

Tormund Terror dos Gigantes escolheu na perfeição o momento certo para a sua chegada, aparecendo a trovejar com os seus guerreiros depois de ter terminado o trabalho. Só pareciam ter aparecido cinquenta, não os oitenta que Toregg prometera ao Couros, mas não era por acaso que se chamava Alto-Falante a Tormund. O selvagem chegou corado, a gritar por um corno de cerveja e por qualquer coisa quente para comer. Trazia gelo na barba e mais gelo cobria-lhe o bigode.

Alguém já falara de Gerrick Sanguederrei e do seu novo título ao Punho de Trovão.

— Rei dos Selvagens? — rugiu Tormund. — Ha! Rei do Meu Rego Peludo cai-lhe melhor.

— Ele tem um aspeto régio — disse Jon.

— Tem um caralhinho vermelho p'ra combinar com todo aquele cabelo vermelho, é isso que ele tem. Raymund Barbavermelha e os filhos morreram no Lago Longo, graças aos teus malditos Stark e ao Gigante Bêbado. Mas o mano mais novo não. Alguma vez tiveste curiosidade de saber porque lhe chamaram Corvo que Arde? — A boca de Tormund abriu-se num sorriso desdentado. — Foi o primeiro a fugir da batalha. Depois fizeram uma canção sobre isso. O cantor teve de arranjar uma rima p'ra *cobarde*, portanto… — Limpou o nariz. — Se os cavaleiros da tua rainha querem aquelas moças dele, que lhes façam bom proveito.

— *Moças* — guinchou o corvo de Mormont. — *Moças, moças.*

Aquilo voltou a pôr Tormund à gargalhada.

— Ora ali 'tá um pássaro com juízo. Quanto queres por ele, Snow? Dei-te um filho, o mínimo que podias fazer era dar-me o sacana do pássaro.

— Eu dava — disse Jon — mas o mais certo era que acabasses por comê-lo.

Tormund também respondeu àquilo com um rugido.

— *Comer* — disse o corvo sombriamente, batendo as asas negras. — *Grão? Grão? Grão?*

— Temos de conversar sobre a patrulha — disse Jon. — Quero que estejamos de acordo no Salão dos Escudos, temos de... — Interrompeu-se quando Mully enfiou o nariz pela porta, com uma expressão sombria, para anunciar que Clydas tinha trazido uma carta.

— Diz-lhe para a deixar contigo. Leio-a mais tarde.

— Como quiserdes, s'nhor, só que... Clydas não parece ele... 'Tá mais branco que cor-de-rosa, se me faço entender... e 'tá a tremer.

— Asas escuras, palavras escuras — resmungou Tormund. — Não é isso que vós, os ajoelhadores, dizeis?

— Também dizemos *sangra um resfriado mas banqueteia uma febre* — disse-lhe Jon. — Dizemos *nunca bebas com dorneses quando a lua está cheia*. Dizemos montes de coisas.

Mully acrescentou a sua achega.

— A minha velha avó andava sempre a dizer *amigos de verão derretem como neves de verão, mas amigos de inverno são amigos para sempre*.

— Acho que chega de sabedoria por agora — disse Jon Snow. — Manda entrar Clydas, se fizeres a bondade.

Mully não se enganara; o velho intendente estava a tremer, com a cara tão pálida como a neve, lá fora.

— Estou a ser tolo, senhor comandante, mas... esta carta assusta-me. Vedes isto?

*Bastardo* era a única palavra escrita no exterior do rolo. Nada de *Lorde Snow* ou *Jon Snow* ou *Senhor Comandante*. Simplesmente *Bastardo*. E a carta estava selada com uma mancha de dura cera cor-de-rosa.

— Fizeste bem em vir logo — disse Jon. *Tiveste razão em ficar assustado*. Quebrou o selo, alisou o pergaminho, leu.

*O teu falso rei está morto, bastardo. Ele e toda a sua hoste foram esmagados em sete dias de batalha. Tenho a espada mágica dele. Diz isso à rameira vermelha.*

*Os amigos do teu falso rei estão mortos. As suas cabeças estão nas muralhas de Winterfell. Vem vê-las, bastardo. O teu falso rei mentiu, e tu também. Disseste ao mundo que queimaste o Rei-para-lá-da-Muralha. Em vez disso, mandaste-o a Winterfell para me roubar a noiva.*

*Quero a minha noiva de volta. Se queres Mance Rayder de volta, vem buscá-lo. Tenho-o preso numa gaiola para todo o norte ver, prova das tuas mentiras. A gaiola é fria, mas fiz-lhe um manto quente com as peles das seis rameiras que vieram com ele para Winterfell.*

*Quero a minha noiva de volta. Quero a rainha do falso rei. Quero a filha e a bruxa vermelha. Quero essa tal princesa selvagem. Quero o seu principezinho, o bebé selvagem. E quero o meu Cheirete. Manda-mos, bastardo, e não te causarei problemas, nem a ti nem aos teus corvos pretos. Se os mantiveres longe de mim, hei de te arrancar o coração de bastardo e de o comer.*

A carta estava assinada:

*Ramsay Bolton,*
*Legítimo Senhor de Winterfell.*

— Snow? — disse Tormund Terror dos Gigantes. — 'Tás com um ar que parece que a cabeça ensanguentada do teu pai acabou a sair a rolar desse papel.

Jon Snow não respondeu de imediato.

— Mully, ajuda Clydas a voltar para os seus aposentos. A noite é escura, e os caminhos devem estar escorregadios com neve. Cetim, vai com eles. — Entregou a carta a Tormund Terror dos Gigantes. — Toma, vê por ti mesmo.

O selvagem deitou à carta um olhar duvidoso e devolveu-a logo.

— Tem mau ar… mas Tormund Punho de Trovão tinha melhores coisas para fazer do que aprender a pôr papéis a falar com ele. Nunca têm nada de bom p'ra dizer, pois não?

— Raramente têm — admitiu Jon Snow. *Asas escuras, palavras escuras.* Talvez houvesse mais verdade nesses sábios velhos ditados do que julgara. — Foi enviada por Ramsay Snow. Eu leio-te o que ele escreveu.

Quando terminou, Tormund assobiou.

— Ha. 'Tá fodido, e não há nada que enganar. Que foi aquilo acerca de Mance? Tem-no numa gaiola, é? Como, se cem homens viram a tua bruxa vermelha queimar o homem?

*Esse foi o Lorigão de Chocalho,* quase disse Jon. *Foi feitiçaria. Ela chamou-lhe um encanto.*

— Melisandre… ela disse *olhai para os céus.* — Pousou a carta. — Um corvo numa tempestade. Ela viu a vinda disto. — *Quando obtiverdes as vossas respostas, mandai-me chamar.*

— Pode ser tudo um odre de mentiras. — Tormund coçou-se sob a barba. — Se eu tivesse uma bela pena de ganso e um pote de tinta de meistre, podia escrever que o meu membro era tão comprido e grosso como o meu braço, mas isso não o fazia crescer.

— Ele tem a Luminífera. Fala de cabeças nas muralhas de Winterfell.

Sabe das esposas de lanças e sabe quantas são. — *Sabe de Mance Rayder*. — Não. Há verdade aqui.

— Não vou dizer que te enganas. Que queres fazer, corvo?

Jon fletiu os dedos da mão da espada. *A Patrulha da Noite não participa*. Fechou o punho e voltou a abri-lo. *O que propões não é menos que traição*. Pensou em Robb, com flocos de neve a derreter no cabelo. *Mata o rapaz e deixa que o homem nasça*. Pensou em Bran a trepar a parede de uma torre, ágil como um macaco. No riso sem fôlego de Rickon. Em Sansa, a escovar a pelagem de Lady e a cantar sozinha. *Não sabes nada, Jon Snow*. Pensou em Arya, com o cabelo tão emaranhado como o ninho de uma ave. *Fiz-lhe um manto quente com as peles das seis rameiras que vieram com ele para Winterfell... Quero a minha noiva de volta... Quero a minha noiva de volta... Quero a minha noiva de volta...*

— Acho que é melhor mudarmos de planos — disse Jon Snow.

Conversaram durante quase duas horas.

O Cavalo e Rory tinham substituído Fulk e Mully à porta do armeiro com a mudança de turno.

— Comigo — disse-lhes Jon, quando o momento chegou. O Fantasma também os teria seguido, mas quando o lobo arrancou atrás deles Jon agarrou-o pelo cachaço e voltou a metê-lo à força no armeiro. Borroq podia contar-se entre os que estavam reunidos no Salão dos Escudos. A última coisa de que precisava naquele momento era que o seu lobo dilacerasse o javali do troca-peles.

O Salão dos Escudos era uma das partes mais antigas de Castelo Negro, um longo salão de banquetes cheio de correntes de ar e feito de pedra escura, com as vigas de carvalho enegrecidas pelo fumo de séculos. Quando a Patrulha da Noite fora muito maior, as suas paredes estavam decoradas com escudos de madeira vivamente coloridos. Então, como agora, quando um cavaleiro vestia o negro a tradição decretava que pusesse de lado as suas antigas armas e adotasse o escudo negro liso da irmandade. Os escudos assim postos de lado eram pendurados no Salão dos Escudos.

Centenas de cavaleiros queriam dizer centenas de escudos. Falcões e águias, dragões e grifos, sóis e veados, lobos e serpes, manticoras, touros, árvores e flores, harpas, lanças, caranguejos e lulas gigantes, leões vermelhos, leões dourados e leões axadrezados, corujas, carneiros, sereias e tritões, garanhões, estrelas, baldes e fivelas, homens esfolados e enforcados e a arder, machados, espadas, tartarugas, unicórnios, ursos, penas, aranhas, serpentes e escorpiões, e uma centena de outros símbolos heráldicos tinham adornado as paredes do Salão dos Escudos, pintados em mais cores do que qualquer arco-íris alguma vez terá sonhado.

Mas quando um cavaleiro morria, o seu escudo era despendurado, para poder ir com ele para a pira ou a sepultura e, ao longo dos anos e dos séculos, cada vez menos cavaleiros foram vestindo o negro. O dia chegara em que já não fazia sentido que os cavaleiros de Castelo Negro jantassem à parte. O Salão dos Escudos fora abandonado. Nos últimos cem anos fora usado só ocasionalmente. Como salão de jantar deixava muito a desejar; era escuro, sujo, cheio de correntes de ar e difícil de aquecer no inverno, tinha as caves infestadas de ratazanas e as enormes vigas de madeira estavam corroídas pelo caruncho e engrinaldadas de teias de aranha.

Mas era suficientemente grande e comprido para lá se sentarem duzentos homens, e vez e meia esse número se se apertassem. Quando Jon e Tormund entraram, um som percorreu o salão, como vespas a agitarem-se num ninho. Os selvagens eram cinco vezes mais que os corvos, ajuizando pelo pouco negro que via. Restava menos de uma dúzia de escudos, tristes coisas cinzentas com tinta desbotada e longas rachas na madeira. Mas archotes novos ardiam em arandelas de ferro ao longo das paredes, e Jon ordenara que fossem trazidos bancos e mesas. Homens com assentos confortáveis sentiam-se inclinados a escutar, dissera-lhe um dia o Meistre Aemon; homens em pé ficavam mais inclinados a gritar.

Ao fundo do salão erguia-se uma plataforma pouco firme. Jon subiu-a, com Tormund Terror dos Gigantes a seu lado, e ergueu as mãos pedindo silêncio. As vespas só zumbiram mais alto. Depois Tormund levou o corno de guerra aos lábios e deu um sopro. O som encheu o salão, ecoando nas vigas por cima das suas cabeças. O silêncio caiu.

— Chamei-vos para fazermos planos para o auxílio a Larduro — começou Jon Snow. — Milhares de membros do povo livre estão lá reunidos, encurralados e a passar fome, e recebemos relatos sobre coisas mortas na floresta. — À sua esquerda viu Marsh e Yarwyck. Othell estava rodeado pelos seus construtores, enquanto Bowen tinha Wick Palito, o Lew Mão Esquerda e o Alf de Lamágua a seu lado. À sua direita, Soren Quebrascudos sentava-se com os braços cruzados sobre o peito. Mais para trás, Jon viu Gavin, o Mercador, e Harle, o Belo, a conversar em murmúrios. Ygon Paivelho estava sentado entre as esposas, o Howd Vadio sozinho. Borroq estava encostado a uma parede num canto escuro. Misericordiosamente, não se via o seu javali em lado nenhum. — Os navios que enviei para trazer a Mãe Toupeira e a sua gente foram devastados por tempestades. Temos de enviar a ajuda que pudermos por terra, ou de os deixar morrer. — Jon viu que dois dos cavaleiros da Rainha Selyse também tinham vindo. Sor Narbert e Sor Benethon estavam em pé, perto da porta, ao fundo do salão. Mas o resto dos homens da rainha era conspícuo na sua ausência. — Tive a esperança de liderar pessoalmente a patrulha e de trazer tantos membros do povo livre quantos conseguissem sobreviver à viagem. — Um clarão vermelho ao fundo do salão chamou a atenção de Jon. A Senhora Melisandre chegara. — Mas descubro agora que não posso ir a Larduro. A patrulha será liderada por Tormund Terror dos Gigantes, que todos conheceis. Prometi-lhe tantos homens quantos aqueles de que precise.

— *E onde estarás tu, corvo?* — trovejou Borroq. — Aqui escondido em Castelo Negro com o teu cão branco?

— Não. Eu parto para sul. — De seguida Jon leu-lhes a carta que Ramsay Snow escrevera.

O Salão dos Escudos enlouqueceu.

Todos os homens desataram aos gritos ao mesmo tempo. Puseram-se em pé aos saltos, sacudindo punhos. *Lá se foi o poder calmante de bancos confortáveis.* Foram brandidas espadas, machados esmagaram-se contra escudos. Jon Snow olhou para Tormund. O Terror dos Gigantes voltou a fazer soar o corno, duas vezes mais alto e durante o dobro do tempo da primeira vez.

— A Patrulha da Noite não participa nas guerras dos Sete Reinos — fez-lhes lembrar Jon, quando algo de semelhante à calma regressou. — Não nos cabe a nós opormo-nos ao Bastardo de Bolton, vingar Stannis Baratheon ou defender a sua viúva ou a filha. Esta *criatura* que faz mantos com as peles de mulheres jurou arrancar-me o coração e eu pretendo fazê-lo responder por essas palavras… mas não pedirei aos meus irmãos para abjurarem dos seus votos. A Patrulha da Noite dirigir-se-á a Larduro. Eu cavalgo para Winterfell sozinho, a menos que… — Jon fez uma pausa. — … há aqui algum homem que queira vir comigo?

O rugido foi tudo o que Jon podia esperar, o tumulto tão ruidoso que dois velhos escudos caíram das paredes. Soren Quebrascudos estava em pé, o Vadio também. Toregg, o Alto, Brogg, tanto Harle, o Caçador, como Harle, o Belo, Ygon Paivelho, o Doss Cego, até o Grande Morsa. *Tenho as minhas espadas*, pensou Jon Snow, *e vamos buscar-te, Bastardo.*

Viu que Yarwyck e Marsh estavam a esgueirar-se para fora, com todos os seus homens atrás deles. Não importava. Agora não precisava deles. Não os *queria. Nenhum homem poderá dizer que obriguei os meus irmãos a quebrar os votos. Se isto é perjúrio, o crime é meu e apenas meu.* Depois sentiu Tormund a bater-lhe nas costas, todo ele sorriso desdentado de orelha a orelha.

— Bem dito, corvo. Agora traz o hidromel! Torna-os teus e embebeda-os, é assim que se faz. Ainda vamos fazer de ti um selvagem, rapaz. Ha!

— Vou mandar buscar cerveja — disse Jon, distraído. Apercebeu-se de que Melisandre se fora embora, e os cavaleiros da rainha também. *Devia ter ido ter primeiro com Selyse. Ela tem o direito de saber que o seu senhor está morto.* — Tens de me desculpar. Vou deixar contigo a tarefa de os embebedares.

— Ha! Uma tarefa para a qual sou bastante adequado. Desaparece!

O Cavalo e Rory puseram-se ao lado de Jon quando abandonou o Salão dos Escudos. *Devia falar com Melisandre depois de ir ter com a rainha,* pensou. *Se ela conseguiu ver um corvo numa tempestade, pode encontrar Ramsay Snow por mim.* Então ouviu os gritos, e um rugido tão sonoro que pareceu sacudir a Muralha.

— Aquilo veio da Torre de Hardin, s'nhor — relatou o Cavalo. Podia ter dito mais, mas o grito interrompeu-o.

*Val,* foi o primeiro pensamento de Jon. Mas aquilo não era grito de mulher. *Aquilo é um homem numa agonia mortal.* Desatou a correr. O Cavalo e Rory correram atrás dele.

— São criaturas? — perguntou Rory. Jon foi assaltado por dúvidas. Poderiam os cadáveres ter escapado às correntes que os prendiam?

Quando chegaram à Torre de Hardin os gritos tinham parado, mas Wun Weg Wun Dar Wun continuava a rugir. O gigante sacudia um cadáver ensanguentado por uma perna, tal como Arya costumava sacudir a boneca quando era pequena, brandindo-a como uma maça de armas quando era ameaçada por legumes. *Mas Arya nunca fez as bonecas em bocados.* O braço da espada do morto estava a metros de distância, com a neve, por baixo, a tornar-se vermelha.

— Larga-o — gritou Jon. — Wun Wun, *larga-o.*

Wun Wun não ouviu ou não compreendeu. O próprio gigante sangrava, com golpes de espada na barriga e no braço. Brandiu o cavaleiro morto contra a pedra cinzenta da torre, uma e outra e outra vez, até deixar a cabeça do homem vermelha e polposa como um melão estival. O manto do cavaleiro adejava no ar frio. Fora de lã branca, debruado com pano de prata e com um padrão de estrelas azuis. Sangue e ossos voavam por todo o lado.

Homens jorraram das torres e fortificações circundantes. Nortenhos, membros do povo livre, homens da rainha…

— Formai uma linha — ordenou-lhes Jon Snow. — Mantende-os afastados. Todos, mas em especial os homens da rainha. — O morto era Sor Patrek da Montanha Real; a sua cabeça estava praticamente desaparecida, mas a sua heráldica era tão identificativa como a cara. Jon não queria correr o risco de que Sor Malegorn ou Sor Brus ou qualquer outro dos cavaleiros da rainha tentasse vingá-lo.

Wun Weg Wun Dar Wun voltou a uivar e deu ao outro braço de Sor Patrek outra torção e um puxão. O braço soltou-se do ombro com um jorro de sangue vermelho vivo. *Como uma criança a arrancar pétalas a uma margarida,* pensou Jon.

— Couros, fala com ele, acalma-o. O idioma antigo, ele compreende o idioma antigo. Para trás, o resto de vós. Guardai o aço, estais a assustá-lo. — Não viam que o gigante fora golpeado? Jon tinha de pôr fim àquilo, senão mais homens morreriam. Eles não faziam ideia da força que Wun Wun possuía. *Um corno, preciso de um corno.* Viu um reluzir de aço, virou-se para ele. — *Nada de lâminas* — gritou. — Wick, guarda essa...

... faca, fora o que pretendera dizer. Quando Wick Palito lhe cortou a garganta, a palavra transformou-se num grunhido. Jon afastou-se da faca com uma torção de corpo, só o suficiente para a arma lhe roçar pela pele. *Ele golpeou-me.* Quando levou a mão à parte lateral do pescoço, sangue jorrou entre os seus dedos.

— *Porquê?*

— Pela Patrulha. — Wick voltou a tentar apunhalá-lo. Desta vez Jon agarrou-lhe no pulso e dobrou-lhe o braço para trás até que ele deixou cair o punhal. O desengonçado intendente recuou, de mãos erguidas como quem diz "eu não, não fui eu." Havia homens a gritar. Jon levou as mãos a Garra-longa, mas os dedos tinham-se-lhe tornado hirtos e desajeitados. Sem que soubesse porquê, não parecia conseguia libertar a espada da bainha.

Então Bowen Marsh apareceu ali na sua frente, com lágrimas a escorrer-lhe pela cara.

— Pela Patrulha. — Socou Jon na barriga. Quando afastou a mão, o punhal ficou onde o enterrara.

Jon caiu de joelhos. Encontrou o cabo do punhal e libertou-o. No frio ar noturno, o ferimento fumegava

— Fantasma — sussurrou. A dor submergiu-o. *Espeta-lhes a ponta afiada.* Quando o terceiro punhal o atingiu entre as omoplatas, soltou um grunhido e caiu de cara na neve. Não chegou a sentir a quarta faca. Só o frio...

O príncipe dornês levou três dias a morrer.

Deu o seu último suspiro trémulo na desolada madrugada negra, enquanto a chuva caía a silvar de um céu escuro para transformar as ruas de tijolo da cidade antiga em rios. A chuva afogara o pior dos incêndios, mas farrapos de fumo ainda se erguiam da ruína que fora a pirâmide de Hazkar, e a grande pirâmide negra de Yherizan, onde Rhaegal fizera o seu covil, erguia-se nas sombras como uma mulher gorda adornada com brilhantes joias cor de laranja.

*Os deuses talvez não estejam surdos, afinal*, refletiu Sor Barristan Selmy enquanto observava essas brasas distantes. *Se não fosse a chuva, os incêndios podiam já ter consumido Meereen inteira por esta altura.*

Não viu sinal de dragões, mas não esperava vê-lo. Os dragões não gostavam da chuva. Um fino corte vermelho marcava o horizonte oriental onde o Sol talvez aparecesse em breve. Fazia lembrar a Selmy o primeiro sangue a escorrer de um ferimento. Era frequente que, mesmo num golpe profundo, o sangue chegasse antes da dor.

Estava junto do parapeito do mais alto degrau da Grande Pirâmide, a perscrutar o céu como fazia todas as manhãs, sabendo que a aurora tinha de chegar e esperando que a sua rainha chegasse com ela. *Ela não nos abandonou, ela nunca abandonaria o seu povo*, estava a dizer a si próprio quando ouviu o estertor final do príncipe a vir dos aposentos da rainha.

Sor Barristan foi para dentro. A água da chuva escorreu pelas costas do seu manto branco, e as botas deixaram marcas húmidas nos soalhos e tapetes. Por ordens suas, Quentyn Martell fora deitado na cama da própria rainha. Parecia não ser mais que uma bondade deixá-lo morrer na cama que atravessara metade do mundo para alcançar. A cama estava arruinada — lençóis, colchas, almofadas, colchão, tudo fedia a sangue e a fumo, mas Sor Barristan achava que Daenerys o perdoaria.

Missandei estava sentada ao lado da cama. Passara noite e dia com o príncipe, satisfazendo as necessidades que ele era capaz de exprimir, dando-lhe água e leite da papoila quando ele tinha força suficiente para beber, escutando as poucas palavras torturadas que ele arquejava de vez em quando, lendo em voz alta quando ele se silenciava, dormindo na cadeira a seu lado. Sor Barristan pedira a alguns dos copeiros da rainha para ajudar, mas a visão do homem queimado era demasiado mesmo para o mais valente entre eles. E as Graças Azuis nunca tinham vindo, embora as tivesse mandado buscar por quatro vezes. Talvez a última tivesse sido já levada pela égua branca.

A minúscula escriba naatina ergueu o olhar quando se aproximou.

— Honrado sor. O príncipe já está para lá da dor. Os seus deuses dorneses levaram-no para casa. Vedes? Sorri.

*Como sabes? Ele não tem lábios.* Teria sido maior bondade se os dragões o tivessem devorado. Isso teria pelo menos sido rápido. Aquilo… *O fogo é uma forma hedionda de morrer. Pouco admira que os infernos sejam feitos de chamas.*

— Tapa-o.

Missandei puxou a colcha para cima da cara do príncipe.

— Que se fará dele, sor? Está muito longe de casa.

— Eu tratarei de que seja devolvido a Dorne. — *Mas como? Como cinzas?* Isso exigiria mais fogo, e Sor Barristan não conseguia ter estômago para tal. *Teremos de lhe limpar a carne dos ossos. Escaravelhos em vez de cozedura.* Na pátria, as irmãs silenciosas teriam tratado disso, mas aquilo era a Baía dos Escravos. A irmã silenciosa mais próxima estava a dez mil léguas de distância. — Devias ir agora dormir, pequena. Na tua cama.

— Se esta pode ter a ousadia, sor, vós devíeis fazer o mesmo. Não andais a dormir a noite inteira.

*Há muitos anos que não durmo, pequena. Não durmo desde o Tridente.* O Grande Meistre Pycelle dissera-lhe um dia que os velhos não precisavam de tanto sono como os jovens, mas era mais do que isso. Chegara àquela idade em que detestava fechar os olhos, por temer nunca voltar a abri-los. Outros homens podiam desejar morrer na cama, a dormir, mas isso não era morte para um cavaleiro da Guarda Real.

— As noites são longas demais — disse a Missandei — e há mais que muito a fazer, sempre. Aqui, bem como nos Sete Reinos. Mas tu, por agora, fizeste o suficiente, pequena. Vai descansar. — *E se os deuses forem bons, não sonharás com dragões.*

Depois de a rapariga se ir embora, o velho cavaleiro afastou a colcha para olhar uma última vez o rosto de Quentyn Martell, ou o que dele restava. Tanta da carne do príncipe caíra que se conseguia ver o crânio. Os seus olhos eram lagoas de pus. *Ele devia ter ficado em Dorne. Devia ter permanecido como sapo. Nem todos os homens estão destinados a dançar com dragões.* Quando voltou a tapar o rapaz, deu por si a interrogar-se sobre se haveria alguém para tapar a sua rainha, ou se o cadáver dela jazeria sem ser chorado entre as altas ervas do mar dothraki, fitando cegamente o céu até a carne cair de cima dos seus ossos.

— Não — disse em voz alta. — Daenerys não está morta. Ela ia montada no dragão. Eu vi-o com os meus próprios olhos. — Já dissera o mesmo cem vezes… mas cada dia que passava tornava mais difícil acreditar. *Ela tinha o cabelo em fogo. Também vi isso. Estava a arder… e, se não a vi cair, há centenas que juram ter visto.*

O dia aproximara-se da cidade. Embora ainda chovesse, uma vaga luz derramava-se pelo céu oriental. E com o sol chegou o Tolarrapada. Skahaz estava vestido com o seu trajo familiar de camisa plissada negra, grevas e placa de peito musculosa. A máscara de bronze que trazia debaixo do braço era nova; uma cabeça de lobo com a língua pendente.

— Então — disse, em jeito de saudação. — O palerma está morto, é?

— O Príncipe Quentyn morreu logo antes da primeira luz da aurora. — Selmy não estava surpreendido por Skahaz saber. As notícias viajavam rapidamente dentro da pirâmide. — O conselho está reunido?

— Aguardam a presença do Mão lá em baixo.

Uma parte de si desejou gritar: *eu não sou Mão nenhuma. Sou só um simples cavaleiro, o protetor da rainha. Nunca desejei isto.* Mas com a rainha desaparecida e o rei a ferros, alguém tinha de governar, e Sor Barristan não confiava no Tolarrapada.

— Houve alguma notícia da Graça Verde?

— Ainda não regressou à cidade. — Skahaz opusera-se ao envio da sacerdotisa. Nem a própria Galazza Galare acolhera a tarefa com entusiasmo. Iria, concedera, a bem da paz, mas Hizdahr zo Loraq era mais adequado para negociar com os Sábios Mestres. Porém, Sor Barristan não cedia facilmente, e por fim a Graça Verde inclinara a cabeça e jurara fazer o melhor que pudesse.

— Como está a cidade? — perguntou agora Selmy ao Tolarrapada.

— Todas as portas estão fechadas e trancadas, conforme ordenastes. Andamos à caça de quaisquer mercenários ou yunkaitas que restem dentro da cidade, e expulsamos ou prendemos os que apanhamos. A maioria parece ter-se enfiado na toca. Dentro das pirâmides, sem qualquer dúvida. Os Imaculados guarnecem as muralhas e as torres, prontos para qualquer assalto. Há duzentos bem-nascidos reunidos na praça, à chuva, metidos nos seus *tokars* e a uivar por audiência. Querem Hizdahr livre e eu morto, e querem que mateis aqueles dragões. Alguém lhes disse que os cavaleiros eram bons nisso. Os homens continuam a tirar cadáveres da pirâmide de Hazkar. Os Grandes Mestres de Yherizan e Uhlez abandonaram as suas pirâmides aos dragões.

Sor Barristan já sabia tudo aquilo.

— E a contagem do carniceiro? — perguntou, temendo a resposta.

— Vinte e nove.

— *Vinte e nove?* — Aquilo era muito pior do que imaginara. Os Filhos da Harpia tinham reatado a sua guerra de sombras dois dias antes. Três assassínios na primeira noite, nove na segunda. Mas ir de nove a vinte e nove numa única noite…

— A contagem passará de trinta antes do meio-dia. Porque estais tão cinzento, velho? Que esperáveis? A Harpia quer Hizdahr libertado, portanto voltou a enviar os seus filhos para as ruas com facas nas mãos. Todos os mortos são libertos e tolarrapadas, como dantes. Um era dos meus, um Fera de Bronze. O sinal da harpia foi deixado ao lado dos corpos, desenhado a giz no pavimento ou arranhado numa parede. Também houve mensagens. *"Os dragões têm de morrer,"* escreveram, e *"Harghaz, o Herói."* Também se viu *"Morte a Daenerys,"* antes de a chuva levar as palavras.

— O imposto de sangue…

— Vinte e nove mil peças de ouro de cada pirâmide, pois — resmungou Skahaz. — Será cobrado… mas a perda de algumas moedas nunca parará a mão da Harpia. Só o sangue consegue fazer isso.

— É o que dizeis. — *Outra vez os reféns. Ele matá-los-ia a todos se eu deixasse.* — Ouvi-vos das primeiras cem vezes. Não.

— Mão da Rainha — resmungou Skahaz, descontente. — Mão de uma velha, estou eu cá a pensar, enrugada e débil. Rezo para que Daenerys regresse em breve para junto de nós. — Pôs na cara a máscara brônzea de lobo. — O vosso conselho deve estar a ficar irrequieto.

— Eles são o conselho da rainha, não o meu. — Selmy trocou o manto húmido por um seco e afivelou o cinturão da espada, após o que acompanhou o Tolarrapada pelas escadas abaixo.

O salão das colunas estava vazio de peticionários naquela manhã. Embora tivesse assumido o título de Mão, Sor Barristan não queria ter a ousadia de conceder audiências na ausência da rainha nem permitiria que Skahaz mo Kandaz o fizesse. Os grotescos tronos em forma de dragão de Hizdahr tinham sido removidos por ordens suas, mas ele não trouxera de volta o simples banco com almofadas que a rainha preferira. Em vez disso, uma grande mesa redonda fora instalada no centro do salão, com cadeiras de espaldar alto a toda a volta, nas quais os homens se pudessem sentar e conversar como iguais.

Levantaram-se quando Sor Barristan desceu os degraus de mármore, com Skahaz Tolarrapada a seu lado. Marselen dos Homens da Mãe estava presente, com Symon Dorsolistado, comandante dos Irmãos Livres. Os Escudos Vigorosos tinham escolhido um novo comandante, um ilhéu do verão de pele negra chamado Tal Toraq, visto que o seu antigo capitão, Mollono Yos Dob, fora levado pela égua branca. Verme Cinzento estava lá em representação dos Imaculados, acompanhado por três sargentos eunucos com capacetes de bronze providos de espigões. Os Corvos Tormentosos eram representados por dois mercenários experientes, um arqueiro chamado Jokin e o amargo machadeiro cheio de cicatrizes que era simplesmente conhecido como Enviuvador. Os dois tinham assumido o comando conjunto da companhia na ausência de Daario Naharis. A maior parte do *khalasar* da rainha fora, com Aggo e Rakharo, procurá-la no mar dothraki, mas o estrábico *jaqqa rhan* Rommo, das pernas arqueadas, encontrava-se presente para falar pelos cavaleiros que haviam permanecido na cidade.

E do outro lado da mesa, em frente de Sor Barristan, sentavam-se quatro dos antigos guardas do Rei Hizdahr, os lutadores de arena Goghor, o Gigante, Belaquo Quebra-Ossos, Camarron da Contagem, e o Gato Malhado. Selmy insistira na sua presença, contra as objeções de Skahaz Tolarrapada. Em tempos tinham ajudado Daenerys Targaryen a tomar aquela cidade, e isso não devia ser esquecido. Podiam ser brutamontes e assassinos ensopados em sangue, mas à sua maneira tinham sido leais... ao Rei Hizdahr, sim, mas também à rainha.

O último a chegar, Belwas, o Forte, entrou pesadamente no salão.

O eunuco olhara a morte na cara, tão de perto que podia tê-la beijado nos lábios. Isso marcara-o. Parecia ter perdido quinze quilos, e a pele castanha escura que em tempos estivera bem esticada sobre a massa do peito e da barriga, cruzada por uma centena de cicatrizes desvanecidas, agora estava pendurada em dobras soltas, pendente e trémula, como um roupão cortado três medidas acima. Os seus passos também tinham abrandado, e pareciam algo incertos.

Mesmo assim, vê-lo alegrou o coração do velho cavaleiro. Atravessara um dia o mundo com Belwas, o Forte, e sabia que podia contar com ele se tudo aquilo acabasse à espadeirada.

— Belwas. Estamos contentes por te poderes juntar a nós.

— Barba-Branca. — Belwas sorriu. — Onde estão o fígado e as cebolas? Belwas, o Forte, não está tão forte como dantes, tem de comer, voltar a tornar-se grande. Puseram Belwas, o Forte, doente. Alguém tem de morrer.

*Alguém morrerá. Muitos alguéns, provavelmente.*

— Senta-te, amigo. — Quando Belwas se sentou e cruzou os braços, Sor Barristan prosseguiu. — Quentyn Martell morreu esta manhã, logo antes da alvorada.

O Enviuvador riu-se.

— O cavaleiro de dragões.

— Palerma é como eu lhe chamo — disse Symon Dorsolistado.

*Não, era só um rapaz.* Sor Barristan não esquecera as loucuras da sua juventude.

— Não faleis mal dos mortos. O príncipe pagou um preço horrível pelo que fez.

— E os outros dorneses? — perguntou Tal Taraq.

— Prisioneiros, por enquanto. — Nenhum dos dorneses tinha oferecido qualquer resistência. Archibald Yronwood embalava o corpo carbonizado e fumegante quando os Feras de Bronze o encontraram, como as mãos queimadas podiam testemunhar. Usara-as para apagar as chamas que tinham rodeado Quentyn Martell. Gerris Drinkwater estava em pé por cima deles, de espada na mão, mas deixara cair a arma no momento em que os gafanhotos apareceram. — Partilham uma cela.

— Eles que partilhem um cadafalso — disse Symon Dorsolistado. — Deixaram dois dragões à solta na cidade.

— Abri as arenas e dai-lhes espadas — sugeriu o Gato Malhado. — Matá-los-ei a ambos enquanto Meereen grita o meu nome.

— As arenas de combate permanecerão fechadas — disse Selmy. — Sangue e barulho só servirão para chamar os dragões.

— Todos os três, talvez — sugeriu Marselen. — A fera negra apareceu uma vez, porque não virá segunda? Desta vez com a nossa rainha.

*Ou sem ela.* Se Drogon regressasse a Meereen sem Daenerys montada no dorso, a cidade irromperia em sangue e chamas, sobre isso Sor Barristan não tinha a mínima dúvida. Aqueles mesmos homens que agora estavam sentados à sua mesa depressa andariam à punhalada uns com os outros. Ela podia ser uma rapariguinha, mas Daenerys Targaryen era a única coisa que os mantinha todos juntos.

— Sua Graça regressará quando regressar — disse Sor Barristan. — Levámos mil ovelhas para a Arena de Daznak, enchemos a Arena de Ghrazz com vitelos, e a Arena Dourada com os animais que Hizdahr zo Loraq tinha reunido para os seus jogos. — Até àquele momento ambos os dragões pareciam ter gosto por carneiro, regressando à Arena de Daznak sempre que tinham fome. Se algum andava a caçar homens, dentro ou fora da cidade, a notícia ainda não chegara aos ouvidos de Sor Barristan. Os únicos meereeneses que os dragões tinham matado depois de Harghaz, o Herói, tinham sido os esclavagistas suficientemente insensatos para levantar objeções quando Rhaegal tentara fazer o seu covil no topo da Pirâmide de Hazkar. — Temos assuntos mais urgentes a discutir. Enviei a Graça Verde aos yunkaitas para fazer preparativos para a libertação dos nossos reféns. Espero-a de volta até ao meio-dia com a resposta.

— Com palavras — disse o Enviuvador. — Os Corvos Tormentosos conhecem os yunkaitas. As línguas deles são vermes que contorcem de um lado para o outro. A Graça Verde vai voltar com palavras de vermes, não com o capitão.

— Se aprouver à Mão da Rainha recordar, os Sábios Mestres também têm o nosso Herói em seu poder — disse o Verme Cinzento. — E também o senhor dos cavalos Jhogo, companheiro de sangue da própria rainha.

— Sangue do seu sangue — concordou o dothraki, Rommo. — Ele tem de ser libertado. A honra do *khalasar* exige-o.

— Ele será libertado — disse Sor Barristan — mas primeiro temos de esperar para ver se a Graça Verde consegue…

Skahaz Tolarrapada deu um murro na mesa.

— A Graça Verde não vai conseguir *nada*. Ela pode estar a conspirar com os yunkaitas neste mesmo momento. *Preparativos*, dissestes vós? *Fazer preparativos?* Que tipo de *preparativos?*

— Resgate — disse Sor Barristan. — O peso de cada homem em ouro.

— Os Sábios Mestres não precisam do nosso ouro, sor — disse Marselen. — São mais ricos do que os vossos senhores de Westeros, todos eles.

— Mas os seus mercenários quererão o ouro na mesma. Que são os reféns para eles? Se os yunkaitas recusarem, isso interporá uma lâmina entre eles e os que contrataram. — *Pelo menos espero que sim.* Fora Missandei que lhe sugerira o estratagema. Ele próprio nunca teria pensado em tal coisa. Em Porto Real, os subornos tinham sido o domínio do Mindinho, enquanto o Lorde Varys tinha a tarefa de fomentar a divisão entre os inimigos da coroa. Os deveres de Selmy tinham sido mais diretos. *Onze anos de idade, e no entanto Missandei é tão esperta como metade dos homens nesta mesa e mais sensata do que todos eles.* — Dei instruções à Graça Verde para só apresentar a oferta quando todos os comandantes yunkaitas se tivessem reunido para a ouvir.

— Mesmo assim recusarão — insistiu Symon Dorsolistado. — Dirão que querem os dragões mortos e o rei restaurado.

— Rezo para que vos enganeis. — *E temo que tenhas razão.*

— Os vossos deuses estão longe, Sor Avô — disse o Enviuvador. — Não me parece que escutem as vossas preces. E quando os yunkaitas mandarem a velha de volta para vos cuspir no olho, fareis o quê?

— Fogo e sangue — disse Barristan Selmy, suavemente, tão suavemente.

Durante um longo momento ninguém falou. Depois Belwas, o Forte, deu uma palmada na barriga e disse:

— É melhor que fígado e cebolas — e Skahaz Tolarrapada fitou-o através dos olhos da sua máscara em forma de lobo e disse:

— Quebraríeis a paz do Rei Hizdahr, velho?

— Estilhaçá-la-ia. — Um dia, há muito tempo, um príncipe chamara-lhe Barristan, o Ousado. Uma parte desse rapaz ainda existia dentro dele.

— Fizemos um farol no topo da pirâmide, onde a harpia estava dantes. Lenha seca, ensopada em óleo, tapada para manter a chuva afastada. Se a hora chegar, e eu rezo para que não chegue, acenderemos esse farol. As chamas serão o sinal para jorrar portas fora e atacar. Cada um de vós terá um papel a desempenhar, portanto cada um de vós deverá estar de prontidão, de dia e de noite. Destruiremos os nossos inimigos ou seremos nós próprios destruídos. — Ergueu uma mão para fazer um sinal aos escudeiros, que aguardavam. — Mandei preparar alguns mapas para mostrar a disposição dos nossos inimigos, os seus acampamentos, linhas de cerco e trabucos. Se conseguirmos quebrar os esclavagistas, os mercenários abandoná-los-ão. Sei que tendes preocupações e perguntas a fazer. Dai-lhes voz aqui. Quando abandonarmos esta mesa, todos nós devemos ter uma única opinião, um único propósito.

— Então é melhor mandardes buscar comida e bebida — sugeriu Symon Dorsolistado. — Isto vai demorar algum tempo.

Demorou o resto da manhã e a maior parte da tarde. Os capitães e comandantes discutiram sobre os mapas como peixeiras sobre um balde de caranguejos. Pontos fracos e pontos fortes, como melhor empregar a pequena companhia de arqueiros de que dispunham, se os elefantes deviam ser usados para quebrar as linhas yunkaitas ou mantidos de reserva, quem devia ter a honra de liderar o primeiro ataque, se era melhor colocar a cavalaria nos flancos ou na vanguarda.

Sor Barristan deixou cada homem dar a sua opinião. Tal Toraq achava que deviam marchar sobre Yunkai, depois de terem quebrado as suas linhas; a Cidade Amarela estaria quase sem defesas, e os yunkaitas não teriam alternativa a levantar o cerco e a segui-los. O Gato Malhado propôs desafiar o inimigo a enviar um campeão para o enfrentar em combate singular. Belwas, o Forte, gostou dessa ideia, mas insistiu que devia ser ele a lutar, não o Gato. Camarron da Contagem avançou com um plano para capturar os navios amarrados ao longo da margem do rio, e usar o Skahazadhan para levar trezentos lutadores de arena até à retaguarda dos yunkaitas. Todos os presentes concordavam que os Imaculados eram os melhores soldados de que dispunham, mas ninguém concordava sobre como seria melhor pô-los em campo. O Enviuvador queria usar os eunucos como um punho de ferro para trespassar o coração das defesas yunkaitas. Marselen achava que seriam melhor colocados numa das pontas da linha de batalha principal, onde podiam repelir qualquer tentativa do inimigo de os flanquear. Symon Dorsolistado queria-os separados em três e divididos pelas três companhias de libertos. Os seus Irmãos Livres eram valentes e estavam ansiosos pelo combate, segundo afirmava, mas sem os Imaculados para os enrijecer temia que os soldados inexperientes talvez não tivessem a disciplina necessária para enfrentarem sozinhos mercenários experientes em batalha.

O Verme Cinzento limitou-se a dizer que os Imaculados obedeceriam, fosse o que fosse que lhes pedissem.

E depois de tudo aquilo ter sido discutido, debatido e decidido, Symon Dorsolistado levantou uma última questão.

— Enquanto escravo em Yunkai, ajudei o meu amo a negociar com as companhias livres e tratei do pagamento dos seus salários. Conheço os mercenários e sei que os yunkaitas não lhes podem pagar nem por sombras o suficiente para enfrentarem fogo de dragão. Portanto pergunto-vos… se a paz falhar e esta batalha tiver início, os dragões virão? Juntar-se-ão à luta?

*Virão*, podia Sor Barristan ter dito. *O barulho atrai-los-á, os gritos e guinchos, o cheiro do sangue. Isso irá atrai-los ao campo de batalha, como o rugido da Arena de Daznak atraiu Drogon às areias escarlates. Mas quando vierem, distinguirão um lado do outro?* Por algum motivo, não lhe parecia. Portanto disse apenas:

— Os dragões farão o que os dragões fizerem. Se vierem, pode ser que baste a sombra das suas asas para desencorajar os esclavagistas e os pôr em debandada. — Depois agradeceu-lhes e mandou-os todos embora.

O Verme Cinzento deixou-se ficar para trás depois de os outros saírem.

— Estes estarão prontos quando o fogo no farol for acendido. Mas a Mão terá certamente de saber que, quando atacarmos, os yunkaitas matarão os reféns.

— Farei tudo o que puder para evitar isso, meu amigo. Tenho uma… ideia. Mas peço que me desculpeis. Já está mais que na altura dos dorneses saberem que o seu príncipe está morto.

O Verme Cinzento inclinou a cabeça.

— Este obedece.

Sor Barristan levou consigo dois dos seus recém-armados cavaleiros até às masmorras. Sabia-se de casos em que a dor e os sentimentos de culpa tinham levado bons homens à loucura, e tanto Archibald Yronwood como Gerris Drinkwater tinham desempenhado papéis no falecimento do amigo. Mas quando chegaram à cela disse a Tum e ao Ovelha Vermelha para esperarem no exterior, enquanto ele entrava para dizer aos dorneses que a agonia do príncipe terminara.

Sor Archibald, o grande e careca, não teve nada para dizer. Manteve-se sentado na borda da cama, fitando as mãos cobertas de ligaduras de linho. Sor Gerris esmurrou uma parede.

— Eu disse-lhe que era uma loucura. Supliquei-lhe para irmos para casa. A cadela da vossa rainha não queria nada com ele, qualquer homem o via. Atravessou o mundo para lhe oferecer o seu amor e lealdade, e ela riu-se-lhe na cara.

— Ela nunca riu — disse Selmy. — Se a conhecêsseis, saberíeis disso.

— Desprezou-o. Ele ofereceu-lhe o coração, e ela atirou-lho de volta e afastou-se para ir foder o seu mercenário.

— É melhor terdes tento nessa língua, sor. — Sor Barristan não gostava daquele Gerris Drinkwater e não permitiria que ele aviltasse Daenerys.

— A morte do Príncipe Quentyn foi obra dele próprio, e vossa.

— *Nossa*? De que temos nós culpa, sor? Quentyn era nosso amigo, sim. Podeis chamar-lhe um pouco tolo, mas todos os sonhadores são tolos. Mas antes de tudo o mais era nosso príncipe. Devíamos-lhe obediência.

Barristan Selmy não podia contestar a verdade que naquilo havia. Passara a maior parte da vida a obedecer às ordens de bêbados e de loucos.

— Ele chegou tarde demais.

— Ele ofereceu-lhe o coração — voltou a dizer Sor Gerris.

— Ela precisava de espadas, não de corações.

— Ter-lhe-ia dado também as lanças de Dorne.

— Oxalá tivesse dado. — Ninguém desejara mais que Daenerys olhasse favoravelmente o príncipe dornês do que Barristan Selmy. — Mas chegou tarde demais, e esta loucura... contratar mercenários, libertar dois dragões na cidade... isto foi loucura, e pior que loucura. Foi traição.

— O que ele fez foi feito por amor pela Rainha Daenerys — insistiu Gerris Drinkwater. — Para se mostrar merecedor da sua mão.

O velho cavaleiro ouvira o suficiente.

— O que o Príncipe Quentyn fez foi feito por Dorne. Tomais-me por algum avô senil? Passei a vida em volta de reis, rainhas e príncipes. Lançassolar pretende pegar em armas contra o Trono de Ferro. Não, não vos incomodeis a negá-lo. Doran Martell não é homem para chamar os lanceiros sem ter esperança de vitória. O dever trouxe cá o Príncipe Quentyn. O dever, a honra, a sede de glória... o amor nunca. Quentyn estava cá pelos dragões, não por Daenerys.

— Não o conhecíeis, sor. Ele...

— Ele está morto, Drinque. — Yronwood pôs-se em pé. — Palavras não o chamarão de volta. Cletus e Will também estão mortos. Portanto cala a merda dessa boca antes que eu enfie nela o meu punho. — O grande cavaleiro virou-se para Selmy. — Que tencionais fazer connosco?

— Skahaz Tolarrapada quer ver-vos enforcados. Matastes quatro dos seus homens. Quatro dos homens da *rainha*. Dois eram libertos que seguiam Sua Graça desde Astapor.

Yronwood não pareceu surpreendido.

— Os homens-animais, pois. Só matei um, o da cabeça de basilisco. Os mercenários acabaram com os outros. Mas não interessa, eu sei.

— Estávamos a proteger Quentyn — disse Drinkwater. — Nós...

— Está *calado*, Drinque. Ele sabe. — A Sor Barristan, o grande cavaleiro disse: — Não havia necessidade de vir conversar se tencionásseis enforcar-nos. Portanto não é isso, pois não?

— Não. — *Este pode não ser tão lento de raciocínio como parece.* — Vós podeis ser-me mais úteis vivos do que mortos. Se me servirdes, arranjar-vos-ei depois um navio que vos leve de volta para Dorne, e dar-vos-ei os ossos do Príncipe Quentyn para os devolverdes ao senhor seu pai.

Sor Archibald fez uma careta.

— Porque é que são sempre navios? Mas alguém tem de levar o Quent para casa. O que nos pedis, sor?

— As vossas espadas.

— Tendes milhares de espadas.

— Os libertos da rainha ainda não tiveram o batismo de sangue. Nos mercenários não confio. Imaculados são soldados valentes... mas não são guerreiros. Não são *cavaleiros*. — Fez uma pausa. — O que aconteceu quando tentastes capturar os dragões? Contai-me.

Os dorneses trocaram um olhar. Depois, Drinkwater disse:

— Quentyn disse ao Príncipe Esfarrapado que podia controlá-los. Disse que lhe estava no sangue. Ele tinha sangue Targaryen.

— Sangue do Dragão.

— Sim. Os mercenários deviam ajudar-nos a acorrentar os dragões, para podermos levá-los até às docas.

— O Farrapos arranjou um navio — disse Yronwood. — Um grande, para o caso de conseguirmos os dois dragões. E Quent ia montar um. — Olhou para as mãos cobertas de ligaduras. — Mas no momento em que entrámos, viu-se logo que nada daquilo ia resultar. Os dragões eram demasiado selvagens. As correntes... havia bocados de corrente partida por todo o lado, correntes grandes, elos do tamanho de uma cabeça misturados com todos aqueles ossos rachados e estilhaçados. E Quent, que os Sete o salvem, ele parecia a ponto de cagar a roupa de baixo. Caggo e Meris não eram cegos, também viram isso. Depois, um dos besteiros disparou. Talvez tivessem querido matar os dragões desde o início, e só estivessem a usar-nos para chegar a eles. Com o Farrapos nunca se sabe. Seja como for, não foi inteligente. O dardo limitou-se a irritar os dragões, e eles já não estavam lá muito bem dispostos para começar. Depois... depois as coisas ficaram más.

— E os Aventados desapareceram num sopro — disse Sor Gerris. — O Quent estava a gritar, coberto de chamas, e eles tinham desaparecido. Caggo, a Linda Meris, todos menos o morto.

— Ah, que esperavas tu, Drinque? Um gato mata um rato, um porco chafurda em merda, e um mercenário foge quando é mais necessário. Não se pode culpá-los. É só a natureza do animal.

— Ele não se engana — disse Sor Barristan. — Que prometeu o Príncipe Quentyn ao Príncipe Esfarrapado em troca de toda esta ajuda?

Não obteve resposta. Sor Gerris olhou para Sor Archibald. Sor Archibald olhou para as mãos, para o chão, para a porta.

— Pentos — disse Sor Barristan. — Prometeu-lhe Pentos. Dizei-o. Agora nenhuma palavra vossa pode ajudar ou prejudicar o Príncipe Quentyn.

— Sim — disse Sor Archibald, com ar infeliz. — Foi Pentos. Fizeram sinais num papel, os dois.

*Há aqui uma oportunidade.*

— Ainda temos Aventados nas masmorras. Aqueles falsos desertores.

— Eu lembro-me — disse Yronwood. — Hungerford, Straw, esse grupo. Alguns não eram maus de todo, para mercenários. Outros, bem, talvez aguentassem morrer um pouco. Que há com eles?

— Pretendo mandá-los de volta ao Príncipe Esfarrapado. E vós com eles. Sereis dois entre milhares. A vossa presença nos acampamentos yunkaitas deve passar despercebida. Quero que entregueis uma mensagem ao Príncipe Esfarrapado. Dizei-lhe que vos enviei, que falo com a voz da rainha. Dizei-lhe que pagaremos o preço dele, se nos entregar os reféns, incólumes e inteiros.

Sor Archibald fez uma careta.

— É mais provável que o Trapos e Farrapos nos entregue à Linda Meris. Ele não o fará.

— Porque não? A tarefa é bastante simples. — *Comparada com roubar dragões.* — Uma vez trouxe o pai da rainha de Valdocaso.

— Isso foi em Westeros — disse Gerris Drinkwater.

— E isto é em Meereen.

— O Arch nem sequer pode segurar numa espada com aquelas mãos.

— Não deve precisar disso. Tereis convosco os mercenários, a menos que me engane quanto ao homem.

Gerris Drinkwater empurrou para trás a cabeleira manchada pelo sol.

— Podemos ter algum tempo para discutir isto entre nós?

— Não — disse Selmy.

— Eu faço-o — ofereceu Sor Archibald — desde que não haja nenhum maldito barco envolvido na coisa. O Drinque também o fará. — Fez um sorriso. — Ele ainda não sabe, mas fará.

E ficou feito.

*A parte simples, pelo menos,* pensou Barristan Selmy enquanto fazia a longa ascensão até ao topo da pirâmide. Deixara a parte difícil em mãos dornesas. O avô teria ficado estarrecido. Os dorneses eram cavaleiros, pelo menos em nome, embora lhe parecesse que só Yronwood possuía o verdadeiro aço. Drinkwater tinha uma cara bonita, uma língua prolixa e uma bela cabeleira.

Quando o velho cavaleiro regressou aos aposentos da rainha no topo da pirâmide, o cadáver do Príncipe Quentyn fora levado. Seis dos jovens copeiros estavam entregues a um jogo infantil quando entrou, sentados num círculo no chão enquanto faziam girar um punhal, um de cada vez. Quando a arma parava a oscilar, cortavam uma madeixa de cabelo daquele para quem a lâmina apontasse. Sor Barristan jogara um jogo semelhante com os primos quando fora rapaz em Solar de Colheitas… se bem que em Westeros, segundo recordava, também houvesse beijos envolvidos na brincadeira.

— Bhakaz — chamou. — Uma taça de vinho, se tiveres a bondade. Grazhar, Azzak, a porta é vossa. Estou à espera da Graça Verde. Manda-a entrar imediatamente quando chegar. Caso contrário, não desejo ser incomodado.

Azzak pôs-se rapidamente em pé.

— Às vossas ordens, Senhor Mão.

Sor Barristan saiu para o terraço. A chuva parara, embora uma muralha de nuvens cinzentas como ardósia escondesse o Sol poente que ia descendo para a Baía dos Escravos. Alguns farrapos de fumo ainda se erguiam das pedras enegrecidas de Hazdar, retorcidos pelo vento como fitas. Longe, para leste, para lá das muralhas da cidade, viu asas claras em movimento por cima de uma fileira distante de colinas. *Viserion*. À caça, talvez, ou a voar só por voar. Perguntou a si próprio onde estaria Rhaegal. Até àquele momento, o dragão verde mostrara-se mais perigoso do que o branco.

Quando Bhakaz lhe trouxe o vinho, o velho cavaleiro bebeu um longo trago e mandou o rapaz buscar água. Alguns copos de vinho podiam ser precisamente a coisa certa para o ajudar a dormir, mas precisaria da cabeça em condições quando Galazza Galare regressasse de negociar com o inimigo. Portanto bebeu o vinho bem aguado, enquanto o mundo escurecia à sua volta. Estava muito cansado e cheio de dúvidas. Os dorneses, Hizdahr, Reznak, o ataque… estaria a fazer as coisas certas? Estaria a fazer o que Daenerys teria desejado? *Não fui feito para isto*. Outros membros da Guarda Real tinham servido como Mãos antes dele. Não muitos, mas alguns. Lera sobre eles no Livro Branco. Agora dava por si a interrogar-se sobre se se teriam sentido tão perdidos e confusos como ele.

— Senhor Mão. — Grazhar estava à porta, com uma vela estreita na mão. — A Graça Verde chegou. Pedistes para serdes informado.

— Manda-a entrar. E acende algumas velas.

Galazza Galare vinha acompanhada por quatro Graças Rosa. Uma aura de sabedoria e dignidade que Sor Barristan não conseguia evitar admirar parecia rodeá-la. *Esta mulher é forte, e tem sido uma amiga fiel de Daenerys.*

— Senhor Mão — disse, com a cara oculta por trás de reluzentes véus verdes. — Posso sentar-me? Estes ossos estão velhos e cansados.

— Grazhar, uma cadeira para a Graça Verde. — As Graças Rosa dispuseram-se atrás dela, com olhos baixos e de mãos dadas entre si. — Posso oferecer-vos algo que vos refresque? — perguntou Sor Barristan.

— Isso seria muito bem-vindo, Sor Barristan. Tenho a garganta seca de falar. Um sumo, talvez?

— Como quiserdes. — Chamou Kezmya com um gesto, e mandou-a buscar um cálice de sumo de limão adoçado com mel para a sacerdotisa. Para o beber, a sacerdotisa teve de tirar o véu, e Selmy foi recordado da idade que ela tinha. *É vinte anos mais velha do que eu, ou mais.* — Sei que se a rainha aqui estivesse se juntaria a mim agradecendo-vos por tudo o que fizestes por nós.

— Sua Magnificência sempre foi muito amável. — Galazza Galare acabou a bebida e voltou a prender o véu. — Houve alguma notícia nova sobre a nossa querida rainha?

— Por enquanto não.

— Rezarei por ela. E o Rei Hizdahr, se me perdoais a ousadia? Posso ser autorizada a visitar Sua Radiância?

— Em breve, espero. Ele está ileso, garanto.

— Agrada-me ouvir isso. Os Sábios Mestres de Yunkai perguntaram por ele. Não ficareis surpreendido por ouvir dizer que desejam que o nobre Hizdahr seja imediatamente restaurado ao lugar que legitimamente lhe pertence.

— Será, se puder provar-se que não tentou matar a nossa rainha. Até essa altura, Meereen será governada por um conselho dos leais e dos justos. Há um lugar para vós nesse conselho. Sei que tendes muito a ensinar-nos a todos, Benevolência. Precisamos da vossa sabedoria.

— Temo que me lisonjeeis com cortesias vazias, Senhor Mão — disse a Graça Verde. — Se realmente me julgais sábia, dai-me agora ouvidos. Libertai o nobre Hizdahr e devolvei-lhe o trono.

— Só a rainha pode fazer isso.

Sob os véus, a Graça Verde suspirou.

— A paz que trabalhámos tão duramente para forjar ondula como uma folha sob um vento outonal. Os dias que correm são terríveis. A morte percorre as nossas ruas, cavalgando a égua branca da três vezes maldita Astapor. Dragões assombram os céus, banqueteando-se com a carne de crianças. Há gente a embarcar às centenas, zarpando para Yunkai, para Tolos, para Qarth, para qualquer refúgio que os queira acolher. A pirâmide de

Hazkar ruiu numa ruína fumegante, e muitos dos membros dessa antiga linhagem jazem mortos sob as pedras enegrecidas. As pirâmides de Uhlez e Yherizan transformaram-se em covis de monstros, e os seus donos em pedintes sem teto. O meu povo perdeu toda a esperança e virou-se contra os próprios deuses, entregando as noites à bebedeira e à fornicação.

— E ao assassínio. Os Filhos da Harpia mataram trinta homens durante a noite.

— Dói-me ouvir isso. Mais uma razão para libertar o nobre Hizdahr zo Loraq, que já por uma vez pôs fim a esses assassínios.

*E como foi que conseguiu fazer isso, se não for ele próprio a Harpia?*

— Sua Graça deu a mão em casamento a Hizdahr zo Loraq, transformou-o no seu rei e consorte, voltou a permitir a arte mortal como ele lhe implorou. Em troca, ele deu-lhe gafanhotos envenenados.

— Em troca, ele deu-lhe a paz. Não a deiteis fora, sor, suplico-vos. A paz é a pérola sem preço. Hizdahr pertence aos Loraq. Nunca sujaria as mãos com veneno. Está inocente.

— Como podeis ter a certeza? — *A menos que conheças o envenenador.*

— Os deuses de Ghis disseram-mo.

— Os meus deuses são os Sete, e os Sete mantiveram-se em silêncio sobre este assunto. Sabedoria, fizestes a minha oferta?

— A todos os senhores e capitães de Yunkai, como me ordenastes… mas temo que não gosteis da resposta deles.

— Recusaram?

— Recusaram. Foi-me dito que nenhuma quantidade de ouro pagará a devolução da vossa gente. Só o sangue de dragões pode voltar a libertá-los.

Era a resposta que Sor Barristan esperara, ainda que não fosse aquela que tivera a esperança de ouvir. A boca apertou-se-lhe.

— Sei que não são estas as palavras que desejáveis ouvir — disse Galazza Galare. — Mas, pessoalmente, eu compreendo. Aqueles dragões são feras cruéis. Yunkai teme-os… e com bons motivos, não podeis negá-lo. As nossas histórias falam dos senhores dos dragões da temida Valíria, e da devastação que levaram aos povos da Velha Ghis. Mesmo a vossa jovem rainha, a bela Daenerys que chamava a si própria Mãe de Dragões… vimo-la a arder, naquele dia na arena… nem mesmo ela estava a salvo da ira do dragão.

— Sua graça não está… ela…

— … está morta. Que os deuses lhe concedam um sono calmo. — Lágrimas brilharam por trás dos véus da mulher. — Que os seus dragões morram também.

Selmy estava à procura de uma resposta quando ouviu o som de pas-

sos pesados. A porta saltou para dentro, e Skahaz mo Kandaq irrompeu através dela, com quatro Feras de Bronze atrás de si. Quando Grazhar tentou bloquear-lhe o caminho, afastou o rapaz com violência.

Sor Barristan pôs-se em pé de imediato.

— Que se passa?

— Os trabucos — rosnou o Tolarrapada. — Todos os seis.

Galazza Galare ergueu-se.

— É assim que Yunkai responde à vossa oferta, sor. Avisei-vos de que não gostaríeis da resposta deles.

*Então escolheram a guerra. Assim seja.* Sor Barristan sentiu-se estranhamente aliviado. A guerra era algo que compreendia.

— Se julgam que quebrarão Meereen arremessando pedras…

— Não são pedras. — A voz da velha estava cheia de desgosto, de medo. — São cadáveres.

A colina era uma ilha pedregosa num mar de verdura.

Dany precisou de metade da manhã para descer. Quando chegou ao sopé estava sem fôlego. Doíam-lhe os músculos e sentia-se como se tivesse o início de uma febre. As rochas tinham-lhe esfolado as mãos, deixando-as em carne viva. *Mas estão em melhor estado do que estavam,* decidiu enquanto arrancava uma bolha rebentada. Tinha a pele rosada e dorida e um fluido pálido e leitoso escorria-lhe das palmas estaladas das mãos, mas as queimaduras estavam a sarar.

A colina parecia mais alta ali em baixo. Dany começara a chamar-lhe Pedra do Dragão, o nome da antiga cidadela onde nascera. Não tinha recordações dessa Pedra do Dragão, mas não iria esquecer esta tão cedo. Ervas raquíticas e arbustos espinhosos cobriam-lhe as encostas inferiores; mais acima um emaranhado irregular de rocha nua projetava-se, íngreme e súbito, para o céu. Fora aí que, entre pedregulhos quebrados, arestas afiadas como navalhas e pináculos em forma de agulha, Drogon fizera o seu covil dentro de uma gruta pouco profunda. Quando vira pela primeira vez a colina, Dany apercebera-se de que o dragão já ali vivia há algum tempo. O ar cheirava lá a cinza, todas as rochas e árvores ao alcance da vista estavam chamuscadas e enegrecidas, o chão estava repleto de ossos queimados e quebrados, mas aquilo fora para ele um lar.

Dany conhecia a sedução do lar.

Dois dias antes, após trepar uma agulha de rocha, vira água para sul, um fio esguio que reluzira brevemente enquanto o Sol descia para o horizonte. *Um curso de água,* decidira. Pequeno, mas levá-la-ia a um ribeiro maior, e esse ribeiro desaguaria num riozinho qualquer, e todos os rios daquela parte do mundo eram vassalos do Skahazadhan. Depois de descobrir o Skahazadhan bastar-lhe-ia segui-lo para jusante até à Baía dos Escravos.

Preferiria regressar a Meereen sobre asas de dragão, com certeza. Mas esse era um desejo que Drogon não parecia partilhar.

Os senhores dos dragões da antiga Valíria controlavam as suas montadas através de feitiços vinculadores e cornos encantados. Daenerys arranjava-se com uma palavra e um chicote. Montada no dorso do dragão, era frequente sentir-se como se estivesse outra vez a aprender a cavalgar. Quando chicoteava a sua égua prateada no flanco direito, a égua ia para a esquerda, pois o primeiro instinto de um cavalo é fugir do perigo.

Quando dera com o chicote no lado direito de Drogon, ele virara para a direita, pois o primeiro instinto de um dragão é sempre atacar. Mas por vezes não parecia importar onde lhe batia; por vezes, ele ia para onde queria e levava-a consigo. Nem chicote nem palavras conseguiam desviar Drogon se ele não desejasse ser desviado. Acabara por ver que o chicote o aborrecia mais do que lhe doía; as suas escamas tinham-se tornado mais duras do que chifre.

E, por mais que o dragão voasse todos os dias, ao chegar a noite um instinto qualquer levava-o para o lar, para Pedra do Dragão. *O lar dele, não o meu.* O lar dela era em Meereen, com o marido e o amante. Era esse o seu lugar, certamente.

*Continuar a caminhar. Se olhar para trás estou perdida.*

Memórias caminhavam com ela. Nuvens vistas de cima. Cavalos pequenos como formigas a trovejar pela erva fora. Uma lua prateada, quase suficientemente próxima para tocar. Rios a correr brilhantes e azuis lá em baixo, reluzindo ao sol. *Voltarei eu a ver tais coisas?* Sobre o dorso de Drogon sentia-se *inteira*. No céu, as aflições daquele mundo não podiam tocar-lhe. Como podia abandonar isso?

Mas já era tempo. Uma rapariga podia passar a vida a brincar, mas ela era uma mulher feita, uma rainha, uma esposa, uma mãe para milhares de pessoas. Os filhos precisavam dela. Drogon vergara perante o chicote, e ela tinha de fazer o mesmo. Tinha de voltar a pôr a coroa, e de regressar ao seu banco de ébano e aos braços do nobre esposo.

*Hizdahr, o dos beijos tépidos.*

O sol estava quente naquela manhã, o céu azul e sem nuvens. Isso era bom. A roupa de Dany pouco passava de trapos, e pouco calor lhe fornecia. Uma das sandálias tinha-lhe escorregado do pé durante o voo descontrolado desde Meereen e deixara a outra perto da gruta de Drogon, preferindo ir descalça a meio calçada. Abandonara o *tokar* e os véus na arena, e a túnica interior de linho nunca fora feita para suportar os dias quentes e noites frias do mar dothraki. O suor, as ervas e a terra tinham-na enodoado, e Dany arrancara uma faixa da bainha para fazer uma ligadura para a canela. *Devo parecer uma coisinha esfarrapada, e esfomeada*, pensou, *mas se os dias permanecerem quentes não congelarei.*

A estadia fora solitária, e passara a maior parte magoada e esfomeada… mas apesar de tudo fora ali estranhamente feliz. *Algumas dores, uma barriga vazia, noites enregeladas… que importa quando se pode voar? Fá-lo-ia tudo de novo.*

Disse a si própria que Jhiqui e Irri estariam à espera no topo da sua pirâmide em Meereen. A querida escriba Missandei também, e todos os pequenos pajens. Trar-lhe-iam comida, e poderia banhar-se na piscina à

sombra do diospireiro. Seria bom voltar a sentir-se limpa. Dany não precisava de um espelho para saber como estava suja.

E também estava faminta. Uma manhã encontrara cebolas silvestres a crescer a meio da encosta sul, e mais tarde nesse mesmo dia descobrira um legume folhoso e vermelho que podia ser uma espécie estranha de couve. Fosse o que fosse, não a deixara doente. Tirando isso, e um peixe que apanhara na lagoa alimentada pela nascente que havia em frente da gruta de Drogon, sobrevivera o melhor possível com os restos do dragão, com ossos queimados e bocados de carne fumegante, meio esturricada e meio crua. Precisava de mais, bem o sabia. Um dia pontapeara um crânio rachado de ovelha com a parte lateral de um pé descalço e fizera-o rolar pela colina abaixo. E, ao vê-lo descer aos saltos a íngreme vertente até ao mar de erva lá em baixo, apercebera-se de que tinha de o seguir.

Dany pusera-se a caminho através da erva alta com um passo vivo. Sentia a terra quente entre os dedos dos pés. A erva era tão alta como ela. *Nunca pareceu tão alta quando estava montada na minha prata, cavalgando ao lado do meu sol-e-estrelas, à cabeça do seu khalasar.* Enquanto caminhava ia batendo na coxa com o chicote do mestre de arena. Isso, e os trapos que levava às costas, eram tudo o que trouxera de Meereen.

Embora caminhasse através de um reino verde, não era o profundo e rico verde do verão. Até ali o outono fazia sentir a sua presença, e o inverno não viria muito longe. A erva estava mais clara do que se lembrava, um verde pálido e doentio prestes a tornar-se amarelo. Depois disso viria o castanho. A erva estava a morrer.

O mar dothraki, o grande oceano de erva que se estendia da floresta de Qohor à Mãe das Montanhas e ao Ventre do Mundo, não era estranho a Daenerys Targaryen. Vira-o pela primeira vez quando ainda era rapariga, recém-casada com Khal Drogo e a caminho de Vaes Dothrak para ser apresentada às velhas do *dosh khaleen.* Ver toda aquela erva a estender-se na sua frente tirara-lhe o fôlego. *O céu era azul, a erva era verde, e eu estava cheia de esperança.* Sor Jorah, o seu rude velho urso, estivera então com ela. Tivera Irri, Jhiqui e Doreah para cuidarem de si, o seu sol-e-estrelas para a abraçar à noite, o filho a crescer dentro de si. *Rhaego. Eu ia chamar-lhe Rhaego, e o* dosh khaleen *disse que ele seria o Garanhão Que Monta o Mundo.* Não era tão feliz desde aqueles dias meio recordados em Bravos, quando vivera na casa com a porta vermelha.

Mas, no Deserto Vermelho, toda a sua alegria se transformara em cinzas. O seu sol-e-estrelas caíra do cavalo, a maegi Mirri Maz Duur assassinara Rhaego no seu ventre e Dany sufocara a concha vazia de Khal Drogo com as próprias mãos. Depois disso, o grande *khalasar* de Drogo estilhaçara-se. Ko Pono chamara a si próprio Khal Pono e levara muitos cavaleiros

consigo, e também muitos escravos. Ko Jhaqo chamara a si próprio Khal Jhaqo e afastara-se com mais ainda. O seu companheiro de sangue Mago violara e assassinara Eroeh, uma rapariga que Daenerys salvara dele um dia. Só o nascimento dos dragões, entre o fogo e o fumo da pira funerária de Khal Drogo, poupara a própria Dany de ser arrastada de volta para Vaes Dothrak a fim de viver o resto dos seus dias entre as velhas do *dosh khaleen*.

*O fogo queimou-me o cabelo, mas fora isso não me tocou.* Acontecera o mesmo na Arena de Daznak. Disso conseguia lembrar-se, embora muito do que se seguira estivesse enevoado. *Tanta gente, aos gritos e aos empurrões.* Lembrava-se de cavalos empinados, de uma carroça de comida a derramar melões enquanto se virava. Vinda de baixo, uma lança surgira a voar, seguida por um bando de dardos de besta. Um passara tão perto que Dany o sentira a raspar-lhe pelo rosto. Outros ricochetearam nas escamas de Drogon, alojaram-se entre elas, ou trespassaram a membrana das suas asas. Lembrava-se do dragão se torcer debaixo dela, estremecendo com os impactos, enquanto tentava desesperadamente agarrar-se ao dorso escamoso. Os ferimentos fumegavam. Dany vira um dos dardos romper em chamas súbitas. Outro caíra, solto pelo bater das asas do dragão. Lá em baixo, vira homens a rodopiar, envoltos em chamas, com as mãos no ar como que apanhados nas convulsões de alguma dança louca. Uma mulher com um *tokar* verde estendera as mãos para uma criança que chorava, puxando-a para os seus braços a fim de a proteger das chamas. Dany vira a cor com clareza, mas não a cara da mulher. Havia gente a espezinhá-las enquanto mulher e criança jaziam abraçadas nos tijolos. Alguns ardiam.

Depois, tudo isso se desvanecera, os sons tinham-se reduzido, as pessoas encolheram, as lanças e as setas caíam de volta por baixo deles enquanto Drogon esgatanhava o seu caminho para o céu. Levara-a para cima, para cima, e mais para cima, bem acima das pirâmides e das arenas, com as asas estendidas para capturar o ar quente que se erguia dos tijolos cozidos pelo sol da cidade. *Se eu cair e morrer, terá na mesma valido a pena*, pensara.

E voaram para norte, para lá do rio, com Drogon a planar em asas rasgadas e esfarrapadas através de nuvens que passavam a esvoaçar como os estandartes de algum exército fantasmagórico. Dany vislumbrara as costas da Baía dos Escravos e a velha estrada valiriana que avançava junto a elas através de areia e desolação até desaparecer a oeste. *A estrada para casa.* Depois passara a nada haver por baixo deles além de erva a ondular ao vento.

*Esse primeiro voo foi há mil anos?* Às vezes parecia que devia ter sido.

O Sol foi ficando mais quente à medida que foi subindo no céu, e não demorou muito a ficar com a cabeça a latejar. O cabelo de Dany estava a voltar a crescer, mas lentamente.

— Preciso de um chapéu — disse em voz alta. Em Pedra do Dragão tentara fazer um, entretecendo caules de erva como vira as mulheres do-thraki fazer durante o tempo que passara com Drogo, mas ou estava a usar o tipo errado de erva ou simplesmente lhe faltava a perícia necessária. Os chapéus que fizera tinham-se-lhe feito em pedaços nas mãos. *Volta a tentar*, dissera a si própria. *Sair-te-ás melhor da próxima vez. És do sangue do dragão, consegues fazer um chapéu.* Tentara e voltara a tentar, mas a última tentativa não fora mais bem sucedida do que a primeira.

Foi só à tarde que Dany encontrou o ribeiro que vislumbrara do topo da colina. Era um riacho, um regato, um fio de água, mais estreito que o seu braço... e o seu braço tornara-se mais magro todos os dias que passara em Pedra do Dragão. Dany reuniu uma mancheia de água e molhou a cara com ela. Quando pôs as mãos em taça, os nós dos dedos enterraram-se-lhe na lama no fundo do ribeiro. Podia ter desejado água mais fria e mais limpa... mas não, se ia prender as esperanças a desejos, desejaria ser salva.

Ainda se agarrava à esperança de que alguém viria atrás dela. Sor Barristan podia vir à sua procura; era o primeiro da sua Guarda Real, jurara defender a sua vida com a dele. E o mar dothraki não era estranho aos seus companheiros de sangue, e as vidas deles estavam ligadas à sua. O marido, o nobre Hizdahr zo Loraq, talvez enviasse homens à sua procura. E Daario... Dany imaginou-o a cavalgar na sua direção através da erva alta, sorrindo, com o dente dourado a cintilar com a última luz do Sol poente.

Só que Daario fora entregue aos yunkaitas, um refém para assegurar que nenhum mal aconteceria aos capitães de Yunkai. Daario e Herói, Jhogo e Groleo, e três familiares de Hizdahr. Por aquela altura, certamente, todos os reféns teriam sido libertados. Mas...

Perguntou a si própria se as lâminas do seu capitão ainda estariam penduradas da parede ao lado da sua cama, à espera de que Daario regressasse e as fosse buscar. *"Deixo as minhas meninas contigo"*, dissera ele. *"Mantém-nas a salvo por mim, amada."* E sentiu curiosidade de saber até que ponto os yunkaitas saberiam o quanto o seu capitão significava para ela. Fizera a Sor Barristan essa pergunta na tarde em que os reféns partiram.

— Eles devem ter ouvido os boatos — respondera o velho cavaleiro. — Naharis pode até ter-se gabado do... do grande... apreço que Vossa Graça tem por ele. Se me perdoais por dizê-lo, a modéstia não é uma das virtudes do capitão. Ele tem grande orgulho da sua... da sua perícia com a espada.

*Ele gaba-se de dormir comigo, queres tu dizer.* Mas Daario não teria sido insensato ao ponto de proferir tal vanglória entre os seus inimigos. *Não importa. Por esta altura os yunkaitas deverão estar em marcha para casa.* Fora por isso que fizera tudo o que fizera. Pela paz.

Virou-se para trás, para o sítio de onde viera, para o local onde Pedra do Dragão se erguia nas estepes como um punho cerrado. *Parece tão próxima. Caminho há horas, mas ainda parece que podia estender o braço e tocá-la.* Não era tarde demais para regressar. Havia peixe na lagoa alimentada pela nascente junto da gruta de Drogon. Apanhara um no primeiro dia que lá passara, podia apanhar mais. E haveria restos, ossos esturricados ainda com bocados de carne agarrados, os restos da caça de Drogon.

*Não*, disse Dany a si própria. *Se olhar para trás estou perdida.* Podia viver durante anos entre as pedras cozidas pelo sol de Pedra do Dragão, montando Drogon de dia e roendo os seus restos ao cair da noite enquanto o grande mar de erva de dourado se ia tornando alaranjado, mas não fora para essa vida que nascera. Por isso voltou a virar costas à colina distante, e fechou os ouvidos à canção de voo e liberdade que o vento cantava enquanto brincava entre as encostas pedregosas da colina. O riacho corria para sul-sueste, até onde conseguia determinar. Seguiu-o. *Leva-me ao rio, é tudo o que te peço. Leva-me ao rio, e eu farei o resto.*

As horas passaram lentamente. O riacho virou para um lado e para o outro e Dany seguiu-o, batendo o tempo na perna com o chicote, tentando não pensar na distância que tinha de percorrer, ou no latejar na sua cabeça ou na barriga vazia. *Dá um passo. Dá o próximo. Outro passo. E outro.* Que outra coisa podia fazer?

Havia silêncio no seu mar. Quando o vento soprava, a erva suspirava quando os caules roçavam uns nos outros, sussurrando numa língua que só os deuses podiam compreender. De vez em quando o pequeno riacho gorgolejava onde fluía em volta de uma pedra. Lama esguichava entre os dedos dos seus pés. Insetos zumbiam à sua volta, preguiçosas libélulas e reluzentes vespas verdes e mosquitos que picavam, quase pequenos demais para serem vistos. Tentava esmagá-los de forma ausente quando pousavam nos braços. Uma vez deparou com uma ratazana que bebia do riacho, mas o animal fugiu quando ela apareceu, precipitando-se entre os caules para ir desaparecer na erva alta. Por vezes ouvia aves a cantar. O som punha-lhe a barriga a trovejar, mas não tinha redes com que os apanhar, e por enquanto ainda não deparara com ninhos. *Em tempos sonhei que voava*, pensou, *e agora já voei e sonho roubar ovos.* Aquilo fê-la rir.

— Os homens são loucos e os deuses ainda mais loucos são — disse à erva, e a erva murmurou o seu acordo.

Por três vezes nesse dia viu Drogon. Uma vez, o dragão estava tão longe que podia ter sido uma águia, entrando e saindo de nuvens distantes, mas Dany já conhecia o seu aspeto, mesmo quando não passava de um pontinho. Da segunda vez passou em frente do sol, com as asas negras abertas, e o mundo escureceu. Da última vez voou mesmo por cima dela, tão próximo que conseguiu ouvir o som das asas. Durante meio segundo, Dany pensou que o dragão andava a caçá-la, mas ele continuou a voar sem reparar nela e desapareceu algures para leste. *Ainda bem*, pensou.

O fim da tarde apanhou-a quase de surpresa. Enquanto o sol doura-va os distantes pináculos de Pedra do Dragão, Dany tropeçou num muro baixo de pedra, coberto de vegetação e quebrado. Talvez tivesse feito parte de um templo, ou do palácio do senhor da aldeia. Havia mais ruínas mais à frente — um velho poço, e alguns círculos na erva que assinalavam os locais onde em tempos se tinham erguido cabanas. Haviam sido construídas de lama e palha, calculou Dany, mas longos anos de vento e chuva tinham-nas transformado em nada. Dany encontrou oito antes de o Sol se pôr, mas podia ter havido mais longe, ocultas nas ervas.

O muro de pedra resistira melhor do que o resto. Embora em nenhum sítio tivesse mais de um metro de altura, o ângulo onde se encontrava com outro muro mais baixo ainda fornecia algum abrigo contra os elementos, e a noite aproximava-se rapidamente. Dany encaixou-se nesse canto, fazendo uma espécie de ninho arrancando mancheias da erva que crescia em volta das ruínas. Estava muito cansada, e tinham aparecido bolhas novas em am-bos os pés, incluindo um par de bolhas iguais nos mindinhos. *Deve ser por causa da minha maneira de caminhar*, pensou, entre risinhos.

Enquanto o mundo escurecia, Dany instalou-se e fechou os olhos, mas o sono recusou-se a vir. A noite estava escura, o chão era duro, a sua barriga estava vazia. Deu por si a pensar em Meereen, em Daario, seu amor, e em Hizdahr, seu esposo, em Irri e Jhiqui e na doce Missandei, em Sor Barristan, em Reznak e em Skahaz Tolarrapada. *Temerão eles que eu esteja morta? Parti a voar às costas de um dragão. Julgarão que ele me comeu?* Per-guntou a si própria se Hizdahr ainda seria rei. A sua coroa proviera dela, seria ele capaz de a conservar na sua ausência? *Ele queria Drogon morto. Eu ouvi-o.* "Matai-o," gritou, "*matai a fera,*" *e a expressão na sua cara era de luxúria.* E Belwas, o Forte, estava de joelhos, a vomitar e a tremer. Veneno. Teve de ser veneno. *Os gafanhotos com mel. Hizdahr insistiu comigo para que os comesse, mas Belwas comeu-os todos.* Mas ela tornara Hizdahr seu rei, levara-o para a sua cama, abrira as arenas de combate por ele, não tinha nenhum motivo para a querer morta. No entanto, quem mais poderia ter sido? Reznak, o seu senescal perfumado? Os yunkaitas? Os Filhos da Har-pia?

À distância, um lobo uivou. O som fê-la sentir-se triste e solitária, mas não menos faminta. Quando a Lua se ergueu por cima das estepes, Dany mergulhou enfim num sono inquieto.

Sonhou. Todas as suas preocupações caíram para longe de si, e todas as suas dores também, e pareceu-lhe flutuar para cima, para o céu. Estava de novo a voar, girando, rindo, dançando, enquanto as estrelas rodopiavam à sua volta e lhe murmuravam segredos ao ouvido.

— Para ires para norte tens de viajar para sul. Para chegares a oeste, tens de ir para leste. Para ires para a frente, tens de voltar para trás. Para tocares a luz tens de passar sob a sombra.

— Quaithe? — chamou Dany. — Onde estás, Quaithe?

Então viu. *A máscara dela é feita da luz das estrelas.*

— Lembra-te de quem és, Daenerys — murmuraram as estrelas, numa voz de mulher. — Os dragões sabem. Tu sabes?

Na manhã seguinte acordou perra, dorida e magoada, com formigas a rastejar pelos braços, pernas e cara. Quando se apercebeu do que eram, afastou ao pontapé os caules das ervas castanhas e secas que lhe tinham servido de cama e manta e lutou por se pôr em pé. Estava repleta de picadas, pequenos altos vermelhos, comichosos e inflamados. *De onde vieram todas estas formigas?* Dany sacudiu-as dos braços, pernas e barriga. Percorreu com uma mão o couro cabeludo, onde o cabelo ardera, e sentiu mais formigas na cabeça e uma a rastejar pela parte de trás do pescoço. Correu com elas e esmagou-as sob os pés descalços. Eram tantas...

Acabou por descobrir que o formigueiro ficava do outro lado do muro. Perguntou a si própria como teriam as formigas conseguido trepar o muro e encontrá-la. Para elas, aquelas pedras derrubadas deviam erguer-se tão altas como a Muralha de Westeros. *A maior muralha no mundo inteiro,* costumava dizer o irmão Viserys, tão orgulhoso como se tivesse sido ele a construí-la.

Viserys costumava contar-lhe histórias sobre cavaleiros tão pobres que tinham de dormir sob as antigas sebes que cresciam ao longo dos caminhos secundários dos Sete Reinos. Dany teria dado mais que muito por uma bela e densa sebe. *De preferência uma que não tivesse um formigueiro.*

O Sol só agora estava a nascer. Algumas estrelas brilhantes demoravam-se no céu cor de cobalto. *Talvez uma delas seja Khal Drogo, montado no seu garanhão de fogo nas terras da noite e sorrindo-me.* Pedra do Dragão ainda estava visível acima da estepe. *Parece tão próxima. Tenho de estar a léguas de distância por esta altura, mas parece que podia estar de volta numa hora.* Desejou voltar a deitar-se, fechar os olhos e entregar-se ao sono. *Não. Tenho de prosseguir. O riacho. Segue o riacho.*

Dany gastou um momento para se assegurar das direções. Não seria bom caminhar na direção errada e perder o riacho.

— O meu amigo — disse em voz alta. — Se ficar perto do meu amigo não me perderei. — Teria dormido junto da água se se atrevesse, mas havia animais que desciam ao ribeiro à noite para beber. Vira os seus rastos. Dany daria fraca refeição para um lobo ou um leão, mas mesmo uma fraca refeição era melhor do que nada.

Depois de ter a certeza de qual o lado em que ficava o sul, contou os passos. O ribeiro surgiu aos oito. Dany pôs as mãos em taça para beber. A água fez-lhe doer a barriga, mas era mais fácil suportar as dores do que a sede. Não tinha outra bebida além do orvalho matinal que reluzia nas ervas altas, e não tinha comida nenhuma, a menos que quisesse comer a erva. *Podia tentar comer formigas.* As pequenas e amarelas eram pequenas demais para fornecer grande nutrição, mas havia na erva formigas vermelhas, e essas eram maiores.

— Estou perdida no mar — disse, enquanto coxeava ao lado do seu ribeirinho sinuoso — portanto talvez arranje uns caranguejos, ou um belo peixe gordo. — O chicote batia suavemente na sua coxa, *uap uap uap.* Um passo de cada vez, o ribeiro levá-la-ia para casa.

Logo após o meio-dia deparou com um arbusto que crescia junto do riacho, cujos ramos retorcidos estavam cobertos de bagas duras e verdes. Dany olhou-as desconfiada, após o que arrancou uma do ramo e a mordiscou. A polpa era ácida e dura, com um travo amargo que lhe pareceu familiar.

— No *khalasar,* usavam bagas como estas para dar sabor aos assados — decidiu. Dizê-lo em voz alta deixava-a mais segura do facto. A barriga trovejou e Dany deu por si a colher bagas com ambas as mãos e a atirá-las para dentro da boca.

Uma hora mais tarde, o estômago começou a doer-lhe tanto que não conseguiu prosseguir. Passou o resto desse dia a vomitar muco verde. *Se ficar aqui, morrerei. Posso estar já a morrer.* Iria o deus cavalo dos dothraki abrir a erva e reclamá-la para o seu *khalasar* estrelado, para poder percorrer as terras da noite com Khal Drogo? Em Westeros, os mortos da Casa Targaryen eram entregues às chamas, mas quem acenderia ali a sua pira? *A minha carne irá alimentar os lobos e as gralhas,* pensou, entristecida, *e vermes abrirão buracos no meu ventre.* Os seus olhos regressaram a Pedra do Dragão. Agora parecia mais pequena. Conseguia ver fumo a erguer-se do cume esculpido pelo vento, a milhas de distância. *Drogon regressou da caça.*

O pôr-do-sol foi encontrá-la de cócoras na erva, gemendo. Cada evacuação era mais líquida do que a anterior, e cheirava pior. Quando a Lua nasceu estava a cagar água castanha. Quanto mais bebia, mais cagava, mas quanto mais cagava mais sede tinha, e a sede levava-a a gatinhar até ao riacho para sugar mais água. Quando finalmente fechou os olhos, Dany não sabia se teria força suficiente para os voltar a abrir.

Sonhou com o irmão morto.

Viserys tinha precisamente o aspeto que tivera da última vez que o vira. Tinha a boca torcida em angústia, o cabelo estava queimado, e a cara mostrava-se negra e fumegante onde o ouro derretido lhe escorrera pela testa e bochechas e para dentro dos olhos.

— Tu estás morto — disse Dany.

*Assassinado.* Embora os lábios dele não chegassem a mexer-se, sem que soubesse como ela conseguia ouvir a sua voz, sussurrando-lhe ao ouvido. *Não chegaste a fazer luto por mim, irmã. É duro morrer sem ser chorado.*

— Em tempos amei-te.

*Em tempos*, disse ele, com tanta amargura que a fez estremecer. *Tu estavas destinada a ser minha mulher, a dar-me filhos com cabelo prateado e olhos purpúreos, para manter o sangue do dragão puro. Tomei conta de ti. Ensinei-te quem eras. Alimentei-te. Vendi a coroa da nossa mãe para te manter alimentada.*

— Magoavas-me. Assustavas-me.

*Só quando despertavas o dragão. Eu amava-te.*

— Tu vendeste-me. Traíste-me.

*Não. A traidora foste tu. Viraste-te contra mim, contra o teu próprio sangue. Eles enganaram-me. O cavalo do teu marido e os seus selvagens fedorentos. Eram aldrabões e mentirosos. Prometeram-me uma coroa dourada, e deram-me isto.* Tocou o ouro derretido que lhe escorria pela cara, e fumo ergueu-se do seu dedo.

— Podias ter obtido a tua coroa — disse-lhe Dany. — O meu sol-e-estrelas tê-la-ia conquistado para ti, se ao menos tivesses esperado.

*Esperei o suficiente. Esperei a vida inteira. Era o rei deles, o seu legítimo rei. Riram-se de mim.*

— Devias ter ficado em Pentos com o Magíster Illyrio. O Khal Drogo tinha de me apresentar ao *dosh khaleen*, mas não era preciso que viesses connosco. Essa decisão foi tua. Foi esse o teu erro.

*Queres despertar o dragão, sua putinha estúpida? O khalasar de Drogo era meu. Eu comprei-lho, cem mil guerreiros. Paguei por eles com a tua virgindade.*

— Tu nunca compreendeste. Os dothraki não compram nem vendem. Dão presentes e recebem-nos. Se tivesses esperado…

*Eu esperei. Pela minha coroa, pelo meu trono, por ti. Todos aqueles anos, e tudo o que obtive foi uma panela de ouro derretido. Porque foi a ti que eles deram os ovos de dragão? Deviam ter sido meus. Se eu tivesse tido um dragão, teria ensinado ao mundo o significado do nosso lema.* Viserys desatou a rir, até que o queixo lhe caiu da cara, a fumegar, e sangue e ouro derretido lhe escorreram da boca.

Quando despertou, arquejante, tinha as coxas luzidias de sangue.

Por um momento não se apercebeu do que era. O mundo tinha apenas começado a clarear, e a erva alta restolhava suavemente ao vento. *Não, por favor, deixai-me dormir um pouco mais. Estou tão cansada.* Tentou voltar a enterrar-se sob a pilha de erva que arrancara quando se fora deitar. Alguns dos caules pareceram-lhe húmidos. Teria voltado a chover? Sentou-se, com medo de se ter sujado enquanto dormia. Quando trouxe os dedos à cara, sentiu neles o cheiro do sangue. *Será que estou a morrer?* Depois viu o pálido crescente de Lua, flutuando bem alto acima da erva, e ocorreu-lhe que aquilo não passava do seu sangue de lua.

Se não estivesse tão doente e assustada, isso podia ter sido para ela um alívio. Mas em vez disso desatou a tremer violentamente. Esfregou os dedos na terra e agarrou uma mancheia de erva para se limpar entre as pernas. *O dragão não chora.* Estava a sangrar, mas era só sangue de mulher. *No entanto, a Lua ainda é só um crescente. Como pode ser?* Tentou lembrar-se da última vez que sangrara. Na última Lua cheia? Na outra antes? Na anterior a essa? *Não, não pode ter sido assim há tanto tempo.*

— Eu sou do sangue do dragão — disse à erva, em voz alta.

*Foste*, sussurrou a erva em resposta, *até acorrentares os teus dragões na escuridão.*

— Drogon matou uma rapariguinha. O nome dela era... o nome dela... — Dany não se conseguia lembrar do nome da criança. Isso entristeceu-a tanto que podia ter chorado, se todas as suas lágrimas não tivessem sido queimadas. — Eu nunca terei uma rapariguinha. Era a Mãe dos Dragões.

*Sim*, disse a erva, *mas viraste-te contra os teus filhos.*

Dany tinha a barriga vazia, os pés magoados e com bolhas, e parecia-lhe que as dores de barriga tinham piorado. Tinha as tripas cheias de serpentes que se contorciam e lhe mordiam as entranhas. Agarrou uma mancheia de lama e água com mãos trémulas. Ao meio-dia a água estaria tépida, mas ao frio da madrugada estava quase fresca, e ajudava-a a manter os olhos abertos. Quando molhou a cara, viu mais sangue nas suas coxas. A bainha esfarrapada de túnica interior estava manchada com ele. Ver tanto vermelho assustou-a. *Sangue da Lua, é só o meu sangue da Lua*, mas não se lembrava de alguma vez ter tido um fluxo tão abundante. *Poderá ser da água?* Se fosse da água, estava perdida. Tinha de beber, senão morreria de sede.

— Caminha — ordenou Dany a si própria. — Segue o ribeiro, e ele levar-te-á ao Skahazadhan. Será aí que Daario te encontrará. — Mas precisou de todas as suas forças só para voltar a pôr-se em pé, e quando o fez só logrou ficar ali, febril e a sangrar. Levantou os olhos para o céu azul e vazio, semicerrando-os ao sol. *Metade da manhã já se foi*, compreendeu, consternada. Obrigou-se a dar um passo, e depois outro, e depois viu-se de novo a caminhar, seguindo o pequeno riacho.

O dia foi ficando mais quente, e o sol batia-lhe na cabeça e nos restos queimados do cabelo. Água chapinhava contra as solas dos pés. Estava a caminhar no riacho. Há quanto tempo estaria a fazer isso? A mole lama castanha era agradável entre os dedos dos pés, e ajudava a aliviar-lhe as bolhas. *No ribeiro ou fora dele, tenho de continuar a caminhar. A água corre para baixo. O ribeiro levar-me-á ao rio, e o rio levar-me-á para casa.*

Só que não o faria, não propriamente.

Meereen não era o seu lar, e nunca o seria. Era uma cidade de homens estranhos com deuses estranhos e cabelos mais estranhos ainda, de esclavagistas envoltos em *tokars* fimbriados, onde a graça era conquistada através da prostituição, a carnificina era arte e cão era um acepipe. Meereen seria sempre a cidade da harpia, e Daenerys não podia ser uma harpia.

*Nunca*, disse a erva, com o áspero tom de voz de Jorah Mormont. *Fostes avisada, Vossa Graça. Deixai esta cidade em paz, disse eu. A vossa guerra é em Westeros, disse-vos eu.*

A voz não era mais do que um suspiro, mas de alguma forma Dany sentia que ele estava a caminhar logo atrás de si. *O meu urso*, pensou, *o meu velho, querido urso, que me amava e me traiu.* Sentira tantas saudades dele. Desejou ver a sua cara feia, envolvê-lo nos braços e encostar-se ao seu peito, mas sabia que, se se virasse, Sor Jorah desapareceria.

— Estou a sonhar — disse. — Um sonho acordado, um sonho sonâmbulo. Estou sozinha, e perdida.

*Perdida porque vos deixastes ficar num lugar onde nunca estivestes destinada a estar*, murmurou Sor Jorah tão suavemente como o vento. *Sozinha porque me afastastes do vosso lado.*

— Tu traíste-me. Deste informações sobre mim, por ouro.

*Pelo lar. O que sempre desejei foi o meu lar.*

— E a mim. Também me desejaste. — Dany vira-o nos seus olhos.

*Desejei*, sussurrou a erva, tristemente.

— Beijaste-me. Não disse que o podias fazer mas fizeste-o. Vendeste-me aos meus inimigos, mas quando me beijaste foi a sério.

*Dei-vos bons conselhos. Poupai as lanças e as espadas para os Sete Reinos, disse-vos eu. Deixai Meereen para os meereeneses e ide para oeste, disse eu. Não me quisestes dar ouvidos.*

— Eu tinha de tomar Meereen, caso contrário veria os meus filhos passar fome durante a marcha. — Dany ainda via o rasto de cadáveres que deixara para trás durante a travessia do Deserto Vermelho. Não era algo que desejasse voltar a ver. — Tinha de tomar Meereen para alimentar o meu povo.

*Tomastes Meereen*, disse-lhe ele, *mas mesmo assim demoraste-vos.*

— Para ser uma rainha.

*Vós sois uma rainha*, disse o seu urso. *Em Westeros.*

— A viagem é tão longa — protestou ela. — Estava cansada, Jorah. Estava farta de guerra. Queria descansar, rir, plantar árvores e vê-las crescer. Não passo de uma rapariguinha.

*Não. Sois do sangue do dragão.* Os sussurros estavam a tornar-se mais ténues, como se Sor Jorah estivesse a deixar-se ficar mais para trás. *Os dragões não plantam árvores. Lembrai-vos disso. Lembrai-vos de quem sois, do que fostes feita para fazer. Lembrai-vos do vosso lema.*

— Fogo e Sangue — disse Daenerys à erva oscilante.

Uma pedra virou-se sob o seu pé. Caiu sobre um joelho e gritou de dor, esperando contra a esperança que o seu urso pegasse nela e a ajudasse a pôr-se em pé. Quando virou a cabeça para o procurar, tudo o que viu foi um fio de água castanha… e a erva, ainda a mexer-se levemente. *O vento*, disse a si própria, *o vento sacode os caules e fá-los oscilar.* Só que não estava a soprar vento algum. O sol brilhava no alto, o mundo estava imóvel e quente. Mosquitos enxameavam no ar, e uma libélula flutuava por cima do riacho, dardejando de um lado para o outro. E a erva estava a mexer-se, quando não tinha nenhuma razão para se mexer.

Procurou na água às apalpadelas, descobriu uma pedra do tamanho do punho, arrancou-a da lama. Era fraca arma, mas melhor do que uma mão vazia. Pelo canto do olho, Dany viu a erva mover-se outra vez, à sua direita. A erva oscilou e fez uma profunda vénia, como se estivesse perante um rei, mas nenhum rei lhe apareceu. O mundo estava verde e vazio. O mundo estava verde e silencioso. O mundo estava amarelo, moribundo. *Devia levantar-me*, disse a si própria. *Tenho de caminhar. Tenho de seguir o ribeiro.*

Através da erva soou um suave tinido prateado.

*Campainhas*, pensou Dany, sorrindo, lembrando-se de Khal Drogo, do seu sol-e-estrelas, e das campainhas que entrançava no cabelo. *Quando o Sol nascer a ocidente e se puser a oriente, quando os mares secarem e as montanhas forem sopradas pelo vento como folhas, quando o meu ventre voltar a ganhar vida e eu der à luz um filho vivo, Khal Drogo voltará para mim.*

Mas nenhuma dessas coisas acontecera. *Campainhas*, voltou Dany a pensar. Os seus companheiros de sangue tinham-na encontrado.

— Aggo — sussurrou. — Jhogo. Rakharo. — Poderia Daario ter vindo com eles?

O mar verde abriu-se. Um cavaleiro surgiu. A sua trança era negra e brilhante, a sua pele tão escura como cobre polido, os olhos da forma de amêndoas amargas. Campainhas cantavam no seu cabelo. Usava um cinto de medalhões e um colete pintado, com um *arakh* a uma anca e um chicote na outra. Um arco de caça e uma aljava cheia de setas estavam pendurados da sua sela.

*Um cavaleiro, e sozinho. Um batedor.* Era um dos que avançavam à frente do *khalasar* para encontrar a caça e a boa erva verde, e farejar inimigos onde quer que se pudessem esconder. Se a encontrasse ali, iria matá-la, violá-la ou escravizá-la. Na melhor das hipóteses, enviá-la-ia às velhas do *dosh khaleen*, para onde as boas *khaleesi* deviam ir quando os seus *khals* morriam.

Mas ele não a vira. A erva ocultava-a, e ele estava a olhar para outro sítio. Dany seguiu os seus olhos, e ali voava a sombra, com asas bem abertas. O dragão estava a quilómetro e meio de distância, mas apesar disso o batedor manteve-se imóvel até que o seu garanhão começou a relinchar de medo. Então despertou, como que de um sonho, fez a montada dar meia volta e precipitou-se a galope através da erva alta.

Dany observou-o a partir. Quando o som dos seus cascos se desvaneceu em silêncio, desatou a gritar. Chamou até ficar rouca... e Drogon veio, resfolegando nuvenzinhas de fumo. A erva vergou debaixo dele. Dany saltou-lhe para as costas. Fedia a sangue, a suor e a medo, mas nada disso importava.

— Para ir em frente tenho de voltar para trás — disse. As pernas nuas apertaram-se em volta do pescoço do dragão. Deu-lhe com os calcanhares, e Drogon atirou-se ao céu. Perdera o chicote, pelo que usou as mãos e os pés e virou-o para nordeste, na direção que o batedor seguira. Drogon foi de uma forma bastante pronta; talvez lhe cheirasse ao medo do cavaleiro.

Numa dúzia de segundos ultrapassaram o dothraki, enquanto ele galopava muito abaixo. À esquerda e à direita, Dany vislumbrou lugares onde a erva estava queimada e feita em cinzas. *Drogon já antes veio por aqui*, compreendeu. Como uma cadeia de ilhas cinzentas, as marcas da sua caça salpicavam o verde mar de erva.

Uma vasta manada de cavalos surgiu debaixo deles. Também havia cavaleiros, uma vintena ou mais, mas viraram-se e fugiram assim que viram o dragão. Os cavalos quebraram e fugiram quando a sombra caiu sobre eles, correndo pela erva até ficarem com os flancos brancos de espuma, rasgando o terreno com os cascos... mas por mais rápidos que fossem, não conseguiam voar. Depressa, um cavalo começou a ficar para trás relativamente aos outros. O dragão desceu sobre ele a rugir, e de repente o pobre animal ficou em chamas, mas sem que Dany soubesse como continuou a correr, gritando a cada passo, até que Drogon aterrou em cima dele e lhe quebrou a coluna. Dany agarrou-se ao pescoço do dragão com todas as suas forças para evitar deslizar de cima dele.

A carcaça era pesada demais para o dragão a levar para o covil, portando Drogon consumiu ali a presa, abocanhando a carne esturricada enquanto as ervas ardiam à volta deles, com o ar pesado com o fumo soprado pelo vento e o cheiro a pelagem queimada de cavalo. Dany, faminta, deixou-se cair de cima do dragão e comeu com ele, arrancando bocados de carne fumegante do cavalo morto com mãos nuas e queimadas. *Em Meereen fui uma rainha vestida de seda, mordiscando tâmaras recheadas e carneiro com mel*, recordou. *Que pensaria o meu nobre esposo se me pudesse ver agora?* Hizdahr ficaria horrorizado, sem dúvida. Mas Daario...

Daario rir-se-ia, cortaria um bocado de carne de cavalo com o seu *arakh* e acocorar-se-ia para comer a seu lado.

Enquanto o céu ocidental ficava da cor de uma nódoa negra, ouviu o som de cavalos que se aproximavam. Dany levantou-se, limpou as mãos à túnica interior esfarrapada, e foi pôr-se ao lado do seu dragão.

Foi assim que Khal Jhaqo a encontrou, quando meia centena de guerreiros a cavalo emergiram do fumo soprado pelo vento.

— Eu não sou nenhum traidor — declarou o Cavaleiro do Poleiro do Grifo. — Sou um homem do Rei Tommen, e vosso.

Um *ping-ping-ping* constante pontuava as suas palavras, da neve derretida que lhe escorria do manto e se acumulava no chão. Levara a nevar em Porto Real durante a maior parte da noite; lá fora, os montes de neve chegavam ao tornozelo. Sor Kevan Lannister aconchegou-se melhor ao manto.

— Isso é o que vós dizeis, sor. As palavras são vento.

— Então deixai-me provar a verdade delas com a minha espada. — A luz dos archotes transformava os longos cabelos ruivos e a barba de Ronnet Connington num incêndio de fogo. — Enviai-me contra o meu tio, que vos trarei a sua cabeça, e também a daquele falso dragão.

Lanceiros Lannister com mantos carmesim e meios elmos coroados por leões dispunham-se ao longo da parede ocidental da sala do trono. Guardas Tyrell com mantos verdes enfrentavam-nos da parede oposta. O frio na sala do trono era palpável. Embora nem a Rainha Cersei nem a Rainha Margaery estivessem entre eles, sentia-se a sua presença envenenando o ar, como fantasmas num banquete.

Por trás da mesa onde os cinco membros do pequeno conselho do rei se encontravam sentados, o Trono de Ferro agachava-se como uma grande fera negra, com as farpas, garras e lâminas meio envoltas em sombras. Kevan Lannister sentia-o nas suas costas, uma comichão entre as espáduas. Era fácil imaginar o velho Rei Aerys empoleirado lá em cima, sangrando de alguma nova ferida, olhando furioso para baixo. Mas naquele dia o trono estava vazio. Não vira motivo para que Tommen se lhes juntasse. Era mais gentil deixar o rapaz ficar com a mãe. Só os Sete sabiam quanto tempo mãe e filho podiam ter para passar juntos antes do julgamento de Cersei... e possivelmente da sua execução.

Mace Tyrell estava a falar.

— Lidaremos com o vosso tio e com este rapaz falsificado no tempo próprio. — O novo Mão do Rei estava sentado num trono de carvalho esculpido em forma de mão, uma vaidade absurda que sua senhoria apresentara no dia em que Sor Kevan concordara conceder-lhe o cargo que cobiçava. — Esperareis aqui até estarmos prontos para nos pormos em marcha. Depois tereis a oportunidade de provar a vossa lealdade.

Sor Kevan não contestou a ideia.

— Escoltai Sor Ronnet de volta aos seus aposentos — disse. *E asse-gurai-vos de que ele fica lá* ficou implícito. Por mais sonoros que fossem os seus protestos, o Cavaleiro de Poleiro do Grifo continuava a ser suspeito. Aparentemente, os mercenários que tinham desembarcado no sul estavam a ser liderados por alguém do seu sangue.

Quando os ecos dos passos de Connington se silenciaram, o Grande Meistre Pycelle abanou solenemente a cabeça.

— O tio dele esteve um dia precisamente onde o rapaz estava ainda agora, e disse ao Rei Aerys como lhe entregaria a cabeça de Robert Bara-theon.

*É isto que acontece quando um homem envelhece tanto como Pycelle. Tudo o que vê ou ouve lhe faz lembrar algo que viu ou ouviu quando era novo.*

— Quantos homens de armas acompanharam Sor Ronnet para a ci-dade? — perguntou Sor Kevan.

— Vinte — disse o Lorde Randyll Tarly — e a maior parte tinha per-tencido ao antigo grupo de Gregor Clegane. O vosso sobrinho Jaime deu-os a Connington. Para se livrar deles, aposto. Ainda não estavam em Lagoa da Donzela há um dia quando um matou um homem e outro foi acusado de violação. Tive de enforcar o primeiro e de castrar o segundo. Por mim, enviá-los-ia a todos para a Patrulha da Noite, e ao Connington com eles. O lugar dessa escumalha é a Muralha.

— Um cão parece-se com o dono — declarou Mace Tyrell. — Man-tos negros ficar-lhes-iam bem, concordo. Não tolerarei tais homens na patrulha da cidade. — Uma centena dos seus homens de Jardim de Cima fora acrescentada aos mantos dourados, mas era claro que sua senhoria pretendia resistir a qualquer infusão de ocidentais que os contrabalan-çasse.

*Quanto mais lhe dou, mais ele quer.* Kevan Lannister começava a compreender por que motivo Cersei ganhara um ressentimento tão grande relativamente aos Tyrell. Mas aquele não era o momento de provocar uma desavença aberta. Tanto Randyll Tarly como Mace Tyrell tinham trazido exércitos para Porto Real, enquanto a maior parte das forças da Casa Lan-nister permanecia nas terras fluviais, derretendo-se rapidamente.

— Os homens da Montanha sempre foram combatentes — disse em tom conciliatório — e podemos ter necessidade de todas as espadas contra aqueles mercenários. Se isto for realmente a Companhia Dourada, como os informadores de Qyburn insistem…

— Chamei-lhes o que quiserdes — disse Randyll Tarly. — Continu-am a não passar de aventureiros.

— Talvez — disse Sor Kevan. — Mas quanto mais tempo ignorarmos esses aventureiros, mais fortes eles se tornam. Mandámos preparar um mapa, um mapa das incursões. Grande Meistre?

O mapa era belo, pintado por mão de meistre numa folha do mais fino velo, tão grande que cobria a mesa.

— Aqui. — Pycelle apontou com uma mão manchada. Onde a manga da sua veste subiu, viu-se uma aba de pele pálida a pender sob o antebraço. — Aqui e aqui. Ao longo de toda a costa, e nas ilhas. Tarth, os Degraus, até Estermonte. E agora temos relatos sobre Connington estar a avançar contra Ponta Tempestade.

— Se for mesmo Jon Connington — disse Randyll Tarly.

— Ponta Tempestade. — O Lorde Mace Tyrell grunhiu as palavras. — Ele não conseguirá tomar Ponta Tempestade. Nem que fosse Aegon, o Conquistador. E se tomar, qual o problema? Quem controla o castelo agora é Stannis. Ele que passe de um pretendente para outro, porque haveria isso de nos incomodar? Recapturá-lo-ei depois de ser provada a inocência da minha filha.

*Como podes tu recapturá-lo, se nunca o capturaste, para começar?*

— Compreendo, senhor, mas...

Tyrell não o deixou terminar.

— Estas acusações contra a minha filha são mentiras nojentas. Volto a perguntar, *porque* temos nós de representar esta farsa? Mandai o Rei Tommen declarar a minha filha inocente, sor, e ponde fim aqui e agora a toda esta tolice.

*Se fizeres isso, os murmúrios seguirão Margaery durante o resto da vida.*

— Não há homem que duvide da inocência da vossa filha, senhor — mentiu Sor Kevan — mas Sua Alta Santidade insiste num julgamento.

O Lorde Randyll soltou uma fungadela.

— Em que nos transformámos nós, quando cavaleiros e grandes senhores têm de dançar ao som de pios de pardais?

— Temos inimigos por todos os lados, Lorde Tarly — fez-lhe lembrar Sor Kevan. — Stannis a norte, homens de ferro a oeste, mercenários no sul. Se desafiardes o Alto Septão, teremos também sangue a correr pelas sarjetas de Porto Real. Se formos vistos como gente que se opõe aos deuses, isso só empurrará os pios para os braços de um ou outro desses candidatos a usurpadores.

Mace Tyrell não se deixou convencer.

— Depois de Paxter Redwyne varrer os homens de ferro dos mares, os meus filhos retomarão os Escudos. Se as neves não tratarem de Stannis, Bolton fá-lo-á. E quanto a Connington...

— Se é que é ele — disse o Lorde Randyll.

— ... e quanto a Connington — repetiu Tyrell — que vitórias alcançou para o devermos temer? Podia ter posto fim à Rebelião de Robert no Septo de Pedra. Falhou. Tal como a Companhia Dourada sempre falhou. Alguns podem correr para se lhe juntar, sim. O reino fica bem livre de tais idiotas.

Sor Kevan desejou poder partilhar das certezas do outro. Conhecera Jon Connington, um pouco; um jovem orgulhoso, o mais obstinado do bando que se reunira em volta do Príncipe Rhaegar Targaryen, competindo pelo seu favor régio. *Arrogante, mas capaz e enérgico.* Isso, e a perícia nas armas, tinham sido os motivos por que o Rei Louco Aerys o nomeara Mão. A inação do velho Lorde Merryweather permitira que a rebelião ganhasse raízes e se espalhasse, e Aerys desejava alguém jovem e vigoroso para contrapor à juventude e vigor de Robert.

— Cedo demais — declarara o Lorde Tywin Lannister quando a notícia sobre a escolha do rei chegara a Rochedo Casterly. — Connington é demasiado novo, demasiado ousado, demasiado ansioso por glória.

A Batalha dos Sinos demonstrara a verdade que havia nessa ideia. Sor Kevan esperara que, depois, Aerys não tivesse alternativa a chamar Tywin uma vez mais... mas em vez disso o Rei Louco virara-se para os Lordes Chelsted e Rossart, e pagara por tal erro com a vida e a coroa. *Mas isso tudo foi há tanto tempo! Se este for realmente Jon Connington, deverá ser um homem diferente. Mais velho, mais duro, mais experiente... mais perigoso.*

— Connington pode ter mais do que a Companhia Dourada. Diz-se que tem um pretendente Targaryen.

— Um rapaz fingido é o que ele tem — disse Randyll Tarly.

— Pode ser que sim. Ou que não. — Kevan Lannister estivera ali, naquele mesmo salão, quando Tywin depusera os corpos dos filhos do Príncipe Rhaegar aos pés do Trono de Ferro, envoltos em mantos carmesins. A rapariga estivera reconhecível como a Princesa Rhaenys, mas o rapaz... *um horror sem cara, de osso, cérebro e sangue, algumas madeixas de cabelo claro. Nenhum de nós olhou por muito tempo. Tywin disse que era o Príncipe Aegon, e aceitámos a sua palavra.* — Também temos as histórias que vêm de leste. Um segundo Targaryen, e alguém cujo sangue ninguém pode questionar. Daenerys Nascida-na-Tormenta.

— Tão louca como o pai — declarou o Lorde Mace Tyrell.

*Esse há de ser o mesmo pai que Jardim de Cima e a Casa Tyrell apoiaram até ao amargo fim e bem para lá dele.*

— Até pode ser louca — disse Sor Kevan — mas com tanto fumo a vir para oeste, certamente haverá algum incêndio a arder a leste.

O Grande Meistre Pycelle fez bandear a cabeça.

— Dragões. Essas mesmas histórias chegaram a Vilavelha. Demasiadas para serem ignoradas. Uma rainha de cabelo prateado com três dragões.

— No outro lado do mundo — disse Mace Tyrell. — Rainha da Baía dos Escravos, sim. Que fique com ela.

— Quanto a isso podemos concordar — disse Sor Kevan — mas a rapariga é do sangue de Aegon, o Conquistador, e não me parece que se contente com permanecer em Meereen para sempre. Se chegasse a estas costas e juntasse as suas forças ao Lorde Connington e àquele seu príncipe, fingido ou não… temos de destruir Connington e este pretendente *agora*, antes que Daenerys Nascida-na-Tormenta possa vir para oeste.

Mace Tyrell cruzou os braços.

— Pretendo fazer isso mesmo, sor. *Depois* dos julgamentos.

— Mercenários lutam por dinheiro — declarou o Grande Meistre Pycelle. — Com ouro suficiente, talvez persuadíssemos a Companhia Dourada a entregar-nos o Lorde Connington e o seu pretendente.

— Sim, se tivéssemos ouro — disse Sor Harys Swyft. — Infelizmente, senhores, os nossos cofres contêm apenas ratazanas e baratas. Voltei a escrever aos banqueiros de Myr. Se concordarem pagar a dívida da coroa aos bravosianos e fazer-nos um novo empréstimo, talvez não tenhamos de subir impostos. Se não…

— Também há notícias sobre os magísteres de Pentos emprestarem dinheiro — disse Sor Kevan. — Experimentai contactá-los. — Era ainda menos provável que os pentoshi fossem úteis do que os cambistas de Myr, mas a tentativa tinha de ser feita. A menos que se pudesse encontrar uma nova fonte de dinheiro, ou o Banco de Ferro fosse persuadido a ceder, não teria alternativa a pagar as dívidas da coroa com ouro Lannister. Não se atrevia a recorrer a novos impostos enquanto os Sete Reinos estivessem corroídos por rebeliões. Metade dos senhores do reino não era capaz de distinguir impostos de tirania, e saltariam para as mãos do usurpador mais próximo num segundo se isso lhes poupasse um cobre furado. — Se isso falhar, podeis ter de ir a Bravos, para negociar pessoalmente com o Banco de Ferro.

Sor Harys vacilou.

— Terei?

— Vós *sois* o mestre da moeda — disse o Lorde Randyll num tom penetrante.

— Pois sou. — O tufo de pelos brancos na ponta do queixo de Swyft tremeu de ultraje. — Terei de vos fazer lembrar, senhor, que este problema não foi obra minha? E nem todos tivemos oportunidade de voltar a encher os cofres com o saque de Lagoa da Donzela e Pedra do Dragão.

— O que insinuais ofende-me, Swyft — disse Mace Tyrell, irritando-se. — Não foi encontrada qualquer riqueza em Pedra do Dragão, garanto-vos. Os homens do meu filho passaram busca a todos os centímetros daquela ilha húmida e desolada, e não encontraram uma única pedra preciosa ou grão de ouro. Nem nenhum sinal do tal lendário esconderijo de ovos de dragão.

Kevan Lannister vira Pedra do Dragão com os próprios olhos. Duvidava fortemente de que Loras Tyrell tivesse passado busca a cada centímetro daquela antiga fortificação. Tinham sido os valirianos a construí-la, afinal de contas, e todas as suas obras fediam a feitiçaria. E Sor Loras era jovem, dado a todas as avaliações impetuosas da juventude, e além disso fora gravemente ferido durante o assalto ao castelo. Mas não seria bom fazer lembrar a Tyrell que o seu filho preferido era falível.

— Se havia riquezas em Pedra do Dragão, Stannis tê-las-ia encontrado — declarou. — Prossigamos, senhores. Talvez vos lembreis de que temos duas rainhas a julgar por alta traição. A minha sobrinha escolheu julgamento por batalha, segundo me informou. Sor Robert Strong será o seu campeão.

— O gigante silencioso. — O Lorde Randyll fez uma careta.

— Dizei-me, sor, de onde veio esse homem? — quis saber Mace Tyrell. — Porque é que nunca tinha ouvido o nome dele? Não fala, não quer mostrar a cara, nunca é visto sem a armadura. Teremos mesmo a certeza de que é um cavaleiro?

*Nem sequer sabemos se está vivo.* Meryn Trant afirmava que Strong não comia nem bebia, e Boros Blount chegava ao ponto de dizer que nunca vira o homem usar a latrina. *Porque haveria de usá-la? Os mortos não cagam.* Kevan Lannister nutria fortes suspeitas sobre quem aquele Sor Robert realmente era, sob aquela reluzente armadura branca. Uma suspeita que Mace Tyrell e Randyll Tarly sem dúvida partilhavam. Fosse qual fosse a cara escondida por trás do elmo de Strong, tinha de permanecer oculta por agora. O gigante silencioso era a única esperança da sobrinha. *E reza para que seja tão terrível como parece.*

Mas Mace Tyrell não parecia ver para além da ameaça contra a filha.

— Sua Graça nomeou Sor Robert para a Guarda Real — fez-lhe lembrar Sor Kevan — e Qyburn também garante a sua identidade. Mas seja como for. É preciso que Sor Robert vença, senhores. Se se provar que a minha sobrinha é culpada daquelas traições, a legitimidade dos seus filhos será posta em causa. Se Tommen deixar de ser rei, Margaery deixará de ser rainha. — Deixou o Tyrell remoer aquilo por um momento. — Independentemente do que Cersei possa ter feito, não deixa de ser uma filha do Rochedo, do meu próprio sangue. Não permitirei que morra uma morte de traidora, mas assegurei-me de lhe arrancar os colmilhos. Todos os seus guardas foram demitidos e substituídos por homens meus. Em lugar das suas antigas damas de companhia, será de agora em diante servida por uma septã e por três noviças escolhidas pelo Alto Septão. Não terá mais voz no governo do reino, nem na educação de Tommen. Pretendo mandá-la de volta para Rochedo Casterly depois do julgamento, e assegurar-me de que fica lá. Que isso seja suficiente.

O resto deixou por dizer. Cersei estava agora conspurcada, e o seu poder chegara ao fim. Todos os ajudantes de padeiro e pedintes da cidade a tinham visto na sua vergonha e todas as pegas e curtidores do Fundo das Pulgas à Curva do Mijo haviam olhado a sua nudez, percorrendo com olhos ávidos os seus seios, barriga e órgãos de mulher. Nenhuma rainha podia esperar voltar a governar depois disso. Vestida de ouro, seda e esmeraldas, Cersei fora uma rainha, alguém logo abaixo de uma deusa; nua, era apenas humana, uma mulher a envelhecer com estrias na barriga e mamas que tinham começado a descair... como as víboras entre a multidão tinham feito notar com toda a alegria aos maridos e amantes. *É melhor viver envergonhada do que morrer orgulhosa*, disse Sor Kevan a si próprio.

— A minha sobrinha não fará mais diabruras — prometeu a Mace Tyrell. — Tendes a minha palavra quanto a isso, senhor.

Tyrell fez um aceno renitente.

— É como dizeis. A minha Margaery prefere ser julgada pela Fé, para que todo o reino possa ser testemunha da sua inocência.

*Se a tua filha for tão inocente como nos queres levar a crer, porque tens de ter o exército presente quando ela enfrentar os acusadores?*, podia ter perguntado Sor Kevan.

— Em breve, espero — disse em vez disso, antes de se virar para o Grande Meistre Pycelle. — Há mais alguma coisa?

O Grande Meistre consultou os papéis.

— Devíamos discutir a herança Rosby. Foram apresentadas seis pretensões...

— Podemos decidir Rosby mais tarde. Que mais?

— Devem ser feitos preparativos para a Princesa Myrcella.

— É isto o que acontece quando se lida com os dorneses — disse Mace Tyrell. — Certamente que pode ser encontrado melhor casamento para a rapariga, não?

*Como por exemplo o teu filho Willas, talvez? Ela desfigurada por um dornês, ele aleijado por outro?*

— Sem dúvida — disse Sor Kevan — mas já temos suficientes inimigos sem ofendermos Dorne. Se Doran Martell juntasse as suas forças às de Connington em apoio daquele falso dragão, as coisas podiam correr muito mal para todos nós.

— Talvez possamos persuadir os nossos amigos dorneses a negociar com o Lorde Connington — disse Sor Harys Swyft, com um risinho irritante. — Isso pouparia bastante sangue e problemas.

— É verdade — disse Sor Kevan, fatigado. Estava na altura de pôr fim àquilo. — Obrigado, senhores. Reunamo-nos de novo daqui a cinco dias. Depois do julgamento de Cersei.

— Como quiserdes. Que o Guerreiro dê força aos braços de Sor Robert. — As palavras eram renitentes, o abaixamento de queixo que Mace Tyrell dirigiu ao senhor regente era a mais apressada das vénias. Mas era alguma coisa, e por isso Sor Kevan Lannister sentiu-se grato.

Randyll Tarly saiu do salão com o seu suserano, levando os lanceiros de mantos verdes logo atrás. *O verdadeiro perigo é o Tarly*, refletiu Sor Kevan enquanto observava a partida dos dois nobres. *Um homem de vistas estreitas, mas com astúcia e uma vontade de ferro, e dos melhores soldados de que a Campina se pode gabar. Mas como o conquisto para o nosso lado?*

— O Lorde Tyrell não gosta de mim — disse o Grande Meistre Pycelle num tom sombrio depois de a Mão partir. — Aquela questão do chá de lua… Eu nunca teria falado em tal coisa, mas a Rainha Viúva ordenou-me! Se aprouver ao Senhor Regente, eu dormiria mais profundamente se me pudésseis emprestar alguns dos vossos guardas.

— Isso poderá cair mal ao Lorde Tyrell.

Sor Harys Swyft puxou pela barbicha.

— Eu próprio preciso de guardas. Estes são tempos perigosos.

*Pois*, pensou Kevan Lannister, *e Pycelle não é o único membro do conselho que a nossa Mão gostaria de substituir*. Mace Tyrell tinha o seu próprio candidato para senhor tesoureiro: o tio, Senhor Senescal de Jardim de Cima, ao qual os homens chamavam Garth, o Grosso. *A última coisa de que preciso é de outro Tyrell no pequeno conselho*. Já estava em inferioridade numérica. Sor Harys era pai da mulher, e também se podia contar com Pycelle. Mas Tarly estava ajuramentado a Jardim de Cima, o mesmo se podendo dizer de Paxter Redwyne, senhor almirante e mestre dos navios, atualmente a levar a sua frota em torno de Dorne para lidar com os homens de ferro de Euron Greyjoy. Depois de Redwyne regressar a Porto Real, o conselho ficaria três a três, Lannister e Tyrell.

A sétima voz seria a dornesa que estava agora a trazer Myrcella para casa. *A Senhora Nym. Mas não é senhora alguma, se metade do que Qyburn relata for verdade.* Filha bastarda da Víbora Vermelha, quase tão notória como o pai e decidida a reclamar o lugar no conselho que o próprio Príncipe Oberyn ocupara tão brevemente. Sor Kevan ainda não achara adequado informar Mace Tyrell sobre a sua vinda. A Mão, bem o sabia, não ficaria contente. *O homem de que precisamos é o Mindinho. Petyr Baelish tinha um dom para fazer surgir dragões do próprio ar.*

— Contratai os homens da Montanha — sugeriu Sor Kevan. — O Ronnet Vermelho já não terá mais utilidade para eles. — Não lhe parecia que Mace Tyrell fosse desastrado ao ponto de tentar assassinar Pycelle ou Swyft, mas se os guardas os faziam sentir-se mais seguros, que tivessem guardas.

Os três homens saíram juntos da sala do trono. Lá fora, a neve rodopiava em volta do pátio exterior, um animal engaiolado a uivar para ser libertado.

— Alguma vez sentistes um frio destes? — perguntou Sor Harys.

— A altura para falar do frio — disse o Grande Meistre Pycelle — não é quando estamos debaixo dele. — E atravessou lentamente o pátio exterior, de volta aos seus aposentos.

Os outros deixaram-se ficar durante algum tempo nos degraus da sala do trono.

— Não tenho nenhuma fé nesses banqueiros de Myr — disse Sor Kevan ao sogro. — É melhor que vos prepareis para ir a Bravos.

Sor Harys não pareceu feliz com a ideia.

— Se tiver de ser. Mas volto a dizer: estes problemas não são obra minha.

— Pois não. Foi Cersei quem decidiu que o Banco de Ferro esperaria o que lhe era devido. Devo enviá-la a ela a Bravos?

Sor Harys pestanejou.

— Sua Graça… isso… isso…

Sor Kevan salvou-o.

— Isto era um gracejo. Um mau gracejo. Ide em busca de um fogo quente. Tenciono fazer o mesmo. — Calçou as luvas e avançou pátio fora, inclinando-se muito contra o vento enquanto o manto batia e turbilhonava atrás de si.

O fosso seco que rodeava a Fortaleza de Maegor tinha um metro de neve no fundo, e os espigões de ferro que o enchiam estavam reluzentes de geada. A única maneira de entrar ou sair da fortaleza era através da ponte levadiça que ultrapassava o fosso. Um cavaleiro da Guarda Real estava sempre colocado na ponta mais distante Naquela noite, o dever recaíra sobre Sor Meryn Trant. Com Balon Swann à caça do cavaleiro criminoso Estrela Negra, lá em baixo em Dorne, e Jaime desaparecido nas terras fluviais, só permaneciam em Porto Real quatro das Espadas Brancas, e Sor Kevan atirara Osmund Kettleblack (e o irmão Osfryd) para a masmorra horas depois de Cersei confessar que tomara ambos os homens como amantes. Ficavam apenas Trant, o débil Boros Blount, e o monstro mudo de Qyburn, Robert Strong, para proteger o jovem rei e a família real.

*Vou precisar de encontrar novas espadas para a Guarda Real.* Tommen devia ter sete bons cavaleiros à sua volta. No passado, os membros da Guarda Real serviam de forma vitalícia, mas isso não impedira Joffrey de demitir Sor Barristan Selmy para abrir lugar ao seu cão, Sandor Clegane. Kevan usaria esse precedente. *Podia pôr um manto branco em Lancel*, refletiu. *Há mais honra nisso do que ele algum dia encontrará nos Filhos do Guerreiro.*

Kevan Lannister pendurou o manto ensopado em neve no interior do aposento privado, descalçou as botas e ordenou ao criado para lhe ir buscar mais lenha para a lareira.

— Uma taça de vinho quente com especiarias também desceria bem — disse enquanto se instalava junto da lareira. — Trata disso.

O fogo depressa o degelou, e o vinho aqueceu-lhe bem as entranhas. Também o deixou sonolento, portanto não se atreveu a beber outra taça. O seu dia estava longe de terminar. Tinha relatórios para ler, cartas para escrever. *E um jantar com Cersei e com o rei.* A sobrinha mostrara-se subjugada e submissa desde a marcha de expiação, graças aos deuses. As noviças que a serviam relatavam que passava um terço das horas de vigília com o filho, outro terço a rezar, e o resto na banheira. Andava a banhar-se quatro ou cinco vezes por dia, esfregando-se com escovas de crina de cavalo e forte sabão de lixívia, como se pretendesse arrancar a pele.

*Ela nunca conseguirá lavar a nódoa, por mais que se esfregue.* Sor Kevan lembrou-se da rapariga que ela fora em tempos, tão cheia de vida e travessura. E quando florira, ahhhh… teria alguma vez havido donzela mais doce de contemplar? *Se Aerys tivesse concordado em casá-la com Rhaegar, quantas mortes podiam ter sido evitadas?* Cersei teria dado ao príncipe os filhos que ele desejava, leões com olhos purpúreos e crinas prateadas… e com uma tal esposa, Rhaegar podia nunca ter olhado duas vezes para Lyanna Stark. A rapariga nortenha tinha uma beleza selvagem, se bem se lembrava, mas por mais brilhantemente que ardesse um archote, nunca poderia rivalizar com o Sol nascente.

Mas não fazia bem nenhum matutar sobre batalhas perdidas e estradas não seguidas. Esse era um vício de homens velhos e acabados. Rhaegar casara com Elia de Dorne, Lyanna Stark morrera. Robert Baratheon tomara Cersei como noiva e ali estavam. E naquela noite, a sua estrada levá-lo-ia aos aposentos da sobrinha, e pô-lo-ia face a face com Cersei.

*Não tenho qualquer motivo para me sentir culpado*, disse Sor Kevan a si próprio. *Tywin compreenderia isso, certamente. Foi a filha dele que fez cair a vergonha sobre o nosso nome, não fui eu. O que fiz, fi-lo para bem da Casa Lannister.*

Não se dava propriamente o caso de o irmão nunca ter feito a mesma coisa. Nos anos finais do pai de ambos, após o falecimento da mãe, o pai tomara como amante a donairosa filha de um veleiro. Não era inédito que um senhor viúvo tivesse uma rapariga plebeia para lhe aquecer a cama... mas o Lorde Tytos depressa começara a sentar a mulher a seu lado no salão, fazendo chover sobre ela presentes e honrarias, chegando mesmo a pedir-lhe a opinião sobre assuntos de estado. Num ano, a mulher passara a despedir criados, a dar ordens aos cavaleiros da sua casa, até a falar por sua senhoria quando ele estava indisposto. Tornara-se tão influente que se dizia em Lannisporto que qualquer homem que quisesse que a sua petição fosse ouvida devia ajoelhar-se perante ela e falar ruidosamente para o seu regaço... pois o ouvido de Tytos Lannister se encontrava entre as pernas da sua senhora. Até começara a usar as joias da mãe de Kevan e de Tywin.

Isto, até ao dia em que o coração do senhor seu pai lhe rebentara no peito enquanto subia a íngreme escada que levava à cama dela. Todos os interesseiros que tinham chamado a si próprios amigos dela e que haviam cultivado o seu favor tinham-na abandonado bem depressa quando Tywin a despira e a exibira nua Lannisporto fora até às docas, como uma rameira comum. Embora nenhum homem lhe tivesse posto uma mão em cima, essa caminhada pusera fim ao seu poder. Mas decerto que Tywin nunca teria sonhado que o mesmo destino aguardava a sua filha dourada.

— Teve de ser — resmungou Sor Kevan frente ao que restava do seu vinho. Sua Alta Santidade tinha de ser apaziguado. Tommen precisava de Fé a apoiá-lo nas batalhas que aí vinham. E Cersei... a criança dourada crescera e transformara-se numa mulher vaidosa, tola e ambiciosa. Se a deixassem governar, teria arruinado Tommen como arruinara Joffrey.

Lá fora o vento estava a aumentar, agarrando-se às portadas do seu quarto. Sor Kevan pôs-se em pé. Estava na altura de enfrentar a leoa no seu covil. *Arrancámos-lhe as garras. Jaime, no entanto...* Mas não, não ruminaria sobre isso.

Vestiu um gibão velho e muito usado, para o caso da sobrinha ter ideias de lhe atirar outra taça de vinho à cara, mas deixou o cinturão da espada pendurado das costas da cadeira. Só aos cavaleiros da Guarda Real eram permitidas espadas na presença de Tommen.

Sor Boros Blount servia o rei rapaz e a mãe quando Sor Kevan entrou nos aposentos reais. Blount usava escamas esmaltadas, manto branco e meio elmo. Não parecia bem. Nos últimos tempos, Blount tornara-se notoriamente mais pesado na cara e na barriga, e a sua cor não era boa. E estava encostado à parede atrás de si, como se manter-se em pé se tivesse tornado um esforço demasiado grande para si.

A refeição foi servida por três noviças, raparigas bem lavadas de bom nascimento, entre as idades de doze e dezasseis anos. Vestidas com as suas suaves lãs brancas, cada uma parecia mais inocente e pura do que a anterior, mas mesmo assim o Alto Septão insistira que nenhuma rapariga devia passar mais de sete dias ao serviço da rainha, para evitar que Cersei a corrompesse. Tratavam dos vestidos da rainha, preparavam-lhe os banhos, serviam-lhe vinho, mudavam-lhe a roupa da cama de manhã. Uma partilhava a cama da rainha todas as noites, para se certificar de que ela não tinha outra companhia; as outras duas dormiam num quarto adjacente com a septã que as vigiava.

Uma rapariga alta como uma cegonha, com uma cara borbulhenta, levou-o à real presença. Cersei levantou-se quando ele entrou e deu-lhe um leve beijo na cara.

— Querido tio. É tão bom da vossa parte jantardes connosco. — A rainha estava vestida tão modestamente como qualquer matrona, com um vestido castanho escuro que era abotoado até à garganta e um manto verde com capuz que lhe cobria a cabeça rapada. *Antes da caminhada, teria exibido a calvície sob uma coroa dourada.* — Vinde, sentai-vos — disse. — Quereis vinho?

— Uma taça. — Sentou-se, ainda prudente.

Uma noviça sardenta encheu as taças de ambos com vinho quente com especiarias. — Tommen diz-me que o Lorde Tyrell pretende reconstruir a Torre da Mão — disse Cersei.

Sor Kevan confirmou com um aceno.

— A nova torre terá o dobro da altura daquela que queimastes, diz ele.

Cersei soltou uma gargalhada gutural.

— Lanças longas, torres altas… estará o Lorde Tyrell a sugerir alguma coisa?

Aquilo fê-lo sorrir. *É bom que ela ainda se lembre de como se ri.* Quando perguntou se tinha tudo o que lhe fazia falta, a rainha disse:

— Sou bem servida. As raparigas são umas queridas, e as boas septãs asseguram-se de que faço as minhas preces. Mas depois de a minha inocência ficar provada, agradar-me-ia se Taena Merryweather voltasse a servir-me. Ela podia trazer o filho para a corte. Tommen precisa de outros rapazes à sua volta, de amigos de nascimento nobre.

Era um pedido modesto. Sor Kevan não viu motivo para não poder ser concedido. Ele próprio podia criar o rapaz Merryweather, enquanto a Senhora Taena ia com Cersei para o Rochedo Casterly.

— Mandá-la-ei buscar depois do julgamento — prometeu.

O jantar teve início com carne de vaca e sopa de cevada, seguidos por um par de codornizes e um lúcio assado com quase um metro de comprimento, com nabos, cogumelos e fartura de pão quente e manteiga. Sor

Boros provou cada prato que era posto perante o rei. Um dever humilhante para um cavaleiro da Guarda Real, mas talvez fosse tudo aquilo de que Blount era capaz nos dias que corriam... e era sensato, depois do modo como o irmão de Tommen morrera.

O rei parecia mais feliz do que Kevan Lannister o vira há muito tempo. Da sopa à sobremesa, Tommen tagarelou sobre as façanhas dos seus gatinhos, enquanto lhes ia dando bocados de lúcio que tirava do próprio prato régio.

— O gato mau esteve do lado de fora da minha janela ontem à noite — disse a Kevan a certa altura — mas Sor Salto silvou-lhe e ele fugiu pelos telhados.

— O gato mau? — disse Sor Kevan, divertido. *Ele é um rapaz adorável.*

— Um velho gato preto com uma orelha rasgada — disse-lhe Cersei. — Uma coisa nojenta, e com mau feitio. Uma vez arranhou a mão de Joff. — Fez uma careta. — Os gatos mantêm as ratazanas sob controlo, eu sei, mas aquele... já foi visto a atacar corvos na colónia.

— Pedirei aos rateiros para lhe armarem uma armadilha. — Sor Kevan não se lembrava de alguma vez ter visto a sobrinha tão calma, tão contida, tão reservada. Ainda bem, supunha. Mas isso também o entristecia. *Tem o fogo abafado, ela que costumava arder tão vivamente.* — Não fizestes perguntas sobre o vosso irmão — disse, enquanto esperavam pelos bolos de creme. Bolos de creme eram os preferidos do rei.

Cersei ergueu o queixo, com os olhos verdes a brilhar à luz das velas.

— Jaime? Tivestes notícias?

— Nenhuma. Cersei, podeis ter de vos preparar para...

— Se ele estivesse morto, eu sabê-lo-ia. Chegámos juntos a este mundo, tio. Ele não partiria sem mim. — Bebeu um gole de vinho. — Tyrion pode ir-se embora quando quiser. Também não tivestes notícias sobre ele, suponho.

— Ninguém tentou vender-nos uma cabeça de anão nos últimos tempos, não.

Ela fez um aceno com a cabeça.

— Tio, posso fazer-vos uma pergunta?

— O que quiserdes.

— A vossa esposa... tencionais trazê-la para a corte?

— Não. — Dorna era uma alma gentil, que nunca estava confortável exceto em casa com amigos e família à sua volta. Saíra-se bem com os filhos de ambos, sonhava com ter netos, rezava sete vezes por dia, adorava bordados e flores. Em Porto Real seria tão feliz como um dos gatinhos de Tommen num poço de víboras. — A senhora minha esposa não gosta de viajar. O seu lugar é em Lannisporto.

— Uma mulher que conhece o seu lugar é uma mulher sábia.

Kevan não gostou de como aquilo soava.

— Dizei lá o que quereis dizer com isso.

— Julguei que o tinha feito. — Cersei ergueu a taça. A rapariga sardenta voltou a enchê-la. Os bolos de creme apareceram nesse momento, e a conversa tomou um tom mais ligeiro. Foi só depois de Tommen e os gatinhos serem levados por Sor Boros para o quarto real que a conversa se dirigiu para o julgamento da rainha.

— Os irmãos de Osney não ficarão de braços cruzados a vê-lo morrer — avisou Cersei.

— Não esperei que ficassem. Mandei-os prender a ambos.

Aquilo pareceu apanhá-la de surpresa.

— Por que crime?

— Fornicação com uma rainha. Sua Alta Santidade diz que confessastes terdes dormido com ambos, esqueceste-vos?

A cara de Cersei enrubesceu.

— Não. Que fareis com eles?

— A Muralha, se admitirem a sua culpa. Se a negarem, poderão enfrentar Sor Robert. Tais homens nunca deviam ter sido elevados tão alto.

Cersei baixou a cabeça.

— Eu… eu avaliei-os mal.

— Avaliastes mal muitos homens, aparentemente.

Podia ter dito mais, mas a noviça de cabelo escuro e bochechas redondas regressou para dizer:

— Senhor, senhora, lamento incomodar, mas está um rapaz lá em baixo. O Grande Meistre Pycelle suplica o favor da presença imediata do Senhor Regente.

*Asas escuras, palavras escuras*, pensou Sor Kevan. *Poderá Ponta Tempestade ter caído? Ou serão novas de Bolton, no norte?*

— Podem ser notícias sobre Jaime — disse a rainha.

Só havia uma maneira de saber. Sor Kevan levantou-se.

— Peço que me desculpeis. — Antes de se retirar, deixou-se cair sobre um joelho e beijou a sobrinha na mão. Se o seu gigante silencioso lhe falhasse, podia ser o último beijo que receberia na vida.

O mensageiro era um rapaz de oito ou nove anos, tão entrouxado em peles que parecia uma cria de urso. Trant mantivera-o à espera na ponte levadiça em vez de o deixar entrar na Fortaleza de Maegor.

— Vai à procura de um fogo, rapaz — disse-lhe Sor Kevan, enfiando-lhe uma moeda na mão. — Conheço suficientemente bem o caminho para a colónia de corvos.

A neve deixara finalmente de cair. Por trás de um véu de nuvens esfarrapadas, uma lua cheia flutuava gorda e branca como uma bola de neve. As estrelas brilhavam frias e distantes. Quando Sor Kevan abriu caminho até ao outro lado do pátio interior, o castelo pareceu-lhe um lugar estranho, onde todas as fortificações e torres tinham ganho dentes gelados e todos os caminhos familiares haviam desaparecido sob um manto branco. Uma vez, um pingente longo como uma lança caiu para se ir estilhaçar a seus pés. *O outono em Porto Real*, matutou. *Como será lá em cima na Muralha?*

A porta foi aberta por uma criada, uma coisinha magricela com uma veste forrada de peles, demasiado grande para ela. Sor Kevan sacudiu a neve das botas batendo com os pés, tirou o manto, atirou-lho.

— O Grande Meistre está à minha espera — anunciou. A rapariga acenou com a cabeça, séria e silenciosa, e apontou para a escada.

Os aposentos de Pycelle ficavam debaixo da colónia de corvos, um espaçoso conjunto de divisões repletas de prateleiras cheias de ervas, poções e unguentos e de estantes a transbordar de livros e pergaminhos. Sor Kevan sempre as achara desconfortavelmente quentes. Naquela noite, não. Depois de ultrapassar a porta do quarto, o frio era palpável. Cinzas negras e brasas moribundas eram tudo o que restava do fogo na lareira. Algumas velas tremeluzentes deitavam charcos de luz aqui e ali.

O resto encontrava-se amortalhado de sombras... exceto sob a janela aberta, onde uma poalha de cristais de gelo reluzia ao luar, rodopiando ao vento. No banco de janela, um corvo deambulava lentamente, pálido, enorme, com as penas eriçadas. Era o maior corvo que Kevan Lannister vira na vida. Maior do que qualquer falcão de caça em Rochedo Casterly, maior do que a maior das corujas. Neve soprada pelo vento dançava à sua volta, e a Lua pintava-o de prata.

*De prata não. De branco. A ave é branca.*

Os corvos brancos da Cidadela não transportavam mensagens, como os seus primos escuros faziam. Quando eram enviados de Vilavelha, era apenas para um fim: anunciar uma mudança de estação.

— Inverno — disse Sor Kevan. A palavra criou uma névoa branca no ar. Virou costas à janela.

Então algo lhe bateu no peito entre as costelas, com a força de um punho de gigante. Tirou-lhe o fôlego e fê-lo recuar. O corvo branco levantou voo, e as suas asas brancas bateram-lhe na cabeça. Sor Kevan meio sentou-se e meio caiu no banco de janela. *O que... quem...* Um dardo estava enterrado quase até às penas no peito. *Não. Não, foi assim que o meu irmão morreu.* Sangue escorria em volta da haste.

— Pycelle — murmurou, confuso. — Ajudai-me... eu...

Então viu. O Grande Meistre Pycelle estava sentado à sua mesa, com a cabeça apoiada no grande tomo encadernado a couro que tinha na frente.

*A dormir*, pensou Kevan… até que pestanejou e viu o profundo corte vermelho no crânio pintalgado do velho e a poça de sangue acumulada por baixo da sua cabeça, manchando as páginas do livro. A toda a volta da vela havia bocados de osso e cérebro, ilhas num lago de cera derretida.

*Ele queria guardas*, pensou Sor Kevan. *Devia-lhe ter enviado guardas.* Poderia Cersei ter tido razão desde o início? Seria aquilo obra do sobrinho?

— Tyrion? — chamou. — Onde…?

— Longe — respondeu uma voz meio conhecida.

O homem estava numa lagoa de sombras junto de uma estante, rechonchudo, de rosto pálido, ombros redondos, segurando uma besta com mãos suaves e empoadas. Chinelos de seda enfaixavam-lhe os pés.

— Varys?

O eunuco pousou a besta.

— Sor Kevan. Perdoai-me, se puderdes. Não tenho má vontade contra vós. Isto não foi feito por maldade. Foi pelo reino. Pelos filhos.

*Eu tenho filhos. Tenho uma esposa. Oh, Dorna.* A dor submergiu-o. Fechou os olhos, voltou a abri-los.

— Há… há centenas de guardas Lannister neste castelo.

— Mas nenhum nesta sala, felizmente. Isto dói-me, senhor. Vós não mereceis morrer só, numa noite fria e escura como esta. Há muitos como vós, bons homens ao serviço de más causas… mas estáveis a ameaçar desfazer todo o bom trabalho da rainha, reconciliar Jardim de Cima e Rochedo Casterly, ligar a Fé ao vosso pequeno rei, unir os Sete Reinos sob o domínio de Tommen. Portanto…

Soprou uma rajada de vento. Sor Kevan tremeu violentamente.

— Tendes frio, senhor? — perguntou Varys. — Perdoai-me. O grande meistre sujou-se ao morrer, e o fedor era tão abominável que julguei que sufocaria.

Sor Kevan tentou levantar-se, mas as forças tinham-no abandonado. Não conseguia sentir as pernas.

— Achei a besta adequada. Partilháveis tantas coisas com o Lorde Tywin, porque não isso? A vossa sobrinha pensará que os Tyrell mandaram assassinar-vos, talvez com a conivência do Duende. Os Tyrell suspeitarão dela. Alguém, algures, encontrará maneira de culpar os dorneses. Dúvida, divisão e desconfiança corroerão o próprio chão sob os pés do vosso rei rapaz, enquanto Aegon ergue o seu estandarte sobre Ponta Tempestade e os senhores do reino se reúnem à volta dele.

— Aegon? — Por um momento não compreendeu. Depois lembrou-se. Um bebé envolto num manto carmesim, o pano manchado com o seu sangue e miolos. — Morto. Está morto.

— Não. — A voz do eunuco pareceu mais grave. — Está aqui. Aegon foi formado para governar desde antes de saber andar. Foi treinado com armas, como é próprio de um futuro cavaleiro, mas esse não foi o fim da sua educação. Sabe ler e escrever, fala várias línguas, estudou história, lei e poesia. Uma septã instruiu-o nos mistérios da Fé desde que ele chegou à idade de os compreender. Viveu com pescadores, trabalhou com as mãos, nadou em rios e remendou redes e aprendeu a lavar a própria roupa se necessário. Sabe pescar, cozinhar e ligar um ferimento, sabe como é passar fome, ser perseguido, ter medo. Ensinaram a Tommen que ser rei é o seu direito. Aegon sabe que ser rei é o seu dever, que um rei tem de pôr o seu povo em primeiro lugar, e viver e governar por ele.

Kevan Lannister tentou gritar… pelos guardas, pela mulher, pelo ir-mão… mas as palavras não vieram. Sangue pingou-lhe da boca. Estremeceu com violência.

— Lamento — Varys contorceu as mãos. — Estais a sofrer, eu sei, e aqui estou eu a tagarelar como uma velha pateta. Está na altura de pôr fim a isto. — O eunuco espetou os lábios e soltou um pequeno assobio.

Sor Kevan estava frio como gelo, e cada inspiração trabalhosa o apunhalava de novo com dor. Vislumbrou movimento, ouviu o suave som de pés calçados com chinelos a raspar em pedra. Uma criança saiu de uma lagoa de escuridão, um rapaz pálido com um trajo esfarrapado, que não teria mais de nove ou dez anos. Outro ergueu-se de trás da cadeira do Grande Meistre. A rapariga que lhe abrira a porta também lá se encontrava. Estavam a toda a sua volta, meia dúzia deles, crianças de caras brancas com olhos escuros, tanto rapazes como raparigas.

E nas suas mãos, os punhais.

# AGRADECIMENTOS

O último foi dos diabos. Este foi dos diabos, dos demónios e dos infernos. De novo, os meus agradecimentos aos meus muito sofredores editores: a Jane Johnson e Joy Chamberlain na Voyager, e a Scott Shannon, Nita Taublib e Anne Groell da Bantam. A sua compreensão, bom humor e sábios conselhos ajudaram a ultrapassar as partes difíceis, e nunca deixarei de me sentir grato pela sua paciência.

Agradeço também aos meus igualmente pacientes agentes, que me deram um apoio sem fim, Chris Lotts, Vince Gerardis, à fabulosa Kay McCauley, e ao falecido Ralph Vicinanza. Ralph, gostaria que estivesses cá para partilhar este dia.

E obrigado a Stephen Boucher, o errante australiano que ajuda a manter o meu computador oleado e a zumbir sempre que aparece em Santa Fé para um burrito ao pequeno-almoço (no Natal) e uma fatia de bacon jalapeño.

Aqui na frente doméstica, também são devidos agradecimentos aos meus queridos amigos Melinda Snodgrass e Daniel Abraham pelo seu encorajamento e apoio, à minha webmaster Pati Nagle por manter o meu canto da Internet, e à espantosa Raya Golden pelas refeições, pela arte, pelo infalível bom humor que ajudou a iluminar até os dias mais sombrios em Terrapin Station. Mesmo apesar de me ter tentado roubar o gato.

Por mais tempo que eu tenha demorado a dançar esta dança, teria certamente demorado o dobro sem a assistência do meu fiel (e mordaz) lacaio e ocasional companheiro de viagem Ty Franck, que me cuida do computador quando Stephen não anda por perto, mantém as vorazes turbas virtuais afastadas da minha porta virtual, faz os meus recados, carrega as minhas coisas, faz o café, faz o que é preciso fazer e cobra dez mil dólares para mudar uma lâmpada — e tudo isto enquanto escreve os seus próprios livros bestiais às quartas-feiras.

Por fim, mas bem longe de ser por último, todo o meu amor e gratidão vão para a minha mulher, Parris, que dançou cada passo disto a meu lado. Amo-te, Phipps.

George R. R. Martin
13 de maio de 2011

# APÊNDICE

# WESTEROS

## O REI RAPAZ

TOMMEN BARATHEON, o Primeiro do Seu Nome, Rei dos Ândalos, dos Roinares e dos Primeiros Homens, Senhor dos Sete Reinos, um rapaz de oito anos,

— a sua esposa, RAINHA MARGAERY da Casa Tyrell, três vezes casada, duas vezes viúva, acusada de alta traição, mantida cativa no Grande Septo de Baelor,
    — as senhoras suas companheiras e primas, MEGGA, ALLA e ELINOR TYRELL, acusadas de fornicação,
        — o prometido de Elinor, ALYN AMBROSE, escudeiro,
— a sua mãe, CERSEI da Casa Lannister, Rainha Viúva, Senhora de Rochedo Casterly, acusada de alta traição, cativa no Grande Septo de Baelor,
— os seus irmãos:
    — o seu irmão mais velho, {REI JOFFREY BARATHEON}, envenenado durante o banquete do seu casamento,
    — a sua irmã mais velha, PRINCESA MYRCELLA BARATHEON, uma rapariga de nove anos, protegida do Príncipe Doran Martell em Lançassolar, prometida a seu filho Trystane,
— os seus gatinhos, SOR SALTO, SENHORA BIGODES, BOTAS,
— os seus tios:
    — SOR JAIME LANNISTER, dito REGICIDA, gémeo da Rainha Cersei, Senhor Comandante da Guarda Real,
    — TYRION LANNISTER, dito DUENDE, um anão, acusado e condenado por regicídio e assassínio de parentes,
    — os seus outros familiares:

— o seu avô, {TYWIN LANNISTER}, Senhor de Rochedo Casterly, Protetor do Oeste, e Mão do Rei, assassinado na latrina pelo filho Tyrion,

— o seu tio-avô, SOR KEVAN LANNISTER, Senhor Regente e Protetor do Território, c. Dorna Swyft,

    — os filhos destes:

    — SOR LANCEL LANNISTER, um cavaleiro da Sagrada Ordem dos Filhos do Guerreiro,

    — {WILLEM}, gémeo de Martyn, assassinado em Correrrio,

    — MARTYN, gémeo de Willem, um escudeiro,

    — JANEL, uma rapariga de três anos,

— a sua tia-avó, GENNA LANNISTER, c. Sor Emmon Frey,

    — os filhos destes:

    — {SOR CLEOS FREY}, morto por fora-da-lei,

        — o seu filho, SOR TYWIN FREY, dito TY,

        — o seu filho WILLEM FREY, um escudeiro,

    — SOR LYONEL FREY, segundo filho da Senhora Genna,

    — {TION FREY}, um escudeiro, assassinado em Correrrio,

    — WALDER FREY, dito WALDER VERMELHO, um pajem em Rochedo Casterly,

— o seu tio-avô, {SOR TYGETT LANNISTER}, c. Darlessa Marbrand,

    — os filhos destes:

    — TYREK LANNISTER, um escudeiro, desaparecido durante os tumultos por comida em Porto Real,

        — SENHORA ERMESANDE HAYFORD, a esposa criança de Tyrek,

— o seu tio-avô, GERION LANNISTER, perdido no mar,

        — JOY HILL, a sua filha bastarda,

— o pequeno conselho do Rei Tommen:

    — SOR KEVAN LANNISTER, Senhor Regente,

    — LORDE MACE TYRELL, Mão do Rei,

    — GRANDE MEISTRE PYCELLE, conselheiro e curandeiro,

    — SOR JAIME LANNISTER, Senhor Comandante da Guarda Real,

    — LORDE PAXTER REDWYNE, grande almirante e mestre dos navios,

    — QYBURN, um meistre caído em desgraça e reputado necromante, mestre dos segredos,

— anterior pequeno conselho da Rainha Cersei,

    — {LORDE GYLES ROSBY}, senhor tesoureiro e mestre da moeda, morto de uma tosse,

    — LORDE ORTON MERRYWEATHER, administrador de justiça e mestre das leis, em fuga para Mesalonga após a prisão da Rainha Cersei,

— AURANE WATERS, o Bastardo de Derivamarca, grande almirante e mestre dos navios, em fuga para o mar com a frota real após a prisão da Rainha Cersei,

— a Guarda Real do Rei Tommen:
    — SOR JAIME LANNISTER, Senhor Comandante,
    — SOR MERYN TRANT,
    — SOR BOROS BLOUNT, renomado e três vezes reintegrado,
    — SOR BALON SWANN, em Dorne com a Princesa Myrcella,
    — SOR OSMUND KETTLEBLACK,
    — SOR LORAS TYRELL, o Cavaleiro das Flores,
    — {SOR ARYS OAKHEART}, morto em Dorne,

— a corte de Tommen em Porto Real:
    — RAPAZ LUA, o bobo real,
    — PATE, um rapaz de oito anos, o vergastado do Rei Tommen,
    — ORMOND DE VILAVELHA, o real harpista e bardo,
    — SOR OSFRYD KETTLEBLACK, irmão de Sor Osmund e de Sor Osney, um capitão da Patrulha da Cidade,
    — NOHO DIMITTIS, emissário do Banco de Ferro de Bravos,
    — {SOR GREGOR CLEGANE}, dito A MONTANHA QUE CAVALGA, morto de um ferimento envenenado,
    — RENIFFER LONGWATERS, subcarcereiro de primeira das masmorras da Fortaleza Vermelha,

— os alegados amantes da Rainha Margaery:
    — WAT, um cantor que chama a si próprio O BARDO AZUL, cativo enlouquecido pela tortura,
    — {HAMISH, O HARPISTA}, um cantor idoso, morto em cativeiro,
    — SOR MARCO MULLENDORE, o qual perdeu um macaco e meio braço na Batalha da Água Negra,
    — SOR TALLAD, dito O ALTO, SOR LAMBERT TURNBERRY, SOR BAYARD NORCROSS, SOR HUGH CLIFTON,
    — JALABHAR XHO, Príncipe do Vale da Flor Vermelha, um exilado das Ilhas do Verão,
    — SOR HORAS REDWYNE, inocentado e libertado,
    — SOR HOBBER REDWYNE, inocentado e libertado,

— principal acusador da Rainha Cersei,
    — SOR OSNEY KETTLEBLACK, irmão de Sor Osmund e de Sor Osfryd, mantido cativo pela Fé,

— a gente da Fé:

  — O ALTO SEPTÃO, Pai dos Fiéis, Voz dos Sete na Terra, um velho e débil,
    — SEPTÃ UNELLA; SEPTÃ MOELLE, SEPTÃ SCOLERA, as carcereiras da rainha,
    — SEPTÃO TORBERT, SEPTÃO RAYNARD, SEPTÃO LUCEON, SEPTÃO OLLIDOR, dos Mais Devotos,
    — SEPTÃ AGLANTINE, SEPTÃ HELICENT, ao serviço dos Sete no Grande Septo de Baelor,
    — SOR THEODAN WELLS, dito THEODAN, O FIEL, piedoso comandante dos Filhos do Guerreiro,
    — os "pardais," os mais humildes dos homens, ferozes na sua piedade,

— gente de Porto Real:

  — CHATAYA, proprietária de um bordel caro,
    — ALAYAYA, sua filha,
    — DANCY, MAREI, duas das raparigas de Chataya,
  — TOBHO MOTT, um mestre armeiro,

— senhores das terras da coroa, ajuramentados ao Trono de Ferro:

  — RENFRED RYKKER, Senhor de Valdocaso,
    — SOR RUFUS LEEK, um cavaleiro maneta ao seu serviço, castelão do Forte Pardo, em Valdocaso,
  — {TANDA STOKEWORTH}, Senhora de Stokeworth, morta de uma anca quebrada,
    — a sua filha mais velha, {FALYSE}, morta aos gritos nas celas negras,
      — {SOR BALMAN BYRCH}, esposo da Senhora Falyse, morto numa justa,
    — a sua filha mais nova, LOLLYS, fraca de espírito, Senhora de Stokeworth,
      — o seu filho recém-nascido, TYRION TANNER, o dos cem pais,
      — o seu esposo, SOR BRONN DA ÁGUA NEGRA, mercenário armado cavaleiro,
    — MEISTRE FRENKEN, ao serviço em Stokeworth,

O estandarte do Rei Tommen exibe o veado coroado de Baratheon, negro sobre ouro, e o leão de Lannister, ouro sobre carmesim, combatentes.

O REI NA MURALHA

STANNIS BARATHEON, o Primeiro do Seu Nome, segundo filho do Lorde Steffon Baratheon e da Senhora Cassana da Casa Estermont, Senhor de Pedra do Dragão, chamando a si próprio Rei de Westeros.

— com o Rei Stannis em Castelo Negro:
  — SENHORA MELISANDRE DE ASSHAI, dita MULHER VERMELHA, uma sacerdotisa de R'hllor, o Senhor da Luz,
  — os cavaleiros e espadas ajuramentadas:
    — SOR RICHARD HORPE, o seu segundo comandante,
    — SOR GODRY FARRING, dito MATA-GIGANTES,
    — SOR JUSTIN MASSEY,
    — LORDE ROBIN PEASEBURY,
    — LORDE HARWOOD FELL,
    — SOR CLAYTON SUGGS, SOR CORLISS PENNY, homens da rainha e ferventes seguidores do Senhor da Luz,
    — SOR WILLAM RAPOLUVA, SOR HUMFREY CLIFTON, SOR ORMUND WYLDE, SOR HARYS COBB, cavaleiros
  — os seus escudeiros, DEVAN SEAWORTH e BRYEN FARRING
  — o seu cativo, MANCE RAYDER, Rei-Para-lá-da-Muralha,
    — o filho bebé de Rayder, "o príncipe selvagem,"
      — a ama de leite do rapaz, GILLY, uma rapariga selvagem,
      — o filho bebé de Gilly, "a abominação," gerado pelo pai dela, {CRASTER},

— em Atalaialeste-do-Mar:

    — RAINHA SELYSE, da Casa Florent, sua esposa,

        — PRINCESA SHIREEN, filha de ambos, uma rapariga de onze anos,

          — CARA-MALHADA, o bobo tatuado de Shireen,

    — o seu tio, SOR AXELL FLORENT, o primeiro dos Homens da Rainha, intitulando-se Mão da Rainha,

    — os seus cavaleiros e espadas ajuramentadas, SOR NARBERT GRANDISON, SOR BENETHON SCALES, SOR PATREK DA MONTANHA REAL, SOR DORDAN, O SEVERO, SOR MALEGORN DE PEGORRUBRO, SOR LAMBERT WHITEWATER, SOR PERKIN FOLLARD, SOR BRUS BUCKLER

— SOR DAVOS SEAWORTH, Senhor da Mata de Chuva, Almirante do Mar Estreito e Mão do Rei, dito CAVALEIRO DA CEBOLA,

— SALLADHOR SAAN, de Lys, um pirata e mercenário, capitão da *Valiriana* e de uma frota de galés,

— TYCHO NESTORIS, emissário do Banco de Ferro de Bravos.

Stannis escolheu para seu símbolo o coração flamejante do Senhor da Luz — um coração vermelho rodeado por chamas laranja em fundo amarelo. Dentro do coração encontra-se o veado coroado da Casa Baratheon, em negro.

## REI DAS ILHAS E DO NORTE

Os Greyjoy de Pyke afirmam descender do Rei Cinzento da Era dos Heróis. A lenda diz que o Rei Cinzento governou o próprio mar e tomou uma sereia como esposa. Aegon, o Dragão, pôs fim à linhagem do último Rei das Ilhas de Ferro, mas permitiu que os nascidos no ferro reavivassem o seu antigo costume e escolhessem quem devia deter primazia entre eles. Escolheram o Lorde Vickon Greyjoy de Pyke. O símbolo Greyjoy é uma lula gigante dourada em fundo de negro. O seu lema é *Nós Não Semeamos*.

EURON GREYJOY, o Terceiro do Seu Nome Desde o Rei Cinzento, Rei das Ilhas de Ferro e do Norte, Rei do Sal e da Rocha, Filho do Vento Marinho e Senhor Ceifeiro de Pyke, capitão do *Silêncio*, dito OLHO DE CORVO,
    — o seu irmão mais velho, {BALON}, Rei das Ilhas de Ferro e do Norte, o Nono do Seu Nome Desde o Rei Cinzento, morto numa queda,
        — SENHORA ALANNYS, da Casa Harlaw, viúva de Balon,
        — os filhos de ambos:
            — {RODRIK}, morto durante a primeira rebelião de Balon,
            — {MARON}, morto durante a primeira rebelião de Balon,
            — ASHA, capitã do *Vento Negro* e conquistadora de Bosque Profundo, c. Erik Ferreiro,
            — THEON, chamado THEON VIRA-MANTOS pelos nortenhos, cativo no Forte do Pavor,
    — o seu irmão mais novo, VICTARION, Senhor Capitão da Frota de Ferro, capitão da *Vitória de Ferro*,

— o seu irmão mais novo, AERON, dito CABELO-MOLHADO, um sacerdote do Deus Afogado,

— os seus capitães e espadas ajuramentadas:

— TORWOLD BROWNTOOTH, JON CARA-SUMIDA MYRE, RODRIK FREEBORN, O REMADOR VERMELHO, LUCAS MÃO-ESQUERDA CODD, QUELLON HUMBLE, HARREN MEIO-HOARE, KEMMETT PYKE, O BASTARDO, QARL, O SERVO, MÃO DE PEDRA, RALF, O PASTOR, RALF DE FIDALPORTO

— os seus tripulantes:

— {CRAGORN}, que soprou o corno do inferno e morreu,

— os senhores seus vassalos:

— ERIK FERREIRO, dito ERIK QUEBRA-BIGORNAS e ERIK, O JUSTO, Senhor Intendente das Ilhas de Ferro, castelão de Pyke, um velho em tempos renomado, c. Asha Greyjoy,

— senhores de Pyke:

— GERMUND BOTLEY, Senhor de Fidalporto,

— WALDON WYNCH, Senhor de Bosque de Ferro,

— senhores de Velha Wyk:

— DUNSTAN DRUMM, O Drumm, Senhor de Velha Wyk,

— NORNE GOODBROTHER, de Pedrasmagada,

— O STONEHOUSE,

— senhores de Grande Wyk:

— GOROLD GOODBROTHER, Senhor de Cornartelo,

— TRISTON FARWYND, Senhor de Ponta de Pelefoca,

— O SPARR,

— MELDRED MERLYN, Senhor de Seixeira,

— senhores de Montrasgo:

— ALYN ORKWOOD, dito ORKWOOD DE MONTRASGO,

— LORDE BALON TAWNEY,

— senhores de Salésia:

— LORDE DONNOR SALTCLIFFE,

— LORDE SUNDERLY,

— senhores de Harlaw:

— RODEIK HARLAW, dito O LEITOR, Senhor de Harlaw, Senhor das Dez Torres, Harlaw de Harlaw,

— SIGFRYD HARLAW, dito SIGFRYD CABELO-DE-PRATA, o seu tio-avô, dono de Solar de Harlaw,

— HOTHO HARLAW, dito HOTHO CORCUNDA, da Torre Bruxuleante, um primo,

— BOREMUND HARLAW, dito BOREMUND, O AZUL, dono de Monte da Bruxa, um primo,

— senhores das ilhas e rochedos menores:

    — GYLBERT FARWYND, Senhor da Luz Solitária,

— os conquistadores nascidos no ferro:

    — nas Ilhas Escudo

        — ANDRIK, O SÉRIO, Senhor de Escudossul,

        — NUTE, O BARBEIRO, Senhor de Escudorroble,

        — MARON VOLMARK, Senhor de Escudoverde,

        — SOR HARRAS HARLAW, Senhor de Escudogris, o Cavaleiro de Jardim Cinzento,

    — em Fosso Cailin

        — RALF KENNING, castelão e comandante,

            — ADRACK HUMBLE, com falta de meio braço,

            — DAGON CODD, o qual não se rende a homem algum,

    — em Praça de Torrhen

        — DAGMER, dito BOCA-FENDIDA, capitão do *Bebedor de Espuma*,

    — em Bosque Profundo

        — ASHA GREYJOY, a filha da lula gigante, capitã do *Vento Negro*,

            — o seu amante, QARL, O DONZEL, um espadachim,

            — o seu antigo amante, TRISTIFER BOTLEY, herdeiro de Fidalporto, despojado das suas terras,

            — os seus tripulantes, ROGGON BARBAFERRUGENTA, LINGUATRISTE, ROLFE, O ANÃO, LORREN LONGA-XE, TRAPAÇAS, DEDOS, HARL SEIS-DEDOS, DALE PENDEDELAS, EARL HARLAW, CROMM, HAGEN, O CORNO e sua bela filha ruiva,

            — o seu primo, QUENTON GREYJOY,

            — o seu primo, DAGON GREYJOY, dito DAGON, O BÊBADO

## OUTRAS CASAS GRANDES
## E PEQUENAS

CASA ARRYN

Os Arryn são descendentes dos Reis da Montanha e Vale. O seu símbolo é a lua e o falcão, de branco, em campo azul celeste. A Casa Arryn não participou na Guerra dos Cinco Reis.

ROBERT ARRYN, Senhor do Ninho de Águia, Defensor do Vale, um rapaz enfermiço de oito anos, por vezes chamado PISCO-DOCE,
    — a sua mãe, {SENHORA LYSA, da Casa Tully}, viúva do Lorde Jon Arryn, empurrada pela Porta da Lua para a sua morte,
    — o seu guardião, PETYR BAELISH, dito MINDINHO, Senhor de Harrenhal, Senhor Supremo do Tridente, e Senhor Protetor do Vale,
        — ALAYNE STONE, filha ilegítima do Lorde Petyr, uma donzela de treze anos, na realidade Sansa Stark,
        — SOR LOTHOR BRUNE, um mercenário ao serviço do Lorde Petyr, capitão dos guardas do Ninho de Águia,
        — OSWELL, um homem de armas encanecido ao serviço do Lorde Petyr, por vezes chamado KETTLEBLACK,
        — SOR SHADRICK DO VALE SOMBRIO, dito RATO LOUCO, um cavaleiro andante ao serviço do Lorde Petyr,
        — SOR BYRON, O BELO, SOR MORGARTH, O ALEGRE, cavaleiros andantes ao serviço do Lorde Petyr,
    — o seu pessoal e servidores:
        — MEISTRE COLEMON, conselheiro, curandeiro e tutor,
        — MORD, um carcereiro brutal com dentes de ouro,
        — GRETCHEL, MADDY e MELA, criadas,

— os senhores seus vassalos, os Senhores da Montanha e do Vale:

    — YOHN ROYCE, dito BRONZE YOHN, Senhor de Pedrarruna,

        — o seu filho, SOR ANDAR, herdeiro de Pedrarruna,

    — LORDE NESTOR ROYCE, Supremo Intendente do Vale e castelão dos Portões da Lua,

        — o seu filho e herdeiro, SOR ALBAR,

        — a sua filha MYRANDA, dita RANDA, uma viúva, mas pouco usada,

        — MYA STONE, filha bastarda do Rei Robert,

    — LYONEL CORBRAY, Senhor de Lar do Coração,

        — SOR LYN CORBRAY, seu irmão, que brande a afamada espada Senhora Desespero,

        — SOR LUCAS CORBRAY, seu irmão mais novo,

        — TRISTON SUNDERLAND, Senhor das Três Irmãs,

        — GODRIC BORRELL, Senhor de Irmã Doce,

        — ROLLAND LONGTHORPE, Senhor de Irmã Longa,

        — ALESANDOR TORRENT, Senhor de Irmã Pequena,

    — ANYA WAYNWOOD, Senhora de Castelo de Ferrobles

        — SOR MORTON, seu filho mais velho e herdeiro,

        — SOR DONNEL, o Cavaleiro do Portão Sangrento,

        — WALLACE, o seu filho mais novo,

        — HARROLD HARDYNG, seu protegido, um escudeiro frequentemente chamado HARRY, O HERDEIRO,

    — SOR SYMOND TEMPLETON, o Cavaleiro de Novestrelas,

    — JON LYNDERLY, Senhor da Mata de Cobras,

    — EDMUND WAXLEY, o Cavaleiro de Tocalar,

    — GEROLD GRAFTON, o Senhor de Vila Gaivota,

    — {EON HUNTER}, Senhor de Solar de Longarco, recentemente falecido,

        — SOR GILWOOD, filho mais velho e herdeiro de Lorde Eon, agora chamado JOVEM LORDE HUNTER,

        — SOR EUSTACE, segundo filho do Lorde Eon,

        — SOR HARLAN, filho mais novo do Lorde Eon,

        — pessoal do Jovem Lorde Hunter:

            — MEISTRE WILLAMEN, conselheiro, curandeiro, tutor,

    — HORTON REDFORT, Senhor de Fortencarnado, três vezes casado,

        — SOR JASPER, SOR CREIGHTON, SOR JON, seus filhos,

        — SOR MYCHEL, seu filho mais novo, cavaleiro acabado de armar, c. Ysilla Royce de Pedrarruna,

    — BENEDAR BELMORE, Senhor de Cantoforte,

— chefes de clã das Montanhas da Lua,

    — SHAGGA, FILHO DE DOLF, DOS CORVOS DE PEDRA, presentemente na liderança de um bando na mata de rei,

    — TIMETT, FILHO DE TIMETT, DOS HOMENS QUEIMADOS,

    — CHELLA, FILHA DE CHEYK, DOS ORELHAS NEGRAS,

    — CRAWN, FILHO DE CALOR, DOS IRMÃOS DA LUA.

O lema dos Arryn é *Alto Como a Honra*.

## CASA BARATHEON

A mais nova entre as Grandes Casas, a Casa Baratheon nasceu durante as Guerras da Conquista, quando Orys Baratheon, que consta ter sido irmão bastardo de Aegon, o Conquistador, derrotou e matou Argilac, o Arrogante, o último Rei da Tempestade. Aegon recompensou-o com o castelo, terras e filha de Argilac. Orys tomou a rapariga como noiva e adotou o estandarte, títulos e lema da sua linhagem.

No 283º. Ano após a Conquista de Aegon, Robert da Casa Baratheon, Senhor de Ponta Tempestade, derrubou o Rei Louco, Aerys II Targaryen, a fim de conquistar o Trono de Ferro. A sua pretensão à coroa derivava da avó, uma filha do Rei Aegon V Targaryen, embora Robert preferisse dizer que a sua pretensão era o martelo de batalha.

{ROBERT BARATHEON}, o Primeiro do Seu Nome, Rei dos Ândalos, dos Roinares e dos Primeiros Homens, Senhor dos Sete Reinos e Protetor do Território, morto por um javali,
> — a sua esposa, RAINHA CERSEI da Casa Lannister,
> — os filhos de ambos:
>> — {REI JOFFREY BARATHEON}, o Primeiro do Seu Nome, assassinado no seu banquete de casamento,
>> — PRINCESA MYRCELLA, protegida em Lançassolar, prometida ao Príncipe Trystane Martell,
>> — REI TOMMEN BARATHEON, o Primeiro do Seu Nome,
> — os seus irmãos:
>> — STANNIS BARATHEON, Senhor rebelde de Pedra do Dragão e pretendente ao Trono de Ferro,
>>> — a sua filha, SHIREEN, uma rapariga de onze anos,
>> — {RENLY BARATHEON}, Senhor rebelde de Ponta Tempestade e pretendente ao Trono de Ferro, assassinado em Ponta Tempestade, no seio do seu exército,

— os seus filhos bastardos:

    — MYA STONE, uma donzela de dezanove anos, ao serviço do Lorde Nestor Royce, dos Portões da Lua,

    — GENDRY, um fora-da-lei nas terras fluviais, ignorante da sua ascendência,

    — EDRIC STORM, o filho bastardo reconhecido de Robert e da Senhora Delena da Casa Florent, escondido em Lys,

        — SOR ANDREW ESTERMONT, seu primo e guardião,

        — os seus guardas e protetores:

            — SOR GERALD GOWER, LEWIS, dito O PEIXEIRA, SOR TRISTON DE MONTE DA TALHA, OMER BLACKBERRY,

    — {BARRA}, filha bastarda de Robert e duma rameira de Porto Real, morto por ordem da sua viúva,

— os seus outros familiares:

    — o seu bisavô, SOR ELDON ESTERMONT, Senhor de Pedraverde,

        — o seu primo, SOR AEMON ESTERMONT, filho de Eldon,

            — o seu primo, SOR ALYN ESTERMONT, filho de Aemon,

        — o seu primo, SOR LOMAS ESTERMONT, filho de Eldon,

            — o seu primo, SOR ANDREW ESTERMONT, filho de Lomas,

— vassalos ajuramentados a Ponta Tempestade, os senhores da tempestade:

    — DAVOS SEAWORTH, Senhor da Mata de Chuva, Almirante do Mar Estreito e Mão do Rei,

        — a sua esposa, MARYA, filha de um carpinteiro,

            — os seus filhos, {DALE, ALLARD, MATTHOS, MARIC}, mortos na Batalha da Água Negra,

            — o seu filho DEVAN, escudeiro do Rei Stannis,

            — os seus filhos, STANNIS e STEFFON,

    — SOR GILBERT FARRING, castelão de Ponta Tempestade,

        — o seu filho BRYEN, escudeiro do Rei Stannis,

        — o seu primo, SOR GODRY FARRING, dito MATA-GIGANTES,

    — ELWOOD MEADOWS, Senhor de Fortaleza do Relvado, senescal em Ponta Tempestade,

    — SELWYN TARTH, dito ESTRELA DA TARDE, Senhor de Tarth,

        — a sua filha, BRIENNE, A DONZELA DE TARTH, também dita BRIENNE, A BELEZA,

            — o seu escudeiro, PODRICK PAYNE, um rapaz de dez anos,

— SOR RONNET CONNINGTON, dito RONNET VERMELHO, o Cavaleiro de Poleiro do Grifo,

- os seus irmãos mais novos, RAYMUND e ALYNNE,
- o seu filho bastardo, RONALD STORM,
- o seu primo, JON CONNINGTON, em tempos Senhor de Ponta Tempestade e Mão do Rei, exilado por Aerys II Targaryen, julgado morto de bebida,

— LESTER MORRIGEN, Senhor do Ninho de Corvo,

- o seu irmão e herdeiro, SOR RICHARD MORRIGEN,
- o seu irmão, {SOR GUYARD MORRIGEN, dito GUYARD, O VERDE}, morto na Batalha da Água Negra,

— ARSTAN SELMY, Senhor de Solar de Colheitas,

- o seu tio-avô, SOR BARRISTAN SELMY,

— CASPER WYLDE, Senhor de Casais de Chuva,

- o seu tio, SOR ORMUND WYLDE, um idoso cavaleiro,

— HARWOOD FELL, Senhor de Bosque Cortado,

— HUGH GRANDISON, dito BARBAGRIS, Senhor de Belavista,

— SEBASTION ERROL, Senhor de Solar de Montefeno,

— CLIFFORD SWANN, Senhor de Pedrelmo,

— BERIC DONDARRION, Senhor da Água Negra, dito O SENHOR DO RELÂMPAGO, um fora-da-lei nas terras fluviais, frequentemente morto e agora julgado morto,

— {BRYCE CARON}, Senhor de Nocticantiga, morto por Sor Philip Foote na Água Negra,

- aquele que o matou, SOR PHILIP FOOTE, um cavaleiro zarolho, Senhor de Nocticantiga,
- o seu meio-irmão ilegítimo, SOR ROLLAND STORM, dito O BASTARDO DE NOCTICANTIGA, Senhor pretendente de Nocticantiga,

— ROBIN PEASEBURY, Senhor de Campovagem,

— MARY MERTYNS, Senhora de Matabruma,

— RALPH BUCKLER, Senhor de Portabrônzea,

- o seu primo, SOR BRUS BUCKLER.

O símbolo Baratheon é um veado coroado, negro em campo de ouro. O seu lema é *Nossa é a Fúria.*

CASA FREY

Os Frey são vassalos da Casa Tully, mas nem sempre foram diligentes em desempenhar o seu dever. Ao rebentar a Guerra dos Cinco Reis, Robb Stark conquistou a aliança do Lorde Walder com a promessa de desposar uma das suas filhas ou netas. Quando em vez disso casou com a Senhora Jeyne Westerling, os Frey conspiraram com Roose Bolton e assassinaram o Jovem Lobo e os seus seguidores naquilo que ficou conhecido como o Casamento Vermelho.

WALDER FREY, Senhor da Travessia,
 — da sua primeira esposa, {SENHORA PERRA, da Casa Royce}:
  — {SOR STEVRON FREY}, morto após a Batalha de Cruzaboi,
  — SOR EMMON FREY, o seu segundo filho,
  — SOR AENYS FREY, à frente das forças Frey no Norte,
   — o filho de Aenys, AEGON NASCIDO-EM-SANGUE, um fora-da-lei,
   — o filho de Aenys, RHAEGAR, emissário em Porto Branco,
  — PERRIANE, a sua filha mais velha, c. Sor Leslyn Haigh,
 — da sua segunda esposa, {SENHORA CYRENNA, da Casa Swann}:
  — SOR JARED FREY, emissário em Porto Branco,
  — SEPTÃO LUCEON, o seu quinto filho,
 — da sua terceira esposa, {SENHORA AMAREI, da Casa Crakehall}:
  — SOR HOSTEEN FREY, um cavaleiro de grande reputação,
  — LYENTHE, a sua segunda filha, c. Lorde Lucias Vypren,
  — SYMOND FREY, o seu sétimo filho, contador de moedas, emissário em Porto Branco,

— SOR DANWELL FREY, o seu oitavo filho,
— {MERRETT FREY}, o seu nono filho, enforcado em Pedravelhas,
  — a filha de Merrett, WALDA, dita WALDA GORDA, c. Roose Bolton, Senhor do Forte do Pavor,
  — o filho de Merrett, WALDER, dito PEQUENO WALDER, oito anos, um escudeiro ao serviço de Ramsay Bolton,
— {SOR GEREMY FREY}, o seu décimo filho, afogado,
— SOR RAYMUND, o seu décimo primeiro filho,
— da sua quarta esposa, {SENHORA ALYSSA, da Casa Blackwood}:
  — LOTHAR FREY, o seu décimo segundo filho, dito LOTHAR COXO,
  — SOR JAMMOS FREY, o seu décimo terceiro filho,
    — o filho de Jammos, WALDER, dito GRANDE WALDER, oito anos, um escudeiro ao serviço de Ramsey Bolton,
  — SOR WHALEN FREY, o seu décimo quarto filho,
  — MORYA, a sua terceira filha, c. Sor Flement Brax,
  — TYTA, a sua quarta filha, dita TYTA, A DONZELA,
— da sua quinta esposa, {SENHORA SARYA da Casa Whent}:
  — nenhuma prole,
— da sua sexta esposa, {SENHORA BETHANY, da Casa Rosby}:
  — SOR PERWYN FREY, o seu décimo quinto filho,
  — {SOR BENFREY FREY}, o seu décimo sexto filho, morto de um ferimento sofrido no Casamento Vermelho,
  — MEISTRE WILLAMEN, o seu décimo sétimo filho, ao serviço em Solar de Longarco,
  — OLYVAR FREY, o seu décimo oitavo filho, em tempos escudeiro de Robb Stark,
  — ROSLIN, a sua quinta filha, c. Lorde Edmure Tully no Casamento Vermelho, grávida do seu filho,
— da sua sétima esposa, {SENHORA ANNARA, da Casa Farring}:
  — ARWYN, a sua sexta filha, uma donzela de catorze anos,
  — WENDEL, o seu décimo nono filho, pajem em Guardamar,
  — COLMAR, o seu vigésimo filho, onze anos e prometido à Fé,
  — WALTYR, dito TYR, o seu vigésimo primeiro filho, dez anos,
  — ELMAR, o seu vigésimo segundo e último filho, um rapaz de nove anos por um breve período prometido a Arya Stark,
  — SHIREI, a sua sétima filha, uma rapariga de sete anos,
— a sua oitava esposa, SENHORA JOYEUSE, da Casa Erenford,
  — actualmente grávida,
— filhos ilegítimos de Lorde Walder, de mães diversas,
  — WALDER RIVERS, dito WALDER BASTARDO,
  — MEISTRE MELWYS, ao serviço em Rosby,

— JEYNE RIVERS, MARTYN RIVERS, RYGER RIVERS, RONEL RIVERS, MELLARA RIVERS, e outros.

CASA LANNISTER

Os Lannister de Rochedo Casterly permanecem como o principal apoio da pretensão do Rei Tommen ao Trono de Ferro. Vangloriam-se de descender de Lann, o Esperto, o legendário intrujão da Era dos Heróis. O ouro de Rochedo Casterly e de Dente Dourado fez dela a mais rica entre as Grandes Casas. O símbolo Lannister é um leão dourado num campo de carmim. O seu lema é *Ouvi-me rugir!*

{TYWIN LANNISTER}, Senhor de Rochedo Casterly, Escudo de Lanisporto, Protector do Oeste e Mão do Rei, assassinado pelo filho anão na sua latrina,
— os filhos do Lorde Tywin:
— CERSEI, gémea de Jaime, viúva do Rei Robert I Baratheon, prisioneira no Grande Septo de Baelor,
— SOR JAIME, gémeo de Cersei, dito REGICIDA, Senhor Comandante da Guarda Real,
— os seus escudeiros, JOSMYN PECKLEDON, GARRETT PAEGE, LEW PIPER,
— SOR ILYN PAYNE, um cavaleiro sem língua, anteriormente Magistrado do Rei e carrasco,
— SOR RONNET CONNINGTON, dito RONNET VERMELHO, o Cavaleiro de Poleiro do Grifo, enviado para Lagoa da Donzela com um prisioneiro,
— SOR ADDAM MARBRAND, SOR FLEMENT BRAX, SOR ALYN STACKSPEAR, SOR STEFFON SWYFT, SOR HUMFREY SWYFT, SOR LYLE CRAKEHALL, dito VARRÃO-FORTE, SOR

JON BETTLEY, dito JON IMBERBE, cavaleiros ao serviço com a hoste de Sor Jaime em Correrrio,
— TYRION, dito DUENDE, anão e assassino de parentes, fugitivo no exílio do outro lado do mar estreito,

— o pessoal da sua casa em Rochedo Casterly:
    — MEISTRE CREYLEN, curandeiro, tutor e conselheiro,
    — VILARR, capitão dos guardas,
    — SOR BENEDICT BROOM, mestre de armas,
    — WAT RISO-BRANCO, um cantor,

— os irmãos do Lorde Tywin e respectivos descendentes:
    — SOR KEVAN LANNISTER, c. Dorna, da Casa Swyft,
    — SENHORA GENNA, c. Sor Emmon Frey, agora Senhor de Correrrio,
        — o filho mais velho de Genna, {SOR CLEOS FREY}, c. Jeyne, da Casa Darry, morto por fora-da-lei,
            — o filho mais velho de Cleos, SOR TYWIN FREY, dito TY, agora herdeiro de Correrrio,
            — o segundo filho de Cleos, WILLEM FREY, um escudeiro,
        — os filhos mais novos de Genna, SOR LYONEL FREY, {TION FREY}, WALDER FREY, dito WALDER VERMELHO,
    — {SOR TYGETT LANNISTER}, morto de varíola,
        — TYREK, filho de Tygett, desaparecido e julgado morto,
            — SENHORA ERMESANDE HAYFORD, esposa infantil de Tyrek,
    — {GERION LANNISTER}, perdido no mar,
        — JOY HILL, filha bastarda de Gerion, onze anos,

— demais família próxima do Lorde Tywin:
    — {SOR STAFFORD LANNISTER}, primo e irmão da esposa do Lorde Tywin, morto em batalha em Cruzaboi,
        — CERENNA e MYRIELLE, filhas de Stafford,
        — SOR DAVEN LANNISTER, filho de Stafford,
    — SOR DAMION LANNISTER, um primo, c. Senhora Shiera Crakehall,
        — o seu filho, SOR LUCION,
        — a sua filha, LANNA, c. Lorde Antario Jast,
    — SENHORA MARGOT, uma prima, c. Lorde Titus Peake,

— vassalos e espadas ajuramentadas, os Senhores do Oeste:
    — DAMON MARBRAND, Senhor de Cinzamarca,
    — ROLAND CRAKEHALL, Senhor de Paço de Codorniz,

— SEBASTION FARMAN, Senhor de Ilha Bela,

— TYTOS BRAX, Senhor de Valcorno,

— QUENTEN BANEFORT, Senhor de Forte Ruína,

— SOR HARYS SWYFT, sogro de Sor Kevan Lannister,

— REGENARD ESTREN, Senhor de Vieleira,

— GAWEN WESTERLING, Senhor do Despenhadeiro,

— LORDE SELMOND STACKSPEAR,

— TERRENCE KENNING, Senhor de Kayce,

— LORDE ANTARIO JAST,

— LORDE ROBIN MORELAND,

— SENHORA ALYSANNE LEFFORD,

— LEWIS LYDDEN, Senhor de Toca Funda,

— LORDE PHILIP PLUMM,

— LORDE GARRISON PRESTER,

— SOR LORENT LORCH, um cavaleiro com terras,

— SOR GARTH GREENFIELD, um cavaleiro com terras,

— SOR LYMOND VIKARY, um cavaleiro com terras,

— SOR RAYNARD RUTTIGER, um cavaleiro com terras,

— SOR MANFRED YEW, um cavaleiro com terras,

— SOR TYBOLT HETHERSPOON, um cavaleiro com terras,

## CASA MARTELL

Dorne foi o último dos Sete Reinos a jurar lealdade ao Trono de Ferro. O sangue, os costumes, a geografia e a história ajudaram a distinguir os dorneses dos outros reinos. Quando rebentou a Guerra dos Cinco Reis, Dorne não participou, mas quando Myrcella Baratheon foi prometida ao Príncipe Trystane, Lançassolar declarou o seu apoio ao Príncipe Joffrey. O estandarte Martell é um sol vermelho trespassado por uma lança dourada. O seu lema é *Insubmissos, não curvados, não quebrados*.

DORAN NYMEROS MARTELL, Senhor de Lançassolar, Príncipe de Dorne,
— a sua esposa, MELLARIO, da Cidade Livre de Norvos,
— os seus filhos:
    — PRINCESA ARIANNE, herdeira de Lançassolar,
    — PRÍNCIPE QUENTYN, acabado de armar cavaleiro, educado em Paloferro,
    — PRÍNCIPE TRYSTANE, prometido a Myrcella Baratheon,
        — SOR GASCOYNE DO SANGUEVERDE, o seu escudo ajuramentado,
— os seus irmãos:
    — {PRINCESA ELIA}, violada e assassinada durante o Saque de Porto Real,
        — a sua filha {RHAENYS TARGARYEN}, assassinada durante o Saque de Porto Real,
        — o seu filho, {AEGON TARGARYEN}, um bebé de peito, assassinado durante o Saque de Porto Real,

— {PRÍNCIPE OBERYN, dito VÍBORA VERMELHA}, morto por Sor Gregor Clegane durante um julgamento por combate,

    — a sua amante, ELLARIA SAND, filha ilegítima do Lorde Harmen Uller,

    — as suas bastardas, AS SERPENTES DA AREIA:

        — OBARA, a mais velha, filha de Oberyn e de uma prostituta de Vilavelha,

        — NYMERIA, dita SENHORA NYM, filha de Oberyn e de uma nobre de Velha Volantis,

        — TYENE, filha de Oberyn e de uma septã,

        — SARELLA, filha de Oberyn e de uma capitã mercante oriunda das Ilhas do Verão,

        — ELIA, filha de Oberyn e de Ellaria Sand,

        — OBELLA, filha de Oberyn e de Ellaria Sand,

        — DOREA, filha de Oberyn e de Ellaria Sand,

        — LOREZA, filha de Oberyn e de Ellaria Sand,

— a corte do Príncipe Doran:

    — nos Jardins de Água:

        — AREO HOTAH, de Norvos, capitão dos guardas,

        — MEISTRE CALEOTTE, conselheiro, curandeiro e tutor,

    — em Lançassolar:

        — MEISTRE MYLES, conselheiro, curandeiro e tutor,

        — RICASSO, senescal, velho e cego,

        — SOR MANFREY MARTELL, castelão em Lançassolar,

        — SENHORA ALYSE LADYBRIGHT, senhora tesoureira,

— a sua protegida, PRINCESA MYRCELLA BARATHEON, prometida ao Príncipe Trystane,

    — o seu protetor ajuramentado, {SOR ARYS OAKHEART}, morto por Areo Hotah,

    — a sua aia e companheira, ROSAMUND LANNISTER, uma prima afastada,

— os seus vassalos, os Senhores de Dorne:

    — ANDERS YRONWOOD, Senhor de Paloferro, Protetor do Caminho de Pedra, o Sangue-Real,

        — YNYS, a sua filha mais velha, c. Ryon Allyrion,

        — SOR CLETUS, seu filho e herdeiro,

        — GWYNETH, a sua filha mais nova, uma rapariga de doze anos,

    — HARMEN ULLER, Senhor da Toca do Inferno,

— DELONNE ALLYRION, Senhora de Graçadivina,

    — RYON ALLYRION, seu filho e herdeiro,

— DAGOS MANWOODY, Senhor de Tumbarreal,

— LARRA BLACKMONT, Senhora de Monpreto,

— NYMELLA TOLAND, Senhora de Monte Espírito,

— QUENTYN QORGYLE, Senhor de Arenito,

— SOR DEZIEL DALT, o Cavaleiro de Limoeiros,

— FRANKLYN FOWLER, Senhor de Alcanceleste, dito O VELHO FAL-CÃO, Protetor do Passo do Príncipe,

— SOR SYMON SANTAGAR, o Cavaleiro de Matamalhada,

— EDRIC DAYNE, Senhor de Tombastela, um escudeiro,

— TREBOR JORDAYNE, Senhor da Penha,

— TREMOND GARGALEN, Senhor da Costa do Sal,

— DAERON VAITH, Senhor das Dunas Rubras.

## CASA STARK

A ascendência dos Stark remonta a Brandon, o Construtor, e aos antigos Reis do Inverno. Ao longo de milhares de anos governaram a partir de Winterfell como Reis do Norte, até que Torrhen Stark, o Rei Que Ajoelhou, escolheu jurar fidelidade a Aegon, o Dragão, em vez de lhe dar batalha. Quando o Lorde Eddard Stark de Winterfell foi executado pelo Rei Joffrey, os nortenhos abjuraram a sua lealdade ao Trono de Ferro e proclamaram o filho do Lorde Eddard, Robb, como Rei no Norte. Durante a Guerra dos Cinco Reis, ele ganhou todas as batalhas, mas foi traído e assassinado pelos Frey e pelos Bolton nas Gémeas durante o casamento do tio.

{ROBB STARK}, Rei no Norte, Rei do Tridente, Senhor de Winterfell, dito O JOVEM LOBO, assassinado no Casamento Vermelho,
— {VENTO CINZENTO}, o seu lobo gigante, morto no Casamento Vermelho,
— os seus irmãos legítimos:
— SANSA, sua irmã, c. Tyrion, da Casa Lannister,
— {LADY}, o seu lobo gigante, morto no Castelo de Darry,
— ARYA, uma menina de onze anos, desaparecida e julgada morta,
— NYMERIA, o seu lobo gigante, a vaguear pelas terras fluviais,
— BRANDON, dito BRAN, um rapaz aleijado de nove anos, herdeiro de Winterfell, julgado morto,
— VERÃO, o seu lobo gigante,
— os companheiros e protectores de Bran:
— RICKON, seu irmão, um rapaz de quatro anos, julgado morto,
— CÃO-FELPUDO, o seu lobo gigante, negro e selvagem,

— OSHA, uma selvagem, outrora cativa em Winterfell,
— o seu meio-irmão bastardo, JON SNOW, da patrulha da Noite,
— FANTASMA, o lobo gigante de Jon, branco e silencioso,
— os seus outros familiares:
— o seu tio, BENJEN STARK, Primeiro Patrulheiro da Patrulha da Noite, perdido para lá da Muralha, julgado morto,
— a sua tia, {LYSA ARRYN}, Senhora do Ninho de Águia,
— o seu filho, ROBERT ARRYN, Senhor do Ninho de Águia, e Defensor do Vale, um rapaz enfermiço,
— o seu tio, EDMURE TULLY, Senhor de Correrio, aprisionado no Casamento Vermelho,
— SENHORA ROSLIN, da Casa Frey, noiva de Edmure, à espera de bebé,
— o seu tio-avô, SOR BRYNDEN TULLY, dito PEIXE NEGRO, nos últimos tempos castelão de Correrio, agora um homem em fuga,

— os vassalos de Winterfell, os Senhores do Norte:
— JON UMBER, dito GRANDE-JON, Senhor da Última Lareira, cativo nas Gémeas,
— {JON, dito PEQUENO-JON}, o filho mais velho e herdeiro do Grande-Jon, morto no Casamento Vermelho,
— MORS, dito PAPA-CORVOS, tio do Grande-Jon, castelão na Última Lareira,
— HOTHER, dito TERROR-DAS-RAMEIRAS, tio do Grande-Jon, também castelão na Última Lareira,
— {CLEY CERWYN}, Senhor de Cerwyn, morto em Winterfell,
— JONELLE, sua irmã, uma donzela de trinta e dois anos,
— ROOSE BOLTON, Senhor do Forte do Pavor,
— {DOMERIC}, seu herdeiro, morto de problemas de barriga,
— WALTON, dito PERNAS D'AÇO, seu capitão,
— RAMSAY BOLTON, seu filho ilegítimo, dito O BASTARDO DE BOLTON, Senhor de Boscorno,
— WALDER FREY e WALDER FREY, ditos GRANDE WALDER e PEQUENO WALDER, escudeiros de Ramsay,
— BEN OSSOS, mestre dos canis no Forte do Pavor,
— {CHEIRETE}, um homem de armas tristemente famoso pelo fedor que deita, morto enquanto passava por Ramsay,
— os Rapazes do Bastardo, homens de armas de Ramsay:
— PICHA AMARELA, DAMON DANÇA-PA-RA-MIM, LUTON, ALYN AZEDO, ESFOLA-DOR, GRUNHIDO,

— {RICKARD KARSTARK}, Senhor de Karhold, decapitado pelo Jovem Lobo por assassinar prisioneiros,

    — {EDDARD}, seu filho, morto no Bosque dos Murmúrios,

    — {TORRHEN}, seu filho, morto no Bosque dos Murmúrios,

    — HARRION, seu filho, cativo em Lagoa da Donzela,

    — ALYS, sua filha, uma donzela de quinze anos,

    — o seu tio ARNOLF, castelão de Karhold,

        — CREGAN, o filho mais velho de Arnolf,

        — ARTHOR, o filho mais novo de Arnolf,

— WYMAN MANDERLY, Senhor de Porto Branco, muitíssimo gordo,

    — SOR WYLIS MANDERLY, seu filho mais velho e herdeiro, muito gordo, cativo em Harrenhal,

        — a esposa de Wylis, LEONA, da Casa Woolfield,

            — WINAFRYD, a sua filha mais velha,

            — WYLLA, a sua filha mais nova,

    — {SOR WENDEL MANDERLY}, seu segundo filho, morto no Casamento Vermelho,

    — SOR MARLON MANDERLY, seu primo, comandante da guarnição do Porto Branco,

    — MEISTRE THEOMORE, conselheiro, tutor, curandeiro,

    — WEX, um rapaz de doze anos, em tempos escudeiro de Theon Greyjoy, mudo,

    — SOR BARTIMUS, um velho cavaleiro, perneta, zarolho e frequentemente bêbado, castelão do Covil do Lobo,

        — GARTH, um carcereiro e carrasco,

          — o seu machado, SENHORA LU,

        — THERRY, um carcereiro mais novo,

— MAEGE MORMONT, Senhora da Ilha dos Ursos, a Ursa,

    — {DACEY}, sua filha mais velha, morta no Casamento Vermelho,

    — ALYSANE, sua filha, a Jovem Ursa,

    — LYRA, JORELLE, LYANNA, as suas filhas mais novas,

    — {JEOR MORMONT}, seu irmão, Senhor Comandante da Patrulha da Noite, morto pelos seus próprios homens,

        — SOR JORAH MORMONT, seu filho, um exilado,

— HOWLAND REED, Senhor da Atalaia da Água Cinzenta, um cranogmano,

    — a sua esposa, JYANA, dos cranogmanos,

    — os seus filhos:

        — MEERA, uma jovem caçadora,

        — JONJEN, um rapaz abençoado com a visão verde,

— GALBART GLOVER, Senhor de Bosque Profundo, solteiro,

    — ROBETT GLOVER, seu irmão e herdeiro,

        — a esposa de Robett, SYBELLE, da Casa Locke,

    — BENJICOT BRANCH, NED SEM-NARIZ WOODS, homens da mata de lobos ajuramentados a Bosque Profundo,

— {SOR HELMAN TALLHART}, Senhor da Praça de Torrhen, morto em Valdocaso,

    — {BENFRED}, seu filho e herdeiro, morto por homens de ferro na Costa Pedregosa,

    — EDDARA, sua filha, cativa na Praça de Torrhen,

    — {LEOBALD}, seu irmão, morto em Winterfell,

        — a esposa de Leobald, BERENA, da Casa Hornwood, cativa em Praça de Torrhen,

        — os seus filhos, BRANDON e BEREN, igualmente cativos na Praça de Torrhen,

— RODRIK RYSWELL, Senhor dos Regatos,

    — BARBREY DUSTIN, sua filha, Senhora de Vila Acidentada, viúva do Lorde Willam Dustin,

        — HARWOOD STOUT, seu vassalo, um pequeno senhor em Vila Acidentada,

    — {BETHANY BOLTON}, sua filha, segunda esposa do Lorde Roose Bolton, morta de uma febre,

    — ROGER RYSWELL, RICKARD RYSWELL, ROOSE RYSWELL, os seus conflituosos primos e vassalos,

— LYNESSA FLINT, Senhora de Atalaia da Viúva,

— ONDREW LOCKE, Senhor de Castelovelho, um velho,


— os chefes dos clãs de montanha:

    — HUGO WULL, dito GRANDE BALDE ou O WULL,

    — BRANDON NORREY, dito O NORREY,

        — BRANDON NORREU, o Mais-Novo, seu filho

    — TORREN LIDDLE, dito O LIDDLE,

        — DUNCAN LIDDLE, seu filho mais velho, dito GRANDE LIDDLE, um homem da Patrulha da Noite,

        — MORGAN LIDDLE, o seu segundo filho, dito LIDDLE DO MEIO,

        — RICKARD LIDDLE, o seu terceiro filho, dito PEQUENO LIDDLE,

    — TORGHEN FLINT, dos Primeiros Flints, dito O FLINT, ou VELHO FLINT,

        — DONNEL PRETO FLINT, seu filho e herdeiro,

— ARTOS FLINT, seu segundo filho, meio irmão do Donnel Preto,

As armas Stark ostentam um lobo gigante cinzento correndo por um campo branco de gelo. O lema Stark é *O Inverno Está a Chegar*.

## CASA TULLY

O Lorde Edmyn Tully de Correrio foi um dos primeiros dos senhores do rio a jurar le-aldade a Aegon, o Conquistador. O Rei Aegon recompensou-o atribuindo à Casa Tully o domínio sobre todas as terras do Tridente. O símbolo dos Tully é uma truta saltante, de prata, em campo ondulado de azul e vermelho. O mote dos Tully é: *Família, Dever, Honra.*

EDMURE TULLY, Senhor de Correrio, aprisionado no seu casamento e mantido cativo pelos Frey,

    — a sua noiva, SENHORA ROSLIN, da Casa Frey, agora grávida,

    — a sua irmã, {SENHORA CATELYN STARK}, viúva do Lorde Eddard Stark de Winterfell, morta no Casamento Vermelho,

    — a sua irmã, {SENHORA LYSA ARRYN}, viúva do Lorde Jon Arryn do Vale, empurrada para a morte no Ninho de Águia,

    — o seu tio, SOR BRYNDEN TULLY, dito PEIXE NEGRO, nos últimos tempos castelão de Correrio, agora um fora-da-lei,

    — o seu pessoal em Correrio:

        — MEISTRE VYMAN, conselheiro, curandeiro e tutor,

        — SOR DESMOND GRELL, mestre-de-armas,

        — SOR ROBIN RYGER, capitão da guarda,

            — LEW COMPRIDO, ELWOOD, DELP, guardas,

        — UTHERYDES WAYN, intendente de Correrio,

    — os seus vassalos, os Senhores do Tridente:

        — TYTOS BLACKWOOD, Senhor de Solar de Corvarbor,

— BRYNDEN, seu filho mais velho e herdeiro,

— {LUCAS}, seu segundo filho, morto no Casamento Vermelho,

— HOSTER, seu terceiro filho, um rapaz dado aos livros,

— EDMUND e ALYN, os seus filhos mais novos,

— BETHANY, sua filha, uma rapariga de oito anos,

— {ROBERT}, seu filho mais novo, morto de uma soltura de tripas,

— JONOS BRACKEN, Senhor de Barreira de Pedra,

— BARBARA, JAYNE, CATELYN, BESS, ALYSANNE, as suas cinco filhas,

— HILDY, uma seguidora de acampamentos,

— JASON MALLISTER, Senhor de Guardamar, prisioneiro no seu próprio castelo,

— PATREK, seu filho, aprisionado com o pai,

— SOR DENYS MALLISTER, tio do Lorde Jason, um homem da Patrulha da Noite,

— CLEMENT PIPER, Senhor do Castelo de Donzelarrosa,

— o seu filho e herdeiro, SOR MARQ PIPER, aprisionado no Casamento Vermelho,

— KARYL VANCE, Senhor do Pouso do Viajante,

— NORBERT VANCE, o cego Senhor de Atranta,

— THEOMAR SMALLWOOD, Senhor de Solar de Bolotas,

— WILLIAM MOOTON, Senhor de Lagoa da Donzela,

— ELEANOR, sua filha e herdeira, treze anos, c. Dickon Tarly, de Monte Chifre,

— SHELLA WHENT, a despojada Senhora de Harrenhal,

— SOR HALMON PAEGE,

— LORDE LYMOND GOODBROOK,

CASA TYRELL

Os Tyrell ascenderam ao poder como intendentes dos Reis da Campina, embora digam descender de Garth Greenhand, o rei jardineiro dos Primeiros Homens. Quando o último rei da Casa Gardener foi morto no Campo de Fogo, o seu intendente Harlen Tyrell rendeu Jardim de Cima a Aegon, o Conquistador. Aegon outorgou-lhe o castelo e o domínio sobre a Campina. Mace Tyrell declarou o seu apoio a Renly Baratheon no início da Guerra dos Cinco Reis, e deu-lhe a mão da sua filha Margaery. Após a morte de Renly, Jardim de Cima fez aliança com a Casa Lannister, e Margaery foi prometida ao Rei Joffrey.

MACE TYRELL, Senhor de Jardim de Cima, Protector do Sul, Defensor das Marcas, Supremo Marechal da Campina,
— a sua esposa, SENHORA ALERIE, da Casa Hightower de Vilavelha,
— os filhos de ambos:
    — WILLAS, o filho mais velho, herdeiro de Jardim de Cima,
    — SOR GARLAN, dito O GALANTE, o segundo filho, recentemente nomeado Senhor de Águas Claras,
        — a esposa de Garlan, SENHORA LEONETTE da Casa Fossoway,
    — SOR LORAS, o Cavaleiro das Flores, o filho mais novo, Irmão Ajuramentado da Guarda Real, ferido em Pedra do Dragão,
    — MARGAERY, a sua filha, duas vezes casada e duas vezes viúva,
        — as companheiras e servidoras de Margaery:
            — as suas primas, MEGGA, ALLA e ELINOR TYRELL,
                — o prometido de Elinor, ALYN AMBROSE, escudeiro,

— SENHORA ALYSANNE BULWER, SENHORA ALYCE GRACEFORD, SENHORA TAENA MERRYWEATHER, MEREDYTH CRANE, dita MERRY, SEPTÃ NYSTERICA, suas companheiras,

— a sua mãe viúva, SENHORA OLENNA, da Casa Redwyne, dita RAINHA DOS ESPINHOS,

— as suas irmãs:

   — SENHORA MINA, c. Paxter Redwyne, Senhor da Árvore,

      — o seu filho, SOR HORAS REDWYNE, dito HORROR,

      — o seu filho, SOR HOBBER REDWYNE, dito BABEIRO,

      — a sua filha, DESMERA REDWYNE, dezasseis anos,

   — SENHORA JANNA, casada com Sor Jon Fossoway,

— os seus tios:

   — o seu tio, GARTH TYRELL, dito o GROSSO, Senhor Senescal de Jardim de Cima,

      — os filhos bastardos de Garth, GARSE e GARRETT FLOWERS,

   — o seu tio, SOR MORYN TYRELL, Senhor Comandante da Patrulha da Cidade de Vilavelha,

   — o tio de Mace, MEISTRE GORMON, ao serviço na Cidadela,

— o pessoal de Mace em Jardim de Cima:

   — MEISTRE LOMYS, conselheiro, curandeiro e tutor,

   — IGON VYRWELL, capitão da guarda,

   — SOR VORTIMER CRANE, mestre-de-armas,

   — BOSSAS-DE-MANTEIGA, bobo, enormemente gordo,

— os seus vassalos, os Senhores da Campina:

   — RANDYLL TARLY, Senhor de Monte Chifre, ao comando do exército do Rei Tommen no Tridente,

   — PAXTER REDWYNE, Senhor da Árvore,

      — SOR HORAS e SOR HOBBER, os seus filhos gémeos,

      — o curandeiro do Lorde Paxter, MEISTRE BALLABAR,

   — ARWYN OAKHEART, Senhora de Carvalho Velho,

   — MATHIS ROWAN, Senhor de Bosquedouro,

   — LEYTON HIGHTOWER, Voz de Vilavelha, Senhor do Porto,

   — HUMFREY HEWETT, Senhor de Escudorroble,

      — FALIA FLOWERS, a sua filha bastarda,

   — OSBERT SERRY, Senhor de Escudossul,

   — GUTHOR GRIMM, Senhor de Escudogris,

   — MORIBALD CHESTER, Senhor de Escudoverde,

   — ORTON MERRYWEATHER, Senhor de Mesalonga,

— SENHORA TAENA, sua esposa, uma mulher de Myr,
— RUSSEL, o seu filho, um rapaz de seis anos,
— LORDE ARTHUR AMBROSE,
— LORENT CASWELL, Senhor de Pontamarga,

— os seus cavaleiros e espadas a ele ajuramentadas:
— SOR JON FOSSOWAY, dos Fossoway da maçã verde.
— SOR TANTON FOSSOWAY, dos Fossoway da maçã vermelha.

O símbolo dos Tyrell é uma rosa dourada em campo verde-relva. O seu lema é: *Crescendo Fortes*.

## OS IRMÃOS AJURAMENTADOS DA PATRULHA DA NOITE

JON SNOW, o Bastardo de Winterfell, nongentésimo nonagésimo oitavo Senhor Comandante da Patrulha da Noite,
— FANTASMA, o seu lobo gigante branco,
— o seu intendente, EDDISON TOLETT, dito EDD DOLOROSO,

— em Castelo Negro
— MEISTRE AEMON (TARGARYEN), curandeiro e conselheiro, um cego, com cento e dois anos de idade,
— o intendente de Aemon, CLYDAS,
— o intendente de Aemon, SAMWELL TARLY, gordo, e dado aos livros,
— BOWEN MARSH, Senhor Intendente,
— HOBB TRÊS-DEDOS, intendente e chefe cozinheiro,
— {DONAL NOYE}, armeiro e ferreiro, maneta, morto ao portão por Mag, o Poderoso,
— OWEN, dito IDIOTA, TIM LÍNGUA-ENREDADA, MULLY, CUGEN, DONNEL HILL, dito DOCE DONNEL, LEW MÃO ESQUERDA, JEREN, TY, DANNEL, WICK PALITO, intendentes,
— OTHELL YARWYCK, Primeiro Construtor,
— BOTA EXTRA, HALDER, ALBETT, BARRICAS, ALF DE LA-MÁGUA, construtores,
— SEPTÃO CELLADOR, um devoto ébrio,
— JACK PRETO BULWER, Primeiro Patrulheiro,

— DYWEN, KEDGE WHITEYE, BEDWYCK dito GIGANTE, MATTHAR, GARTH PENA-CINZA, ULMER DA MATA DE REI, ELRON, GARRETT GREENSPEAR, FULK, O PULGA, PYPAR, dito PYP, GRENN, dito AUROQUE, BERNARR, dito BERNARR PRETO, TIM STONE, RORY, BEN BARBUDO, TOM BARLEYCORN, GOADY LIDDLE GRANDE, LUKE DE VILA-LONGA, patrulheiros,

— COUROS, um selvagem transformado em corvo,

— SOR ALLISER THORNE, antigo mestre-de-armas,

— LORDE JANOS SLYNT, antigo comandante da Patrulha da Cidade de Porto Real, durante um breve período Senhor de Harrenhal,

— EMMETT DE FERRO, anteriormente de Atalaialeste, mestre-de-armas,

    — HARETH, dito CAVALO, os gémeos ARRON e EMRICK, CETIM, PISCO-SALTITÃO, recrutas em treino,

— na Torre Sombria

    — SOR DENYS MALLISTER, comandante,

        — o seu intendente e escudeiro, WALLACE MASSEY,

        — MEISTRE MULLIN, curandeiro e conselheiro.

        — {QHORIN MEIA-MÃO, ESCUDEIRO DALBRIDGE, EGGEN}, patrulheiros, mortos para lá da Muralha,

        — COBRA DAS PEDRAS, um patrulheiro, perdido no Passo dos Guinchos enquanto se deslocava apeado,

— em Atalaialeste-do-Mar

    — COTTER PYKE, um bastardo das Ilhas de Ferro, comandante,

        — MEISTRE HARMUNE, curandeiro e conselheiro,

        — VELHO FARRAPO SALGADO, capitão do *Melro*,

        — SOR GLENDON HEWETT, mestre-de-armas,

        — SOR MAYNARD HOLT, capitão do *Garra*,

        — RUS BARLEYCORN, capitão do *Corvo de Tempestade*,

## OS SELVAGENS, OU O POVO LIVRE

MANCE RAYDER, Rei-para-lá-da-Muralha, um cativo em Castelo Negro,
— a sua esposa, {DALLA}, morta de parto,
— o filho recém-nascido de ambos, nascido em batalha, por enquanto sem nome,
— VAL, a irmã mais nova de Dalla, "a princesa selvagem", uma cativa em Castelo Negro,
— {JARL}, o amante de Val, morto numa queda,
— os seus capitães, chefes e assaltantes:
— O SENHOR DOS OSSOS, escarnecido como LORIGÃO DE CHO-CALHO, um assaltante e chefe de um bando de guerra, cativo em Castelo Negro,
— {YGRITTE}, uma jovem esposa de lanças, amante de Jon Snow, morta durante o ataque a Castelo Negro,
— RYK, dito LANÇA-LONGA, membro do seu bando,
— RAGWYLE, LENYL, membros do seu bando,
— TORMUND, Rei-Hidromel de Solar Ruivo, dito TERROR DOS GI-GANTES, ALTO-FALANTE, SOPRADOR DE CHIFRES e QUEBRA-DOR DE GELO, e ainda PUNHO DE TROVÃO, ESPOSO DE URSAS, FALADOR COM OS DEUSES e PAI DE HOSTES,
— os filhos de Tormund, TOREGG, O ALTO, TORWYRD, O MANSO, DORMUND e DRYN, a sua filha MUNDA,
— O CHORÃO, dito O HOMEM QUE CHORA, um notório assaltante e líder de um bando de guerra,
— {HARMA, dita CABEÇA DE CÃO}, morta junto da Muralha,

— HALLECK, seu irmão,

— {STYR}, Magnar de Thenn, morto durante o ataque a Castelo Negro,

— SIGORN, filho de Styr, o novo Magnar de Thenn,

— VARAMYR, dito SEIS-PELES, um troca-peles e *warg*, chamado GRU-MO em rapaz,

— UM-OLHO, MATREIRA, FURTIVO, os seus lobos,

— o seu irmão, {BOSSA}, morto por um cão,

— o seu pai adotivo, {HAGGON}, um *warg* e caçador,

— THISTLE, uma esposa de lanças, dura e rústica,

— {BRIAR, GRISELLA}, troca-peles, há muito mortos,

— BORROQ, dito O JAVALI, um troca-peles, muito temido,

— GERRICK SANGUEDERREI, do sangue de Raymun Barbavermelha,

— as suas três filhas,

— SOREN QUEBRASCUDOS, um afamado guerreiro,

— MORNA MÁSCARA BRANCA, a bruxa guerreira, uma assaltante,

— YGON PAIVELHO, um chefe de clã com dezoito esposas,

— A GRANDE MORSA, líder na Costa Gelada,

— MÃE TOUPEIRA, uma bruxa da floresta, dada às profecias,

— BROGG, GAVIN, O MERCADOR, HARLE, O CAÇADOR, HARLE, O BELO, HOWD VADIO, DOSS CEGO, KYLEG DA ORELHA DE MADEIRA, DEVYN ESFOLAFOCAS, chefes e líderes entre o povo livre,

— {ORELL, dito ORELL, A ÁGUIA}, um troca-peles morto por Jon Snow no Passo dos Guinchos,

— {MAG MAR TUN DOH WEG, dito MAG, O PODEROSO}, um gigante, morto por Donal Noye ao portão de Castelo Negro,

— WUN WEG WUN DAR WUN, dito WUN WUN, um gigante,

— ROWAN, HOLLY, ESQUILA, WILLOW OLHO-DE-BRUXA, FRENYA, MYRTLE, esposas de lanças, cativas na Muralha.

## PARA LÁ DA MURALHA

— na Floresta Assombrada
 — BRANDON STARK, dito BRAN, Príncipe de Winterfell e herdeiro do Norte, um rapaz aleijado com nove anos,
  — os seus companheiros e protetores:
   — MEERA REED, uma donzela de dezasseis anos, filha do Lorde Howland Reed da Atalaia da Água Cinzenta,
   — JOJEN REED, seu irmão, treze anos, amaldiçoado com a visão verde,
   — HODOS, um rapaz simplório, com dois metros e dez de altura,
  — o seu guia, MÃOS-FRIAS, vestido de negro, talvez em tempos um homem da Patrulha da Noite, agora um mistério,

— na Fortaleza de Craster
 — os traidores, em tempos homens da Patrulha da Noite:
  — ADAGA, que assassinou Craster,
  — OLLO MÃO-CORTADA, que matou o Velho Urso, Jeor Mormont,
  — GARTH DE VIAVERDE, MAWNEY, GRUBBS, ALAN DE ROSBY, antigos patrulheiros,
  — KARL PÉ-TORTO, ÓRFÃO OSS, BILL RESMUNGÃO, antigos intendentes,

— nas cavernas sob um monte oco
 — O CORVO DE TRÊS OLHOS, também chamado O ÚLTIMO VIDENTE

VERDE, feiticeiro e caminhante de sonho, em tempos um homem da Patrulha da Noite chamado BRYNDEN, agora mais árvore do que homem,

— os filhos da floresta, aqueles que cantam a canção da terra, os últimos da sua raça moribunda:

    — FOLHA, CINZA, ESCAMAS, FACA PRETA, MADEIXAS DE NEVE, CARVÕES.

# ESSOS
## PARA LÁ DO MAR ESTREITO

## EM BRAVOS

FERREGO ANTARYON, Senhor do Mar de Bravos, enfermiço e débil,
— QARRO VOLENTIN, Primeira Espada de Bravos, seu protector,
— BELLEGERE OTHERYS, dita PÉROLA NEGRA, uma cortesã descendente da rainha pirata homónima,
— A SENHORA VELADA, A RAINHA BACALHAU, A SOMBRA DE LUA, A FILHA DA PENUMBRA, O ROUXINOL, A POETISA, cortesãs famosas,
— O HOMEM AMÁVEL e A CRIANÇA ABANDONADA, servos do Deus de Muitas Caras na Casa do Branco e Negro,
— UMMA, a cozinheira do templo,
— O HOMEM BONITO, O GORDO, O FIDALGO, O DA CARA SEVE-RA, O VESGO e O ESFOMEADO, servos secretos do Deus das Muitas Caras,
— ARYA da Casa Stark, uma noviça ao serviço na Casa do Preto e Branco, também conhecida como ARRY, NAN, DONINHA, POMBINHA, SALGADA e GATA DOS CANAIS,
— BRUSCO, um peixeiro,
— as suas filhas, TALEA e BREA,
— MERALYN, dita DIVERTIDA, proprietária do Porto Feliz, um bordel próximo do Porto do Trapeiro,
— A ESPOSA DO MARINHEIRO, uma prostituta no Porto Feliz,
— LANNA, sua filha, uma jovem prostituta,
— ROGGO VERMELHO, GYLORO DOTHARE, GYLENO DOTHA-

RE, um escriba chamado PENA, COSSOMO, O PRESTIDIGITADOR, fregueses do Porto Feliz,
— TAGGANARO, um carteirista e ladrão das docas,
— CASSO, O REI DAS FOCAS, a sua foca treinada,
— S'VRONE, uma prostituta das docas com inclinações assassinas,
— A FILHA BÊBADA, uma prostituta de temperamento instável,

## NA VELHA VOLANTIS

os triarcas reinantes:
— MALAQUO MAEGYR, Triarca de Volantis, um tigre,
— DONIPHOS PAENYMION, Triarca de Volantis, um elefante,
— NYESSOS VHASSAR, Triarca de Volantis, um elefante,

pessoas de Volantis:
— BENERRO, Alto Sacerdote de R'hllor, o Senhor da Luz,
    — o seu braço direito, MOQORRO, um sacerdote de R'hllor,
— A VIÚVA DA BORDA D'ÁGUA, uma liberta rica da cidade, também chamada
RAMEIRA DE VOGARRO,
    — os seus ferozes protetores, OS FILHOS DA VIÚVA,
— CENTAVA, uma rapariga escrava e saltimbanca,
    — a sua porca, PORCA BONITA,
    — o seu cão, TRINCÃO,
— {TOSTÃO}, irmão de Centava, um saltimbanco anão, assassinado e decapitado,
— ALIOS QHAEDAR, um candidato a triarca,
— PARQUELLO VAELAROS, um candidato a triarca,
— BELICHO STAEGONE, um candidato a triarca,
— GRAZDAN MO ERAZ, um emissário de Yunkai.

## NA BAÍA DOS ESCRAVOS

— em Yunkai, a Cidade Amarela:

— YURKHAZ ZO YUNZAK, Supremo Comandante dos Exércitos e Aliados de Yunkai, um esclavagista e nobre idoso de impecável nascimento,

— YEZZAN ZO QAGGAZ, escarnecido como BALEIA AMARELA, monstruosamente obeso, enfermiço, imensamente rico,

— AMASSECA, o seu capataz escravo,

— DOCES, um escravo hermafrodita, o seu tesouro,

— CICATRIZ, um sargento e soldado escravo,

— MORGO, um soldado escravo,

— MORGHAZ ZO ZHERZYN, um nobre frequentemente com os copos, escarnecido como O CONQUISTADOR BÊBADO,

— GORZHAK ZO ERAZ, um nobre e esclavagista, escarnecido como CARA DE PUDIM,

— FAEZHAR ZO FAEZ, um nobre e esclavagista, conhecido como O COELHO,

— GHAZDOR ZO AHLAQ, um nobre e esclavagista, escarnecido como SENHOR BOCHECHAS DE BALOIÇO,

— PAEZHAR ZO MYRAQ, um nobre de baixa estatura, escarnecido como O POMBINHO,

— CHEZDHAR ZO RHAEZN, MAEZON ZO RHAEZN, GRAZDHAN ZO RHAEZN, nobres e irmãos, escarnecidos como OS SENHORES DOS TINIDOS,

— O QUADRIGUEIRO, O DOMADOR, O HERÓI PERFUMADO, nobres e esclavagistas,

— em Astapor, a Cidade Vermelha:

— CLEON, O GRANDE, dito O REI CARNICEIRO,

— CLEON II, seu sucessor, rei durante oito dias,

— REI ASSASSINO, um barbeiro, cortou a goela a Cleon II para lhe roubar a coroa,

— RAINHA RAMEIRA, concubina do Rei Cleon II, reivindicou o trono após o seu assassínio.

## A RAINHA DO OUTRO LADO DO MAR

DAENERYS TARGARYEN, a Primeira do Seu Nome, Rainha de Meereen, Rainha dos Ândalos, dos Roinares e dos Primeiros Homens, Senhora dos Sete Reinos, Protetora do Território, *Khaleesi* do Grande Mar de Erva, dita DAENERYS, FILHA DA TORMENTA, a NÃO-QUEIMADA, MÃE DOS DRAGÕES,
— os seus dragões, DROGON, VISERION, RHAEGAL,
— o seu irmão, {RHAEGAR}, Príncipe de Pedra do Dragão, morto por Robert Baratheon no Tridente,
    — a filha de Rhaegar, {RHAENYS}, assassinada durante o Saque de Porto Real,
    — o filho de Rhaegar, {AEGON}, um bebé de peito, assassinado durante o Saque de Porto Real,
    — o seu irmão, {VISERYS}, o Terceiro do Seu Nome, dito o REI PEDINTE, coroado com ouro derretido,
    — o senhor seu esposo, {DROGO}, um *khal* dos dothraki, morto de um ferimento gangrenado,
        — filho nado-morto de Daenerys e Khal Drogo, {RHAEGO}, morto no ventre pela *maegi* Mirri Maz Duur,

— os seus protetores:
    — SOR BARRISTAN SELMY, dito BARRISTAN, O OUSADO, em tempos Senhor Comandante da Guarda Real do Rei Robert,
    — os rapazes deste, escudeiros em treino para serem armados cavaleiros:
        — TUMCO LHO, das Ilhas Basilisco,
        — LARRAQ, dito CHICOTADA, de Meereen,

— O OVELHA VERMELHA, um liberto lhazareno,
— os RAPAZES, três irmãos ghiscariotas,
— BELWAS, O FORTE, eunuco e antigo escravo de combate,
— os companheiros de sangue dothraki:
— JHOGO, o chicote, sangue do seu sangue,
— AGGO, o arco, sangue do seu sangue,
— RAKHARO, o *arakh*, sangue do seu sangue,

— os seus capitães e comandantes:
— DAARIO NAHARIS, um excêntrico mercenário tyroshi, ao comando dos Corvos Tormentosos, uma companhia livre,
— BEN PLUMM, dito BEN CASTANHO, um mercenário mestiço, ao comando dos Segundos Filhos, uma companhia livre,
— VERME CINZENTO, um eunuco, ao comando dos Imaculados, uma companhia de infantaria eunuca,
— HERÓI, um capitão Imaculado, segundo comandante,
— ESCUDO VIGOROSO, um lanceiro Imaculado,
— MOLLONO YOS DOB, comandante dos Escudos Vigorosos, uma companhia de libertos,
— SYMON DORSOLISTADO, comandante dos Irmãos Livres, uma companhia de libertos,
— MARSELEN, comandante dos Homens da Mãe, uma companhia de libertos, um eunuco, irmão de Missandei,
— GROLEO de Pentos, anteriormente capitão da grande coca *Saduleon*, agora um almirante sem frota,
— ROMMO, um *jaqqa rhan* dos dothraki,

— a sua corte meerenesa:
— REZNAK MO REZNAK, seu senescal, careca e untuoso,
— SKAHAZ MO KANDAQ, dito O TOLARRAPADA, de cabeça rapada, comandante das Feras de Bronze, a sua patrulha da cidade,

— as suas aias e criados:
— IRRI e JHIQUI, jovens dos dothraki,
— MISSANDEI, uma escriba e tradutora de Naath,
— GRAZDAR, QEZZA, MEZZARA, KEZMYA, AZZAK, BHAKAZ, MIKLAZ, DHAZZAR, DRAQAZ, JHEZANE, crianças das pirâmides de Meereen, seus copeiros e pajens,

— gente de Meereen, bem-nascida e plebeia:
— GALAZZA GALARE, a Graça Verde, alta sacerdotisa no Templo das Graças,

— GRAZDAM ZO GALARE, seu primo, um nobre,

— HIZDAHR ZO LORAQ, um rico nobre meereenês, de antiga linhagem,

— MARGHAZ ZO LORAQ, seu primo,

— RYLONA RHEE, liberta e harpista,

— {HAZZEA}, filha de um agricultor, com quatro anos de idade,

— GOGHOR, O GIGANTE, KHRAZZ, BELAQUO QUEBRA-OSSOS, CA-MARRON DA CONTAGEM, DESTEMIDO ITHOKE, GATO MALHADO, BARSENA CABELOPRETO, PELEDAÇO, combatentes nas arenas e escravos libertos,

— os seus aliados incertos, falsos amigos e conhecidos inimigos:

— SOR JORAH MORMONT, antigo Senhor da Ilha dos Ursos,

— {MIRRI MAZ DUUR}, esposa de deus e *maegi*, criada do Grande Pastor de Lhazar,

— XARO XHOAN DAXOS, um príncipe mercador de Qarth,

— QUAITHE, uma umbromante mascarada de Asshai,

— ILLYRIO MOPATIS, um magíster da Cidade Livre de Pentos, que arranjou o casamento de Daenerys com Khal Drogo,

— CLEON, O GRANDE, rei carniceiro de Astapor,

— os pretendentes da rainha

— na Baía dos Escravos:

— DAARIO NAHARIS, oriundo de Tyrosh, um mercenário e capitão dos Corvos Tormentosos,

— HIZDAHR ZO LORAQ, um rico nobre meereenês,

— SKAHAZ MO KANDAQ, dito O TOLARRAPADA, um nobre de Meereen, de inferior estatuto,

— CLEON, O GRANDE, Rei Carniceiro de Astapor,

— em Volantis:

— PRÍNCIPE QUENTYN MARTELL, filho mais velho de Doran Martell, Senhor de Lançassolar e Príncipe de Dorne,

— os seus protetores ajuramentados e companheiros:

— {SOR CLETUS YRONWOOD}, herdeiro de Paloferro, morto por corsários,

— SOR ARCHIBALD YRONWOOD, primo de Cletus, dito O GRANDALHÃO,

— SOR GERRIS DRINKWATER,

— {SOR WILLAM WELLS}, morto por corsários,

— {MEISTRE KEDRY}, morto por corsários,

— no Roine:

— JOVEM GRIFF, um rapaz de cabelo azul com dezoito anos,

— o seu pai adotivo, GRIFF, um mercenário nos últimos tempos da Companhia Dourada,

— os seus companheiros, professores e protetores:

    — SOR ROLLY CAMPOPATO, dito PATO, um cavaleiro,

    — SEPTÃ LEMORE, uma mulher da Fé,

    — HALDON, dito SEMIMEISTRE, seu tutor,

    — YANDRY, dono e capitão da *Tímida Donzela*,

        — YSILLA, sua esposa,

— no mar:

    — VICTARION GREYJOY, Senhor Capitão da Frota de Ferro, dito O CAPITÃO DE FERRO,

        — a sua aquecedora de cama, uma mulher morena sem língua, presente de Euron Olho de Corvo,

        — o seu curandeiro, MEISTRE KERWIN, proveniente de Escudo-verde, presente de Euron Olho de Corvo,

        — a sua tripulação no *Vitória de Ferro*:

            — WULFE UMA-ORELHA, RAGNOR PYKE, AGUA-LONGA PYKE, TOM TIDEWOOD, BURTON HUMBLE, QUELLON HUMBLE, STEFFAR GAGO

    — os seus capitães:

        — RODRIK SPARR, dito O ARGANAZ, capitão da *Desgosto*,

        — RALF VERMELHO STONEHOUSE, capitão do *Bobo Vermelho*,

        — MANFRYD MERLYN, capitão do *Milhafre*,

        — RALF, O COXO, capitão do *Lorde Quellon*,

        — TOM CODD, dito TOM EXANGUE, capitão do *Lamentação*,

        — DAEGON SHEPHERD, dito PASTOR NEGRO, capitão do *Adaga*,

Os Targaryen são do sangue do dragão, e descendem dos grandes senhores da antiga Cidade Livre de Valíria, identificando-se o seu legado por olhos lilazes, índigo ou violeta e cabelo de um louro prateado. A fim de preservar o seu sangue e mantê-lo puro, a Casa Targaryen casou frequentemente irmão com irmã, primo com prima, tio com sobrinha. O fundador da dinastia, Aegon, o Conquistador, tomou ambas as irmãs como esposas e foi pai de filhos varões com ambas. A bandeira Targaryen é um dragão de três cabeças, vermelho sobre fundo negro, representando as três cabeças Aegon e as irmãs. O lema Targaryen é *Fogo e Sangue*.

## OS MERCENÁRIOS
### HOMENS E MULHERES DAS COMPANHIAS LIVRES

A COMPANHIA DOURADA, dez mil homens, de incerta lealdade:

— HARRY SEM-ABRIGO STRICKLAND, capitão-general,

— WATKYN, seu escudeiro e copeiro,

— {SOR MYLES TOYNE, dito CORAÇÃO NEGRO}, morto há quatro anos, o anterior capitão-general,

— BALAQ PRETO, um ilhéu do verão de cabelo branco, comandante dos arqueiros da companhia,

— LYSONO MAAR, um mercenário oriundo da Cidade Livre de Lys, mestre dos espiões da companhia,

— GORYS EDORYEN, um mercenário oriundo da Cidade Livre de Volantis, tesoureiro da companhia,

— SOR FRANKLYN FLOWERS, o Bastardo de Solar de Cidra, um mercenário oriundo da Campina,

— SOR MARQ MANDRAKE, um exilado fugido da escravatura, marcado pelas bexigas,

— SOR LASWELL PEAKE, um senhor exilado,

— os seus irmãos, TORMAN e PYKEWOOD,

— SOR TRISTAN RIVERS, bastardo, fora-da-lei, exilado,

— CASPOR HILL, HUMFREY STONE, MALO JAYN, DICK COLE, WILL COLE, LORIMAS MUDD, JON LOTHSTON, LYMOND PEASE, SOR BRENDEL BYRNE, DUNCAN STRONG, DENYS STRONG, CORRENTES, JOVEM JON MUDD, sargentos da companhia,

— {SOR AEGOR RIVERS, dito AÇAMARGO}, um filho bastardo do Rei Aegon IV Targaryen, fundador da companhia,

— {MAELYS I BLACKFYRE, dito MAELYS, O MONSTRUOSO}, capitão-general da companhia, pretendente ao Trono de Ferro de Westeros, membro do Bando de Nove, morto durante a Guerra dos Reis dos Nove Vinténs,

OS AVENTADOS, duzentos homens de cavalaria e infantaria, ajuramentados a Yunkai,

— O PRÍNCIPE ESFARRAPADO, um antigo nobre da Cidade Livre de Pentos, capitão e fundador,

— CAGGO, dito MATA-CADÁVERES, seu braço direito,

— DENZO D'HAN, o bardo guerreiro, seu braço esquerdo,

— HUGH HUNGERFORD, sargento, antigo tesoureiro da companhia, multado em três dedos por roubar,

— SOR ORSON STONE, SOR LUCIFER LONG, WILL DOS BOSQUES, DICK STRAW, JACK CENOURA, mercenários oriundos de Westeros,

— LINDA MERIS, a torturadora da companhia,

— LIVROS, um mercenário volanteno e notório leitor,

— FEIJÕES, um besteiro, oriundo de Myr,

— VELHO BILL BONE, um idoso ilhéu do verão,

— MYRIO MYRAKIS, um mercenário oriundo de Pentos,

A COMPANHIA DO GATO, três mil homens, ajuramentados a Yunkai,

— BARBA SANGRENTA, capitão e comandante,

AS LONGAS LANÇAS, oitocentos cavaleiros, ajuramentados a Yunkai,

— GYLO RHEGAN, capitão e comandante,

OS SEGUNDOS FILHOS, quinhentos cavaleiros, ajuramentados à Rainha Daenerys,

— BEN CASTANHO PLUMM, capitão e comandante,

— KASPORIO, dito KASPORIO, O ASTUCIOSO, um espadachim, segundo comandante,

— TYBERO ISTARION, dito TINTEIROS, tesoureiro da companhia,

— MARTELO, um ferreiro e armeiro bêbado,

— o seu aprendiz, chamado PREGO,

— ARREBATO, um sargento maneta,

— KEM, um jovem mercenário oriundo do Fundo das Pulgas,

— BOKKOKO, um machadeiro de formidável reputação,

— UHLAN, um sargento da companhia,

OS CORVOS TORMENTOSOS, quinhentos cavaleiros, ajuramentados à Rainha Daenerys,

— DAARIO NAHARIS, capitão e comandante,
— O ENVIUVADOR, o seu segundo comandante,
— JOKIN, comandante dos arqueiros da companhia.

# COLEÇÃO BANG!

**A MELHOR FANTASIA, FICÇÃO CIENTÍFICA E HORROR**

# REVISTA BANG!

a sua dose diária de fantasia, ficção científica e horror

Já conhece a revista especializada na cultura do fantástico, da literatura ao cinema e BD, não faltando entrevistas, ensaios e ficção? Venha descobrir em:

## www.revistabang.com

Saiba tudo sobre a editora e os nossos livros em:

 www.sde.pt

 Edições-Saída-de-Emergência

 editora.saida.de.emergencia

 @SaidaEmergencia